Tottenham Hotspur UEFA Europa League 트로피 퍼레이드
"드디어 해냈다!" 손흥민이 유로파리그 우승 트로피를 번쩍 들어 올리자,
수만 명의 팬들이 함성을 쏟아냈다. 토트넘 홋스퍼는 빌바오에서 열린
결승전에서 맨체스터 유나이티드를 꺾고 17년 만에 트로피를 들어 올렸다.
〈런던, 2025년 5월 23일〉

UEFA EUROPA LEAGUE

WINNERS

Real Madrid C.F. v Arsenal FC - UEFA Champions League
레알 마드리드의 킬리안 음바페가 UEFA 챔피언스리그
2024-25시즌 8강 2차전 경기에서 헤딩슛을 시도하고 있다.
이날 경기는 산티아고 베르나베우 스타디움에서 열린
레알 마드리드 C.F와 아스널 FC의 맞대결이었다.
〈마드리드, 스페인 – 2025년 4월 16일〉

The Champion
유럽축구 가이드북 ★

브랜드 어워즈 대상!
유럽 축구 팬들을 위한 최고의 가이드

SINCE 2004
《The Champion》의 역사는 곧 유럽 축구의 역사입니다

유럽 축구팀들의 22년에 걸친 기록과 화보는
'유럽 축구의 바이블'로 평가받아
소장 가치가 높은 시리즈입니다.

● 교보문고, 영풍문고 등 전국 서점과 인터넷 서점 (교보문고, Yes24, 알라딘)에서 구매 가능합니다.

|감수·추천의 글| **한준희** (쿠팡플레이 축구해설위원)

월드컵을 앞둔 시즌, 역대급 유럽축구를
「The Champion 2025-2026」과 함께 즐기자

2015년 8월 28일 한 젊은이가 런던에 입성해 10년의 세월 동안 소속팀에 헌신한 후, 2025년 8월 3일 '전설'이 되어 고국에서 마지막 경기를 치렀다. 올여름 우리에겐 불세출의 선수 손흥민이 토트넘과 작별을 고한 사건보다 더 큰 뉴스는 없을 듯싶다. 143년 역사를 지닌 토트넘에서 손흥민은 역대 최다 출전 7위(454경기), 역대 최다 득점 5위(173골)에 올랐고, 프리미어리그에서만 127골 71도움이라는 기록을 남겼다. 프리미어리그 통산 득점과 도움 부문 모두에서 역대 20위 안에 들어 있는 선수는 손흥민을 포함, 단 7명에 불과하다. 물론 손흥민은 프리미어리그 역대 합작 골 1위(47골) 기록도 보유하고 있으며, 2020년에는 70m 장거리 드리블 골로 FIFA 푸스카스상의 영예를 안았고, 2021-22시즌에는 믿을 수 없는 프리미어리그 득점왕 등극에까지 성공했다. 그리고 2025년 5월 21일 마침내 UEFA 유로파리그 우승컵을 거머쥠으로써 클럽과 본인 모두에게 기념비적인 성과물을 획득하고야 말았다. 토트넘 이전 분데스리가 함부르크, 레버쿠젠 시절까지 합하면 손흥민의 유럽 무대 총 득점은 무려 '222골'에 이른다. 과연 아시아 출신의 선수가 이 정도의 업적을 재연할 수 있을까? 손흥민은 향후 모든 아시아 축구선수들이 도전해야 할 '표준'을 수립한 인물임에 틀림이 없다. 그의 새로운 미래에도 행운이 깃들기를 기원한다.

비록 손흥민은 떠났지만 올 시즌 유럽축구는 유례없이 화려하고 강력해질 전망이다. 막강한 자금력을 자랑하는 잉글랜드 프리미어리그 명문들이 너나 할 것 없이 천문학적 지출을 감행해 전력 강화 경쟁에 나선 것이 가장 큰 이유다. 더 강해지고 싶은 리버풀, 우승을 하고 싶은 아스널, 권토중래를 꾀하는 맨체스터 시티, 클럽월드컵에서 정상에 오른 첼시, 여기에 지금 반등하지 않으면 안 되는 절박한 맨체스터 유나이티드까지. 그야말로 2025년 여름 잉글랜드에선 역대급 이적시장이 펼쳐졌다. 손흥민을 보낸 토트넘과 승격 팀 선덜랜드의 행보도 만만치 않다. 잉글랜드 밖에서는 레알 마드리드와 아틀레티코 마드리드가 거액 지출을 감행하며 영광을 꿈꾸고 있고, 선수 영입 숫자와는 상관없이 파리 생제르맹, 바르셀로나, 바이에른 뮌헨은 여전히 강력하다. 이탈리아의 코모가 어떤 시즌을 보낼지도 관심거리가 아닐 수 없다.

특히 올 시즌은 2026 FIFA 월드컵을 앞두고 있는 시즌이기에, 화려한 축구와 첨예한 경쟁에 더하여 월드컵을 바라보는 흥미로운 기상도를 제공할 것이다. 대한민국 대표 가이드북《The Champion 2025-2026》도 월드컵에 대한 세심한 배려를 잊지 않았다. 광범위한 축구팬들을 위해 월드컵 관련 별책『2026 북중미 월드컵』에 많은 공력을 투입한 것이《The Champion 2025-2026》의 커다란 특징이라 하겠다. 물론 월드컵에 그치지 않고,《The Champion》은 언제나 그래왔듯, 이번에도 유럽축구 마니아들의 수준 높은 니즈를 만족시키는 최고의 안내서로 기능할 것이다. 반평생을 통해 유럽축구 관전과 분석에 매진해온 여러 필자들의 내공이《The Champion 2025-2026》에도 100% 녹아 있는 까닭이다. 높은 신뢰도를 담보하는 역사와 전통의 유럽축구 안내서《The Champion 2025-2026》의 발간을 진심으로 축하하며, 다시 한 번 이 땅의 축구 팬들께 이 책을 추천 드리는 바이다.

이적시장 및 한국 선수 가이드 송영주
현) 유튜브 또영주 tv 운영, 유튜브 이스타 tv와 팟캐스트 히든풋볼 패널
전) SKY SPORTS, JTBC, TBS, Xports, SPOTV 축구 해설위원
전) 사커라인 편집팀장, 풋볼위클리 취재부장
베스트일레븐, 아레나, GQ, 네이트, 오늘의 축구 등 다수 기고

ENGLAND PREMIER LEAGUE 이용훈
현) 스태츠퍼폼 옵타 데이터 에디터
전) 골닷컴 편집장
《선수 시리즈 17: 위르겐 클롭》 저
《마르셀로 비엘사: '광인' 비엘사의 리즈 유나이티드 전술 콘셉트》,
《킹 클로프: 리버풀 왕조를 재건한 클로프의 전술 콘셉트》 역저

SPAIN LA LIGA 김영훈
현) MK스포츠 기자, 또영주TV 출연
전) 스포츠투데이 취재부 기자
전) 스포츠경향 해외축구담당기자

GERMANY BUNDESLIGA 김민곤
현) 와이즈토토 축구 분석위원   전) 사커라인 필진
전) 축구커뮤니티 푸투 운영진   전) 풋볼위클리 객원기자
전) 벳인사이드 분석위원   전) 팟캐스트 오프사이드 패널
《유로2008 스카우팅 리포트》, 《08/09 & 10/11 사커라인 유럽축구 가이드북》 공저

ITALY SERIE A 김정용
현) 풋볼리스트 기자
전) 베스트일레븐, 일간스포츠 기자
《스쿼드 : 유럽축구 인명사전 2014/2015》
《2016/2017 EPL BOOK》, 《은골로 캉테》 공저
《프란체스코 토티 : 로마인 이야기》, 《데이비드 베컴》 저자

기타 리그 정보 및 2026 World Cup 특집 김현민
현) 달수네 라이브 출연
현) 사대축황 패널
현) 원투펀치 패널
《골닷컴 칼럼니스트》, 《풋볼위클리 칼럼니스트》,
《우리를 행복하게 하는 축구스타 28인》 저자

감수 한준희
현) 쿠팡플레이 축구해설위원
현) K리그 명예의 전당 헌액자 선정위원
전) KBS, MBC, SPOTV 축구해설위원
전) 대한축구협회 부회장
전) 재단법인 경주한수원 축구단 이사

ENGLAND
PREMIER LEAGUE

2025-2026 시즌 프리뷰 ···44

The 유럽축구 가이드북 ★
Champion

SPAIN
LA LIGA

GERMANY
BUNDESLIGA

ITALY
SERIE A

| **글** | 송영주 김현민 김정용 김민곤 김영훈 이용훈 |
| **감수** | 한준희 |

| **초판 1쇄** | 2025년 9월 30일 |
| **초판 2쇄** | 2026년 1월 16일 |

펴낸이	신난향
편집위원	박영배
펴낸곳	(주)맥스교육(맥스미디어)
출판등록	2011년 8월 17일(제2022-000038호)
주소	경기도 성남시 분당구 운중로 142, 903호 (운중동, 판교메디칼타워)
대표전화	02-589-5133 **팩스** 02-589-5088
홈페이지	www.maxedu.co.kr

기획·편집	배정아 김소연
디자인	박지영 홍은정
경영지원	박윤정
사진	ⓒGetty Images
ISBN	979-11-5571-995-4 (03690)

* 이 책은 2025년 9월 20일까지의 정보를 기준으로 제작되었습니다.

2025 여름 이적 시장
TOP 10

2025년 여름 잉글랜드발 '돈' 폭탄이 유럽을 강타했다. 여름 이적시장이 잉글랜드 프리미어리그의 돈으로 움직인 것이다. 프리미어리그 20개 구단은 총 311명을 영입하는데 약 35억 8,890만 유로(약 5조 8,196억 원)를 소비했다. 이는 한 클럽당 약 1억 380만 유로(약 1,683억 원)를 선수 영입에 지출했다는 사실을 의미한다. 이탈리아 세리에A(약 11억 410만 유로), 독일 분데스리가(약 10억 3,722만 유로), 프랑스 리그1(약 10억 626만 유로), 그리고 스페인 라리가(약 6억 3,710만 유로) 등 타 리그의 순지출을 보면 프리미어리그가 얼마나 많은 돈을 선수 영입에 투자했는지 쉽게 알 수 있다. 하물며 프리미어리그는 2025 여름 이적시장의 모든 기록을 자신들의 이름으로 도배했다. 한 마디로 2025 여름 이적시장은 프리미어리그의 원맨쇼라고 해도 과언이 아니다.

1 알렉산더 이삭
Alexander Isak
- 이적료: 1억 4500만 유로 (약 2,365억 원)
- 소속팀: 뉴캐슬 ▶ 리버풀
- 국 적: 스웨덴

2 플로리안 비르츠
Florian Wirtz
- 이적료: 1억 2,500만 유로 (약 2,024억 원)
- 소속팀: 레버쿠젠 ▶ 리버풀
- 국 적: 독일

3 위고 에키티케
Hugo Ekitiké
- 이적료: 9,500만 유로 (약 1,539억 원)
- 소속팀: 프랑크푸르트 ▶ 리버풀
- 국 적: 프랑스

4 베냐민 세슈코
Benjamin Sesko
- 이적료: 7,650만 유로 (약 1,239억 원)
- 소속팀: 라이프치히 ▶ 맨체스터 유나이티드
- 국 적: 슬로베니아

9
마르틴 수비멘디
Martín Zubimendi
이적료	7,000만 유로 (약 1,133억 원)
소속팀	레알 소시에다드 ▶ 아스날
국 적	스페인

9
루이스 디아스
Luis Díaz
이적료	7,000만 유로 (약 1,133억 원)
소속팀	리버풀 ▶ 바이에른 뮌헨
국 적	콜롬비아

8
마테우스 쿠냐
Matheus Cunha
이적료	7,420만 유로 (약 1,201억 원)
소속팀	울버햄튼 ▶ 맨체스터 유나이티드
국 적	브라질

5
브라이언 음뵈모
Bryan Mbeumo
이적료	7,500만 유로 (약 1,214억 원)
소속팀	브렌트포드 ▶ 맨체스터 유나이티드
국 적	카메룬

5
빅토르 오시멘
Victor Osimhen
이적료	7,500만 유로 (약 1,214억 원)
소속팀	나폴리 ▶ 갈라타사라이
국 적	나이지리아

5
닉 볼테마데
Nick Woltemade
이적료	7500만 유로 (약 1,214억 원)
소속팀	슈투트가르트 ▶ 뉴캐슬
국 적	독일

이적료 순지출 구단 순위

순위	팀명	이적료 순지출(이적-수입)	국가
1	리버풀	4억 8,368만 유로(약 7,866억 원)	잉글랜드
2	첼시	3억 2,816만 유로(약 5,336억 원)	잉글랜드
3	아스널	2억 9,350만 유로(약 4,773억 원)	잉글랜드
4	뉴캐슬	2억 8,885만 유로(약 4,697억 원)	잉글랜드
5	맨체스터 유나이티드	2억 5,070만 유로(약 4,078억 원)	잉글랜드
6	노팅엄 포레스트	2억 3,690만 유로(약 3,853억 원)	잉글랜드
7	토트넘	2억 1,060만 유로(약 3,426억 원)	잉글랜드
8	맨체스터 시티	2억 690만 유로(약 3,375억 원	잉글랜드
9	레버쿠젠	1억 9,815만 유로(약 3,223억 원)	독일
10	선덜랜드	1억 8,790만 유로(약 3,050억 원)	잉글랜드

＊ 유료화 환율 8월 8일 기준

유럽 축구의 무게 중심, 프리미어리그

이적시장의 주인공은 프리미어리그

잉글랜드 프리미어리그는 2000년대 들어 유럽 축구를 주도하고 있다. 프리미어리그는 현재 UEFA 리그 계수에서 타 리그와 큰 격차로 1위를 고수하고 있다. UEFA 리그 계수는 유럽축구연맹(UEFA)이 FIFA 랭킹처럼 최근 5시즌의 유럽대항전 성적을 기반으로 매기는 순위로, 프리미어리그는 최근 5시즌 연속으로 1위를 차지했다. 그만큼 프리미어리그 클럽들이 유럽대항전에서 경쟁력을 보여주고 있다. 그리고 2024년 딜로이트 보고서에 따르면, 프리미어리그는 55억 파운드(약 9조 8,127억 원)로 리그 매출과 시장가치에서 가장 높은 평가를 받았다. 스페인의 라리가(28억 파운드), 독일의 분데스리가(26억 파운드), 이탈리아의 세리에 A(21억 파운드), 프랑스의 리그1(17억 파운드) 등 타 리그와 비교해도 압도적으로 높은 시장가치를 보유하고 있다는 사실을 쉽게 알 수 있다. 어쩌면 이것은 당연한 결과다. 그만큼 투자를 아끼지 않았기 때문이다. 프리미어리그는 2000년대 들어 미국, 중동, 중국, 러시아, 태국 등의 자본을 적극적으로 받아들였고, 투자를 통해 경기력 향상을 꾀했다. 이에 따라 여름마다 선수 영입에 돈을 아끼지 않으며 리그의 경쟁력과 위상을 높였다.

2025년 여름도 예외는 아니었다. 프리미어리그는 총 311명을 영입하는데 약 35억 8,890만 유로(약 5조 8,196억 원)라는 거금을 투자했다. 이는 한 클럽이 평균 약 1억 380만 유로(약 1,683억 원)를 선수 영입에 소비한 셈이다. 실제로 리버풀이 선수 보강에 약 4억 8,290만 유로(약 7,824억 원)를 투자하며 시장을 주도한 가운데, 프리미어리그의 6개 클럽이 2억 유로(약 3,240억 원) 이상을 지출했다. 또한, 무려 15개 클럽이 이적시장에서 1억 유로(약 1,620억 원) 이상을 소비했다. 2025년 여름 이적료 최다 선지출 순위에서 상위 10개 중 9개 클럽이 프리미어리그 구단일 정도. 라리가는 총 271명을 영입하는데 약 6억 3,710만 유로(약 1조 331억 원), 분데스리가가 총 260명을 영입하는데 약 10억 3,722만 유로(약 1조 6,819억 원), 리그1이 총 318명을 영입하는데 약 10억 626만 유로(약 1조 6,320억 원), 그리고 세리에 A가 총 523명을 영입하는데 약 11억 410만 유로(약 1조 7,887억 원)를 소비했다는 사실을 고려할 때, 프리미어리그의 행보가 더 놀랍게 느껴진다.

그래서일까? 이제 스타는 프리미어리그를 향한다는 말이 너무 익숙하다. 프리미어리그가 타 리그의 스타와 유망주를 거금에 영입하는 모습은 낯설지 않다. 오히려 프리미어리그로 스타들이 이동하며 유입된 이적 자금으로 타 리그의 이적시장이 더 활성화되고 있다고 해도 과언이 아니다.

이적시장의 행보를 고려할 때, 프리미어리그 클럽들이 향후 유럽대항전과 이적시장에서 계속해서 주연으로 활약할 가능성이 농후하다.

우승을 원하면 크게 투자해라

잉글랜드 프리미어리그의 우승 경쟁은 그 어느 때보다 치열하다. 우승 후보로 주목받는 리버풀과 아스널, 맨체스터 시티, 첼시 등은 잉글랜드 왕좌를 차지하고자 투자를 아끼지 않았다. '디펜딩 챔피언' 리버풀은 이삭을 영국 역대 최고 이적료인 1억 4,400만 유로(약 2,343억 원)에 영입했을 뿐 아니라 비르츠, 에키티케, 케르케즈, 프림퐁, 우드먼, 레오니 등을 영입하며 기록적인 이적료인 4억 8,368만 유로(약 7,866억 원)를 소비했다. 하지만 리버풀은 여전히 우승을 장담하지 못한다. 아스널은 에제와 요케레스, 수비멘디 등을 비롯한 8명을 영입하는데 2억 9,350만 유로(약 4,773억 원), 맨체스터 시티는 라인더스와 아이트 누리, 셰르키, 돈나룸마 등 7명을 영입하는데 1억 7,690만 유로(약 2,878억 원), 그리고 첼시는 주앙 페드루와 제이미 기튼스, 에스테방 등 10명을 영입하는데 3억 2,816만 유로(약 5,336억 원)를 투자했다. 다시 말해 프리미어리그의 우승 후보들은 완벽을 추구하면서 투자를 아끼지 않았고, 강력한 전력을 구축했다.

일부 팬들은 우승 경쟁만큼이나 토트넘과 맨체스터 유나이티드의 부활에 관심을 두고 있다. 토트넘은 지난 시즌 유로파리그에서 우승했지만, 프리미어리그 17위를 기록하며 자존심에 상처를 입었다. 맨유는 유로파리그 우승에 실패했을 뿐 아니라 프리미어리그 15위에 위치하며 최악의 성적을 냈다. 이들이 절치부심한 것은 당연지사. 토트넘은 토마스 프랭크 감독을 임명, 손흥민이 떠난 자리엔 사비 시몬스를 영입해 전력 약화를 최소화하면서 쿠두스와 콜로 무아니 등 8명을 영입하는데 2억 1,060만 유로(약 3,426억 원)를 소비했다. 반면에 맨유는 저조한 득점력을 해결하고자 세슈코와 음뵈모, 쿠냐 등 믿을 수 있는 스트라이커들을 영입했고, 라멘스 골키퍼를 영입해 최후방을 보강했다. 5명을 영입하는데 무려 2억 5,070만 유로(약 4,078억 원)를 소비한 상황이지만 3선 미드필더를 보강하지 못한 사실이 여전히 아쉽다. 토트넘과 맨유가 여름 이적시장에서 투자한 금액을 고려할 때, 만약 이들이 유럽대항전에 진출하지 못한다면 후폭풍은 예상보다 더 클 수도 있다.

마지막으로 승격팀인 리즈와 번리, 선덜랜드가 잔류를 위해 돈을 아끼지 않았다는 사실도 간과할 수 없다. 리즈는 2022-23시즌 프리미어리그 19위로 강등된 후 챔피언십에서 경쟁력을 보여줬고, 지난 시즌 1위로 승격을 확정했다. 그리고 2025년 여름 스타치와 오카포를 비롯해 총 10명의 선수의 영입에 1억 1,370만(약 1,841억 원)을 소비하며 공수 전력을 보강했다. 번리도 2022-23시즌 프리미어리그 19위로 강등된 후 한 시즌 만에 승격하면서 저력을 입증했다. 1억 2,865만 유로(약 2,083억 원)를 투자해 우고추쿠, 브로야 등 무려 14명을 영입하며 전체적인 전력을 강화했다. 하지만 이들은 선덜랜드에 비하면 돈을 아낀 셈이다. 선덜랜드는 지난 시즌 챔피언십 승격 플레이오프를 통해 간신히 승격했지만, 투자를 아끼지 않으며 전력 상승을 꾀했다. 하비브 디아라와 아딩그라 등 총 15명을 영입하는데 1억 9,815만 유로(약 3,223억 원)를 소비했다. 2017년 여름 강등된 뒤 프리미어리그로 복귀하는 데 시간이 걸린 만큼 다시는 내려가지 않겠다는 의지를 보여준 것이다. 이 외에도 상위권 다툼이 가능한 뉴캐슬과 노팅엄 포레스트도 2억 8,000만 유로 이상을 소비하며 전력을 강화했고 유럽대항전 진출을 위

한 준비를 마쳤다. 여름 동안 돈 잔치를 벌인 만큼 프리미어리그의 각 팀 전력은 상승했고, 모든 팀의 순위 경쟁이 매우 치열하게 전개될 전망이다.

샐러리캡이 라리가의 발목을 잡는가?

스페인 라리가는 다른 리그보다 상대적으로 조용한 이적시장을 보냈다. 라리가의 20개 구단은 총 271명을 영입하는데 약 6억 3,710만 유로(약 1조 331억 원)를 지출했다. 그러나 총 285명을 이적시키며 약 6억 8,152만 유로(약 1조 1,028억 원)의 수익을 올렸다는 사실을 잊어선 안 된다. 순지출을 비교해봐도 프리미어리그를 비롯한 5대 리그 내 최하위에 머무르고 있으며 프랑스 리그1보다도 약 4억 유로 덜 투자했다. 이런 현상의 이유는 라리가 샐러리캡 때문이다. 라리가는 2013년부터 '축구와 관련된 모든 지출'이 샐러리캡을 넘지 말아야 한다는 규정을 두고 있다. 대다수 클럽이 펜데믹으로 재정적인 타격을 받으며 각 구단의 샐러리캡 기준이 꾸준히 낮아졌고, 이를 맞추기 위해 스타 선수들의 이탈과 소극적인 영입이 계속 이어지고 있다. 무려 8개 구단이 이적시장에서 1,000만 유로보다 적은 이적료를 지출했고, 바르셀로나마저 샐러리캡에서 자유롭지 못하다는 사실은 의미하는 바가 크다. 이에 따라 각 팀의 전력과 경기의 질이 떨어지는 것은 명약관화. 라리가와 하비에르 테바스 회장에 대한 클럽들의 불만은 나날이 커지고 있다.

그럼에도 아틀레티코 마드리드와 레알 마드리드의 전력 보강은 눈에 띈다. 아틀레티코 마드리드는 2024년 여름에 1억 8,800만 유로(약 3,044억 원)를 선수 보강에 투자했지만, 무관에 그치며 효과를 보지 못했다. 그리고 2025년 여름 1억 7,600만 유로(약 2,849억 원)을 투자해 총 10명을 영입했고, 공수 전력을 업그레이드시켰다. 문제는 변화가 너무 크다는 사실. 결국 디에고 시메오네 감독이 빠르게 조직력을 극대화할 수 있을지가 관건이다. 반면에 레알 마드리드는 지난 시즌 무관에 그친 안첼로티 감독을 경질하고 사비 알론소 감독을 임명했다. 그리고 지난 시즌 문제로 지적된 수비를 보강하고자 하위선과 알렉산더 아놀드, 카레라스 등을 영입했고, 오른쪽 윙어 마스탄투오노를 영입해 미래를 대비했다. 4명의 선수를 영입하는데 지출한 금액은 총 1억 6,750만 유로(2,712억)로 적지 않은 금액이지만, FIFA 클럽월드컵부터 영입의 효과를 보고 있다. 아틀레티코와 레알 마드리드가 쓴 이적 자금을 고려하면 이들에게 우승 외에는 선택지가 없다.

이외에도 비야레알과 베티스의 전력 보강은 주목해야 한다. UEFA 챔피언스리그 진출권을 획득한 비야레알은 이제 라리가 4위 자리를 굳건히 지킬 계획이다. 여름 동안 미카우타제와 베이가, 몰레이로 등 총 10명을 영입하는데 1억 200만 유로(약 1,651억 원)를 투자했다. 베티스도 라리가 4위를 원하고 있다. 지난 시즌 아쉽게 라리가 6위에 머문 베티스는 마누엘 페예그리니 감독의 지도로 더 높은 곳으로 가길 원하고 있다. 따라서 여름 동안 6,200만 유로(약 1,003억 원)를 투자해 안토니와 데오사, 리켈메 등 9명을 영입하며 전력을 상승시켰다. 한편 '디펜딩 챔피언' 바르셀로나는 라리가 샐러리캡에 의한 선수 등록 문제로 2,750만 유로(약 445억 원)를 투자해 조안 가르시아, 바르다지, 래시포드 세 명만을 영입했고, 아틀레틱 클루브는 '바스크 순혈주의'라는 영입 정책 때문에 1,200만

유로(약 194억 원)를 지출하며 아레소와 로베르토 나바로를 영입했다. 물론, 투자가 결과를 부르는 법이지만 성공을 약속하진 않는다. 모든 팀은 각자의 목표를 위해 나름의 방식으로 선수 영입에 힘쓰며 전력을 상승시켰다. 그래도 여전히 라리가의 이적시장은 아쉬움이 진하게 남는다.

나폴리는 왕조를 만들 계획인가?

이탈리아 세리에 A는 춘추전국시대처럼 절대강자가 없다. 유벤투스가 2019-20시즌 스쿠데토를 차지하며 세리에 A 9연패로 이탈리아 무대를 지배했지만 최근 5시즌 상황은 다르다. 매 시즌 우승 팀이 달라지고 있다. 2020-21시즌 인터, 2021-22시즌 AC 밀란, 2022-23시즌 나폴리, 2023-24시즌 인터, 2024-25시즌 나폴리가 우승했다. 이에 따라 우승을 노리는 클럽들은 이적시장에서 과감히 투자하며 전력을 강화했다. 세리에 A의 20개 구단은 2025년 여름 이적시장에서 약 11억 410만 유로(약 1조 7,887억 원)를 투자해 총 523명을 영입했다. 이는 프리미어리그 다음으로 가장 많은 금액을 선수 영입에 지출한 것이다. 특히, 우승 경쟁을 펼치리라 예상되는 나폴리와 인터, 유벤투스, AC 밀란 등이 이적시장을 주도했다. 4팀이 여름에 소비한 금액은 세리에 A 20개 구단이 선수 영입에 지출한 총액의 약 50%를 차지할 정도다. 그만큼 우승 후보들이 전력 보강에 전력을 다했으므로 세리에 A의 우승 경쟁도 뜨거울 수밖에 없다.

나폴리는 새로운 왕조를 만들 계획이다. 최근 3시즌 중 2시즌 우승을 차지했고, 지난 시즌 우승한 기세를 이어 세리에 A를 오랫동안 지배하길 원하고 있다. 그렇기에 데 브라이너와 호일룬, 뵈케마, 노아 랭 등 10명의 선수를 영입하는데 1억 1,500만 유로(약 1,863억 원)를 투자했고, 착실한 보강으로 가장 강력한 우승 후보라는 평을 듣고 있다. 비록 콘테 감독이 유럽대항전에 약한 모습을 보이지만 나폴리는 스쿠데토는 기본이고 UEFA 챔피언스리그에서도 높은 위치까지 올라가길 원하고 있다. 나폴리의 가장 강력한 경쟁자는

인테르다. 인테르는 지난 시즌 무관에 그쳤지만 UEFA 챔피언스리그 준우승을 차지하며 저력을 입증했다. 이에 더해 이적시장에서 9,270만 유로(약 1,501억 원)를 지출하며 루이스 엔히키와 보니, 아칸지 등 7명의 선수를 영입했다. 다만, 시모네 인자기 감독이 떠나고 키부 감독이 부임했으나 여전히 지도력에 의문이 존재해 감독이 변수가 될 가능성이 농후하다.

유벤투스와 AC 밀란은 명가 재건을 꿈꾸고 있다. 유벤투스는 지난 시즌 투도르 감독이 중도에 부임해 리그 4위를 기록했고 이번 시즌은 우승을 목표로 하고 있다. 이에 오펜다와 조너선 데이비드, 칼루루 등 8명의 선수를 1억 3,730만 유로(약 2,224억 원)에 영입해 전력을 강화했다. 반면에 AC 밀란은 지난 시즌 리그 8위를 기록하며 자존심에 상처를 입었다. 당연히 부활을 위해 알레그리 감독을 임명하면서 투자를 아끼지 않았다. 그 결과, 은쿤쿠와 라비오, 야샤리 등 8명을 영입하는데 1억 6,400만 유로(약 2,656억 원)를 지출하며 세리에 A 최다 이적료를 기록한 구단이 되었다. 이 외에도 다크호스로 평가받는 아탈란타가 1억 2,580만 유로(약 2,038억 원), 도약을 꿈꾸는 피오렌티나가 9,090만 유로(약 1,472억 원), 챔피언스리그 진출을 원하는 AS 로마가 6,360만 유로(약 1,030억 원)를 투자해 전력을 업그레이드시켰다. 한편, 코모는 2024년 세리에 A에 21년 만에 재등장했고 지난 시즌 리그 10위를 기록하며 나름대로 성공을 거뒀다. 2025년 여름에도 인도네시아 자본의 재정적인 지원 속에서 투자를 아끼지 않으며 조용한 돌풍을 일으킬 것으로 기대를 모으고 있다.

레버쿠젠, 바이에른 뮌헨에 도전하다

독일 분데스리가의 여름 이적시장은 그 어느 때보다 분주했다. 분데스리가의 18개 구단은 총 260명을 영입하는데 약 10억 3,722만 유로(약 1조 6,819억 원)를 지출했다. 그리고 총 262명을 이적시키며 약 8억 5,582만 유로(약 1조 3,886억 원)의 수익을 올렸다. 흥미로운 사실은 프리미어리그로 이적한 선수들의 이적료가 천문학적

인 금액이었다는 점이다. 리버풀로 이적한 비르츠와 에키티케는 각각 1억 2,500만 유로(약 2024억 원)와 9,500만 유로(약 1539억 원), 뉴캐슬로 떠난 볼테마데는 8,500만 유로(약 1382억 원), 맨유로 둥지를 옮긴 세슈코는 7,650만 유로(약 1239억 원)의 이적료를 기록했다. 프리미어리그의 자금이 분데스리가로 흘러들어왔고, 거금을 손에 쥔 분데스리가 구단들은 다시 이적시장에 투자했다. 다시 말해 돈이 순환하면서 이적시장이 활발히 전개된 것이다. 특히, 레버쿠젠, 라이프치히, 도르트문트, 바이에른 뮌헨, 프랑크푸르트 등은 이적시장에서 5,000만 유로 이상을 소비하며 전력을 대폭 보강했다.

가장 강력한 우승 후보는 '디펜딩 챔피언'인 바이에른 뮌헨이다. 바이에른 뮌헨은 지난 시즌 다시 분데스리가를 정복하면서 최근 14시즌 중 13시즌 동안 독일 왕좌를 차지했다. 에이스인 무시알라의 부상에도 불구하고 이적시장에서 소극적인 모습을 보였다는 평도 존재하지만, 8,880만 유로(약 1,440억 원)를 지출하며 학수고대하던 루이스 디아스와 잭슨, 요나탄 타 등을 영입하는 데 성공했다. 바이에른 뮌헨의 대항마는 레버쿠젠과 도르트문트이다. 레버쿠젠은 이번 여름 분데스리가에서 최다 이적료를 지출한 클럽으로 1억 9,815만 유로(약 3,215억 원)를 선수 영입에 투자했다. 그러나 사비 알론소 감독이 레알 마드리드로 떠나고 비르츠를 비롯한 중심 선수들이 이적하면서 전체적인 팀 개편에 들어간 상황이라 과도기 과정을 거칠 가능성이 크다. 도르트문트는 주드 벨링엄의 동생 조브 벨링엄과 파비우 실바, 얀 쿠토 등 7명 영입에 9,970만 유로(약 1,617억 원)를 소비하며 전력을 강화하는 데 성공했다. 니코 코바치 감독이 조직력을 높인다면 우승에 도전할 준비를 마친 셈이다. 라이프치히도 하더와 베르메이런, 카르도주 등 8명을 영입하는데 1억 3,600만 유로(약 2,206억 원)를 투자했으므로 주목할 필요가 있다. 한편, 분데스리가는 한국 선수들의 활약을 보는 재미도 상당하다. 마인츠의 이재성, 뮌헨글라트바흐의 옌스 카스트로프, 우니온 베를린의 정우영 등이 분데스리가에서 경쟁력을 보여줄 것으로 기대를 모으고 있다.

PSG를 압박하는 경쟁자들의 등장

프랑스 리그앙은 PSG의 세상이다. PSG는 지난 시즌 리그1 우승을 차지하면서 최근 13시즌 중 11시즌 우승했고, 최근 4시즌 우승을 달성했다. 또한, 지난 시즌 리그1과 쿠프 드 프랑스, UEFA 챔피언스리그에서 승리하며 프랑스 클럽 역사상 처음으로 트레블을 달성했다. 당연히 이번 시즌에도 강력한 우승 후보임이 분명하다. PSG는 2025년 여름 기존 전력을 유지하는 데 집중하면서 1억 300만 유로(약 1,672억 원)을 투자해 자브라니와 슈발리에를 영입했다. 수비를 보강해 안정감을 더 높인 것이다. 하지만 경쟁자들의 도전이 만만치 않다. 리그1의 20개 구단은 총 318명을 영입하는데 약 10억 626만 유로(약 1조 6,320억 원)를 소비했고, 이것은 PSG 외에 다른 클럽들의 투자도 많았다는 사실을 의미한다. 특히, 마르세유와 파리 FC는 주목해야 한다. PSG와 라이벌 관계인 마르세유는 9,620만 유로(약 1,561억 원)를 투자해 15명을 영입했고, PSG와 전력 차를 최대한 좁히고자 노력했다. 반면에 파리 FC는 PSG와 지역 라이벌로, 리그1으로 승격해 PSG와 47년 만에 파리 더비를 치른다. 아르노 가문이 인수하면서 재정적인 지원도 막강해졌다. 여름 동안 5,730만 유로(약 930억 원)를 지출해 전력을 보강하며, PSG로서도 우승을 단언할 수 없게 되었다. 한편, 이강인이 수많은 이적설에도 PSG에 잔류했고, 홍현석과 권혁규가 낭트로 이적하며 리그1에서도 한국 선수들의 대결을 볼 수 있게 됐다.

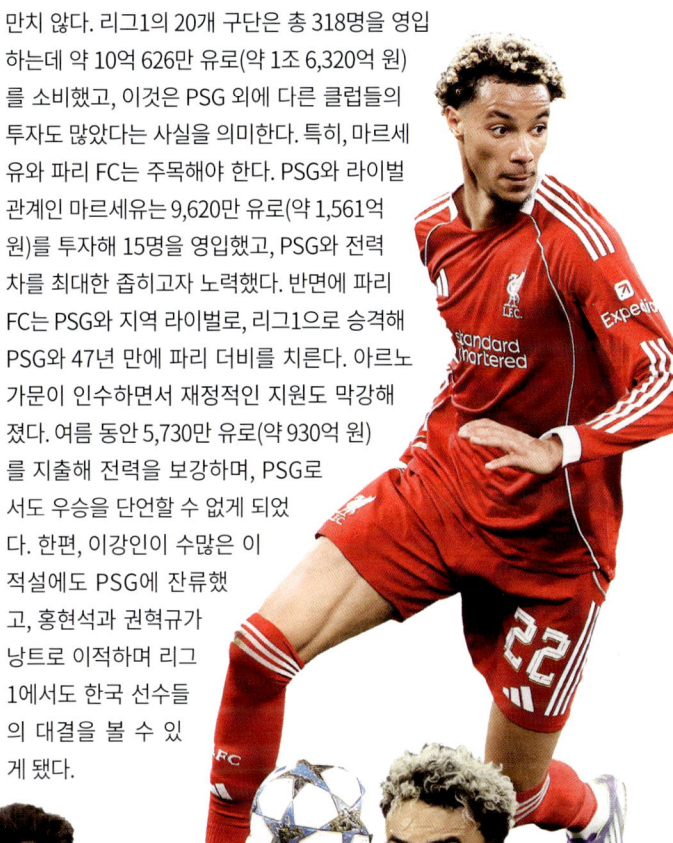

누가 넥스트 손흥민일까?
32 유로파 코리안 리거들

손흥민이 2025년 8월 잉글랜드를 떠나 미국에 정착했다. 손흥민은 2010년 함부르크에서 데뷔한 이후, 레버쿠젠, 토트넘을 거치며 유럽 정상에서 활약했다. 특히, 토트넘에선 무려 10년이나 활약했고, 무관의 악몽에서 벗어나 UEFA 유로파리그 우승을 차지하기도 했다. 따라서 손흥민의 이적은 한 시대가 막을 내림을 의미한다. 차범근에서 박지성, 그리고 손흥민으로 이어졌듯 또 다른 누군가가 등장할 것이 분명하다. 물론, 후보들은 많다. 트레블을 경험한 PSG의 이강인, 분데스리가의 김민재, 프리미어리그 울버햄튼의 황희찬, 마인츠의 중심이 된 이재성 등 한국 선수들은 유럽에서 팀과 상관없이 자신의 자리에서 최선을 다하고 있다. 그렇다면 손흥민 다음으로 누가 코리안 유럽리거의 간판이 될까? 이제 새로운 영웅이 등장할 시간이다.

🏴 ENGLAND

황희찬 *Hwang Hee-Chan*
생년월일	1996.01.26.
소 속 팀	울버햄튼 원더러스 FC
포 지 션	공격수

박승수 *Park Seung-soo*
생년월일	2007.03.17
소 속 팀	뉴캐슬 유나이티드 FC
포 지 션	공격수

배준호 *Bae Jun-Ho*
생년월일	2003.08.21
소 속 팀	스토크 시티 FC
포 지 션	미드필더

백승호 *Paik Seung-ho*
생년월일	1997.03.17
소 속 팀	버밍엄 시티 FC
포 지 션	미드필더

양민혁 *Yang Min-hyeok*
생년월일	2006.04.16
소 속 팀	포츠머스 FC
포 지 션	공격수

엄지성 *Eom Ji-sung*
생년월일	2002.05.09
소 속 팀	스완지 시티 AFC
포 지 션	공격수

🇪🇸 SPAIN

김민수 *Kim Min-Su*
생년월일	2006.01.19
소 속 팀	FC 안도라
포 지 션	공격수

🇧🇪 BELGIUM

오현규 *Oh Hyeon-Gyu*
생년월일	2001.04.12
소 속 팀	KRC 헹크
포 지 션	공격수

🇷🇸 SERBIA

설영우 *Seol Young-Woo*
생년월일	1998.12.05
소 속 팀	FK 츠르베나 즈베즈다
포 지 션	수비수

🏴󠁧󠁢󠁳󠁣󠁴󠁿 SCOTLAND

양현준 *Yang Hyun-Jun*
생년월일	2002.05.25
소 속 팀	셀틱 FC
포 지 션	공격수

🇫🇷 FRANCE

이강인 *Lee Kangin*
생년월일	2001.02.19
소 속 팀	파리 생제르맹 FC
포 지 션	미드필더

홍현석 *Hong Hyun-Seok*
생년월일	1999.06.16
소 속 팀	FC 낭트
포 지 션	미드필더

권혁규 *Kwon Hyeok-Kyu*
생년월일	2001.03.13
소 속 팀	FC 낭트
포 지 션	미드필더

🇵🇹 PORTUGAL

이현주 *Lee Hyun-ju*
생년월일	2003.02.07
소 속 팀	FC 아로카
포 지 션	수비수

김용학 *Kim Yong-hak*
생년월일	2003.05.20
소 속 팀	포르티모넨스 SC
포 지 션	미드필더

🇦🇹 AUSTRIA

이강희 *Lee Kang-hee*
생년월일	2001.08.24
소 속 팀	FK 아우스트리아 빈
포 지 션	미드필더

이태석 *Lee Tae-seok*
생년월일	2002.07.28
소 속 팀	FK 아우스트리아 빈
포 지 션	수비수

🇩🇰 DANMARK

조규성 *Cho Gue-sung*
생년월일	1998.01.25
소 속 팀	FC 미트윌란
포 지 션	공격수

이한범 *Lee Han-Beom*
생년월일	2002.06.17
소 속 팀	FC 미트윌란
포 지 션	수비수

🇹🇷 TURKIYE

조진호 *Jo Jin-ho*
생년월일	2003.07.10
소 속 팀	콘야스포르
포 지 션	미드필더

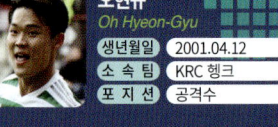

POLAND

고영준
Goh Young-Jun
- 생년월일 2001.07.09
- 소 속 팀 구르니크 자브제
- 포 지 션 공격수

SWITZERLAND

이영준
Lee Young-joon
- 생년월일 2003.05.23
- 소 속 팀 그라스호퍼 클럽 취리히
- 포 지 션 공격수

NETHERLANDS

황인범
Hwang In-Beom
- 생년월일 1996.09.20
- 소 속 팀 페예노르트 로테르담
- 포 지 션 미드필더

윤도영
Yoon Do-young
- 생년월일 2006.10.28
- 소 속 팀 엑셀시오르 로테르담
- 포 지 션 미드필더

배승균
Bae Seung-gyun
- 생년월일 2007.04.22
- 소 속 팀 FC 도르드레흐트
- 포 지 션 미드필더

CZECH

김승빈
Kim Seung-bin
- 생년월일 2000.12.28
- 소 속 팀 FC 슬로바츠코
- 포 지 션 미드필더

GERMANY

김민재
Kim Min-Jae
- 생년월일 1996.11.15
- 소 속 팀 FC 바이에른 뮌헨
- 포 지 션 수비수

이재성
Lee Jae-Sung
- 생년월일 1992.08.10
- 소 속 팀 FSV 마인츠
- 포 지 션 미드필더

옌스 카스트로프
Jens Castrop
- 생년월일 2003.07.29
- 소 속 팀 보루시아 묀헨글라트바흐
- 포 지 션 미드필더

정우영
Jeong Woo-Young
- 생년월일 1992.08.10
- 소 속 팀 FSV 마인츠
- 포 지 션 미드필더

김지수
Kim Ji-Soo
- 생년월일 2004.12.24
- 소 속 팀 1. FC 카이저슬라우테른수
- 포 지 션 수비수

2025년 여름 축구팬의 시선은 이적시장에 집중됐다. 많은 이적설이 터지면서 코리안 유럽리거들의 대이동이 예상됐기 때문. 무엇보다 손흥민의 행보에 이목이 쏠린 것은 부인할 수 없다. 손흥민은 토트넘에 2024-25시즌 UEFA 유로파리그 우승을 선사하면서 레전드 반열에 올랐다. 토트넘은 주장 손흥민 밑에서 17년 만에 메이저 대회 우승이자 41년 만에 유럽 대항전 우승을 달성했고, 손흥민은 자신의 선수 경력에서 유일하게 클럽 우승을 기록했다. 하지만 33세의 손흥민은 여름 내내 이적설의 중심에 있었다. 2025년 8월 로스앤젤레스 FC로 이적을 단행했다. 손흥민은 2010년 18세의 나이로 함부르크에서 분데스리가에 데뷔한 이후, 레버쿠젠과 토트넘 등 유럽에서 놀라운 활약과 엄청난 득점력을 보여줬다. 특히, 무려 10년 동안 토트넘에서 공식 454경기에 출전해 173골 98도움을 기록했다. 토트넘 구단 통산 득점 5위이자 도움 1위, 프리미어리그 득점왕 1회(2021-22시즌 23골), 8시즌 연속 리그 두 자릿수 골 기록 등 그가 걸어온 길은 역사가 되었다.

손흥민이 미국으로 떠나면서 당연히 '넥스트 손흥민'에 대한 관심이 높아졌다. 우선 언급할 선수는 2024-25시즌 파리 생제르맹에서 트레블을 달성한 이강인이다. 공격적인 재능과 천재성은 코리안 유럽리거 중 가장 돋보인다. 하물며 이강인은 PSG에서 지난 2시즌 동안 85경기에서 12골 11도움을 기록, 높은 팀 기여도를 보여줬다. 그러나 이강인은 팀 내 치열한 경쟁으로 주전으로 도약지 못한 상태. 하물며 여름 내내 이적설로 고생했다. 아스널, 뉴캐슬, 크리스탈 팰리스, 노팅엄 포레스트 등 많은 클럽이 그에게 관심을 표현했고, 이 중 몇몇 클럽은 실제로 5,000만 유로가 넘는 이적료를 제안하기도 했다. 하지만 PSG가 사실상 '이적 불가'를 고수하면서 이강인은 PSG에서 주전 경쟁을 피할 수 없게 됐다.

김민재에 대한 시선도 크게 다르지 않다. 김민재는 나폴리와 바이에른 뮌헨에서의 활약으로 이미 유럽을 대표하는 센터백이라는 평을 듣는다. 그러나 지난 시즌 아킬레스건 부상에도 출전하면서 팀에 헌신했지만, 중요 경기에서 실수를 범해 비판을 피할 수 없었다. 여기에 독일 언론들의 신랄한 비판과 일부 수뇌부의 이적 추구, 요나탄 타의 영입 등으로 주전 경쟁을 해야 하는 처지이다. 황희찬도 마찬가지. 황희찬은 손흥민이 뛰었던 프리미어리그에서 활약하고 있어 높은 관심을 받지만, 현실은 냉혹하다. 2024-25시즌 부상과 부진으로 공식 25경기에서 2골 1도움을 기록해 벤치로 밀려났고, 2025년 여름 동안 이적설에 휘말렸다. 크리스탈 팰리스와 버밍엄 시티, 마르세유 등과 연결됐지만 결국 잔류를 선택해 주전 경쟁에 돌입했다.

팀 내 입지가 누구보다 단단한 선수는 이재성이다. 물론, 배준호와 백승호, 황인범도 팬들의 사랑과 신뢰를 받고 있다. 배준호는 '스토크 시티의 왕'이고 백승호는 '버밍엄 시티의 엔진', 황인범은 '페예노르트의 두뇌'로 뛰어난 활약을 펼쳐 팀 내 입지가 단단하다. 그러나 이들은 잉글랜드 2부 리그인 챔피언십이나 네덜란드 에레디비지에서 활약하고 있다. 반면에 이재성은 빅 리그인 독일 분데스리가에서 실력을 유감없이 펼치고 있다. 지난 시즌 리그에서 7골 6도움을 기록하며 '마인츠의 에이스'다운 활약을 펼쳤다. 이재성이 화려한 플레이를 즐기는 편은 아니지만 성실하고 효과적인 플레이로 결과를 도출한다는 측면에서 가장 주목할 코리안 유럽리거일 지도 모른다. 이외에도 이적설이 터졌지만 잔류한 헹크의 오현규, 츠르베나 즈베즈다의 설영우, 셀틱의 양현준 등도 주목해야 한다. 또한, 이적을 통해 새로운 도전을 선택한 낭트의 홍현석과 권혁규, 뉴캐슬의 박승수, 포츠머스의 양민혁, 묀헨글라트바흐의 옌스 카스트로프, 카이저슬라우테른의 김지수, 안도라의 김민수 등도 시선을 사로잡는다. 특히, 18세의 박승수는 뉴캐슬로 이적 후, 프리 시즌 활약으로 에디 하우 감독에게 깊은 인상을 남겨 프리미어리그 데뷔를 앞두고 있다. 과연 누가 '넥스트 손흥민'이란 칭호를 얻을까? 역시 후보는 많고 답을 단정할 수는 없다.

로스앤젤레스 FC
Los Angeles FC

TEAM PROFILE

창 립	2014년
회 장	피터 거버(미국)
감 독	스티븐 체룬돌로(미국)
연 고 지	미국 캘리포니아주 로스엔젤레스
홈 구 장	BMO 스타디움(2만 2,000명)
라 이 벌	로스앤젤레스 갤럭시
홈페이지	https://www.lafc.com/

최근 5시즌 성적

시즌	순위	승점
2020-2021	9위	45점(12승9무13패, 53득점 51실점)
2021-2022	1위	67점(21승4무9패, 66득점 387실점)
2022-2023	3위	52점(14승10무10패, 54득점 39실점)
2023-2024	1위	64점(19승7무8패, 63득점 43실점)
2024-2025	5위	44점(12승8무7패, 49득점 35실점)

시즌 프리뷰 손흥민 영입한 야심찬 행보, MLS컵 우승으로 향할까?

LA FC는 지난 정규 시즌 서부지구 1위를 차지했으나, MLS 통합 성적에선 동부지구의 인터 마이애미와 콜럼버스 크루에게 밀리면서 3위에 그쳤다. 이어진 플레이오프에선 시애틀 선더스와의 서부지구 준결승전에서 연장 접전 끝에 1-2로 패하며 MLS컵 우승에도 실패했다. 설상가상으로 리그컵에서도 콜럼버스와의 결승전에서 1-3으로 패하며 준우승에 만족해야 했던 LA FC였다. 그나마 위안거리라면 미국의 FA컵인 US 오픈컵 결승전에서 캔사스시티 상대로 연장 접전 끝에 3-1로 승리하며 우승 트로피를 추가하는 데 성공한 것이다. 이는 LA FC가 리그에 처음 참가하기 시작한 2017년 이래로 역대 4번째 우승 트로피였다. LA FC는 MLS 역대 최고 이적료를 들여 손흥민을 영입하며 MLS컵 우승에 도전장을 내밀었다.

TEAM RATINGS

슈팅 6
패스 5
조직력 4
수비력 5
감독 4
선수층 4

28

TEAM FORMATION

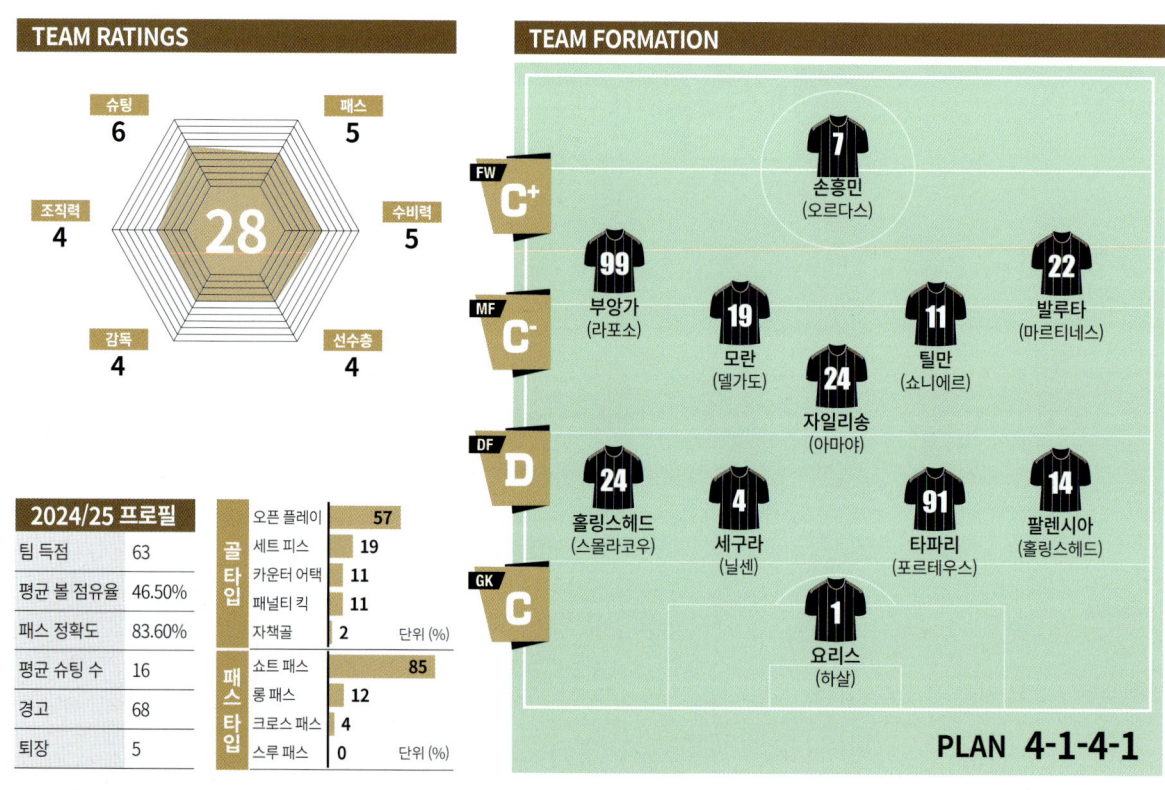

FW C+

7 손흥민 (오르다스)

MF C-

99 부앙가 (라포소)
19 모란 (델가도)
24 자일리송 (아마야)
11 틸만 (쇼니에르)
22 발루타 (마르티네스)

DF D

24 홀링스헤드 (스몰라코우)
4 세구라 (닐센)
91 타파리 (포르테우스)
14 팔렌시아 (홀링스헤드)

GK C

1 요리스 (하살)

PLAN **4-1-4-1**

2024/25 프로필

팀 득점	63
평균 볼 점유율	46.50%
패스 정확도	83.60%
평균 슈팅 수	16
경고	68
퇴장	5

골 타입

오픈 플레이	57
세트 피스	19
카운터 어택	11
패널티 킥	11
자책골	2

단위 (%)

패스 타입

쇼트 패스	85
롱 패스	12
크로스 패스	4
스루 패스	0

단위 (%)

지역 점유율

공격 진영	28%
중앙	43%
수비 진영	30%

공격 방향

36% 왼쪽
27% 중앙
37% 오른쪽

슈팅 지역

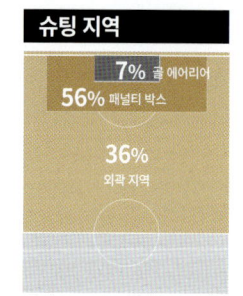

7% 골 에어리어
56% 패널티 박스
36% 외곽 지역

IN & OUT

주요 영입	주요 방출
손흥민, 라이언 포르테우스, 알렉산드루 발루타, 앤드류 모란(임대), 마티우 쇼니에르(임대)	올리비에 지루, 젱기즈 윈데르(임대복귀), 마를론(임대복귀), 자바이로 딜로선(임대복귀),막심 차노트(은퇴)

COACH

스티븐 체룬돌로 *Steven Cherundolo*
1979년 2월 19일생 미국

미국 태생으로 19살에 하노버로 이적해 무려 16시즌 동안 하노버 원클럽맨으로 활약했던 전설적인 오른쪽 측면 수비수. 특히 손흥민이 선수생활 초창기였던 함부르크 시절, 측면 돌파에 뚫리면서 실점을 허용한 경험이 있다. 이제 감독과 선수로 재회한 체룬돌로는 당시를 회상하며 "골키퍼와 센터백 잘못이다"라고 농담을 하기도 했다. 선수 은퇴 후 하노버와 슈투트가르트에서 코치 직을 수행하던 그는 2022년 1월부터 LA FC 감독 직에 올랐고, 데뷔 시즌부터 정규 시즌 우승(서포터스 실드)과 플레이오프 우승(MLS컵)에 더해 지난 시즌 US 오픈컵 우승까지 차지하며 팀의 전성기를 이끌었다. 이번 시즌을 끝으로 그는 LA FC를 떠난다.

드디어 우승한
손흥민

새로운 도전을
선택하다

2025년 여름 손흥민 이적에 대한 수많은 루머가 뉴스를 지배했다. 결론은 토트넘에 남느냐? 아니면 떠나느냐? 손흥민은 2015년 8월 3,000만 유로의 이적료에 레버쿠젠에서 토트넘으로 이적했다. 그리고 2차례 재계약을 하면서 무려 10년 동안 토트넘에서 공식 454 경기에 출전해 173골 98도움을 기록, 자타공인 '토트넘의 레전드'가 되었다. 손흥민은 2021-22시즌 잉글랜드 프리미어리그에서 23골을 넣으며 아시아 선수로는 최초로 프리미어리그 득점왕에 등극했다. 그리고 2024-25시즌 토트넘을 이끌고 UEFA 유로파리그에서 우승하며 토트넘에 17년 만에 메이저 대회 우승이자 41년 만에 유럽대항전 우승을 선사했다. 따라서 모두가 손흥민이 어떤 선택을 할지에 집중했다.

결국, 손흥민은 2025년 8월 2일 토트넘이 뉴캐슬과의 평가전을 앞두고 펼쳐진 기자 회견에서 "토트넘과 작별할 시간이 왔다"고 인정했다. 이어서 펼쳐진 뉴캐슬과의 평가전에서 손흥민은 뜨거운 눈물을 흘렸고, 그의 동료들과 뉴캐슬 선수들은 그에 대한 존경심을 숨기지 않았다. 그리고 8월 6일 로스앤젤레스 FC는 약 2,600만 달러의 이적료에 손흥민의 영입했다고 공식적으로 발표했다. 이것이 적지 않은 나이와 2026 북중미월드컵을 고려한 손흥민의 선택이었다. 손흥민은 이제 메이저리그 사커(MLS)에서 활약한다.그는 끝이 아니라 새로운 시작을 선택한 것이다.

SON: 스피드·득점·전술의 아이콘

손흥민은 자타공인 월드클래스 공격수다. 손흥민이란 이름은 폭발적인 스피드와 과감한 드리블, 깔끔한 마무리 등을 연상시킨다. 그만큼 손흥민은 최대 순간 속력 35.3km/h에 달하는 스피드와 폭풍 같은 드리블을 이용해 상대 수비를 파괴하는 모습을 자주 연출했다. 특히, 2019년 12월 번리전에서 70m를 단독 질주하며 수비수들을 제치고 골을 넣는 장면은 여전히 축구팬들의 뇌리에 각인되어 있다. 이 골은 프리미어리그 사무국에 의해 '2019-20시즌의 골'로 선정됐고, 손흥민에게 '푸스카스상'을 선사하기도 했다. 그리고 손흥민은 양발을 이용한 슈팅이 정확하고 강력해 파괴력을 보여준다. 함부르크에서 3시즌 동안 20골을, 레버쿠젠에서 2시즌 동안 29골을, 그리고 토트넘에서 10시즌 동안 173골을 넣었다. 한 시즌 공식 경기에서 두 자릿수 골을 넣지 못한 것은 15시즌 중 3시즌에 불과하다. 함부르크에서 프로로 데뷔한 시즌부터 2시즌 동안 각각 3골, 5골을 넣었고, 2015-16시즌 토트넘 데뷔 시즌에 8골을 기록했다. 그러나 그 외의 시즌엔 항상 두 자릿수 골을 넣으며 기대를 충족시켰다. 하물며 한 시즌에서 20골 이상 넣은 시즌도 4시즌이나 된다.

또한, 손흥민은 주로 왼쪽 윙포워드로 활약하지만 공격의 모든 포지션을 소화할 정도로 전술적 활용가치가 높다. 함부르크에서 오른쪽 윙포워드, 레버쿠젠에서 왼쪽 윙포워드, 토트넘에서 왼쪽 윙포워드와 최전방 스트라이커, 한국 대표팀에서 왼쪽 윙포워드, 최전방 스트라이커, 세컨 스트라이커 등 팀의 요구에 따라 다양한 포지션에서 활약했다. 이는 손흥민이 전술 이해력과 소화력이 뛰어나고, 솔로 플레이뿐 아니라 동료들과 연계 플레이가 훌륭하며, 온 더 볼뿐 아니라 오프 더 볼에서도 위력을 발휘하기 때문이다. 물론, 손흥민의 나이를 고려할 때, 과거보다 부상이 잦을 위험이 존재하고, 과거만큼의 스피드와 결정력을 보여주지 못할 가능성도 존재한다. 하지만 손흥민은 손흥민이다.

SON: FROM STAR TO LEGEND

2024-25시즌 UEFA 유로파리그 결승전에서 토트넘이 맨체스터 유나이티드에게 1-0으로 승리하는 순간 손흥민은 "나는 레전드가 맞다"라고 자신이 살아있는 전설임을 인정했다. 손흥민 스스로가 이전까지 자신을 레전드나 월드클래스라고 인정한 적은 없다. 오히려 자신에게 냉정한 태도를 유지했다. 그러나 손흥민에게 '월드클래스'라는 칭호는 낯설지 않다. 그를 지도한 감독들과 그와 함께 뛴 동료들, 그리고 그를 상대한 선수들 모두가 손흥민이 얼마나 위대한 선수인지, 왜 월드클래스 공격수인지를 침을 튀며 설명하곤 했다. 특히, 주제 무리뉴 감독이 "나는 선수들 간 비교를 하지 않는다. 손흥민은 월드클래스 선수이다. 그것이 전부다."라고 말한 사실은 유명하다. 이는 지극히 당연한 반응이다. 손흥민은 2021-22시즌 리그 23골로 프리미어리그 득점왕을 차지했을 뿐 아니라 2016-17시즌부터 8시즌 연속으로 프리미어리그 두 자릿수 골을 넣은 공격수이다. 그리고 토트넘을 2018-19시즌 UEFA 챔피언스리그 결승전과 2020-21시즌 EFL 결승전으로 인도한 후, 손흥민은 "래전드라면 우승해야 한다"라고 강조했다. 토트넘이 계속 우승에 실패함에 따라 그에게 부족한 2%는 바로 우승 트로피였다. 결국 손흥민은 2024-25시즌 토트넘에서 유로파리그 우승에 성공했고, 자타공인 레전드 반열에 올라섰다. 이제 더 이상 그 누구도 손흥민이 레전드이자 월드클래스 공격수라는 사실을 의심하지 않는다. 함부르크와 레버쿠젠, 토트넘에서 보여준 모습은 한 명의 어린 선수가 세계 정상의 선수로 성장하는 과정이었고, 토트넘이 유로파리그 우승하는 모습은 그 과정이 마침표를 찍는 순간이었다. 그리고 손흥민은 박수칠 때 토트넘을 떠나 LA FC로 이적했다.

SON: LAFC 주전 경쟁의 승자

손흥민은 LA FC에 빠르게 적응하며 주전으로 활약하고 있다. 손흥민은 6일 공식적으로 LA FC에 입단했고, 10일 시카고 파이어와의 경기에 출전했다. 손흥민은 비자가 발급되자마자 4시간 거리의 원정길에 동행했을 정도로 의욕적인 모습을 보여줬다. 그리고 첫 경기인 시카고 파이어전은 교체로 출전했지만 두 번째 경기인 뉴잉글랜드전부터는 선발로 출전하기 시작했다. 그리고 세 번째 경기인 댈러스전에서 환상적인 프리킥 골로 마수걸이 골을 작렬시켰다. 이적 초반 동료들과 발을 맞출 시간이 부족했음에도 특유의 다재다능함과 이타적 플레이, 노련한 연계 플레이 등을 바탕으로 빠르게 주전으로 도약했고 팀의 중심으로 자리매김한 것이다. 물론, 손흥민도 주전 경쟁을 해야 한다. 무엇보다 LA FC의 왼쪽 측면은 팀의 에이스인 데니스 부앙가가 위치하고 있다. 부앙가는 가나 국가대표 출신으로 2022년 생테티엔에서 LA FC로 이적한 후, 공수에서 위력을 발휘하며 공격의 선봉장 역할을 수행했다. 2023시즌 공식 36경기에서 25골 7도움을, 2024시즌 공식 36경기에서 21골 10도움을 기록했고, 2025시즌에도 에이스로 활약 중이다. 그러나 스티븐 체룬돌로 감독은 손흥민과 부앙가의 경쟁보다는 공존을 선택했다. 기존의 4-3-3 포메이션을 유지하면서 손흥민을 왼쪽과 중앙에 활용하고 있는 것이다. 이에 따라 부앙가가 왼쪽 윙포워드로, 손흥민이 최전방 스트라이커로 기용되는 경기가 많아졌다. 또한, 최전방 스트라이커와 오른쪽 윙포워드를 모두 소화하는 다나 오르다스를 오른쪽 측면에 배치해 전체적인 공격의 밸런스를 맞추고 있다. 이 외에도 제레미 에보비세, 야우 예보아, 데이비드 마르티네스 등이 호시탐탐 주전 자리를 노리고 있다. 그럼에도 손흥민은 등장과 함께 주전으로 도약했고, 흔들리지 않은 입지를 보여주고 있다.

SON: 기록으로 증명되는 레전드

AMBITION

손흥민 이전에 수 많은 스타들이 MLS에 도전했다. 과거 펠레부터 현재의 리오넬 메시까지 소위 축구계의 레전드들이 미국 무대에서 자신의 기력을 과시했다. 데이비드 베컴, 티에리 앙리, 웨인 루니, 즐라탄 이브라히모비치 등 MLS에서 활약했던 선수들을 나열하면 끝을 알 수 없을 것이다. 이 선수들의 평균 나이는 30세가 넘어간다. 그럼에도 나이는 숫자에 불과하다는 사실은 통계가 말해주고 있다. 미국 ESPN은 유럽에서 활약하다가 MLS로 이적해 성공한 선수들의 평균 연령이 32.4세라고 보도했다. 이와 동시에 손흥민에 대해 '은퇴 투어가 아니라 트로피를 위해 온 현역 레전드'라고 덧붙였다. 그리고 LA FC는 손흥민을 영입한 효과를 충분히 즐기고 있다. 일단 성적이 상승했고, 마케팅 효과도 증가했다. LA FC에 따르면 손흥민이 이적한 후 LAFC와 관련된 보도량이 289% 증가했고, 구단 관련 콘텐츠 조회수는 무려 594%나 늘어났다. 손흥민도 자신의 야망을 실현시키고 있다. 손흥민은 LA FC 입단식에서 "여기서 목표는 우승이다. 좋은 축구를 보여주겠다"고 소감을 밝힌 적이 있다. 다시 말해 돈을 벌며 은퇴를 준비하는 것이 아니라 우승을 위해 LA FC를 선택한 것이다. 또한, 그는 자신의 마지막 월드컵이 될 2026 북중미월드컵의 중요성도 강조했다. 손흥민도 "어찌 보면 월드컵이 가장 중요했다. 내게 마지막 월드컵이 될 수 있다. 내 모든 걸 쏟아부을 수 있는 환경이 될 수 있어야 한다"고 밝히기도 했다. 손흥민은 2026 북중미월드컵 개최국 중 하나인 미국에서 미리 뛰면서 날씨와 분위기 등 전체적인 환경에 미리 경험하고 더 많은 준비를 할 생각이다. 과연 손흥민은 MLS 평정과 월드컵의 성공이라는 두 마리 토끼를 잡을 수 있을까? 손흥민은 자신의 선수 커리어 마지막 페이지에서 총력을 다하고 있다.

SON: 은퇴 투어가 아닌 우승을 향한 도전

KEY STATS

손흥민이 토트넘에서 쓴 역사는 찬란하다는 표현으론 부족하다. 그는 무려 10년 동안 토트넘에서 공식 454경기에 출전해 173골 98도움을 기록했다. 이는 구단 통산 득점 5위이자 도움 1위 기록이다. 그는 구단 역사상 프리미어 리그 공격포인트 100개를 돌파한 역대 7번째 선수이자 구단 역사상 유럽 대항전 20골 이상을 득점한 역대 4번째 선수로 무대를 가리지 않고 활약했다. 그리고 토트넘 훗스퍼 스타디움 프리미어 리그 첫 득점자이자 토트넘 훗스퍼 스타디움 UEFA 챔피언스 리그 첫 득점자로 토트넘 훗스퍼 스타디움이 유지되는 한 계속 언급될 수 있는 기록을 세우기도 했다. 이에 더해 구단 역사상 100골을 돌파한 최초의 비영국인 선수이자 구단 역사상 리그 득점왕을 차지한 최초의 비영국인 선수이며, 구단 역사상 최초의 비유럽인 주장이다. 즉, 아시아 선수라는 한계를 일찌감치 극복한 것이다. 그렇기에 손흥민을 '위대한' 선수이자 레전드라고 칭하는 것이다. 물론, 손흥민은 지난 시즌 아쉬움과 동시에 건재함을 남겼다. 프리미어리그 30경기 2118분을 출전해 7골 9도움을 기록했다. 두 자릿수 골을 넣지 못했다는 아쉬움이 있었지만, 팀에 희생하면서도 꾸준히 공격포인트를 기록했다. 평균 84%의 패스 성공률과 경기당 1.9회의 슈팅, 경기당 1.7회의 키패스 등의 기록을 볼 때, 파괴력은 다소 떨어졌지만 여전히 건재하다는 것을 알 수 있었다. 하물며 공식 46경기에서 11골 12도움을 기록했고, 토트넘의 유로파리그 우승에도 혁혁한 공을 세웠다. 건재함을 입증했던 손흥민은 이제 MLS에서 활약한다. 따라서 프리미어리그에서 보다 많은 공격포인트를 기록할 것이라고 기대를 모으고 있다. 손흥민은 LA FC와 2+1년 계약을 맺었으므로 다시 역사를 쓸 것이다. 그의 도전은 여전히 찬란한 그의 선수 커리어 위에서 진행되고 있다.

전반전, 코너 플래그 옆에 선 손흥민(로스앤젤레스 FC·7번).
산호세 어스퀘이크스 수비수들이 촉각을 곤두세운 순간,
그는 날카로운 시선으로 박스 안을 바라보며 킥 준비에 들어갔다.
경기장 분위기는 숨 막히는 긴장감으로 가득했다.
〈2025/09/23, 산타클라라의 Levi's Stadium〉

PSG 생제르맹
Paris Saint-Germain FC

TEAM PROFILE

창 립	1970년
회 장	나세르 알 켈라이피(카타르)
감 독	루이스 엔리케(스페인)
연 고 지	일드프랑스 레지옹 파리
홈 구 장	파르크 데 프랑스(4만 7,929명)
라 이 벌	올림피크 드 마르세유
홈페이지	https://www.lafc.com/

최근 5시즌 성적

시즌	순위	승점
2020-2021	1위	82점(26승4무8패, 86득점 28실점)
2021-2022	1위	86점(26승8무4패, 90득점 36실점)
2022-2023	1위	85점(27승4무7패, 89득점 40실점)
2023-2024	1위	76점(22승10무2패, 81득점 33실점)
2024-2025	1위	84점(26승6무2패, 92득점 35실점)

시즌 프리뷰 슈발리에·자바르니 영입, PSG의 두 번째 트레블 도전

지난 시즌은 PSG에게 있어 기념비적인 한 해였다. 리그 앙과 쿠프 드 프랑스(FA컵)에 더해 구단 역사상 최초로 챔피언스 리그 우승을 차지하며 트레블(3관왕) 위업을 달성한 것이다. 전반기만 하더라도 킬리안 음바페가 팀을 떠난 공백을 드러내면서 강팀들과의 경기에서 고전했으나 겨울 이적시장에서 흐비차 크바라첼리아를 영입해 측면 공격을 강화했고, 후반기 우스망 뎀벨레가 최전방 공격수 변신에 성공하면서 음바페 공백을 최소화했던 게 주효했던 것. 이번 이적시장에서 PSG는 돈나룸마 재계약이 불발되자 엔리케 감독 입맛에 맞는 발밑 좋은 골키퍼 슈발리에를 데려왔고, 일리야 자바르니 영입을 통해 마침내 팀에 오른발잡이 센터백 추가에 성공했다. 슈발리에가 돈나룸마 이적 공백만 최소화한다면 지난 시즌 성공을 재현할 수 있을 것이다.

TEAM RATINGS

슈팅 9
패스 10
조직력 10
수비력 9
감독 9
선수층 7

54

2024/25 프로필

팀 득점	92
평균 볼 점유율	68.60%
패스 정확도	91.20%
평균 슈팅 수	18.7
경고	40
퇴장	0

골 타입	오픈 플레이	75	
	세트 피스	8	
	카운터 어택	8	
	패널티 킥	7	
	자책골	3	단위 (%)
패스 타입	쇼트 패스	92	
	롱 패스	6	
	크로스 패스	2	
	스루 패스	0	단위 (%)

TEAM FORMATION

FW **A**
MF **A+**
DF **A**
GK **A-**

19 뎀벨레 (하무스)

7 크바라첼리아 (바르콜라)
8 파비안 루이스 (마율루)
87 네베스 (이강인)
14 두에 (음바예)

17 비티냐 (자이르-에메리)

25 멘데스 (뤼카 에르난데스)
51 파초 (베랄두)
5 마르퀴뇨스 (자바르니)
2 하키미 (자이르-에메리)

30 슈발리에 (사포노프)

PLAN 4-1-4-1

지역 점유율

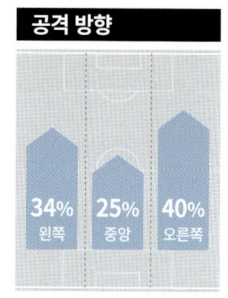

공격 진영 **33%**
중앙 **44%**
수비 진영 **23%**

공격 방향

34% 왼쪽
25% 중앙
40% 오른쪽

슈팅 지역

9% 골 에어리어
61% 패널티 박스
31% 외곽 지역

IN & OUT

주요 영입	주요 방출
일리야 자바르니, 루카스 슈발리에, 헤나투 마린	잔루이지 돈나룸마, 아르나우 테나스, 요람 자구에(임대)

COACH

루이스 엔리케 *Luis Enrique*
1970년 5월 8일생 스페인

선수 시절 스페인을 대표하던 전설적인 공격수. 바르셀로나와 레알 마드리드 양 팀에서 모두 뛴 역대 4명의 선수 중 하나로 유명하다. 은퇴 후 바르셀로나 B팀을 거쳐 2011년 로마 감독에 부임했으나 성적 부진을 이유로 1시즌 만에 자진 사임한 그는 2013-14시즌 셀타 비고에서 재기에 성공했고, 곧이어 바르셀로나 1군을 이끌면서 2014-15시즌 트레블 영광을 달성했다. 이후 2018년에 스페인 대표팀 감독에 오른 그는 유로 2020 4강에 진출했으나 2022년 월드컵에서 실패를 맛봤다. 2023년, PSG 감독에 올라 지난 시즌 트레블을 달성하면서 트레블 2회 달성한 역대 3번째 감독으로 등극, 명장 반열에 들었다.

결국 PSG에 잔류한 이강인

치열한 주전 경쟁에 돌입하다

결국, 이강인이 파리 생제르맹(PSG)에 잔류했다. 이강인은 2025년 여름 이적시장의 '뜨거운 감자'였다. 2024-25시즌 치열한 주전 경쟁 속에서 고전했음에도 그의 뛰어난 재능과 훌륭한 경기력에 대한 이견은 없다. 따라서 유럽의 많은 클럽이 그의 영입에 관심이 있었던 것이 사실이다. 지난 3개월 동안 아스널, 뉴캐슬, 크리스탈 팰리스 인테르, 아틀레티코 마드리드 그리고 노팅엄 포레스트 등 적지 않은 클럽이 이강인과 염문설을 뿌렸다. 하지만 이강인의 가치를 아는 PSG는 그의 이적료로 5,000만 유로를 책정하면서 결국 '이적 불가'란 태도를 고수했다. 하물며 이적 기간 막판에 노팅엄 포레스트가 5,500만 유로를 이적료로 제안했음에도 PSG가 거절한 것으로 알려졌다. 이강인은 2026 북중미월드컵을 위해 꾸준한 출전을 원했고 이적을 추진했다. 그러나 PSG는 금액과 상관없이 이강인을 팔지 않겠다는 의사를 분명히 밝혔다.

이강인은 2025-26시즌 다시 PSG에서 주전 경쟁을 펼쳐야 한다. 이강인은 이미 PSG에서 지난 2시즌 동안 85경기에 출전해 12골 11도움을 기록했다. 루이스 엔리케 감독은 그의 활약에 만족하면서 다양한 포지션을 소화할 수 있는 그의 가치를 인정하고 있다. 하지만 이강인에게도 주전 경쟁은 쉽지 않다. 2025년 1월 흐비차 크바라츠헬리아가 나폴리에서 PSG로 이적한 후, 이강인은 선발이 아닌 교체에 만족할 수밖에 없었다. 크바라츠헬리아와 우스망 뎀벨레, 브래들리 바르콜라, 데지레 두에 등이 버틴 공격진에 틈은 보이지 않았다. 또한, 파비안 루이스, 비티냐, 주앙 네베스, 자이르 에메리가 건재한 미드필드진도 경쟁이 치열했다. 따라서 이강인은 주전 자리를 위해 치열한 경쟁을 피할 수 없다. 그런데도 이강인의 재능과 이를 누구보다 잘 아는 루이스 엔리케 감독, 그리고 PSG의 빡빡한 경기 일정을 고려할 때, 이강인은 출전 기회를 부여받을 것이 분명하다. 그리고 그는 변화를 일으킬 능력을 보유하고 있다. 이강인의 도전은 계속된다.

LEE: 재능을 넘어 성숙으로

이강인의 이름 앞엔 언제나 '축구천재'라는 수식어가 붙는다. 그만큼 재능이 특출나다. 탄탄한 기본기를 바탕으로 화려한 테크닉과 현란한 드리블, 창의적인 패스를 통해 상대 수비를 파괴하고 농락한다. 특히, 양발을 활용한 팬텀 드리블이나 마르세유 턴으로 탈압박하며 공격을 전개하고, 상대 수비수의 허를 찌르는 창의적인 패스로 공격의 활로를 개척한다. 또한, 솔로 플레이뿐 아니라 동료와 연계 플레이를 펼치면서 공격을 주도하곤 한다. 이에 더해 득점력도 점차 향상되고 있다. 2022-23시즌부터 지난 3시즌 동안 공식 경기에서 각각 6골, 5골, 7골 등을 기록하면서 한 시즌에 평균 6골을 넣는 모습을 보여줬다. 파괴력이 엄청나다고 평할 순 없지만 중요한 순간마다 골을 넣으며 강한 인상을 남긴다. 그만큼 왼발을 활용한 중거리 슈팅이나 감아 차는 슈팅이 강력한 위력을 발휘한다.

중요한 사실은 이강인이 매 시즌 발전하고 있다는 점이다. 2018-19시즌 발렌시아에서 라 리가에 데뷔할 당시만 하더라도 '클래식한 플레이메이커'라는 평을 들으며 뛰어난 공격력과 재능에도 수비력 부족으로 비판을 들었다. 약한 피지컬과 수비 가담 부족, 경험 부족 등으로 수비에서 문제를 노출했고, 과도한 드리블로 공격 템포를 상실하는 모습을 노출했다. 그러나 이강인은 2021년 8월 마요르카로 이적하며 1시즌 동안 적응하더니 완전히 환골탈태한 모습을 보여주기 시작했다. 2022-23시즌 팀의 중심으로 왼쪽 풀백까지 소화하면서 강한 압박과 투지 넘치는 몸싸움, 적극적인 수비 가담 등을 보여준 것이다. 그리고 2023년 7월 PSG로 이적해 스타 군단의 일원이 되었고 여전히 특유의 재능을 과시하고 있다. 비록 2024-25시즌에는 공격 템포를 늦춘다는 비판과 함께 기대만큼의 출전기회를 부여받지 못했지만 적은 출전시간에도 존재감을 입증했다.

LEE: 기대와 평가 속 성장

이강인의 등장은 언론의 환심을 사기에 부족함이 없었다. 2007년 '날아라 슛돌이' 3기 멤버로 처음 방송에 등장할 때부터 특출난 능력을 과시하며 축구팬들을 설레게 했다. 불과 7세의 나이라곤 믿을 수 없는 실력에 '신동 등장'이라며 모든 언론이 집중했다. 역시 낭중지추라고 2011년 공식 테스트를 거쳐 발렌시아에 입단했고, 발렌시아 유소년팀에서도 군계일학의 면모를 보이며 성장했다. 이후, 2019 FIFA U-20 월드컵에서 한국을 준우승으로 이끌며 골든볼을 수상했고 '천재'라는 칭호와 함께 발렌시아에서 화려하게 프로 무대에 데뷔했다. 당시 다국적 스포츠 채널 '유로 스포츠'는 "이강인은 페란 토레스, 카를로스 솔레르와 함께 발렌시아의 미래를 담당할 선수이다. 폴 포그바, 세르히오 아게로, 리오넬 메시의 뒤를 이어 U-20 월드컵에서 골든볼을 수상했다. 그는 2010년대 초반의 다비드 실바와 비슷한 플레이 스타일을 가진 우아한 왼발의 공격형 미드필더이다"라며 극찬했다. 하지만 주전 경쟁에 어려움을 겪은 이강인은 2021년 8월 마요르카로 이적을 단행했다. 2021-22시즌 기대에 부응하지 못했지만 2022-23시즌 한 단계 더 성장하며 경쟁력을 보여줬다. '마르카'를 비롯한 스페인 언론들은 이강인의 활약에 흥분했다. "이강인은 자신의 재능을 뽐내며 잠재적인 구혼자들을 열광시키고 있다. 공격형 미드필더로서 측면과 미드필더를 모두 소화할 수 있는 다재다능한 공격 포지션을 참작할 때, 그는 어떤 팀에도 쉽게 적응할 수 있는 축구 선수로 더욱 매력적이다"라고 보도했을 정도. 하물며 라 리가는 공식 SNS를 통해 이강인에 대해 "승리의 설계자"라 평했다. 2023년 7월 PSG로 이적한 후에도 그에 대한 평가는 크게 달라지지 않았다. 프랑스 언론 '르퀴프'는 "이강인은 상대 수비와 미드필드 사이 공간에서 활발하게 움직이며 창의성을 보여준다. 그는 상대에게 맹독 같은 존재이다"라고 표현했다. 물론, 이강인이 지난 시즌 주전 경쟁에 어려움을 겪은 사실은 부인할 수 없다. 그렇다고 이강인에 평가가 달라진 것은 아니다.

LEE: 트레블 PSG, 벤치마저 전쟁터

루이스 엔리케 감독은 2024-25시즌 4-3-3을 주 포메이션으로 활용하면서 팀으로서 전진 압박과 빠른 공격 전환, 다양한 공격 루트, 전체적인 기동력 등을 강조했다. 그 결과, PSG는 한 수 위의 전력을 과시하며 타 팀들을 압도하면서 트레블을 달성했다. 프랑스 클럽으로 역사상 처음으로 트레블을 달성했고, 두 번째로 UEFA 챔피언스리그에서 우승했다. 전문가들과 언론은 현재 유럽 최강자는 PSG라고 말할 정도. 그만큼 PSG는 약점을 찾을 수 없을 정도로 강하다. 크바라츠헬리아-뎀벨레- 두에 등으로 이어진 공격진, 파비안 루이스- 비티냐- 주앙 네베스로 구성된 미드필드진, 누누 멘데스- 파초- 자바르니- 하키미 등이 버틴 수비진 등 공수 전력이 탄탄하다. 이에 더해 트레블 멤버들이 건재한 가운데 전력을 더 업그레이드했다. 잔루이지 돈나룸마 골키퍼가 이적하면 생긴 공백을 뤼카 슈발리에 골키퍼와 레나토 마린 골키퍼를 영입해 최소화하면서 센터백인 일리아 자바르니를 영입했다. PSG는 당연하게도 다시 트레블에 도전한다.

하지만 이강인의 주전 경쟁은 험난하다. 이강인은 공격의 모든 포지션을 비롯해 중앙 미드필더까지 소화할 수 있지만 주전으로 도약하기엔 기존 주전 선수들의 활약이 너무 좋다. 하물며 최전방엔 하무스, 윙어엔 바르콜라, 그리고 미드필더론 자이르 에메리 등이 벤치에서 출격을 기다리고 있다. 다시 말해 주전 자리를 떠나 벤치에서도 경쟁이 치열하고 이강인은 교체에서도 뒷순위로 밀릴 수 있다. 따라서 이강인은 출전시간을 소중히 활용할 필요가 있다. 이강인이 적은 출전시간에도 제 실력을 발휘한다면 그의 출전시간은 당연히 늘어날 것이다.

LEE: 이제는 이강인의 차례다

AMBITION

PSG는 2024-25시즌 역사적인 트레블을 달성했다. 프랑스 리그1에서 단 2패밖에 허용하지 않으면서 2위 마르세유를 승점 19점 차로 따돌리며 우승했고, 쿠프 드 프랑스(프랑스 FA컵) 결승전에서 스타드 랭스를 3-0으로 제압하며 우승했다. 그리고 UEFA 챔피언스리그에서 브레스투아, 리버풀, 애스턴 빌라, 아스널, 인테르 등을 차례로 제압하며 우승했다. 이로써 리그1 우승 13회, 쿠프 드 프랑스 우승 16회, UEFA 챔피언스리그 우승 1회 등을 기록하며 전성시대를 열었다. 특히, 학수고대하던 UEFA 챔피언스리그 우승으로 우물 안 개구리가 아니라 프랑스를 넘어 유럽 최강팀으로 부상했다. 당연히 PSG는 2025-26시즌에도 트레블에 도전한다. 2년 연속 트레블이라는 전무후무한 기록을 세우길 원하고 있다. 그리고 이것은 절대로 허황한 꿈이 아니다.

PSG가 강한 만큼 이강인의 주전 경쟁은 뜨거워질 전망이다. 이강인은 2023년 7월 PSG로 이적한 후, 우승과 계속 연을 맺었다. PSG에서 리그 2회, 쿠프 드 프랑스 2회, 트로페 데 샹피옹(프랑스 슈퍼컵) 2회, UEFA 챔피언스리그 1회, UEFA 슈퍼컵 1회 등 총 10개의 우승 트로피를 들어 올렸다. 그렇지만 우승의 주역이 아니었다. 이강인은 주인공이 되기를 원한다. 주전 경쟁에서 승리하며 팀의 주축이 되어 팀에게 우승 트로피를 선사하길 원하고 있다. 충분한 출전시간을 통해 선수로서 한 단계 더 성장하고, 2026 북중미월드컵에서 한국 대표팀을 이끌길 간절히 바라고 있다. 그의 야망은 단순히 우승 멤버나 대표팀 멤버가 되는 것이 아니다. 이강인은 그의 이름이 PSG와 한국 대표팀 역사에 남기를 원하고 있다.

LEE: PSG의 조연? 이제는 주연을 꿈꾼다

KEYSTATS

이강인은 PSG에서 지난 2시즌 동안 85경기에서 12골 11도움을 기록했다. 이런 점을 고려할 때, 적지 않은 기회를 부여받아서 실력을 발휘했다는 사실을 알 수 있다. 2023-24시즌 근육 부상, 지난 시즌엔 발 부상이 있었지만 큰 부상은 아니었고 결장도 많지 않았다. 그리고 최전방과 중앙 공격형, 좌, 우 측면을 가리지 않고 주어진 임무를 수행했다. 어느 포지션에서나 1인분 이상을 해내는 이강인은 확실한 자리를 잡지 못했지만, 팀의 요구에 부응했다. 특히, 지난 시즌 전반기보다 후반기 출전시간이 줄면서 주전 경쟁에 어려움을 겪었지만, 공식 49경기에 출전해 7골 6도움을 기록했다. 이강인이 지난 시즌 프랑스 리그1에서 6골 6도움을 기록하며 공격포인트 생산 능력이 향상됐다. UEFA 챔피언스리그에도 11경기 467분 출전하며 PSG의 트레블에 공헌했다. 지난 시즌 리그1 기록만 보더라도 이강인의 천재성을 쉽게 알 수 있다. 다양한 포지션을 소화했음에도 패스성공률 92%, 경기당 키패스 1.9회, 경기당 슈팅 1.4회, 경기당 드리블 1회 등 공격지표가 상승했다. 물론, 이강인에 대해 아쉬움도 존재한다. PSG는 지난 시즌 트레블이란 위대한 업적을 남겼지만, 이강인은 주연이 아닌 조연에 불과했다. 주전 멤버들이 너무 쟁쟁해 주로 교체로 출전했다. 이는 이번 시즌도 유효하다. 물론, 이강인은 더 많은 출전시간을 원하고 있다. 이강인에게 이전 시즌보다 더 출전시간이 보장된다면 공격지표가 더 상승할 것이 분명하다.

후반전, 멕시코의 요한 바스케스(5번)와 대한민국의 이강인(18번)이
거칠게 몸을 맞대며 볼을 다투고 있다. GEODIS 파크를 가득 메운 함성 속,
단 한 순간의 방심도 허락하지 않는 치열한 승부가 펼쳐졌다.
〈2025/09/09, 내슈빌의 GEODIS Park〉

괴물 센터백 김민재

전쟁을 선포하다

김민재는 자타공인 세계 최고의 센터백 중 한 명이다. 그는 어디에서나 항상 선발이었고, 대다수 클럽에서 우승을 차지했다. 경주 한국수력원자력, 전북 현대, 베이징 궈안, 페네르바체, 나폴리, 바이에른 뮌헨 등을 거치며 한국, 중국, 튀르키예, 이탈리아, 독일에서 항상 성공을 경험했다. 특히, 유럽 데뷔시즌인 2021-22시즌 페네르바체에서의 놀라운 활약과 이탈리아 세리에A 데뷔시즌인 2022-23시즌 리그 우승에 대한 공헌은 놀라움을 선사하기에 부족함이 없었다. 그렇기에 2023년 7월 독일의 명문 바이에른 뮌헨으로 이적이 결정되었을 때, 김민재는 독일을 넘어 유럽을 평정할 것이라는 예상이 지배적이었다. 물론, 김민재는 바이에른 뮌헨에서 지난 2시즌 동안 공식 79경기에 출전해 4골 2도움을 기록하며 헌신적인 모습을 보여줬고 바이에른 뮌헨은 지난 시즌 분데스리가에서 우승했다.

하지만 김민재에게 지난 시즌은 좋은 추억보다는 아픈 시즌으로 기억될 가능성이 크다. 김민재는 요주아 키미히, 해리 케인, 마이클 올리세 등과 함께 리그에서 2,000분 이상을 소화하며 팀에 이바지했다. 이토 히로키, 요시프 스타니시치 등 센터백들의 줄부상으로 2024년 10월부터 아킬레스건 부상이 있었음에도 통증을 참으며 경기에 출전했다. 몸 상태가 100%가 아니었으므로 당연히 실수가 이어졌다. 이후, 독일 언론들은 김민재를 사정없이 흔들기 시작했고, 바이에른 뮌헨의 수뇌부 중 일부는 높은 주급을 받는 김민재의 이적을 고려했다. 이에 따라 2025년 내내 김민재는 이적설에 시달릴 수밖에 없었다. 하지만 2025년 8월 뱅상 콩파니 감독은 "김민재는 우리에게 정말 중요한 선수"라고 말했고, 크리스토프 프로인트 디렉터도 "김민재를 내보내는 것은 우리의 계획이 아니다"라고 단언했다. 결국, 김민재는 바이에른 뮌헨에 잔류하게 됐다. 하지만 여전히 주전 경쟁은 치열하다. 김민재는 이제 괴물 수비수로서의 본색을 드러내며 자신의 실력을 다시 입증해야 한다.

KIM: 괴물 센터백, 시험대 위에 서다

김민재는 약점을 찾기 어려운 완성형 센터백이다. 일부에서는 큰 육각형의 수비수라 할 정도로 현대 축구에서 센터백에게 요구하는 모든 능력을 보유하고 있다. 190cm의 피지컬을 이용한 고공장악력과 강력한 몸싸움 능력이 바탕인 대인방어 능력, 큰 신장에도 순간 최고 35km/h의 빠른 스피드, 상대 수비수를 끝없이 괴롭히는 투지와 끈기 등을 통해 단단한 수비력을 과시한다. 경기를 읽는 시야도 뛰어나 상대 공격수를 사전에 압박하거나 예측력을 바탕으로 상대 패스 루트를 사전에 차단한다. 또한, 공격력도 겸비하고 있다. 주발이 오른발이지만 왼발도 수준급으로 이용해 센터백으로 좌우를 가리지 않고 활약하고 뛰어난 패스와 드리블을 통해 1차 빌드업에도 관여한다. 그리고 감각적인 헤더 능력으로 세트피스 상황에서 골을 넣곤 한다. 2023년 7월 바이에른 뮌헨으로 이적 후, 2023-24시즌 1골, 2024-25시즌 3골 등을 기록하며 매 시즌 골을 넣고 있다. 문제는 부상과 심리적 압박감이다. 김민재는 2024년 10월부터 아킬레스건 부상을 참고 경기에 출전했다. 이에 따라 아킬레스건 부상뿐만 아니라 왼쪽 발에 물이 차는 증상(결절종)까지 겪으며 고생했다. 다시 말해 일부 센터백들의 부상으로 휴식을 취할 수 없어 부상에도 불구하고 악전고투할 수밖에 없었다. 따라서 김민재 혹사 논란과 함께 이적설까지 터졌다. 독일 언론들은 김민재의 실수에 대해 집중분석하면서 높은 주급을 받는 김민재를 방출해야 한다고 연일 보도했다. 하지만 김민재는 그의 능력을 인지하고 신뢰하는 뱅상 콤파니 감독과 팬들의 신뢰 속에서 우여곡절 끝에 잔류했다. 그럼에도 이것은 끝이 아니라 시작일 뿐이다. 독일 언론의 비판은 유효하고 요나단 타가 가세한 경쟁은 더 치열해졌다. 김민재는 독일 언론의 삐딱한 시선과 치열한 주전 경쟁이라는 심리적 압박 속에서 실력을 발휘해야 한다. 당연히 괴물 센터백에게도 쉽지 않은 도전이다.

KIM: 찬사와 비판 속, 그는 여전히 철벽이다

김민재가 왜 세계 최고의 센터백 중의 한 명인지는 그에 대한 평가에서 쉽게 알 수 있다. 김민재가 2022-23시즌 나폴리 데뷔시즌임에도 환상적인 활약으로 나폴리에게 33년 만에 세리에A 우승을 선사했을 때, 언론들은 앞다투어 김민재를 찬양했다. 대표적으로 영국 언론 '데일리 메일'은 "김민재는 2022-23시즌 이탈리아 세리에A 최고의 수비수다. 그는 고대 로마제국의 검투사처럼 싸운다. 만일 그가 유럽에서 태어났다면 그의 몸값은 2억 유로까지 치솟아 있었을지도 모를 일이다"라고 보도했다. 그리고 김민재가 2023년 7월 바이에른 뮌헨으로 이적한 후에도 그에 대한 극찬은 이어졌다. 바이에른 뮌헨의 동료 요주아 키미히는 "김민재는 수준 높은 축구를 구사한다. 특히, 패스가 빠르고 정확하다. 스피드도 빠르다. 그는 두 가지 포지션을 커버해줄 수 있다"라고 평가했고, 바이에른 뮌헨의 선배이자 독일 축구의 레전드 로타어 마테우스는 "김민재는 정말로 훌륭하다. 그의 플레이는 마치 베켄바워를 보는 듯한 착각을 일으킨다"라고 칭찬을 아끼지 않았다. 물론, 칭찬만 있는 것은 아니다. 지난 시즌 부상 여파로 실수를 범함에 따라 독일 언론들은 신랄한 비판을 서슴없이 가했다. 독일 언론 '빌트'는 김민재는 더 판매 불가의 선수가 아니다. 여름에 적절한 제안이 온다면 김민재가 떠나는 것도 결코 불가능한 일이 아니라고 보도하기도 했다. 이는 다양한 언론들이 빌트의 논조에 동참했다. 하지만 바이에른 뮌헨의 뱅상 콤파니 감독은 "김민재는 그동안 올바르게 행동했고, 건강하게 선수단에 돌아왔다. 우리에게 정말 중요한 선수이다"라고 강조했고, 크리스토프 프로인트 바이에른 디렉터는 "김민재가 다시 건강해져 기쁘다. 김민재는 그동안 훈련을 잘 수행했다. 경기장에서 좋은 모습을 보여줄 것이다"라고 기대감을 숨기지 않았다.

KIM: 타의 도전, 김민재의 본색

바이에른 뮌헨은 2025년 5월 레버쿠젠에서 FA로 요나단 타를 영입했음을 공식적으로 발표했다. 이로써 바이에른 뮌헨은 지난 시즌 주전으로 활약했던 김민재와 다요 우파메카노, 부상으로 고생한 이토 히로키, 라이트백과 센터백을 소화하는 요시프 스타니시치 그리고 새롭게 가세한 요나단 타 등의 중앙 수비수들을 활용할 것이다. 이 중에서 독일 언론이 바라보는 주전 조합은 요나단 타와 우파메카노. 김민재는 지난 시즌 아킬레스건 부상에도 고군분투했지만 인테르전과 도르트문트전 등 큰 경기에서 실수가 있었고, 히로키는 여전히 부상이며, 스타니시치는 선발보다 백업 역할을 소화할 가능성이 크다. 그리고 요나단 타는 함부르크와 레버쿠젠 등을 거치며 분데스리가에서 이미 실력을 입증한 베테랑 센터백으로 195cm의 엄청난 체구를 바탕으로 공중볼과 대인방어에 강하고, 뛰어난 테크닉을 바탕으로 정확한 패스를 구사해 빌드업에 적극적으로 관여한다. 따라서 바이에른 뮌헨은 독일 대표팀 출신의 요나단 타가 수비의 중심이 되기를 원한다. 하지만 아직 장담할 수 없다. 콤파니 감독은 4-2-3-1 포메이션 하에 수비라인을 올려서 경기를 전개한다. 그러므로 바이에른 뮌헨의 수비수들은 타 팀 센터백보다 더 넓은 범위의 공간을 커버해야 하고, 대인마크 능력뿐 아니라 빠른 스피드를 보여줘야 한다. 요나단 타가 느린 선수는 아니지만 프리시즌에 보여준 스피드와 공간 커버는 김민재의 활약에 미치지 못했다. 또한, 김민재는 요나단 타의 등장으로 충분히 컨디션을 조절할 여유가 생겼다. 부상에도 무리하게 출전하는 것이 아닌 최상의 몸 상태에서 자신의 능력을 보여줄 수 있게 된 것이다. 2023-24시즌 분데스리가 적응, 2024-25시즌 부상 등으로 고생했다면 김민재는 이번 시즌, 괴물 수비수로서의 본색을 유감없이 드러낼 것이다.

KIM: 이제는 챔피언스 리그다   AMBITION

김민재의 시선은 유럽 정상을 향해 있다. 김민재는 성공을 부르는 파랑새와 같다. 김민재 개인의 성공은 차치하더라도 그는 전북에서 K리그1 우승 2회, 나폴리에서 세리에A 우승 1회, 그리고 바이에른 뮌헨에서 분데스리가 우승 1회와 독일 슈퍼컵 우승 1회를 차지했다. 김민재를 '우승제조기'라 칭할 순 없어도 그가 우승과 연이 깊다는 사실은 부인할 수 없다. 그리고 2023년 여름, 많은 클럽이 김민재를 원했음에도 그가 바이에른 뮌헨을 선택한 이유는 바로 우승이다. 바이에른 뮌헨은 독일 명문 구단으로 분데스리가 우승 33회(최다), DFB-포칼 우승 20회(최다), UEFA 챔피언스리그 우승 6회 등을 기록하며 출전하는 대회마다 강력한 우승 후보로 주목을 받는다. 그러나 김민재는 아직 유럽 정상에 오르지 못했다. 바이에른 뮌헨이 트레블 2차례, 챔피언스리그 우승 6회를 기록했음에도 지난 2시즌 챔피언스리그에서 아쉬움을 남겼다. 2023년 여름 김민재가 합류한 후, 바이에른 뮌헨은 2023-24시즌 챔피언스리그 4강에서 레알 마드리드에, 지난 시즌 챔피언스리그 8강에서 인테르에 패배해 결승조차 진출하지 못했다. 아쉬운 점은 레알 마드리드전과 인테르전의 고비 때마다 김민재의 실수가 나왔다는 사실이다. 이에 대해 가장 고통받고 분개할 자는 바로 김민재 본인이다. 유럽 정상에 오르고자 바이에른 뮌헨을 선택했지만, 자신의 실수로 우승 근처에도 접근하지 못했기 때문. 하지만 김민재는 포기하지 않았다. 이번 시즌 다시 도전한다. 과연 김민재는 바이에른 뮌헨과 함께 UEFA 챔피언스리그에서 우승할 수 있을까? 그와 동시에 트레블을 달성할 수 있을까? 김민재의 야망은 여전히 성공 가능성이 적지 않다.

KIM: 기록으로 증명한 괴물 센터백   KEY STATS

김민재는 바이에른 뮌헨에서 지난 2시즌 동안 공식 79경기에 출전해 4골 2도움을 기록하며 주전으로 활약했다. 비록 지난 시즌 아킬레스건 부상으로 실수가 적지 않았고, 만족할 만한 시즌을 보내지 못했지만 그가 고군분투했다는 사실을 부인할 사람은 없다. 사실 2024년 10월부터 아킬레스건 부상으로 통증을 느꼈다는 사실을 고려할 때, 그의 활약은 경이롭게 느껴진다. 센터백임에도 3골을 넣었다는 기록보다 FIFA 클럽월드컵에서 휴식을 취했음에도 공식 43경기, 총 3,593분 출전을 감행했다는 사실에 놀라지 않을 수 없다. 또한, 이토 히로키, 요시프 스타니시치 등 중앙 수비수들의 줄부상이 없었다면 김민재가 더욱 좋은 활약을 펼쳤을 것이라는 아쉬움도 남는다. 그럼에도 김민재는 지난 시즌 활약이 마냥 나빴다고 볼 수도 없다. 큰 경기에서 실수가 있어 문제로 지적을 받았지만, 전체적인 활약은 준수했다. 지난 시즌 분데스리가 27경기에 출전해 경기당 평균 패스를 93.5회나 했음에도 패스 성공률 94.3%를 기록했다. 또한, 경기당 태클 1.3회, 경기당 인터셉트 1.4회, 경기당 클리어링 3.2회 등 수비 기록이 나쁘지 않다. 하물며 적지 않은 출전시간과 반칙에도 옐로카드를 2장만 받는 영리함도 보여줬다. 따라서 김민재는 자신의 이적설에 대해 "나는 떠날 이유가 없다"라고 의연한 태도를 보여준 것이다. 요나단 타의 가세로 주전 경쟁은 더 치열해지겠지만 건강한 김민재 앞에 장애물은 많지 않다. 어쩌면 김민재가 제 실력만 발휘한다면 바이에른 뮌헨의 주전을 넘어 분데스리가를 대표하는 센터백 자리에 등극할지도 모른다.

바르셀로나의 로베르트 레반도프스키와 바이에른 뮌헨의 김민재가
UEFA 챔피언스리그 2024-25리그 조별리그 3차전에서 치열하게
볼 다툼을 벌이고 있다. 에스타디 올림픽 루이스 콤파니스 스타디움은
두 팀의 강렬한 맞대결로 긴장감에 휩싸였다.
〈2024/10/03, Estadi Olimpic Lluis Companys〉

'마인츠의 에이스' 이재성,
독일을 넘어 유럽에 도전!

이재성은 선수 경력 처음으로 유럽대항전을 치른다. 전북에서 홀슈타인 킬로, 그리고 마인츠로 이적하면서 자신의 능력을 입증했다. 사실 이재성이 '마인츠의 에이스'라는 사실은 그 누구도 부인할 수 없다. 2024-25시즌 분데스리가에서 7골 6도움을 기록, 공격을 진두지휘했기 때문. 그 결과, 2023-24시즌 분데스리가 잔류를 걱정하던 마인츠가 지난 시즌 6위를 차지하며 유로파 컨퍼런스리그 진출권을 획득했다. 이제 이재성은 독일을 넘어 유럽 무대에 자신의 이름을 각인시킬 계획이다.

PLAYING STYLE

"다재다능함에도 성실한 선수"라는 표현이 잘 어울리는 미드필더. 주 포지션은 공격형 미드필더지만 팀의 요구에 따라 타고난 축구 센스와 높은 전술 소화력, 왕성한 활동량을 바탕으로 중앙 미드필더, 좌우 윙어, 제로톱 등 다양한 포지션을 소화한다. 탄탄한 기본기와 넓은 시야를 활용해 정확한 패스를 구사하고, 재치 있는 드리블을 통해 볼을 전방으로 운반하며, 영양가 높은 슈팅으로 공격을 주도한다. 또한, 전방부터 적극적인 압박과 효과적인 인터셉트 능력으로 수비 기여도도 높다. 다시 말해 약점을 찾기 어려울 정도로 공수 능력을 겸비하고 있다.

COMPETITION

마인츠는 2024-25시즌 분데스리가 6위를 기록하며 이변을 연출했다. 보 스벤손 감독은 3-4-2-1 포메이션 하에서 공수 밸런스를 갖추었고, 조나단 버카르트와 파울 네벨은 각각 18골과 10골을 기록하며 득점원 역할을 했다. 그리고 이재성은 공격형 미드필더로 7골 6도움을 기록하며 실질적인 에이스다운 면모를 과시했다. 그 결과, 마인츠는 시즌 막판 리그 14경기에서 5승 6무 3패를 기록, 유로파 컨퍼런스리그 진출에 성공했다. 유럽대항전에 진출함에 따라 전체적인 전력을 보강한 상황. 특히, 스트라이커 홀러바흐와 미드필더 가와사키 소타를 영입했다. 하지만 이재성의 입지는 점점 더 단단해지고 있다.

KEY STATS

이재성은 2024-25시즌 최전방 스트라이커 밑에서 공격적인 임무를 소화했고, 공식 34경기에서 7골 7도움을 기록했다. 특히, 지난 시즌 리그에서 7골 6도움을 기록, 2021년 7월 분데스리가에 등장한 이후 한 시즌 최다 공격 포인트 기록이다. 2021-22시즌 리그 4골 3도움, 2022-23시즌 리그 7골 5도움, 2023-24시즌 리그 6골 3도움을 기록했다는 사실에서 지난 시즌의 활약을 짐작할 수 있다. 비록 프리 시즌 평가전에서 광대뼈 두 군데가 골절되는 큰 부상을 당했지만, 시즌 초반 마스크를 쓰고 경기를 뛴 그의 투지에 이번 시즌 활약도 기대를 모으고 있다.

ROAD TO EUROPE

이재성은 대한민국을 대표하는 미드필더다. 2014년 전북에 입단한 후, 전북의 중심으로 성장해 K리그1 우승 3회, AFC 챔피언스리그 우승 1회를 기록했다. 그리고 2018년 여름 독일 2부 리가의 홀슈타인 킬로 이적하며 유럽 무대에 도전장을 던졌다. 3시즌 동안 공식 104경기에 23골을 넣으며 홀슈타인 킬의 승격을 위해 노력했지만 결국 실패했다. 하지만 2021년 7월 독일 분데스리가의 마인츠로 이적했고, 마인츠에서 지난 4시즌 동안 131경기 24골을 기록, 만점 활약을 이어가고 있다.

대한민국의 옌스 카스트로프, 분데스리가 주전 경쟁

2025년 8월 25일, 대한민국 대표팀의 홍명보 감독은 9월 A매치 2연전을 대비한 대표팀 명단을 발표했다. 이 중에서 시선을 사로잡은 선수는 바로 옌스 카스트로프. 축구계 종사자나 열성적인 축구팬이 아니라면 모를 수밖에 없는 낯선 이름이다. 카스트로프는 독일인 아버지와 한국인 어머니 사이에서 태어났고, 외국 태생의 혼혈 선수로는 최초로 한국 대표팀에 발탁됐다. 2025년 들어 독일 분데스리가와 한국 대표팀에서 새로운 도전을 하는 그는 성공 가도를 달릴 수 있을까?

PLAYING STYLE

카스도르프는 왕성한 기동력과 강한 압박, 정확한 패스, 효과적인 오프 더 볼 움직임, 적극적인 볼 경합 등을 보여주는 중앙 미드필더이다. 전술적 이해력이 뛰어나고 오른발을 효과적으로 활용, 종종 공격형 미드필더나 라이트백으로 기용되곤 한다. 다만 세밀한 플레이보다는 거칠고 강한 플레이를 하며, 투지를 앞세운 플레이를 선호하다 보니 카드 관리 문제를 노출하곤 한다. 2023-24시즌에는 개막 후 11경기에서 경고 8회, 퇴장 1회를 기록. 포지션과 플레이 스타일로 볼 때, 대표팀에 차출되면 3선에서 황인범과 호흡을 맞출 가능성이 크다.

COMPETITION

쾰른과 뉘른베르크 하부리그에서 활약하다가 2025년 2월 450만 유로 이적료에 묀헨글라트바흐 이적을 확정했다. 선수 경력에서 처음으로 분데스리가에 도전장을 던진 것이다. 이적하자마자 주전으로 도약할 가능성은 크지 않다. 헤라르도 세오아네 감독은 4-2-3-1 포메이션을 선호하고, 3선의 2자리에 로코 라이츠와 필립 잔더, 율리안 바이글 등을 적절하게 출전시키며 주전으로 활용하고 있다. 여기에 플로리안 노이하우스도 호시탐탐 출전을 노리고 있다. 따라서 카스도르프 입장에선 치열한 주전 경쟁에서 승리해야 한다.

KEY STATS

카스도르프는 2021-22시즌부터 독일 2부리그에 속한 뉘른베르크에서 4시즌 연속으로 활약했고, 공식 92경기에서 7골을 넣었다. 점차적으로 출전시간이 늘어났고 공격 포인트 생산 능력도 향상되는 모습을 보여줬다. 2021-22시즌 0골, 2022-23시즌 2골 2도움, 2023-24시즌 2골 4도움, 2024-25시즌 3골 3도움 등을 기록했다. 특히, 지난 시즌 리그 25경기에 출전해 경기당 슈팅 1.6회, 경기당 태클 2회, 경기당 인터셉트 1회, 경기당 키패스 1.1회 등 인상적인 기록을 남겼다. 그럼에도 패스 성공률(78.7%)를 더 높이고, 빌드업에 대한 영향력을 발전시켜야 한다. 세밀한 플레이마저 향상된다면 그는 날개 단 호랑이처럼 필드를 지배할 수도 있다.

ROAD TO EUROPE

카스도르프는 독일 뒤셀도르프 태생으로 독일인 아버지와 한국인 어머니 사이에서 태어났다. 뒤셀도르프와 쾰른 유스 출신으로 성장하면서 독일 각 연령별 대표팀에 차출되기도 했다. 2022년 1월 쾰른에서 뉘른베르크로 임대되며 프로에서 성공할 수 있다는 사실을 입증했다. 비록 뉘른베르크가 독일 2부리그에 속해 하부리그에서 활약했지만 지난 4시즌 동안 92경기에서 7골 9도움을 기록하며 가능성을 입증했다. 이에 따라 2025년 2월 450만 유로의 이적료에 묀헨글라트바흐 이적을 확정했고, 2025-26시즌부터 분데스리가에서 활약한다.

위기의 황희찬, 정면돌파를 선택하다

황희찬은 위기에 직면했다. 2021-22시즌부터 울버햄튼에서 4시즌 동안 88경기에 출전해 19골 5도움을 기록했지만 팀 내 입지가 흔들리고 있다. 기량이 만개하는 순간마다 부상이 발목을 잡았기 때문. 황희찬은 매 시즌 햄스트링과 발목 부상으로 시즌당 평균 10경기 정도 출전을 못하고 있다. 지난 시즌 리그 2골에 그치며 입지가 좁아졌다. 하물며 2025년 여름 크리스탈 팰리스를 비롯한 여러 클럽과 이적설까지 불거졌다. 잔류를 선택한 황희찬은 2025-26시즌 실력을 다시 입증해야 한다.

PLAYING STYLE

황희찬은 별칭에서 알 수 있듯 '성난 황소'를 연상시키는 플레이를 펼친다. 177cm의 신장에 탄탄한 체구와 뛰어난 밸런스를 바탕으로 저돌적인 돌파를 펼치고, 문전에서 양발을 이용해 침착한 슈팅을 보여준다. 워낙 스피드와 몸싸움, 테크닉이 뛰어나고 공격에서의 창의성이 향상됨에 따라 수비수들이 알고도 못 막는 경우가 적지 않다. 또한, 최전방과 2선의 모든 공격 포지션을 가리지 않고 뛰고 팀에 항상 에너지를 불어 넣는다. 하지만 볼을 끄는 경향이 있어 공격 템포를 늦추기도 하고, 슈팅 타이밍과 마무리 능력이 다소 흠이다.

COMPETITION

2024년 12월, 게리 오닐 감독이 경질되고 비토르 페레이라 감독이 부임하면서 울버햄튼은 3-4-2-1을 주 포메이션으로 활용하고 있다. 감독은 예르겐 스트란 라르센과 마테우스 쿠냐를 적극 활용했고, 스트란 라르센은 14골 4도움을, 쿠냐는 15골 6도움으로 기대에 부응했다. 2025년 여름 쿠냐가 맨유로 이적했지만, 존 아리아스와 페르 로페스를 영입해 공격력을 유지하고자 했다. 황희찬은 다양한 포지션을 소화하는 장점이 있지만 스트란 라르센, 존 아리아스, 페르 로페스, 마셜 무네치, 장 라크네르 벨가르드 등의 선수들과 주전 경쟁을 피할 수 없다.

KEY STATS

황희찬은 2023-24시즌 리그 29경기에서 12골 3도움을 기록하며 울버햄튼 이적 후 최고의 성과를 냈다. 따라서 그의 미래는 찬란할 것처럼 보였다. 하지만 지난 시즌 공식 25경기에서 2골 1도움에 그쳤고, 프리미어리그 21경기에선 2골밖에 넣지 못했다. 프리미어리그에서 총 21경기에 출전했지만, 선발은 5경기에 불과했고 총 출전시간은 652분으로 1,000분을 넘지 못했다. 다른 기록도 마찬가지. 경기당 평균 슈팅은 0.2회, 경기당 키패스는 0.1회, 경기당 드리블 성공은 0.1회로 처참한 기록을 보여줬다. 따라서 황희찬은 우선 출전 기회를 최대한 이용할 필요가 있다. 시즌 초반 적은 출전시간을 받겠지만 강력한 인상을 남긴다면 서서히 주전 경쟁에서 우위를 차지할 수 있을 것이다.

ROAD TO EUROPE

황희찬은 신곡초, 포항제철중, 포항제철고를 거치면서 우승과 득점왕, MVP를 휩쓸었다. 이에 따라 2015년 포항 입단이 예정되었지만 논란 끝에 잘츠부르크에 입단하였다. 리버핑과 함부르크 임대 기간을 제외한 3시즌 동안 잘츠부르크에서 공식 86경기에 출전해 29골 7도움을 기록하며 성장했다. 특히, 2019-20시즌에는 16골 21도움을 기록. 그 결과, 2020년 7월 분데스리가의 라이프치히로 이적했지만 부진을 거듭했다. 결국, 2021년 8월 울버햄튼으로 1시즌 임대됐고, 가능성을 입증하면서 2022년 1월 울버햄튼으로 완전이적을 확정했다.

2007년생 박승수,
잉글랜드 무대 두려움은 없다

2007년생의 박승수가 보여주는 행보는 놀라움의 연속이다. 2023년 7월 수원과 준프로 계약을 맺더니 2024년 6월 17세 3개월 2일의 나이에 포항과의 코리아컵 16강전을 통해 프로 데뷔전을 치렀다. 성남전에 등장하며 K리그2 역대 최연소 출전 기록을 새로 썼다. 17세 나이에 안산전에서 헤더 골을 작렬하며 K리그 통산 최연소 득점자가 됐다. 해외 클럽이 관심을 보인 것은 당연지사. 결국, 박승수는 2025년 7월 뉴캐슬로 이적했다. 이것은 그의 경력의 시작에 불과하다.

PLAYING STYLE

박승수는 완성 단계가 아닌 발전 과정에 있는 선수다. 2007년생이란 점을 고려하면 체격과 체력도 더 성장할 것이 분명하다. 따라서 현시점에서 박승수를 단정적으로 평가할 순 없다. 그런데도 잠재력만 논한다면 그가 프리미어리그에 데뷔할 날이 멀지 않았다고 말할 수 있다. 오른발이 주발로 왼쪽 윙어로 주로 활약하지만 2선의 모든 포지션에서 활약이 가능하다. 뛰어난 스피드와 수준급의 드리블을 통해 상대의 측면을 파괴하고, 상대 골문을 직접 타격하기도 한다. 한 마디로 두려움이 없는 플레이를 펼친다.

COMPETITION

박승수가 뉴캐슬에서 주전으로 활약할 가능성은 희박하다. 이미 프리미어리그 경기에서 벤치에 앉기도 했지만 우선 산하 2군이자 유스인 U21 소속으로 합류했다. 뉴캐슬은 이삭이 리버풀로 떠났지만 볼테마데와 위사, 엘랑가, 램지 등을 영입해 전체적으로 공격력을 보강했다. 또한, 박승수의 포지션엔 기존의 고든과 반스가 버티고 있다. 따라서 박승수가 1군에 남더라도 출전 기회를 잡긴 쉽지 않다. 그런데도 뉴캐슬과 에디 하우 감독이 그를 임대 보내지 않고 잔류시켰다는 것은 박승수에게 기회가 존재한다는 사실을 의미한다. 따라서 박승수는 이번 시즌이 끝나기 전에 프리미어리그에 데뷔할 것으로 기대를 모으고 있다.

KEY STATS

박승수는 K리그2에서 역대 최연소 출전(17세 3개월 2일)과 최연소 득점(17세 3개월 13일), 최연소 도움(17세 3개월 26일) 등을 기록했다. 이것은 그가 수원 소속으로 K리그2에 데뷔한 후 5경기 만에 세운 기록들이다. 여기서 멈추지 않고 2024시즌 K리그2에서 총 14경기에 출전해 1골 3도움을 기록했다. 2025시즌에도 그의 출전은 이어졌고, 2024시즌에 비해 한 단계 더 발전했다는 평가를 들었다. 물론, 잉글랜드 무대는 다르다. 따라서 다시 시작해야 한다. 하지만 뉴캐슬 U21에서 주전으로 꾸준히 출전하므로 더욱 발전할 것이 분명하다.

ROAD TO EUROPE

박승수는 2023년 7월 16세의 나이에 준프로 계약을 맺으면서 수원에 입단했다. 그리고 2024시즌 6월 K리그2에 데뷔하자마자 센세이션을 일으키며 주전으로 도약했고, K리그2에 신선한 바람을 일으켰다. 모든 최연소 기록을 새로 쓰며 '축구 천재'의 등장을 알린 것. 2025년이 되고 박승수가 이적이 가능한 18세가 되자 유럽 클럽이 움직였다. 잘츠부르크, 그라스호퍼, 호펜하임, 프랑크푸르트, 발렌시아, 마르세유 등 약 10팀이 그에게 영입 제안을 했다. 결국, 박승수는 뉴캐슬을 선택했고, 2025년 7월 뉴캐슬은 박승수의 영입을 공식 발표했다.

페예노르트 로테르담

Feyenoord Rotterdam

TEAM PROFILE

창 립	1908년
회 장	톤 판보데훔(네덜란드)
감 독	로빈 반 페르시(네덜란드)
연 고 지	자위트홀란트주 로테르담
홈 구 장	스타디온 페예노르트(5만 1,177명)
라 이 벌	AFC 아약스, PSV 에인트호번, 스파르타 로테르담
홈페이지	www.feyenoord.com/nl

최근 5시즌 성적

시즌	순위	승점
2020-2021	5위	59점(16승11무7패, 64득점 36실점)
2021-2022	3위	71점(22승5무7패, 76득점 34실점)
2022-2023	1위	82점(25승7무2패, 81득점 30실점)
2023-2024	2위	84점(26승6무2패, 92득점 82실점)
2024-2025	3위	68점(20승8무6패, 76득점 38실점)

시즌 프리뷰 | 페예노르트, 새 시대 열 수 있을까?

페예노르트는 아르네 슬롯 감독 체제에서 2022-23시즌 에레디비지(리그) 챔피언에 등극했고, 2023-24시즌 엔 리그 2위에 더해 KNVB컵(FA컵) 우승을 차지하며 황금기를 구가했다. 하지만 슬롯 감독이 떠나고, 2024-25 시즌엔 중반부만 하더라도 리그 5위까지 떨어지는 등 부침이 심했다. 다행히 판 페르시 감독 부임 후, 리그 마지막 11경기에서 8승 1무 2패를 기록하며 3위로 시즌을 마감했다. 그런데 여름 이적시장에서 공수의 핵이었던 파이상과 한츠코가 팀을 떠났고, 야심차게 키우던 유스 출신 미드필더 밀람보도 이적하면서 전력 공백이 발생했다. 이들을 대신해 수비수인 와타나베와 아흐메드호지치, 미드필더인 스테인과 발렌테, 공격수인 텡스태트와 보르헤스 등을 영입했으나 시즌 초반 챔피언스 리그 3차 예선에서 탈락하면서 불안한 시작을 보였다.

TEAM RATINGS

슈팅	6
패스	7
조직력	5
수비력	5
감독	5
선수층	6

34

2024/25 프로필

팀 득점	76
평균 볼 점유율	57.60%
패스 정확도	85.00%
평균 슈팅 수	16.4
경고	44
퇴장	2

골 타입
오픈 플레이	66	
세트 피스	13	
카운터 어택	7	
패널티 킥	8	
자책골	7	단위 (%)

패스 타입
쇼트 패스	87	
롱 패스	10	
크로스 패스	4	
스루 패스	0	단위 (%)

TEAM FORMATION

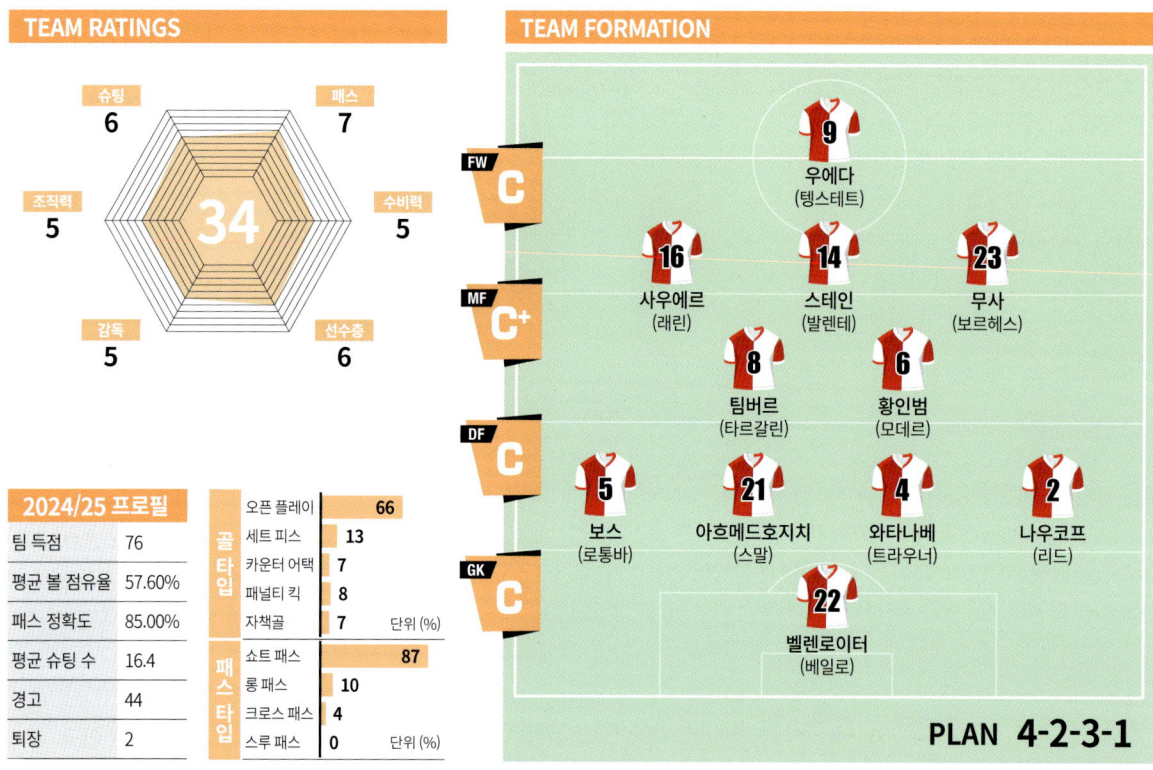

FW	C
MF	C+
DF	C
GK	C

9 우에다 (텡스태트)

16 사우에르 (래린)　14 스테인 (발렌테)　23 무사 (보르헤스)

8 팀버르 (타르갈린)　6 황인범 (모데르)

5 보스 (로통바)　21 아흐메드호지치 (스말)　4 와타나베 (트라우너)　2 나우코프 (리드)

22 벨렌로이터 (베일로)

PLAN 4-2-3-1

지역 점유율

공격 진영	34%
중앙	42%
수비 진영	25%

공격 방향

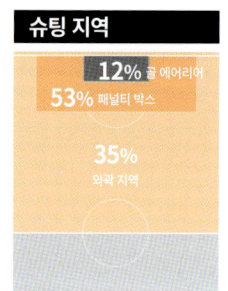

왼쪽	중앙	오른쪽
37%	29%	34%

슈팅 지역

골 에어리어	12%
패널티 박스	53%
외곽 지역	35%

IN & OUT

주요 영입	주요 방출
셈 스테인, 곤살루 보르헤스, 와타나베 츠요시, 아넬 아흐메드호지치, 루시아노 발렌테, 카스테르 텡스태트, 조던 보스, 가우수 디아라, 리엄 보신, 시릴 래린(임대), 말콤 젱(임대), 레오 사우에르(임대복귀), 에세키엘 불라우데(임대복귀)	이고르 파이상, 다비드 한츠코, 안토니 밀람보, 크빌린치 하르트만, 칼빈 스텡스(임대), 라미즈 제루키(임대), 홀리안 카란사(임대), 루카 이바누셰츠(임대), 스테파노 카리오(임대), 제일란드 미첼(임대), 네라이쇼 카산비르호(임대), 플라멘 안드레프(임대), 크리스-케빈 나드제(임대), 이브라힘 오스만(임대복귀), 우고 부에노(임대 복귀), 파쿤도 곤살레스(임대복귀)

COACH

로빈 판 페르시 *Robin van Persie*
1983년 8월 6일생 네덜란드

네덜란드의 전설적인 공격수였던 그는 페예노르트 유스 출신으로 프로 데뷔해서 아스널과 맨체스터 유나이티드, 페네르바체를 거쳐 2019년, 페예노르트에서 선수 은퇴했다. 이후 페예노르트 연령대별 팀을 지도한 그는 2024년 여름, 헤이렌베인 지휘봉을 잡으며 처음으로 프로팀 감독직을 수행했고, 2025년 2월23일에 페예노르트 감독에 올랐다. 강도 높은 압박 축구를 통해 에레디비지에 리그에선 11승 1무 2패로 호성적을 올리고 있으나, 챔피언스 리그에선 1승 3패(특히 페네르바체와 3차 예선 2차전에서 2-5 대패를 당하며 본선 진출에 실패했다)에 그치며 승부처에서 경험 부족을 드러내고 있다. 수비 전술 구축이 약점으로 지적된다.

'페예노르트의 엔진' 황인범,
네덜란드 정상을 원한다

그 누구도 황인범이 페예노르트의 중심이라는 사실을 부인할 수 없다. "황인범을 보면 페예노르트를 이해할 수 있다"는 주제 무리뉴 감독의 말은 결코 과언이 아니다. 황인범은 페예노르트의 간판스타이자 전력의 중심이며, 평가의 기준이다. 황인범은 2024-25시즌 단 한 시즌만의 활약으로 페예노르트 팬들의 마음을 사로잡았다. 이적하자마자 주전으로 도약하더니 공식 30경기에서 3골 2도움을 기록하며 만점 활약을 펼친 것. 이제 황인범은 페예노르트를 네덜란드 정상에 올릴 일만 남았다.

PLAYING STYLE

황인범은 평가절하된 면이 있다. 그는 공수 능력을 겸비한 미드필더다. 옮기는 팀마다 중심 역할을 하는데 뛰어난 테크닉과 넓은 시야, 왕성한 활동량, 정확한 패스 등을 통해 중원을 지배하고 패스 공급원 역할을 수행한다. 드리블을 통한 효과적인 탈압박과 창의적인 전진 패스, 과감한 중거리 슈팅 등으로 공격 포인트를 올리면서 적극적인 압박과 수비 가담으로 안정된 수비력도 과시한다. 또한, 팀의 상황과 상대에 따라 공격형, 중앙, 수비형 미드필더 등 다양한 역할을 소화한다. 다만, 볼 경합 과정에서 피지컬이 2% 부족하다는 평을 듣곤 한다.

COMPETITION

페예노르트는 아약스, PSV와 함께 네덜란드의 3강으로 불리지만, 리그 우승을 16회나 했음에도 아약스와 PSV의 벽을 넘기란 쉽지 않다. 2025-26시즌에도 성적 부진으로 2025년 2월 브리안 프리스케 감독에서 로빈 반 페르시 감독으로 교체됐다. 에레디비지에 3위로 마감했지만 만족스럽지 않은 성적이다. 따라서 2025년 여름에 전체적인 전력을 보강했다. 페예노르트는 반 페르시 감독 밑에서 4-2-3-1 포메이션을 가동하고 황인범은 3선에서 퀸턴 팀버르와 함께 주전으로 활약한다. 피지컬이 뛰어난 루시아노 발렌트, 우사마 타르갈린, 야쿱 모데르 등의 도전을 받지만 황인범의 입지는 여전히 견고하다.

KEY STATS

황인범은 2024년 9월 약 800만 유로의 이적료에 츠르베나 즈베즈다에서 페예노르트로 이적했다. 바로 네덜란드 무대에 적응하더니 주전으로 기용되며 공식 30경기에서 3골 2도움을 기록했다. 비록 장기 부상으로 리그 20경기밖에 출전하지 못했지만 그의 회복과 함께 페예노르트가 상승세를 탔다는 점은 의미하는 바가 크다. 지난 시즌 리그에서 패스 성공률 85.8%, 평균 패스 47.1회, 경기당 키패스 1.6회로 빌드업의 시발점 역할을 톡톡히 했다. 그리고 이는 이번 시즌도 유효하다.

ROAD TO EUROPE

황인범은 대표적인 '저니맨'이다. 2015년 대전에 입단하면서 K리그1에 데뷔했고, 대전이 강등되자 아산 무궁화에 입단하면서 K리그2에서 활약했다. 2018 자카르타 팔렘방 아시안 게임에서 금메달을 획득하면서 조기 전역한 후, 2019년 1월 MLS의 밴쿠버 화이트캡스로, 2020년 8월 러시아의 루빈카잔으로 이적했다. 러시아의 우크라이나 침범으로 2022년 4월 서울로 임대됐다가 2022년 7월 그리스 올림피아코스로, 2023년 9월 세르비아의 츠르베나 즈베즈다로, 그리고 2024년 9월 페예노르트로 이적했다. 유럽 무대에서의 잠재력이 기대된다.

스토크 시티 FC
Stoke City FC

TEAM PROFILE	
창 립	1863년
회 장	피터 코츠(영국)
감 독	마크 로빈스(잉글랜드)
연 고 지	웨스트 미들랜즈 스태포드 셔, 스토크 온트렌트
홈 구 장	bet365스타디움(3만 89명)
라 이 벌	포트베일 FC, 웨스트 브롬위치 알비온 FC
홈페이지	www.stokecityfc.com

최근 5시즌 성적

시즌	순위	승점
2020-2021	14위	60점(15승15무16패,50득점52실점)
2021-2022	14위	62점(17승11무18패,57득점52실점)
2022-2023	16위	53점(14승11무21패,55득점54실점)
2023-2024	17위	56점(15승11무20패,49득점60실점)
2024-2025	18위	51점(12승15무19패,45득점62실점)

시즌프리뷰 3시즌 연속 성적 하락 스토크, 반등 기미가 보인다

2017-18시즌을 끝으로 프리미어 리그에서 강등된 스토크 시티는 지난 7시즌 동안 중하위권을 전전해야 했다. 특히 2022-23시즌 16위를 시작으로 2023-24시즌 17위에 이어 지난 시즌 18위까지 점점 더 성적이 하락하는 문제를 노출했다. 그나마 마크 로빈스 감독 체제에서 6승 7무 8패로 시즌을 마감(로빈스 부임 이전 4승 8무 11패)하며 잔류에 성공한 스토크는 이번 시즌 초반 4경기에서 3승 1패를 기록하며 달라진 모습을 보여주고 있다. 비록 핵심 미드필더 뷔르허르가 팀을 떠났으나 은존지와 크레스웰 같은 빅리그 경험이 풍부한 베테랑들을 영입했다. 무엇보다도 허더스필드에서 영입한 토마스가 초반에 좋은 활약을 펼치며 팀 공격에 활기를 불어넣어 주고 있다. 초반 흐름은 챔피언십 강등 이후 가장 좋다.

TEAM RATINGS

슈팅	5
패스	5
조직력	4
수비력	5
감독	4
선수층	4

27

2023/24 프로필

팀 득점	45
평균 볼 점유율	46.50%
패스 정확도	77.90%
평균 슈팅 수	10.3
경고	108
퇴장	0

골타입	
오픈 플레이	49
세트 피스	24
카운터 어택	13
패널티 킥	11
자책골	2 (단위 %)

패스타입	
쇼트 패스	82
롱 패스	14
크로스 패스	4
스루 패스	0 (단위 %)

TEAM FORMATION

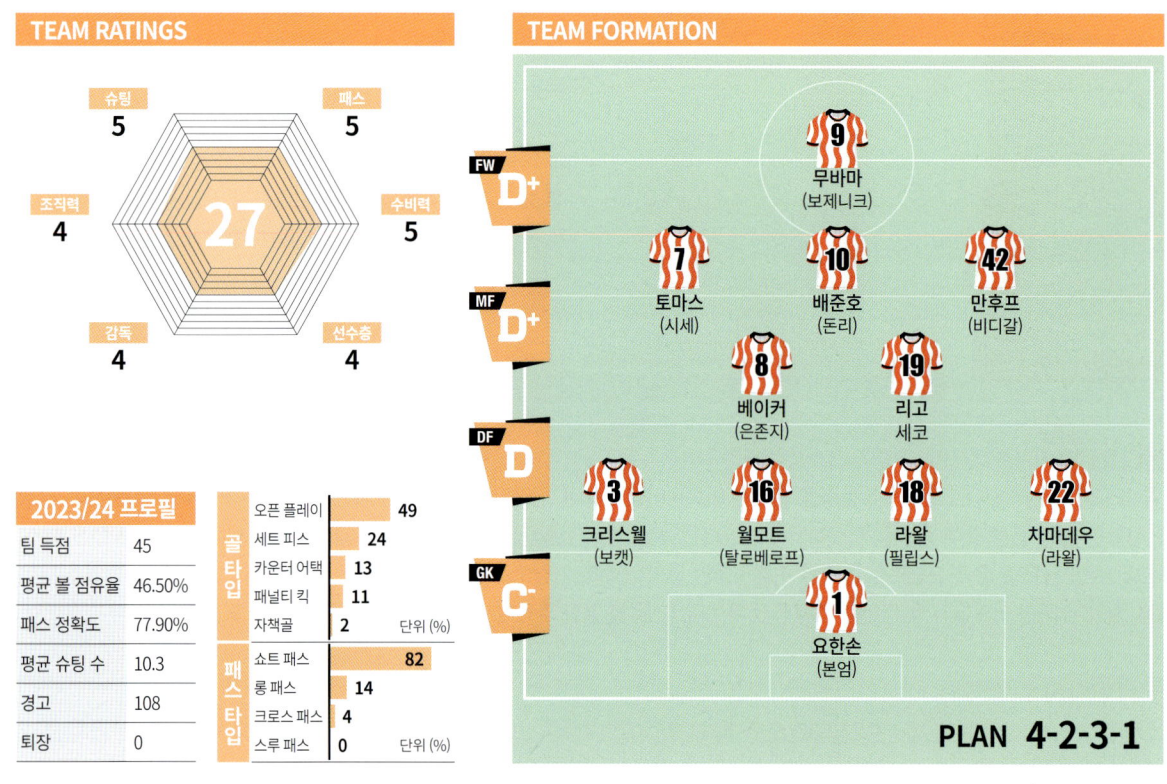

FW	D+
MF	D+
DF	D
GK	C-

9 무바마 (보제니크)

7 토마스 (시세)
10 배준호 (돈리)
42 만후프 (비디갈)

8 베이커 (은존지)
19 리고 세코

3 크리스웰 (보캣)
16 월모트 (탈로베로프)
18 라왈 (필립스)
22 차마데우 (라왈)

1 요한손 (본엄)

PLAN **4-2-3-1**

지역 점유율

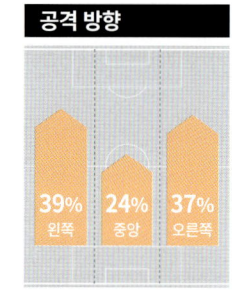

공격 진영	28%
중앙	42%
수비 진영	30%

공격 방향

39% 왼쪽	24% 중앙	37% 오른쪽

슈팅 지역

9% 골 에어리어
59% 패널티 박스
31% 외곽 지역

IN & OUT

주요 영입	주요 방출
토마스 리고, 라민 시세, 막심 탈로베로프, 로베르트 보제니크, 스티븐 은존지, 애런 크레스웰, 소바 토마스, 트루 그랜트, 디빈 무바마(임대), 제이미 돈리(임대)	바우터 뷔르허르, 술레이만 시디베, 라이언 음마에, 린든 구치, 조던 톰슨, 마이클 로즈, 엔다 스티븐스, 조시 윌슨-에스브랜드(임대복귀), 알리 알-하마디(임대복귀)

COACH

마크 로빈스 *Mark Robins*
1969년 12월 22일생 잉글랜드

감독 경력만 18년이 넘는 베테랑 지도자. 감독 초창기만 하더라도 로더럼 유나이티드를 시작으로 반즐리와 코벤트리 시티, 허더스필드 시티, 스컨도프 유나이티드 같은 다양한 팀을 지도했으나 뚜렷한 성과를 내지 못했다. 하지만 2017년 3월, 코벤트리로 돌아온 그는 달라진 모습을 보이면서 2017-18시즌에 팀을 리그2(4부)에서 리그1(3부)으로 승격시킨 데 이어 2019-20시즌엔 리그1 우승을 차지하며 챔피언십(2부)으로 견인했다. 이어서 20232-23시즌엔 챔피언십 5위를 기록하며 프리미어 리그 승격에 도전했으나 플레이오프에서 아쉽게 탈락했다. 역습과 속공에 기반한 측면 공격을 즐겨 사용한다.

에이스 배준호,
누구보다 승격을 윈한다

배준호의 야망은 명료하다. 바로 2025-26시즌을 통해 스토크 시티를 프리미어리그에 승격시키는 것. 배준호는 2023년 8월 대전에서 스토크로 이적한 이후, 지난 2시즌 동안 공식 89경기에서 5골 10도움으로 에이스 역할을 소화했다. 일부에선 공격 포인트가 부족하다는 비판을 하지만 '미스터 스토크'라 불릴 정도로 팀 내 영향력이 단단하다. 하지만 스토크는 지난 시즌 잉글랜드 챔피언십에서 각각 17위와 18위를 기록, 승격과 거리가 멀었다. 하지만 배준호의 목표는 프리미어리그다.

PLAYING STYLE

배준호는 주로 공격형 미드필더로 뛰지만 2선의 모든 포지션을 소화 가능해 전술적 가치가 높다. 그는 스피드를 동반한 드리블, 오프 더 볼 상황에서의 효과적인 움직임, 위력적인 공간 침투, 정확한 전진 패스, 양발을 활용한 강력한 슈팅 등으로 공격을 주도한다. 또한, 적극적인 압박과 빠른 대응으로 전방부터 효과적인 압박을 보여준다. 다만, 활약에 비해 공격 포인트가 다소 부족하다는 평을 듣는다. 따라서 이번 시즌 배준호는 팀 성적뿐 아니라 개인 기록에서도 욕심을 내야 한다.

COMPETITION

스토크는 2024-25시즌 강등의 위험 속에서 악전고투했다. 챔피언십 순위가 20위까지 내려갔고, 스티븐 슈마허 감독과 나르시스 펠라크 감독을 연속으로 경질됐다. 뒤숭숭한 분위기 속에서 2025년 1월 스토크 지휘봉을 잡은 마크 로빈슨 감독은 시즌 막판 21경기에서 6승 7무 8패를 기록하며 잔류의 주인공이 되었다. 로빈슨 감독은 4-2-3-1 포메이션 하에서 배준호를 왼쪽 윙포워드, 공격형 미드필더로 기용하고 있다. 배준호는 루이스 베이커, 보선 라왈, 안드레 비디갈, 제이미 돈리 등과 주전 경쟁을 펼쳐야 한다. 그럼에도 배준호가 여전히 로빈슨 감독 전술의 핵심임은 누구도 부인 못 한다.

KEY STATS

배준호는 지난 2시즌 동안 스토크의 에이스 역할을 톡톡히 했다. 데뷔 시즌인 2023-24시즌에 리그 38경기 2골 5도움을, 2024-25시즌 공식 45경기에서 3골 5도움을 기록했다. 특히, 지난 시즌 출전 시간이 늘어나면서 패스 성공률 82%, 경기당 패스 23.1회, 경기당 키패스 1회, 경기당 슈팅 0.9회 등을 기록하며 공격에 기여했다. 다만, 리그 45경기를 포함한 공식 49경기에서 공격 기여도에 비해 3골 5도움에 그쳐 공격 포인트를 더 향상시켜야 한다. 특히, 득점력을 더 증가시켜야 한다.

ROAD TO EUROPE

배준호는 어린 시절부터 두각을 나타내더니 2022년 대전에서 데뷔했다. 2022년 K리그2에서 8경기 1골을 기록하며 대전의 승격에 기여했고, 2023년 K리그1에서 17경기에 출전해 2골을 넣으며 능력을 발휘했다. 그리고 2023년 8월 1일 옵션 포함한 이적료 200만 유로에 스토크 시티로 이적했다. 이후, 지난 2시즌 동안 스토크 시티 공격의 핵심으로 활약했고 2시즌 동안 89경기에 출전해 5골 10도움을 기록했다. 배준호에게는 이제 더 많은 공격 포인트를 기록하며 스토크를 승격시키는 것이 과제다.

포츠머스 FC

Portsmouth FC

TEAM PROFILE

창 립	1898년
회 장	마이클 아이스너(미국)
감 독	존 무시뉴(잉글랜드)
연 고 지	잉글랜드 햄프셔주 포츠머스
홈 구 장	프래턴 파크 (2만 620명)
라 이 벌	사우스햄튼 FC
홈페이지	https://www.portsmouthfc.co.uk/

최근 5시즌 성적

시즌	순위	승점
2020-2021	8위	72점(21승9무16패, 65득점51실점)
2021-2022	10위	73점(20승13무13패, 68득점51실점)
2022-2023	8위	70점(17승19무10패, 61득점50실점)
2023-2024	1위	97점(28승13무5패, 78득점41실점)
2024-2025	16위	54점(14승12무20패, 58득점71실점)

시즌 프리뷰 무시뉴식 1골 승부, 강화된 전력으로 더 먹힌다

포츠머스는 2010년까지만 하더라도 프리미어 리그 팀이었으나, 2부(챔피언십) 강등을 거쳐 2012년, 재정 악화로 법정관리에 들어가며 4부(리그 투)로 추락하는 수모를 겪었다. 하지만 2016-17시즌 리그 투 우승을 차지하며 승격에 성공한 포츠머스는 무시뉴 감독 체제에서 2023-24시즌 3부(리그1) 우승과 함께 챔피언십으로 복귀했다. 승격 첫 시즌, 기존 챔피언십 팀들과의 전력 격차를 드러내면서 강등 위기에 몰렸으나 시즌 마지막 5경기에서 2승 3무를 기록하며 잔류에 성공했다(16위). 비록 리치와 포츠가 떠났으나 스위프트와 코스노브스키를 영입한 데 이어 양민혁과 비앙시니, 채플린을 임대로 데려와 해당 포지션을 강화했고, 나이트를 영입해 수비 문제 해소에 나섰다. 이번 시즌은 지난 시즌보다 나은 성적이 기대된다.

TEAM RATINGS

슈팅 3
패스 4
조직력 5
수비력 5
감독 4
선수층 5

26

2024/25 프로필

팀 득점	58
평균 볼 점유율	44.70%
패스 정확도	70.50%
평균 슈팅 수	11.2
경고	116
퇴장	1

골 타입

오픈 플레이	60
세트 피스	26
카운터 어택	4
패널티 킥	9
자책골	2

단위 (%)

패스 타입

쇼트 패스	76
롱 패스	18
크로스 패스	6
스루 패스	0

단위 (%)

TEAM FORMATION

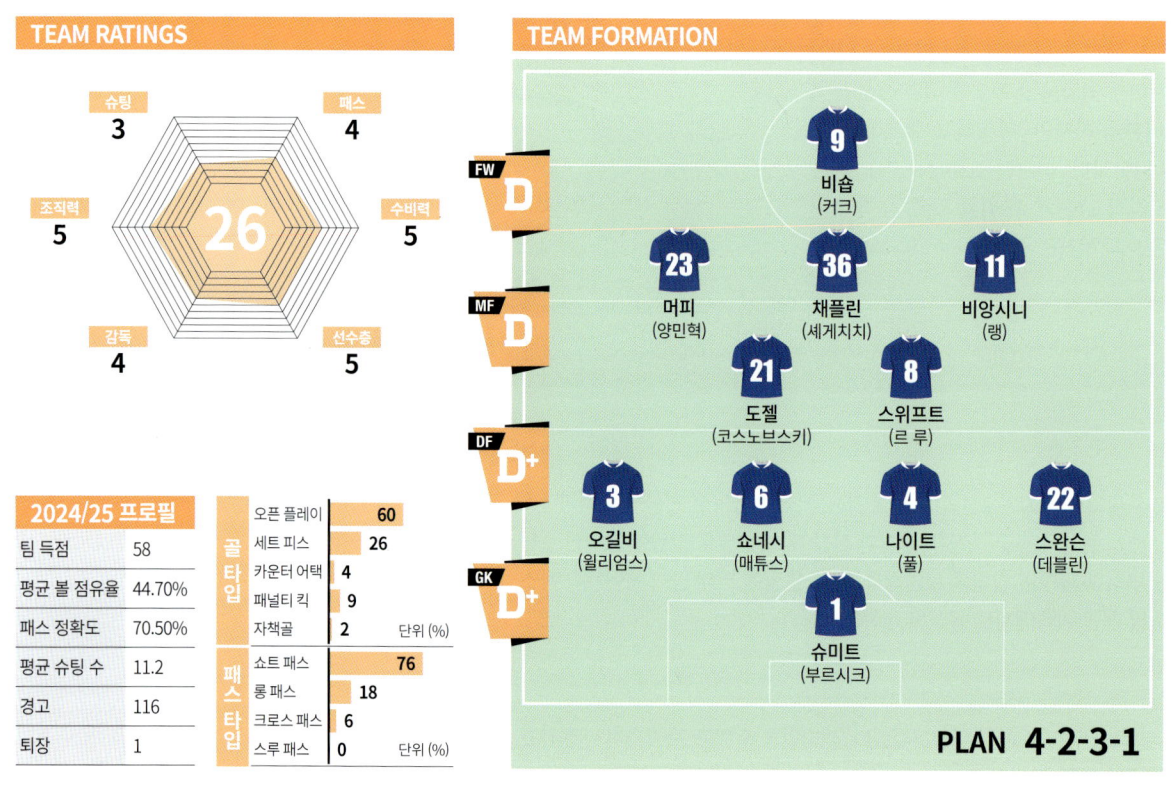

FW D

MF D

DF D+

GK D+

9 비숍 (커크)

23 머피 (양민혁)
36 채플린 (세게치치)
11 비앙시니 (랭)

21 도젤 (코스노브스키)
8 스위프트 (르 루)

3 오길비 (윌리엄스)
6 쇼네시 (매튜스)
4 나이트 (풀)
22 스완슨 (데블린)

1 슈미트 (부르시크)

PLAN **4-2-3-1**

지역 점유율

공격 진영	34%
중앙	40%
수비 진영	26%

공격 방향

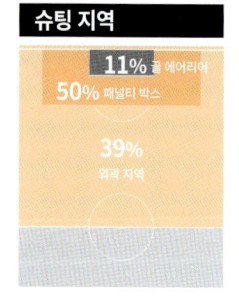

39% 왼쪽	25% 중앙	35% 오른쪽

슈팅 지역

11% 골 에어리어
50% 패널티 박스
39% 외곽 지역

IN & OUT

주요 영입	주요 방출
마르크 코스노브스키, 조시 나이트, 존 스위프트, 조셉 부르시크, 루크 르 루, 에이드리안 세게치치, 매켄지 커크, 프랑코 우메-치부에제, 코너 채플린(임대), 양민혁(임대), 플로리안 비앙시니(임대)	쿠시니 옝기, 코헨 브라몰, 맷 리치, 패디 레인, 라일리 타울러, 크리스천 사이디, 아딜 아우치체(임대복귀), 아이작 헤이든(임대복귀)

COACH

존 무시뉴 *John Mousinho*
1986년 4월 30일생 잉글랜드

하부리그에서 선수 경력을 이어온 그는 2020-21시즌 초반 무릎 부상을 당하면서 옥스포드 유나이티드에서 선수 겸 코치로 활동했고, 2023년 1월에 포츠머스 감독으로 지도자 경력을 시작했다. 곧바로 2023-24시즌, 포츠머스의 리그1 우승을 이끌며 리그1 올해의 감독을 수상했고, 능력을 인정받아 연장 계약에 성공했다. 기본적으로 4-2-3-1 포메이션을 선호하는 감독이고, 실리적인 전술 운용을 통해 1골 승부에 강한 면모를 과시하고 있다. 리그1 우승을 차지한 시즌에도 득점, 실점, 점유율 모두 1위를 기록하지 못했을 정도로 효율성을 중시한다. 프로축구선수협회(PFA) 회장 직을 맡을 만큼 리더십이 있다.

포츠머스 임대를 택한 양민혁,
성공 가능성을 입증할까?

2006년생인 양민혁은 잠재력을 높게 평가받고 있는 라이징 스타다. 2024년 3월 강원에서 당시 17세 10개월의 나이로 데뷔해 K리그1에서 센세이션을 일으키더니 7월 토트넘으로 이적을 확정하며 축구팬들에게 놀라움을 선사했다. 이후 2024-25시즌 퀸즈 파크 레인저스로 임대되어 경험을 쌓았고, 2025년 8월 포츠머스로 임대되었다. 양민혁의 스피드와 득점력을 고려할 때, 그에게 필요한 것은 실전 경험이다. 그렇기에 2025-26시즌은 양민혁의 성장에게 있어서 매우 중요하다.

PLAYING STYLE

양민혁은 좌우 양쪽 측면에서 활약할 수 윙어로 35km/h에 이르는 빠른 스피드와 폭발적인 드리블, 반 박자 빠른 슈팅 등을 자랑한다. 양발을 자유자재로 사용함에 따라 양쪽 측면에서 중앙으로 들어오며 반대발로 강력한 슈팅을 보여주곤 한다. 또한, 기동력과 적극성이 뛰어나 수비로 전환할 때 강력한 압박을 보여준다. 하지만 경험이 부족해 아직 시야가 좁고 경기 진행이 단조로운 면이 있다. 따라서 '유망주'라는 평가를 넘어서기 위해선 경험을 통해 여러 측면에서 플레이를 개선해야 한다.

COMPETITION

포츠머스는 잉글랜드 1부리그 2회, FA컵 2회, EFL컵 1회 우승을 기록한 명문이다. 하지만 2009-10시즌 프리미어리그에서 강등당한 후, 리그 2까지 내려가며 부진을 거듭했다. 2023-24시즌 리그1 1위로 승격했고 지난 시즌 챔피언십에서 16위로 잔류에 성공했지만, 2025년 여름 변화가 필요했다. 이에 따라 양민혁을 비롯해 코슈노프스키, 조쉬 나이트, 존 스위프트 등 다양한 선수들을 영입했다. 물론, 양민혁은 칼럼 랭과 플로리안 비안치니 등 적지 않은 선수들과 주전 경쟁을 해야 한다. 그럼에도 조 무시뉴 감독은 양민혁의 잠재력을 높게 평가하므로 꾸준히 출전기회를 제공할 것이 분명하다.

KEY STATS

양민혁은 2025년 1월 퀸즈 파크 레인저스로 임대되어 반 시즌 동안 활약했다. 비록 프리미어리그 무대는 아니지만 챔피언십에서 QPR 소속으로 총 14경기에 출전해 2골 1도움을 기록했다. 총 696분 출전했음에도 패스 성공률 81.3%, 경기당 슈팅 1.3회, 경기당 키패스 0.5회, 경기당 드리블 성공 0.4회를 기록하며 공격력을 과시했다. 지난 시즌, 아직 20세도 되지 않은 나이에 낯선 환경과 무대에서 보여준 활약을 감안하면 나쁘지 않은 성적이다. 그렇기에 올 시즌 활약이 더 기대된다.

ROAD TO EUROPE

양민혁은 2023 AFC U-17 아시안컵과 2023 FIFA U-17 월드컵에서 두각을 나타냈고, 강원과 준프로 계약을 맺으면서 2024년 3월 K리그1에 데뷔했다. 1R 제주전에 데뷔하자마자 센세이션을 일으키더니 강원의 공격에 새로운 바람을 일으켰고, 그 기세를 이어가 2024년 7월 토트넘으로의 이적을 확정했다. 잔여 시즌 동안 강원으로 임대되어 2024시즌 12골 6도움을 기록하기도 했다. 이후 2024-25시즌 후반기 QPR로 임대되어 2골 1도움을 기록함에 따라 2025년 8월 포츠머스로 임대되었다. 그가 포츠머스에서 어떤 활약을 펼치지 벌써부터 팬들의 기대가 크다.

FK 츠르베나 즈베즈다
FK Crvena Zvezda

TEAM PROFILE

창 립	1945년
회 장	스베토자르 미야일로비치(세르비아)
감 독	블라단 밀로예비치(세르비아)
연 고 지	베오그라드
홈 구 장	라이코 미티치 스타디움(5만3,000명)
라 이 벌	FK 파르티잔
홈페이지	www.crvenazvezdafk.com

최근 5시즌 성적

시즌	순위	승점
2020-2021	1위	108점(35승3무0패,114득점20실점)
2021-2022	1위	81점(26승3무1패,79득점17실점)
2022-2023	1위	82점(26승4무0패,81득점14실점)
2023-2024	1위	77점(25승2무3패,77득점22실점)
2024-2025	1위	86점(28승2무0패,106득점22실점)

시즌 프리뷰 세르비아 최강 즈베즈다, 유럽 대항전이 관건이다

세르비아 최강 츠르베나 즈베즈다는 지난 시즌 32승 4무 1패라는 압도적인 성적과 함께 2위 파르티잔과의 승점 차를 27점으로 벌리며 우승을 차지했다. 더 놀라운 건 그들이 123골로 경기당 3.3골을 넣었다는 데에 있다. 이와 함께 즈베즈다는 리그 8연패에 성공했다. 게다가 세르비아 컵 결승전에서도 보이보디나를 3-0으로 대파하고 2관왕에 올랐다. 즈베즈다는 이번 여름, 막시모비치와 밀로사브레비치 같은 재능 있는 선수들을 비싸게 팔아서 자금을 충당했다. 대신 아르나우토비치와 벨리코비치 같은 경험 많은 베테랑들을 비롯해 핸델과 바비츠카, 티크니지얀, 마테우스 같은 주전급 선수들을 영입해 유럽 대항전에 도전했으나, 챔피언스 리그 플레이오프에서 파포스에게 탈락하면서 시작부터 꼬였다. 유로파 리그에서라도 성과를 내야 한다.

TEAM RATINGS

슈팅	6
패스	5
조직력	4
수비력	5
감독	5
선수층	6

31

2024/25 프로필

팀 득점	123
평균 볼 점유율	64.80%
패스 정확도	88.00%
평균 슈팅 수	20.3
경고	26
퇴장	0

골 타입

오픈 플레이	62
세트 피스	15
카운터 어택	15
패널티 킥	8
자책골	0 단위 (%)

패스 타입

쇼트 패스	82
롱 패스	12
크로스 패스	5
스루 패스	1 단위 (%)

TEAM FORMATION

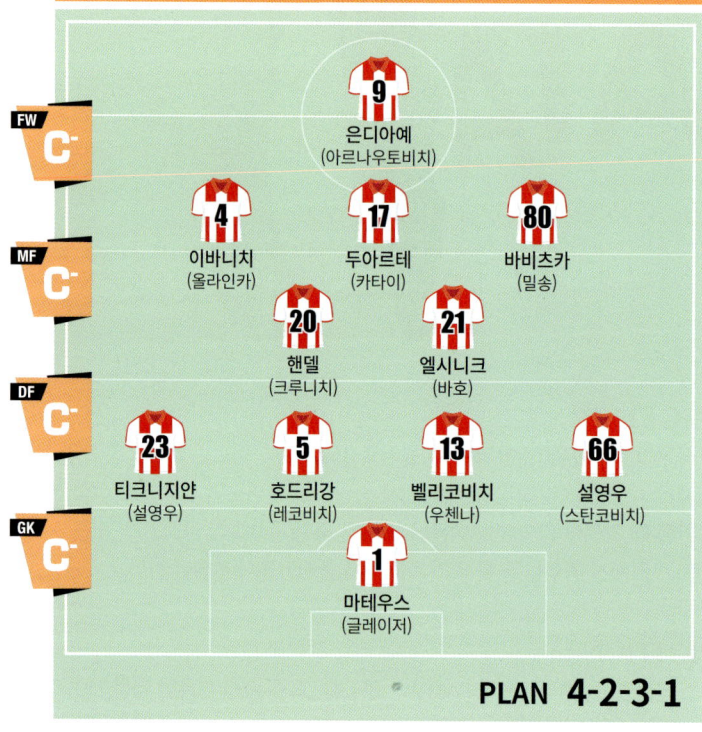

FW C-
MF C-
DF C-
GK C-

9 은디아예 (아르나우토비치)

4 이바니치 (올라인카)
17 두아르테 (카타이)
80 바비츠카 (밀송)

20 핸델 (크루니치)
21 엘시니크 (바호)

23 티크니지얀 (설영우)
5 호드리강 (레코비치)
13 벨리코비치 (우첸나)
66 설영우 (스탄코비치)

1 마테우스 (글레이저)

PLAN **4-2-3-1**

지역 점유율

공격 진영	25%
중앙	44%
수비 진영	30%

공격 방향

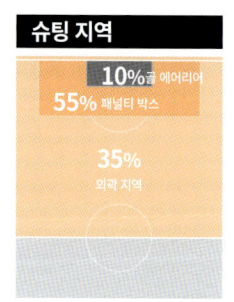

39% 왼쪽	24% 중앙	38% 오른쪽

슈팅 지역

10%	골 에어리어
55%	패널티 박스
35%	외곽 지역

IN & OUT

주요 영입	주요 방출
샤비 바비츠카, 마흐무두 바호, 토마스 핸델., 프랭클린 테보 우체나, 나이르 티크니지얀, 마테우스, 니콜라 스탄코비치, 마르코 아르나우토비치, 밀로스 벨리코비치, 발사 포포비치, 호드리강, 스테판 레코비치(임대복귀), 블라디미르 루치치(임대복귀), 에고르 프루체프(임대복귀), 아뎀 아브디치(임대복귀),	벨리코 밀로사브레비치, 안드리야 막시모비치, 스트라힌야 스토이코비치, 에베네제르 안난, 루카 일리치, 안드레이 주리치, 겔로르 캉가, 밀란 로디치, 실라스(임대복귀)

COACH

블라단 밀로예비치 *Vladan Milojevic*
1970년 3월 9일생 세르비아

즈베즈다 유스 출신 센터백으로 정작 선수 경력은 타 리그에서 보낸 그는 은퇴 후 즈베즈다 유스 코치로 지도자 경력을 시작했다. 이후 야보르-마티스를 시작으로 2012년 추카리츠키 감독 직을 수행하며 팀을 세르비아 1부 리그로 승격시켰고, 키프러스 구단 오모니아 니코시아와 그리스 구단 파니오니오스를 거쳐 2017년에 즈베즈다 지휘봉을 잡았다. 그는 2시즌 연속 리그 우승을 견인했으나 2019-20 시즌 무관에 그치며 팀을 떠났다. 이후 알-아흘리와 AEK 아테네, 알-에티파크, APOEL, 아폴로 리마솔을 전전하다가 2023년 12월, 다시 즈베즈다로 돌아왔고, 이후 성공적으로 팀을 이끌며 2시즌 연속 리그-컵 2관왕을 이끌었다.

세르비아 정복한 설영우,
즈베즈다의 핵심이 되다

설영우는 2025년 여름 뜨거운 감자였다. 2024-25시즌 츠르베나 즈베즈다 데뷔 시즌임에도 세르비아 수페르리가를 정복하더니 2025년 여름 잉글랜드 챔피언십 셰필드 유나이티드로의 이적설이 대두된 것이다. 그의 바이아웃 금액이 500만 유로라는 보도가 잇따랐다. 하지만 그의 이적은 무산됐다. 그는 1998년생으로 아직 젊고 유럽 무대에서 그 능력이 주목받고 있다. 2025-26시즌에도 세르비아 무대에서 자신의 기량을 유감없이 발휘할 것. 그렇기에 그의 빅 리그 진출은 멀지 않았다.

PLAYING STYLE

설영우의 최대 장점은 다재다능하다는 사실이다. 그는 좌,우 풀백, 센터백, 수비형 미드필더, 오른쪽 윙어 등 다양한 포지션을 소화한다. 울산대에서 고 유상철 감독의 지도에 따라 윙어에서 풀백으로 포지션을 변경한 것이 신의 한 수였다. 이것이 가능한 것은 설영우가 탄탄한 기본기와 영리한 축구 센스, 효과적인 동료와의 연계 플레이를 보여주기 때문. 이에 더해 풀백으로 공격력이 뛰어나 드리블과 크로스를 통해 공격을 주도하고, 윙어 출신이기에 수비할 때 동료들을 최대한 활용하고 지능적인 플레이를 펼친다. 다만, 스피드가 뛰어난 편은 아니다.

COMPETITION

블라단 밀로예비치 감독은 4-2-3-1을 주 포메이션으로 활용하면서 설영우를 주전 라이트백으로 활용하고 있다. 즈베즈다는 2025년 여름, 레프트백인 나야이르 타크니잔과 라이트백인 니콜라 스탄코비치를 영입해 측면 수비를 보강했다. 레프트백인 아뎀 아브디치도 임대 복귀시켰다. 타그니잔이 아브디치와의 경쟁에서 승리하며 주전 레프트백으로 기용되는 반면, 설영우는 스탄코비치와의 경쟁에서 우위를 차지하며 선발로 기용되고 있다. 설영우가 좌,우 측면 모두를 소화한다는 사실을 고려할 때, 지난 시즌보다 더 많은 경기에 출전할 가능성이 높다.

KEY STATS

설영우는 데뷔 시즌인 2024-25시즌 주전으로 활약하며 즈베즈다 팬의 시선을 완전히 사로잡았다. 공식 43경기에서 6골 8도움을 기록하면서 측면을 지배했다. 특히, 전반기엔 레프트백으로, 그리고 후반기엔 라이트백을 뛰면서 높은 팀 공헌도를 과시했다. 특히, 리그에서 30경기에 출전해 6골 5도움을 기록하면서 공수에서 뛰어난 활약을 펼쳤다. 이에 따라 리그 베스트 일레븐에 선정되기도 했다. 챔피언스리그에서도 10경기 3도움을 기록하며 정확한 크로스를 통해 공격 재능을 뽐내기도 했다.

ROAD TO EUROPE

설영우는 '우승 제조기'라고 칭할 수 있다. 현대중, 현대고, 울산대를 거쳐 2020년 1월 울산 현대에 입단했다. 2013년 현대중의 전관왕, 2016년 현대고의 4관왕, 울산대에서 한국대학축구연맹의 우수선수상 수상 등을 기록하며 성장했다. 2020년부터 4시즌 반 동안 울산에서 활약하면서 K리그1 우승 3회, AFC 챔피언스리그 우승 1회를 달성했고, 2022아시안게임에서 금메달을 획득했다. 그리고 2024년 6월 150만 유로의 이적료에 세르비아의 츠르베나 즈베즈다로 이적했고, 2024-25시즌 세르비아를 정복하며 리그와 컵에서 우승하는 데 이바지했다. 셰필드 유나이티드로의 이적이 무산됨에 따라 그는 츠르베나 즈베즈다와 함께 세르비아 왕좌를 지킬 계획이다.

토트넘 홋스퍼 FC vs RC 에버턴 FC (4:0)

'레전드' 손흥민이 최고의 기량을 유감없이 발휘한 경기. 전반 25분에는 상대 골키퍼 조던 픽퍼드의 컨트롤 실수를 놓치지 않고 빠른 스피드로 압박을 가해 공을 빼앗아 팀의 두 번째 골을 터트렸고 후반 32분 역습 상황에서 미키 판 더 벤의 질주에 이은 패스를 이어받아, 각도가 거의 없는 상황에서도 강하고 정확한 슈팅으로 4-0 승리의 대미를 장식했다.

〈2024.08.24 / 토트넘 홋스퍼 스타디움〉

맨체스터 시티 vs 아스널 FC (2:2)

두 시즌 우승 경쟁으로 뜨겁게 달궈진 맨시티와 아스널의 맞대결. 맨시티는 전반 9분 엘링 홀란의 선제골과 함께 초반 흐름을 주도하였으나, 역습과 세트 피스로 역전을 허용했다. 아스널의 레안드로 트로사르가 경고 누적 퇴장을 당하면서 일방적인 공세를 펼쳤다. 결국, 후반 추가 시간 8분에 터진 존 스톤스의 극장 골로 2-2 동점을 만들 수 있었다.
〈2024.09.22 / 에티하드 스타디움〉

리버풀 FC vs 맨체스터 시티 (2:0)

리버풀이 11점 차 선두로 치고 나가며 사실상 우승을 확정 지은 경기. 이 경기로 리버풀은 2015-16시즌 이후 처음으로 맨시티 상대 더블에 성공했으며, 살라는 이전 시즌 챔피언을 상대로 홈과 원정 경기에서 매번 골과 도움을 모두 기록한 대회 역사상 첫 주인공이 됐다(두 경기 모두 1골 1도움).
〈2025.02.24 / 에티하드 스타디움〉

첼시 FC vs 브라이턴 앤 호브 알비온 (4:2)

첼시의 에이스 콜 파머가 프리미어 리그의 역사를 새로 쓴 경기. 두 팀 모두 수비진이 치명적인 실수들을 저지르며 전반에만 여섯 골이 쏟아졌는데, 첼시의 네 골은 모두 파머가 득점했다. 대회 역사상 전반 4득점은 파머가 유일하다. 특히 세 번째 골은 27미터 거리에서 찬 직접 프리킥으로, 골키퍼가 막기 어려운 각도로 휘어지며 골문 구석을 찔렀다.

〈2024.09.28 / 스탬포드 브릿지〉

리버풀 FC vs 토트넘 홋스퍼 FC (6:3)

리버풀이 토트넘을 6-3으로 꺾고 선두 경쟁에서 앞서 나가기 시작한 경기. 토트넘도 투지를 발휘해 세 골을 득점했으나, 승부의 추는 경기 내내 리버풀 쪽으로 기울어져 리버풀의 기세를 꺾기엔 부족했다. 모하메드 살라는 2골 2도움을 기록했는데, 21세기에 멀티 골과 멀티 도움을 2경기 이상 성공한 선수는 살라와 티에리 앙리(3경기)뿐이다.

〈2024.12.22 / 토트넘 홋스퍼 스타디움〉

2025-2026

ENGLAND PREMIER LEAGUE

SUNDERLAND AFC
팀 명 선덜랜드 AFC
창 단 1879년
홈구장 스타디움 오브 라이트
주 소 www.safc.com

LEEDS UNITED FC
팀 명 리즈 유나이티드 FC
창 단 1919년
홈구장 엘런드 로드
주 소 www.leedsunited.com

BURNLEY FC
팀 명 번리 FC
창 단 1882년
홈구장 터프 무어
주 소 www.burnleyfootballclub.com

LIVERPOOL FC
팀 명 리버풀
창 단 1892년
홈구장 안필드
주 소 www.liverpoolfc.com

EVERTON FC
팀 명 에버턴 FC
창 단 1878년
홈구장 구디슨 파크
주 소 www.evertonfc.com

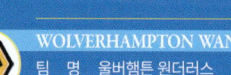

ASTON VILLA
팀 명 애스턴 빌라
창 단 1874년
홈구장 빌라 파크
주 소 www.avfc.co.uk

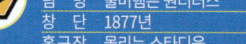

WOLVERHAMPTON WANDERERS
팀 명 울버햄튼 원더러스
창 단 1877년
홈구장 몰리뉴 스타디움
주 소 www.wolves.co.uk

AFC BOURNEMOUTH
팀 명 AFC 본머스
창 단 1899년
홈구장 바이탈리티 스타디움
주 소 www.watfordfc.com

NEWCASTLE UNITED FC
팀 명 뉴캐슬 유나이티드 FC
창 단 1892년
홈구장 세인트 제임스 파크
주 소 www.nufc.co.uk

BRIGHTON & HOVE ALBION FC
팀 명 브라이턴 앤 호브 알비온
창 단 1901년
홈구장 아메리칸 익스프레스 스타디움
주 소 www.brightonandhovealbion.com

MANCHESTER UNITED
팀 명 맨체스터 유나이티드
창 단 1878년
홈구장 올드 트래포드
주 소 www.mancity.com

MANCHESTER CITY
팀 명 맨체스터 시티
창 단 1880년
홈구장 에티하드 스타디움
주 소 www.mancity.com

NOTTINGHAM FOREST
팀 명 노팅엄 포레스트
창 단 1865년
홈구장 더 시티 그라운드 스타디움
주 소 www.nottinghamforest.co.uk

FULHAM FC
팀 명 풀럼 FC
창 단 1879년
홈구장 크레이븐 코티지
주 소 www.fulhamfc.com

ARSENAL FC
팀 명 아스널 FC
창 단 1886년
홈구장 에미레이트 스타디움
주 소 www.arsenal.com

CHELSEA FC
팀 명 첼시 FC
창 단 1905년
홈구장 스탬퍼드 브리지 스타디움
주 소 www.chelseafc.com

CRYSTAL PALACE FC
팀 명 크리스탈 팰리스
창 단 1905년
홈구장 셀허스트 파크 스타디움
주 소 www.cpfc.co.uk

WEST HAM UNITED
팀 명 웨스트햄 유나이티드 FC
창 단 1895년
홈구장 런던 스타디움
주 소 www.whufc.com

TOTTENHAM HOTSPUR
팀 명 토트넘 홋스퍼
창 단 1882년
홈구장 토트넘 홋스퍼 스타디움
주 소 www.tottenhamhotspur.com

BRENTFORD FC
팀 명 브렌트포드 FC
창 단 1889년
홈구장 브렌트포드 커뮤니티 스타디움
주 소 www.brentfordfc.com

NEWCASTLE

SUNDERLAND AFC

LEEDS UNITED FC

BURNLEY FC   MANCHESTER

LIVERPOOL

NOTTINGHAM

BIRMINGHAM

WOLVERHAMPTON
WANDERERS

LONDON

BRIGHTON &
HOVE ALBION

BOURNEMOUTH

다시 찾아온 '빅4' 체제, 부활 노리는 맨유와 토트넘

2010년대 프리미어 리그에서는 맨체스터 유나이티드, 첼시, 아스널, 맨체스터 시티가 주로 4위권을 형성하며 우승 경쟁을 펼쳐 이 네 팀을 '빅4'로 불렀다. 이후 리버풀이 화려한 부활에 성공하고 토트넘도 꾸준하게 챔피언스 리그에 진출하게 되자, 상위권 경쟁 구도가 여섯 팀으로 재편되며 나머지 팀들과 재정이나 전력 면에서 큰 격차를 보여 '빅 6' 구도가 자리를 잡았다.

그런데 지난 시즌에는 맨유와 토트넘이 각각 리그 15위와 17위로 처지는 충격적인 부진에 빠졌고, 새로운 감독이 지휘봉을 잡아 팀을 리빌딩하는 작업에 돌입하면서 이번 시즌에는 빅4 체제가 부활하는 모양새다. 언론과 전문가들의 시즌 예상에서도 리버풀, 아스널, 맨시티, 첼시 이외의 팀이 4위권 이내에 자리하는 경우는 찾아보기 어렵다. 맨유와 토트넘이 빠르게 부활한다고 해도 팀의 완성도 면에서는 여전히 격차가 존재하고, 지난 시즌 중소 구단에서 좋은 활약을 펼친 선수가 상위권 팀으로 이동한 경우가 많아 현실적으로 4위권 진입을 노릴 만큼의 돌풍을 일으킬 만한 팀은 없다.

그 대신 네 팀의 우승 경쟁은 무척이나 치열할 전망이다. 지난 시즌 대형 영입 없이도 우승을 차지했던 리버풀은 이번 여름 플로리안 비르츠, 위고 에키티케 등 최고의 잠재력을 갖춘 젊은 선수들의 영입에 거액을 투자해 전력을 보강하고 미래를 대비했다. 세 시즌 연속 2위에 그쳐 아쉬움을 삼켰던 아스널은 우승을 위한 퍼즐의 마지막 조각을 찾기 위해 최전방 공격수 빅터 요케레스를 영입했다. 네 시즌 연속 우승 이후 지친 모습을 보였던 맨시티도 미뤄왔던 중원 리빌딩 작업을 마침내 시작했으며, 발롱도르 수상자이자 주전 수비형 미드필더인 로드리가 장기 부상에서 돌아와 다시금 팀의 중심을 잡아줄 것으로 기대된다. 유망한 젊은 선수들로 팀을 구성하는 첼시는 이번 여름에도 쉬지 않고 영입을 진행해 약점으로 지적되던 공격력 보강에 성공했고, 2025 클럽 월드컵에서 지난 시즌 챔피언스 리그 우승 팀인 파리 생제르맹을 완파하고 우승을 차지하는 성과를 내며 이번 시즌 프리미어 리그에서도 우승 도전을 예고하고 있다.

한편, 지난 두 시즌 연속으로 승격 세 팀이 곧바로 강등될 만큼 프리미어 리그의 수준은 높아졌다. 이번에는 지난 시즌 챔피언십에서 나란히 승점 100점을 기록하는 기염을 토한 리즈와 번리가 잔류에 도전하고, 9년 만에 돌아온 선덜랜드도 전술이나 전력 면에서 경쟁력을 갖추고 있어 강등을 피하기 위한 싸움이 오랜만에 치열하게 전개될 것으로 보인다. 여전히 기존 팀들과의 격차는 크겠지만, 전력 손실이 크거나 하락세가 길게 이어지는 팀들이 있어 이변이 일어날 가능성도 충분하다.

TOP SCORER

지난 시즌 프리미어 리그에서는 모하메드 살라 (29), 알렉산더 이삭(23), 엘링 홀란(22), 크리스 우드와 브라이언 음뵈모(20)까지 20골 이상 득점 선수가 다섯 명이나 나왔는데, 이는 2016-17 시즌 이후 8년 만의 일이었다. 이번 시즌에는 리버풀의 위고 에키티케, 아스널에 빅터 요케레스, 맨유에 베냐민 세슈코까지 세 명의 대형 공격수가 프리미어 리그에 새로 입성해 더욱 뜨거워질 득점왕 경쟁을 예고하고 있다. 첼시에서도 지난 시즌 후반기 득점이 줄었던 에이스 콜 파머(15)가 부활할 수 있고, 승격 팀 입스위치 타운에서 뛰면서도 12골을 터트렸던 리엄 델랍도 이제는 첼시 유니폼을 입고 골 사냥에 나선다.

맨유에는 세슈코 외에도 음뵈모와 마테우스 쿠냐(15)가 공격진을 구성하고 있는데, 음뵈모와 쿠냐 모두 지난 시즌 각각 브렌트포드와 울버햄튼 소속으로 많은 골을 터트린 만큼 맨유에서도 득점력이 기대된다. 뉴캐슬의 이삭은 리버풀 이적 선언으로 거취가 불투명해지면서 시즌 출발이 늦어졌기 때문에 득점왕에 도전하기는 쉽지 않아 보인다. 애스턴 빌라 주전 공격수 올리 왓킨스(16) 또한 득점왕 경쟁에 다크호스가 될 수 있다. * 괄호 안은 지난 시즌 득점

TITLE RACE

치열하게 경쟁이 이어졌던 최근과 달리 지난 시즌에는 리버풀이 일찍부터 독주를 이어가며 네 경기를 남겨두고 우승을 확정했다. 경쟁자로 꼽히던 아스널과 맨체스터 시티는 주축 선수들의 부상과 부진 탓에 리버풀의 빠른 페이스를 따라잡지 못했다. 그러나 이번 시즌은 다시금 긴장을 늦추기 어려운 경쟁이 이어질 것으로 보인다. 리버풀이 대대적으로 전력을 보강하기는 했지만 오히려 팀에 변화가 많아 지난 시즌처럼 초반부터 치고 나갈 수 있을지 의문이고, 아스널과 맨시티는 약점을 보완하는 영입에 성공했기 때문이다. 이 세 팀보다 전력은 한 발 뒤처지지만 클럽 월드컵 우승으로 세계 챔피언에 등극하며 자신감을 얻은 젊은 팀 첼시 또한 기세를 탄다면 충분히 경쟁에 가세할 수 있다. 맨유와 토트넘은 현실적으로 6위권 진입을 목표로 인내심을 갖고 리빌딩을 진행해야 한다.

DARK HORSE

지난 시즌 중상위권 팀들 대부분은 이번 여름 전력이 약화되거나 재정 상황 탓에 야심 찬 보강을 하지 못했는데, 돌풍의 주인공이었던 노팅엄 포레스트만은 예외다. 유로파 리그 진출을 이뤄낸 노팅엄은 유럽 대회 병행을 위해 거의 모든 포지션에 선수 영입을 했다. 조직력을 완성하는 데 시간이 걸릴 수 있고, 유럽 대회 병행에 적응해야 한다는 치명적인 악조건을 극복한다면 이번 시즌에도 중위권 이상의 성적을 기대할 수 있다. 32세의 젊은 지도자 파비안 휘어첼러 감독이 부임 두 번째 시즌을 맞이하는 브라이턴 또한 전력 손실이 있기는 하지만 유망주 영입으로 성공을 거둬온 정책을 이어가며 유럽 대회 진출을 노린다.

처참한 순위를 기록했던 맨체스터 유나이티드와 토트넘도 더 내려갈 데가 없으니 당연히 순위가 상승하겠지만, 이들을 다크 호스로 꼽기에는 기존의 빅 6구단이라서 체급이 너무 크다. 오히려 이 두 팀의 경우 6위권 이내에 진입하지 못한다면 그것이 오히려 또 한 번의 실패가 될 수 있다. 승격 세 팀 중에서는 플레이오프를 통해 올라온 선덜랜드가 리즈나 번리보다 전술적인 완성도가 높아 하위권에서 돌풍을 일으킬 잠재력이 있는 팀이다.

VIEW POINT

프리미어 리그는 막대한 자본 덕분에 최고의 선수들이 몰리지만, 최고의 감독들도 몰리면서 가장 진화된 전술 싸움을 볼 수 있는 리그이기도 하다. 새로운 세대의 감독들이 등장해 공 소유권을 중시하는 펩 과르디올라 맨체스터 감독의 전술이나 게겐프레싱(카운터 압박)과 빠른 역습을 강조하는 위르겐 클롭 전 리버풀 감독의 전술 철학을 고루 흡수해서 한 단계 진화하고 있는 모습을 볼 수 있다. 이제는 가장 표준적이라고 할 수 있는 4-2-3-1 포메이션에서 풀백 한 명은 중앙으로 전진해서 중원 싸움에 가담하고 다른 한 쪽에는 센터백 성향의 선수를 배치해 공격 시에는 3-2-5 형태로 전환, 공격 지역에서 수적 우위를 점하려는 팀이 대부분이다. 이러한 흐름 속에서 여러 감독들이 각자 자신만의 색깔을 구축해가고 있다. 아르네 슬롯 리버풀 감독(사진)은 효율적인 압박과 빠른 공수 전환으로 프리미어 리그 정상에 올랐고, 미켈 아르테타 아스널 감독은 최강의 수비력을 갖췄으며, 엔소 마레스카 첼시 감독은 포지션에 구애 받지 않고 유기적인 형태로 선수를 활용한다. 후벵 아모링 맨체스터 유나이티드 감독은 에너지 넘치는 압박과 측면을 통한 역습을 무기로 갖고 있다. 새로운 세대의 감독들이 내민 도전장에 과르디올라 맨시티 감독이 어떻게 응수할지도 관전 포인트다.

1 이적료: **2330**억원

뉴캐슬 ⟳ 리버풀

Alexander Isak
알렉산더 이삭 / 국적: 스웨덴

2 이적료: **2023**억원

레버쿠젠 ⟳ 리버풀

Florian Wirtz
플로리안 비르츠 / 국적: 독일

3 이적료: **1456**억원

프랑크푸르트 ⟳ 리버풀

Hugo Ekitiké
위고 에키티케 / 국적: 프랑스

4 이적료: **1375**억원

슈투트가르트 ⟳ 뉴캐슬

Nick Woltemade
닉 볼테마데 / 국적: 독일

TRANSFER

이번 여름 이적시장에서 가장 큰 지출을 하는 팀으로 디펜딩 챔피언 리버풀을 예상한 사람은 많지 않았을 것이다. 리버풀은 플로리안 비르츠의 영입을 시작으로 위고 에키티케에 이어 알렉산더 이삭까지 영입하며 분데스리가 최고의 재능 둘과 프리미어 리그 최고의 스트라이커를 데려와 공격진을 개편했다. 다른 팀들도 공격수 보강에 집중했는데, 특히 맨체스터 유나이티드는 베냐민 세슈코, 브라이언 음뵈모, 마테우스 쿠냐를 모두 영입해 공격진 전체를 갈아엎었다. 공격진에 득점력 보강이 절실하던 아스널도 빅터 요케레스와 에베레치 에제에게 돈을 아끼지 않았으며, 뉴캐슬도 이삭의 공백을 메우기 위해 닉 볼테마데의 영입에 거액을 지출했다. 미드필더 중에서는 마틴 수비멘디가 레알 소시에다드를 떠나 아스널에 합류하면서 가장 비싼 이적료를 기록했다. 평소 이적시장의 큰손인 맨체스터 시티와 첼시가 올여름 영입 최고 이적료 10위 안에 이름을 올리지 않은 것은 낯선 일이다. 첼시는 거대했던 규모의 선수단을 정리하며 오히려 흑자를 기록했다. 결국 이번 EPL 이적시장은 리버풀, 아스널, 맨유가 주도한 반면, 전통적인 빅 스펜더들이 숨 고르기에 들어가며 새로운 균형 구도를 예고했다.

5 이적료: **1238**억원

RB 라이프치히 ⟳ 맨유

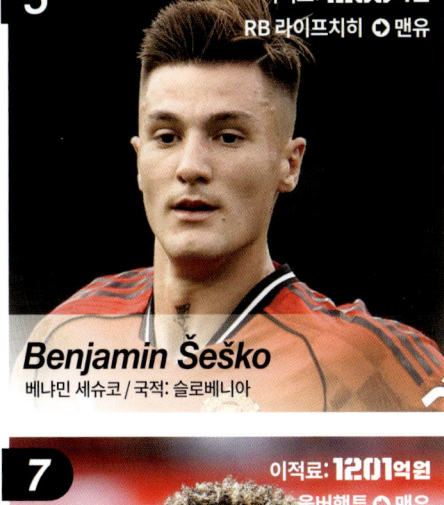

Benjamin Šeško
베냐민 세슈코 / 국적: 슬로베니아

6 이적료: **1214**억원

브렌트포드 ⟳ 맨유

Bryan Mbeumo
브라이언 음뵈모 / 국적: 카메룬

7 이적료: **1201**억원

울버햄튼 ⟳ 맨유

Matheus Cunha
마테우스 쿠냐 / 국적: 브라질

8 이적료: **1133**억원

소시에다드 ⟳ 아스널

Martin Zubimendi
마르틴 수비멘디 / 국적: 스페인

9 이적료: **1121**억원

크리스탈 리스 ⟳ 아스널

Eberechi Eze
에베레치 에제 / 국적: 잉글랜드

10 이적료: **1065**억원

스포르팅 ⟳ 아스널

Viktor Gyökeres
빅터 요케레스 / 국적: 스웨덴

REGULATION

모든 프로 스포츠 리그와 마찬가지로 프리미어 리그도 더 빠르고 흥미진진한 경기 진행으로 팬들에게 즐거움을 주기 위해 계속해서 변화를 추구하고 있다. 그 동안 골키퍼가 6초 동안 손에 공을 가지고 있으면 상대에게 간접 프리킥을 주는 규칙이 있었으나, 이는 유명무실해서 실제로 적용되는 적이 드물었다. 이제 시간을 8초로 늘리는 대신 적용을 엄격하게 하도록 변경해 실효성을 높이고, 규칙 위반의 경우 간접 프리킥이 아닌 코너킥이 선언된다. 골키퍼가 시간을 명확하게 이해할 수 있도록 5초부터 주심이 손으로 표시를 해준다. 지난 시즌 막바지 도입됐던 반자동 오프사이드 또한 개막과 함께 적용돼 빠른 판정을 도우며, VAR 판정 결과는 주심이 마이크를 잡고 설명해 오심의 가능성을 줄이는 대신, 선수들 중에서 주장 외에는 주심에게 판정에 대한 설명을 요청할 수 없다. 공인구 업체가 나이키에서 푸마로 바뀐 것도 주목할 만한 변화다.

TITLE

1888년 창립된 잉글랜드 프로 리그는 1892년 2부 리그 탄생으로 승강제의 역사만 해도 130년이 넘는다. 리그의 상업적인 성공과 현대화를 위해 1992-93시즌부터 프리미어 리그가 출범됐고, 현재 최고의 인기와 자금력을 자랑하고 있다. 지난 시즌 리버풀이 정상에 오르며 1부 리그 통산 20회 우승을 달성, 숙적 맨체스터 유나이티드와 최다 우승에서 어깨를 나란히 하게 됐다. 프리미어 리그 출범 이후에는 여전히 맨유가 13회 우승으로 압도적인 1위를 달리고 있으며, 지역 라이벌 맨체스터 시티가 최근의 성공으로 8회 우승, 첼시가 5회, 아스널이 3회, 리버풀이 2회 우승으로 그 뒤를 잇고 있다.

STRUCTURE

잉글랜드 프로 축구는 1부부터 4부까지를 공식적인 프로 리그로 인정한다. 최상위인 프리미어 리그는 2~4부 리그의 풋볼 리그와 독립돼서 운영되며, 20팀이 서로 홈과 원정에서 한 차례씩 맞붙어 각 팀이 시즌 38경기를 치러 순위를 결정한다. 시즌 최종 순위에서 최하위 세 팀은 2부 리그인 챔피언십으로 강등되고(지난 시즌 레스터 시티, 입스위치 타운, 사우샘프턴), 챔피언십에서는 24팀 중 최상위 두 팀(리즈 유나이티드, 번리)과 함께 3~6위 팀들 간의 플레이오프 승자(선덜랜드)까지 총 세 팀이 프리미어 리그로 승격된다. 순위 기준은 승점, 골득실, 다득점 순이다. 컵 대회로는 아마추어 팀까지 참가할 수 있는 FA컵과 4부 리그까지의 프로 92팀이 참가할 수 있는 리그 컵이 있다. 프리미어 리그 상위 팀들과 컵 대회 우승 팀에는 유럽 대회 진출 자격이 주어진다. 유럽 대회 성적으로도 진출권을 확보할 수 있다.

LEAGUE CHAMPION

시즌	팀명	시즌	팀명	시즌	팀명
1895-1896	애스턴 빌라	1938-1939	에버턴	1983-1984	리버풀
1896-1897	애스턴 빌라	1946-1947	리버풀	1984-1985	에버턴
1897-1898	셰필드 유나이티드	1947-1948	아스널	1985-1986	리버풀
1898-1899	애스턴 빌라	1948-1949	포츠머스	1986-1987	에버턴
1899-1900	애스턴 빌라	1949-1950	포츠머스	1987-1988	리버풀
1900-1901	리버풀	1950-1951	토트넘 홋스퍼	1988-1989	아스널
1901-1902	선덜랜드	1951-1952	맨체스터 유나이티드	1989-1990	리버풀
1902-1903	더 웬즈데이	1952-1953	아스널	1990-1991	아스널
1903-1904	더 웬즈데이	1953-1954	울버햄튼	1991-1992	리즈 유나이티드
1904-1905	뉴캐슬	1954-1955	첼시	1992-1993	맨체스터 유나이티드
1905-1906	리버풀	1955-1956	맨체스터 유나이티드	1993-1994	맨체스터 유나이티드
1906-1907	뉴캐슬	1956-1957	맨체스터 유나이티드	1994-1995	블랙번 로버스
1907-1908	맨체스터 유나이티드	1957-1958	울버햄튼	1995-1996	맨체스터 유나이티드
1908-1909	뉴캐슬	1958-1959	울버햄튼	1996-1997	맨체스터 유나이티드
1909-1910	애스턴 빌라	1959-1960	번리	1997-1998	아스널
1910-1911	맨체스터 유나이티드	1960-1961	토트넘 홋스퍼	1998-2001	맨체스터 유나이티드
1911-1912	블랙번 로버스	1961-1962	입스위치 타운	2001-2002	아스널
1912-1913	선덜랜드	1962-1963	에버턴	2002-2003	맨체스터 유나이티드
1913-1914	블랙번 로버스	1963-1964	리버풀	2003-2004	아스널
1914-1915	에버턴	1964-1965	맨체스터 유나이티드	2004-2005	첼시
1919-1920	웨스트 브로미치	1965-1966	리버풀	2005-2006	첼시
1921-1922	리버풀	1966-1967	맨체스터 유나이티드	2006-2009	맨체스터 유나이티드
1922-1923	리버풀	1967-1968	맨체스터 시티	2009-2010	첼시
1923-1924	허더스 필드 타운	1968-1969	리즈 유나이티드	2010-2011	맨체스터 유나이티드
1924-1925	허더스 필드 타운	1969-1970	에버턴	2011-2012	맨체스터 시티
1925-1926	허더스 필드 타운	1970-1971	아스널	2012-2013	맨체스터 유나이티드
1926-1927	뉴캐슬	1971-1972	더비 카운티	2013-2014	맨체스터 시티
1927-1928	에버턴	1972-1973	리버풀	2014-2015	첼시
1928-1929	셰필드 웬즈데이	1973-1974	리즈 유나이티드	2015-2016	레스터 시티
1929-1930	셰필드 웬즈데이	1974-1975	더비 카운티	2016-2017	첼시
1930-1931	아스널	1975-1976	리버풀	2017-2018	맨체스터 시티
1931-1932	에버턴	1976-1977	리버풀	2018-2019	맨체스터 시티
1932-1933	아스널	1977-1978	노팅엄 포레스트	2019-2020	리버풀
1933-1934	아스널	1978-1979	리버풀	2020-2021	맨체스터 시티
1934-1935	아스널	1979-1980	리버풀	2021-2022	맨체스터 시티
1935-1936	선덜랜드	1980-1981	애스턴 빌라	2022-2023	맨체스터 시티
1936-1937	맨체스터 시티	1981-1982	리버풀	2023-2024	맨체스터 시티
1937-1938	아스널	1982-1983	리버풀	2024-2025	리버풀

TITLE

LEAGUE	
MANCHESTER UNITED	20
LIVERPOOL	20
ARSENAL	13
MANCHESTER CITY	10
EVERTON	9

0 5 10 15 20 25 30 35

TOP SCORER

시즌	득점	선수명
2024-2025	29	모하메드 살라
2023-2024	27	엘링 홀란
2022-2023	36	엘링 홀란
2021-2022	23	손흥민, 모하메드 살라
2020-2021	23	해리 케인
2019-2020	23	제이미 바디
2018-2019	22	모하메드 살라, 사디오 마네, 피에르-에메릭 오바메양
2017-2018	32	모하메드 살라
2016-2017	29	해리 케인
2015-2016	25	해리 케인
2014-2015	26	세르히오 아구에로
2013-2014	31	루이스 수아레스
2012-2013	26	로빈 판 페르시
2011-2012	30	로빈 판 페르시
2010-2011	20	카를로스 테베스, 디미타르 베르바토프
2009-2010	29	디디에 드로그바
2008-2009	19	니콜라스 아넬카
2007-2008	31	크리스티아누 호날두
2006-2007	20	디디에 드록바
2005-2006	27	티에리 앙리

2024-2025 시즌 프리미어리그 최종 순위

순위	팀	승점	경기	승	무	패	득	실	득실차	비고
1	리버풀	84	38	25	9	4	86	41	45	챔피언스리그 진출
2	아스널	74	38	20	14	4	69	34	35	챔피언스리그 진출
3	맨체스터 시티	71	38	21	8	9	72	44	28	챔피언스리그 진출
4	첼시	69	38	20	9	9	64	43	21	챔피언스리그 진출
5	뉴캐슬	66	38	20	6	12	68	47	21	챔피언스리그 진출
6	애스턴 빌라	66	38	19	9	10	58	51	7	유로파리그 진출
7	노팅엄 포레스트	65	38	19	8	11	58	46	12	유로파컨퍼런스리그 진출
8	브라이턴앤호브알비온	61	38	16	13	9	66	59	7	유로파리그 진출
9	본머스	56	38	15	11	12	58	46	12	
10	브렌트포드	56	38	16	8	14	66	57	9	
11	풀럼	54	38	15	9	14	54	54	0	
12	크리스탈 팰리스	53	38	13	14	11	51	51	0	
13	에버턴	48	38	11	15	12	42	44	-2	
14	웨스트햄	43	38	11	10	17	46	62	-16	
15	맨체스터 유나이티드	42	38	11	9	18	44	54	-10	
16	울버햄튼 원더러스	42	38	12	6	20	54	69	-15	
17	토트넘 홋스퍼	38	38	11	5	22	64	65	-1	
18	레스터시티	25	38	6	7	25	33	80	-47	챔피언십으로 강등
19	입스위치	22	38	4	10	24	36	82	-46	챔피언십으로 강등
20	사우스햄턴	12	38	2	6	30	26	86	-60	챔피언십으로 강등

2024-2025 시즌 프리미어리그 득점 순위

순위	득점	이름	국적	당시 소속팀
1	29	모하메드 살라	이집트	리버풀
2	23	알렉산더 이삭	스웨덴	뉴캐슬 유나이티드
3	22	엘링 홀란	노르웨이	맨체스터 시티
4	20	브라이언 음뵈모	카메룬	브렌트포드
4	20	크리스 우드	뉴질랜드	노팅엄포레스트
5	19	요안 위사	프랑스	브렌트포드
6	16	올리 왓킨스	잉글랜드	애스턴 빌라
7	15	콜 파머	잉글랜드	첼시
7	15	마테우스 쿠냐	브라질	크리스탈 팰리스
8	14	예르겐 스트란드 라르센	노르웨이	울버햄튼 원더러스
8	14	장 필립 마테타	프랑스	크리스탈 팰리스

2024-2025 시즌 프리미어리그 도움 순위

순위	도움	이름	국적	당시 소속팀
1	18	모하메드 살라	이집트	리버풀
2	12	제이콥 머피	잉글랜드	뉴캐슬 유나이티드
3	11	부카요 사카	잉글랜드	아스널
3	11	부루누 페르난데스	포르투갈	맨체스터 유나이티드
3	11	모건 로저스	잉글랜드	애스턴 빌라
3	11	미켈 담스고르	덴마크	브렌트포드
3	11	안토니 엘랑가	스웨덴	노팅엄포레스트
4	10	사비뉴	브라질	맨체스터 시티
4	10	손흥민	대한민국	토트넘 홋스퍼
4	10	제로드 보웬	잉글랜드	웨스트햄
4	10	모건 깁스-화이트	잉글랜드	노팅엄 포레스트

2024-2025 시즌 챔피언십 최종 순위

순위	팀	승점	경기	승	무	패	득	실	득실차	비고
1	리즈	100	46	29	13	4	95	30	65	승격
2	번리	100	46	28	16	2	69	16	53	승격
3	셰필드	90	46	28	8	10	63	35	27	
4	선덜랜드	76	46	21	13	12	58	44	14	승격
5	코번트리	69	46	20	9	17	64	58	6	
6	브리스톨시티	68	46	17	17	12	59	55	4	
7	블랙번	66	46	19	9	18	53	48	5	
8	밀월	66	46	18	12	16	47	49	-2	
9	웨스트브롬	64	46	15	19	12	57	47	10	
10	미들즈브로	64	46	18	10	18	64	56	8	
11	스완지 시티	61	46	17	10	19	51	56	-5	
12	셰필드W	58	46	15	13	18	60	69	-9	
13	노리치	57	46	14	15	17	71	68	3	
14	왓퍼드	57	46	16	9	21	53	61	-8	
15	퀸즈 파크 레인저스	56	46	14	14	18	53	63	-10	
16	포츠머스	54	46	14	12	20	58	71	-13	
17	옥스포드	53	46	13	14	19	49	65	-16	
18	스토크 시티	51	46	12	15	19	45	62	-17	
19	더비	50	46	13	11	22	48	56	-8	
20	프레스턴	50	46	10	20	16	48	59	-11	
21	헐시티	49	46	12	13	21	44	54	-10	
22	루턴	49	46	13	10	23	45	69	-24	강등
23	플리머스	46	46	11	13	22	51	88	-37	강등
24	카디프	44	46	9	17	20	48	73	-25	강등

CHAMPION

위르겐 클롭 감독이 떠나 위기가 예상되던 리버풀이 아르네 슬롯 감독의 지도력으로 프리미어 리그 우승을 차지했다. FA컵에서는 크리스탈 팰리스가, 리그 컵에서는 뉴캐슬이 오랜 무관의 설움을 씻었다.

LEAGUE CHAMPION

LIVERPOOL FC

리버풀이 예상을 뛰어넘는 압도적인 경기력으로 시즌 종료까지 네 경기를 남겨 두고 여유 있게 우승을 차지했다. 10라운드부터 한 번도 1위 자리에서 내려오지 않고 시즌 내내 독주를 이어갔다. 아르네 슬롯 감독의 영리한 전술 조정이 빛을 발했고, 공수에서는 팀의 핵심으로 활약해온 베테랑 모하메드 살라와 버질 판 다이크의 활약이 대단했다. 특히 살라는 47개의 공격 포인트(29골 18도움)로 38경기 체제 기준 프리미어 리그 시즌 최다 기록을 경신하는 기염을 토했고, 2021-22시즌 손흥민과 공동 수상 이후 3년 만에 엘링 홀란에게 내줬던 득점왕 타이틀을 되찾아왔다.

EUROPEAN CUP

CHAMPIONS LEAGUE(전신포함)		EUROPA LEAGUE(전신포함)	
LIVERPOOL	6회	LIVERPOOL, TOTTENHAM	3회
MANCHESTER UNITED	3회	CHELSEA	2회
NOTTINGHAM FOREST, CHELSEA	2회	IPSWICH TOWN, MANCHESTER UNITED	1회
ASTONVILLA, MANCHESTER CITY	1회		

CUP CHAMPION

FA CUP

CRYSTAL PALACE FC
FINAL
CRYSTAL PALACE FC
1-0 MANCHESTER CITY

올리버 글라스너 감독이 이끄는 팰리스가 특유의 역습 전술로 결승에서 맨시티를 무너트리고 창단 120년 만에 첫 메이저 대회 우승을 차지했다. 다니엘 무뇨스의 크로스를 에베레치 에제가 침착한 발리 슈팅으로 연결해 결승골을 터트렸고, 딘 헨더슨 골키퍼는 오마르 마무시의 페널티킥을 결정적으로 선방하며 승리를 지켜냈다.

EFL CUP

NEWCASTLE UNITED
FINAL
NEWCASTLE UNITED
2-1 LIVERPOOL FC

뉴캐슬이 70년 만의 메이저 대회 우승에 성공했다. 준결승에서 아스널, 결승에서 리버풀이라는 강호를 연달아 꺾고 이뤄낸 값진 우승이었다. 결승전에서는 시종일관 리버풀을 압도하기까지 했다. 전반 45분, 수비수 댄 번이 코너킥 상황에서 헤더로 선제골을 기록했고, 후반 11분 알렉산더 이삭이 추가 골을 터트려 승리를 굳혔다.

리버풀 FC

Liverpool FC

TEAM PROFILE	
창 립	1892년
회 장	펜웨이 스포츠 그룹(미국)
감 독	아르네 슬롯(네덜란드)
연 고 지	리버풀
홈 구 장	안필드(6만 1,276명)
라 이 벌	에버턴, 맨체스터 유나이티드
홈페이지	www.liverpoolfc.com

최근 5시즌 성적

시즌	순위	승점
2020-2021	3위	69점(20승9무9패, 68득점 42실점)
2021-2022	2위	92점(28승8무2패, 94득점 26실점)
2022-2023	5위	67점(19승10무9패, 75득점 47실점)
2023-2024	3위	82점(24승10무4패, 86득점 41실점)
2024-2025	1위	84점(25승9무4패, 86득점 41실점)

PREMIER LEAGUE (전신 포함)

통 산	우승 20회
24-25 시즌	1위(25승9무4패, 승점84점)

FA CUP

통 산	우승 8회
24-25 시즌	32강

LEAGUE CUP

통 산	우승 10회
24-25 시즌	준우승

UEFA

통 산	챔피언스리그 우승 1회
	유로파리그 우승 3회
24-25 시즌	챔피언스리그 16강

 전력 분석 ## 왕좌를 지키기 위한 역대급 영입 행진

지난 시즌 리버풀의 우승은 뜻밖이었다. 오랜 기간 팀을 지휘해온 위르겐 클롭 감독이 떠난 빈자리는 너무나도 컸다. 그러나 신임 감독 아르네 슬롯은 클롭이 만들어 놓은 기틀은 유지한 채 영리한 밸런스 조정만으로도 리버풀 선수들이 최고의 기량을 발휘하도록 했다. 이러한 성공에도 리버풀은 방심하지 않고 또 한 번의 진화를 위해 여름 이적시장에서 역대급 지출을 감행했다. 유럽 전체에서 최고의 재능으로 꼽히는 공격형 미드필더 플로리안 비르츠를 필두로 양쪽 풀백 자리에 밀로시 케르케즈와 제레미 프림퐁을 영입해 슬롯 감독이 원하는 축구를 구현할 수 있도록 했다. 여기에 화룡점정으로 위고 에키티케에 이어 알렉산더 이삭까지 영입, 그동안 아쉬웠던 최전방 공격수 자리까지 보완했다. 지난 시즌 리버풀이 거둔 성공의 근간에는 공수에서 두 노장 모하메드 살라와 버질 판 다이크가 보여준 최고의 활약이 있었는데, 천문학적인 투자로 공격 면에서는 살라의 짐을 덜어주며 그의 기량 하락을 대비할 수 있게 됐다. 우려되는 부분은 센터백 자원이 부족하다는 점이다. 판 다이크가 하락세를 보일 경우 리버풀은 곧바로 위기를 맞이할 수도 있기 때문이다. 이브라힘 코나테와 조 고메즈 모두 부상 전력이 많고, 신입 수비수 지오바니 레오니는 18세 유망주로 경험이 부족하다.

전술 분석 ## 안정된 수비와 빠른 공격의 조화

클롭과 슬롯의 가장 큰 차이점은 바로 안정성이다. 클롭이 강한 전방 압박으로 역습을 구사해 '헤비메탈 축구'라는 별명을 얻었다면, 슬롯은 공격을 전개하는 과정에서도 공수 균형을 잡는 것을 우선시했다. 상대가 적극적으로 올라오도록 유도한 이후, 역습 기회를 잡게 되면 직선적인 빠른 공격으로 득점을 만들어냈다. 공격 전개를 지휘할 비르츠가 역동적인 드리블과 창의적인 패스 능력을 고루 갖추고 있고, 이삭 또한 영리한 침투 플레이와 감각적인 마무리, 연계 플레이가 가능한 선수이기 때문에 리버풀의 역습은 더욱 날카로워질 것으로 기대된다. 두 신입생들이 빠르게 상대 수비를 휘저어 놓으면 33세가 된 살라로서도 좀 더 편안한 위치에서 골을 노릴 수 있게 된다. 지공 상황에서는 새로 가세한 두 풀백 케르케즈와 프림퐁의 활약이 기대된다. 둘 모두 저돌적인 움직임으로 공격에 가담해 공격 포인트를 생산하는 능력이 있기 때문에, 상대가 수비 라인을 낮출 경우에는 풀백들이 가세해서 공격 시 수적 우위를 점하면서 상대의 균열을 만들어낼 수 있다. 그동안 리버풀의 성공을 이끌어온 두 풀백 아놀드와 앤디 로버트슨의 든든한 대체자들이 팀에 합류한 것만은 확실하다.

Liverpool v Arsenal - Premier League
안필드에서 열린 프리미어리그 리버풀과 아스널의 경기에서,
아스널의 크리스티안 모스케라가
리버풀의 플로리안 비르츠와 맞붙고 있다.
〈2025/08/17, Anfield〉

진짜 슬롯의 팀이 보여줄 축구는?

시즌 프리뷰

슬롯 감독은 지난 시즌 별다른 영입 없이도 리버풀과 프리미어 리그에 빠르게 적응하며 기존 선수들의 기량을 최고로 이끌어 냈고, 이번에는 더욱 치열해질 우승 경쟁을 이겨내기 위해 팀에 필요한 보강을 진행하는 데 천문학적인 수준의 지출을 아끼지 않았다. 이번 시즌에는 여러 포지션에 주전 변화가 생길 것이기 때문에 클럽이 지휘하던 리버풀이 아니라 '진짜 슬롯의 팀'이 보여줄 축구가 어떤 모습일지를 확인해볼 시점이다. 우선은 살라에게 집중됐던 득점 부담이 기존의 코디 학포는 물론이고 신입생 이삭과 비르츠에게도 분산될 것으로 보인다. 지난 시즌 살라는 기량 하락이 우려되던 시점에 리그 38경기에 모두 출전해 29골을 터트리는 무시무시한 활약을 펼쳐 리버풀을 정상으로 이끌었는데, 이번 시즌 똑같은 수준의 활약을 보여주지 못하게 되더라도 리버풀은 대안을 준비해둔 셈이다. 특히 유럽의 모든 빅 클럽이 주목하던 재능을 가진 비르츠는 공격진의 모든 포지션을 소화할 수 있어 살라와 호흡을 맞추는 동시에 장기적으로는 그의 후계자가 될 선수다. 비르츠와 함께 바이엘 레버쿠젠 팀 동료이던 오른쪽 풀백 프림퐁 또한 영입했고, 왼쪽에는 지난 시즌 프리미어 리그 최고의 풀백 중 하나였던 케르케즈까지 데려왔기에 사비 알론소 감독이 이끌던 레버쿠젠과 비슷한 공격 전술을 활용해 신입 선수들의 적응을 도울 수도 있을 것이다. 연계 능력이 뛰어난 신입 공격수 에키티케 또한 과거 리버풀에서 큰 성공을 거뒀던 호베르투 피르미누를 롤 모델로 삼을 수 있다. 비 시즌 기간 디오구 조타가 교통사고로 운명을 달리하는 사건이 리버풀을 넘어 축구계 전체에 비통함을 안겼다. 그러나 리버풀은 긴 역사에서 여러 차례 비극을 이겨내며 성장해왔기에 더욱 특별한 위상을 가지는 명문 구단이다. 지난 시즌의 성공에 안주하지 않고 조타에게 바칠 우승을 이뤄내기 위해 100% 집중할 것이 분명하다.

IN & OUT

주요 영입	주요 방출
알렉산더 이삭, 플로리안 비르츠, 위고 에키티케, 밀로시 케르케즈, 제레미 프림퐁, 지오반니 레오니, 기오르기 마마르다슈빌리, 조반니 레오니	루이스 디아스, 다르윈 누녜스, 저렐 콴사, 벤 도크, 퀴빈 켈러허, 트렌트 알렉산더-아놀드

TEAM FORMATION

PLAN **4-2-3-1**

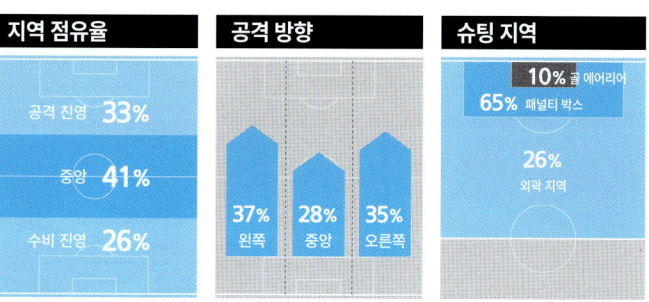

지역 점유율
공격 진영 **33%**
중앙 **41%**
수비 진영 **26%**

공격 방향
37% 왼쪽 **28%** 중앙 **35%** 오른쪽

슈팅 지역
10% 골 에어리어
65% 패널티 박스
26% 외곽 지역

TEAM RATINGS

슈팅 10
패스 10
조직력 7
수비력 9
감독 9
선수층 8
53

2024/25프로필

2024/25프로필	
팀 득점	86
평균 볼 점유율	57.90%
패스 정확도	86.30%
평균 슈팅 수	17.1
경고	65
퇴장	3

골 타입
오픈 플레이	60
세트 피스	12
카운터 어택	16
패널티 킥	10
자책골	1
단위 (%)

패스 타입
쇼트 패스	88
롱 패스	9
크로스 패스	3
스루 패스	0
단위 (%)

SQUAD

포지션	등번호	이름		생년월일	키(cm)	체중(kg)	국적
GK	1	알리송 베케르	Alisson Becker	1992.10.02	193	91	브라질
	25	기오르기 마마르다슈빌리	Giorgi Mamardashvili	2000.09.29	197	90	조지아
DF	2	조 고메즈	Joe Gomez	1997.05.23	188	77	잉글랜드
	4	버질 판 다이크	Virgil van Dijk	1991.07.08	195	92	네덜란드
	5	이브라히마 코나테	Ibrahima Konate	1999.05.25	194	95	프랑스
	6	밀로스 케르케즈	Milos Kerkez	2003.11.07	180	71	헝가리
	12	코너 브래들리	Conor Bradley	2003.07.09	181	64	북아일랜드
	15	지오반니 레오니	Giovanni Leoni	2006.12.21	195	79	이탈리아
	26	앤디 로버트슨	Andy Robertson	1994.03.11	178	64	잉글랜드
	30	제레미 프림퐁	Jeremie Frimpong	2000.12.10	172	64	네덜란드
MF	3	엔도 와타루	Wataru Endo	1993.02.09	178	76	일본
	8	도미니크 소보슬라이	Dominik Szoboszlai	2000.10.25	186	74	헝가리
	10	알렉시스 맥 앨리스터	Alexis Mac Allister	1998.12.24	176	69	아르헨티나
	17	커티스 존스	Curtis Jones	2001.01.30	185	75	잉글랜드
	38	라이언 흐라벤베르흐	Ryan Gravenberch	2002.05.16	190	77	네덜란드
	42	트레이 뇨니	Trey Nyoni	2007.06.30	180	75	잉글랜드
FW	7	플로리안 비르츠	Florian Wirtz	2003.05.03	176	71	독일
	9	알렉산더 이삭	Alexander Isak	1999.09.21	192	77	스웨덴
	11	모하메드 살라	Mohamed Salah	1992.06.15	175	71	이집트
	14	페데리코 키에사	Federico Chiesa	1997.10.25	175	70	이탈리아
	18	코디 학포	Cody Gakpo	1999.05.07	193	76	네덜란드
	22	위고 에키티케	Hugo Ekitiké	2002.06.20	190	75	프랑스
	73	리오 은구모하	Rio Ngumoha	2008.08.29	170	65	잉글랜드

COACH

아르네 슬롯 Arne Slot
1978년 9월 17일생 네덜란드

네덜란드 무대에서 AZ 알크마르와 페예누르트를 이끌고 성공을 거둔 뒤 2024년 여름 리버풀에 부임한 감독. 선수 시절부터 일찌감치 지도자 생활을 준비했고, 2022년과 2023년 2년 연속으로 에레디비지 감독상을 수상하며 지도력을 인정받았다. 리버풀에서도 지난 시즌 부임하자마자 프리미어 리그 정상에 올라 기대를 뛰어넘는 성과를 거뒀다. 후방 빌드업을 통한 높은 점유율을 기반으로 수적 우위를 활용하면서도 공수 전환 시에는 빠르고 유동적인 움직임으로 실용성을 추구하는 전술을 구사하고 있다.

상대팀 최근 6경기 전적

구분	승	무	패
리버풀 FC			
아스널 FC	1	4	1
맨체스터 시티	2	2	2
첼시 FC	3	2	1
뉴캐슬 유나이티드 FC	4	1	1
애스턴 빌라	3	3	
노팅엄 포레스트	3	1	2
브라이튼 앤 호브 알비온	3	1	2
AFC 본머스	5		1
브렌트포드 FC	5		1
풀럼 FC	3	2	1
크리스탈 팰리스 FC	2	3	1
에버턴 FC	3	2	1
웨스트햄 유나이티드 FC	5		1
맨체스터 유나이티드	2	3	1
울버햄튼 원더러스	5		1
토트넘 홋스퍼 FC	4		2
리즈 유나이티드 FC	4	1	1
번리 FC	5		1
선더랜드 AFC	3	3	

KEY PLAYER

FW 11 모하메드 살라
Mohamed Salah

출전경기	경기시간(분)	골	어시스트	경고	퇴장
29	3,380	29	18	1	-

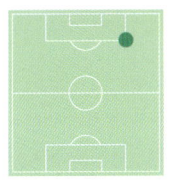

국적: 이집트

슈팅, 기회 창출, 돌파까지 골을 만드는 데 필요한 능력들을 고루 갖춘 측면 공격수. 2017년 여름 리버풀에 입단한 이후로 8년간 프리미어 리그에서만 시즌 평균 23골을 득점하는 가공할 만한 활약을 펼치며 최고의 선수로 군림해왔다. 지난 시즌 47개의 공격 포인트(29골 18도움)는 대회 역사상 한 시즌 최다 기록이다(38경기 기준). 33세의 나이에도 철저한 관리로 기량을 유지하고 있어 개인 통산 다섯 번째 프리미어 리그 득점왕 도전도 가능하지만, 시즌 도중 아프리카 네이션스컵 참가로 자리를 비우는 변수가 있다. 살라는 아프리카 선수 중 역대 최다 EPL 득점자이다.

DARK HORSE

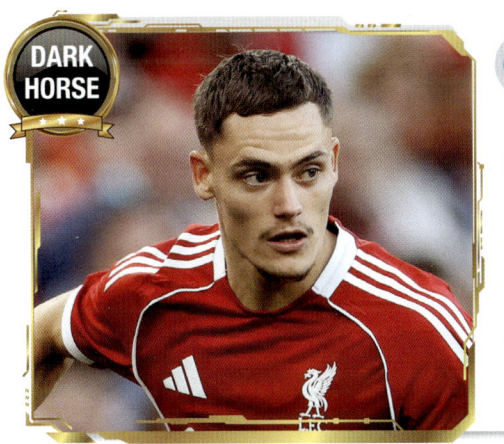

FW 7 플로리안 비르츠
Florian Wirtz

출전경기	경기시간(분)	골	어시스트	경고	퇴장
31	2,357	10	12	3	-

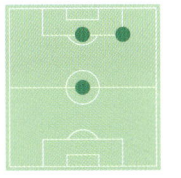

국적: 독일

계약 당시, 리버풀의 구단 역대 최고 이적료(2,022억)를 기록한 공격형 미드필더. 창의적인 패스, 유려한 드리블, 양 발을 고루 사용하는 정확한 슈팅까지 자기 포지션에서 부족한 부분을 찾아볼 수 없는 특급 재능이다. 무엇보다 가장 뛰어난 장점은 바로 상황 판단 능력이다. 소위 말하는 '축구 지능'이 높아 공간을 찾아 들어가며 패스를 받은 뒤 간결해 보이는 플레이만으로도 상대 수비진을 뒤흔들 수 있어 제로톱과 양쪽 측면 공격수도 소화한다. 유일하게 우려되는 부분은 거친 프리미어 리그에서의 몸싸움과 수비 가담 능력이다.

NEW ADDITION

FW 9 알렉산더 이삭
Alexander Isak

출전경기	경기시간(분)	골	어시스트	경고	퇴장
34	2,774	23	6	1	-

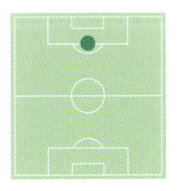

국적: 스웨덴

리버풀의 구단 역대 최고 이적료(2,330억)를 기록한 최전방 공격수. 192cm의 장신임에도 민첩한 움직임과 유려한 드리블 돌파, 감각적인 연계 플레이 능력, 침착함을 겸비한 골 결정력까지 보유한 세계 최고 수준의 선수다. 지난 시즌 기량을 만개한 이후, 더 큰 성공을 위해 강경하게 뉴캐슬에서 리버풀로의 이적을 요구했고, 결국 이적시장 마감일이 돼서야 거취를 확정 지을 수 있었다. 기량에는 의심의 여지가 없지만 프리 시즌에 팀 훈련을 전혀 진행하지 못했기 때문에 새로운 팀과 전술에 적응하는 데는 시간이 필요할 전망이다.

PLARERS

GK 1 알리송 베케르
Alisson Becker

국적: 브라질

리버풀에서 여덟 번째 시즌을 맞이하는 베테랑 골키퍼. 뛰어난 반사 신경을 바탕으로 높은 선방률을 자랑하고, 수비 공간 커버와 패스도 뛰어나 현대 축구에서 골키퍼에게 요구되는 능력을 고루 갖춘 선수라고 할 수 있다. 그러나 부상이 많은 편에다 32세로 서서히 전성기가 끝나가고 있고, 신입 골키퍼 마마르다슈빌리도 가세했기에 어느 때보다 치열하게 주전 자리를 지키기 위해 경쟁을 펼쳐야 하는 상황이다.

출전경기	경기시간(분)	실점	무실점 (경기)	경고	퇴장
28	2,509	29	10	-	-

GK 25 기오르기 마마르다슈빌리
Giorgi Mamardashvili

국적: 조지아

알리송의 새로운 경쟁자. 작년 8월 일찌감치 리버풀 이적에 합의한 뒤 발렌시아에서 지난 시즌을 보냈다. 최고 수준의 순발력을 활용한 선방 능력은 따라올 골키퍼가 많지 않을 정도다. 그러나 24세의 젊은 나이기에 수비진을 지휘하거나 빌드업을 시작하는 능력은 아직 부족하다. 197cm의 장신으로 크로스 차단에도 뛰어난데, 골키퍼와의 경합에 대해 반칙을 거의 불지 않는 프리미어리그에 적응해야 한다.

출전경기	경기시간(분)	실점	무실점 (경기)	경고	퇴장
34	3,060	48	8	2	-

DF 2 조 고메스
Joe Gomez

국적: 잉글랜드

센터백과 풀백을 모두 소화할 수 있는 뛰어난 기동력과 수비력을 자랑하는 선수. 수비 시에는 침착하면서도 거침 없는 태클을 자랑하고 돌파도 쉬사리 허용하지 않는 편이다. 패스 능력이 준수해 빌드업에도 가담할 수 있다. 그러나 센터백으로서는 경합 능력이 아쉽고 ,풀백으로는 공격 가담 능력이 부족해 주전보다는 로테이션 자원으로 활용된다. 센터백 숫자 자체가 부족해 부상만 없다면 기회는 충분할 전망이다.

출전경기	경기시간(분)	골	어시스트	경고	퇴장
9	519	-	-	1	-

DF 4 버질 판 다이크
Virgil van Dijk

국적: 네덜란드

리버풀의 주장이자 세계 최고의 센터백. 장기 부상과 부진을 이겨내고 돌아와 지난 시즌 건재한 기량을 입증했다. 경합은 지상과 공중을 가리지 않고 강력하며, 빠른 발로 넓은 공간을 커버한다. 공격 시에 후방에서 긴 패스를 정확하게 찔러 넣어 득점 기회를 만들기도 하고, 세트 피스에서는 헤더로 골도 종종 터린다. 34세의 나이로 순발력 저하가 우려되지만 여전히 팀의 기둥 역할을 해낼 수 있다.

출전경기	경기시간(분)	골	어시스트	경고	퇴장
37	3,330	3	1	5	-

DF 5 이브라히마 코나테
Ibrahima Konate

국적: 프랑스

판 다이크의 파트너로서 부족함이 없는 센터백. 빠른 발과 강력한 경합 능력으로 상대 공격수에게 좀처럼 틈을 주지 않는 수비를 펼쳐 풀백까지도 소화할 수 있으며, 공을 가졌을 때는 정확한 패스로 리버풀의 빌드업에 기여한다. 과거에는 지나치게 공격적인 태클이나 판단 실수도 있었지만, 경험을 쌓으며 완성형 수비수로 성장해가고 있다. 이번 시즌을 끝으로 리버풀과 계약이 만료될 예정이어서 거취가 주목된다.

출전경기	경기시간(분)	골	어시스트	경고	퇴장
31	2,567	1	2	5	-

DF 6 밀로스 케르케즈
Milos Kerkez

국적: 헝가리

지난 시즌 프리미어 리그 최고의 유망주 중 하나. 왕성한 활동량과 투지 넘치는 수비를 바탕으로 왼쪽 측면 전체를 누비는 레프트백이라 로버트슨을 연상케 한다. 상대 박스 안까지 치고 들어가는 저돌적인 공격 가담으로 득점 기회를 만들어내는 데 능하며, 경기 흐름을 읽는 능력도 뛰어나 영리하게 움직인다. 패스 정확도가 떨어지거나 수비 경험이 부족한 부분은 시간에 따라 자연스럽게 극복할 수 있다.

출전경기	경기시간(분)	골	어시스트	경고	퇴장
38	3,341	2	5	4	-

DF 12 코너 브래들리
Conor Bradley

국적: 북아일랜드

지난 시즌부터 백업 라이트백으로 성장하기 시작한 자원. 성실한 활동량과 침착한 수비로 오른쪽 측면을 든든하게 책임지며, 공을 지켜내고 패스하는 플레이도 준수하다. 그러나 공격 가담에서는 상황 판단이 아쉽고 돌파 능력이나 크로스의 정확도도 다소 떨어져 아직까지는 아쉬운 모습이다. 이번 시즌 공격력이 강점인 프림퐁이 영입됐기에 공격보다 수비에 힘을 싣는 상황에서는 충분히 기회를 잡을 수 있다.

출전경기	경기시간(분)	골	어시스트	경고	퇴장
19	750	-	2	4	-

DF 15 지오반니 레오니
Giovanni Leoni

국적: 이탈리아

지난 시즌 후반기 활약으로 파르마를 강등의 위기에서 구해낸 18세의 유망주 수비수. 아직 성장이 끝나지 않은 나이임에도 196cm의 건장한 체격으로 공중과 지상 경합 모두에서 뛰어난 능력을 발휘한다. 또한 상대 플레이의 의도를 파악하고 움직이는 영리한 위치 선정도 보여줘 잠재력이 높다는 평가를 받고 있다. 양발을 고루 잘 사용해 압박에도 쉽게 흔들리지 않는다. 빠른 경기 템포에 적응이 관건이다.

출전경기	경기시간(분)	골	어시스트	경고	퇴장
17	1,204	1	-	3	1

DF 26 앤디 로버트슨
Andy Robertson

국적: 스코틀랜드

엄청난 활동량과 투쟁심을 무기로 갖춘 레프트백. 시종일관 왼쪽 측면을 빠른 속도로 누비며 리버풀이 상대보다 수적 우위를 점하는 데 기여하고, 저돌적인 돌파로 공격에 가담해 득점 기회를 만드는 능력도 탁월하다. 그러나 신체 능력을 바탕으로 활약해왔기에 30대에 접어든 지난 시즌부터 기량 하락이 눈에 띄고 있다. 확고한 주전이었으나 이제는 케르케즈까지 영입돼 로테이션 자원으로 활용될 전망이다.

출전경기	경기시간(분)	골	어시스트	경고	퇴장
33	2,493	-	1	3	1

DF 30 제레미 프림퐁
Jeremie Frimpong

국적: 네덜란드

폭발적인 공격력을 갖춘 오른쪽 윙백. 빠른 스피드와 돌파 능력을 바탕으로 스리백 시스템의 레버쿠젠에서 마음껏 활약하며 분데스리가 지난 3시즌 합산 22골을 득점하는 활약을 펼쳤다. 지능적인 움직임과 정확한 킥 덕분에 기회 창출과 슈팅 모두 뛰어나다. 막강한 공격력에 비해 1대1 수비나 연계 플레이 능력은 다소 부족해 리버풀에서는 라이트백은 물론 상황에 따라 측면 공격수로도 활용될 가능성이 크다.

출전경기	경기시간(분)	골	어시스트	경고	퇴장
33	2,328	5	5	4	-

MF 3 엔도 와타루
Wataru Endo

국적: 일본

풀백과 센터백까지도 커버할 수 있는 수비형 미드필더. 경기 흐름을 읽고 일찌감치 위험을 차단하는 수비력과 활동량, 안정적인 공 관리 능력과 넓은 범위의 패스를 장점으로 갖고 있다. 그러나 빠른 수비 전환과 공격적인 패스 전개를 요구하는 슬롯 감독 밑에서 역할이 줄어들어 지난 시즌 프리미어 리그 선발 출전이 단 한 경기에 불과했다. 이번 시즌에도 팀과 경기 상황에 맞춘 백업 역할을 수행할 전망이다.

출전경기	경기시간(분)	골	어시스트	경고	퇴장
20	261	-	-	-	-

MF 8 도미니크 소보슬라이
Dominik Szoboszlai

국적: 헝가리

슬롯의 황태자 역할을 수행한 공격형 미드필더. 기술적인 전진 드리블로 상대 수비에 균열을 일으키는 것은 물론이고, 강한 체력을 바탕으로 리버풀의 공격 작업이 끝나는 순간 빠른 수비 전환을 주도했다. 그러나 포지션에 걸맞지 않게 공격 포인트 생산은 다소 기대 이하였기 때문에 이번 시즌 비르츠에게 자리를 내주고 박스 투 박스 미드필더로 활약하게 될 가능성이 크며, 그 역할을 소화할 능력은 충분하다.

출전경기	경기시간(분)	골	어시스트	경고	퇴장
36	2,496	6	6	6	-

MF 10 알렉시스 맥 앨리스터
Alexis Mac Allister

국적: 아르헨티나

지능적인 위치 선정과 많은 활동량, 강력한 킥을 바탕으로 중원을 지배하고 리버풀의 공수 연결을 담당하는 미드필더. 정확한 볼 컨트롤 덕분에 상대에게 쉽게 공을 내주지 않고 탈압박 이후 전진 패스로 공격 전환을 이끄는 플레이가 강점이다. 강력한 중거리 슈팅으로 멋진 골들을 터트리기도 하지만, 평소 직접 골에 관여하는 장면은 많지 않은 편이다. 이번 시즌에도 확고하게 주전 자리를 지킬 것으로 보인다.

출전경기	경기시간(분)	골	어시스트	경고	퇴장
35	2,608	5	5	6	-

MF 17 커티스 존스
Curtis Jones

국적: 잉글랜드

성실한 움직임과 안정적인 패스 능력을 겸비한 리버풀 유소년팀 출신의 미드필더. 슬롯 감독의 신임을 받아 지난 시즌 준주전급으로 활용됐다. 빠른 템포의 경기보다는 지공 상황에서 경기를 조율하는 데 강점이 있는 반면 공격에서의 기여도는 더 발전할 여지가 있다. 월드컵을 앞둔 시즌에 비르츠의 합류로 미드필더들의 주전 경쟁이 더욱 치열해질 것으로 보여 지난 시즌만큼의 입지를 유지하려면 분발이 필요하다.

출전경기	경기시간(분)	골	어시스트	경고	퇴장
33	1,715	3	3	1	1

MF 38 라이언 흐라벤베르흐
Ryan Gravenberch

국적: 네덜란드

슬롯 감독 밑에서 재능을 꽃피운 미드필더. 이전까지는 대단한 재능을 가진 박스 투 박스 미드필더로 평가받으면서도 꾸준한 활약을 펼치지 못해 여러 팀을 전전했다. 그러나 리버풀에서는 수비형 미드필더로 보직을 변경하고 공 확보와 1차 탈압박, 경기 조율에만 집중한 결과 눈부시게 성장하며 지난 시즌 프리미어 리그 최고의 유망주로 선정됐다. 이번 시즌도 주전으로 활약하며 성장을 이어갈 것으로 기대된다.

출전경기	경기시간(분)	골	어시스트	경고	퇴장
37	3,169	-	4	6	1

FW 14 페데리코 키에사
Federico Chiesa

국적: 이탈리아

빠른 스피드를 활용한 공간 침투와 저돌적인 돌파, 압박 수비 능력을 고루 갖춘 측면 공격수. 공격진의 어느 포지션에서든 감독의 지시를 성실하게 이행하는 활용 가치 높은 선수지만, 최근에는 잦은 부상에 시달린 탓에 출전 기회를 잡기가 어려웠다. 지난 시즌 프리미어 리그에서는 단 한 경기에도 선발로 나서지 못할 정도로 입지가 좁았다. 이번 여름에는 훈련을 정상적으로 소화하며 몸 상태를 되찾았다.

출전경기	경기시간(분)	골	어시스트	경고	퇴장
6	104	-	-	-	-

FW 18 코디 학포
Cody Gakpo

국적: 네덜란드

위협적인 침투 움직임과 강력한 마무리 능력을 겸비한 공격수. 최전방에서 공을 지키거나 좁은 공간을 뚫어내는 플레이는 약하기 때문에 2023년 리버풀 입단 이후 프리미어 리그 적응에 어려움을 겪었으나, 지난 시즌에는 자신이 선호하는 포지션인 왼쪽 측면에 주로 배치되면서 적응 기간을 마치고 본격적인 활약을 선보이기 시작했다. 루이스 디아스의 이적으로 이번 시즌에는 팀 내 입지가 더 확고해졌다.

출전경기	경기시간(분)	골	어시스트	경고	퇴장
35	1,939	10	4	5	-

FW 22 위고 에키티케
Hugo Ekitike

국적: 프랑스

빠른 스피드와 유연한 움직임, 연계 플레이, 슈팅까지 다양한 재능을 갖춘 선수로 지난 시즌 분데스리가 최고의 공격수 중 하나로 평가받았다. 최전방과 측면을 모두 소화할 수 있고 1,537억원이라는 거액의 이적료를 기록해 어떤 포지션에서든 충분한 출전 기회를 받을 것으로 보인다. 다만 190cm가 넘는 장신임에도 몸싸움은 프리미어 리그에서 통할지 의문이고, 슈팅 상황의 판단력도 개선이 필요하다.

출전경기	경기시간(분)	골	어시스트	경고	퇴장
33	2,582	15	8	1	-

아스널 FC

Arsenal FC

TEAM PROFILE

창 립	1886년
회 장	스탠 크랑키(미국)
감 독	미켈 아르테타(스페인)
연 고 지	런던 이즐링턴
홈 구 장	에미레이트 스타디움(6만 704명)
라 이 벌	토트넘 홋스퍼
홈페이지	www.arsenal.com

최근 5시즌 성적

시즌	순위	승점
2020-2021	8위	61점(18승7무13패, 55득점 39실점)
2021-2022	5위	69점(22승3무13패, 61득점 48실점)
2022-2023	2위	84점(26승6무6패, 88득점 43실점)
2023-2024	2위	89점(28승5무5패, 91득점 29실점)
2024-2025	2위	74점(20승14무4패, 69득점 34실점)

PREMIER LEAGUE (전신 포함)

통 산	우승 13회
24-25 시즌	2위(20승14무4패, 승점74점)

FA CUP

통 산	우승 14회
24-25 시즌	없음

LEAGUE CUP

통 산	우승 2회
24-25 시즌	4강

UEFA

통 산	없음
24-25 시즌	챔피언스리그 4강

 ## 최대 약점을 보완한 우승 후보

아스널은 두 시즌 연속 2위를 기록하며 프리미어 리그 우승 앞에 좌절해야 했고, 지난 시즌에는 범접할 수 없는 위용을 과시하던 맨시티가 크게 흔들렸음에도 리버풀에 밀려 또다시 2위를 기록하며, 우승 기회를 놓치고 말았다. 4위권 경쟁 팀이던 아스널을 우승 경쟁 팀으로 발돋움하게 한 것은 수비 안정과 세트 피스 공격이라는 두 가지 확실한 무기가 있었던 덕분인데, 반면에 우승에 필요한 마지막 퍼즐 조각인 최전방 공격수를 그동안 해결하지 못했다. 마침내 여름 이적시장에서 아스널은 포르투갈 리그 최고의 공격수 빅터 요케레스를 품는 데 성공했고, 수비형 미드필더 자리에도 스페인 국가대표 마르틴 수비멘디를 데려와 팀의 척추를 더욱 단단하게 만들었다. 수비진에도 확실한 백업, 크리스티안 모스케라가 합류했고, 백업 골키퍼로는 필요 이상의 기량을 갖춘 케파 아리사발라가를 영입했다. '에이스' 부카요 사카의 백업도 첼시로부터 노니 마두에케를 영입해 업그레이드에 성공했다. 왼쪽 측면 공격이 사카가 있는 오른쪽과 비교해 상대적으로 약하다는 주장도 있지만, 이 또한 유망주들의 성장과 더 치열해질 주전 경쟁 구도로 극복할 수 있는 수준이다. 기존의 주축 선수들이 모두 그대로 남아 있고, 나이도 20대 중반 이하가 대부분이기 때문에 기량이 하락할 우려는 전혀 없다.

 ## 수비는 안정, 공격 루트 고민을 해결하라

미켈 아르테타 감독과 6년을 함께해온 아스널의 전술은 이미 완성된 상태라고 할 수 있다. 4백과 3미들의 유기적인 움직임을 활용한 안정적인 포지션 플레이로 경기의 주도권을 잡고, 주로 오른쪽 측면을 통한 연계 플레이나 큰 전환 패스에 이은 측면 돌파로 상대를 공략한다. 수비 시에는 4-4-2 또는 5-4-1 포메이션으로 빠르게 전환해 역습을 저지한다. 공격 시에는 신입생 수비멘디를 포함해 주전 미드필더들 모두가 상대 압박으로부터 공을 지키는 데 탁월한 능력을 갖추고 있고, 수비 시에는 공간을 거의 내주지 않기 때문에 아스널은 쉽게 무너지지 않는 팀이 될 수 있었다. 문제는 상대 팀이 수비를 펼치다가 역습을 노린다는 점이다. 지난 시즌에 아스널은 이를 극복하지 못하고 우승 경쟁에서 밀려나고 말았다. 또 하나의 확실한 무기로 활용되던 세트 피스 공격도 점차 위력을 잃어가고 있다. 이러한 문제들을 해결하기 위한 영입이 바로 요케레스다. 지금까지는 전문 스트라이커가 아닌 카이 하베르츠나 레안드로 트로사르가 최전방에 나서 사실상 제로톱과 같은 역할을 수행해왔고, 가브리엘 제수스는 잦은 부상에 시달려 활약을 꾸준하게 이어가지는 못했다.

Newcastle United FC v Arsenal FC - Premier League
세인트 제임스 파크에서 열린 프리미어리그
뉴캐슬 유나이티드와 아스널의 경기에서,
뉴캐슬 유나이티드의 루이스 홀과 아스널의 부카요 사카가
헤딩을 위해 뛰어오르고 있다.
〈2024/11/02, St James' Park〉

우승 아니면 실패? 열쇠는 아르테타에게

앞서 살펴봤듯 아스널의 전력과 전술 모두 최고 수준이며, 아르테타 감독과 함께 유럽에서 가장 뛰어난 팀 중 하나로 성장해온 것은 분명한 사실이다. 그러나 세 시즌 연속으로 프리미어 리그 우승 문턱에서 좌절하며 2위를 기록한 것은 한편으로 아쉬운 결과이기도 하다. 그러자 팀을 발전시킨 공로로 찬사를 받던 아르테타에게도 어느덧 비판 여론이 형성되고 있다. 플랜 B가 부족하고 경기 상황에 순발력 있게 대처하지 못했기 때문에 아스널이 중요한 고비에서 무너졌다는 지적이다. 이는 절반은 맞고 절반은 틀린 이야기다. 아르테타의 선수 기용이나 전술 대응이 아쉬운 경기도 물론 있었지만, 기본적으로 아스널이 주전 선수들에 대한 의존도가 크다는 약점도 존재하기 때문이다. 지난 시즌만 해도 사카의 부상과 마틴 외데고르의 부진 여파를 절감해야 했다. 그 와중에도 아르테타 감독은 데클란 라이스를 수비형 미드필더에서 박스 투 박스 미드필더로 전진 배치해 공격력을 높였고, 이번 여름에는 중원에 수비멘디까지 가세했기 때문에 아스널의 중원 지배력은 더욱 강력해질 전망이다. 수비멘디는 스페인 대표팀에서 발롱도르 수상자인 로드리의 부상 공백을 잊게 만드는 활약을 펼쳐온 선수다. 마두에케의 합류는 오른쪽 측면에서 사카에게 든든한 백업이 되는 동시에 왼쪽 측면의 가브리엘 마르티넬리에게 경쟁을 제공한다. 화룡점정으로 최전방 요케레스의 존재는 그동안 아스널에 없었던 든든한 공격 선봉이 되어줄 수 있다.

이제 열쇠는 아르테타 감독이 쥐고 있다. 이미 아스널은 지난 시즌부터 우승을 해내지 못하면 실패라는 부담감에 시달려왔다. 2003-04시즌 이후 첫 프리미어 리그 우승이라는 간절한 목표를 이뤄내기 위해서는, 시즌을 치르는 동안 대회나 경기의 중요도를 파악해 때로는 과감한 전술 변화나 로테이션으로 상대를 놀래키며 선수들의 신체적, 정신적 피로도를 관리해줘야 한다.

TEAM FORMATION

PLAN **4-3-3**

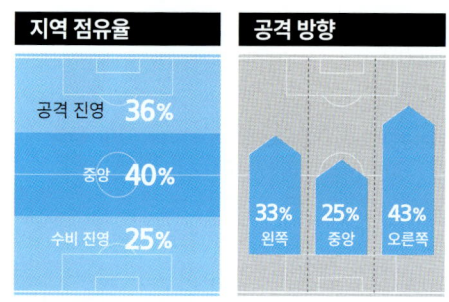

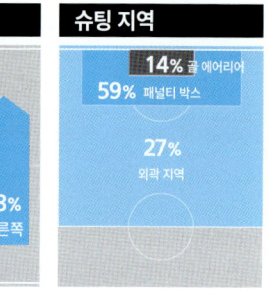

IN & OUT

주요 영입	주요 방출
에베레치 에제, 마르틴 수비멘디, 빅터 요케레스, 노니 마두에케, 크리스티안 모스케라, 크리스티안 뇌르고르, 케파 아리사발라가, 피에로 인카피에	조르지뉴, 도미야스 다케히로, 토마스 파티, 올렉산드르 진첸코

TEAM RATINGS

- 슈팅 8
- 패스 8
- 조직력 8
- 수비력 10
- 감독 8
- 선수층 9

51

2024/25프로필

팀 득점	69
평균 볼 점유율	57.10%
패스 정확도	87.10%
평균 슈팅 수	14.4
경고	64
퇴장	6

골 타입 (단위 %)
- 오픈 플레이 59
- 세트 피스 22
- 카운터 어택 13
- 패널티 킥 3
- 자책골 3

패스 타입 (단위 %)
- 쇼트 패스 89
- 롱 패스 7
- 크로스 패스 4
- 스루 패스 0

SQUAD

포지션	등번호	이름		생년월일	키(cm)	체중(kg)	국적
GK	1	다비드 라야	David Raya	1995.09.15	183	80	스페인
	13	케파 아리사발라가	Kepa Arrizabalaga	1994.10.03	189	88	스페인
DF	2	윌리엄 살리바	William Saliba	2001.03.24	192	83	프랑스
	3	크리스티안 모스케라	Cristhian Mosquera	2004.06.27	191	79	스페인
	4	벤 화이트	Ben White	1997.10.08	186	76	잉글랜드
	5	피에로 인카피에	Piero Hincapie	2002.01.09	184	77	에콰도르
	6	가브리엘 마갈량이스	Gabriel Magalhães	1997.12.19	190	87	브라질
	12	유리엔 팀버	Jurrien Timber	2001.06.17	179	77	네덜란드
	33	리카르도 칼라피오리	Riccardo Calafiori	2002.05.19	188	86	이탈리아
	49	마일스 루이스-스켈리	Myles Lewis-Skelly	2006.09.26	178	72	잉글랜드
MF	8	마틴 외데고르	Martin Ødegaard	1998.12.17	178	68	노르웨이
	16	크리스티안 뇌르고르	Christian Nørgaard	1994.03.10	187	76	덴마크
	22	에단 은와네리	Ethan Nwaneri	2007.03.21	176	70	잉글랜드
	23	미켈 메리노	Mikel Merino	1996.06.22	189	83	스페인
	36	마르틴 수비멘디	Martin Zubimendi	1999.02.02	181	74	스페인
	41	데클란 라이스	Declan Rice	1999.01.14	188	80	잉글랜드
FW	7	부카요 사카	Bukayo Saka	2001.09.05	178	72	잉글랜드
	9	가브리엘 제수스	Gabriel Jesus	1997.04.03	175	73	브라질
	10	에베레치 에제	Eberechi Eze	1998.06.29	178	67	잉글랜드
	11	가브리엘 마르티넬리	Gabriel Martinelli	2001.06.18	178	75	브라질
	14	빅터 요케레스	Viktor Gyökeres	1998.06.04	189	94	스웨덴
	19	레안드로 트로사르	Leandro Trossard	1994.12.04	172	61	벨기에
	20	노니 마두에케	Noni Madueke	2002.03.10	182	75	잉글랜드
	29	카이 하베르츠	Kai Havertz	1999.06.11	193	83	독일

COACH

미켈 아르테타 *Mikel Arteta*
1982년 3월 26일생 스페인

바르셀로나 유소년팀에서 성장해 선수 시절 레알 소시에다드와 에버턴 소속으로 꾸준한 활약을 펼쳤고, 아스널에서는 주장과 감독 모두로서 FA컵 우승을 차지하는 성공을 거뒀다. 현역 은퇴 이후 맨체스터 시티에서 펩 과르디올라 감독의 코치로 활동하며 그의 축구 철학과 전술을 학습했고, 아스널에서 감독 생활을 시작하는 화려한 출발과 함께 6년 가까이 팀을 지휘해왔다. 부임 초기 비판을 이겨내고 과르디올라보다 안정적인 전술을 완성해냈으나, 아직은 경험과 유연성이 부족해 대응력이 떨어진다는 지적도 받고 있다.

상대팀 최근 6경기 전적

구분	승	무	패
리버풀 FC	1	4	1
아스널 FC			
맨체스터 시티	3	2	1
첼시 FC	4	2	
뉴캐슬 유나이티드 FC	2		4
애스턴 빌라	3	1	2
노팅엄 포레스트	4	1	1
브라이튼 앤 호브 알비온	3	2	1
AFC 본머스	4		2
브렌트포드 FC	4	2	
풀럼 FC	3	2	1
크리스탈 팰리스 FC	5	1	
에버턴 FC	3	2	1
웨스트햄 유나이티드 FC	2	1	3
맨체스터 유나이티드	4	1	1
울버햄튼 원더러스	6		
토트넘 홋스퍼 FC	5	1	
리즈 유나이티드 FC	6		
번리 FC	3	2	1
선덜랜드 AFC	5	1	

KEY PLAYER

FW 7 부카요 사카
Bukayo Saka

출전경기	경기시간(분)	골	어시스트	경고	퇴장
25	1,737	6	10	3	-

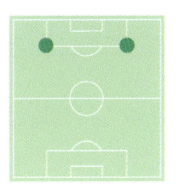

국적: 잉글랜드

아스널의 명실상부한 에이스. 빠른 순간 스피드와 탁월한 밸런스를 이용한 돌파로 상대 수비를 무너트리고 득점 기회를 만드는 데 탁월한 능력을 발휘한다. 높은 전술 이해도를 바탕으로 움직임 또한 성실하기 때문에 특급 윙어 중에서는 수비 가담 또한 많은 편이다. 지금까지는 아스널에 믿음직한 최전방 공격수가 없었기 때문에 사카에게 더 심한 견제가 집중됐고, 이 때문에 한 번도 프리미어 리그 한 시즌 20골을 달성하지 못한 것은 사카의 실력에 비해 아쉬운 결과다. 부상이 잦은 편이라 몸 관리에도 더욱 신경을 써야 한다.

DARK HORSE

MF 36 마르틴 수비멘디
Martin Zubimendi

출전경기	경기시간(분)	골	어시스트	경고	퇴장
36	2,962	2	1	6	-

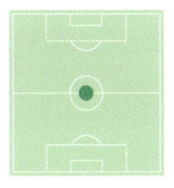

국적: 스페인

맨시티의 로드리에 대한 아스널의 대답. 잉글랜드와의 유로 2024 결승에서 보았듯 스페인 대표팀에서도 수비멘디가 로드리의 부상 공백을 아무런 문제 없이 메웠을 정도도. 수비형 미드필더로서 탁월한 위치 선정으로 상대의 공격을 차단하고, 탈압박과 전진 패스 또한 뛰어나다. 이전 소속팀인 소시에다드 또한 아스널과 마찬가지로 높은 점유율을 유지하는 축구를 구사했기 때문에 별다른 어려움 없이 적응해 주전 자리를 차지할 것으로 보인다. 마틴 외데고르, 미켈 메리노에 이은 세 번째 소시에다드 출신 미드필더 영입이 됐다.

NEW ADDITION

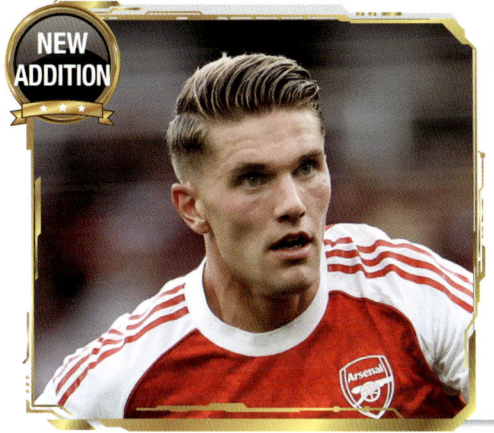

FW 14 빅터 요케레스
Viktor Gyokeres

출전경기	경기시간(분)	골	어시스트	경고	퇴장
33	2,804	39	7	4	-

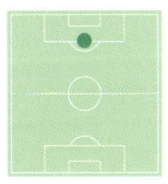

국적: 스웨덴

아스널에 가장 절실하게 보강이 필요하던 최전방 공격수. 포르투갈 무대에서 엄청난 득점력을 선보였지만, 득점의 대부분이 중하위권 팀을 상대로 나왔고 넓은 공간을 치고 들어가서 넣는 역습 위주였다는 점은 우려를 낳게 한다. 그렇다고 요케레스가 투박한 선수는 아니다. 기술적인 기량은 뛰어나기 때문에 박스 안에서 충분히 존재감을 보여줄 수 있다. 반대로 요케레스의 직선적이고 빠른 움직임이 팀의 공격 템포를 높여줄 가능성도 있다. 이전 소속팀과 경기 스타일이 워낙 다르기 때문에 어느 정도의 적응 기간은 필요할 전망이다.

PLAYERS

GK 1 다비드 라야
David Raya

국적: 스페인

아스널의 든든한 주전 골키퍼. 민첩한 동작과 놀라운 반사 신경으로 감탄을 자아내는 선방을 심심치 않게 선보여 왔다. 공간 커버와 크로스 차단 능력도 뛰어나고 공을 다루는 기술과 패스 또한 안정적이어서 현대 축구의 골키퍼로서 필요한 모든 장점을 고루 갖췄다고 할 수 있다. 특별하게 약점을 꼽기가 어려울 정도인데, 골키퍼 치고는 체구가 작은 편이라 때로는 경합에서 밀리는 모습을 보일 때도 있다.

출전경기	경기시간(분)	실점	무실점(경기)	경고	퇴장
38	3,420	34	13	3	-

GK 13 케파 아리사발라가
Kepa Arrizabalaga

국적: 스페인

첼시에서 실패 이후 레알 마드리드, 본머스 임대를 통해 부활한 골키퍼. 선방과 패스 능력을 겸비하고 있어 첼시 입단 당시에는 골키퍼 역대 최고 이적료를 기록했을 만큼 큰 기대를 받았다. 그러나 프리미어 리그 적응에 실패하며 공중 경합과 집중력에 약점을 노출했고 그 결과 실수가 이어졌다. 다행히 지난 시즌에는 장점을 되찾았고, 백업 역할을 받아들인다면 오히려 더 안정적인 활약을 펼칠 수 있다.

출전경기	경기시간(분)	실점	무실점(경기)	경고	퇴장
31	2,790	39	8	3	-

DF 2 윌리엄 살리바
William Saliba

국적: 프랑스

수비진의 핵심. 지난 두 시즌 연속으로 아스널이 프리미어 리그에서 최소 실점을 기록하는 데는 살리바가 임대에서 돌아와 수비진의 리더로 성장한 공이 컸다. 빠른 스피드로 넓은 공간과 측면까지도 커버할 수 있으며, 상대 움직임을 미리 예측하고 공을 가로채는 능력이 뛰어나다. 때로는 지나치게 공격적인 수비로 너무 높게 올라가 공간을 노출하거나 일대일 마킹 능력이 부족한 부분은 개선할 필요가 있다.

출전경기	경기시간(분)	골	어시스트	경고	퇴장
35	3,042	2	-	2	1

DF 3 크리스티안 모스케라
Cristhian Mosquera

국적: 스페인

아직 21세의 나이에도 불구하고 풍부한 경험을 쌓아온 센터백. 발렌시아 소속으로 공식 대회 90경기나 소화했다. 강력한 신체 능력을 바탕으로 한 안정적인 수비가 장점으로, 예측을 통한 빠른 공간 커버에도 능하다. 그러나 공을 다루는 기술이나 패스 능력은 다소 부족한 전통적인 스타일의 센터백이라고 할 수 있다. 아스널에서는 우선 백업으로 시작해 적응 기간을 거쳐 장기적인 주전으로 성장해야 한다.

출전경기	경기시간(분)	골	어시스트	경고	퇴장
37	3,320	1	-	6	-

DF 4 벤 화이트
Ben White

국적: 잉글랜드

센터백과 라이트백을 모두 소화할 수 있는 수비수. 공을 다루는 기술과 패스 능력이 수준급이기 때문에 후방 빌드업에 능하고 미드필더와 같은 하이브리드 풀백 역할도 소화할 수 있다. 최근에는 라이트백으로서 입지를 다져가고 있었는데, 지난 시즌 중반 무릎 부상으로 3개월간 자리를 비웠다가 돌아온 이후로는 기량을 100% 되찾지 못했다. 이번 시즌 유리엔 팀버와의 주전 경쟁이 본격화될 것으로 보인다.

출전경기	경기시간(분)	골	어시스트	경고	퇴장
17	1,198	-	2	2	-

DF 6 가브리엘 마갈량이스
Gabriel Magalhães

국적: 브라질

살리바와 함께 아스널의 수비를 책임지고 있는 센터백. 살리바가 빠르고 기술적인 유형이라면 마갈량이스는 터프하고 안정적인 수비를 펼친다. 강한 신체를 활용한 경합 능력이 최대 장점이어서 상대 공격수와 맞붙어 밀리는 경우가 거의 없고, 세트 피스에서의 헤더도 아스널에 확실한 무기가 된다. 그러나 상대가 빠른 역습을 해올 때는 위치 선정에 아쉬움을 노출하기도 한다. 후방 빌드업 능력은 부족하다.

출전경기	경기시간(분)	골	어시스트	경고	퇴장
28	2,366	3	1	4	-

DF 12 유리엔 팀버
Jurrien Timber

국적: 네덜란드

2023-24시즌을 삭제해버린 십자인대 부상에서 돌아온 풀백. 큰 부상을 이겨냈을 만큼 강한 정신력을 갖추고 있다. 수비에서는 지능적인 움직임으로 깔끔하게 상대의 공을 빼앗고, 공격에서는 전진 드리블과 패스 능력이 뛰어나 미드필더 역할도 문제 없이 소화할 수 있다. 다만 전문 풀백에 비해 공격 가담은 부족한 편이며 체구가 크지 않아 거친 상대 공격수와의 경합에서는 약점을 노출하기도 한다.

출전경기	경기시간(분)	골	어시스트	경고	퇴장
30	2,423	1	3	7	-

DF 33 리카르도 칼라피오리
Riccardo Calafiori

국적: 이탈리아

이탈리아 무대에서 두각을 나타낸 뒤 지난 시즌 아스널에 입단한 수비수. 부상 탓에 충분한 경기를 소화하지는 못했지만 출전했을 때는 인상적인 기량을 선보였다. 레프트백과 센터백을 모두 소화할 수 있고, 경기 흐름을 파악하는 지능이 뛰어나 적절하게 공격에 가담해 날카로운 슈팅으로 골을 노리기도 한다. 수비 시에 때로 집중력이 부족한 모습을 보이는 것이 약점이며 화려한 부상 이력 또한 걱정이다.

출전경기	경기시간(분)	골	어시스트	경고	퇴장
19	986	2	1	4	-

DF 49 마일스 루이스-스켈리
Myles Lewis-Skelly

국적: 잉글랜드

지난 시즌 칼라피오리의 부상 공백을 틈타 폭발적인 성장을 이뤄낸 잉글랜드의 신성. 미드필더 출신이지만 하이브리드 풀백으로 포지션 변경에 성공해 대표팀의 부름도 받았다. 저돌적인 전진 드리블 능력으로 상대에 부담을 안기는 동시에 수비 또한 성실하다. 10대의 나이라고는 믿기 어려운 침착함도 겸비하고 있다. 마지막 패스나 슈팅이 아직은 부족한 모습이지만, 여러 방면으로 성장 가능성이 크게 열려 있는 선수다.

출전경기	경기시간(분)	골	어시스트	경고	퇴장
23	1,372	1	-	3	2

MF 8 마틴 외데고르
Martin Odegaard

국적: 노르웨이

공격 지역에서 창의적인 마무리 패스로 득점 기회를 만들어내는 플레이 메이커이자 아스널의 주장. 시야가 넓고 공을 다루는 기술이 뛰어나 상대의 견제에도 간결하고 빠른 연결로 탈압박에 성공해 공격 작업을 지휘한다. 지난 시즌에는 컨디션 관리에 어려움을 겪으며 기복이 있는 모습을 보이고 공격 포인트도 줄어들었지만, 축구에 대한 이해도가 높은 선수이기에 언제든 다시 최고의 활약을 펼칠 수 있다.

출전경기	경기시간(분)	골	어시스트	경고	퇴장
30	2,332	3	8	4	-

MF 16 크리스티안 뇌르고르
Christian Nørgaard

국적: 덴마크

올여름 팀을 떠난 조르지뉴와 토마스 파티의 공백을 메우기 위해 영입된 31세의 베테랑 수비형 미드필더. 지난 시즌 브렌트포드의 주장으로 중원 안정에 기여했고, 세트 피스에서는 날카로운 크로스를 공급하거나 때로는 중요한 골까지 터트려 존재감을 드러냈다. 아스널에서는 또 다른 신입생 수비멘디의 백업 역할을 맡을 가능성이 큰데, 경기 일정이나 팀의 상황에 따라 더 많은 기회를 잡을 가능성도 충분하다.

출전경기	경기시간(분)	골	어시스트	경고	퇴장
34	2,831	5	4	8	1

MF 22 에단 은와네리
Ethan Nwaneri

국적: 잉글랜드

프리미어 리그 역대 최연소 출전 기록(15세 181일, 2022-23시즌 당시)을 보유하고 있는 선수이다. 2025년 들어 꾸준하게 출전 기회를 잡기 시작하며 성장을 이어가고 있다. 좁은 공간에서도 치고 나갈 수 있는 돌파 실력이 일품이고, 동료의 침투를 놓치지 않고 찔러 넣는 패스 또한 위협적이며, 강력한 슈팅 능력까지 겸비하고 있다. 공격 2선 모든 포지션과 미드필더까지도 소화할 수 있다.

출전경기	경기시간(분)	골	어시스트	경고	퇴장
26	892	4	2	1	-

MF 23 미켈 메리노
Mikel Merino

국적: 스페인

지능적인 움직임을 바탕으로 수비형 미드필더부터 제로톱까지 소화할 수 있는 다재다능한 선수. 지난 시즌 아스널의 최전방 자원들이 부상으로 이탈한 상황에서 공격수로서 쏠쏠한 활약을 펼쳤다. 본업인 미드필더로서는 많은 활동량과 경합 능력이 강점으로, 적절한 시점의 침투를 통해 득점 기회를 잡기도 한다. 두 포지션 중 어디에서도 최고 수준의 기량은 아니지만 감독의 활용 방법에 따라 가치가 달라진다.

출전경기	경기시간(분)	골	어시스트	경고	퇴장
28	1,582	7	2	2	1

MF 41 데클런 라이스
Declan Rice

국적: 잉글랜드

잉글랜드 중원의 핵심. 성실한 압박과 넓은 범위의 패스로 수비진을 보호하고 경기를 조율하던 수비형 미드필더에서 지난 시즌에는 박스 투 박스 미드필더로 역할을 바꿔 더 역동적인 공격 능력을 선보였다. 강력한 킥을 보유하고 있어 중거리 슈팅으로 골을 터트릴 수 있으며, 움직임이 좋아 공격 시에나 수비 시에나 필요한 위치로 달려가 팀을 돕는 선수다. 실수가 거의 없고 늘 침착한 플레이를 펼친다.

출전경기	경기시간(분)	골	어시스트	경고	퇴장
35	2,833	4	7	5	1

FW 9 가브리엘 제주스
Gabriel Jesus

국적: 브라질

영리함과 성실함을 겸비한 최전방 공격수. 좁은 공간에서도 섬세한 기술과 연계 플레이로 슈팅 기회를 만들어 골을 노릴 수 있고, 전방 압박에도 능한 선수다. 그러나 골 결정력이 뛰어나지는 않고, 부상이 잦은 탓에 아스널에서는 기대에 부응하지 못했다. 특히 지난 시즌에는 전체 경기의 절반조차 소화할 수 없었고, 이번 시즌에는 아스널에 잔류하더라도 더 치열해진 주전 경쟁을 이겨내야 하는 부담도 잔뜩 안고 있다.

출전경기	경기시간(분)	골	어시스트	경고	퇴장
17	604	3	-	4	-

FW 10 에베레치 에제
Eberechi Eze

국적: 잉글랜드

최고 수준의 드리블 돌파와 침투 패스, 강력한 슈팅 능력을 고루 겸비한 공격형 미드필더. 왼쪽 하프 스페이스 공간을 공략해 골을 만들어내는 플레이에 탁월하다. 지난 시즌 공식 대회 11골 9도움을 기록하는 맹활약을 펼쳤고, 특히 애스턴 빌라와의 FA컵 준결승, 맨체스터 시티와의 결승에서 연달아 골을 터트려 크리스탈 펠리스의 사상 첫 메이저 대회 우승을 이끈 뒤 아스널에서 새로운 도전에 나선다.

출전경기	경기시간(분)	골	어시스트	경고	퇴장
34	2,604	8	8	1	-

FW 11 가브리엘 마르티넬리
Gabriel Martinelli

국적: 브라질

아스널의 계륵과 같은 왼쪽 측면 공격수. 빠른 드리블과 강력한 슈팅을 겸비하고 있어 공격 재능도 뛰어나고 수비 가담 또한 성실한 반면 패턴이 단조롭고 마무리 패스를 할 때는 판단력이 아쉽다. 경력 내내 잦은 부상 탓에 활약을 꾸준하게 이어가지 못했다. 지금까지는 강력한 경쟁자가 없었지만 은와네리의 성장과 마두에케의 영입으로 이번 시즌부터는 주전 자리에 위협을 느끼고 새롭게 동기부여를 해야 한다.

출전경기	경기시간(분)	골	어시스트	경고	퇴장
33	2,302	8	4	1	-

FW 20 노니 마두에케
Noni Madueke

국적: 잉글랜드

첼시에서 영입된 측면 공격수. 오른쪽 측면에서부터 중앙으로 치고 들어와 왼발 슈팅을 시도하는 플레이를 즐긴다. 그만큼 드리블 돌파와 슈팅 능력이 뛰어나며, 오른발 슈팅도 점차 발전하는 모습을 보이고 있다. 그러나 아직 젊은 선수라서 시야가 넓지는 않고 기복이 있는 편이며, 날카로운 슈팅에 비해 크로스의 정확도는 떨어진다. 아스널에서는 사카가 있는 오른쪽보다는 왼쪽에 기용될 가능성이 크다.

출전경기	경기시간(분)	골	어시스트	경고	퇴장
32	2,049	7	3	3	-

맨체스터 시티
Manchester City

TEAM PROFILE	
창 립	1880년
회 장	만수르 빈 자이드 알나얀(UAE)
감 독	펩 과르디올라(스페인)
연 고 지	맨체스터
홈 구 장	에티하드 스타디움(5만 3,400명)
라 이 벌	맨체스터 유나이티드
홈페이지	kr.mancity.com

최근 5시즌 성적

시즌	순위	승점
2020-2021	1위	86점(27승5무6패, 83득점 32실점)
2021-2022	1위	93점(29승6무3패, 99득점 26실점)
2022-2023	1위	89점(28승5무5패, 94득점 33실점)
2023-2024	1위	91점(28승7무3패, 96득점 34실점)
2024-2025	3위	71점(21승8무9패, 72득점 44실점)

PREMIER LEAGUE (전신 포함)

통 산	우승 10회
24-25 시즌	3위(21승8무9패, 승점 71점)

FA CUP

통 산	우승 7회
24-25 시즌	준우승

LEAGUE CUP

통 산	우승 8회
24-25 시즌	16강

UEFA

통 산	챔피언스리그 우승 1회
24-25 시즌	없음

 전력 분석

본격적인 리빌딩, 성공으로 이어질까?

맨시티가 지난 시즌 고전을 면치 못했던 이유는 발롱도르 수상자이자 주전 수비형 미드필더인 로드리가 장기 부상으로 이탈했고, 선수단 평균 연령이 높아지는 것을 방관했다가 리빌딩이 늦어졌던 탓이기도 하다. 이에 2025년 1월 이적시장에서부터 맨시티는 공격진에 오마르 마르무쉬, 중원에 니코 곤살레스, 수비진에 압두코디르 후사노프까지 20대 초중반 선수들을 영입하며 팀에 활력을 더했고, 여름 이적시장에서도 발 빠른 행보로 티아니 레인더스, 라얀 아잇-누리, 라얀 셰르키를 영입했다. 주장이던 케빈 데 브라이너가 나폴리로 이적한 것 외에는 전력 공백이 없기 때문에 젊은 신입생들이 기존의 주전 선수들과 빠르게 조화를 이루고 경쟁 구도를 형성한다면 맨시티는 당연하게도 다시 우승에 도전할 전력을 갖추게 될 것이다. 한 가지 걱정거리는 지난 시즌 측면 공격수 중 누구도 만족스러운 활약을 펼치지 못했다는 점이다. 잭 그릴리시는 부진과 부상을 거듭한 끝에 팀을 떠날 것이 유력하고, 젊은 선수들인 제레미 도쿠, 필 포든, 사비뉴 등이 새로 합류한 셰르키와 함께 얼마만큼의 폭발력을 보여줄 것인가에 따라 맨시티의 발걸음이 달라질 전망이다. 수비진에는 윙백에 가까운 측면 수비수 아잇-누리가 가세했다.

 전술 분석

무너졌던 과르디올라 축구, 기동력 회복이 관건

펩 과르디올라 감독이 지휘하는 팀은 자기 골문으로부터 최대한 멀리 떨어진 지점에서 '티키타카' 플레이로 공을 소유하고, 상대에게 공을 빼앗겼을 때는 최대한 빠르게 다시 되찾아와서 주도권을 유지하는 것을 목표로 한다. 팀 전체가 높은 지점까지 전진하기 때문에 이는 상당히 공격적인 전술로 해석되는 것이 당연하지만, 역설적으로 전방에서부터 강력한 수비를 펼치기 때문에 공수 균형이 유지될 수 있기도 하다. 이러한 안정성 덕분에 바르셀로나, 바이에른 뮌헨, 맨시티 모두 리그에서 과르디올라 감독과 함께 지배적인 우위를 점할 수 있었다. 그러나 지난 시즌 맨시티는 로드리의 공백과 중원의 노쇠화로 전방 압박에 문제가 생겼고, 이제는 상대들도 맨시티의 전술에 숙달되어 있기 때문에, 무리하게 상대를 공략하려다가 공수 균형이 무너진 상태에서 역습으로 실점을 허용할 수밖에 없었다. 따라서 이번 시즌 맨시티 전술의 핵심 열쇠는 기동력 회복이다. 빠른 압박으로 상대의 역습을 저지하고 경기의 주도권을 유지한다면 최전방에 엘링 홀란이라는 세계 최고의 스트라이커 중 하나가 건재하기 때문에 데 브라이너의 이탈에도 공격력에는 문제가 없을 것이다.

Manchester City v Tottenham Hotspur - Premier League
에티하드 스타디움에서 열린
프리미어리그 맨체스터 시티와 토트넘 홋스퍼의 경기에서,
맨체스터 시티의 로드리가 볼을 컨트롤하고 있다.
〈2025/08/23, Etihad Stadium〉

시즌 프리뷰 변화의 바람과 함께 부활을 노린다

이번만큼 맨시티에게 프리미어 리그 우승이 절실한 시즌도 없었을 것이다. 2017-18 시즌부터 2023-24 시즌까지 7년 사이 여섯 번의 우승, 대회 역사상 최초의 4연속 우승까지 달성하며 리그의 지배자로 군림해 오다가 지난 시즌에는 일찌감치 우승 경쟁에서 밀려나는 굴욕을 겪었기 때문이다. 2024년 11월 맨시티와 2년 재계약을 선택한 과르디올라 감독도 스트레스가 극심한 모습으로 경기 도중 자신의 얼굴을 상처가 날 정도로 긁는 바람에 자해를 한 것이 아니냐는 논란까지 나왔다. 팀 전체에 분위기 반전이 필요한 상황에서 맨시티는 발 빠르게 움직이며 변화를 꾀했다. 클럽 월드컵 개막 이전에 세 명의 선수를 영입해 전력을 개편한 것은 물론 과르디올라 감독을 보좌하는 코치진도 교체해 팀에 새로운 아이디어를 불어넣으려 하고 있다. 지난 시즌에는 훈련장에서 코치진과 선수단의 소통이 이전처럼 원활하지 못했다는 이야기도 흘러나왔다. 이에 위르겐 클롭 감독 시절 리버풀에서 직접 훈련을 설계하고 진행했던 펩 레인데르스 코치가 합류해 맨시티의 변화를 주도하고 있다. 이제는 과르디올라와 클롭 감독의 전술 철학을 이어받은 새로운 세대의 감독들이 등장하고 있기 때문에 과르디올라도 건재함을 증명하기 위해서는 자신의 전술을 조정해서 진화하는 모습을 보여줘야 하는데, 클럽 월드컵에서 비록 8강 진출에는 실패했지만 다양한 시도를 통해 그 준비가 순조롭게 진행되고 있는 것을 확인할 수 있었다. 이러한 시도들이 얼마나 빠르게 팀에 자리를 잡느냐가 관건이다. 맨시티는 울버햄튼 원정에서 개막전을 치른 이후 5라운드까지 토트넘, 브라이튼, 맨체스터 유나이티드, 아스널을 연달아 상대하는 만만치 않은 초반 일정을 앞두고 있다. 다행히 유력한 우승 경쟁 상대인 리버풀과 아스널은 더욱 까다로운 초반 일정을 소화해야 하기 때문에, 맨시티로서는 상승세로 시즌을 출발하는 것이 무척 중요하다.

IN & OUT

주요 영입	주요 방출
티아니 레인더스, 라얀 아잇-누리, 라얀 셰르키, 제임스 트래포드, 잔루이지 돈나룸마	제임스 매카티, 마누엘 아칸지, 케빈 데 브라이너, 카일 워커

TEAM FORMATION

PLAN 4-2-3-1

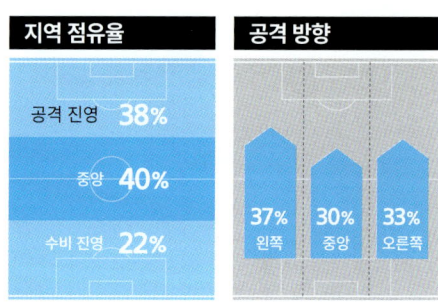

지역 점유율

공격 진영	38%
중앙	40%
수비 진영	22%

공격 방향

| 37% 왼쪽 | 30% 중앙 | 33% 오른쪽 |

슈팅 지역

9% 골 에어리어
55% 패널티 박스
36% 외곽 지역

TEAM RATINGS

슈팅 9
패스 10
조직력 8
수비력 6
감독 8
선수층 8
49

2024/25 프로필

팀 득점	72
평균 볼 점유율	61.60%
패스 정확도	89.90%
평균 슈팅 수	16
경고	57
퇴장	2

골 타입

오픈 플레이	81
세트 피스	10
카운터 어택	4
패널티 킥	4
자책골	1

단위 (%)

패스 타입

쇼트 패스	91
롱 패스	6
크로스 패스	3
스루 패스	0

단위 (%)

SQUAD

포지션	등번호	이름		생년월일	키(cm)	체중(kg)	국적
GK	1	제임스 트래포드	James Trafford	2002.10.10	197	90	잉글랜드
	13	마커스 베티넬리	Marcus Bettinelli	1992.05.24	193	91.7	잉글랜드
	25	잔루이지 돈나룸마	Gianluigi Donnarumma	1999.02.25	196	90	이탈리아
DF	3	후벵 디아스	Rúben Dias	1997.05.14	187	70	포르투갈
	5	존 스톤스	John Stones	1994.05.28	188	70	잉글랜드
	6	네이선 아케	Nathan Aké	1995.02.18	180	75	네덜란드
	21	라얀 아잇-누리	Rayan Aït-Nouri	2001.06.06	180	70	알제리
	24	요슈코 그바르디올	Josko Gvardiol	2002.01.23	185	80	크로아티아
	45	압두코디르 후사노프	Abdukodir Khusanov	2004.02.29	186	84	우즈베키스탄
	82	리코 루이스	Rico Lewis	2004.11.21	170	70	잉글랜드
MF	4	티자니 라인데르스	Tijjani Reijnders	1998.07.29	178	73	네덜란드
	8	마테오 코바치치	Mateo Kovacic	1994.05.06	177	82	크로아티아
	10	라얀 셰르키	Rayan Cherki	2003.08.17	177	71	프랑스
	11	제레미 도쿠	Jérémy Doku	2002.05.27	173	77	벨기에
	14	니코 곤살레스	Nico González	2002.01.03	188	86	스페인
	16	로드리	Rodri	1996.06.22	190	82	스페인
	20	베르나르두 실바	Bernardo Silva	1994.08.10	173	64	포르투갈
	26	사비뉴	Savinho	2004.04.10	179	66	브라질
	27	마테우스 누네스	Matheus Nunes	1998.08.27	183	76	브라질
	44	칼빈 필립스	Kalvin Phillips	1995.12.02	178	72	잉글랜드
	47	필 포든	Phil Foden	2000.05.28	171	70	잉글랜드
	52	오스카르 보브	Oscar Bobb	2003.07.12	177	73	노르웨이
FW	7	오마르 마르무시	Omar Marmoush	1999.02.07	180	81	이집트
	9	엘링 홀란	Erling Haaland	2000.07.21	195	88	노르웨이

COACH

펩 과르디올라 *Pep Guardiola*
1971년 1월 18일생 스페인

선수 시절부터 바르셀로나에서 '토털 축구'를 체득해 경기의 주도권을 유지하는 전술 흐름을 이끌어온 지도자. 바르셀로나에 이어 바이에른 뮌헨, 맨시티를 맡아서도 자국 리그에서 압도적인 우승을 차지해, 축구 역사에서 가장 성공적인 감독 경력을 보내왔다고 표현해도 과언이 아니다. 공 소유권을 잃을 경우 빠르게 되찾아 와서 상대의 역습을 저지하고 공격을 거듭하는 것을 중요시하기 때문에 선수들에게 어떠한 상황에서도 정확한 위치 선정을 강조한다. 전술의 진화와 새로운 세대 감독들의 등장으로 도전에 직면해 있다.

상대팀 최근 6경기 전적

구분	승	무	패
리버풀 FC	2	2	2
아스널 FC	1	2	3
맨체스터 시티			
첼시 FC	4	2	
뉴캐슬 유나이티드 FC	4	1	1
애스턴 빌라	3	1	2
노팅엄 포레스트	4	1	1
브라이튼 앤 호브 알비온	3	2	1
AFC 본머스	5		1
브렌트포드 FC	3	1	2
풀럼 FC	6		
크리스탈 팰리스 FC	3	2	1
에버턴 FC	4	2	
웨스트햄 유나이티드 FC	6		
맨체스터 유나이티드	3	1	2
울버햄튼 원더러스	5		1
토트넘 홋스퍼 FC	3	1	2
리즈 유나이티드 FC	4	1	1
번리 FC	6		
선덜랜드 AFC	6		

KEY PLAYER

MF 16 로드리 *Rodri*

출전경기	경기시간(분)	골	어시스트	경고	퇴장
3	73	-	-	-	-

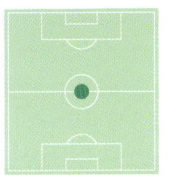

국적: 스페인

2024 발롱도르의 주인공이자 세계 최고의 수비형 미드필더. 지난 시즌 부상으로 자리를 비우자 맨시티가 과르디올라 감독 체제에서도 최악의 위기를 겪었던 것은 로드리의 중요성을 반증한다. 강력한 신체를 활용한 경합 능력과 뛰어난 전술 이해도로 경기 흐름을 파악해 적재적소에서 상대의 공격을 끊는 동시에 맨시티의 공격 활로를 여는 역할을 한다. 상대 수비가 물러서 있을 때는 과감하게 전진해 강력한 중거리 슈팅으로 직접 골을 노리기도 한다. 약점을 찾기가 어렵지만 장기 부상 여파로 경기 감각이 떨어질 수 있는 건 불안 요소다.

DARK HORSE

MF 11 제레미 도쿠 *Jeremy Doku*

출전경기	경기시간(분)	골	어시스트	경고	퇴장
29	1,515	3	6	1	-

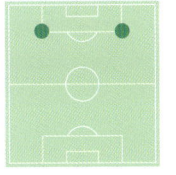

국적: 벨기에

드리블 돌파 실력만으로는 다른 선수와 비교를 거부하는 최고의 측면 공격수. 실제로 지난 시즌 프리미어 리그에서 최다 돌파 성공(107회)을 기록했으며, 2위 모하메드 쿠두스(92회)와의 격차도 15회나 된다. 낮은 무게 중심과 빠른 순간 가속으로 좁은 공간에서도 상대 수비를 따돌리는 데 능하지만, 이후 공격 마무리 슈팅이나 패스에서는 기복이 심해 공격 포인트는 9개로 (3골 6도움) 기대에 비해 부족했다. 맨시티가 엘링 홀란에 대한 득점 의존도를 줄이기 위해서는 도쿠의 성장이 필수적인 만큼 분발이 요구된다.

NEW ADDITION

MF 4 티자니 라인더르스 *Tijjani Reijnders*

출전경기	경기시간(분)	골	어시스트	경고	퇴장
37	3,132	10	4	2	1

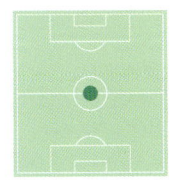

국적: 네덜란드

맨시티의 중원 리빌딩에서 핵심적인 역할을 담당할 영입. 공격적으로 배치됐을 때는 공을 가지고 전진하는 능력이 뛰어나 상대 수비에 균열을 만들 수 있으며, 지난 시즌 부진했던 AC 밀란 소속으로도 세리에 A에서만 10골을 득점했을 만큼 탁월한 결정력 또한 갖추고 있다. 공을 쉽게 빼앗기지 않는 침착한 플레이와 185cm의 큰 키를 활용한 경합 능력으로 수비형 미드필더 역할도 소화할 수 있어 팀 상황과 상대에 따라 다양하게 활용될 수 있는 자원이다. 다만 프리미어 리그는 처음인 만큼 빠른 템포의 공수 전환에 적응해야 한다.

PLANTERS

PLAYERS

GK 1 제임스 트래포드
James Trafford

국적: 잉글랜드

맨시티 유소년팀 출신의 전도유망한 골키퍼. 어린 시절 미드필더로 축구를 시작했기 때문에 경기 흐름을 읽는 능력과 공을 다루는 기술이 좋아 팀의 후방 빌드업 과정에 적극 관여할 수 있다. 지난 시즌 번리 소속으로 압도적인 선방 능력까지 보여주면서 수비 지표에서 챔피언십 역사상 최고의 시즌을 보냈고, 올여름 뉴캐슬이 관심을 나타내자 맨시티가 재영입 권한을 사용해 505억의 이적료에 합의를 마쳤다.

출전경기	경기시간(분)	실점	무실점(경기)	경고	퇴장
45	4,050	16	29	8	-

GK 25 잔루이지 돈나룸마
Gianluigi Donnarumma

국적: 이탈리아

지난 시즌 파리 생제르맹의 챔피언스 리그 우승을 이끈 골키퍼. 이탈리아 국가대표로 유로 2020에서 우승할 당시에도 선방 능력만큼은 세계 최고를 넘어 역대 최고 중 하나로 인정받았다. 그러나 공을 다루는 발 기술이 부족해 상대의 전방 압박에 흔들리는 치명적인 약점 탓에 전술 발달에 따라 입지가 좁아지고 있다. 이 때문에 후방 빌드업을 중시하는 맨시티에서도 적응할 시간이 충분히 필요해 보인다.

출전경기	경기시간(분)	실점	무실점(경기)	경고	퇴장
24	2,092	25	5	2	-

DF 3 후벵 디아스
Rúben Dias

국적: 포르투갈

맨시티 수비진의 핵심. 경기 흐름을 읽고 미리 유리한 위치를 선점해 상대 공격을 차단하고 동료들에게도 지시를 내리는 리더십을 갖췄다. 패스 능력도 뛰어나 후방 빌드업 과정에서도 중요한 역할을 담당한다. 실력에는 의심의 여지가 없지만 아직 전성기의 나이임에도 잦은 부상 탓에 기대 이하의 경기를 펼칠 때도 있으며, 발이 빠른 상대 공격수를 저지하는 데 어려움을 겪기도 한다. 부상이 유일한 걱정이다.

출전경기	경기시간(분)	골	어시스트	경고	퇴장
27	2,269	-	-	4	-

DF 5 존 스톤스
John Stones

국적: 잉글랜드

침착함과 높은 전술 이해도를 갖춘 수비수. 센터백이지만 팀의 필요에 따라 수비형 미드필더나 인버티드 풀백 역할을 소화할 수 있어 과르디올라 감독에게 다양한 선택지를 제공한다. 상대와 강하게 경합하는 포지션을 소화해야 함에도 부상을 자주 당하는 것이 단점이지만, 경기에 나설 때는 믿음직한 존재감을 자랑한다. 어느덧 맨시티에서 10번째 시즌을 보내는 선수이기에 리더로서의 존재감도 보여주고 있다.

출전경기	경기시간(분)	골	어시스트	경고	퇴장
11	547	2	-	1	-

DF 21 라얀 아잇-누리
Rayan Ait-Nouri

국적: 알제리

뛰어난 공격력을 갖춘 레프트백. 드리블 돌파와 크로스를 무기로 득점 기회를 만드는 데 능하다. 올 여름 울버햄튼에서 영입됐으며, 기존 맨시티 레프트백인 그바르디올이나 아케와 비교해 훨씬 공격적인 자원이기 때문에 경기 상황이나 상대에 맞춰 활용될 것으로 보인다. 순조롭게 팀에 적응하기 위해서는 상대에게 역습할 공간을 노출하지 않도록 주의하며 공수 균형을 유지하는 데 전보다 신경을 써야 한다.

출전경기	경기시간(분)	골	어시스트	경고	퇴장
37	3,129	4	7	5	1

DF 24 요슈코 그바르디올
Joško Gvardiol

국적: 크로아티아

피지컬과 기술을 모두 겸비, 왼발잡이 수비수로서 가치도 높다. 센터백치고 큰 키는 아니지만 몸싸움 능력이 좋고 반응 속도가 빠르다. 점프력도 갖추고 있어 제공권 다툼에도 능하다. 최대 강점은 기술이다. 적절한 태클과 전진 수비로 볼을 따내는 경우가 많다. 수비 센스가 좋아 뒷공간도 잘 허용하지 않는다. 드리블과 전진 패스를 통한 공격 가담 능력도 탁월하다. 덕분에 맨시티는 수비 라인에서 숨통을 트게 됐다.

출전경기	경기시간(분)	골	어시스트	경고	퇴장
37	3,280	5	-	2	-

DF 45 압두코디르 후사노프
Abdukodir Khusanov

국적: 우즈베키스탄

2025년 1월 이적시장을 통해 맨시티에 합류한 유망주 센터백. 여느 맨시티 수비수들과 달리 패스보다는 전통적인 수비 능력을 장점으로 갖고 있다. 뛰어난 신체 능력을 활용한 적극적인 수비로 상대를 괴롭히며, 정신력은 20대 초반 선수에게 어울리지 않을 정도로 강력하고 투지가 넘친다. 아직은 기량이 완전히 다듬어지지 않아 실책을 범할 때도 있지만, 장기적으로는 크게 성장할 잠재력을 갖추고 있다.

출전경기	경기시간(분)	골	어시스트	경고	퇴장
6	504	-	-	1	-

DF 82 리코 루이스
Rico Lewis

국적: 잉글랜드

맨시티 유소년팀 출신의 특급 유망주. 양쪽 풀백과 미드필더 역할을 모두 소화할 수 있는 다재다능함이 돋보인다. 지난 시즌 팀이 위기를 겪는 상황에서 다양한 역할을 맡아 충분한 출전 기회를 잡으며 성장할 수 있었다. 영리하고 침착한 공 관리와 성실한 활동량이 장점이어서 전술적인 활용 가치가 높지만, 동시에 한 가지 압도적인 장점이 부족해 자신만의 무기를 갈고 닦아야 더욱 경쟁력을 갖출 수 있다.

출전경기	경기시간(분)	골	어시스트	경고	퇴장
28	1,893	1	2	3	1

MF 8 마테오 코바치치
Mateo Kovačić

국적: 크로아티아

최고 수준의 탈압박과 공 간수 능력을 갖춘 미드필더. 노련하고 전술 이해도도 뛰어나 지난 시즌 부상으로 자리를 비운 수비형 미드필더 로드리의 공백을 메워야 하는 힘든 역할을 소화해냈다. 드리블 기술로 상대를 쉽게 따돌리고 공격 지역으로 쉽게 진입하는 반면 마무리 슈팅이나 패스는 기대에 미치지 못한다. 이번 시즌에는 로드리의 복귀와 리빌딩으로 인해 로테이션 자원으로 다양하게 활용될 가능성이 크다.

출전경기	경기시간(분)	골	어시스트	경고	퇴장
31	2,205	6	2	5	1

MF 10 라얀 셰르키
Rayan Cherki

국적: 프랑스

지난 시즌 리옹 소속으로 프랑스 무대에서 최고의 활약을 펼친 측면 공격수이자 공격형 미드필더. 상대 수비의 허를 찌르는 창의적인 침투 패스로 득점 기회를 만드는 플레이에 능해 맨시티에서 데 브라이너의 대체자이자 베르나르두 실바의 후계자로 홀란과 좋은 호흡을 보여주리라는 기대를 받고 있다. 체구가 작고 발도 빠르지 않기 때문에 프리미어 리그의 거칠고 빠른 경기 템포에 적응하는 것이 관건이다.

출전경기	경기시간(분)	골	어시스트	경고	퇴장
30	2,048	8	11	3	-

MF 14 니코 곤살레스
Nico Gonzalez

국적: 스페인

바르셀로나 유소년팀 출신의 미드필더. 2025년 1월 이적시장을 통해 포르투를 떠나 맨시티에 합류했다. 188cm의 큰 키에도 정교한 드리블로 상대의 압박을 뚫고 나와 연계 플레이를 펼치는 것이 장점이다. 그러나 프리미어 리그 팀들의 빠른 역습을 봉쇄할 정도의 기동력과 수비력은 갖추지 못해 적응에 어려움을 겪을 수밖에 없었다. 이번 시즌에는 적응을 마치고 로테이션 자원으로 입지를 다져야 한다.

출전경기	경기시간(분)	골	어시스트	경고	퇴장
11	763	1		3	-

MF 20 베르나르두 실바
Bernardo Silva

국적: 포르투갈

영리한 움직임과 유려한 드리블, 플레이 메이킹 능력을 고루 갖춘 공격형 미드필더. 맨시티에서는 측면 공격수와 중앙 미드필더를 오가며 헌신해왔고, 리더십도 인정을 받아 이번 시즌 팀의 주장 역할까지 맡아 필드 위의 사령관 역할을 더욱 확실하게 수행하게 됐다. 지난 시즌에는 중원이 흔들리면서 실바에게 더 많은 수비 가담이 요구돼 지친 모습을 보이기도 했지만, 언제든 날카로운 플레이를 펼칠 수 있다.

출전경기	경기시간(분)	골	어시스트	경고	퇴장
33	2,668	4	4	7	-

MF 26 사비뉴
Savinho

국적: 브라질

저돌적인 돌파를 무기로 양쪽 측면 모두를 소화할 수 있는 공격수. 지난 시즌 맨시티에 입단해 프리미어 리그 적응에 어려움을 겪으면서도 기회 창출과 도움 면에서는 좋은 활약을 펼쳤다. 그러나 슈팅 상황에서 침착하지 못했고, 판단력과 전술적인 움직임 또한 다듬을 필요가 있다. 20대 초반에 불과하기에 과르디올라 감독의 지도를 받으며 기량을 갈고 닦는다면 맨시티의 주전으로 도약할 잠재력은 충분하다.

출전경기	경기시간(분)	골	어시스트	경고	퇴장
29	1,773	1	8	3	-

MF 27 마테우스 누네스
Matheus Nunes

국적: 포르투갈

라이트백 역할을 수행하고 있는 박스 투 박스 미드필더. 이전 소속팀 울버햄튼에서는 공격형 미드필더 역할을 맡아 득점 생산에 재능을 뽐냈으나, 맨시티에서는 주전 경쟁에서 밀려난 이후 카일 워커가 떠난 공백을 메우며 라이트백으로 부활에 성공했다. 뛰어난 신체 능력과 활동량을 바탕으로 중원을 오가며 소유권 싸움에 힘을 보탰으며, 이번 시즌에는 측면 공격에도 가담해 득점 기회 창출을 노릴 것으로 보인다.

출전경기	경기시간(분)	골	어시스트	경고	퇴장
26	1,673	1	6	4	-

MF 47 필 포든
Phil Foden

국적: 잉글랜드

잉글랜드 최고의 재능 중 하나로 평가 받는 측면 공격수. 그러나 지난 시즌 내내 컨디션 관리에 난조를 겪으면서 부진한 모습을 보였다. 좁은 공간에서도 상대 수비를 따돌린 뒤 동료와의 연계 플레이를 통해 득점 기회를 만드는 데 능하기 때문에 중앙 공격형 미드필더가 최적의 포지션이라는 평가도 존재한다. 이번 시즌 분발해서 최고의 기량을 되찾는다면 데 브라이너가 떠난 자리를 차지할 수도 있을 것이다.

출전경기	경기시간(분)	골	어시스트	경고	퇴장
28	1,779	7	2	2	-

MF 52 오스카르 보브
Oscar Bobb

국적: 노르웨이

경기 흐름과 공간을 빠르게 파악하는 능력으로 과르디올라 감독의 눈길을 사로잡은 유망주. 상대 중원과 수비 사이 공간으로 빠져 들어가 위험 지역에서 정확한 패스 연결로 득점 기회를 만드는 플레이가 강점이다. 유려한 첫 터치와 턴 동작 덕분에 좁은 공간에서도 상대 압박을 따돌리고 전진할 수 있다. 지난 시즌에는 부상 탓에 어려움을 겪었지만, 이번 시즌에는 확실히 1군에서 입지를 다질 준비를 마쳤다.

출전경기	경기시간(분)	골	어시스트	경고	퇴장
3	14	-	-		-

FW 7 오마르 마르무쉬
Omar Marmoush

국적: 이집트

2025년 1월 이적시장을 통해 프랑크푸르트에서 영입된 공격수. 시즌 도중에 합류했음에도 홀란의 경쟁자, 백업, 파트너 역할을 모두 수행하던 훌리안 알바레스의 성공적인 대체자로 활약하며 중요한 득점을 여러 차례 기록했다. 드리블, 슈팅 능력이 고루 뛰어나고 최전방에서부터 측면까지 모든 공격 포지션을 소화할 수 있어 이번 시즌에도 출전 기회는 충분할 것으로 보인다. 연계 능력은 보완해야 한다.

출전경기	경기시간(분)	골	어시스트	경고	퇴장
16	1,183	7		5	-

FW 9 엘링 홀란
Erling Haaland

국적: 노르웨이

무시무시한 신체 능력과 득점을 향한 집념을 보유한 세계 최고의 스트라이커. 박스 안에서 골을 터트리는 데만 모든 능력이 집중되어 있는 듯한 선수여서 연계와 수비를 중시하는 과르디올라 감독의 스타일과 어울리지 않는다는 의견도 있었지만, 입단 직후 2연속 프리미어 리그 우승과 득점왕 등극으로 의심을 잠재웠다. 지난 시즌에는 득점 지원도 부족했고 부상을 겪으면서도 20골을 넘기는 저력을 과시했다.

출전경기	경기시간(분)	골	어시스트	경고	퇴장
31	2,742	22	3	2	-

첼시 FC
Chelsea FC

TEAM PROFILE	
창 립	1905년
회 장	토드 볼엘리(미국)
감 독	엔초 마레스카(이탈리아)
연 고 지	런던 풀럼
홈 구 장	스탬퍼드 브리지 스타디움(4만 173명)
라 이 벌	아스널, 토트넘 홋스퍼
홈페이지	www.chelseafc.com

최근 5시즌 성적

시즌	순위	승점
2020-2021	4위	67점(19승10무9패, 58득점 36실점)
2021-2022	3위	74점(21승11무6패, 76득점 33실점)
2022-2023	12위	44점(11승11무16패, 38득점 47실점)
2023-2024	6위	63점(18승9무11패, 77득점 63실점)
2024-2025	4위	69점(20승9무9패, 64득점 43실점)

PREMIER LEAGUE (전신 포함)

통 산	우승 6회
24-25 시즌	4위(20승9무9패, 승점 69점)

FA CUP

통 산	우승 8회
24-25 시즌	32강

LEAGUE CUP

통 산	우승 5회
24-25 시즌	16강

UEFA

통 산	챔피언스리그 우승 1회
	유로파리그 우승 2회
24-25 시즌	없음

전력분석 성과를 내기 시작한 유망주 영입 정책

토드 보얼리 구단주 체제 초기에 선수단 구성에 일관성을 유지하지 못하던 첼시는 20대 초반 이하의 유망주들을 영입해 장기 계약으로 팀을 꾸리는 정책을 수립했고, 마침내 지난 시즌부터 그 성과가 나오기 시작했다. 프리미어 리그 4위권 진입과 컨퍼런스 리그 우승이라는 두 가지 목표를 모두 달성한 데 이어 클럽 월드컵에서도 우승을 차지하며 확실한 성공 시대를 열었다. 특히 클럽 월드컵 결승에서는 지난 시즌 유럽 최강 팀 파리 생제르맹(PSG)을 3-0으로 완파해 자신감을 얻을 수 있었다. 이제 팀 전력의 뼈대는 갖춰진 가운데, 첼시는 약점을 보완하기 위한 영입을 이어갔다. 최전방에 리암 델랍에 이어 주앙 페드루까지 영입했고, 측면에도 제이미 기튼스와 이스테방이라는 특출난 재능들이 합류해 폭발력을 더했다. 이미 자기 포지션에서 세계 최고 수준으로 인정 받는 콜 파머, 모이세스 카이세도, 엔소 페르난데스까지 세 명의 미드필더가 어떤 팀을 상대로도 경기를 장악할 수 있어, 첼시가 다시금 프리미어 리그와 챔피언스 리그의 정상을 노리는 것도 무리는 아니다. 다만 핵심인 리바이 콜윌이 장기 부상을 당해 타격을 입을 것으로 보인다. 그럼에도 무서운 점은 첼시 선수단의 평균 연령이 여전히 리그에서 가장 어린 축에 속하며 이들의 성장이 현재진행형이라는 사실이다.

전술분석 강해진 조직력에 유기적인 변화까지

PSG를 3-0으로 완파한 클럽 월드컵 결승은 첼시의 전술적인 완성도가 얼마나 뛰어난지를 보여준 경기였다. 수비 시에는 왼쪽 측면 공격수 페드루 네투가 윙백처럼 내려와서 5백을 구성하고, 오른쪽 풀백 말로 귀스토는 공격 시에 측면 공격수와 같은 움직임으로 상대 박스 안까지 진입하며 첼시가 어떤 상황에서도 숫자 싸움에서 우위를 가지도록 했다. 지난 시즌 내내 엔초 마레스카 감독은 왼쪽 풀백 마르크 쿠쿠렐라에게 다양한 역할을 맡기며 측면 자원을 유기적으로 활용한 바 있다. 여기에 에이스 콜 파머를 역습 시 상대의 약점을 노리는 자리에 배치하면서 최고의 기량을 발휘할 수 있도록 했고, 공격수 주앙 페드루는 영리한 움직임으로 상대 수비진에 혼란을 일으키며 공간을 만들어냈다. 중원에서 카이세도는 마치 은골로 캉테처럼 어디에서든 경합에 임하며 PSG를 괴롭혔다. 첼시는 마레스카 감독과 1년을 보내며 팀을 건설했고, 상대에 맞춰 약점을 공략할 수 있는 조합을 구성할 수 있을 만큼 다채로운 선수들까지 보유하고 있다. 파머에 대한 공격 마무리 의존도가 다소 높은 것이 약점이지만, 최전방과 측면 공격수들을 영입하면서 이마저도 극복할 수 있게 됐다.

FC Bayern München v Chelsea FC
- UEFA Champions League 2025/26
푸트볼 아레나 뮌헨에서 열린
UEFA 챔피언스리그 2025/26 리그 페이즈 1차전
FC 바이에른 뮌헨과 첼시 FC의 경기에서,
바이에른 뮌헨의 미카엘 올리세가
첼시의 주앙 페드로와 경합하고 있다.
〈2025/09/17, Football Arena Munich〉

시즌 프리뷰 세계 챔피언의 위용을 증명하라

보얼리 구단주 체제의 첼시만큼 극과 극의 평가를 받아온 팀도 드물 것이다. 인수 초기 감독이 여러 차례 교체된 것은 물론이고 선수단 구성조차 확실한 계획 없이 진행돼 혼란을 겪었다. 새로운 체제가 자리를 잡은 이후로는 일관성 있게 전력을 보강해왔지만, 어린 선수들을 위주로만 팀을 구성하다 보니 발전 과정에서 실수를 저지르며 기복이 심한 모습을 보였다. 지난 시즌만 해도 최고의 출발을 해내며 우승 후보라는 찬사를 받았다가 니콜라스 잭슨의 부상과 부진이 겹치자 시즌 중반 최악의 부진을 겪었고, 막바지가 되어서야 하나의 팀으로 단결하는 강인한 모습을 보여주며 목표를 이뤄냈다. 여기에 클럽 월드컵 우승까지 차지하자 첼시를 향한 평가는 확실하게 달라졌다. 엄연히 '세계 챔피언'이라는 타이틀을 획득한 만큼 그 이름에 걸맞은 경기력과 결과를 보여줄 때가 된 것이다.

최고의 잠재력을 인정 받던 젊은 선수들이 다양한 포지션을 소화하며 기량과 조직력을 연마해온 덕분에 어떤 팀을 만나더라도 밀리지 않는 경기를 펼칠 수 있게 됐는데, 관건은 수비에 무게 중심을 두는 한 수 아래의 팀들을 공략해낼 수 있느냐는 점이다. 지난 시즌 중반 리그 다섯 경기 무승 행진(3무 2패)을 기록할 때의 상대 팀들은 에버턴, 풀럼, 입스위치, 팰리스, 본머스였다. 공교롭게도 첼시는 이번 시즌 프리미어 리그 첫 다섯 경기에서 팰리스, 웨스트햄, 풀럼, 브렌트포드, 맨체스터 유나이티드를 만나는데 이 다섯 팀 중 지난 시즌 최고 순위는 10위 브렌트포드다. 만일 첼시가 이전 시즌 막바지의 상승세를 그대로 이어가 또다시 최고의 출발을 해낸다면, 이번에는 반짝 선전에 그치지 않고 시즌 내내 우승 경쟁을 펼칠 수 있을 것이다. 챔피언스 리그를 병행하는 것이 또 하나의 도전이 되겠지만, 첼시의 선수층은 이를 이겨낼 만큼 두텁고 거의 모든 포지션에 주전 경쟁 구도가 만들어져 있다.

TEAM FORMATION

FW **B+**
MF **A**
DF **B+**
GK **B+**

- 20 페드루 (델랍)
- 11 기튼스 (가르나초)
- 10 파머 (이스테방)
- 7 네투 (이스테방)
- 8 페르난데스 (산투스)
- 25 카이세도 (라비아)
- 3 쿠쿠레야 (하토)
- 4 아다라비오요 (바디아실)
- 23 찰로바 (포파나)
- 24 제임스 (귀스토)
- 1 산체스 (요르겐센)

PLAN 4-2-3-1

IN & OUT

주요 영입	주요 방출
주앙 페드루, 제이미 기튼스, 알레한드로 가르나초, 조렐 하토, 리암 델랍, 이스테방, 다리우 에수구. 파쿤도 부오나노테	노니 마두에케, 크리스토퍼 은쿤쿠, 주앙 펠릭스, 조르제 페트로비치, 레슬리 우고추쿠, 키어넌 듀스버리-홀, 헤나투 베이가, 아르만도 브로야, 카니 추쿠에메카, 니콜라스 잭슨

지역 점유율

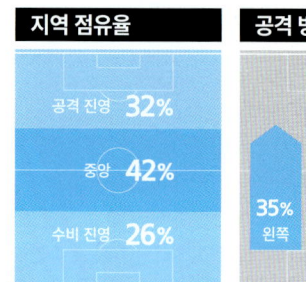

- 공격 진영 **32%**
- 중앙 **42%**
- 수비 진영 **26%**

공격 방향

- 왼쪽 **35%**
- 중앙 **32%**
- 오른쪽 **33%**

슈팅 지역

- 골 에어리어 **8%**
- 패널티 박스 **58%**
- 외곽 지역 **34%**

TEAM RATINGS

- 슈팅 **9**
- 패스 **8**
- 조직력 **7**
- 수비력 **7**
- 감독 **8**
- 선수층 **9**

48

2024/25 프로필

팀 득점	64
평균 볼 점유율	57.10%
패스 정확도	86.70%
평균 슈팅 수	15.7
경고	99
퇴장	2

골 타입 (단위 (%))
- 오픈 플레이 59
- 세트 피스 19
- 카운터 어택 11
- 패널티 킥 6
- 자책골 5

패스 타입 (단위 (%))
- 쇼트 패스 88
- 롱 패스 9
- 크로스 패스 3
- 스루 패스 1

SQUAD

포지션	등번호	이름		생년월일	키(cm)	체중(kg)	국적
GK	1	로베르트 산체스	Robert Sánchez	1997.11.18	197	90	스페인
	12	필립 요르겐센	Filip Jørgensen	2002.04.16	192	82	덴마크
DF	3	마크 쿠쿠레야	Marc Cucurella	1998.07.22	174	66	스페인
	4	토신 아다라비오요	Tosin Adarabioyo	1997.09.24	196	80	잉글랜드
	5	브누아 바디아실	Benoît Badiashile	2001.03.26	194	75	프랑스
	21	조렐 하토	Jorrel Hato	2006.03.07	182	79	네덜란드
	23	트레보 찰로바	Trevoh Chalobah	1999.07.05	190	82	잉글랜드
	24	리스 제임스	Reece James	1999.12.08	182	91	잉글랜드
	27	말로 귀스토	Malo Gusto	2003.05.19	178	74	프랑스
	29	웨슬리 포파나	Wesley Fofana	2000.12.17	185	81	프랑스
	34	조시 아체암퐁	Josh Acheampong	2006.05.05	190	78	잉글랜드
MF	8	엔소 페르난데스	Enzo Fernández	2001.01.17	178	77	아르헨티나
	10	콜 파머	Cole Palmer	2002.05.06	189	74	잉글랜드
	14	다리우 에수구	Dário Essugo	2005.03.14	178	78	포르투갈
	17	안드레이 산투스	Andrey Santos	2004.05.03	180	75	브라질
	25	모이세스 카이세도	Moisés Caicedo	2001.11.02	178	73	에콰도르
	45	로메오 라비아	Roméo Lavia	2004.01.06	181	76	벨기에
FW	7	페드로 네투	Pedro Neto	2000.03.09	174	62	포르투갈
	9	리암 델랍	Liam Delap	2003.02.08	186	84	잉글랜드
	11	제이미 기튼스	Jamie Gittens	2004.08.08	175	70	잉글랜드
	15	니콜라 잭슨	Nicolas Jackson	2001.06.20	186	78	세네갈
	20	주앙 페드루	João Pedro	2001.09.26	182	80	브라질
	32	타이리크 조지	Tyrique George	2006.02.04	181	74	잉글랜드
	41	이스테방	Estêvão	2007.04.24	176	64	브라질
	49	알레한드로 가르나초	Alejandro Garnacho	2004.07.01	180	70	스페인

COACH

엔초 마레스카 *Enzo Maresca*
1980년 2월 10일생 이탈리아

선수 시절 다양한 무대에서 경험을 쌓고 2017년부터 지도자 생활을 시작했다. 2020-21시즌 맨시티 2군 팀을 우승으로 이끌며 지도력을 인정받고 현재 첼시의 주축인 콜 파머 등과 인연을 맺었다. 이후 파르마를 거쳐 맨시티에서 펩 과르디올라 감독의 코치로 활약했고, 2023-24시즌 레스터 시티를 챔피언십 우승으로 이끈 뒤 첼시의 지휘봉을 잡았다. 과르디올라처럼 위치 선정과 공 소유를 목표로 하면서도 또 다른 맨시티 코치 출신인 미켈 아르테타 아스널 감독과 유사하게 수비의 중요성을 강조한다.

상대팀 최근 6경기 전적

구분	승	무	패
리버풀 FC	1	2	3
아스널 FC		2	4
맨체스터 시티		2	4
첼시 FC			
뉴캐슬 유나이티드 FC	3		3
애스턴 빌라	2	2	2
노팅엄 포레스트	2	3	1
브라이튼 앤 호브 알비온	4		2
AFC 본머스	4	2	
브렌트포드 FC	1	3	2
풀럼 FC	3	1	2
크리스탈 팰리스 FC	4	2	
에버턴 FC	3	2	1
웨스트햄 유나이티드 FC	4	1	1
맨체스터 유나이티드	2	2	2
울버햄튼 원더러스	3		3
토트넘 홋스퍼 FC	4	1	1
리즈 유나이티드 FC	4	1	1
번리 FC	4	2	
선덜랜드 AFC	4	1	1

KEY PLAYER

MF 10 콜 파머 *Cole Palmer*

출전경기	경기시간(분)	골	어시스트	경고	퇴장
37	3,199	15	8	7	-

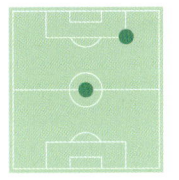

국적: 잉글랜드

명실상부한 첼시의 에이스. 등번호도 10번으로 변경했다. 뛰어난 공 간수 능력을 바탕으로 유려한 드리블 돌파와 침투 패스, 정확한 슈팅으로 골을 만들어내는 선수다. 창의성은 물론이고 이름과 비슷하게 냉철할(Cold) 정도의 침착성도 갖추고 있어 상대 입장에서는 막기가 어려울 수밖에 없다. 지난 시즌 후반기에는 견제가 집중되며 골 가뭄에 시달리기도 했지만, 클럽 월드컵에서는 여섯 경기에서 3골 2도움을 기록하는 맹활약을 펼쳤다. 특히 이 중 2골 1도움을 결승에서 기록했을 만큼 중요한 순간에 더 강한 모습을 보이는 선수다.

DARK HORSE

FW 41 이스테방 *Estevao*

출전경기	경기시간(분)	골	어시스트	경고	퇴장
11	837	-	3	3	-

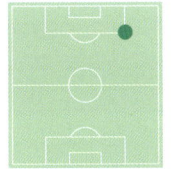

국적: 브라질

브라질 팬들로부터 '제2의 네이마르'라는 기대를 받고 있는 18세 유망주 측면 공격수. 현란한 개인기로 상대 수비를 제친 뒤 구사하는 강력한 크로스와 슈팅을 무기로 갖고 있다. 파우메이라스 소속으로 치른 첼시와의 클럽 월드컵 맞대결에서는 각도가 없는 상황에서도 감각적인 오른발 슈팅으로 골을 터트리며 재능을 입증했다. 그러나 아직 신체적으로 성장이 끝나지 않은 상태에서 유럽 무대, 그것도 가장 거칠고 빠르다는 프리미어 리그에 적응하는 데는 시간이 필요할 전망이며 마레스카 감독의 전술에도 녹아들기 위해 노력해야 한다.

NEW ADDITION

FW 20 주앙 페드루 *Joao Pedro*

출전경기	경기시간(분)	골	어시스트	경고	퇴장
27	1,955	10	6	4	1

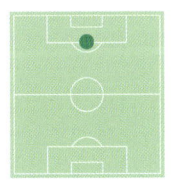

국적: 브라질

첼시의 '단골 맛집' 브라이턴에서 영입된 공격수. 성실하면서도 영리한 움직임과 연계 플레이 능력이 장점으로, 클럽 월드컵에서는 준결승과 결승 두 경기에 선발로 출전해 세 골을 터트리는 활약을 펼치며 기대 이상의 결정력도 선보여 만능형 공격수로서의 활약을 기대하게 했다. 프리미어 리그에서도 강팀을 상대로 더 좋은 활약을 펼쳤을 만큼 큰 경기에 강한 면모도 갖추고 있다. 최전방 공격수로서 경합 능력이 최고 수준은 아니지만, 왼쪽 측면과 공격형 미드필더까지 소화할 수 있기 때문에 첼시에서의 출전 기회는 충분할 것으로 보인다.

PLANERS

GK 1 로베르트 산체스
Robert Sanchez

국적: 스페인

놀라운 선방과 정확한 패스 능력을 갖춘 골키퍼. 그러나 압박에 약하고 집중력이 부족해 실수가 잦다는 치명적인 단점도 동시에 가지고 있다. 지난 시즌 내내 기복이 심한 모습을 보이다가 막바지 들어 꾸준하게 완벽에 가까운 활약을 펼쳐 자신을 향한 비판을 잠재웠지만, 첼시는 여전히 최고 수준 골키퍼 영입을 노리고 있다. 다시 실수를 범하기 시작하면 산체스의 입지는 다시금 순식간에 위태로워질 것이다.

출전경기	경기시간(분)	실점	무실점(경기)	경고	퇴장
32	2,880	34	10	5	-

DF 3 마크 쿠쿠레야
Marc Cucurella

국적: 스페인

포지션은 레프트백이지만 사실상 경기장 전체를 누비는 미드필더와 같은 선수. 측면 수비도 수준급이고 중원 싸움에도 가담하며, 상대의 견제를 피해 박스 안까지 침투해서 결정적인 득점 기회를 잡기도 한다. 풀백이라는 포지션의 새로운 장을 열었다고 할 수 있다. 그러나 마무리 슈팅과 패스가 정확하지는 않아 직접 골에 관여하는 장면이 많지는 않다. 이번 시즌에도 확고하게 주전 자리를 지킬 전망이다.

출전경기	경기시간(분)	골	어시스트	경고	퇴장
36	2,991	5	1	8	1

DF 4 토신 아다라비오요
Tosin Adarabioyo

국적: 잉글랜드

195cm의 큰 키를 활용한 공중 경합과 탁월한 위치 선정 능력을 갖춘 센터백. 수준급의 빌드업 능력도 겸비하고 있다. 발이 느린 탓에 첼시가 수비 라인을 높였을 때는 넓은 공간을 커버하지 못해 고전하기도 했지만, 시즌 중반 이후로 좀 더 안정적인 수비 형태를 구축하자 진가를 발휘하기 시작했다. 이렇듯 장단점이 명확한 선수이기에 장점을 발휘할 수 있는 경기에 맞춰서 기용될 것으로 보인다.

출전경기	경기시간(분)	골	어시스트	경고	퇴장
22	1,405	1	1	4	-

DF 21 조렐 하토
Jorrel Hato

국적: 네덜란드

아약스에서 영입된 네덜란드 최고의 유망주 수비수. 10대의 나이에도 아약스의 주장을 맡았을 정도로 성숙하고 침착한 플레이를 펼치며, 민첩한 움직임과 공격적인 수비로 레프트백과 센터백을 모두 소화할 수 있다. 콜윌이 무릎 부상으로 이번 시즌 출전할 수 없게 되면서 왼발잡이 센터백으로 출전 기회를 받게 될 가능성이 커졌다. 체구가 크지 않아 프리미어 리그에서 곧바로 통할 정도일지는 지켜봐야 한다.

출전경기	경기시간(분)	골	어시스트	경고	퇴장
31	2,593	2	6	6	-

DF 23 트레보 찰로바
Trevoh Chalobah

국적: 잉글랜드

첼시에 최고의 충성심을 보여준 유소년팀 출신 센터백. 방출 대상으로 분류돼 임대를 떠났다가 첼시에 부상 위기가 닥치자 지난 시즌 도중 돌아와 팀의 프리미어 리그 4위권 진입과 컨퍼런스 리그 우승 과정에 크게 힘을 보탰다. 발이 느린 편이지만 경기 흐름을 읽고 미리 정확한 위치 선정으로 상대의 공격을 차단하며 경합에도 강한 면모를 보인다. 시련을 이겨낸 선수이기에 팀의 리더로서도 적합하다.

출전경기	경기시간(분)	골	어시스트	경고	퇴장
25	1,974	3	1	3	-

DF 24 리스 제임스
Reece James

국적: 잉글랜드

빠른 발과 정확한 왼발 크로스를 자랑하는 레프트백이다. 특히 크로스의 패턴과 궤적이 다양해 팀에 큰 도움이 되고 있다. 활동량이 많고 체력도 좋다. 부상도 많지 않은 철각왕이다. 꾸준한 경기력을 보여주면서 팀의 왼쪽 측면을 담당하고 있다. 다만 활동 반경과는 다르게 둔탁하고 슈팅 능력이 없는 것이 아쉬운 점이다. 드리블도 약하다. 개인기로 상대 수비수를 제치는 일이 그리 많지는 않다.

출전경기	경기시간(분)	골	어시스트	경고	퇴장
19	1,064	1	1	1	-

DF 27 말로 귀스토
Malo Gusto

국적: 프랑스

제임스의 부상 공백을 훌륭하게 메우며 성장한 라이트백. 빠른 스피드로 오른쪽 측면을 오르내리며 활발한 압박 가담과 공간 창출을 통해 공수 모두에 기여한다. 압박에 흔들리지 않고 패스 공급도 안정적이어서 쿠쿠레야처럼 인버티드 풀백 역할도 종종 맡았지만 공격 작업 과정에서 판단력이 부족해 기대만큼의 성과를 내지는 못했다. 풀백으로서도 공격 능력이 뛰어난 편은 아니지만 발전의 여지는 남아 있다.

출전경기	경기시간(분)	골	어시스트	경고	퇴장
32	1,860	-	1	4	-

DF 29 웨슬리 포파나
Wesley Fofana

국적: 프랑스

실력만으로는 첼시 센터백 중 가장 뛰어나지만 치명적인 부상을 여러 차례 당한 탓에 입지가 흔들리고 있는 선수. 지능적인 데다 신체 능력도 뛰어나 결정적인 타이밍에 상대 공격을 차단하는 플레이가 탁월하다. 이와 더불어 공을 가지고 전진하거나 패스 능력도 갖추고 있어 빌드업 과정에서 중요한 역할을 담당한다. 유일한 문제는 부상으로, 아직 20대 중반임에도 기량을 유지할 수 있을지 의문이 들 정도다.

출전경기	경기시간(분)	골	어시스트	경고	퇴장
14	1,176	-	-	7	-

DF 34 조시 아체암퐁
Josh Acheampong

국적: 잉글랜드

첼시 유소년팀 출신의 특급 유망주 라이트백으로 센터백까지도 소화할 수 있다. 19세의 나이에도 공을 침착하게 다루며 위치 선정도 뛰어난 반면 풀백으로서 공격 가담과 크로스 능력은 다소 떨어진다. 지난 시즌 컨퍼런스 리그에서 풀타임을 소화하는 등 1군 경험을 쌓았고, 이번 시즌 첼시가 많은 경기를 치르는 데다 내부 평가도 높아 임대를 떠나는 대신 팀에 남아 꾸준하게 경험을 쌓아갈 전망이다.

출전경기	경기시간(분)	골	어시스트	경고	퇴장
4	169	-	-	1	-

MF 8 엔소 페르난데스
Enzo Fernandez

국적: 아르헨티나

월드컵 우승을 차지하고 역대 최고 이적료를 경신하며 첼시에 입단했던 미드필더. 왕성한 활동량, 넓은 시야, 정확하고 창의적인 패스까지 중앙 미드필더에게 필요한 장점을 고루 갖췄다. 프리미어 리그에서는 수비력이 부족한 편이라 입단 초기에 어려움을 겪었지만, 보다 공격적인 역할을 부여받으면서 자신의 진가를 드러내기 시작했다. 마레스카 감독의 주문에 따라 박스 안으로 침투해 골도 터트리고 있다.

출전경기	경기시간(분)	골	어시스트	경고	퇴장
36	2,948	6	7	8	-

MF 14 다리우 에수구
Dario Essugo

국적: 포르투갈

카이세도의 백업으로 영입된 유망주 수비형 미드필더. 카이세도와 흡사하게 경기장 곳곳을 누비며 공격적인 압박으로 상대를 괴롭히는데, 이 때문에 많은 카드가 따라오는 것은 단점으로 꼽혀 보완이 필요하다. 나이에 비해 정신력이 강하고 탈압박 능력도 뛰어난 것이 장점이다. 그러나 경험 부족 탓에 압박 타이밍을 판단하는 능력이나 전진 패스는 아직 부족해 카이세도를 롤 모델로 삼아 성장할 필요가 있다.

출전경기	경기시간(분)	골	어시스트	경고	퇴장
27	1,954	1	-	7	2

MF 17 안드레이 산투스
Andrey Santos

국적: 브라질

에수구가 카이세도와 비슷하다면 산토스는 엔소 페르난데스와 비슷한 장점을 가진 미드필더다. 일찌감치 잠재력이 대단하다는 평가를 받아왔고, 지난 시즌 첼시의 자매 구단인 스트라스부르로 임대돼 팀의 에이스로 활약하며 프랑스 무대 최고의 미드필더 중 하나로 꼽혔다. 특히 상대가 예상하지 못한 타이밍에 박스 안으로 침투해 침착한 마무리로 골을 터트리는 능력이 일품이며, 경합에서도 좀처럼 밀리지 않는다.

출전경기	경기시간(분)	골	어시스트	경고	퇴장
32	2,857	10	3	8	-

MF 25 모이세스 카이세도
Moises Caicedo

국적: 에콰도르

프리미어 리그 최고의 미드필더 중 하나. 공이 있는 곳에는 카이세도가 있다고 할 정도로 왕성하게 경기장을 누비는 선수여서 과거 첼시에서 활약했던 레전드 은골로 캉테나 클로드 마켈렐레에 비견되기도 한다. 게다가 카이세도는 넓은 시야와 패스 범위까지 갖추고 있고, 상대가 강팀이든 약팀이든 한결 같은 활약을 펼친다. 지난 시즌 첼시 최고의 선수로 선정됐으며 이번 시즌에도 핵심 역할을 담당할 것이다.

출전경기	경기시간(분)	골	어시스트	경고	퇴장
38	3,356	1	2	11	-

MF 45 로메오 라비아
Romeo Lavia

국적: 벨기에

후방 플레이 메이커로서 특급 재능을 갖춘 수비형 미드필더. 카이세도가 역동적으로 전진해서 압박을 하는 스타일인 반면 라비아는 후방에 머무르며 수비진을 보호하고 센스 있는 탈압박과 전진 패스를 통해 공격으로의 전환을 주도하는 편이다. 이 때문에 두 선수가 서로를 보완해주며 같이 뛰게 되면 첼시의 중원을 넘어설 상대는 많지 않다. 확실한 주전으로 자리 잡지 못한 것은 화려한 부상 이력 탓이 크다.

출전경기	경기시간(분)	골	어시스트	경고	퇴장
16	803	-	1	4	-

FW 7 페드로 네투
Pedro Neto

국적: 포르투갈

공을 잡으면 빠르게 전진해 슈팅이든 크로스든 시도하는 전통적인 스타일의 측면 공격수. 스피드를 따라올 상대가 거의 없는 데다 무게 중심도 낮아 돌파를 막기가 쉽지 않다. 강력한 킥으로 멋진 골을 터트리기도 하지만 슈팅의 정확도에 일관성은 없는 편이다. 첼시에서 공격 포인트가 기대에 미치지는 못했는데, 이번 시즌에는 네투의 날카로운 크로스를 골로 연결해줄 공격수가 둘이나 합류해 개선이 기대된다.

출전경기	경기시간(분)	골	어시스트	경고	퇴장
35	2,270	4	6	8	-

FW 9 리암 델랍
Liam Delap

국적: 잉글랜드

탱크와 같은 묵직한 저돌성으로 상대 수비진을 괴롭히는 정통 스타일 스트라이커. 지난 시즌 강등의 운명을 피하지 못한 입스위치에서 뛰면서도 인상적인 활약을 펼쳐 첼시의 부름을 받았다. 혼자 힘으로도 공을 끌고 전진할 수 있는 능력을 갖췄고 감각적인 슈팅 또한 강력한 편이다. 활동량도 많아 공간 창출과 수비에도 기여한다. 첼시에는 창의적인 2선 공격수가 많기 때문에 연계 능력을 키울 필요가 있다.

출전경기	경기시간(분)	골	어시스트	경고	퇴장
37	2,613	12	2	12	-

FW 11 제이미 기튼스
Jamie Gittens

국적: 잉글랜드

도르트문트에서 영입된 왼쪽 측면 공격수. 지난 시즌 첼시에서 임대로 활약한 제이든 산초와는 정반대의 특징을 갖췄다. 산초가 동료를 활용한 연계 플레이를 선호하는 반면 기튼스는 폭발적인 스피드를 활용한 개인 돌파를 활용해 상대를 따돌리고 박스 안까지 진입하는 플레이를 즐긴다. 이는 마레스카 감독의 전술에 더 어울리는 특징이라고 할 수 있다. 그러나 마무리 패스나 연계 능력은 아직 부족하다.

출전경기	경기시간(분)	골	어시스트	경고	퇴장
32	1,786	8	3	4	-

FW 49 알레한드로 가르나초
Alejandro Garnacho

국적: 아르헨티나

뛰어난 스피드와 돌파 능력으로 역습 상황에서 진가를 발휘하는 측면 공격수. 돌파 성공률은 높지 않더라도 경기 내내 저돌적인 움직임으로 상대 수비를 괴롭히며, 양발을 모두 사용하는 슈팅 덕분에 득점력 또한 준수한 편이다. 그러나 공격 전환 시 패스 선택지를 보는 시야가 좁고, 수비 가담에 큰 도움이 되지 못한다는 단점도 있다. 맨유에서 이적을 요구하며 불성실한 태도를 보인 점도 개선이 필요하다.

출전경기	경기시간(분)	골	어시스트	경고	퇴장
36	2,196	6	2	3	-

뉴캐슬 유나이티드 FC
Newcastle United FC

TEAM PROFILE	
창 립	1892년
회 장	사우디 국부펀드
감 독	에디 하우(잉글랜드)
연 고 지	뉴캐슬 어폰타인
홈 구 장	세인트 제임스 파크(5만 2,354명)
라 이 벌	선덜랜드, 미들즈브러
홈페이지	www.nufc.co.uk

최근 5시즌 성적

시즌	순위	승점
2020-2021	12위	45점(12승9무17패, 46득점 62실점)
2021-2022	11위	49점(13승10무15패, 44득점 62실점)
2022-2023	4위	71점(19승14무5패, 68득점 33실점)
2023-2024	7위	60점(18승6무14패, 85득점 62실점)
2024-2025	5위	66점(20승6무12패, 68득점 47실점)

PREMIER LEAGUE (전신 포함)

통 산	우승 4회
24-25 시즌	5위(20승6무12패, 승점 66점)

FA CUP

통 산	우승 6회
24-25 시즌	16강

LEAGUE CUP

통 산	우승 1회
24-25 시즌	우승

UEFA

통 산	없음
24-25 시즌	없음

 전력분석 ## 먹구름을 몰고 온 이삭의 이적 선언

알렉산더 이삭. 지난 3년간 프리미어 리그에서만 50골을 넘게 터트리며 뉴캐슬 팬들의 환호성을 이끌어내던 이름이 팀의 앞날에 먹구름을 몰고 왔다. 재계약 조건을 두고 구단이 합의 사항을 지키지 않았다는 이유로 돌연 이적을 선언하고 프리 시즌 훈련에 모습을 드러내지 않은 것이다. 합의 내용을 어긴 구단에도 도의적인 책임은 있지만, 기존의 계약조차 존중하지 않고 일방적으로 팀을 이탈해버린 이삭에게 팬들은 엄청난 배신감을 느꼈다. 이삭 없이 시즌을 준비한 뉴캐슬은 한국에 방문해 쿠팡플레이 시리즈에 참가하는 등 바쁜 여름을 보냈는데, 프리 시즌 평가전의 결과는 좋지 못했다. 이삭의 대체자 영입도 쉽지 않아 이적시장 마감일이 가까워져서야 이삭을 리버풀로 떠나보내고 닉 볼테마데와 요안 위사의 영입에 거액을 지출해야 했다. 그래도 다행스러운 것은 최전방을 제외한 기존의 전력이 건재하다는 사실이다. 특히 브루누 기마랑이스, 조엘린통, 산드로 토날리가 구성하는 중원의 경쟁력은 최고 수준이다. 측면에는 안토니 엘랑가와 제이콥 램지, 수비진에는 말릭 티아우, 골문에는 애런 램스데일을 각각 영입해 팀 전체적으로 필요하던 보강도 이뤄냈다. 여기에 루이스 마일리와 윌리엄 오술라와 같은 신예들이 성장한다면 뉴캐슬의 전력에 별다른 문제는 없을 것이다.

 전술분석 ## 고정된 포메이션 속 역동적인 움직임

에디 하우 감독의 뉴캐슬은 공격과 수비에서 4-3-3 포메이션 형태를 유지하는 편이다. 빌드업 과정에서는 풀백들과 측면 공격수들이 넓게 벌려 공간을 만들어내고, 공격 지역에 도달하면 폭을 좁히면서 박스 주위에 숫자를 늘려 슈팅 기회를 만들어 내는 방식이다. 그 과정에서 최대한 빠른 속도로 전진한다. 측면 공격을 담당하는 앤서니 고든, 하비 반스, 제이콥 머피 모두 발이 빠르고 이는 신입생인 안토니 엘랑가와 풀백 티노 리브라멘토도 마찬가지다. 빠르게 전진해서 올리는 크로스를 받기 위해 여러 선수가 쇄도하는데, 이때 반대 측면 공격수도 적극적으로 박스 안으로 들어온다. 이러한 플레이를 위해서 알렉산더 이삭의 대체자로 최전방과 측면을 모두 소화할 수 있는 요안 위사가 낙점된 것이다. 미드필더 브루누 기망랑이스와 조엘린통도 전진해서 마무리 패스와 슈팅으로 공격에 힘을 싣는다. 중원의 남은 공간을 커버하는 선수는 후방 플레이 메이커 산드로 토날리다. 수비 시에는 압박 강도가 강한 편이라 라인을 높게 끌어 올린다. 발이 빠른 센터백 말릭 티아우를 영입한 것도 더 효과적인 수비 공간 커버를 위해서다. 안정적인 구조 안에서 역동적인 움직임이 뉴캐슬의 강점이다.

시즌 프리뷰 챔피언스 리그를 병행하는 험난한 시즌

뉴캐슬은 지난 시즌 리그 컵에서 정상에 오르며 70년 만의 메이저 대회 우승을 차지했고, 프리미어 리그에서도 5위로 시즌을 마쳐 '꿈의 무대' 챔피언스 리그 진출권을 확보할 수 있었다. 이는 2023-24시즌 이후 2년 만의 챔피언스 리그 참가인데, 당시 뉴캐슬은 조별 라운드에서 보루시아 도르트문트, 파리 생제르맹, AC 밀란과 함께 죽음의 조를 형성하는 불운한 탓에 1승 2무 3패 최하위를 기록하며 짧은 도전을 마무리해야 했다. 이제는 대회 포맷이 바뀌어 리그 페이즈에서 최소 여덟 경기를 치르게 되기에 2년 전보다 더 두터운 선수층을 준비해야 한다. 당시 프리미어 리그에서는 7위를 기록했는데, 이번 시즌도 이와 비슷한 행보를 보일 것이라는 전망이다. 게다가 알렉산더 이삭이 프리 시즌 시작부터 이적을 요구하며 이탈해버린 탓에 대체자를 영입하는 작업도 쉽지 않았고, 결국에는 이적시장 마감일이 다 돼서야 상황이 정리되면서 다른 팀과 비교해 시즌 준비나 공격 작업의 전술 완성도에서 한 발 뒤처진 상태로 출발을 하게 됐다. 그러나 뉴캐슬은 1년 전에도 앤서니 고든의 이적을 극복한 경험이 있고, 에디 하우는 구단과 선수단의 전폭적인 신뢰를 받고 있는 유능한 감독이다. 이내 중심을 잡을 저력은 충분하다.

IN & OUT

주요 영입	주요 방출
닉 볼테마데, 요안 위사, 안토니 엘랑가, 제이콥 램지, 말릭 티아우, 애런 램스데일	알렉산더 이삭, 션 롱스태프, 칼럼 윌슨, 마틴 두브라프카,

TEAM FORMATION

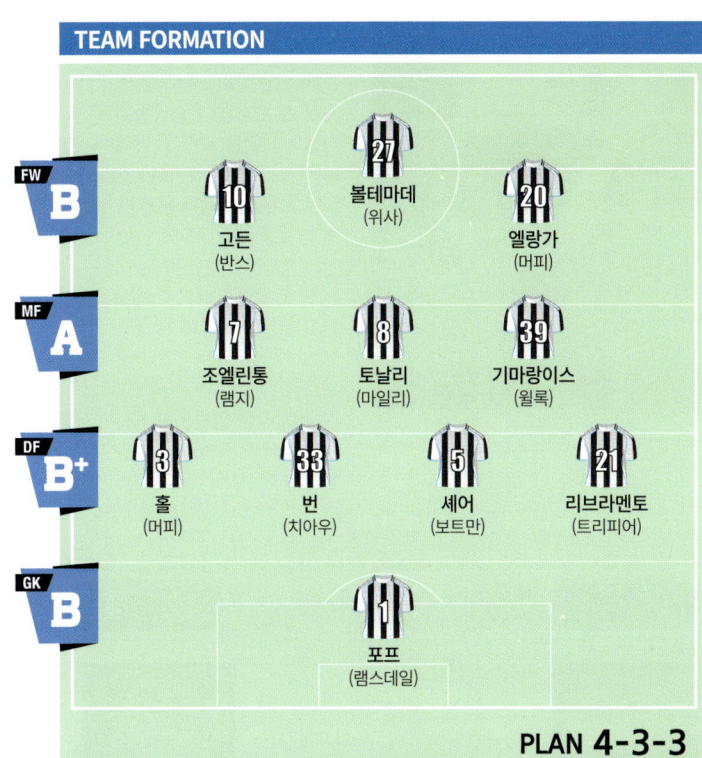

PLAN **4-3-3**

TEAM RATINGS

슈팅 **8**
패스 **8**
조직력 **7**
수비력 **7**
감독 **8**
선수층 **9**

47

2024/25프로필

팀 득점	68
평균 볼 점유율	51.30%
패스 정확도	83.60%
평균 슈팅 수	13.8
경고	68
퇴장	1

골 타입		
오픈 플레이	65	
세트 피스	18	
카운터 어택	7	
패널티 킥	7	
자책골	3	단위 (%)

패스 타입		
쇼트 패스	87	
롱 패스	9	
크로스 패스	4	
스루 패스	0	단위 (%)

지역 점유율

공격 진영 **30%**
중앙 **41%**
수비 진영 **29%**

공격 방향

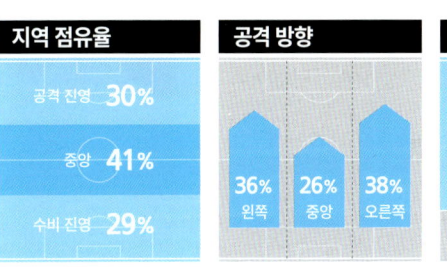

36% 왼쪽 / 26% 중앙 / 38% 오른쪽

슈팅 지역

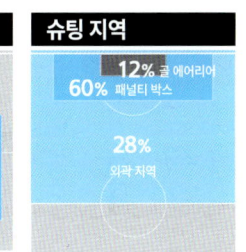

12% 골 에어리어
60% 패널티 박스
28%
외곽 지역

상대팀 최근 6경기 전적

구분	승	무	패
리버풀 FC	1	1	4
아스널 FC	4		2
맨체스터 시티	1	1	4
첼시 FC	3		3
뉴캐슬 유나이티드 FC			
애스턴 빌라	4		2
노팅엄 포레스트	5		1
브라이튼 앤 호브 알비온	1	2	3
AFC 본머스	1	3	2
브렌트포드 FC	5		1
풀럼 FC	4		2
크리스탈 팰리스 FC	3	2	1
에버턴 FC	2	2	2
웨스트햄 유나이티드 FC	3	2	1
맨체스터 유나이티드	5		1
울버햄튼 원더러스	4	2	
토트넘 홋스퍼 FC	5		1
리즈 유나이티드 FC	1	3	2
번리 FC	5		1
선덜랜드 AFC	1	1	4

SQUAD

포지션	등번호	이름		생년월일	키(cm)	체중(kg)	국적
GK	1	닉 포프	Nick Pope	1992.04.19	191	76	잉글랜드
DF	2	키어런 트리피어	Kieran Trippier	1990.09.19	178	71	잉글랜드
	3	루이스 홀	Lewis Hall	2004.09.08	179	71	잉글랜드
	4	스벤 보트만	Sven Botman	2000.01.12	193	81	네덜란드
	5	파비안 셰어	Fabian Schär	1991.12.20	186	84	스위스
	6	자말 라셀레스	Jamaal Lascelles	1993.11.11	188	89	잉글랜드
	12	말릭 치아우	Malick Thiaw	2001.08.08	191	89	독일
	17	에밀 크라프트	Emil Krafth	1994.08.02	184	83	스웨덴
	21	티노 리브라멘토	Tino Livramento	2002.11.12	182	80	잉글랜드
	33	댄 번	Dan Burn	1992.05.09	198	86.8	잉글랜드
MF	7	조엘린통	Joelinton	1996.08.14	186	86	브라질
	8	산드로 토날리	Sandro Tonali	2000.05.08	181	80	이탈리아
	23	제이콥 머피	Jacob Murphy	1995.02.24	179	74	잉글랜드
	28	조 윌록	Joe Willock	1999.08.20	179	71	잉글랜드
	39	브루노 기마랑이스	Bruno Guimarães	1997.11.16	182	74	브라질
	41	제이콥 램지	Jacob Ramsey	2001.05.28	180	72	잉글랜드
	67	루이스 마일리	Lewis Miley	2006.05.01	185	69	잉글랜드
FW	9	요안 위사	Yoane Wissa	1996.09.03	176	74	프랑스
	10	앤서니 고든	Anthony Gordon	2001.02.24	183	70	잉글랜드
	11	하비 반스	Harvey Barnes	1997.12.09	174	66	잉글랜드
	18	윌리엄 오술라	William Osula	2003.08.04	180	81	덴마크
	20	안토니 엘랑가	Anthony Elanga	2002.04.27	178	70	스웨덴
	27	닉 볼테마데	Nick Woltemade	2002.02.14	198	90	독일

COACH

2006년, 선수 시절이던 29세부터 본머스의 2군 코치를 겸업, 일찌감치 지도자의 길을 준비한 감독. 리그 투(4부 리그)에 있던 본머스를 구단 역사상 첫 1부 리그 승격까지 이끌며 이름을 알렸다. 뉴캐슬에는 2021-22시즌 초반 스티브 브루스 감독의 뒤를 이어 부임한 이래 구단에 21년 만의 챔피언스 리그 복귀, 70년 만의 메이저 대회 우승을 선사하며 수뇌부와 팬들의 절대적인 지지를 받고 있다. 위르겐 클롭, 디에고 시메오네 같이 강한 압박을 구사하는 감독들의 전술을 연구,활용하는 것으로 알려졌다.

에디 하우 *Eddie Howe*
1977년 11월 29일생 잉글랜드

PLAYERS

MF | 39 | 브루노 기마랑이스
Bruno Guimarães  **KEY PLAYER**

국적: 브라질

강인함과 섬세함을 동시에 갖춘 완성형 미드필더. 뉴캐슬의 중원 사령관이자 주장을 맡고 있다. 경기 템포가 빠른 프리미어 리그에서도 최고 수준의 활동량과 경합 횟수를 자랑하며, 영리한 움직임으로 공간을 찾아 들어가 상대의 반칙을 이끌어내고 정확한 침투 패스로 득점 기회를 만드는 플레이에 능하다. 후방 플레이 메이커에서 박스 투 박스 미드필더 역할까지 소화할 수 있는데, 시즌을 거듭할수록 공격 기량이 발전하며 공격 포인트가 늘어나고 있다. 뉴캐슬이 자신에게는 제2의 고향이라고 말할 만큼 구단에 대한 충성심도 높고 팬들과의 유대감도 강하다. 전성기라고 할 수 있는 27세의 나이로 이번 시즌 물이 오른 기량과 함께 최고의 활약이 기대된다.

출전경기	경기시간(분)	골	어시스트	경고	퇴장
38	3,286	5	6	7	-

GK | 1 | 닉 포프
Nick Pope

국적: 잉글랜드

192cm의 장신에 긴 팔을 이용해 놀라운 선방을 펼치는 골키퍼. 지난 시즌 도중 무릎 수술을 받고 돌아온 이후 마지막 리그 11경기에서 아홉 골만을 허용하고 다섯 경기 무실점을 기록하는 활약으로 뉴캐슬의 챔피언스 리그 진출권 확보에 크게 힘을 보탰다. 크로스 차단과 수비 뒤쪽 공간을 커버하는 능력도 탁월한 반면, 공을 다루는 기술이 부족해 상대의 전방 압박에 종종 실수를 저지르는 것이 약점이다.

출전경기	경기시간(분)	실점	무실점(경기)	경고	퇴장
28	2,520	35	8	2	-

DF | 3 | 루이스 홀
Lewis Hall

국적: 잉글랜드

첼시 유소년팀에서 성장한 레프트백. 성장 과정에서 미드필더 포지션을 맡아왔기 때문에 전술 이해도가 뛰어나고 시야가 넓어 오버래핑은 물론 언더래핑도 적극적으로 하면서 전진 패스를 통해 공격 전개를 돕는다. 상대의 압박에도 쉽게 흔들리지 않아 후방 빌드업 과정에서도 중요한 역할을 수행하며, 작은 체구에 비해 경합 능력도 준수하다. 오히려 현재 포지션인 풀백으로서의 수비력은 개선의 여지가 있다.

출전경기	경기시간(분)	골	어시스트	경고	퇴장
27	2,193	-	4	3	-

DF | 5 | 파비안 셰어
Fabian Schar

국적: 스위스

2018년부터 뉴캐슬에서 꾸준한 활약을 펼쳐온 베테랑 센터백. 공중 경합과 가로채기, 슈팅 차단 등 수비 능력도 뛰어나지만, 셰어의 가장 큰 특징은 센터백에게 기대할 수 있는 수준을 뛰어넘는 장거리 패스와 슈팅이다. 수비진에서부터 최전방까지 정확한 롱 패스를 보내 단숨에 득점 기회를 만들 수 있고, 지공 상황에서는 과감하게 전진해서 예측이 어려운 궤적의 강력한 중거리 슈팅으로 골을 터트린다.

출전경기	경기시간(분)	골	어시스트	경고	퇴장
34	2,938	4	-	9	1

DF | 12 | 말릭 티아우
Malik Thiaw

국적: 독일

566억의 이적료에 AC 밀란으로부터 영입된 신입 센터백. 194cm의 장신에도 빠른 스피드를 갖춰 공중과 지상 경합 모두에서 강력한 능력을 자랑한다. 기존 뉴캐슬 센터백들의 발이 느리기 때문에 수비 라인을 높게 올렸을 때 넓은 공간을 커버해야 하는 부담이 있었는데, 티아우의 합류로 부담을 덜 수 있게 됐다. 파비안 셰어만큼은 아니더라도 전진 패스 능력이 준수해 빌드업을 담당할 수 있다.

출전경기	경기시간(분)	골	어시스트	경고	퇴장
22	1,803	-	-	2	-

DF | 21 | 티노 리브라멘토
Tino Livramento

국적: 잉글랜드

첼시 유소년팀 최고의 유망주로 꼽히던 풀백. 사우샘프턴에서 프로로 데뷔한 이후 2023년부터 뉴캐슬의 유니폼을 입었다. 폭발적인 스피드와 강한 체력으로 오른쪽 측면을 누비며 공수 모두에 기여하는 선수라서 에디 하우 감독의 역동적인 4-3-3 포메이션에 완벽하게 어울리는 자원이다. 아직 경험이 부족해 상황 판단 능력은 떨어지지만 민첩성으로 약점을 커버할 수 있고 상대 압박에도 침착하게 대응한다.

출전경기	경기시간(분)	골	어시스트	경고	퇴장
37	2,842	-	1	1	-

DF | 33 | 댄 번
Dan Burn

국적: 잉글랜드

어린 시절부터 뉴캐슬을 응원해온 '성덕' 센터백. 강력한 경합 능력과 수비진을 지휘하는 노련한 리더십으로 2022년 뉴캐슬 입단 이래 꾸준하게 주전으로 활약하고 있다. 뉴캐슬 입단 전까지 5부 리그에서 1부 리그까지 여섯 팀을 거치며 부침을 겪던 대기만성형 선수여서 특별히 강한 정신력을 갖추고 있다. 올해 초 32세의 나이로 처음 대표팀에 발탁돼 A매치 데뷔전을 치러 화제를 모으기도 했다.

출전경기	경기시간(분)	골	어시스트	경고	퇴장
37	3,330	1	1	11	-

PLAYERS

MF	7	조엘린통
		Joelinton

국적: 브라질

2019년 당시 구단 역대 최고 영입 이적료인 704억에 최전방 공격수로 뉴캐슬에 영입됐으나, 한동안 기대에 미치지 못하는 모습을 보이다가 에디 하우 감독을 만나 박스 투 박스 미드필더로 포지션을 변경하며 새로운 전성기를 맞이한 선수. 강력한 경합과 전진 드리블 능력이 미드필더로서 더욱 빛을 발하고 있으며, 지능적인 위치 선정으로 수비부터 공격까지 모든 과정에 기여하는 대체 불가능한 선수다.

출전경기	경기시간(분)	골	어시스트	경고	퇴장
29	2,405	4	3	10	-

MF	8	산드로 토날리
		Sandro Tonali

국적: 이탈리아

후방 플레이 메이커로서 수비와 공격을 연결하고 경기 템포를 조율하는 뉴캐슬 중원의 핵심. AC 밀란에서 세리에 A 우승도 경험한 화려한 이력을 자랑한다. 후방에만 머물러 있는 것이 아니라 브루누 기마랑이스와 위치를 바꿔가며 적극적으로 전진해 득점에도 관여할 정도로 왕성한 활동량을 자랑한다. 수비 면에서도 중원 지역에서 민첩하게 소유권을 확보하고 태클 또한 날카로워 공격 전환의 기점 역할을 한다.

출전경기	경기시간(분)	골	어시스트	경고	퇴장
36	2,632	4	2	5	-

MF	23	제이콥 머피
		Jacob Murphy

국적: 잉글랜드

30세의 나이에 꽃을 피운 대기만성형 측면 미드필더. 지난 시즌 후반기 내내 뉴캐슬의 유일한 오른쪽 측면 공격 자원으로서 믿음직한 활약을 펼치며 선수 경력 처음으로 프리미어 리그에서 한 시즌 20개의 공격 포인트를 기록했다. 사이드 라인을 따라 빠른 돌파를 시도한 뒤 올리는 크로스가 최대 무기로, 슈팅 정확도도 향상되는 모습을 보였다. 이번 시즌에는 안토니 엘랑가와의 주전 경쟁에 임해야 한다.

출전경기	경기시간(분)	골	어시스트	경고	퇴장
35	2,380	8	12	4	-

MF	41	제이콥 램지
		Jacob Ramsey

국적: 잉글랜드

애스턴 빌라에서 731억의 이적료에 영입된 미드필더. 빠른 드리블과 양발을 모두 활용하는 크로스를 무기로 측면과 중앙을 오가며 공격을 지원하는 선수다. 뉴캐슬에서는 올여름 팀을 떠난 션 롱스태프를 대신해 중원에서 로테이션 역할을 맡을 것이 유력하지만 왼쪽 측면도 소화할 수 있다. 24세로 아직 젊은 데다 민첩한 선수여서 에디 하우 감독의 전술에 적응하는 데는 문제가 없을 것으로 보인다.

출전경기	경기시간(분)	골	어시스트	경고	퇴장
29	1,634	1	3	2	1

FW	9	요안 위사
		Yoane Wissa

국적: 콩고민주공화국

브렌트포드가 프리미어 리그로 승격한 2021년 입단해 꾸준한 활약을 이어온 측면 공격수. 음뵈모와 함께 기량을 만개하며 두 시즌 연속으로 리그 두 자릿수 득점에 성공한 뒤 나란히 이적을 선택했다. 양발을 고루 활용하기 때문에 예측이 어려운 슈팅을 시도하고 골 결정력 또한 뛰어나며, 175cm로 신장이 크지 않음에도 절묘한 타이밍의 도약으로 헤더 골까지 터트린다. 팀의 압박 작업을 이끌기도 한다.

출전경기	경기시간(분)	골	어시스트	경고	퇴장
35	2,930	19	4	5	-

FW	10	앤서니 고든
		Anthony Gordon

국적: 잉글랜드

빠른 스피드와 저돌적이면서도 영리한 침투 움직임으로 왼쪽 측면에서 폭발적인 공격력을 자랑하는 공격수. 뛰어난 일대일 돌파로 상대 풀백을 따돌리고 박스 안으로 진입해 강력한 슈팅으로 골을 노리는 플레이가 강점이다. 전방 압박도 성실하고 위치 선정도 좋아 뛰어난 개인 기량 이상의 역할을 해내는 선수로, 최전방에도 제로톱 역할로 배치될 수 있어 알렉산더 이삭의 대체자 역할을 어느 정도는 할 수 있다.

출전경기	경기시간(분)	골	어시스트	경고	퇴장
34	2,447	6	5	2	-

FW	11	하비 반스
		Harvey Barnes

국적: 잉글랜드

빠른 측면 돌파와 강력한 슈팅이라는 무기를 가진 공격수. 양발을 고루 활용하는 드리블로 쉽게 공을 빼앗기지 않고 긴 거리를 전진할 수 있으며, 골키퍼의 시야가 방해 받는 각도에서 영리하게 때리는 슈팅으로 상대를 괴롭힌다. 선발과 교체를 오가다 보니 체력 문제로 90분 내내 꾸준한 활약을 펼치지는 못하며 수비 가담 또한 개선해야 할 부분이다. 이번 시즌도 슈퍼 서브 역할을 맡을 가능성이 크다.

출전경기	경기시간(분)	골	어시스트	경고	퇴장
33	1,756	9	4	-	-

FW	20	안토니 엘랑가
		Anthony Elanga

국적: 스웨덴

993억으로 뉴캐슬의 영입 선수 역대 최고 이적료 2위를 기록한 측면 공격수. 프리미어 리그에서도 최고 수준의 스피드를 활용해 역습의 선봉에 서는 선수로, 지난 두 시즌 노팅엄 포레스트 소속으로 리그에서만 11골 20도움을 기록했다. 주로 오른쪽 측면을 맡지만 중앙과 왼쪽도 소화해 출전 기회는 충분할 텐데, 노팅엄과는 전혀 다른 뉴캐슬의 전방 압박 시스템에는 적응할 시간이 필요할 것이다.

출전경기	경기시간(분)	골	어시스트	경고	퇴장
38	2,512	6	11	1	-

FW	27	닉 볼테마데
		Nick Woltemade

국적: 독일

이삭의 뒤를 이어 뉴캐슬의 공격을 이끌 차세대 에이스. 지난 시즌 슈투트가르트 소속으로, 이번 여름 독일 21세 이하 대표팀 소속으로 최고의 활약을 이어간 끝에 뉴캐슬에 입단했다. 198cm의 장신에도 공을 다루는 기술이 뛰어나고 좁은 공간에서 창의적인 패스를 시도해 전설적인 공격수 즐라탄 이브라히모비치나 해리 케인과 비교된다. 1년 사이 크게 성장한 선수이기에 꾸준함은 지켜볼 필요가 있다.

출전경기	경기시간(분)	골	어시스트	경고	퇴장
28	1,621	12	2	3	1

애스턴 빌라
Aston Villa

TEAM PROFILE	
창 립	1874년
회 장	나세프 사위리스(이집트)
감 독	우나이 에메리(스페인)
연 고 지	버밍엄
홈 구 장	빌라 파크(4만 2,682명)
라 이 벌	버밍엄 시티
홈페이지	www.avfc.co.uk

최근 5시즌 성적

시즌	순위	승점
2020-2021	11위	55점(16승7무15패 , 55득점 46실점)
2021-2022	14위	45점(13승6무19패, 52득점 54실점)
2022-2023	7위	61점(18승7무13패, 51득점 46실점)
2023-2024	4위	68점(20승8무10패, 76득점 61실점)
2024-2025	6위	66점(19승9무10패, 58득점 51실점)

PREMIER LEAGUE (전신 포함)

통 산	우승 7회
24-25 시즌	6위(19승9무10패, 승점 66점)

FA CUP

통 산	우승 7회
24-25 시즌	4강

LEAGUE CUP

통 산	우승 5회
24-25 시즌	16강

UEFA

통 산	챔피언스리그 우승 1회
24-25 시즌	챔피언스리그 8강

전력분석 재정 위기 속 전력 유지에 성공

애스턴 빌라는 지난 두 시즌 우나이 에메리 감독과 함께 큰 성과를 이뤘다. 지난 시즌 챔피언스 리그 8강까지 진출하는 전력을 과시했고, 프리미어 리그에서도 최종 순위는 6위였지만 시즌 내내 4위권 경쟁을 펼쳤다. 그러나 이러한 성공을 위해 투자를 해온 결과, 최근 3년간의 손실 규모를 제한하는 PSR(수익과 지속 가능성에 관한 규칙)을 위반할 위기에 놓이면서 이번 여름에는 영입을 진행하기가 쉽지 않았다. 이를 감안했을 때 애스턴 빌라의 이적시장은 성공적이라고 할 수 있다. 주축 선수들을 모두 지키면서 꼭 필요했던 백업 스트라이커 에반 게살을 니스에서 485억에 영입한 것이다. 게다가 하비 엘리엇, 제이든 산초와 같이 창의성을 갖춘 미드필더들을 임대로 데려오면서 유럽 대회 진출권을 노려볼 전력을 갖췄다. 팀에 변화가 적기 때문에 오히려 완성된 조직력으로 시즌 초반부터 안정적인 행보를 보여줄 수도 있다. 쉼 없이 달려온 주전 공격수 올리 왓킨스가 충분한 휴식을 취했고, 공격형 미드필더 모건 로저스가 팀에 잔류한 것은 긍정적인 소식이다. 걱정거리는 믿을 만한 센터백 자원 부족이다. 주전 듀오인 에즈리 콘사와 파우 토레스 중 토레스가 만족할 만한 활약을 보여주지 못했고, 22세의 기대주 센터백 라마레 보가드가 성장하고 있지만, 왼발잡이가 아니라는 점은 아쉽다.

전술분석 효율적인 수비와 빠른 공격의 조화

4-2-3-1과 4-4-2 포메이션의 하이브리드 형태를 활용한다. 수비 라인을 높게 올리고 중앙에 많은 인원을 촘촘하게 배치해서 상대가 쉽게 공격 작업을 전개할 수 없도록 저지하는데, 양쪽 측면 중 왼쪽에는 중앙 미드필더를 기용, 경기 상황에 따라 중원 싸움에 가담하는 숫자를 늘릴 수 있도록 유연하게 설계된 전술이다. 이 역할은 왕성한 활동량과 강한 킥을 겸비한 존 맥긴이 주로 담당하고 제이콥 램지 또한 중원과 공격 2선을 오갈 수 있는 자원이다. 수비형 미드필더 자리에는 카마라나 아마두 오나나와 같은 믿음직한 자원들이 자리하고 있다. 중원에서 공을 확보했을 때는 플레이 메이커 유리 틸레만스가 전방 공격수 왓킨스나 말런을 향해 상대 수비 뒤쪽 공간으로 날카로운 침투 패스를 시도하고, 빠른 공격이 여의치 않을 경우에는 전진 드리블 능력이 뛰어난 모건 로저스, 공격력을 갖춘 풀백 마트센과 매티 캐시의 오버래핑을 활용한 연계 플레이로 득점 기회를 만든다. 이 경우에는 측면 돌파에 능한 레온 베일리의 장점을 극대화 할 수 있다. 세트 피스 공격 또한 중요한 무기 중 하나인데, 약속된 플레이를 통해 지난 시즌 프리미어 리그에서만 16골을 득점한 바 있다.

시즌 프리뷰 조용했던 여름을 전화위복으로

팬 입장에서는 여름 이적시장이 달갑지 않았을 것이다. 프리미어 리그 상위권을 노리는 팀들은 바쁘게 전력 보강을 이어가는 와중에 선수단에 큰 변화가 없이 새로운 시즌을 맞이해야 했기 때문이다. 전력이 계속해서 상향 평준화되고 있기 때문에 애스턴 빌라가 지난 시즌만큼 치열하게 4위권 경쟁을 펼치기는 힘들어 보인다. 그렇다고 단점만 존재하는 건 아니다. 에메리 감독이 지휘한 지난 두 시즌이 애스턴 빌라가 시즌 38경기 체제의 프리미어 리그에서 가장 많은 승점을 확보한 시즌이었고(2023-24시즌 68점, 2024-25시즌 66점), 주축 선수의 이탈 없이 전력이 유지됐으니 갑작스럽게 하락세를 탈 이유는 없다. 비록 대형 영입은 없더라도 유망주들의 성장세는 가파르다. 지난 시즌 국내 대회 트레블 우승을 차지한 18세 이하 선수 중에서 1군에 합류할 자원을 발견할 수도 있다. 무엇보다 기대되는 것은 '유로파의 제왕' 에메리 감독의 유로파 리그 귀환이다. 2014년부터 2016년까지 세비야와 함께 3연속 우승이라는 기염을 토했고, 2021년에는 비야레알과 함께 정상에 올랐다. 애스턴 빌라에도 영광을 재현할 트로피가 절실하다. 이번 시즌에 유럽 대회 진출권 순위를 유지하고 컵 대회 우승을 노려야 한다.

IN & OUT

주요 영입	주요 방출
에반 게상, 마르코 비조, 빅터 린델뢰프, 하비 엘리엇, 제이든 산초	제이컵 램지, 레온 베일리, 로빈 올센

TEAM FORMATION

PLAN 4-2-3-1

TEAM RATINGS

슈팅 7
패스 7
조직력 8
수비력 5
감독 8
선수층 7

42

2024/25프로필

팀 득점	58
평균 볼 점유율	50.60%
패스 정확도	85.30%
평균 슈팅 수	12.7
경고	72
퇴장	4

골 타입
오픈 플레이	57
세트 피스	28
카운터 어택	7
패널티 킥	5
자책골	3	단위 (%)

패스 타입
쇼트 패스	88
롱 패스	8
크로스 패스	3
스루 패스	1	단위 (%)

지역 점유율
공격 진영 28%
중앙 41%
수비 진영 30%

공격 방향
37% 왼쪽
31% 중앙
35% 오른쪽

슈팅 지역
12% 골 에어리어
58% 패널티 박스
30% 외곽 지역

상대팀 최근 6경기 전적

구분	승	무	패
리버풀 FC		3	3
아스널 FC	2	1	3
맨체스터 시티	2	1	3
첼시 FC	2	2	2
뉴캐슬 유나이티드 FC	2		4
애스턴 빌라			
노팅엄 포레스트	3	1	2
브라이튼 앤 호브 알비온	4	1	1
AFC 본머스	3	2	1
브렌트포드 FC	4	2	
풀럼 FC	5		1
크리스탈 팰리스 FC	1	1	4
에버턴 FC	4	1	1
웨스트햄 유나이티드 FC	3	3	
맨체스터 유나이티드		1	5
울버햄튼 원더러스	2	2	2
토트넘 훗스퍼 FC	4		2
리즈 유나이티드 FC	3	2	1
번리 FC	3	2	1
선덜랜드 AFC	3	2	1

SQUAD

포지션	등번호	이름		생년월일	키(cm)	체중(kg)	국적
GK	23	에밀리아노 마르티네스	Emiliano Martínez	1992.09.02	195	88	아르헨티나
	40	마르코 비조트	Marco Bizot	1991.03.10	193	85	네덜란드
DF	2	매티 캐시	Matty Cash	1997.08.07	185	80	폴란드
	4	에즈리 콘사	Ezri Konsa	1997.10.23	183	77	잉글랜드
	5	타이론 밍스	Tyrone Mings	1993.03.13	196	77	잉글랜드
	12	뤼카 디뉴	Lucas Digne	1993.07.20	178	74	프랑스
	14	파우 토레스	Pau Torres	1997.01.16	191	80	스페인
	16	안드레스 가르시아	Andrés García	2003.02.07	185	82	스페인
	22	이안 마트센	Ian Maatsen	2002.03.10	178	65	네덜란드
	26	라마어 보하르더	Lamare Bogarde	2004.01.05	183	-	네덜란드
MF	7	존 맥긴	John McGinn	1994.10.18	178	68	스코틀랜드
	8	유리 틸레만스	Youri Tielemans	1997.05.07	176	72	벨기에
	9	하비 엘리엇	Harvey Elliott	2003.04.04	170	63	잉글랜드
	10	에밀리아노 부엔디아	Emiliano Buendía	1996.12.25	172	72	아르헨티나
	24	아마두 오나나	Amadou Onana	2001.08.16	195	76	벨기에
	27	모건 로저스	Morgan Rogers	2002.07.26	187	80	잉글랜드
	44	부바카르 카마라	Boubacar Kamara	1999.11.23	184	68	프랑스
FW	11	올리 왓킨스	Ollie Watkins	1995.12.30	180	70	잉글랜드
	17	도니얼 말런	Donyell Malen	1999.01.19	176	68	네덜란드
	19	제이든 산초	Jadon Sancho	2000.03.25	180	76	잉글랜드
	29	에반 게상	Evann Guessand	2001.07.01	185	79	코트디부아르

COACH

우나이 에메리 *Unai Emery*
1971년 11월 3일생 스페인

세비야, 비야레알, 파리 생제르맹에서 화려한 우승 경력을 자랑하는 유럽 최고 감독 중 하나. 견고한 수비 조율과 빠른 공격이 특징이나, 전술에 집착하지 않고 상대와 경기 상황에 맞춰 유연하게 대응하는 능력이 탁월하다. 애스턴 빌라에는 시즌 도중인 2022년 10월 스티븐 제라드 감독의 후임으로 부임, 프리미어 리그 4위권 진입과 챔피언스 리그 8강 진출을 이뤄내며 지도력을 보이고 있다. 남은 목표는 1995-96시즌 리그 컵 우승 이후 30년 만의 우승 트로피를 애스턴 빌라에 안기는 것이다.

PLAYERS

FW	11	**올리 왓킨스** *Ollie Watkins*	KEY PLAYER

국적: 잉글랜드

애스턴 빌라 부동의 주전 공격수. 프리미어 리그에서 다섯 시즌 연속 10골, 세 시즌 연속 15골 이상 득점하는 꾸준한 활약으로 잉글랜드 대표팀에서도 해리 케인의 백업이자 경쟁자로 떠올랐다. 왕성한 활동량과 적극적인 압박, 직선적이고 빠른 공간 침투, 끈끈한 몸싸움으로 버티며 연계 플레이를 이어주는 능력이 장점. 골 결정력에는 다소 기복이 있는 편이다. 2024년 여름에는 부상 탓에 프리 시즌 훈련을 소화하지 못해 초반 활약이 좋지 못했지만, 이번 여름에는 완벽한 컨디션을 유지하며 훈련한 것으로 알려져 더 나은 활약을 기대케 하고 있다. 내년 여름 월드컵을 위해서도 이번 시즌의 활약이 중요하기 때문에 왓킨스의 동기부여는 어느 때보다 강력하다.

출전경기	경기시간(분)	골	어시스트	경고	퇴장
38	2,612	16	8	2	-

GK	23	**에밀리아노 마르티네스** *Emiliano Martinez*

국적: 아르헨티나

뜨거운 승부욕으로 상대와의 신경전에서 절대 밀리지 않는 골키퍼. 큰 경기에 강하고 리더십도 뛰어나다. 동물적인 반사 신경을 활용한 선방과 크로스 차단 능력은 최고 수준으로, 아르헨티나에 2022 월드컵 우승을 안기며 세계 최고의 골키퍼 중 하나로 이름을 알렸다. 2023년과 2024년 야신 상을 수상했으며, 2025년에도 후보에 이름을 올린 상태다. 맨유 이적에 연결됐으나 잔류를 선택했다.

출전경기	경기시간(분)	실점	무실점 (경기)	경고	퇴장
37	3,195	45	9	5	1

DF	2	**매티 캐시** *Matty Cash*

국적: 폴란드

사이드 라인을 따라 오르내리며 적극적인 수비와 오버래핑을 선보이는 라이트백. 성실한 압박으로 팀을 돕고 공격 움직임도 위협적이지만 마무리 크로스가 아쉬워 공격 포인트는 많지 않다. 강한 체력과 신체 능력 덕분에 짧은 기간에 여러 경기를 소화할 수 있는 장점 또한 갖추고 있다. 지난 시즌에는 예외적으로 부상에 시달렸는데, 이전까지는 부상이 거의 없어 출전 명단에 가장 먼저 이름을 올리던 선수다.

출전경기	경기시간(분)	골	어시스트	경고	퇴장
27	2,077	1	1	7	-

DF	4	**에즈리 콘사** *Ezri Konsa*

국적: 잉글랜드

애스턴 빌라의 넘버 원 센터백. 애스턴 빌라가 프리미어 리그에 승격한 2019년 여름, 팀에 합류한 이래로 꾸준한 활약을 펼쳐왔다. 라이트백까지도 소화할 수 있는 민첩성과 빠른 상황 판단을 바탕으로 수비 지역에서 넓은 범위를 커버하는 장점을 보유하고 있어 에메리 감독의 전술에서 빼놓을 수 없는 핵심이다. 전성기의 기량으로 작년부터 잉글랜드 대표팀에서도 활약하며 월드컵 참가 가능성을 키우고 있다.

출전경기	경기시간(분)	골	어시스트	경고	퇴장
34	2,937	2		1	-

DF	12	**뤼카 디뉴** *Lucas Digne*

국적: 프랑스

바르셀로나와 에버턴을 거친 베테랑 레프트백. 정확한 크로스로 득점 기회를 만드는 능력이 탁월하기 때문에 왼쪽 측면에 중앙 지향적인 미드필더를 배치하는 애스턴 빌라의 전술에서 측면 공격을 지원하는 중요한 역할을 맡고 있으며, 수비 시의 위치 선정도 뛰어나다. 마트센의 성장과 높은 주급 탓에 재정 위기에 빠진 애스턴 빌라를 떠나리라는 예상도 낮았지만, 최근 들어 재계약에 합의했다는 소식이 전해졌다.

출전경기	경기시간(분)	골	어시스트	경고	퇴장
32	2,362	-	4	4	-

DF	14	**파우 토레스** *Pau Torres*

국적: 스페인

뛰어난 후방 빌드업 능력을 갖춘 왼발잡이 센터백. 경기 흐름을 빠르게 파악하고 침착한 위치 선정으로 미리 위험을 차단하는 깔끔한 수비를 펼쳐 경고는 물론 반칙조차 많지 않다. 대신에 과감성이나 경합 능력은 떨어져 저돌적인 공격수를 상대할 경우 고전하는 모습을 보이기도 해서 그럴 때는 밍스에게 선발 출전 자리를 내주기도 한다. 에메리 감독과는 비야레알에서도 호흡을 맞춰 전술 이해도가 높다.

출전경기	경기시간(분)	골	어시스트	경고	퇴장
24	2,020	-		2	-

DF	22	**이안 마트센** *Ian Maatsen*

국적: 네덜란드

첼시 유소년팀 출신의 공격적인 레프트백. 2023-24시즌 도르트문트로 임대돼 분데스리가 베스트 11에 선정되는 맹활약을 펼쳐 재능을 인정받았다. 최고 수준의 스피드를 보유하고 있는 데다 공을 다루는 기술도 뛰어나 측면 공격수까지도 소화할 수 있을 정도다. 그러나 수비 집중력이 부족하고, 지나치게 공격적인 움직임으로 위치 선정에 문제를 드러내 디뉴의 백업으로 경험을 쌓으며 성장해야 한다.

출전경기	경기시간(분)	골	어시스트	경고	퇴장
29	1,129	1	2	2	-

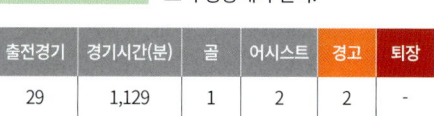

PLAYERS

MF 7 존 맥긴
John McGinn

국적: 스코틀랜드

2018년 애스턴 빌라에 입단해 프리미어 리그 승격을 함께한 팀의 주장. 지칠 줄 모르는 체력으로 측면과 중원을 가리지 않고 경기장 곳곳을 누비며 엄청난 상체 근육을 활용해 경합을 펼치고 압박으로부터 공을 지켜내는 플레이가 특징이나 카드 수집이 많다는 부작용이 있다. 공격 지역에서 패스나 크로스도 날카롭고 강력한 중거리 슈팅 능력까지 보유하고 있지만, 정확도가 부족해 공격 포인트가 많지는 않다.

출전경기	경기시간(분)	골	어시스트	경고	퇴장
34	2,232	1	4	7	-

MF 8 유리 틸레만스
Youri Tielemans

국적: 벨기에

지난 시즌 애스턴 빌라 선수들과 팬들이 선정한 최고의 선수. 유도로 단련한 신체 덕분에 부상이 거의 없이 꾸준하게 활약할 수 있는 믿음직한 자원이다. 넓은 시야와 정확한 패스 능력을 갖추고 있어 팀의 공격 전개 과정에서 시발점이 되며, 뛰어난 축구 지능과 침착함으로 필드 위의 사령관 같은 역할을 한다. 킥 자체가 뛰어나 세트 피스에서도 위협적인 무기가 된다. 발이 느린 것이 유일한 단점이다.

출전경기	경기시간(분)	골	어시스트	경고	퇴장
36	3,033	3	7	4	-

MF 9 하비 엘리엇
Harvey Elliott

국적: 잉글랜드

리버풀 유소년팀 출신의 공격형 미드필더로 탈압박과 창의적인 패스, 적극적인 압박 움직임으로 두각을 나타냈다. 올여름 21세 이하 유럽 선수권에서 맹활약을 펼치며 대회 최우수 선수로 선정되기도 했다. 공격 2선의 다양한 포지션을 소화하는 창의적인 미드필더로, 빌라에 반드시 필요하던 자원이다. 프리미어 리그에서는 재능에 비해 결과물이 부족하고, 주전으로 확신을 줄 만큼 꾸준한 활약을 보여주지는 못했다.

출전경기	경기시간(분)	골	어시스트	경고	퇴장
18	360	1	2	1	-

MF 24 아마두 오나나
Amadou Onana

국적: 벨기에

작년 여름 에버턴에서 영입된 196cm의 수비형 미드필더. 무시무시한 신체 능력으로 공중과 지상 경합 모두에서 위력을 발휘하며, 거침 없는 태클로 상대의 공격을 저지한 뒤 직접 공을 이끌고 전진하는 능력도 겸비하고 있다. 그러나 패스 범위가 좁아 안정적인 패스 위주로만 선택하는 경향이 있고, 기술이 뛰어난 상대 앞에서는 고전하기도 한다. 카마라와의 주전 경쟁이 이번 시즌도 이어질 전망이다.

출전경기	경기시간(분)	골	어시스트	경고	퇴장
26	1,626	3	-	4	-

MF 27 모건 로저스
Morgan Rogers

국적: 잉글랜드

지난 시즌 본격적으로 두각을 나타낸 공격형 미드필더로 프리미어 리그 최고의 유망주 중 하나다. 공식 대회 14골 15도움이라는 엄청난 공격 포인트 생산 능력으로 단숨에 애스턴 빌라에서 없어선 안될 선수로 자리를 잡았고, 일찌감치 6년 재계약을 체결하며 빅 클럽들의 관심을 따돌렸다. 날카로운 패스와 슈팅은 물론이고 저돌적인 전진 드리블, 강한 경합 능력까지 갖추고 있어 막기가 까다로운 선수다.

출전경기	경기시간(분)	골	어시스트	경고	퇴장
37	3,131	8	10	10	-

MF 44 부바카르 카마라
Boubacar Kamara

국적: 프랑스

시야가 넓고 위치 선정 능력이 뛰어나 센터백까지도 소화할 수 있는 수비형 미드필더. 경기 템포를 조절하고 안정적인 패스 공급으로 후방 플레이 메이커 역할을 담당한다. 그러나 발이 느리기 때문에 넓은 공간을 커버하는 데는 한계가 있어 강팀과의 경기에서는 오나나에게 선발 기회를 내주거나 오나나와 함께 중원을 구성하기도 한다. 지난 시즌 확실한 활약으로 최근 애스턴 빌라와 5년 재계약을 체결했다.

출전경기	경기시간(분)	골	어시스트	경고	퇴장
26	1,726	1	-	2	-

FW 17 도니얼 말런
Donyell Malen

국적: 네덜란드

유소년 시절부터 아약스, 아스널을 거쳐 PSV 에인트호번, 도르트문트까지 명문 팀에 몸 담아온 측면 공격수. 빠른 스피드와 정교한 드리블, 강력한 마무리 슈팅까지 겸비하고 있어 과거 아스널과 바르셀로나에서 활약했던 알렉시스 산체스에 비견되기도 한다. 애스턴 빌라에는 2025년 1월 입단해 치열한 주전 경쟁 속에 프리미어 리그 적응에도 어려움을 겪었으나, 이제는 꾸준한 출전 기회를 받을 전망이다.

출전경기	경기시간(분)	골	어시스트	경고	퇴장
14	298	3	-	-	-

FW 19 제이든 산초
Jadon Sancho

국적: 잉글랜드

도르트문트, 맨유, 첼시를 거친 화려한 경력의 측면 공격수. 정확한 슈팅으로 직접 골을 노릴 수도 있지만, 연계플레이를 통한 창의적인 패스로 득점 기회를 만들어내는 데 강점이 있는 선수라서 주위 동료들과의 호흡에 따라 활약도가 달라진다. 빌라에는 디뉴, 마트센과 같은 공격적인 풀백 자원들이 있고 최전방의 왓킨스 또한 쉬지 않고 침투 움직임을 시도하기 때문에 산초의 장점이 발휘될 수 있는 환경이다.

출전경기	경기시간(분)	골	어시스트	경고	퇴장
31	1,767	3	4	2	-

FW 29 에반 게상
Evann Guessand

국적: 코트디부아르

이번 여름 애스턴 빌라의 유일한 거액 영입(485억). 공격진의 모든 포지션을 소화하는 데다 양발을 고루 잘 사용하는 다재다능한 선수여서 활용 가치가 높다. 어린 시절부터 프랑스 니스의 유소년팀에서 성장해왔고, 지난 시즌 확실하게 두각을 나타내자 그의 성장을 지켜보던 애스턴 빌라가 마침내 투자를 감행한 것이다. 안정적인 연계보다는 직선적인 드리블 돌파와 패스를 즐기는 공격적인 자원이다.

출전경기	경기시간(분)	골	어시스트	경고	퇴장
33	2,575	12	8	2	-

노팅엄 포레스트 FC

Nottingham Forest FC

TEAM PROFILE	
창　립	1865년
회　장	에반겔로스 마라나키스(그리스)
감　독	누누 에스피리투 산투(포르투갈)
연 고 지	노팅엄셔 웨스트 브리지퍼드
홈 구 장	더 시티 그라운드 스타디움(3만 455명)
라 이 벌	레스터 시티, 노츠 카운티 FC
홈페이지	www.nottinghamforest.co.uk/

최근 5시즌 성적		
시즌	순위	승점
2020-2021	없음	없음
2021-2022	없음	없음
2022-2023	16위	38점(9승11무18패, 38득점 68실점)
2023-2024	17위	32점(9승9무20패, 49득점 67실점)
2024-2025	7위	65점(19승8무11패, 58득점 46실점)

PREMIER LEAGUE (전신 포함)	
통　산	우승 1회
24-25 시즌	7위(19승8무11패, 승점 65점)

FA CUP	
통　산	우승 2회
24-25 시즌	4강

LEAGUE CUP	
통　산	우승 4회
24-25 시즌	없음

UEFA	
통　산	챔피언스리그 우승 2회
24-25 시즌	없음

 전력분석 ## 선수부터 감독까지 모든 걸 바꿨다

노팅엄 포레스트와 올림피아코스를 소유하고 있는 에반겔리스 마리나스 구단주는 논란을 몰고 다니는 인물이다. 심판 판정에 원색적인 비난을 퍼붓고 여러 사회적 물의를 빚고 있지만, 팀을 성공으로 이끌겠다는 야망만은 확실하다. 지난 시즌 노팅엄이 예상 밖의 성공을 거두며 유로파 리그 진출권을 따내자, 이번 여름에는 전폭적인 지원을 했다. 오마리 허친슨, 단 은도예, 제임스 매카티, 이고르 제주스, 자이르 쿠냐, 아르노 칼리뮈앙도, 더글라스 루이스까지 화려한 선수들을 최고 이적료로 영입했다. 안토니 엘랑가는 뉴캐슬로 떠났지만, 토트넘 이적에 합의했던 모건 깁스-화이트는 잔류, 재계약을 체결했다. 문제는 영입 시점이 늦어 이 선수들과 함께 발을 맞춰볼 시간이 부족했다는 것. 게다가 유로파 리그 참가로 훈련 시간도 크게 줄어 경기를 치러가면서 조직력을 완성해야 한다. 실제 노팅엄은 프리 시즌 평가전에서 매끄러운 공격 전개를 보여주지 못해, 일곱 경기 5무 2패를 기록, 단 한 골 득점에 그쳤다. 시즌 준비를 두고 의견 충돌이 생기자 팀을 성공으로 이끌었던 누누 에스피리투 산투 감독을 경질, 토트넘을 지휘했던 엔지 포스테코글루를 새 감독으로 선임했다. 전술까지도 공격 위주로 완전히 탈바꿈하려 한다. 이런 급격한 변화에 선수들이 얼마나 빠르게 적응할지 의문이다.

전술분석 ## 한계를 드러낸 역습 전술, 이제는 공격 앞으로

노팅엄이 챔피언스 리그 진출권 경쟁을 펼칠 수 있었던 것은 단단한 수비와 빠른 역습이라는 단순하지만 확실한 무기 덕분이었다. 센터백 무릴루와 니콜라 밀렌코비치가 강력한 파트너십을, 32세 공격수 크리스 우드는 시즌 20골을 터뜨리는 인생 최고의 활약을 펼쳤다. 중원에서는 엘리엇 앤더슨이 리그 최고 박스 투 박스 미드필더 중 하나로 성장했고, 모건 깁스-화이트는 공격형 미드필더로 재능을 만개했다. 하지만 역습에 의존하는 공격 전술은 결국 한계를 드러내, 성적은 3위에서 7위로 하락했다. 이제 변화는 미룰 수 없는 과제가 됐다. 토트넘에서 공격 일변도였던 엔지 포스테코글루 감독의 전술도 변화가 불가피하다. 이고르 제주스는 크리스 우드보다 역습에 훨씬 특화된 공격수고, 미드필더 제임스 매카티는 드리블 돌파와 전진 패스에 능해 측면만 아니라 중앙에서도 공격 전개를 이끌 수 있는 자원이기에 팀에 새로운 선택지를 제공한다. 수비형 미드필더 더글라스 루이스는 넓은 패스 범위를 갖고 있어 한 번의 정확한 대각 패스로 측면 자원들에게 기회를 만들어줄 수 있다. 선수들이 하나씩 팀에 융화되기 시작하면 노팅엄은 훨씬 다양한 무기를 갖추게 될 것이다.

시즌 프리뷰 변화가 아닌 진화를 목표로

축구에서 11명의 선수 중 네 명 이상이 바뀌면 조직력 유지가 불가능하다고 한다. 아무리 뛰어난 선수로 대체한다고 해도 팀의 조직력이 무너지게 되면 전력 보강 효과는 사라지는 셈이다. 이는 이번 시즌 노팅엄 포레스트가 가장 경계해야 할 점이다. 심지어 우승팀인 리버풀도 이번 시즌 주전 네 명이 바뀌면서 변화의 폭이 너무 크다는 우려의 시선을 받을 정도다. 노팅엄의 경우 지난 시즌 막바지, 선수들이 체력적으로 한계에 다다르는 모습을 보였고, 이번 시즌에는 주중 유로파 리그 경기 일정까지 추가됐으니 전력 보강은 분명히 필요했다. 그럼에도 우선시되어야 할 것은 팀으로서 조직력을 유지하는 일이다. 이번 시즌 성공의 열쇠는 엔지 포스테코글루 감독이 쥐고 있다. 공격적인 전진을 강조하는 본인의 전술 철학만을 고집할 게 아니라, 낮은 수비 라인으로 안정적인 경기 운영을 해왔던 기존의 선수들이 적응할 수 있을 정도의 지시를 내려야 부작용 없이 전술 색깔을 바꿔나갈 수 있다. 여러 포지션을 소화할 수 있는 다양한 장점을 가진 선수들이 합류했기에 기존의 강점인 역습 전술과 주도적인 경기 운영을 모두 구현하는 것도 충분히 가능하다. 많은 선수들을 영입한 목적은 변화가 아닌 진화다.

IN & OUT

주요 영입	주요 방출
오마리 허친슨, 단 은도예, 딜란 바크와, 더글라스 루이스, 제임스 매카티, 이고르 제주스, 자이르 쿠냐, 올렉산드르 진첸코	안토니 엘랑가, 다닐루

TEAM FORMATION

FW **B**

11 우드 (제주스)

MF **B**

7 오도이 (칼리뮈앙도)　**10** 깁스-화이트 (허친슨)　**14** 은도예 (바크와)

8 앤더슨 (루이스)　**22** 예이츠 (상가레)

DF **B**

3 윌리엄스 (진첸코)　**5** 무리요 (모라투)　**31** 밀렌코비치 (자이르)　**34** 아이나 (윌리엄스)

GK **B**

26 셀스 (빅터)

PLAN **4-2-3-1**

TEAM RATINGS

슈팅	패스
6	6

조직력 7　**37**　수비력 5

감독 6　선수층 7

2024/25프로필

팀 득점	58
평균 볼 점유율	40.70%
패스 정확도	78.70%
평균 슈팅 수	12.2
경고	86
퇴장	2

골 타입
오픈 플레이	52
세트 피스	29
카운터 어택	12
패널티 킥	5
자책골	2	단위 (%)

패스 타입
쇼트 패스	81
롱 패스	14
크로스 패스	5
스루 패스	0	단위 (%)

지역 점유율

공격 진영	27%
중앙	41%
수비 진영	31%

공격 방향

45% 왼쪽　24% 중앙　31% 오른쪽

슈팅 지역

10% 골 에어리어
54% 패널티 박스
37% 외곽 지역

상대팀 최근 6경기 전적

구분	승	무	패
리버풀 FC	2	1	3
아스널 FC	1	1	4
맨체스터 시티	1	1	4
첼시 FC	1	3	2
뉴캐슬 유나이티드 FC	1		5
애스턴 빌라	2	1	3
노팅엄 포레스트			
브라이튼 앤 호브 알비온	3	1	2
AFC 본머스		3	3
브렌트포드 FC	1	2	3
풀럼 FC	1		5
크리스탈 팰리스 FC	2	4	
에버턴 FC	1	2	3
웨스트햄 유나이티드 FC	4		2
맨체스터 유나이티드	3		3
울버햄튼 원더러스	2	4	
토트넘 홋스퍼 FC	3		3
리즈 유나이티드 FC	3	2	1
번리 FC	1	2	3
선덜랜드 AFC	1		5

SQUAD

포지션	등번호	이름		생년월일	키(cm)	체중(kg)	국적
GK	26	마츠 셀스	Matz Sels	1992.02.26	188	75	벨기에
DF	3	네코 윌리엄스	Neco Williams	2001.04.13	183	72	웨일즈
	5	무리요	Murillo	2002.07.04	180	75	브라질
	23	자이르 쿠냐	Jair Cunha	2005.03.07	198	87	브라질
	30	윌리 볼리	Willy Boly	1991.02.03	195	92	코트디부아르
	31	니콜라 밀렌코비치	Nikola Milenković	1997.10.12	195	90	세르비아
	34	올라 아이나	Ola Aina	1996.10.08	184	82	나이지리아
	44	잭 애보트	Zach Abbott	2006.05.13	180	70	잉글랜드
MF	8	엘리엇 앤더슨	Elliot Anderson	2002.11.06	179	76	스코틀랜드
	10	모건 깁스-화이트	Morgan Gibbs-White	2000.01.27	171	72	잉글랜드
	12	더글라스 루이스	Douglas Luiz	1998.05.09	175	66	브라질
	16	니콜라스 도밍게스	Nicolás Domínguez	1998.06.28	179	73	아르헨티나
	21	오마리 허친슨	Omari Hutchinson	2003.10.30	174	65	잉글랜드
	22	라이언 예이츠	Ryan Yates	1997.11.21	190	87	잉글랜드
	24	제임스 매카티	James McAtee	2002.10.18	180	72	잉글랜드
FW	7	칼럼 허드슨-오도이	Callum Hudson-Odoi	2000.11.07	182	76	잉글랜드
	9	타이워 아워니이	Taiwo Awoniyi	1997.08.12	183	84	나이지리아
	11	크리스 우드	Chris Wood	1991.12.07	191	81	뉴질랜드
	14	단 은도예	Dan Ndoye	2000.10.25	184	79	스위스
	15	아르노 칼리뮈앙도	Arnaud Kalimuendo	2002.01.20	178	79	프랑스
	19	이고르 제주스	Igor Jesus	2001.02.25	180	73	브라질
	20	조타 실바	Jota Silva	1999.08.01	179	77	포르투갈
	29	딜란 바크와	Dilane Bakwa	2002.08.26	180	77	프랑스

COACH

고국 호주는 물론이고 일본, 스코틀랜드 등 다양한 무대를 경험한 지도자. 호주 대표팀 감독 시절, 대한민국을 결승에서 꺾고 2015 아시안컵 우승을 차지하기도 했다. 토트넘 부임 첫해에 공격 축구로 돌풍을 일으켰으나, 선수 부상 관리와 공수 균형에 문제를 드러내며 지난 시즌 강등권에 가까운 최악의 성적으로 많은 비판을 받았다. 유로파 리그에서는 수비 위주 경기 운영으로 부임 2년 차에 반드시 우승한다는 약속은 지켰지만, 경질은 피하지 못했다. 노팅엄에서 확실한 명예 회복을 노린다.

엔지 포스테코글루 *Ange Postecoglou*
1965년 8월 27일생 호주

PLAYERS

MF 10 모건 깁스-화이트
Morgan Gibbs-White

KEY PLAYER

국적: 잉글랜드

울버햄튼과 노팅엄 소속으로 프리미어 리그에서 꾸준한 활약을 펼쳐온 공격형 미드필더. 넓은 시야를 바탕으로 창의적인 패스로 득점 기회를 만들고, 지능적인 움직임과 유려한 드리블로 빠른 역습을 주도하는 명실상부한 노팅엄의 에이스. 경합 능력도 강해 중원 지역에서도 상대의 견제를 뚫고 전진할 수 있다. 이번 여름 토트넘이 바이아웃 금액을 지불해 이적이 유력해 보였지만, 노팅엄은 토트넘이 정상적인 경로로 바이아웃 조항을 알아낼 방법이 없었다며 이의를 제기했다. 결국 깁스-화이트는 잔류와 재계약을 선택하고 노팅엄에 자신의 미래를 맡겼다. 잉글랜드 국가대표로 2026 북중미 월드컵 참가를 노리고 있기 때문에 이번 시즌 활약이 더욱 중요하다.

출전경기	경기시간(분)	골	어시스트	경고	퇴장
34	2,825	7	8	9	-

GK 26 마츠 셀스
Matz Sels

국적: 벨기에

탁월한 위치 선정 능력과 다이빙으로 어떠한 슈팅 궤적에도 대처를 해내는 골키퍼. 지난 시즌 아스널의 다비드 라야 골키퍼와 함께 프리미어 리그 최다 무실점 경기(13)를 기록하며 대회 역사상 최초로 골든 글러브를 수상하는 노팅엄 선수가 됐다. 수비진을 지휘하는 리더십과 안정적인 패스 능력도 보유하고 있고, 전 경기 풀타임을 소화할 만큼 자기 관리도 뛰어나 약점을 찾아보기 어려운 골키퍼다.

출전경기	경기시간(분)	실점	무실점(경기)	경고	퇴장
38	3,420	46	13	4	-

DF 3 네코 윌리엄스
Neco Williams

국적: 웨일스

리버풀 출신의 라이트백으로, 노팅엄이 프리미어 리그에 승격한 2022년 팀에 합류해 주전 자리를 지켜왔다. 정확한 태클과 뛰어난 공중 경합 능력을 활용해 거친 반칙 없이 안정적인 수비를 펼칠 수 있고, 빠른 스피드와 정확한 크로스로 공격 작업에도 기여해 어떤 전술에도 수월하게 적응할 수 있는 장점을 가진 풀백이다. 3년간의 꾸준한 활약을 인정받아 올해 여름 2029년까지 재계약을 체결했다.

출전경기	경기시간(분)	골	어시스트	경고	퇴장
35	2,592	1	3	7	-

DF 5 무리요
Murillo

국적: 브라질

2023-24시즌 노팅엄에 입단해 곧바로 인상적인 활약을 펼치며 구단 최우수 선수로 선정됐던 센터백. 지난 시즌에는 더욱 물 오른 기량으로 니콜라 밀렌코비치와 완벽한 호흡을 선보이며 철벽 수비를 과시했다. 뛰어난 위치 선정과 강력한 공중 경합으로 최고 수준의 클리어링 능력을 자랑하며, 침착함을 잃지 않는 수비진의 리더로 활약하고 있다. 왼발잡이 센터백이라 후방 빌드업에도 강점을 발휘한다.

출전경기	경기시간(분)	골	어시스트	경고	퇴장
36	3,191	2	-	6	-

DF 31 니콜라 밀렌코비치
Nikola Milenkovic

국적: 세르비아

지난 시즌 프리미어 리그에 데뷔한 선수 중 가장 인상적인 모습을 보인 센터백. 리그 전 경기에 선발로 출전해 꾸준한 활약을 펼치면서 노팅엄 구단 시즌 최우수 선수로 선정됐다. 파트너인 무리요와 마찬가지로 어떠한 상황에서도 침착한 수비를 펼치며, 중원 지역까지 전진해 정확한 패스 연결로 빌드업에 관여한다. 맨체스터 유나이티드에서 활약한 세르비아 출신 수비수인 니콜라 비디치를 롤 모델로 삼고 있다.

출전경기	경기시간(분)	골	어시스트	경고	퇴장
37	3,330	5	2	4	-

DF 34 올라 아이나
Ola Aina

국적: 나이지리아

첼시 출신의 양쪽 측면 풀백과 윙백을 모두 소화할 수 있는 다재다능한 자원. 지난 시즌 28세 나이의 전성기 기량으로 일대일 수비와 경합에서 탁월한 능력을 발휘했으며, 빠른 스피드로 공격에 가담할 수 있고 패스 공급도 안정적이다. 2023년 여름 토리노에서 방출돼 노팅엄에 입단할 때만 해도 1년씩 단기 계약을 체결했는데, 이제는 주전 도약에 성공하면서 올여름 3년 재계약으로 보답을 받았다.

출전경기	경기시간(분)	골	어시스트	경고	퇴장
35	3,003	2	1	5	-

MF 8 엘리엇 앤더슨
Elliot Anderson

국적: 잉글랜드

작년 여름 뉴캐슬에서 영입한 중앙 미드필더. 일찍부터 큰 기대를 받던 선수라 재정 문제만 아니었다면 뉴캐슬이 쉽게 놓아주지 않았을 자원이라는 평가가 지배적이다. 실제로 노팅엄에서 곧바로 잠재력을 만개하고 중원과 공격 2선의 중앙, 왼쪽을 오가며 맹활약을 펼쳐 지난 시즌 프리미어 리그에서 가장 크게 기량이 발전한 선수로 꼽혔다. 최고 수준의 전진 드리블을 능력을 자랑하며 기회 창출에도 능하다.

출전경기	경기시간(분)	골	어시스트	경고	퇴장
37	2,744	2	6	10	-

PLAYERS

MF 12 더글라스 루이스
Douglas Luiz

국적: 브라질

뛰어난 위치 선정 능력으로 중원에서 상대의 공격을 저지해 수비진을 보호하고, 정확한 패스 공급으로 후방 플레이 메이커 역할을 해내는 미드필더. 지난 시즌 애스턴 빌라를 떠나 유벤투스로 이적한 이후 낯선 리그의 경기 템포와 치열한 팀 내 주전 경쟁으로 어려움을 겪었으나, 프리미어 리그에서 보여주던 수준 높은 패스 실력은 여전했다. 노팅엄에서도 공수의 연결고리를 완벽하게 수행할 수 있는 선수다.

출전경기	경기시간(분)	골	어시스트	경고	퇴장
19	518	-	-	2	-

MF 16 니콜라스 도밍게스
Nicolas Dominguez

국적: 아르헨티나

탁월한 위치 선정 능력으로 수비진을 보호하고 정확한 패스를 공급하는 미드필더. 공격보다는 수비 재능이 뛰어나 소유권 확보, 가로채기, 태클, 경합에 능하다. 지난 시즌 후반기 들어 더욱 인상적인 활약을 펼친 덕분에 6월 아르헨티나 대표팀 소집 명단에 포함돼 4년 만의 A매치를 기대하고 있었지만, 불운한 무릎 부상으로 무산되고 말았다. 이번 시즌 초반까지 복귀가 불투명해 컨디션 관리가 필요하다.

출전경기	경기시간(분)	골	어시스트	경고	퇴장
34	1,971	-	1	9	-

MF 21 오마리 허친슨
Omari Hutchinson

국적: 잉글랜드

입스위치 타운에서 인상적인 활약을 펼쳐 702억에 영입된 공격형 미드필더. 이는 또 다른 신입생 단 은도예(680억)를 제친 노팅엄의 영입 선수 기준 역대 최고 이적료 기록이다. 공격 2선의 모든 포지션에서 뛰어난 드리블 돌파를 활용해 득점 기회를 만드는 플레이가 장점이지만, 강등 팀에서 뛴 탓에 공격 포인트 생산이 꾸준하지는 못했다. 노팅엄에서는 로테이션 자원부터 시작해 주전 도약을 노린다.

출전경기	경기시간(분)	골	어시스트	경고	퇴장
31	2,594	3	2	5	-

MF 24 제임스 매카티
James McAtee

국적: 잉글랜드

맨체스터 시티에서 영입한 유망주 미드필더. 중원과 공격 2선에서 활약할 수 있는 자원으로 공격 지역에서 상대 수비의 틈을 찾아내 날카로운 패스를 공급하는 것이 특기다. 맨 시티에서 출전 시간 확보가 어려워 올여름 이적을 감행했는데, 매카티의 뛰어난 재능을 잘 알고 있는 맨 시티는 재영입 권리를 조건으로 이적을 허락했다. 셰필드 유나이티드 임대를 통해 경합 능력도 키워 중원 경쟁력을 갖췄다.

출전경기	경기시간(분)	골	어시스트	경고	퇴장
15	343	3	-	1	-

FW 7 칼럼 허드슨-오도이
Callum Hudson-Odoi

국적: 잉글랜드

첼시 유망주 시절부터 잠재력이 뛰어나다는 평가를 받으면서도 잦은 부상 탓에 심한 기복을 보였던 선수. 지난 시즌 노팅엄에서 마침내 기대에 부응하는 꾸준한 활약으로 부활에 성공했다. 화려한 드리블 기술과 빠른 발을 활용한 돌파 이후 강력한 킥으로 크로스를 시도해 최전방 공격수가 쇄도하며 논스톱 슈팅으로 골을 노릴 수 있도록 득점 기회를 만들어준다. 이번 시즌도 팀의 왼쪽 측면 공격을 책임진다.

출전경기	경기시간(분)	골	어시스트	경고	퇴장
31	2,205	5	2	2	-

FW 11 크리스 우드
Chris Wood

국적: 뉴질랜드

30대에 접어들며 더욱 원숙한 기량으로 전성기를 보내고 있는 장신 공격수. 공중 경합과 공 간수 능력은 선수 경력 내내 뛰어났고, 경험이 쌓이며 위치 선정과 골 결정력이 크게 발전해 프리미어 리그에서 가장 위협적인 공격수로 발돋움했다. 35골로 노팅엄의 프리미어 리그 역대 최다 득점 선수이기도 하다. 이번 시즌에는 새로운 공격수들이 영입돼 체력을 관리하며 주요 경기에 모습을 드러낼 전망이다.

출전경기	경기시간(분)	골	어시스트	경고	퇴장
36	2,978	20	3	1	-

FW 14 단 은도예
Dan Ndoye

국적: 스위스

지난 시즌 코파 이탈리아 결승에서 AC 밀란을 상대로 결승골을 작렬하며 볼로냐에 51년 만의 우승을 안긴 측면 공격수. 680억에 노팅엄의 부름을 받자 프리미어 리그에서 새로운 도전을 원해 이적을 감행했다. 빠른 스피드와 저돌적인 돌파 능력을 갖추고 있어 뉴캐슬로 떠난 안토니 엘랑가를 대신해 오른쪽 측면 공격을 담당할 자원이다. 마무리 패스 판단이 좋지 못해 개선이 필요하지만, 압박은 성실하다.

출전경기	경기시간(분)	골	어시스트	경고	퇴장
30	2,151	8	4	4	-

FW 19 이고르 제주스
Igor Jesus

국적: 브라질

센터백 자이르 쿠냐와 함께 보타포구에서 영입된 최전방 공격수. 179cm로 장신이 아님에도 공중 경합과 연계 플레이가 뛰어나며 골 결정력 또한 출중한 선수다. 크리스 우드보다 스피드가 빠르고 개인 기술이 좋아 상대와 경기 상황에 맞춰 노팅엄의 공격진을 이끌 수 있으며 전방 압박도 성실하게 수행한다. 이제 20대 중반에 접어드는 나이기에 장기적으로는 우드의 후계자로 성장할 수 있는 선수다.

출전경기	경기시간(분)	골	어시스트	경고	퇴장
10	877	3	1	-	-

FW 29 딜란 바크와
Dilane Bakwa

국적: 프랑스

좁은 공간에서 민첩한 움직임으로 상대 수비를 따돌리는 능력이 탁월한 측면 공격수로, 돌파 이후에는 중앙 지역으로 움직여 들어오며 정확한 패스를 통해 득점 기회를 만드는 플레이를 즐긴다. 왼발 킥이 날카로워 세트 피스 키커 역할도 맡을 수 있다. 노팅엄에는 측면 자원들이 화려하기 때문에 입단 직후에는 새로운 팀과 리그에 적응하는 기간을 보내다가 후반기부터는 본격적인 주전 도약을 노려야 한다.

출전경기	경기시간(분)	골	어시스트	경고	퇴장
30	2,512	6	8	4	-

브라이턴 앤 호브 알비온
Brighton & Hove Albion

TEAM PROFILE	
창 립	1901년
회 장	토니 블룸(잉글랜드)
감 독	파비안 휘르첼러 (독일)
연 고 지	브라이튼 앤 호브
홈 구 장	아메리칸 익스프레스 스타디움 (3만1,876명)
라 이 벌	크리스탈 팰리스
홈페이지	www.brightonandhovealbion.com

최근 5시즌 성적

시즌	순위	승점
2020-2021	16위	41점(9승14무15패, 40득점 46실점)
2021-2022	9위	51점(12승15무11패, 42득점 44실점)
2022-2023	6위	62점(18승8무12패, 72득점 53실점)
2023-2024	11위	48점(12승12무14패, 55득점 62실점)
2024-2025	8위	61점(16승13무9패, 66득점 59실점)

PREMIER LEAGUE (전신 포함)

통 산	없음
24-25 시즌	8위(16승13무9패, 승점 61점)

FA CUP

통 산	없음
24-25 시즌	8강

LEAGUE CUP

통 산	없음
24-25 시즌	16강

UEFA

통 산	없음
24-25 시즌	없음

전략분석 셀링 클럽의 비애? 브라이턴의 성공 방식!

브라이턴은 2017-18시즌 프리미어 리그 승격 이후 지금까지 크고 작은 성공을 거둬왔다. 2022-23시즌에는 6위라는 높은 순위를 기록, 창단 122년 만의 유럽 대회 진출까지도 이뤄냈다. 이러한 성과가 더욱 대단한 이유는 그 과정에서 핵심 선수는 물론이고 유망한 감독마저도 빅 클럽의 부름을 받아 팀을 떠나는 경우가 많았기 때문이다. 중소 구단은 어쩔 수 없이 팀의 자원을 팔아 현금을 확보하고 이를 재투자해서 점차 규모를 키워 나가는 수밖에 없다. 이런 셀링 클럽 입장에서는 꾸준한 전력 유지가 쉬운 일이 아니지만 브라이턴은 다르다. 벤 화이트를 시작으로 이브 비수마, 마크 쿠쿠레야, 모이세스 카이세도, 심지어 그레엄 포터 감독, 로베르토 데 제르비 감독까지 팀을 떠났는데도 여전히 중상위권을 유지하고 있다. 그 비결은 최신 기법의 데이터를 바탕으로 남미와 아시아 지역까지도 성실하게 스카우트하여 큰 잠재력을 가진 선수를 저렴하게 영입, 미리 주축 선수들의 이적에 대비해 놓는 것이다. 카이세도의 경우는 영입 당시보다 20배 비싼 이적료에 첼시에 보내고, 그 대체자로 카를로스 발레바를 순식간에 키워냈다. 또다시 발레바를 거액에 맨체스터 유나이티드로 보낼 수도 있다.

전술분석 포메이션, 포지션보다 중요한 유연성

축구에서 포메이션은 숫자에 불과하다는 말이 있는데, 파비안 휘르첼러 감독이 이 말에 가장 강하게 동의하는 지도자 중 하나일 것이다. 독일에서 장크트파울리를 지휘할 때도 3-4-3 포메이션을 기반으로 했지만, 10명의 필드 플레이어 모두가 한 쪽으로 몰려 있는 모습까지도 볼 수 있었다. 지난 시즌 브라이턴에 부임해서도 4-2-3-1 포메이션을 그대로 유지하기는 했지만 4-2-4, 4-3-3, 4-1-4-1 등으로 다양하게 형태를 바꿨고, 상대와의 숫자 싸움에서 우위를 점하기 위해서는 선수들의 배치도 포지션에 구애받지 않았다. 변화하지 않은 것은 공격 시에 최대한 많은 선수가 상대 박스 안까지 쇄도하고, 기회가 있을 때는 센터백인 얀 폴 판 헤케부터 시작해 모든 선수가 과감하고 직선적인 패스를 시도해 빠르게 공격을 전개하며, 수비 라인을 높게 올려 강하게 전방 압박을 가한다는 원칙이었다. 이는 점유율과 안정을 중시했던 장크트파울리에서와도, 안정적인 빌드업을 중시했던 이전 시즌의 브라이턴과도 또 다른 모습이다. 수비 면에서는 라인이 높아 넓은 공간을 내준 탓에 상대의 빠른 역습에 취약한 모습을 보이기도 한다. 이번 시즌에 거는 기대가 크다.

시즌 프리뷰 유럽 무대를 꿈꾸며 진화는 계속된다

팀 내 최다 득점자이던 주앙 페드루, 측면 공격수 시몬 아딩그라, 레프트백 에스투피냔이 떠났지만, 브라이턴은 흔들림 없이 미래를 위한 행보를 이어가고 있다. 빅 클럽의 관심을 받던 그리스 유망주 공격수 코스툴라스와 지난 1월 영입 직후 임대됐던 스테파노스 치마스가 팀에 합류해 페드루의 공백을 메울 전망이다. 아딩그라의 공백은 톰 왓슨이, 에스투피냔의 공백은 막심 더 쿠이퍼가 메운다. 약점으로 지적되던 수비진도 보완됐다. 왼발잡이 센터백 올리비에 보스카글리의 합류는 빌드업 구조에 변화를 예고하며 휘어첼러 감독이 장크트파울리에서 애용하던 스리백 시스템이 도입될 가능성도 있다. 이러한 변화를 미토마 가오루, 조르지니오 루터, 발레바와 같은 핵심 자원들이 받쳐줘야 한다. 특히 신입 공격수들이 어리기 때문에 대니 웰벡과 같은 베테랑의 역할이 중요하다. 시즌 초반 일정은 브라이턴에 유리하다. 첫 다섯 경기에서 풀럼(홈), 에버턴(원정), 맨시티(홈), 본머스(원정), 토트넘(홈)을 상대하는데 모두 지난 시즌 승리를 거뒀던 경기들이다. 또다시 이 경기들에서 승리를 재현하고 최고의 출발을 해낸다면 8위보다 높은 성적을 기록하고 유럽 무대 진출까지도 기대해볼 수 있다.

IN & OUT

주요 영입	주요 방출
하랄람포스 코스툴라스, 스테파노스 치마스, 막심 더 쿠이퍼, 톰 왓슨, 디에고 코폴라, 올리비에 보스카글리	주앙 페드루, 시몬 아딩그라, 페르비스 에스투피냔, 발렌틴 바르코

TEAM FORMATION

PLAN 4-2-3-1

FW **C+**
MF **B-**
DF **B-**
GK **B-**

18 웰백 (코스툴라스)
22 미토마 (왓슨)　10 루터 (그루다)　11 민테 (치마스)
26 아야리 (하인셀우드)　17 발레바 (밀너)
29 드 쿠이퍼 (카디오글루)　5 덩크 (보스칼리)　6 반 헤케 (웹스터)　27 비퍼 (벨트만)
1 페르브뤼헌 (스틸)

TEAM RATINGS

36

슈팅	8
패스	7
수비력	4
선수층	5
감독	6
조직력	6

2024/25프로필

팀 득점	66
평균 볼 점유율	52.3%
패스 정확도	84.70%
평균 슈팅 수	14
경고	76
퇴장	3

골 타입 (단위 %)
오픈 플레이	64
세트 피스	20
카운터 어택	3
패널티 킥	11
자책골	3

패스 타입 (단위 %)
쇼트 패스	87
롱 패스	9
크로스 패스	4
스루 패스	0

지역 점유율
- 공격 진영 33%
- 중앙 41%
- 수비 진영 27%

공격 방향
- 왼쪽 39%
- 중앙 30%
- 오른쪽 31%

슈팅 지역
- 골 에어리어 6%
- 패널티 박스 60%
- 외곽 지역 34%

상대팀 최근 6경기 전적

구분	승	무	패
리버풀 FC	2	1	3
아스널 FC	1	2	3
맨체스터 시티	1	2	3
첼시 FC	2		4
뉴캐슬 유나이티드 FC	3	2	1
애스턴 빌라	1	1	4
노팅엄 포레스트	2	1	3
브라이튼 앤 호브 알비온			
AFC 본머스	5		1
브렌트포드 FC	1	3	2
풀럼 FC	1	1	4
크리스탈 팰리스 FC	2	2	2
에버턴 FC	2	2	2
웨스트햄 유나이티드 FC	3	2	1
맨체스터 유나이티드	4		2
울버햄튼 원더러스	3	1	2
토트넘 홋스퍼 FC	3		3
리즈 유나이티드 FC	3	3	
번리 FC	1	4	1
선덜랜드 AFC	2	1	3

SQUAD

포지션	등번호	이름		생년월일	키(cm)	체중(kg)	국적
GK	1	바르트 페르브뤼헌	Bart Verbruggen	2002.08.18	193	82	네덜란드
	23	제이슨 스틸	Jason Steele	1990.08.18	188	79.3	잉글랜드
DF	4	아담 웹스터	Adam Webster	1995.01.04	191	80	잉글랜드
	5	루이스 덩크	Lewis Dunk	1991.11.21	192	87.6	잉글랜드
	6	얀 폴 반 헤케	Jan Paul van Hecke	2000.06.08	189	78	네덜란드
	21	올리비에 보스카글리	Olivier Boscagli	1997.11.18	181	68	프랑스
	29	막심 더 쿠이퍼	Maxim De Cuyper	2000.12.22	182	72	벨기에
	34	조엘 벨트만	Joël Veltman	1992.01.15	184	73	네덜란드
	42	디에고 코폴라	Diego Coppola	2003.12.28	193	96	이탈리아
MF	13	잭 힌셜우드	Jack Hinshelwood	2005.04.11	181	76	잉글랜드
	14	톰 왓슨	Tom Watson	2006.04.08	190	-	잉글랜드
	17	카를로스 발레바	Carlos Baleba	2004.01.03	179	75	카메룬
	20	제임스 밀너	James Milner	1986.01.04	175	70	잉글랜드
	22	미토마 가오루	Kaoru Mitoma	1997.05.20	178	71	일본
	25	디에고 고메스	Diego Gómez	2003.03.27	183	73	파라과이
	26	야신 아야리	Yasin Ayari	2003.10.06	172	69	스웨덴
	27	마츠 비퍼	Mats Wieffer	1999.11.16	188	84	네덜란드
FW	9	스테파노스 치마스	Stefanos Tzimas	2006.01.06	186	77	그리스
	10	조르지니오 루터	Georginio Rutter	2002.04.20	182	83	프랑스
	11	얀쿠바 민테	Yankuba Minteh	2004.07.22	180	65	감비아
	18	대니 웰백	Danny Welbeck	1990.11.26	185	73	잉글랜드
	19	하랄람포스 코스툴라스	Charalampos Kostoulas	2007.05.30	185	75	그리스

COACH

프리미어 리그 역대 최연소 감독. 바이에른 뮌헨 2군에서 촉망받던 수비형 미드필더였으나, 23세 때부터 바이에른 지역 팀인 피핀스리트에서 선수 겸 감독 생활을 시작해 지도자의 길을 준비했다. 2022년부터 독일 2부 리그 장크트파울리를 맡아 혁신적인 전술로 강등권에 있던 팀을 5위로 이끌었고, 2023-24시즌에는 리그 20경기 무패를 기록한 끝에 구단에 사상 첫 분데스리가 승격을 안긴 뒤 브라이턴에 부임했다. 젊은 만큼 열정이 넘치는 감독으로, 경기를 지배하고 끊임없이 상대를 공격하길 원한다.

파비안 휘르첼러 Fabian Hurzeler
1993년 2월 26일생 독일

PLAYERS

| MF | 17 | 카를로스 발레바 |
Carlos Baleba

KEY PLAYER

국적: 카메룬

지난 시즌 압도적인 활약을 통해 프리미어 리그 최고의 수비형 미드필더 중 하나로 성장한 선수. 센터백과 공격형 미드필더까지도 소화할 정도로 다재다능하며, 이를 주목한 맨시티와 맨유가 영입을 호시탐탐 노리고 있으나 브라이턴은 천문학적인 이적료를 받지 않는 이상 발레바를 내줄 이유가 없다. 최대 장점은 강력한 경합 능력을 바탕으로 한 압박으로, 지난 시즌 프리미어 리그에서 최상위권의 수비 지표를 보여줬고 특히 전방 압박에서 탁월한 능력을 발휘했다. 위치 선정과 전진 패스도 준수하다. 그러나 공격 마무리에서는 위력을 발휘하지 못하고, 무리하게 전진을 시도하다 공을 빼앗기는 모습도 종종 노출했다. 이는 경험을 쌓아가며 극복할 수 있는 단점이다.

출전경기	경기시간(분)	골	어시스트	경고	퇴장
34	2,674	3	1	6	1

| GK | 1 | 바르트 페르브뤼헌 |
Bart Verbruggen

국적: 네덜란드

데 제르비 감독 밑에서는 기회를 잡지 못하다가 지난 시즌부터 휘어첼러 감독의 신임을 받아 주전 골키퍼로 도약했다. 그러나 경험 부족 탓에 미숙한 판단과 잦은 실수를 노출했고, 리그에서 직접적인 실수로만 5골을 실점한 것은 이 부문 최다 공동 1위 기록이었다. 그러나 여전히 잠재력은 높게 평가되며 패스와 공간 커버 능력이 뛰어나 휘어첼러 감독의 전술에는 어울린다. 시련을 이겨내고 성장해야 하는 시즌이다.

출전경기	경기시간(분)	실점	무실점(경기)	경고	퇴장
36	3,240	58	7	5	-

| DF | 5 | 루이스 덩크 |
Lewis Dunk

국적: 잉글랜드

브라이턴의 주장이자 정신적 지주 역할을 해온 선수. 공중 경합과 슈팅 차단 능력이 뛰어난 전통적인 스타일의 센터백이다. 그러나 이제는 33세의 나이로 기량이 하락하고 있는 데다 부상까지 겹치면서 주전 자리를 지키기가 쉽지 않아졌다. 민첩함이 떨어져 수비 라인을 높이 올리는 전술을 소화하기에는 무리가 있고, 빌드업도 기대하기는 어렵다. 신입생들의 적응을 도우며 로테이션 자원으로 활약할 전망이다.

출전경기	경기시간(분)	골	어시스트	경고	퇴장
25	2,083	-	-	5	-

| DF | 6 | 얀 폴 반 헤케 |
Jan Paul van Hecke

국적: 네덜란드

지난 시즌 브라이턴 최고의 선수. 센터백 파트너가 바뀌는 상황에서도 뛰어난 위치 선정으로 수비 임무를 성실하게 수행하는 동시에 최고 수준의 전진 패스로 빌드업의 시발점 역할을 해냈다. 페널티킥 키커로 나설 만큼의 킥 정확도와 침착성 또한 갖추고 있어 실수를 저지르는 모습을 찾아보기 어렵다. 관건은 거취인데, 선수가 빅 클럽으로 이적을 원하는 가운데 브라이턴도 최고 대우로 재계약을 추진 중이다.

출전경기	경기시간(분)	골	어시스트	경고	퇴장
34	2,961	1	-	6	1

| DF | 21 | 올리비에 보스카글리 |
Olivier Boscagli

국적: 프랑스

작년 여름 브라이턴 이적을 시도했다가 PSV 에인트호번에 잔류해 팀을 에레디비지 우승으로 이끈 뒤 자유계약 신분으로 합류한 센터백. 판 헤케와 마찬가지로 최고 수준의 전진 패스 능력을 갖춘 데다 왼발잡이라는 메리트까지 있다. PSV 또한 공격적인 전술을 구사하는 팀이었기 때문에 브라이턴 적응에는 문제가 없을 것으로 보이지만, 프리미어 리그의 거친 몸싸움과 빠른 템포에 적응할지가 관건이다.

출전경기	경기시간(분)	골	어시스트	경고	퇴장
30	2,573	1	6	2	-

| DF | 29 | 막심 더 쿠이퍼 |
Maxim De Cuyper

국적: 벨기에

득점 기회 창출에 특화된 공격적인 측면 수비수. 양발을 자유롭게 활용할 줄 알기 때문에 오버래핑과 언더래핑 모두 위협적이고, 크로스의 정확도도 탁월해 세트 피스 공격에서도 위력을 발휘할 수 있다. 그러나 수비에서는 쉽사리 돌파를 허용하고 태클 성공률도 떨어져 포백 시스템에서는 신뢰를 받기 어려워 측면 공격수로 뛰어야 할 수도 있다. 3-4-3 포메이션에서 왼쪽 윙백에 최적화된 선수다.

출전경기	경기시간(분)	골	어시스트	경고	퇴장
37	3,084	3	5	4	-

| DF | 42 | 디에고 코폴라 |
Diego Coppola

국적: 이탈리아드

세리에 A 무대에서 촉망 받던 센터백. 올해 6월 이탈리아 국가대표 데뷔전도 치렀고 21세 이하 유럽 선수권에도 참가했다. 공중 경합과 소유권 확보 능력이 뛰어나며, 경기 흐름을 읽고 상대의 패스를 차단하는 플레이도 일품이다. 박스 주변 수비는 탁월하지만 패스 능력은 떨어져 보스카리, 판 헤케와 호흡을 맞출 필요가 있다. 브라이턴의 전술과 프리미어 리그에 적응하는 데도 시간이 필요해 보인다.

출전경기	경기시간(분)	골	어시스트	경고	퇴장
34	2,927	2	-	10	-

PLAYERS

MF 13 잭 힌셜우드
Jack Hinshelwood

국적: 잉글랜드

중앙 미드필더와 양쪽 풀백은 물론이고 공격수 역할도 소화하는 브라이턴 유소년팀 출신의 만능 열쇠. 시즌 마지막 두 경기에서 리버풀을 상대로 결승골을, 토트넘을 상대로 2골을 득점하는 활약을 펼쳐 5월 프리미어 리그 〈이 달의 선수상〉을 수상했다. 이러한 활약이 가능한 것은 축구 지능이 뛰어난 덕분으로, 공격에서는 창의성과 결정력을 겸비하고 있고 수비에서는 위치 선정과 더불어 경합 능력까지도 갖췄다.

출전경기	경기시간(분)	골	어시스트	경고	퇴장
26	1,849	5	2	5	-

MF 14 톰 왓슨
Tom Watson

국적: 잉글랜드

플레이오프에서 선덜랜드의 승격에 결정적인 득점을 기록한 유망주 측면 공격수. 유소년 시절부터 몸담았던 선덜랜드를 떠나 브라이턴에 합류했다. 순간 가속도와 방향 전환이 빠른 데다 측면 공격수 치고 키도 크기 때문에 수비하기가 까다롭다. 미토마와 비슷한 스타일의 드리블로 주목을 받고 있다. 10세의 나이에도 부상 이력이 있어 꾸준한 활약을 이어간 적은 없기 때문에 장기적으로 지켜봐야 할 선수다.

출전경기	경기시간(분)	골	어시스트	경고	퇴장
21	908	3	-	3	-

MF 22 미토마 가오루
Kaoru Mitoma

국적: 일본

최고 수준의 드리블 능력을 보유한 측면 공격수. 좁은 공간에서도 여러 명의 수비를 따돌릴 수 있을 정도다. 침투 움직임이 좋고 결정력도 뛰어나 다양한 장면에서 골을 터트리며, 측면 돌파 이후 득점 기회를 만드는 능력은 프리미어 리그 최고 수준이다. 수비 가담이 부족하고 크로스 정확도가 떨어진다는 단점도 있다. 손흥민과 황희찬이 떠나며 프리미어 리그에서 활약하는 최고의 아시아 스타가 됐다.

출전경기	경기시간(분)	골	어시스트	경고	퇴장
36	2,612	10	4	1	-

MF 26 야신 아야리
Yasin Ayari

국적: 스웨덴

지난 시즌 한 단계 도약에 성공한 박스 투 박스 미드필더. 넓은 공간을 커버하는 성실한 움직임과 최고 수준의 소유권 확보 능력으로 발레바와 호흡을 맞추며 브라이턴의 엔진 역할을 수행하는 동시에 창의적인 패스로 득점 기회를 만드는 데도 기여했다. 다만 경합은 발레바보다 약해 수비에서는 아쉬운 모습을 보였다. 전술 이해도가 높아 4-3-3, 3-4-3 등 다양한 포메이션에 적응할 수 있는 선수다.

출전경기	경기시간(분)	골	어시스트	경고	퇴장
34	1,971	2	1	4	-

FW 9 스테파노스 치마스
Stefanos Tzimas

국적: 그리스

독일 뉘른베르크의 전설적인 공격수 출신 미로슬라프 클로제 감독의 지도를 받으며 성장한 유망주 공격수. 영리하고 빠르며 양발을 고루 사용하기 때문에 수비하기 까다로운 선수다. 19세의 나이에 어울리지 않을 정도의 성숙함과 침착함도 갖추고 있다. 지난 시즌 막바지 햄스트링 부상으로 3개월 가량 결장했기 때문에 브라이턴에서는 천천히 기회를 잡겠지만 9번 유니폼은 그에 대한 기대를 짐작케 한다.

출전경기	경기시간(분)	골	어시스트	경고	퇴장
23	1,723	12	2	4	1

FW 10 조르지니오 루터
Georginio Rutter

국적: 프랑스

작년 여름 756억의 구단 역대 최고 이적료에 영입한 공격수. 처진 공격수 자리에서 연계 플레이와 날카로운 마무리 패스로 득점 기회를 만드는 데 능하며, 양발을 고루 사용하는 덕분에 어느 쪽 측면에서든 중앙으로 치고 들어오며 슈팅이 가능하고 크로스 정확도도 높다. 최전방 원톱을 소화하기에는 신체 능력이 부족하고 골 결정력도 아쉬워 강한 파트너와 호흡을 맞출 때 더 좋은 활약을 펼칠 수 있다.

출전경기	경기시간(분)	골	어시스트	경고	퇴장
28	1,667	5	3	2	-

FW 11 얀쿠바 민테
Yankuba Minteh

국적: 감비아

'감비아 메시'로 불리는 측면 공격수. 뉴캐슬 소속으로는 뛰지 못한 채 임대 생활을 한 뒤 지난 시즌 브라이턴에 입단해 프리미어 리그에 성공적으로 적응했다. 팀에서 가장 빠른 스피드를 자랑하며 돌파와 골 결정력, 기회 창출 능력도 고르게 뛰어나다. 다른 측면 공격수들과 비교해 수비 가담도 성실한 편이다. 아직 20대 초반 선수이기에 왼발만 사용하는 플레이나 기복이 있는 것은 단점으로 꼽힌다.

출전경기	경기시간(분)	골	어시스트	경고	퇴장
32	1,846	6	4	6	-

FW 18 대니 웰벡
Danny Welbeck

국적: 잉글랜드

맨유와 아스널에서 잠재력을 실현하지 못하다가 나이가 들어가며 원숙한 기량을 선보이고 있는 최전방 공격수. 34세의 나이에 처음으로 프리미어 리그 두 자릿수 득점에 성공했고, 이는 대회 최고령 기록으로 남아 있다. 지난 시즌 10골 중 9골이 선제골(7)과 동점골(2)이었을 정도로 경기 흐름에서 중요한 골을 터트렸다. 이번 시즌에는 출전 시간을 관리하며 유망주 공격수들의 멘토 역할을 해야 한다.

출전경기	경기시간(분)	골	어시스트	경고	퇴장
30	2,123	10	4	5	-

FW 19 하랄람포스 코스툴라스
Charalampos Kostoulas

국적: 그리스

첼시로 떠난 주앙 페드루의 대체자로 영입한 공격수. 올림피아코스 최고의 유망주로 기대를 받아온 선수로, 브라이턴은 566억의 이적료를 아끼지 않았다. 연계 플레이와 지능적인 침투에 능하며, 양발은 물론 헤더까지 고루 활용하는 슈팅으로 득점력 또한 뛰어나지만 슈팅의 정확도는 다소 떨어지는 편이다. 전방 압박에도 성실하게 가담하기 때문에 휘어첼러 감독의 전술에도 어울려 충분한 기회를 잡을 전망이다.

출전경기	경기시간(분)	골	어시스트	경고	퇴장
22	1,202	7	1	2	-

AFC 본머스
AFC Bournemouth

TEAM PROFILE

창 립	1899년
회 장	빌 폴리(미국)
감 독	안도니 이라올라(스페인)
연 고 지	도싯 주 본머스
홈 구 장	바이탈리티 스타디움(1만 1,329명)
라 이 벌	사우샘프턴
홈페이지	www.afcb.co.uk

최근 5시즌 성적

시즌	순위	승점
2020-2021	없음	없음
2021-2022	없음	없음
2022-2023	15위	39점(11승6무21패, 37득점 71실점)
2023-2024	12위	48점(13승9무16패 54득점 67실점)
2024-2025	9위	56점(15승11무12패, 58득점 46실점)

PREMIER LEAGUE (전신 포함)

통 산	없음
24-25 시즌	9위(15승11무12패, 승점 56점)

FA CUP

통 산	없음
24-25 시즌	8강

LEAGUE CUP

통 산	없음
24-25 시즌	없음

UEFA

통 산	없음
24-25 시즌	없음

전력분석 주축이 떠난 수비진, 불투명해진 팀의 미래

지난 시즌 중반까지 돌풍을 일으키며 유럽 대회 진출권까지도 넘보던 본머스는 시즌 마지막 리그 15경기에서 3승에 그치며 9위에 만족해야 했다. 그러나 2023년 승격 이후 15위, 12위에 이어 계속되는 순위 상승을 이뤄냈고, 구단 역사상 1부 리그 시즌 최고 승점 타이(56점)를 기록한 점은 고무적이었다. 그런데 이번 여름 이적시장을 통해 본머스는 전진이 아닌 후진을 하게 됐다. 포백 수비진에서 맹활약을 펼치던 선수들 중 20대 초반의 세 명이 떠나간 것이다. 본머스는 딘 하위선(레알 마드리드), 일리야 자바르니(PSG), 밀로시 케르케즈(리버풀)의 이적으로 2,781억의 수입을 올렸기에 당장은 구단에 이익이 되는 거래를 했다고도 볼 수 있지만, 팀의 전력은 분명 어마어마한 타격을 입었다. 이 중 다시 영입에 투자된 돈은 1,252억에 불과하다. 더 큰 걱정은 팀을 성공적으로 지휘하고 있는 안도니 이라올라 감독의 거취다. 이번 시즌을 끝으로 본머스와 계약 기간이 만료되는 데다 빅 클럽들의 관심을 받고 있는 상황에서 전력이 오히려 약화된 현실은 재계약 논의에 그다지 도움이 되지 않는다. 그래도 다행인 점은 인상적인 활약을 펼친 앙트완 세메뇨와 같은 공격수들이 모두 잔류했고, 이라올라 감독도 침착하게 시즌을 준비해왔다는 것이다.

전술분석 공격적이면서도 효율적인 압박 축구

본머스는 지난 시즌 프리미어 리그에서 가장 뛰어난 전방 압박을 보여준 팀이다. 상대 골 라인으로부터 40미터 이내에서 공을 빼앗아 곧바로 공격으로 전환한 지표인 하이 턴오버 부문에서 맨체스터 시티(357회)에 이은 2위(337회)를 기록했고, 하이 턴오버로부터 가장 많은 슈팅(68회)을 시도했으며 득점도 10골로 리버풀, 노팅엄 포레스트와 함께 공동 1위였다. 이는 이라올라 감독의 하이브리드 압박 전술 덕분이다. 상대가 후방에서 공을 제대로 다루지 못하는 모습을 보이는 순간 본머스 선수들은 약속된 움직임으로 달려드는데, 무조건 1대 1 압박이 아니라 안정적인 4-2-3-1 포메이션 구조를 유지하며 대인 수비에 나서기 때문에 지역 수비와의 하이브리드 전술로 평가를 받는다. 본머스에는 최전방 공격수 에바니우손을 비롯해 측면 공격수 세메뇨, 공격형 미드필더 마커스 테버니어 모두 체력과 스피드를 보유한 선수들이다. 전방 압박이 실패할 경우에는 곧바로 내려서서 4-4-2 포메이션으로 전환해 골문을 보호한다. 공격 시에는 풀백은 물론 센터백마저도 전진하기를 권장하는 등 선수들이 경기 상황에 맞춰 스스로 판단하고 움직일 수 있도록 자유도를 주는 편이다.

재정비를 위한 시즌, 부담은 내려놓자

시즌 프리뷰

본머스의 전력이 약해진 것은 부인할 수 없는 사실이지만, 이라올라 감독도 인정하듯이 중소 구단의 선수들이 빅 클럽으로 떠나가는 것은 그 팀이 성공적인 시즌을 보냈다는 방증. 승격 이후 네 번째 시즌을 맞이하는 본머스 입장에서는 지난 시즌의 9위가 기대를 크게 웃돈 성적이지, 이번 시즌 중하위권으로 처진다고 해도 결코 실패라고 할 수는 없을 것이다. 게다가 이라올라 감독이 부진으로 경질 위기를 겪었던 것이 채 2년도 되지 않았다. 실제로 본머스와 같이 공격적인 압박으로 돌풍을 일으켰던 2019-20시즌 승격 팀 리즈 유나이티드는 마르코스 비엘사 감독과 작별해야 했고, 2022-23시즌에 한 차례 더 강등의 아픔을 겪은 뒤 이번 시즌에야 프리미어 리그로 복귀할 수 있었다. 그와 비교하면 이라올라 감독의 본머스는 훨씬 더 안정적인 전력과 높은 전술 완성도를 구축하고 있다. 수비 불안으로 많은 골을 실점할 수도 있겠지만, 압박 전술의 구현을 위한 공격진은 그대로 남아 있고 젊은 선수들의 성장도 기대해볼 수 있다. 이번 시즌을 재정비의 기간으로 생각하고 성적에 대한 부담을 어느 정도 내려놓는다면 본머스의 경기는 어느 팀과 비교해도 뒤지지 않을 정도로 흥미진진하게 진행될 것이다.

IN & OUT

주요 영입	주요 방출
바포데 디아키테, 조르제 페트로비치, 아드리앙 트뤼페르	일리아 자바르니, 딘 하위선, 밀로시 케르케즈, 제이든 앤서니, 마크 트래버스

TEAM FORMATION

PLAN 4-2-3-1

TEAM RATINGS

38

- 슈팅 8
- 패스 7
- 수비력 6
- 선수층 5
- 감독 7
- 조직력 5

2024/25프로필

팀 득점	58
평균 볼 점유율	48.40%
패스 정확도	79.80%
평균 슈팅 수	15.3
경고	97
퇴장	3

골타입		단위 (%)
오픈 플레이	59	
세트 피스	19	
카운터 어택	10	
패널티 킥	10	
자책골	2	

패스타입		단위 (%)
쇼트 패스	81	
롱 패스	13	
크로스 패스	5	
스루 패스	0	

지역 점유율

- 공격 진영 32%
- 중앙 41%
- 수비 진영 27%

공격 방향

- 왼쪽 43%
- 중앙 25%
- 오른쪽 33%

슈팅 지역

- 12% 골 에어리어
- 55% 패널티 박스
- 33% 외곽 지역

상대팀 최근 6경기 전적

구분	승	무	패
리버풀 FC	1		5
아스널 FC	2		4
맨체스터 시티	1		5
첼시 FC		2	4
뉴캐슬 유나이티드 FC	2	3	1
애스턴 빌라	1	2	3
노팅엄 포레스트	3	3	
브라이튼 앤 호브 알비온	1		5
AFC 본머스			
브렌트포드 FC		2	4
풀럼 FC	3	2	1
크리스탈 팰리스 FC	2	2	2
에버턴 FC	4		2
웨스트햄 유나이티드 FC		4	2
맨체스터 유나이티드	2	2	2
울버햄튼 원더러스	4		2
토트넘 홋스퍼 FC	2	1	3
리즈 유나이티드 FC	2		4
번리 FC	3		3
선덜랜드 AFC	2	1	3

SQUAD

포지션	등번호	이름		생년월일	키(cm)	체중(kg)	국적
GK	1	조르제 페트로비치	Djordje Petrovic	1999.10.08	194	89	유고슬라비아
	40	윌 데니스	Will Dennis	2000.07.10	188	79	잉글랜드
DF	2	훌리안 아라우호	Julián Araujo	2001.08.13	175	70	멕시코
	3	아드리앙 트뤼페르	Adrien Truffert	2001.11.20	176	72	벨기에
	5	마르코스 세네시	Marcos Senesi	1997.05.10	185	80	아르헨티나
	15	아담 스미스	Adam Smith	1991.04.29	180	78	잉글랜드
	18	바포데 디아키테	Bafodé Diakité	2001.01.06	185	82	프랑스
	20	훌리오 솔레르	Julio Soler	2005.02.16	175	-	아르헨티나
	23	제임스 힐	James Hill	2002.01.10	184	73	잉글랜드
	35	오언 베번	Owen Bevan	2003.10.26	186	-	잉글랜드
	45	마타이 아킨보니	Matai Akinmboni	2006.10.17	191	83	미국
MF	4	루이스 쿡	Lewis Cook	1997.02.03	175	71	잉글랜드
	7	데이비드 브룩스	David Brooks	1997.07.08.	173	62	잉글랜드
	8	알렉스 스콧	Alex Scott	2003.08.21	178	73	잉글랜드
	10	라이언 크리스티	Ryan Christie	1995.02.22	178	79	스코틀랜드
	12	타일러 애덤스	Tyler Adams	1999.02.14	175	72	미국
	16	마커스 태버니어	Marcus Tavernier	1999.03.22	178	70	잉글랜드
FW	9	이바니우송	Evanilson	1999.10.06	183	80	브라질
	11	벤 도크	Ben Doak	2005.11.11	173	68	잉글랜드
	17	아민 아들리	Amine Adli	2000.05.10	174	72	모로코
	19	저스틴 클라위버르트	Justin Kluivert	1999.05.05	172	66	네덜란드
	24	앙투안 세메뇨	Antoine Semenyo	2000.01.07	185	70	가나
	26	에네스 위날	Enes Ünal	1997.05.10	187	73	튀르키예

COACH

안도니 이라올라 *Andoni Iraola*
1982년 6월 22일생 스페인

뛰어난 패스 능력을 갖춘 라이트백 출신으로 빌바오에서 활약했고, 스페인 국가대표도 경험했다. 감독으로서는 스페인 2부 리그에서부터 두각을 나타내, 라요 바예카노를 거쳐 2023년 여름 본머스와 2년 계약을 체결했고, 작년 여름에 1년 연장, 이번 시즌까지 잔류하게 됐다. 본머스에서 보여준 매력적인 압박 축구로 토트넘은 물론 레알 마드리드의 관심까지 받아, 이번 시즌에도 위기에 처하는 빅 클럽은 이라올라를 주목할 가능성이 크다. 물론 본머스 입장에서는 다시 재계약을 체결해야 한다.

PLAYERS

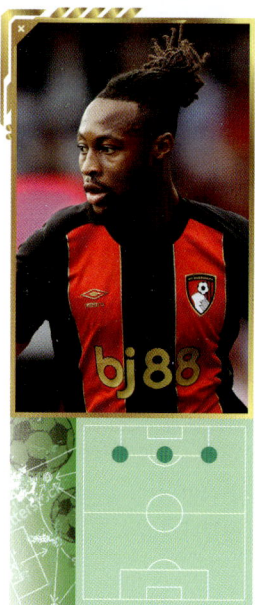

FW 24 앙트완 세메뇨 *Antoine Semenyo* KEY PLAYER

국적: 가나

잉글랜드 출신의 가나 국가대표 공격수. 브리스톨 시티 유소년팀 출신으로 2020-21시즌부터 챔피언십 무대에서 두각을 나타내기 시작해 2023년 1월 이적시장을 통해 본머스에 입단했다. 빠른 스피드, 강한 몸 싸움, 높은 전술 이해도를 바탕으로 이라올라 감독의 압박 전술에서 황태자로 등극하며 두 차례나 재계약에 성공해, 2030년 여름까지로 계약 기간을 연장하고 빅 클럽들의 관심을 따돌렸다. 양발 모두를 이용해 어느 위치에서든 강력한 슈팅을 시도할 수 있어 양 측면을 모두 소화하며, 좁은 공간에서도 빠져 나올 만큼 기술도 뛰어나다. 개인 능력으로 공격을 마무리하는 플레이에는 능하지만 동료와의 연계 플레이는 능력은 다소 부족한 편이다.

출전경기	경기시간(분)	골	어시스트	경고	퇴장
37	3,210	11	5	9	-

GK 1 조르제 페트로비치 *Djordje Petrovic*

국적: 세르비아

지난 시즌 케파를 임대로 데려온 데 이어 다시 한 번 첼시에서 영입한 골키퍼. 뛰어난 선방 능력이 강점으로, 지난 시즌 첼시의 자매 구단인 스트라스부르 임대를 통해 경험을 쌓으며 약점으로 지적되던 빌드업 능력을 보완해 팀 내 최우수 선수이자 리그 1 무대 최고의 골키퍼 중 하나로 꼽히는 활약을 펼쳤다. 첼시는 또다시 임대를 권유했으나, 페트로비치는 출전 기회 보장을 위해 본머스 이적을 선택했다.

출전경기	경기시간(분)	실점	무실점(경기)	경고	퇴장
31	2,790	38	10	2	-

DF 3 아드리앵 트뤼페르 *Adrien Truffert*

국적: 프랑스

리버풀로 떠난 케르케즈의 대체자로 218억의 이적료에 재판매 수익 10% 조항을 포함해 영입된 레프트백. 프랑스의 스타드 렌에서만 선수 생활을 보내왔으나, 프리미어 리그에 도전할 기회가 오자 경력 처음으로 이적을 선택했다. 케르케즈와 플레이 스타일이 비슷한 선수로, 왼쪽에서 오버래핑과 언더래핑을 가리지 않고 공격에 가담해 정확한 크로스로 득점 기회를 만드는 플레이가 강점이며 체력도 뛰어나다.

출전경기	경기시간(분)	골	어시스트	경고	퇴장
33	2,755	2	2	3	-

DF 5 마르코스 세네시 *Marcos Senesi*

국적: 아르헨티나

안정적인 수비 능력을 자랑하는 왼발잡이 센터백. 2022-23시즌 본머스에 입단해 곧바로 주전 자리를 꿰찼으나, 지난 시즌에는 심각한 허벅지 부상으로 4개월간 결장한 이후 막바지에 복귀할 수 있었고 부상이 없을 때는 건재한 기량을 선보였다. 상황 판단 능력이 좋고 전진 패스도 뛰어나 왼쪽 주전 센터백으로서의 메리트는 충분하다. 이번 시즌 수비진 재편 과정에서 중심을 잡아줄 수 있는 선수다.

출전경기	경기시간(분)	골	어시스트	경고	퇴장
17	1,109	-	-	5	-

DF 15 아담 스미스 *Adam Smith*

국적: 잉글랜드

토트넘 유소년팀 출신으로 본머스에서만 프리미어 리그 통산 233경기에 출전해 다른 선수들보다 크게 앞선 구단 최다 출전 기록을 보유하고 있으며 팀의 주장도 맡고 있다. 30대 중반에 접어드는 나이에도 주전 라이트백으로 준수한 활약을 펼치며 안정적인 수비를 보여줬으나, 어쩔 수 없이 스피드가 떨어져 공격 가담은 어렵다. 이번 시즌에는 훌리안 아라우호와 출전 시간을 분배해 세대 교체를 진행해야 한다.

출전경기	경기시간(분)	골	어시스트	경고	퇴장
25	1,599	-	-	7	-

DF 18 바포데 디아키테 *Bafode Diakite*

국적: 프랑스

본머스 수비진의 새로운 중심이 될 구단 역대 최고영입 이적료 2위를 기록한 센터백 (566억, 1위는 에바니우송). 정확한 전진 패스 능력으로 빌드업에 관여하며, 경기 흐름을 읽는 능력이 뛰어나 안정적인 수비를 선보인다. 헤더도 뛰어나 세트 피스 공격 시 무기가 되기도 한다. 그러나 태클 타이밍이 늦어 카드를 자주 받는 편이라 프리미어 리그 템포에 얼마나 빠르게 적응할 수 있을지가 관건이다.

출전경기	경기시간(분)	골	어시스트	경고	퇴장
31	2,767	4	1	6	1

DF 20 훌리오 솔레르 *Julio Soler*

국적: 아르헨티나

올해 1월 아르헨티나의 라누스에서 영입된 청소년 국가대표 레프트백. 지난 시즌 FA컵 두 경기에 선발로 출전해 인상적인 활약을 펼쳤다. 170cm의 작은 체구 때문에 신체 능력의 한계는 분명하지만, 영리한 수비와 정확한 크로스 능력을 겸비하고 있어 측면에서 제 몫을 해낼 수 있는 자원이다. 밀로시 케르케즈의 이적으로 이번 시즌 트뤼페르와 경쟁하며 더 많은 출전 기회를 노릴 수 있을 전망이다.

출전경기	경기시간(분)	골	어시스트	경고	퇴장
3	9	-	-	-	-

PLAYERS

MF 4 루이스 쿡
Lewis Cook

국적: 잉글랜드

본머스에서 10번째 시즌을 맞이하는 팀 내 부주장. 정확한 태클과 가로채기 능력으로 수비진을 보호하는 미드필더를 맡고 있다. 라이트백도 소화하며 측면에서 득점 기회를 만들 수 있고, 크로스가 뛰어나 세트 피스 킥까지 담당한다. 주로 상대 공격을 미리 저지하거나 역습을 끊기 위한 수비를 펼치다 보니 카드를 받거나 위험 지역에서 세트 피스 기회를 내주기도 하지만, 이는 팀을 위한 희생에 가깝다.

출전경기	경기시간(분)	골	어시스트	경고	퇴장
36	2,978	1	3	8	1

MF 7 데이비드 브룩스
David Brooks

국적: 잉글랜드

공격형 미드필더와 오른쪽 측면 공격수를 소화할 수 있는 창의적인 자원. 유려한 1대1 돌파와 정확한 슈팅 및 크로스 능력을 활용해 상대 수비를 괴롭힐 수 있지만 공격 포인트가 많지는 않다. 일찌감치 잠재력을 인정받았으나 선수 경력 내내 무려 여덟 차례의 장기 부상을 겪고 암 투병까지 하는 어려움을 겪었다. 이러한 고난을 모두 이겨내고 돌아와 지난 시즌부터 출전 시간을 늘리기 시작했다.

출전경기	경기시간(분)	골	어시스트	경고	퇴장
29	952	2	-	3	-

MF 8 알렉스 스콧
Alex Scott

국적: 잉글랜드

공격형 미드필더부터 수비형 미드필더까지 모두 소화할 수 있을 정도로 뛰어난 축구 지능을 보유한 선수. 경기 흐름을 읽고 미리 움직이는 위치 선정이 뛰어나고 패스 성공률도 높아 맨시티의 펩 과르디올라 감독으로부터 '믿을 수 없는 재능'이라는 찬사를 받기도 했다. 프리미어 리그의 거친 몸 싸움에 고전하는 경향이 있고, 이 때문에 부상이 잦은 것이 약점이며 공격 포인트 생산 능력도 부족한 편이다.

출전경기	경기시간(분)	골	어시스트	경고	퇴장
20	753	-	-	3	-

MF 10 라이언 크리스티
Ryan Christie

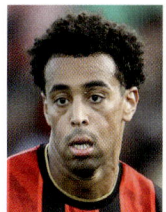

국적: 스코틀랜드

공격 2선의 모든 포지션부터 수비형 미드필더까지 소화하는 베테랑. 왕성한 활동량으로 넓은 범위를 커버하며 상대 빌드업을 방해하는 동시에 빠르게 진행되는 경기 도중에도 침착하게 템포를 조율할 수 있다. 공격 시에는 가능하면 모험적인 패스로 득점 기회 창출을 노리기 때문에 성공률은 높지 않으며, 골 결정력 또한 뛰어나지 않다. 이제 31세가 되긴 했어도 다양한 포지션에서 출전 기회를 잡을 수 있다.

출전경기	경기시간(분)	골	어시스트	경고	퇴장
29	2,131	2	3	9	-

MF 12 타일러 애덤스
Tyler Adams

국적: 미국

본머스의 주전 수비형 미드필더. 상대의 패스 의도를 파악해 지능적으로 가로채는 능력이 뛰어난데, 이는 강한 체력과 위치 선정 능력을 겸비한 덕분이다. 이러한 장점을 활용해 수비진을 보호하는 동시에 직접 공을 몰고 올라가거나 전진 패스로 공격 전환에 기여하기도 한다. 경합 능력도 뛰어나지만 경력 내내 많은 부상을 당한 것은 걱정거리다. 이번 시즌도 부상만 없다면 좋은 활약을 선보일 것으로 기대된다.

출전경기	경기시간(분)	골	어시스트	경고	퇴장
28	1,966	-	3	7	-

MF 16 마커스 태버니어
Marcus Tavernier

국적: 잉글랜드

공격 2선의 모든 포지션을 소화할 수 있는 다재다능한 미드필더. 강한 체력으로 적극적으로 압박에 나서고 공을 되찾은 이후에는 돌파와 기회 창출 능력도 뛰어나 이라올라 감독의 전술에 잘 어울리는 자원이다. 그러나 크로스나 슈팅의 정확도가 높은 편은 아니며 때로는 동료들과 동떨어진 적극적인 압박 움직임으로 공간을 노출하기도 한다. 결정력과 판단 능력을 개선한다면 주전 도약은 충분히 가능하다.

출전경기	경기시간(분)	골	어시스트	경고	퇴장
29	1,940	3	5	6	-

FW 9 이바니우송
Evanilson

국적: 브라질

작년 여름 본머스 역대 최고 영입 이적료를 기록하며 토트넘으로 떠난 도미닉 솔란케의 공백을 완벽하게 메운 최전방 공격수. 데뷔 시즌에 두 자릿수 득점을 기록하며 성공적으로 팀에 안착했고, 솔란케보다도 빠르고 성실하게 전방 압박에 임하며 상대 실수를 유도하기 때문에 이라올라 감독의 전술에는 오히려 더 어울리는 선수라고 할 수 있다. 지난 시즌 페널티킥 유도 5회로 프리미어 리그 1위를 기록했다.

출전경기	경기시간(분)	골	어시스트	경고	퇴장
31	2,337	10	1	1	1

FW 11 벤 도크
Ben Doak

국적: 스코틀랜드

375억의 이적료로 영입한 유망주 측면 공격수. 리버풀이 잠재력을 높게 평가해 재영입 권리를 보유하고 있다. 최고 수준의 스피드와 민첩한 돌파로 측면에서 상대 수비를 따돌리는 플레이에 능하며, 공격 지역에서 시야도 넓어 창의적인 마무리 패스로 득점 기회를 만드는 플레이가 탁월하다. 지난 시즌 임대를 통해 챔피언십 무대에서 재능을 충분히 증명하고 본머스에서 본격적인 프리미어 리그 도전에 나선다.

출전경기	경기시간(분)	골	어시스트	경고	퇴장
24	1,788	3	7	7	-

FW 19 저스틴 클라위버르트
Justin Kluivert

국적: 네덜란드

아약스와 바르셀로나에서 활약했던 전설적인 스트라이커 파트리크 클라이베르트의 아들로, 지난 시즌 아버지를 닮은 골 결정력을 선보였다. 아버지와는 달리 체구가 작고 스피드가 빠른 측면 공격수로서 지능적인 침투와 위협적인 돌파 능력을 겸비하고 있으며, 본머스 주전답게 전방 압박 또한 성실하게 수행한다. 그러나 크로스는 슈팅에 비해 날카롭지 못하고, 공을 너무 길게 끄는 플레이도 줄일 필요가 있다.

출전경기	경기시간(분)	골	어시스트	경고	퇴장
34	2,360	12	6	8	-

브렌트포드
Brentford FC

TEAM PROFILE	
창 립	1889년
회 장	매튜 벤엄(잉글랜드)
감 독	키이스 앤드류스(아일랜드)
연 고 지	브렌트포드
홈 구 장	브렌트포드 커뮤니티 스타디움 (1만 7,250명)
라 이 벌	첼시, 퀸즈 파크 레인저스, 풀럼
홈페이지	www.brentfordfc.com

최근 5시즌 성적

시즌	순위	승점
2020-2021	없음	없음
2021-2022	13위	46점(13승7무18패, 48득점 56실점)
2022-2023	9위	59점(15승14무9패, 58득점 46실점)
2023-2024	16위	39점(10승9무19패, 56득점 65실점)
2024-2025	10위	56점(16승8무14패, 66득점 57실점)

PREMIER LEAGUE (전신 포함)

통 산	없음
24-25 시즌	10위(16승8무14패, 승점 56점)

FA CUP

통 산	없음
24-25 시즌	없음

LEAGUE CUP

통 산	없음
24-25 시즌	8강

UEFA

통 산	없음
24-25 시즌	없음

전력분석 감독도 주장도 에이스도 떠났다

프리미어 리그에서 가장 대대적인 변화를 겪고 있는 팀이다. 7년동안 팀을 지휘하며 프리미어 리그 승격과 잔류를 이끌어온 토마스 프랭크 감독이 작별을 고하고 토트넘으로 떠난 것이다. 구단에서는 변화의 부작용을 최소화 하기 위해 세트 피스 코치였던 키스 앤드류스를 내부 승진시켜 신임 감독으로 선임했다. 그러나 공격 진의 에이스였던 브라이언 음뵈모가 거액의 이적료에 맨유로 떠나갔고, 노련한 수비형 미드필더이자 주장이 었던 크리스티안 뇌르고르도 아스널 이적을 선택했다. 선수단의 더 큰 동요를 막기 위해서는 앤드류스 감독 은 빠르게 팀을 장악하고 리더십을 선보이는 게 급선무다. 다행인 것은 리버풀에서 주장까지 맡았던 베테랑 미드필더 조던 헨더슨이 자유계약으로 영입돼 팀의 결속을 다질 수 있다는 점이다. 또한, 레버쿠젠으로 이적 한 골키퍼 마크 플레켄은 리버풀의 백업 골키퍼로 퀴빈 켈러허로 대체됐기에 업그레이드인 셈이다. 뇌르고르 의 빈 자리도 헨더슨과 21세 미드필더 안토니 밀람보의 영입으로 메울 수 있다. 가장 큰 걱정거리는 지난 시 즌 프리미어 리그에서만 20골을 터트린 공격진의 에이스 음뵈모를 대체하는 것이다. 구단의 역대 최고 영입 이적료인 534억에 입단한 공격수 이고르 티아구가 부상을 씻고 기량을 발휘할지 관심이다.

전술분석 촘촘한 수비와 빠른 역습이라는 생존 공식

브렌트포드는 잔류가 목표이다. 4-2-3-1과 3-5-2 포메이션을 활용, 중원에 많은 숫자를 배치해 상대가 쉽게 골문 앞까지 도달할 수 없도록 막아서고 공격 시에는 측면을 활용한 역습으로 골을 노리는 전술인데, 이 과정 에서 중요한 것은 선수 간격을 촘촘하게 유지하며 위험 지역에서 공간을 내주지 않는 것이다. 중원에서는 비 탈리 야넬트와 예호르 야르몰류크가 호흡을 맞출 전망이다. 야넬트가 영리한 가로채기를, 야르몰류크가 적 극적인 압박을 담당하고, 여기에 베테랑 헨더슨과 신예 밀람보까지 경쟁 구도에 뛰어들면 기존의 전력을 충 분히 유지할 수 있을 것이다. 역습 시에는 당고 와타라와 케빈 샤데의 빠른 스피드를 최대한 활용해야 한다. 와타라는 최전방에서 다양한 공격 선택지를 제공하며, 샤데는 수비진에 공간을 만들거나 직접 중앙으로 치 고 들어와서 골을 노릴 수 있는 선수다. 여기에 지난 시즌 브렌트포드 최우수 선수로 선정된 미켈 담스고르의 창의적인 패스와 날카로운 슈팅이 더해지며 조직력을 다지고 이고르 티아구와 파비우 카르발류까지 부활한 다면, 브렌트포드는 엄청난 전력 손실에도 프리미어 리그에 어울리는 경기력을 보여줄 수 있는 팀이다.

시즌 프리뷰 프리미어 리그 잔류는 충분히 가능하다

2022년 승격 이후 프리미어 리그에서 다섯 번째 시즌을 맞이한다. 토마스 프랭크 감독과 함께한 네 시즌 동안 경기력과 순위에 다소 부침은 있었더라도 강등의 위협을 느낀 적은 없었다. 이는 최근 들어 프리미어 리그 팀들과 챔피언십의 팀들 간의 자본과 전력 격차가 더 크게 벌어진 탓도 있는데, 2022-23시즌 승격한 세 팀 풀럼, 본머스, 노팅엄 포레스트가 모두 잔류한 이후로는 지난 두 시즌 연속으로 승격 세 팀이 나란히 곧바로 강등되는 결과가 나왔다. 과거에는 승점 40점이 잔류에 필요한 최소 요건이었는데, 지난 두 시즌에는 필요한 승점이 고작 27점과 26점이었다. 따라서 이번 시즌의 브렌트포드도 엄청난 전력 손실과 부정적인 전망에도 실제로 강등의 위험에 처할지는 의문이다. 강등 우려를 일찌감치 잠재우기 위해서는 시즌 초반 승격 팀 선덜랜드를 홈으로 불러들여 치르는 맞대결에서 확실하게 전력 차이를 보여주며 승리를 거두는 것이 중요하다. 브렌트포드는 지난 시즌 마지막 리그 여덟 경기에서 1패만을 허용했고 (4승 3무), 프리 시즌 평가전에서도 주전급이 나선 경기에서는 패배가 없었을 만큼 (1승 2무) 이미 안정적인 기반을 구축한 구단이다. 앤드류스 감독을 믿고 지켜볼 필요가 있다.

IN & OUT

주요 영입	주요 방출
안토니 밀람보, 마이클 카요데, 퀴빈 켈러허, 로멜레 도노번, 조던 헨더슨	브라이언 음뵈모, 요안 위사, 크리스티안 뇌르고르, 마크 플레켄

TEAM FORMATION

PLAN **4-2-3-1**

TEAM RATINGS

슈팅 **7**
패스 **7**
조직력 **4**
수비력 **4**
감독 **5**
선수층 **6**

33

2024/25프로필

팀 득점	66
평균 볼 점유율	47.70%
패스 정확도	80.70%
평균 슈팅 수	11.6
경고	62
퇴장	1

골 타입		단위 (%)
오픈 플레이	65	
세트 피스	20	
카운터 어택	6	
패널티 킥	8	
자책골	2	

패스 타입		단위 (%)
쇼트 패스	83	
롱 패스	12	
크로스 패스	4	
스루 패스	0	

지역 점유율
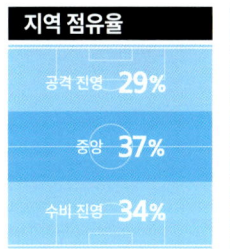
공격 진영 **29%**
중앙 **37%**
수비 진영 **34%**

공격 방향
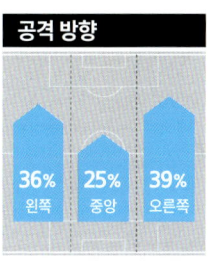
36% 왼쪽 **25%** 중앙 **39%** 오른쪽

슈팅 지역
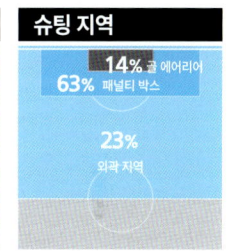
14% 골 에어리어
63% 패널티 박스
23% 외곽 지역

상대팀 최근 6경기 전적

구분	승	무	패
리버풀 FC	1		5
아스널 FC		2	4
맨체스터 시티	2	1	3
첼시 FC	2	3	1
뉴캐슬 유나이티드 FC	1		5
애스턴 빌라		2	4
노팅엄 포레스트	3	2	1
브라이튼 앤 호브 알비온	2	3	1
AFC 본머스	4	2	
브렌트포드 FC			
풀럼 FC	2	1	3
크리스탈 팰리스 FC	2	3	1
에버턴 FC		3	3
웨스트햄 유나이티드 FC	3	1	2
맨체스터 유나이티드	2	1	3
울버햄튼 원더러스	2	2	2
토트넘 홋스퍼 FC	1	2	3
리즈 유나이티드 FC	1	3	2
번리 FC	2		4
선덜랜드 AFC	3	2	1

SQUAD

포지션	등번호	이름		생년월일	키(cm)	체중(kg)	국적
GK	1	퀴빈 켈러허	Caoimhín Kelleher	1998.11.23	188	72	아일랜드
	12	하콘 발디마르손	Hákon Valdimarsson	2001.10.13	193	-	아이슬란드
DF	2	아론 히키	Aaron Hickey	2002.06.10	185	72	스코틀랜드
	3	리코 헨리	Rico Henry	1997.07.08	170	70	잉글랜드
	4	세프 판 덴 베르흐	Sepp van den Berg	2001.12.20	192	87	네덜란드
	5	에단 피녹	Ethan Pinnock	1993.05.29	187	79	자메이카
	20	크리스토퍼 아예르	Kristoffer Ajer	1998.04.17	196	84	노르웨이
	22	네이선 콜린스	Nathan Collins	2001.04.30	195	81	아일랜드
	33	마이클 카요데	Michael Kayode	2004.07.10	179	69	이탈리아
	43	벤자민 아서	Benjamin Arthur	2005.10.09	192	-	잉글랜드
MF	6	조던 헨더슨	Jordan Henderson	1990.06.17	182	84	잉글랜드
	14	파비오 카르발류	Fábio Carvalho	2002.08.30	170	62	포르투갈
	15	프랭크 오니에카	Frank Onyeka	1998.01.01	183	75	나이지리아
	17	안토니 밀람보	Antoni Milambo	2005.04.03	179	68	네덜란드
	18	예고르 야르몰류크	Yehor Yarmoliuk	2004.03.01	180	65	우크라이나
	24	미켈 담스고르	Mikkel Damsgaard	2000.07.03	180	71	덴마크
	26	유누스 엠레 코나크	Yunus Konak	2006.01.10	181	72	튀르키에
	27	비탈리 야넬트	Vitaly Janelt	1998.05.10	184	79	독일
FW	7	케빈 샤데	Kevin Schade	2001.11.27	185	74	독일
	9	이고르 티아구	Igor Thiago	2001.06.26	188	89	브라질
	11	요안 위사	Yoane Wissa	1996.09.03	176	74	콩고
	19	당고 와타라	Dango Ouattara	2002.02.11	177	71	부르키나파소
	23	킨 루이스 포터	Keane Lewis-Potter	2001.02.22	170	67	잉글랜드
	39	구스타부 누니스	Gustavo Nunes	2005.11.20	173	69	브라질
	45	로멜레 도노번	Romelle Donovan	2006.11.30	171	-	잉글랜드

COACH

키스 앤드류스 *Keith Andrews*
1980년 9월 13일생 잉글랜드

울버햄튼에서 선수 경력을 시작해 프리미어 리그부터 리그 원(3부 리그)까지 다양한 경험을 쌓아온 지도자. 비록 초보 감독이지만 지난 시즌 브렌트포드의 세트 피스 코치로 부임해 좋은 성과를 냈고, 구단에서 중시하는 데이터 분석 파트와도 성공적으로 협업을 해냈으며, 선수단과도 끈끈한 관계를 형성한 덕분에 감독으로 승진할 수 있었다. 브렌트포드는 감독이 바뀌더라도 팀 내 문화와 전술 기조가 지속성을 유지하기를 바라고 있고, 이에 앤드류스를 적임자로 선택하는 과감한 결단을 내렸다.

PLAYERS

MF 24 미켈 담스고르 *Mikkel Damsgaard*  **KEY PLAYER**

국적: 덴마크

브렌트포드 팬들과 선수 모두 지난 시즌 최우수 선수로 선정할 정도로 인상적인 활약을 펼치며 전성기를 맞이한 미드필더. 4-2-3-1 포메이션에서 공격형 미드필더, 3-5-2 포메이션에서 왼쪽 공간을 담당하는 중앙 미드필더로 출전해 유려한 탈압박과 창의적이면서도 정확한 패스로 상대 수비진을 무너트리며 팀의 공격 작업에서 핵심적인 역할을 해냈다. 뿐만 아니라 수비 면에서도 성실한 압박과 날카로운 태클로 소유권 확보에 기여해 공수 양면에서 팀에 없어서는 안될 선수가 됐다. 하지만 좋은 기회를 만들고도 골 결정력이 좋은 편은 아니며, 호리호리한 체구라서 경합에서도 약한 면모를 보이는 약점도 있다. 이번 시즌도 팀의 브레인이자 엔진으로 활약할 전망이다.

출전경기	경기시간(분)	골	어시스트	경고	퇴장
38	2,930	2	10	2	-

GK 1 퀴빈 켈러허 *Caoimhin Kelleher*

국적: 아일랜드

리버풀 유소년팀 출신 골키퍼. 지난 6년간 알리송 베케르의 그늘에 가려 백업 골키퍼로 활동하면서도 출전했을 때마다 놀라운 선방 능력을 보여주며 어디서든 주전으로 뛸 기량이라는 평가를 받아왔다. 이번 시즌 브렌트포드에 입단하며 새로운 도전에 나섰다. 페널티킥 선방 능력은 경이로운 수준으로 리버풀에서 네 번의 승부차기에 나서 매번 팀을 승리로 이끌었을 정도다. 롱 패스 정확도는 개선이 필요하다.

출전경기	경기시간(분)	실점	무실점(경기)	경고	퇴장
10	900	12	4	-	-

DF 4 세프 판 덴 베르흐 *Sepp van den Berg*

국적: 네덜란드

센터백과 라이트백을 소화할 수 있는 자원으로, 리버풀에서 기회를 잡지 못하다가 지난 시즌 브렌트포드에 입단해 주전으로 도약하며 인상적인 활약을 펼쳤다. 공중과 지상 경합 모두에 강한 면모를 보이며, 경기 흐름을 파악하고 민첩하게 움직여 상대 공격을 차단하는 데 능한 동시에 침착한 패스로 빌드업에도 관여한다. 뛰어난 헤더 능력을 보유하고 있으면서도 세트 피스 공격에 기여하지 못하는 점은 아쉽다.

출전경기	경기시간(분)	골	어시스트	경고	퇴장
31	2,589	-	-	3	-

DF 5 에단 피녹 *Ethan Pinnock*

국적: 자메이카

브렌트포드에서 일곱 번째 시즌을 맞이하는 32세의 베테랑 센터백. 지난 시즌 초반까지만 해도 붙박이 주전 자리를 지키고 있었으나 햄스트링 부상으로 6주간 이탈했다 돌아온 이후 판 덴 베르흐와의 경쟁에서 밀려 후반기에는 6경기 출전에 그쳤다. 공중 경합과 슈팅 차단, 패스 전개 능력은 뛰어나지만 민첩함은 부족해 빠른 공격수를 상대로는 고전하는 모습을 보이고 공을 다루는 기술도 뛰어나진 않다.

출전경기	경기시간(분)	골	어시스트	경고	퇴장
22	1,914	2	-	2	-

DF 22 네이선 콜린스 *Nathan Collins*

국적: 아일랜드

스토크 시티 유소년팀 출신으로 구단 역사상 최연소 1군 주장까지 맡았던 리더십이 뛰어난 센터백. 브렌트포드에서도 뇌르고르의 뒤를 이어 이번 시즌부터 주장을 맡게 됐다. 지난 시즌 프리미어 리그에서 필드 플레이어 중 유일하게 전 경기 풀타임을 소화하며 안정적으로 수비진을 이끌었다. 위치 선정과 클리어링, 안정적인 패스 능력이 강점인 반면 민첩함은 부족해 1대1 돌파를 막는 데는 어려움을 겪는다.

출전경기	경기시간(분)	골	어시스트	경고	퇴장
38	3,420	2	3	5	-

DF 33 마이클 카요데 *Michael Kayode*

국적: 이탈리아

올해 1월 임대 후 완전 영입 조건으로 피오렌티나에서 합류한 라이트백. 5월에 브렌트포드 이적을 마무리하고 5년 계약을 체결했다. 시즌 도중 팀에 합류했음에도 프리미어 리그에 빠르게 적응하며 주전 자리를 차지했다. 긴 다리를 활용한 빠른 스피드와 태클이 강점이어서 좀처럼 돌파를 허용하지 않으며, 공격에 가담할 때는 쉽게 공을 빼앗기지도 않는다. 롱 스로인으로 세트 피스 공격에도 힘을 실어준다.

출전경기	경기시간(분)	골	어시스트	경고	퇴장
12	528	-	1	2	-

MF 6 조던 헨더슨 *Jordan Henderson*

국적: 잉글랜드

리버풀에서 12년간 활약하며 주장까지 역임한 뒤 알 에티파크와 아약스를 거쳐 프리미어 리그 무대로 돌아온 베테랑 미드필더. 미드필더 전 포지션은 물론이고 센터백까지도 소화할 정도로 전술 이해도가 뛰어나고, 넓은 시야를 바탕으로 한 경기 운영과 안정적인 패스 공급이 강점이다. 이제는 35세로 선수 생활의 황혼기에 접어들었기에 출전 시간을 조절하면서 후방 플레이 메이커 역할을 맡을 전망이다.

출전경기	경기시간(분)	골	어시스트	경고	퇴장
28	1,871	1	4	6	-

PLAYERS

MF 14 파비우 카르발류
Fabio Carvalho

국적: 포르투갈

2021-22시즌 챔피언십에서 풀럼의 승격을 이끄는 활약으로 잠재력을 인정받은 공격형 미드필더. 이를 바탕으로 리버풀에 입단했으나 치열한 주전 경쟁과 프리미어 리그의 거친 몸 싸움에 적응하지 못해 어려움을 겪었다. 지난 시즌 입단한 브렌트포드에서도 마찬가지 이유로 입지를 다지지 못했지만 더는 물러설 곳이 없다. 화려한 드리블, 창의적인 패스, 강한 중거리 슈팅까지 공격 재능은 분명히 있다.

출전경기	경기시간(분)	골	어시스트	경고	퇴장
19	447	2	1	1	-

MF 17 안토니 밀람보
Antoni Milambo

국적: 네덜란드

이번 여름 324억에 영입된 미드필더. 페예누르트 유소년팀 출신으로, 지난 시즌 주전 도약에 성공해 인상적인 활약을 펼친 뒤 곧바로 프리미어 리그 도전에 나섰다. 탈압박과 전진 능력, 강력한 슈팅을 겸비하고 있어 중원에서부터 역습을 주도할 수 있으며, 패스 또한 날카로워 득점 기회 창출에도 능하다. 신장은 작지 않지만 마른 편이라 프리미어 리그의 거친 경합에 적응할 시간은 필요해 보인다.

출전경기	경기시간(분)	골	어시스트	경고	퇴장
29	1,995	3	5	2	-

MF 18 예고르 야르몰류크
Yehor Yarmolyuk

국적: 우크라이나

넓은 범위를 커버하는 압박과 정확한 롱 패스 능력을 고루 갖춘 우크라이나 최고의 유망주 미드필더. 지난 시즌 확실하게 두각을 나타내며 프리미어 리그에서도 통할 만한 미드필더로 성장했고, 훈련에서 성실한 태도를 보여 전임 감독인 토마스 프랭크로부터 칭찬을 받기도 했다. 아직 21세이기에 꾸준함이나 침착함은 아쉬운 편이고 프리미어 리그 58경기에서 득점이 하나도 없을 만큼 공격 능력은 부족하다.

출전경기	경기시간(분)	골	어시스트	경고	퇴장
31	1,446	-	-	6	-

MF 27 비탈리 야넬트
Vitaly Janelt

국적: 독일

2020년 브렌트포드 입단 직후부터 주전으로 출전하기 시작해 매 시즌 자리를 지켜온 꾸준함의 대명사. 미드필더지만 센터백과 레프트백도 소화할 수 있는 수비력을 갖추고 있는데, 그 덕분에 풀백이 공격에 가담할 때 생기는 측면 공간을 커버하는 데 능하다. 어떤 상황에서도 제 몫을 해줄 만큼 영리하고 압박과 패스 모두 뛰어나 팀이 경기 주도권을 유지하는 데 힘을 보탠다. 공격적인 능력은 부족하다.

출전경기	경기시간(분)	골	어시스트	경고	퇴장
32	2,267	1	3	3	-

FW 7 케빈 샤데
Kevin Schade

국적: 독일

빠른 스피드를 활용한 저돌적인 돌파, 양발과 헤더를 모두 활용한 골 결정력까지 고루 보유한 측면 공격수. 슈팅 정확도가 높아 기회가 열릴 때마다 상대 골문을 위협할 수 있다. 개인 기량을 활용한 플레이에는 능하지만 동료와 호흡을 맞추는 연계 플레이 능력은 다소 부족한 편인데, 이는 판단력이 좋지 못해서 파생되는 약점이기도 하다. 그러나 1대1 공격 기회를 만들어주면 충분히 보답을 하는 선수다.

출전경기	경기시간(분)	골	어시스트	경고	퇴장
38	2,301	11	2	3	-

FW 9 이고르 티아구
Igor Thiago

국적: 브라질

불가리아와 벨기에 무대에서 득점력을 증명한 공격수. 191cm의 장신을 활용한 공중 경합 능력과 박스 안에서의 영리한 움직임과 연계 플레이를 장점으로 갖추고 있고, 수비 시에도 팀을 돕기 위해 성실하게 압박에 가담한다. 지난 시즌 브렌트포드에 입단한 이후에는 부상 악몽에 시달려 프리미어 리그 출전 시간이 168분에 그쳤지만, 이번 시즌 부활을 다짐하며 주전 공격수로의 도약을 꿈꾸고 있다.

출전경기	경기시간(분)	골	어시스트	경고	퇴장
8	168	-	-	-	-

FW 19 당고 와타라
Dango Ouattara

국적: 부르키나파소

무시무시한 스피드를 활용한 저돌적인 돌파로 측면을 공략하는 공격수. 공을 지켜내는 능력도 뛰어나 최전방까지도 소화할 수 있다. 본머스에서 크게 성장하는 모습을 보이며 성실한 수비 가담과 중요한 득점으로 주전 도약에 성공했다. 아직 기복이 심한 점은 다듬어야 하며 마무리 패스와 크로스의 정확도도 개선의 여지가 있다. 브렌트포드 주전으로 자리 잡는다면 두 자릿수 득점도 충분히 가능해 보인다.

출전경기	경기시간(분)	골	어시스트	경고	퇴장
32	2,009	7	4	3	-

FW 23 킨 루이스 포터
Keane Lewis-Potter

국적: 잉글랜드

왼쪽 측면 공격수와 풀백 역할을 모두 소화할 수 있는 자원. 지난 시즌에는 주전 레프트백으로 활약했다. 저돌적인 돌파 이후 크로스를 올려 득점 기회를 만드는 플레이가 강점이며, 이후 빠른 스피드로 수비에 복귀해 상대에 역습 기회를 허용하지 않는다. 다만 위치 선정이나 태클 등 수비 기술이 좋지는 않은 것이 아쉽다. 부상이 없고 체력도 강해 언제든 출전해 공수 모두 기여할 수 있는 믿음직한 자원이다.

출전경기	경기시간(분)	골	어시스트	경고	퇴장
38	3,103	1	3	7	-

FW 45 로멜레 도노번
Romelle Donovan

국적: 잉글랜드

버밍엄 시티에서 영입한 18세의 유망주 공격수. 잉글랜드 레전드 공격수로 활약한 웨인 루니가 버밍엄을 지휘했던 2023년 당시 도노번을 1군에 발탁해 훈련하게 할 만큼 일찌감치 잠재력을 드러내며 17세가 되기도 전에 성인 무대 데뷔전을 치렀다. 브렌트포드에는 올해 1월 임대로 합류해 B팀에서 15경기 11골 10도움을 기록하는 압도적인 활약을 펼친 끝에 1군 발탁과 완전이적을 이뤄냈다.

출전경기	경기시간(분)	골	어시스트	경고	퇴장
6	176	-	-	-	-

풀럼 FC
Fulham FC

TEAM PROFILE	
창 립	1879년
회 장	샤히드 칸(미국)
감 독	마르코 실바(포르투갈)
연 고 지	런던 해머스미스 앤 풀럼
홈 구 장	크레이븐 코티지(2만 5700명)
라 이 벌	첼시, 퀸즈 파크 레인저스, 브렌트포드
홈페이지	https://www.fulhamfc.com

최근 5시즌 성적

시즌	순위	승점
2020-2021	18위	28점(5승13무20패, 27득점 53실점)
2021-2022	없음	없음
2022-2023	10위	52점(15승7무16패, 55득점 53실점)
2023-2024	13위	47점(13승8무17패, 55득점 61실점)
2024-2025	11위	54점(15승9무14패, 54득점 54실점)

PREMIER LEAGUE (전신 포함)

통 산	없음
24-25 시즌	11위(15승9무14패, 승점 54점)

FA CUP

통 산	없음
24-25 시즌	8강

LEAGUE CUP

통 산	없음
24-25 시즌	32강

UEFA

통 산	없음
24-25 시즌	없음

 ## '0'입에 가까운 여름, 현재에 만족하는 풀럼

프리미어 리그는 세계 최대의 자본이 몰려드는 리그가 된 지 오래다. 중소 구단도 타 리그의 상위권 팀과 비교될 만한 지출을 감행하기도 한다. 그러나 풀럼의 행보는 조용하기만 하다. 2023-24 시즌과 2024-25 시즌을 앞두고는 평균 324억 정도의 순 지출을 기록했는데, 이는 준 주전급 선수 한 명의 이적료 정도다. 이번 여름에는 이적시장 마감일이 되어서야 샤흐타르에서 구단의 영입 기준 역대 최고 이적료인 647억에 케빈을 영입하고 밀란에서 사무엘 추쿠에제를 임대로 데려오면서 전력 보강을 했다. 이는 풀럼이 현재 상황에 만족하고 있다는 것을 방증한다. 그도 그럴 것이, 지난 시즌 54점의 승점은 구단의 프리미어 리그 시즌 역대 최고 승점이었다. 부임 5년 차를 맞이하는 마르쿠 실바 감독의 전술이 팀에 확실하게 자리를 잡은 덕분에 강팀들과의 맞대결에서도 쉽게 무너지지 않을 정도의 안정적인 전력을 구축하고 있다. 지난 시즌 프리미어 리그 상위 10팀을 상대로 풀럼은 무려 30점의 승점을 따냈는데, 이는 우승 팀 리버풀에 이어 2위에 해당하는 기록이었다. 풀럼은 조시 킹과 같은 유소년팀 출신 유망주에게 기회를 주려고 한다. 장기적인 안정을 위해 부족했던 부분을 개선하는 것이다. 선수단에 거의 변화가 없기 때문에 이번 시즌에도 중위권에 안착할 것으로 보인다.

 ## 빠른 패스 연계를 통한 측면 공략

풀럼은 4-2-3-1 또는 4-3-3 포메이션을 즐긴다. 중원에는 신체 능력이 뛰어난 두 명의 수비형 미드필더 산데르 베르게와 사샤 루키치를 배치해 상대 공격을 저지하고, 공격 시에는 공격형 미드필더가 한 쪽 측면 미드필더와 위치를 바꿔가며 상대 수비에 혼란을 준다. 측면 미드필더가 중앙 지역으로 움직임을 가져가면 풀백은 적극적으로 오버래핑을 해서 측면 공격을 지원한다. 이렇게 두 명의 공격 2선 미드필더와 풀백까지 세 명이 상대보다 수적 우위를 점하면서 빠른 패스 연계를 통해 측면으로부터 득점 기회를 만드는 것이 풀럼의 공격 방식이다. 이는 창의성과 안정성을 동시에 잡은 전술이라고 할 수 있다. 실바 감독이 4년간 팀을 지휘해왔기 때문에 선수단은 이 전술에 익숙하다. 특히 공격 2선에는 에밀 스미스 로우와 알렉스 이워비(아스널), 해리 윌슨(리버풀), 아다마 트라오레(바르셀로나)까지 빅 클럽에서 촉망 받던 자원들이 있는 데다가 케빈과 추쿠에제가 새롭게 가세했다. 다만 실바 감독이 풀백들에게 많은 공격 가담을 요구하기 때문에 체력적인 부담이 크다는 점은 걱정이다. 부상 선수들의 회복과 수비적인 팀 공략이 얼마나 개선될지가 관건이다.

시즌 프리뷰 리그 순위보다 컵 대회 우승에 도전

지난 시즌 크리스탈 팰리스와 뉴캐슬이 각각 FA컵과 리그 컵에서 우승을 차지하며 오랜 무관의 세월에 마침표를 찍었다. 이는 풀럼과 같은 중위권 팀들에 큰 동기부여가 된다. 프리미어 리그 상위권 진입보다는 컵 대회를 통해 우승 트로피도 차지하고 유럽 대회 진출권을 확보하는 것이 더 효율적인 성장 방식이기 때문이다. 특히 수비가 안정적이고 강팀에 강한 풀럼의 경기 스타일은 이러한 방식과 어울린다. 프리 시즌 평가전 여섯 경기에서 5승을 거두며 지난 시즌의 좋은 흐름을 유지한 것은 매우 긍정적이다. 특히 해리 윌슨이 5골, 에밀 스미스 로우가 3골을 득점하는 좋은 활약을 펼쳤고, 유망주 조시 킹도 2골을 터트리며 이번 시즌 1군에서 충분히 활약할 수 있는 선수라는 것을 증명했다. 최전방의 라울 히메네스도 마지막 두 번의 평가전에서 매번 골을 기록하며 득점 감각을 끌어올렸다. 이제 관건은 시즌 내내 기복 없는 경기력을 유지할 수 있을지다. 주축 선수 대부분이 20대 후반의 나이이고, 라울 히메네스는 34세로 언제 기량이 하락해도 이상하지 않다. 따라서 컵 대회 우승에 도전하는 한편 리그에서는 위기 상황만 아니라면 적절한 로테이션을 통해 주축 선수들의 체력을 관리해주는 게 중요하다.

IN & OUT

주요 영입	주요 방출
케빈, 사무엘 추쿠에제	안드레아스 페레이라, 카를로스 비니시우스, 윌리안

TEAM FORMATION

PLAN 4-2-3-1

TEAM RATINGS

슈팅 6
패스 7
조직력 7
수비력 6
감독 6
선수층 6

38

2024/25 프로필

팀 득점	54
평균 볼 점유율	52.30%
패스 정확도	84.50%
평균 슈팅 수	13.7
경고	81
퇴장	2

골 타입		단위 (%)
오픈 플레이	80	
세트 피스	7	
카운터 어택	6	
패널티 킥	6	
자책골	2	

패스 타입		단위 (%)
쇼트 패스	85	
롱 패스	10	
크로스 패스	5	
스루 패스	0	

지역 점유율

공격 진영 29%
중앙 42%
수비 진영 29%

공격 방향

41% 왼쪽
25% 중앙
34% 오른쪽

슈팅 지역

9% 골 에어리어
61% 패널티 박스
29% 외곽 지역

상대팀 최근 6경기 전적

구분	승	무	패
리버풀 FC	1	2	3
아스널 FC	1	2	3
맨체스터 시티			6
첼시 FC	2	1	3
뉴캐슬 유나이티드 FC	2		4
애스턴 빌라	1		5
노팅엄 포레스트	5		1
브라이튼 앤 호브 알비온	4	1	1
AFC 본머스	1	2	3
브렌트포드 FC	3	1	2
풀럼 FC			
크리스탈 팰리스 FC	1	3	2
에버턴 FC	3	2	1
웨스트햄 유나이티드 FC	2	1	3
맨체스터 유나이티드	2		4
울버햄튼 원더러스	2	2	2
토트넘 홋스퍼 FC	3	1	2
리즈 유나이티드 FC	3		3
번리 FC		2	4
선덜랜드 AFC	2	2	2

SQUAD

포지션	등번호	이름		생년월일	키(cm)	체중(kg)	국적
GK	1	베른트 레노	Bernd Leno	1992.04.04	190	73	독일
	23	벤야민 르콩트	Benjamin Lecomte	1991.04.26	186	78	프랑스
DF	2	케니 테테	Kenny Tete	1995.10.09	180	71	네덜란드
	3	캘빈 배시	Calvin Bassey	1999.12.31	185	76	나이지리아
	5	요아킴 안데르센	Joachim Andersen	1996.05.31	192	90	덴마크
	15	호르헤 쿠엔카	Jorge Cuenca	1999.11.17	190	75	스페인
	21	티모시 카스타뉴	Timothy Castagne	1995.12.05	185	80	벨기에
	30	라이언 세세뇽	Ryan Sessegnon	2000.05.18	178	70.8	잉글랜드
	31	이사 디오프	Issa Diop	1997.01.09	194	90	프랑스
	33	앤토니 로빈슨	Antonee Robinson	1997.08.08	183	70	미국
MF	6	해리슨 리드	Harrison Reed	1995.01.27	181	72	잉글랜드
	10	톰 케어니	Tom Cairney	1991.01.20	185	83.5	스코틀랜드
	16	산데르 베르게	Sander Berge	1998.02.14	195	96	노르웨이
	20	사샤 루키치	Saša Lukić	1996.08.13	182	77	세르비아
	24	조시 킹	Josh King	2007.01.03	173	-	잉글랜드
	32	에밀 스미스 로우	Emile Smith Rowe	2000.07.28	182	79	잉글랜드
FW	7	라울 히메네스	Raúl Jiménez	1991.05.05	187	76	멕시코
	8	해리 윌슨	Harry Wilson	1997.03.22	173	70	웨일즈
	9	호드리구 무니스	Rodrigo Muniz	2001.05.04	186	79	브라질
	11	아다마 트라오레	Adama Traoré	1996.01.25	178	72	스페인
	17	알렉스 이워비	Alex Iwobi	1996.05.03	183	75	나이지리아
	19	사무엘 추쿠에제	Samuel Chukwueze	1999.05.22	172	70	나이지리아
	22	케빈	Kevin Santos Lopes de Macedo	2003.01.04	176	71	브라질

COACH

마르쿠 실바 *Marco Silva*
1977년 7월 12일생 포르투갈

포르투갈 2부 리그에서 감독 생활을 시작해 에스토릴의 승격을 이끌었고, 이후 스포르팅과 올림피아코스를 거쳐 잉글랜드 무대에 입성했다. 헐 시티, 왓포드, 에버턴까지 프리미어 리그 하위권 팀들을 맡아 지도력을 발휘했으나 장기적으로는 성공을 거두지 못하고 지휘봉을 내려놓아야 했다. 그러나 2021년 부임한 풀럼에서는 곧바로 프리미어 리그로 승격시킨 이후 지금까지 안정적으로 팀을 이끌며 구단 역사상 최고의 성적을 내고 있다. 공을 소유하고 공격적인 패스를 중시하는 지도자다.

PLAYERS

| FW | 17 | 알렉스 이워비 |
Alex Iwobi
 **KEY PLAYER**

국적: 나이지리아

공격 2선의 세 포지션을 모두 소화하며 공격 포인트를 생산하는 능력이 뛰어난 선수. 전설적인 드리블 기술로 유명한 제이 제이 오코차의 조카로도 유명하다. 연계 움직임과 빠른 패스 연결을 중시하는 마르쿠 실바 감독의 전술에 적합한 자원이다. 상대의 압박에도 침착하게 패스를 받아 공을 컨트롤하고 창의적인 패스로 득점 기회를 만드는 플레이가 최대 강점이며, 뛰어난 신체 능력을 활용한 수비 가담도 적극적이다. 자신이 득점 기회를 잡았을 때는 마무리 슈팅이 정확하지 않고, 측면에서 돌파를 시도하기에는 발이 느리다는 단점도 있다. 이번 시즌에도 풀럼의 공격 작업을 지휘하는 역할을 맡아 활약이 기대된다. 베테랑으로서 리더십 또한 보여줄 필요가 있다.

출전경기	경기시간(분)	골	어시스트	경고	퇴장
38	2,999	9	6	1	-

| GK | 1 | 베른트 레노 |
Bernd Leno

국적: 독일

선수 경력 통산 400경기를 넘게 소화한 베테랑. 상대 슈팅 궤적을 예측해 막아내는 선방 능력이 일품이고, 집중력도 뛰어나 실수를 저지르는 장면을 찾아보기 어렵다. 자기 관리가 뛰어나 지난 시즌 프리미어 리그에서 부상 없이 전 경기 풀타임을 소화했으나, 이제는 전성기가 지나기 시작하며 선방 능력이 조금씩 떨어지고 있는 것은 아쉬운 부분이다. 패스 정확도나 공중 경합 능력도 약점으로 꼽는다.

출전경기	경기시간(분)	실점	무실점(경기)	경고	퇴장
38	3,420	54	5	5	-

| DF | 2 | 케니 테테 |
Kenny Tete

국적: 네덜란드

수비 능력이 출중한 라이트백. 특히나 정확한 태클이 인상적이며 좀처럼 1대1 돌파를 허용하지 않는 수비수. 공격에 가담해 정확한 크로스로 득점 기회를 만들기도 한다. 마르쿠 실바 감독의 전술에서 풀백에게 체력적인 부담이 큰 탓에 지난 시즌 부상에 시달리면서도 건재한 기량을 유지했고, 활약에 대한 보답으로 2028년까지 재계약을 체결했다. 회복 속도가 느려질 수 있어 부상을 더욱 주의해야 한다.

출전경기	경기시간(분)	골	어시스트	경고	퇴장
22	1,779	-	2	5	-

| DF | 3 | 캘빈 배시 |
Calvin Bassey

국적: 나이지리아

최고 수준의 패스 능력을 갖춘 센터백. 공을 다루는 기술이 뛰어나 돌파에도 능하다. 강한 신체 능력 덕분에 수비에서는 더욱 뛰어난 지상 경합과 태클 능력을 보유하고 있고, 넓은 수비 범위 덕분에 전술적인 활용 가치가 크다. 그러나 신체 능력에 크게 의존하는 탓에 집중력을 잃고 실수를 범하는 경향이 있는 점은 보완이 필요하다. 세트 피스와 크로스 수비 시 공중 경합 능력도 약점으로 꼽힌다.

출전경기	경기시간(분)	골	어시스트	경고	퇴장
35	3,074	1	-	7	-

| DF | 5 | 요아킴 안데르센 |
Joachim Andersen

국적: 덴마크

네덜란드, 이탈리아, 프랑스까지 다양한 무대에서 경험을 쌓은 센터백. 작년 여름 풀럼의 수비수 영입 역대 최고 이적료인 477억에 크리스탈 팰리스로부터 영입돼 곧바로 주전 자리를 차지했다. 192cm의 장신을 활용해 공중과 지상 경합 모두에서 강점을 보이며, 정확한 롱 패스로 공격 전개에도 기여한다. 침착성이 뛰어나 실수도 적고 수비진에서 리더십도 뛰어나다. 발이 느린 것은 치명적인 단점이다.

출전경기	경기시간(분)	골	어시스트	경고	퇴장
29	2,573	-	-	6	1

| DF | 31 | 이사 디오프 |
Issa Diop

국적: 프랑스

194cm의 장신에 스피드까지 겸비한 센터백. 2022년 풀럼 입단 이후 줄곧 주전으로 활약하다 지난 시즌부터 배시와 안데르센 듀오에게 자리를 내주며 로테이션 자원으로 밀려났고, 꾸준한 컨디션 유지에 실패하면서 점점 더 빨라지는 경기 템포에 적응하지 못하고 고전하는 모습을 보였다. 강력한 공중 경합 능력을 활용한 클리어링이 장점으로, 세트 피스 공격 시에는 헤더로 골도 잘 터트리는 선수다.

출전경기	경기시간(분)	골	어시스트	경고	퇴장
21	1,336	-	-	2	-

| DF | 33 | 앤토니 로빈슨 |
Antonee Robinson

국적: 미국

지난 시즌 프리미어 리그 레프트백 중 가장 좋은 활약을 펼치며 전성기를 맞이한 선수. 적극적인 공격 가담으로 많은 득점 기회를 만든 동시에 영리한 위치 선정으로 상대 패스를 가로채는 수비를 펼치며 공수 모두에서 부족함이 없는 모습을 보였다. 체력도 뛰어나 지난 시즌 풀럼의 필드 플레이어 중 리그 출전 시간이 가장 많았다. 패스 시 공격적인 선택을 하기 때문에 성공률이 낮은 것이 유일한 우려다.

출전경기	경기시간(분)	골	어시스트	경고	퇴장
36	3,167	-	10	8	-

PLAYERS

MF 16 산데르 베르게
Sander Berge

국적: 노르웨이

부모님과 형 모두가 농구 선수인 195cm의 장신 미드필더. 작년 여름 381억의 이적료로 번리를 떠나 풀럼에 입단, 주앙 팔리냐를 대신해 중원에서 수비진을 보호하는 역할을 묵묵히 소화해냈다. 화려한 플레이가 아닌 영리한 위치 선정, 강력한 경합, 안정적인 패스 능력이 장점이며 이는 풀럼이 수비형 미드필더에게 요구하는 최고의 조건이다. 민첩성이 떨어져 압박을 받았을 때 흔들리는 것은 약점이다

출전경기	경기시간(분)	골	어시스트	경고	퇴장
31	2,231	-	-	6	-

MF 20 사샤 루키치
Sasa Lukic

국적: 세르비아

발이 빠르고 기술이 뛰어난 미드필더. 공격적인 압박으로 공을 따낸 뒤 안정적으로 관리해내는 플레이가 특징이다. 풀럼 중원에서 장신 미드필더 베르게와 서로의 장단점을 상호 보완하며 호흡을 맞추고 있다. 넓은 시야와 정확한 패스로 공수의 연결 고리 역할을 훌륭하게 소화한다. 수비 과정에서 반칙이 필요 이상으로 많고, 지난 시즌 프리미어 리그에서 12장의 옐로 카드를 받은 부분은 개선이 필요하다.

출전경기	경기시간(분)	골	어시스트	경고	퇴장
30	2,358	-	2	12	-

MF 24 조시 킹
Josh King

국적: 잉글랜드

지난 시즌 프리미어 리그에 데뷔한 18세 신예 공격형 미드필더. 성실한 활동량과 정확하고 날카로운 패스, 유려한 기술을 고루 갖췄다. 지난 7월 새로이 4년 계약을 체결하며 풀럼에 미래를 맡겼다. 여름 영입이 사실상 없었던 만큼 이번 시즌 풀럼에서 영입 선수와 같은 역할을 해내리라는 기대를 받고 있다. 실바 감독도 킹의 재능을 인정하며 계속해서 출전 경험을 쌓게 해줘야 한다고 말한 바 있다.

출전경기	경기시간(분)	골	어시스트	경고	퇴장
8	126	-	-	-	-

MF 32 에밀 스미스 로우
Emile Smith Rowe

국적: 잉글랜드

작년 여름 아스널에서 영입된 공격형 미드필더. 저돌적인 움직임과 유려한 돌파 기술을 보유하고 있으며, 넓은 시야를 바탕으로 날카로운 침투 패스를 공급해 득점 기회를 만드는 플레이가 일품이다. 주전으로 한 시즌을 소화해본 경험이 적기 때문에 활약에 기복이 있는 편이고, 중원에서 경합을 펼칠 때는 몸 싸움에서 밀리는 약점도 있다. 이번 시즌에는 더 꾸준하게 재능에 걸맞은 활약을 보여줘야 한다.

출전경기	경기시간(분)	골	어시스트	경고	퇴장
34	2,061	6	3	3	-

FW 7 라울 히메네스
Raúl Jiménez

국적: 멕시코

멕시코 역대 최고의 공격수 중 하나로, 프리미어 리그에서는 울버햄튼에 이어 풀럼에서도 인상적인 활약을 펼치고 있다. 상대 수비와의 몸싸움을 이겨내고 공을 지켜낸 뒤 주변 동료들에게 이어주는 연계 플레이 능력이 최대 강점이지만 발 기술도 뛰어나 '멕시코 즐라탄'이라는 별명을 얻기도 했다. 2020년 11월 당한 두개골 골절 부상 이후 한동안 기량을 되찾지 못하다 지난 시즌 화려하게 부활했다.

출전경기	경기시간(분)	골	어시스트	경고	퇴장
38	2,506	12	3	4	-

FW 9 호드리구 무니스
Rodrigo Muniz

국적: 브라질

지능적이고 민첩한 공간 침투 이후 침착한 마무리 슈팅으로 골을 터트리는 최전방 공격수. 각도가 거의 없는 위치에서도 골을 노리고 좁은 공간에서도 공을 다루는 기술이 뛰어나 어떤 상황에서든 상대를 위협할 수 있다. 주전 공격수인 히메네스와는 장단점이 완전히 다르기 때문에 교체로 투입돼 중요한 골을 터트리는 임무를 주로 맡고 있다. 반대로 몸싸움이나 연계 플레이, 수비 가담 능력은 떨어지는 편이다.

출전경기	경기시간(분)	골	어시스트	경고	퇴장
31	952	8	1	1	-

FW 11 아다마 트라오레
Adama Traore

국적: 스페인

엄청난 근육질 몸매의 소유자로 폭발적인 스피드와 화려한 기술을 활용한 돌파 능력만큼은 세계 최고 수준인 측면 공격수. 패스 연결을 중시하는 바르셀로나 유소년팀 출신임에도 정작 시야가 좁아 돌파 이후 마무리 패스에서의 상황 판단이 좋지 못하다는 치명적인 단점도 동시에 가지고 있으며 슈팅의 정확도도 떨어진다. 교체로 투입돼 지친 상대 수비를 흔드는 플레이만큼은 압도적이라 활용 가치는 충분하다.

출전경기	경기시간(분)	골	어시스트	경고	퇴장
36	1,770	2	7	3	-

FW 19 사무엘 추쿠에제
Samuel Chukwueze

국적: 나이지리아

밀란에서 임대로 합류한 측면 공격수. 정확한 볼 컨트롤과 폭발적인 스피드를 겸비하고 있어 측면에서부터 자유로운 돌파 이후 강력한 왼발 슈팅으로 골을 노린다. 그러나 밀란에서 다양한 전술 변화에 적응하지 못하며 어려움을 겪었고, 수비 가담이나 마무리 패스 선택에 있어서는 기대 이하의 모습을 보여주기도 했다. 단점을 보완하지 못한다면 트라오레를 넘어서 완전 이적을 이뤄내기는 어려운 게 현실이다.

출전경기	경기시간(분)	골	어시스트	경고	퇴장
26	920	3	2	-	-

FW 22 케빈
Kevin Santos Lopes de Macedo

국적: 브라질

빠른 스피드를 활용한 왼쪽 측면 돌파 이후 강력한 오른발 슈팅으로 골을 터트리는 공격수. 중앙과 오른쪽도 소화할 수 있는 다재다능한 자원이다. 2024년 1월 샤흐타르 도네츠크에 입단하며 유럽 무대에 등장한 이후 꾸준한 활약으로 신뢰를 받아왔고, 빠른 측면 공격을 중시하는 풀럼에도 어려움 없이 적응할 것으로 기대된다. 샤흐타르를 거쳐 프리미어 리그에서 활약한 윌리안의 후계자로 성장하면 된다.

출전경기	경기시간(분)	골	어시스트	경고	퇴장
24	1,742	6	4	6	-

크리스탈 팰리스 FC

Crystal Palace FC

TEAM PROFILE	
창 립	1905년
회 장	스티브 패리시(잉글랜드) 등
감 독	올리버 글라스너(오스트리아)
연 고 지	런던
홈 구 장	셀허스트 파크 스타디움(2만 5,486명)
라 이 벌	브라이튼 앤 호브 알비온, 밀월
홈페이지	www.cpfc.co.uk

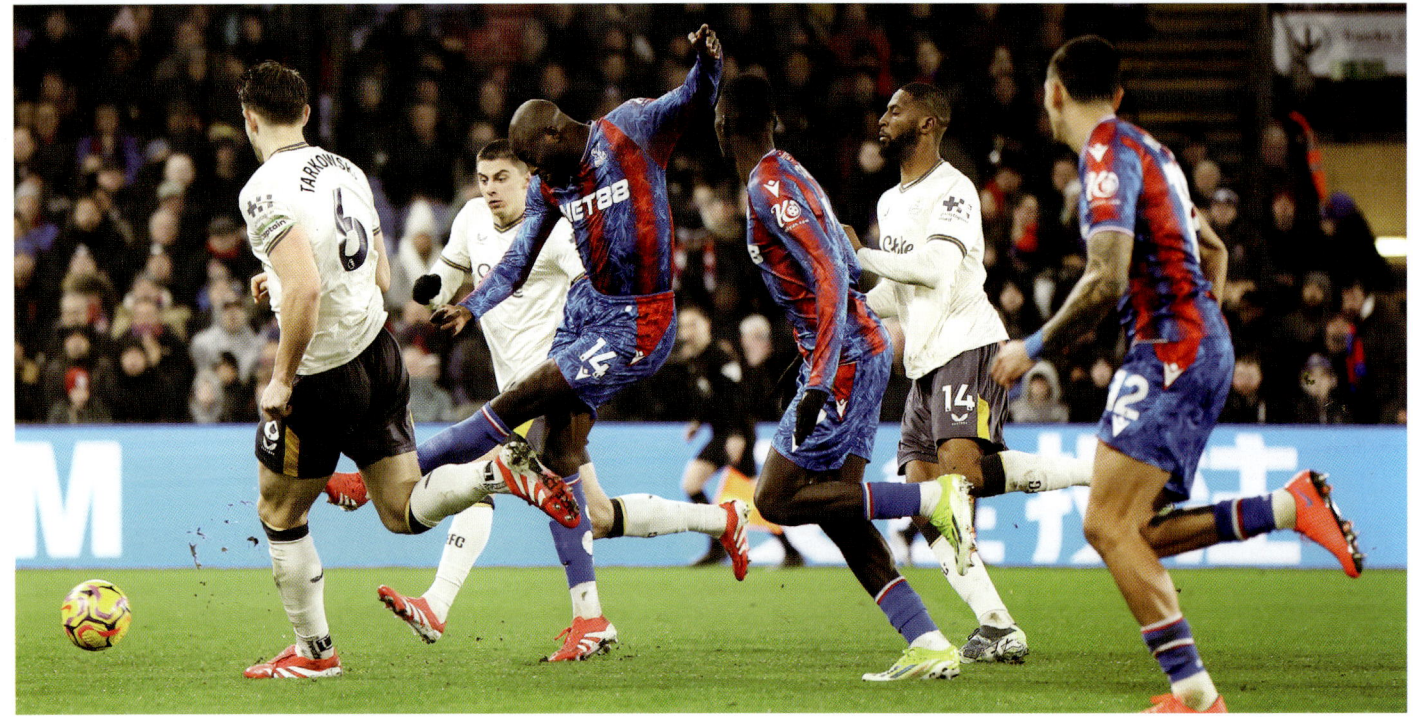

최근 5시즌 성적

시즌	순위	승점
2020-2021	14위	44점(12승8무18패, 41득점 66실점)
2021-2022	12위	48점(11승15무12패, 50득점 46실점)
2022-2023	11위	45점(11승12무15패, 40득점 49실점)
2023-2024	10위	49점(13승10무15패, 57득점 58실점)
2024-2025	12위	53점(13승14무11패, 51득점 51실점)

PREMIER LEAGUE (전신 포함)

통 산	없음
24-25 시즌	12위(13승14무11패, 승점 53점)

FA CUP

통 산	우승 1회
24-25 시즌	우승

LEAGUE CUP

통 산	없음
24-25 시즌	8강

UEFA

통 산	없음
24-25 시즌	없음

전력분석 FA컵 우승의 영광 이후 실망스러운 행보

크리스탈 팰리스는 창단 이후 119년간 메이저 대회 우승을 차지한 적이 한 번도 없다가 지난 시즌 FA컵에서 극적으로 첫 우승이라는 역사적인 성과를 이뤄냈다. 결승에서 맨체스터 시티라는 강적을 만나 1-0 승리를 거뒀는데, 전반 16분 만에 다니엘 무뇨스의 크로스를 받은 에베레치 에제가 결승골을 터뜨렸고 전반 36분에는 딘 헨더슨 골키퍼가 상대 페널티킥을 선방하며 승리를 지켜냈다. 그러나 최고의 순간 이후로는 실망스러운 상황이 이어지고 있다. 잉글랜드 FA컵 우승 팀에는 유로파 리그 진출권이 주어지는데, 팰리스의 소유주인 이글 풋볼 홀딩스의 또 다른 소유 구단 리옹이 팰리스보다 먼저 진출권을 확보했기 때문에 팰리스는 유로파 리그보다 하위 대회인 컨퍼런스 리그로 밀려나게 된 것이다. 이는 동일 구단주 소유의 두 팀이 한 대회에 참가할 수 없다는 유럽 축구 연맹과 스포츠 중재재판소의 판결이니 어쩔 수 없다. 하지만, 팰리스가 유럽 대회 진출에 대비한 전력 보강을 거의 하지 않은 것은 비판 받을 행보다. 공격의 핵심인 에제가 아스널로 이적한 공백은 메울 수 없다. 그나마 수비진의 중심 마크 게히가 리버풀 이적에 합의하고도 팰리스에 남아 계약 기간 마지막 시즌을 보내게 된 것은 위안이다. 올리버 글라스너 감독과의 계약 기간도 이번 시즌을 끝으로 만료된다.

전술분석 간결하면서도 효과적인 역습 전술

글라스너 감독이의 3-4-2-1 포메이션은 가장 효과적인 역습 전술로 꼽힌다. 세 명의 센터백이 촘촘하게 간격을 유지하며 상대 공격진에 공간을 내주지 않고, 두 윙백과 측면 공격수 자리에는 각각 타이릭 미첼과 다니엘 무뇨스, 예레미 피노와 이스마일라 사르와 같이 발 빠른 선수들을 배치해 측면에서 수적 우위를 점하는 형태의 역습이 전개된다. 최전방 장신 공격수 장-필리프 마테타는 골 결정력이 뛰어나고, 세트 피스 시에는 마크 게히와 같은 센터백까지 헤더로 골을 터뜨릴 수 있어 다소 수비적인 형태에도 공격력이 부족하지는 않다. 대신에 중원 장악력이 약해 상대에게 주도권을 내주는 경기가 많고 중앙 지역을 통한 공격 전개가 어렵다는 단점은 있다. 위험 요소는 공격 시에 특정 선수들에게 의존하는 경향이 크다는 점이다. 피노 외에는 공격 지역에서 창의적인 패스를 공급할 선수가 부족하고, 마테타의 백업 에디 은케티아의 활약은 만족스럽지 못하다. 신입 공격수 크리스탄투스 우체가 최전방과 왼쪽 측면을 오가며 믿음직한 백업 역할을 수행해야 한다. 전술적으로 중요한 윙백인 미첼의 백업으로는 아약스에서 보르나 소사를 37억에 영입했다.

시즌 프리뷰 첫 유럽 무대 도전을 즐겨라

구단 수뇌부의 태도에 큰 변화가 없는 이상 크리스탈 팰리스는 현실을 받아들이고 이번 시즌을 즐기는 수밖에 없다. 글라스너 감독도 화려한 프리 시즌 투어에 임하는 대신 조용하게 자신의 고국인 오스트리아로 날아가 전지 훈련을 진행하는 쪽을 선택했다. 강팀들이 많은 유로파 리그 대신 팰리스와 비슷한 전력의 팀들이 있는 컨퍼런스 리그에 진출하게 된 것도 전화위복이 될 수 있다. 사상 첫 유럽 대회 본선 경험을 길게 즐기면서 다양한 선수를 활용할 수도 있을 것이다. 유로파 리그에 진출했다면 주전 선수들에게 휴식을 주기도 어려웠을 것이다. 한 가지 아이러니한 사실은 작년 여름과는 상황이 정반대라는 것이다. 작년에는 선수들의 절반 가량이 팀을 떠난 이후 이적시장 막바지가 되어서야 영입이 진행돼 조직력을 다듬을 여유가 전혀 없었다. 그 결과는 개막 직후 리그 8경기 무승이었지만(3무 5패), 팀이 정비되고 나서는 결과가 좋았다. 올해는 선수단에 변화 없이 커뮤니티 실드에서 프리미어 리그 챔피언 리버풀을 승부차기 끝에 꺾고 우승을 차지하며 좋은 출발을 기대케 하고 있는데, 시즌이 진행될수록 한계에 봉착할 수 있다는 우려가 많아 글라스너 감독의 고민이 깊은 것은 매한가지다.

IN & OUT

주요 영입	주요 방출
예레미 피노, 크리스탄투스 우체, 제이디 캉보, 보르나 소사	에베레치 에제, 롭 홀딩, 제프리 슐럽, 조엘 워드

TEAM FORMATION

PLAN 3-4-2-1

TEAM RATINGS

슈팅 7
패스 6
조직력 7
수비력 6
감독 6
선수층 5

37

2024/25프로필

팀 득점	51
평균 볼 점유율	42.40%
패스 정확도	77.30%
평균 슈팅 수	13.6
경고	74
퇴장	4

골 타입
오픈 플레이	45
세트 피스	31
카운터 어택	14
패널티 킥	6
자책골	4	단위 (%)

패스 타입
쇼트 패스	82
롱 패스	14
크로스 패스	4
스루 패스	0	단위 (%)

지역 점유율

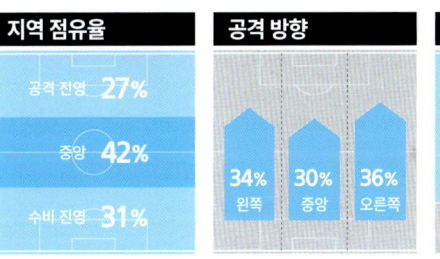

공격 진영 27%
중앙 42%
수비 진영 31%

공격 방향

34% 왼쪽
30% 중앙
36% 오른쪽

슈팅 지역

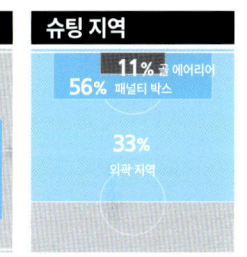

11% 골 에어리어
56% 패널티 박스
33% 외곽지역

상대팀 최근 6경기 전적

구분	승	무	패
리버풀 FC	1	3	2
아스널 FC		1	5
맨체스터 시티	1	2	3
첼시 FC		2	4
뉴캐슬 유나이티드 FC	1	2	3
애스턴 빌라	4	1	1
노팅엄 포레스트		4	2
브라이튼 앤 호브 알비온	2	2	2
AFC 본머스	2	2	2
브렌트포드 FC	1	3	2
풀럼 FC	2	3	1
크리스탈 팰리스 FC			
에버턴 FC		2	4
웨스트햄 유나이티드 FC	4	1	1
맨체스터 유나이티드	3	1	2
울버햄튼 원더러스	4	1	1
토트넘 홋스퍼 FC	2		4
리즈 유나이티드 FC	3	1	2
번리 FC	2	2	2
선덜랜드 AFC	2	1	3

SQUAD

포지션	등번호	이름		생년월일	키(cm)	체중(kg)	국적
GK	1	딘 헨더슨	Dean Henderson	1997.03.12	188	85	잉글랜드
	44	왈테르 베니테스	Walter Benítez	1993.01.19	191	93	아르헨티나
DF	2	다니엘 무뇨스	Daniel Muñoz	1996.05.26	180	73	콜롬비아
	3	타이릭 미첼	Tyrick Mitchell	1999.09.01	181	70	잉글랜드
	5	막상스 라크루아	Maxence Lacroix	2000.04.06	190	88	프랑스
	6	마크 게히	Marc Guéhi	2000.07.13	182	82	잉글랜드
	17	나다니엘 클라인	Nathaniel Clyne	1991.04.05	175	67	잉글랜드
	24	보르나 소사	Borna Sosa	1998.01.21	187	77	크로아티아
	26	크리스 리처즈	Chris Richard	2000.03.28	188	87	미국
	34	샤디 리아드	Chadi Riad	2003.06.17	187	78	모로코
	38	칼렙 크포르하	Caleb Kporha	2006.07.15	170	-	잉글랜드
MF	8	헤페르손 레르마	Jefferson Lerma	1994.10.25	179	70	콜롬비아
	18	가마다 다이치	Daichi Kamada	1996.08.05	184	72	일본
	19	윌 휴즈	Will Hughes	1995.04.17	185	74	잉글랜드
	20	애덤 워튼	Adam Wharton	2004.02.06	182	61	잉글랜드
	28	셰이크 두쿠레	Cheick Doucouré	2000.01.08	180	73	말리
	42	카덴 로드니	Kaden Rodney	2004.10.07	189	-	잉글랜드
FW	7	이스마일라 사르	Ismaïla Sarr	1998.02.25	185	76	세네갈
	9	에디 은케티아	Eddie Nketiah	1999.05.30	175	73	잉글랜드
	10	예레미 피노	Yeremy Pino	2002.10.20	172	65	스페인
	12	크리스탄투스 우체	Christantus Uche	2003.05.19	190	84	나이지리아
	14	장 필리프 마테타	Jean-Philippe Mateta	1997.06.28	192	88	프랑스

COACH

독일 무대에서 볼프스부르크와 아인라흐트 프랑크푸르트를 챔피언스 리그에 진출시킨 뒤, 크리스탈 팰리스에 부임한 감독이다. 글라스너 감독은 프랑크푸르트에서 이미 효과가 검증된 3-4-2-1 전술을 팰리스에 이식해 곧바로 큰 성공을 거두었다. 2023-24시즌 도중 팰리스가 15위로 처져 있는 상황에서 부임했으나, 리그 마지막 일곱 경기에서 6승 1무를 거두는 기염을 토하며 10위로 시즌을 마칠 수 있었다. 지난 시즌 FA컵 우승으로 구단 역사에 자신의 이름을 영원히 남기게 됐다.

올리버 글라스너 Oliver Glasner
1974년 8월 28일생 잉글랜드

PLAYERS

FW	14	장 필리프 마테타
		Jean Philippe Mateta

 **KEY PLAYER**

국적: 프랑스

2021년 1월 크리스탈 팰리스에 합류했으나 로이 호지슨 감독 밑에서는 진가를 보여주지 못하다가 올리비에 글라스너 감독 부임 이후로 팀 내 최고의 선수로 거듭난 최전방 공격수. 프리미어 리그에서 지난 두 시즌 합계 30골을 터트리는 활약을 펼쳐 대체 불가능한 존재가 됐다. 특히 193cm의 장신을 활용한 헤더와 공 간수 능력, 연계 플레이는 압도적이다. 역습 공격 시에는 빠른 움직임으로 영리하게 공간을 찾아 들어가 완벽한 타이밍의 왼발 슈팅으로 골을 터트린다. 이번 시즌도 입지에 흔들림 없이 주전 자리를 유지하는 것은 물론, 아스널로 이적한 공격 파트너 에베레치 에제의 공백도 메워야 하기에 득점에 대한 부담이 더욱 커질 것으로 보인다.

출전경기	경기시간(분)	골	어시스트	경고	퇴장
37	2,659	14	2	2	-

GK	1	딘 헨더슨
		Dean Henderson

국적: 잉글랜드

맨유 출신의 잉글랜드 국가대표 골키퍼. 1군에서 기회를 잡지 못한 채, 임대로만 경험을 쌓다가 2024년 1월 크리스탈 팰리스 이적을 선택하고 새로운 도전에 나서 확고하게 주전 자리를 지키고 있다. 놀라운 반사 신경을 이용한 선방이 최대 강점인데, 특히 페널티킥 선방에서는 압도적인 활약을 펼친다. 지난 시즌 FA컵 결승과 이번 시즌 커뮤니티 실드 우승 과정에서 이러한 능력이 빛을 발했다.

출전경기	경기시간(분)	실점	무실점(경기)	경고	퇴장
38	3,420	51	11	3	-

DF	2	다니엘 무뇨스
		Daniel Munoz

국적: 콜롬비아

2024년 1월 이적시장을 통해 129억에 영입돼 주전으로 활약 중인 오른쪽 윙백. 올리버 글라스너 감독의 전술에 반드시 필요한 빠른 스피드와 공격 능력을 갖추고 있다. FA컵 결승에서도 역습을 이끄는 돌파와 크로스로 에베레치 에제의 결승골에 도움을 기록하며 경기 최우수 선수로 선정됐다. 지금까지의 활약만으로도 이적료 이상의 값어치를 해냈다. 이번 시즌도 팰리스의 오른쪽 측면을 책임질 선수다.

출전경기	경기시간(분)	골	어시스트	경고	퇴장
37	3,233	4	5	10	-

DF	3	타이릭 미첼
		Tyrick Mitchell

국적: 잉글랜드

크리스탈 팰리스 유소년팀 출신의 레프트백. 지난 4년간 흔들림 없이 주전 자리를 유지할 만큼 꾸준한 활약을 펼쳐왔다. 공간 커버와 수비 능력이 장점인데, 올리버 글라스너 감독은 윙백에게 높은 수준의 공격력을 요구하기 때문에 최근 들어서는 점차 공격 가담이 활발해지면서 발전하는 모습을 보이기도 했다. 이번 시즌에는 공격력에 강점을 가진 신입 윙백 보르나 소사와의 주전 경쟁이 기다리고 있다.

출전경기	경기시간(분)	골	어시스트	경고	퇴장
37	3,102		5	2	-

DF	5	막상스 라크루아
		Maxence Lacroix

국적: 프랑스

볼프스부르크에서부터 올리버 글라스너 감독과 호흡을 맞췄던 센터백이다. 작년 여름 이적시장 막바지에 영입돼 곧바로 스리백의 중심에서 주전으로 인상적인 활약을 펼쳤다. 미리 상대의 위협을 예측하고 차단하는 위치 선정과 빠른 스피드를 활용한 공간 커버가 장점으로, 자주 전진해서 수비형 미드필더와 같은 역할도 한다. 경합에 강하고 태클 또한 정확도가 높다. 다만 패스 성공률을 높이는 것이 이번 시즌의 과제다.

출전경기	경기시간(분)	골	어시스트	경고	퇴장
35	3,119	1	1	5	-

DF	6	마크 게히
		Marc Guehi

국적: 잉글랜드

첼시 출신의 잉글랜드 국가대표 센터백. 첼시에서는 출전 기회를 잡지 못하고 스완지 시티에서 임대 신분으로 경험을 쌓은 뒤 2021년 여름 크리스탈 팰리스로 이적해 수비진의 핵심으로 성장했다. 지난 시즌부터는 팀의 주장 역할도 맡고 있다. 센터백 치고는 작은 182cm의 신장에도 탁월한 위치 선정과 강력한 경합 능력으로 상대 공격수를 제압하는 선수다. 집중력이 뛰어나 실수가 거의 없는 편이다.

출전경기	경기시간(분)	골	어시스트	경고	퇴장
34	3,060	3	2	7	1

DF	24	보르나 소사
		Borna Sosa

국적: 크로아티아

당당한 체격 조건과 파워를 갖춘 센터백이다. 리더십과 팀 내 장악력이 좋다. 백스리로 나섰을 때 최고의 모습을 보여준다. 최근 스피드와 패싱력이 떨어지면서 주전 경쟁에서 밀린 모습이다. 그럼에도 주전보다는 백업으로서 자신의 가치를 증명하기도 했다. 전체적으로는 탄탄한 모습을 보여주지만 조금씩 아쉬운 센터백이다. 세트피스 상황에서 헤더 능력을 갖추고 있다. 최근 들어 부상을 자주 당하는 편이다.

출전경기	경기시간(분)	골	어시스트	경고	퇴장
19	1,187	-	-	-	-

PLAYERS

DF 26 크리스 리처즈
Chris Richards

국적: 미국

바이에른 뮌헨 출신의 미국 국가대표 센터백. 2022년 여름 194억에 영입됐다. 한때 수비형 미드필더 역할을 맡기도 했으나 올리비에 글라스너 감독 부임 이후로는 스리백의 오른쪽 센터백을 맡고 있다. 지난 시즌 전반기에는 첼시에서 임대로 영입한 트레보 찰로바에게 밀려 출전 기회가 적었지만, 찰로바가 첼시로 돌아간 후반기에는 주전 자리를 되찾았고 FA컵 전 경기를 풀타임 소화하며 우승에 기여했다.

출전경기	경기시간(분)	골	어시스트	경고	퇴장
24	1,925	1	-	2	1

MF 8 헤페르손 레르마
Jefferson Lerma

국적: 콜롬비아

잉글랜드 무대에서 7년간 경험을 쌓아온 노련한 수비형 미드필더. 본머스에서 활약하다 2023년 여름 크리스탈 팰리스에 합류했다. 수비력만큼은 확실한 미드필더로 공중 경합, 가로채기, 소유권 회복에 탁월한 능력을 발휘해 스리백 시스템의 센터백 역할을 맡을 때도 있다. 이제는 30대에 접어들어 민첩성이 떨어졌고, 패스 전개는 기대하기 어렵기 때문에 이번 시즌 주전 자리를 유지할 수 있을지는 미지수다.

출전경기	경기시간(분)	골	어시스트	경고	퇴장
33	2,277	-	1	9	-

MF 18 가마다 다이치
Daichi Kamada

국적: 일본

작년 여름 자유계약 신분으로 크리스탈 팰리스에 입단한 구단 역사상 최초의 일본 선수. 올리비에 글라스너 감독과는 프랑크푸르트에서도 호흡을 맞춘 적이 있어 전술 이해도가 뛰어나다. 성실한 활동량과 정확한 패스로 중원에서 공격 전개를 담당하는데, FA컵 결승전 결승골 장면에도 장-필리프 마테타에게 연결한 패스로 공격 전환에 기여했다. 선발보다 교체 출전이 많았지만 이번 시즌 주전 도약을 노린다.

출전경기	경기시간(분)	골	어시스트	경고	퇴장
34	1,558	-	-	4	1

MF 19 윌 휴즈
Will Hughes

국적: 잉글랜드

크리스탈 팰리스에서 다섯 번째 시즌을 맞이하는 수비형 미드필더. 4월 재계약을 체결하고 2027년 여름까지 팀에 남게 됐다. 성실한 압박으로 수비진을 보호하며, 공격의 시발점이 되는 패스도 준수한 편이다. 수비 과정에서 많은 카드를 받는 부분은 개선의 필요가 있다. 부상에서 복귀한 애덤 워튼에게 이번 시즌 주전 자리를 내줄 가능성이 크지만, 로테이션 자원으로 제 몫을 충분히 해낼 수 있다.

출전경기	경기시간(분)	골	어시스트	경고	퇴장
31	2,122	-	3	11	-

MF 20 애덤 워튼
Adam Wharton

국적: 잉글랜드

뛰어난 개인 기술과 축구 지능을 보유한 중앙 미드필더. 넓은 시야를 바탕으로 한 전진 패스와 경기 조율에 탁월한 기량을 발휘해 수비에서 공격으로의 전환에 핵심 역할을 한다. 지난 시즌 도중 사타구니 부상으로 수술을 받고 돌아왔음에도 막바지 좋은 활약으로 FA컵 우승에 기여했다. 몸 상태가 좋을 때는 경합에서도 강한 모습을 보이지만 민첩함이나 유연성이 떨어져 수비력은 좋지 못한 편이다.

출전경기	경기시간(분)	골	어시스트	경고	퇴장
20	1,327	-	2	2	-

FW 7 이스마일라 사르
Ismaila Sarr

국적: 세네갈

왓포드 소속으로 프리미어 리그와 챔피언십 무대에서 인상적인 활약을 펼쳤던 측면 공격수. 마르세유를 거쳐 작년 여름 크리스탈 팰리스에 영입돼 바이에른 뮌헨으로 떠난 마이클 올리세의 대체자 역할을 맡았다. 측면에서 빠른 스피드를 활용한 저돌적인 돌파 이후 슈팅으로 골을 노리는 플레이가 특징으로, 결정력이 뛰어나지는 않더라도 상대 수비를 끊임없이 괴롭히는 선수다. 전방 압박 능력도 뛰어나다.

출전경기	경기시간(분)	골	어시스트	경고	퇴장
38	2,721	8	6	4	-

FW 9 에디 은케티아
Eddie Nketiah

국적: 잉글랜드

481억의 이적료에 2024년 여름 아스널을 떠나 크리스탈 팰리스에 입단한 공격수. 구단의 영입 이적료 기준 역대 최고 2위의 주인공이다. 빠른 움직임과 날카로운 슈팅이 장점인데, 아스널에서는 교체 자원으로 뛰어난 결정력을 발휘했던 반면 팰리스에서는 최전방과 측면을 오가면서 어느 한 포지션에서도 확실한 활약을 펼치지는 못했다. 컵 대회 활약은 좋았기 때문에 컨퍼런스 리그를 통해 자신감을 회복해야 한다.

출전경기	경기시간(분)	골	어시스트	경고	퇴장
29	1,029	3	1	4	1

FW 10 예레미 피노
Yeremy Pino

국적: 스페인

485억의 이적료에 비야레알로부터 영입된 측면 공격수. 아스널로 떠난 에베레치 에제를 대신해 측면과 중앙을 오가며 팀의 공격 작업을 지휘할 자원이다. 무게 중심이 낮고 예측이 어려운 드리블 기술을 사용하며, 양발 모두를 활용해 정확한 패스와 강력한 슈팅을 언제든 시도할 수 있어 에제의 역할을 그대로 이어받기에 최적이다. 수비 가담도 성실하지만, 프리미어 리그에서의 경합 능력은 지켜봐야 한다.

출전경기	경기시간(분)	골	어시스트	경고	퇴장
34	1,948	4	7	11	-

FW 12 크리스탄투스 우체
Christantus Uche

국적: 나이지리아

지난 2년 사이 라리가 무대에서 엄청난 성장을 해낸 공격수. 3부 리그에서 수비형 미드필더 역할을 맡았던 경험을 바탕으로 190cm의 장신 공격수임에도 경기장 곳곳을 성실하게 누비며 상대 수비를 괴롭히고 압박을 가하는 선수다. 강력한 공중 경합 능력과 함께 뛰어난 기술과 침착한 판단력까지 보유하고 있기 때문에 팰리스에서 마테타의 백업이자 로테이션 자원 역할을 수행하기에는 완벽한 영입이다.

출전경기	경기시간(분)	골	어시스트	경고	퇴장
33	2,506	4	6	6	2

에버턴 FC

Everton FC

TEAM PROFILE	
창 립	1878년
회 장	파하드 모시리(영국)
감 독	데이비드 모예스(영국)
연 고 지	리버풀
홈 구 장	구디슨 파크(3만 9,571명)
라 이 벌	리버풀
홈페이지	www.evertonfc.com

최근 5시즌 성적

시즌	순위	승점
2020-2021	10위	59점(17승8무13패, 47득점 48실점)
2021-2022	16위	39점(11승6무21패, 43득점 66실점)
2022-2023	17위	36점(8승12무18패, 34득점 57실점)
2023-2024	15위	40점(13승9무16패, 40득점 51실점)
2024-2025	13위	48점(11승15무12패, 42득점 44실점)

PREMIER LEAGUE (전신 포함)

통 산	우승 9회
24-25 시즌	13위(11승15무12패, 승점 48점)

FA CUP

통 산	우승 5회
24-25 시즌	32강

LEAGUE CUP

통 산	없음
24-25 시즌	32강

UEFA

통 산	없음
24-25 시즌	없음

전력분석 새로운 경기장, 새로운 선수들, 익숙한 감독

에버턴에는 어느 때보다 강한 변화의 바람이 불고 있다. 2024년 연말 구단 소유주가 파라드 모시리에서 프레드킨 그룹으로 바뀌었고, 무려 1892년부터 사용해온 유서 깊은 홈 구장 구디슨 파크를 여성 팀에 넘겨준 뒤 1조 3천억이 넘는 거금을 들여 건설한 새 홈구장 힐 디킨슨 스타디움에서 2025-26시즌을 맞이하게 된 것이다. 변화는 내부에서도 불고 있다. 도미닉 칼버트-르윈, 압둘라예 두쿠레, 애슐리 영과 같은 선수들이 계약 만료로 팀을 떠나며 새로운 얼굴들이 그 자리를 대신하게 됐다. 가장 이목을 끄는 영입은 역시 맨체스터 시티에서 잭 그릴리시를 임대로 데려온 것(완전 영입 옵션 포함). 비록 지난 두 시즌 선발 출전이 17경기에 불과한 그릴리시지만, 챔피언스 리그 우승까지 경험한 잉글랜드 최고의 스타 중 하나가 합류했다는 사실은 팬들의 기대감을 키우기에 충분하다. 첼시에서 로테이션 자원으로 준수한 활약을 펼쳐온 미드필더 키어넌 듀스버리-홀과 비야레알에서 두각을 나타낸 유망주 공격수 티에르노 바리도 합류했다. 감독은 너무나도 친숙한 얼굴인 데이비드 모이스다. 62세의 베테랑 감독 모이스는 2002년부터 2013년까지 에버턴을 성공적으로 지휘했고, 2025년 1월 강등 위기 속에 돌아와 팀을 구해냈기에 팬들의 신뢰와 지지는 강력하다.

전술분석 최신 트렌드를 따라잡은 노장의 노련함

지난 시즌 전반기 내내 션 다이시 감독과 함께 리그 3승에 그치며 강등의 위험을 느꼈던 에버턴은 데이비드 모이스 감독과 함께 8승을 거두며 잔류를 확정 짓고 13위를 기록할 수 있었다. 4-2-3-1 포메이션을 유지하면서도 센터백 제이크 오브라이언을 라이트백에 배치한 뒤 공격 시에는 스리백, 수비 시에는 파이브백 형태로 변환해 수적 우위를 노렸다. 공격 시에는 중앙 지역의 패스를 통해 침착하게 전진을 시도했다. 대신 수비와 압박 라인을 높게 끌어올리고, 더 많은 선수가 박스 안으로 쇄도해 골을 노린 결과 좋은 성적을 거둘 수 있었다. 전술의 최신 트렌드를 따라잡고 선수의 강점을 살리는 노장 모이스의 노련함이 빛을 발한 결과였다. 이번 여름에는 선수단에 변화가 많아 전술을 조정해야 한다. 공격 2선에서 기존의 에이스 일리만 은디아예가 잭 그릴리시와 위치를 바꿔가며 중앙과 왼쪽을 공략하고, 오른쪽에서는 키어넌 듀스버리-홀이 왼발을 활용해 득점 기회를 만드는 공격 구조가 유력해 보인다. 사우샘프턴 유망주 타일러 디블링의 영입으로 듀스버리-홀이 4-2-3-1 포메이션의 중원으로 내려올 수도 있게 됐으며, 4-3-2-1 포메이션에서도 모이스 감독의 선택지가 늘어났다.

시즌 프리뷰 모이스가 이뤄낼 새로운 업적은?

과거에 성공을 거뒀던 팀의 감독을 다시 맡는 것은 위험한 일이라고 한다. 출발부터 기대치가 높아 부담이 크고, 실패하게 되면 과거의 영광마저 타격을 입을 수 있기 때문이다. 다행히 데이비드 모이스 감독의 지난 시즌 에버턴 복귀는 성공적이었지만, 과거와 같이 팀을 꾸준하게 프리미어 리그 4위권 진입에 도전하도록 만들려면 시간이 많이 필요해 보인다. 그보다 빠른 성공 방법은 지난 시즌의 크리스탈 팰리스(FA컵)나 뉴캐슬(리그 컵)처럼 컵 대회 우승을 노리는 것이다. 2008-09시즌 FA컵에서 에버턴과 결승까지 올랐던 모이스 감독은 2022-23시즌 웨스트햄을 지휘하며 컨퍼런스 리그 정상에 올라 감독 경력 유일한 메이저 대회 우승을 기록한 바 있다. 에버턴에도 우승 트로피를 선사할 수 있다면 이는 최고의 업적이 될 것이다. 에버턴은 1994-95시즌 FA컵 이후로 우승이 없는 팀인데, 새 구단주인 프레드킨 그룹은 우승과 유럽 무대 복귀를 목표로 내걸었다. 선수 구성에 별다른 변화가 없는 중원과 수비진이 안정적으로 받쳐주고, 잭 그릴리시와 일리만 은디아예가 화려한 개인 기량으로 공격을 이끈다면 지난 시즌 막바지의 흐름을 이어가며 중위권 이상의 성적도 충분히 기대해볼 만하다.

IN & OUT

주요 영입	주요 방출
타일러 디블링, 티에르노 바리, 키어넌 듀스버리-홀, 카를로스 알카라스, 아담 아스누, 마크 트레버스, 잭 그릴리시, 메를린 뢰얼	유세프 체르미티, 애슐리 영, 도미닉 칼버트-르윈, 압둘라예 두쿠레

TEAM FORMATION

FW **B-**
MF **C+**
DF **B-**
GK **B+**

9 베투 (바리)

18 그릴리시 (맥닐)
22 듀스버리-홀 (뢰얼)
10 은디아예 (디블링)27

37 가너 (알카라스)
27 게예 (이로에그부남)

16 미콜렌코 (아스누)
32 브렌스웨이트 (킨)
6 타코우스키 (오브라이언)
15 오브라이언 (패터슨)

1 픽포드 (트래버스)

PLAN **4-2-3-1**

TEAM RATINGS

34

슈팅 6	패스 5
조직력 6	수비력 6
감독 6	선수층 5

2024/25프로필

팀 득점	42
평균 볼 점유율	40.50%
패스 정확도	78.90%
평균 슈팅 수	10.7
경고	80
퇴장	2

골 타 입		
오픈 플레이	50	
세트 피스	29	
카운터 어택	10	
패널티 킥	5	
자책골	7	단위 (%)

패 스 타 입		
쇼트 패스	79	
롱 패스	16	
크로스 패스	5	
스루 패스	0	단위 (%)

지역 점유율
공격 진영 **30%**
중앙 **41%**
수비 진영 **29%**

공격 방향
36% 왼쪽
24% 중앙
40% 오른쪽

슈팅 지역
8% 골 에어리어
60% 패널티 박스
31% 외곽 지역

상대팀 최근 6경기 전적

구분	승	무	패
리버풀 FC	1	2	3
아스널 FC	1	2	3
맨체스터 시티		2	4
첼시 FC	1	2	3
뉴캐슬 유나이티드 FC	2	2	2
애스턴 빌라	1	1	4
노팅엄 포레스트	3	2	1
브라이튼 앤 호브 알비온	2	2	2
AFC 본머스	2		4
브렌트포드 FC	3	3	
풀럼 FC	1	2	3
크리스탈 팰리스 FC	4	2	
에버턴 FC			
웨스트햄 유나이티드 FC	2	2	2
맨체스터 유나이티드		1	5
울버햄튼 원더러스	1	3	
토트넘 홋스퍼 FC	1	2	3
리즈 유나이티드 FC	3	2	1
번리 FC	4		2
선덜랜드 AFC	4		2

SQUAD

포지션	등번호	이름		생년월일	키(cm)	체중(kg)	국적
GK	1	조던 픽포드	Jordan Pickford	1994.05.07	185	77	잉글랜드
	12	마크 트래버스	Mark Travers	1999.05.18	191	82	아일랜드
DF	2	네이선 패터슨	Nathan Patterson	2001.10.16	189	79	스코틀랜드
	5	마이클 킨	Michael Keane	1993.01.11	188	82	잉글랜드
	6	제임스 타코우스키	James Tarkowski	1992.11.19	185	81	잉글랜드
	15	제이크 오브라이언	Jake O'Brien	2001.05.15	197	84	아일랜드
	16	비탈리 미콜렌코	Vitaliy Mykolenko	1999.05.29	180	73	우크라이나
	23	셰이머스 콜먼	Séamus Coleman	1988.10.11	177	67	아일랜드
	32	제라드 브렌스웨이트	Jarrad Branthwaite	2002.06.27	195	87	잉글랜드
	39	아담 아즈누	Adam Aznou	2006.06.02	178	70	모로코
MF	18	잭 그릴리시	Jack Grealish	1995.09.10	175	68	잉글랜드
	22	키어넌 듀스버리-홀	Kiernan Dewsbury-Hall	1998.09.06	178	70	잉글랜드
	24	카를로스 알카라스	Carlos Alcaraz	2002.11.30	176	68	아르헨티나
	27	이드리사 게예	Idrissa Gueye	1989.09.26	174	66	세네갈
	37	제임스 가너	James Garner	2001.03.13	186	78	잉글랜드
	42	팀 이로에그부남	Tim Iroegbunam	2003.06.30	183	70	잉글랜드
FW	7	드와이트 맥닐	Dwight McNeil	1999.11.22	183	72	잉글랜드
	9	베투	Beto	1998.01.31	194	88	기니비사우
	10	일리만 은디아예	Iliman Ndiaye	2000.05.06	180	70	세네갈
	11	티에르노 베리	Thierno Barry	2002.10.21	195	82	프랑스
	20	타일러 디블링	Tyler Dibling	2006.02.17	186	79	잉글랜드

COACH

데이비드 모이스 *David Moyes*
1963년 4월 25일생 스코틀랜드

2000년대 에버턴을 프리미어 리그 상위권으로 이끌며 세 차례나 잉글랜드 무대 올해의 감독으로 선정됐던 지도자. 이후 맨체스터 유나이티드의 지휘봉을 잡았다가 실패를 경험했으나, 레알 소시에다드와 선덜랜드를 거쳐 웨스트햄에서 컨퍼런스 리그 정상에 오르며 뛰어난 지도력을 증명했다. 2025년 1월 에버턴에 복귀, 60대의 나이에도 전술적으로도 발전하는 모습을 보이며 지나치게 수비적이라는 비판을 이겨내고 여전한 경쟁력을 증명했다. 영국 축구계에 기여한 공로로 기사 작위를 받았다.

PLAYERS

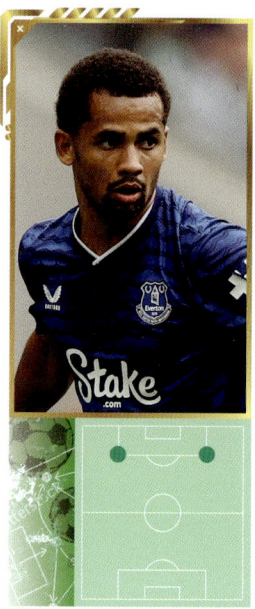

FW	10	일리만 은디아예
		Iliman Ndiaye

KEY PLAYER

국적: 세네갈

지난 시즌 에버턴의 프리미어 리그 최다 득점 선수. 최고 수준의 드리블 능력이 장점으로, 경기마다 4~5회씩 돌파 성공을 기록할 정도다. 빠른 스피드와 침착한 마무리 슈팅 기술도 보유하고 있어 혼자 힘으로 돌파를 통해 득점 기회를 만들어 골로 마무리까지 아는 에이스다. 반면에 동료를 활용하는 연계 플레이나 득점 기회를 만들어주는 패스 능력은 떨어지기 때문에 최대한 상대와 1대1로 맞서는 상황을 만들어줘야 하는 선수다. 왼쪽 측면과 중앙을 오가는 선수여서 새로 영입된 잭 그릴리시와 동선이 겹칠 수도 있어 전술적으로 움직임을 조정하고 호흡을 맞출 시간이 필요할 것으로 보인다. 둘 중 한 선수가 오른쪽 측면으로 이동할 가능성도 있다.

출전경기	경기시간(분)	골	어시스트	경고	퇴장
33	2,441	9	-	3	-

GK	1	조던 픽퍼드
		Jordan Pickford

국적: 잉글랜드

네 차례나 에버턴 올해의 선수로 선정될 만큼 흔들림 없는 활약으로 소속팀과 대표팀에서 주전 자리를 지키고 있는 골키퍼. 선방 능력이 뛰어나며 열정적으로 수비진을 지휘하는 리더이기도 하다. 에버턴 소속으로 프리미어 리그 300경기를 소화하는 역대 일곱 번째 선수가 될 예정이며(현재 293), 최다 출전 5위에 등극할 것이 유력하다. 골키퍼로서는 팀 하워드(354)만이 더 많은 경기를 소화했다.

출전경기	경기시간(분)	실점	무실점(경기)	경고	퇴장
38	3,420	44	12	7	-

DF	6	제임스 타코우스키
		James Tarkowski

국적: 잉글랜드

다재다능하진 않아도 공중 경합과 슈팅 차단 능력만큼은 최고 수준인 센터백. 패스도 정확하지만 민첩성은 떨어진다. 2022년 자유계약으로 에버턴에 입단한 이후 부상으로 결장한 지난 시즌 마지막 다섯 경기를 제외하고는 세 시즌 내내 프리미어 리그에서 선발로 출전했다. 주장 세이무스 콜먼이 은퇴를 앞두고 있는 상황에서 부주장으로서 경기에서 사실상 주장 역할을 맡아 팀을 이끄는 리더십도 갖췄다.

출전경기	경기시간(분)	골	어시스트	경고	퇴장
33	2,924	1	1	6	-

DF	15	제이크 오브라이언
		Jake O'Brien

국적: 아일랜드

작년 여름 리옹에서 영입된 197cm의 장신 센터백. 지난 시즌 초반 션 다이시 감독 밑에서는 꾸준한 출전 기회를 잡지 못했으나, 올해 1월 데이비드 모이스 감독 부임 이후로 오른쪽 측면에 배치돼 사실상 스리백의 오른쪽 수비수 역할을 맡아 주전 도약에 성공했다. 이번 시즌에도 마찬가지 역할을 소화할 전망이지만, 새로운 선수 영입이나 팀 상황에 따라 본래 포지션으로 돌아갈 가능성도 충분하다.

출전경기	경기시간(분)	골	어시스트	경고	퇴장
20	1,569	2	-	5	-

DF	16	비탈리 미콜렌코
		Vitaliy Mykolenko

국적: 우크라이나

에버턴에서 다섯 번째 시즌을 맞이하는 레프트백. 태클, 가로채기, 클리어링 등 수비수에게 필요한 능력을 고루 갖췄고 특히 큰 경기에서 상대 에이스를 막아내는 역할을 훌륭하게 소화하는 선수다. 전술 이해도도 뛰어나 지난 시즌 후반기에는 사실상 왼쪽 측면 공격수 자리까지도 오가는 움직임으로 데이비드 모이스 감독의 성공적인 복귀에 힘을 보탰다. 다만 크로스나 기회 창출 능력이 뛰어나지는 않다.

출전경기	경기시간(분)	골	어시스트	경고	퇴장
35	3,084	1	2	4	-

DF	32	제러드 브랜스웨이트
		Jarrad Branthwaite

국적: 잉글랜드

탁월한 위치 선정을 활용한 슈팅 차단과 전진 드리블, 패스 능력을 고루 갖춘 현대 축구에 어울리는 센터백. 발도 빠르고 넓은 공간을 커버하고 상대 역습을 저지하는 데도 뛰어난 능력을 발휘한다. 에버턴 유소년팀 출신이라 팬들의 신뢰가 더욱 두터운 선수지만, 문제는 아직 20대 초반의 나이임에도 화려한 부상 이력을 자랑한다는 점이다. 이번 시즌에도 훈련 도중 부상을 당해 초반 경기 출전이 어렵다.

출전경기	경기시간(분)	골	어시스트	경고	퇴장
30	2,510	-	1	4	-

MF	18	잭 그릴리시
		Jack Grealish

국적: 잉글랜드

유려한 전진 드리블로 상대 수비진을 휘젓는 공격형 미드필더. 잉글랜드 최고의 테크니션 중 하나로 꼽힌다. 애스턴 빌라에서 성장해 주장까지 역임한 뒤 맨체스터 시티로 이적해 주요 대회의 우승을 모두 경험했다. 그러나 펩 과르디올라 감독의 엄격한 전술 지시, 자기 관리, 부상 문제가 겹치면서 최근 어려움을 겪다 에버턴 임대를 통해 새로운 도전에 나섰다. 명예 회복을 위해 활약이 중요한 시즌이다.

출전경기	경기시간(분)	골	어시스트	경고	퇴장
20	716	1	1	3	-

PLAYERS

MF 22 키어넌 듀스버리-홀
Kiernan Dewsbury-Hall

국적: 잉글랜드

넓은 공간을 커버하는 박스 투 박스 미드필더로, 패스 공급과 수비 능력이 고루 뛰어나 전술적인 활용 가치가 높은 선수로, 박스 안으로 침투해 골도 터트릴 수 있다. 레스터 시티에서 주전으로 활약하다 지난 시즌 엔초 마레스카 감독을 따라 첼시로 이적해 로테이션 자원으로 쏠쏠한 활약을 펼쳤을 만큼 축구 지능도 높다. 에버턴에서는 공격 2선과 중원을 오가며 공격을 전개하는 역할을 맡을 전망이다.

출전경기	경기시간(분)	골	어시스트	경고	퇴장
13	259	-	1	-	-

MF 24 카를로스 알카라스
Carlos Alcaraz

국적: 아르헨티나

올해 2월 플라멩구에서 임대로 합류한 뒤 이번 여름 완전 이적을 마무리한 공격형 미드필더. 데이비드 모이스 감독 밑에서 프리미어 리그에 빠르게 적응하며 교체 투입 자원으로서 에버턴 공격에 활력을 불어넣었다. 무게 중심이 낮고 몸싸움이 강한 데다 드리블 기술이 좋아 좀처럼 공을 빼앗기지 않고, 침투 움직임도 영리하다. 이번 시즌 잭 그릴리시의 합류로 더욱 경쟁이 치열해져 주전 도약 가능성은 미지수다.

출전경기	경기시간(분)	골	어시스트	경고	퇴장
16	772	2	3	4	-

MF 27 이드리사 게예
Idrissa Gueye

국적: 세네갈

30대 중반의 나이에도 에버턴의 중원을 지키고 있는 수비형 미드필더. 베테랑으로 팀에서 정신적인 리더 역할도 맡고 있다. 지능적인 위치 선정으로 공간을 커버하면서 상대의 패스를 가로채는 플레이가 강점이다. 공격 시에는 정확한 패스로 역습의 시발점 역할 또한 담당한다. 그러나 이제는 체력이나 민첩함 면에서 나이의 한계를 절감할 수밖에 없어 수비 임무는 동료 제임스 가너의 도움을 받아야 한다.

출전경기	경기시간(분)	골	어시스트	경고	퇴장
37	3,070	-	3	9	-

MF 37 제임스 가너
James Garner

국적: 잉글랜드

맨체스터 유나이티드 출신의 수비형 미드필더. 노팅엄 포레스트에서 임대로 경험을 쌓고 2022년 에버턴에 입단했다. 후방에서 경기를 조율하는 플레이 메이커로, 패스 범위가 넓어 한 번의 긴 전환 패스로 공격진에 좋은 기회를 만들어주는 플레이가 강점이다. 위치 선정도 뛰어나지만 경합 능력이 떨어져 수비에는 어느 정도 한계가 있다. 지난 시즌 부상을 딛고 후반기 들어 주전 자리를 되찾는 데 성공했다.

출전경기	경기시간(분)	골	어시스트	경고	퇴장
21	1,595	-	1	5	-

MF 42 팀 이로에그부남
Tim Iroegbunam

국적: 잉글랜드

작년 여름 애스턴 빌라에서 영입된 수비형 미드필더. 지난 시즌 초반 곧바로 좋은 활약을 펼쳤으나, 아쉽게도 발목과 사타구니에 연달아 부상을 당해 꾸준한 출전 기회를 잡지는 못했다. 수비에서는 강력한 경합 능력과 태클로 상대를 저지하고, 공격에서는 탈압박과 전진 드리블로 기여할 수 있는 선수다. 아직 경험이 부족해 성급하게 태클을 시도하거나 패스 선택지가 좋지 못한 점은 차차 보완이 필요하다.

출전경기	경기시간(분)	골	어시스트	경고	퇴장
18	565	-	1	4	-

FW 7 드와이트 맥닐
Dwight McNeil

국적: 잉글랜드

유려한 드리블과 날카로운 킥으로 공격 포인트를 생산하는 측면 공격수. 기회 창출 능력은 프리미어 리그 상위권이며, 전방 압박과 수비 가담도 성실하다. 2022년 에버턴 입단 이후 주전으로 활약해왔으나, 지난 시즌에는 무릎 부상으로 쓰러져 오랜 기간 자리를 비워야 했다. 부상 복귀 직후 곧바로 다시 팀에 승리를 안기는 활약을 펼쳐 건재함을 과시했다. 이번 시즌 잭 그릴리시와 주전 경쟁을 펼친다.

출전경기	경기시간(분)	골	어시스트	경고	퇴장
21	1,371	4	6	1	-

FW 9 베투
Beto

국적: 기니비사우

데이비드 모이스 감독 밑에서 화려하게 부활한 스트라이커. 션 다이치 감독 시절에는 주로 교체 자원으로 활용되며 1년 반 동안 네 골에 그치다가 모이스 감독과 함께한 지난 시즌 후반기 5개월 사이 여덟 골을 몰아치며 확고한 주전으로 입지를 굳혔다. 최전방에서 공을 간수하고 동료에게 이어주는 플레이가 탁월하며 골 결정력, 드리블, 헤더까지 다양한 무기를 갖추고 있다. 다소 기복은 있는 편이다.

출전경기	경기시간(분)	골	어시스트	경고	퇴장
30	1,531	8	-	2	-

FW 11 티에르노 바리
Thierno Barry

국적: 프랑스

지난 시즌 비야레알에서 잠재력을 만개한 최전방 공격수. 데이비드 모이스 감독의 평가에 따르면 베투와 닮은 점이 너무 많다고 한다. 베투와의 차이점은 스피드와 슈팅 타이밍이 더 빠르다는 것인데, 특히나 슈팅의 대부분을 터치 없이 논스톱으로 시도한다. 박스 안에서 골을 노리는 플레이가 장점이지만 직접 공을 끌고 올라갈 수도 있다. 경험 부족 탓에 상황 판단이 좋지 않아 패스 연계는 기대하기 어렵다.

출전경기	경기시간(분)	골	어시스트	경고	퇴장
35	2,325	11	4	4	-

FW 20 타일러 디블링
Tyler Dibling

국적: 잉글랜드

뉴캐슬 최전방 스트라이커이다. 레알 소시에다드에서 이적하여, 2022-23시즌 부상으로 고생했지만, 2023-24시즌에는 나름 제 몫을 해주었다. 기동력이 좋고 유연하면서 발밑도 좋다. 박스 안에서 직접 드리블을 통해 골 찬스까지 만들어낼 수 있다. 양발을 모두 사용할 수 있다는 장점도 있다. 문제는 골 결정력의 기복이 심한 편이다. 잘 넣을 때는 몰아친다. 그러나 한번 골이 안 들어가기 시작하면 오랜 침묵에 빠진다.

출전경기	경기시간(분)	골	어시스트	경고	퇴장
33	1,875	2	-	6	-

웨스트햄 유나이티드 FC

West Ham United FC

TEAM PROFILE	
창 립	1895년
회 장	데이비드 설리번(웨일스) & 다니엘 크렌틴스키(체코)
감 독	그레이엄 포터(영국)
연 고 지	런던 뉴엄구
홈 구 장	런던 스타디움(6만 2,500명)
라 이 벌	밀월 FC
홈페이지	www.whufc.com

최근 5시즌 성적

시즌	순위	승점
2020-2021	6위	65점(19승8무11패, 62득점 47실점)
2021-2022	7위	56점(16승8무14패, 60득점 51실점)
2022-2023	14위	40점(11승7무20패, 42득점 55실점)
2023-2024	9위	52점(14승10무14패, 60득점 74실점)
2024-2025	14위	43점(11승10무17패, 46득점 62실점)

PREMIER LEAGUE (전신 포함)

통 산	없음
24-25 시즌	14위(11승10무17패, 승점 43점)

FA CUP

통 산	우승 3회
24-25 시즌	없음

LEAGUE CUP

통 산	없음
24-25 시즌	32강

UEFA

통 산	없음
24-25 시즌	없음

전력분석 진정한 포터 감독의 팀으로 변신

웨스트햄은 2022-23시즌 컨퍼런스 리그에서 우승을 차지한 이후 표류를 거듭했다. 데이비드 모이스 감독이 경질되고, 공격적인 축구로 변화를 시도하며 훌렌 로페테기 감독을 선임했으나 프리미어 리그에서 20경기만을 지휘하는 동안 9패를 당한 끝에 웨스트햄을 떠나야 했다. 그에 이어 2025년 1월 부임한 감독이 바로 그레이엄 포터다. 프리미어 리그에서 브라이턴을 이끌며 매력적인 공격 축구로 지도력을 인정받았다가 첼시에서의 실패 이후 명예 회복을 벼르고 있던 지도자였다. 그러나 시즌 도중 부임한 탓에 자신의 뜻대로 팀을 운영하기는 힘들었다. 웨스트햄은 이적시장에서 포터 감독의 3-4-1-2 포메이션에 어울리는 선수를 영입하기 위해 노력했고, 선수들의 멘탈 관리를 위해 스포츠 심리학자를 고용했으며, 독일로 전지 훈련을 떠나 높은 고도에서 체력을 키우고 전술 완성도를 높이는 데 집중했다. 가장 중요한 영입은 센터백 장-클레르 토디보(지난 시즌 임대 후 완전영입)와 골키퍼 마스 헤르만센이다. 후방 빌드업을 중시하는 포터 감독의 전술에 맞게 패스 능력이 뛰어난 자원들을 영입한 것이다. 또한 왼쪽 측면에는 공격과 수비 모두를 담당할 수 있는 윙백 엘 하지 말릭 디우프를 영입했고, 오른쪽에는 경험이 풍부한 카일 워커-피터스가 팀에 합류했다.

전술분석 에메리표 전술 변화, 이제 시작

그레이엄 포터 감독은 3-4-1-2 포메이션을 기반으로 센터백까지도 전진해서 수적 우위를 점할 수 있는 유연한 전술을 구사한다. 나예프 아게르드와 장-클레르 토디보의 후방 빌드업 능력이 최대한 활용될 것이다. 측면은 윙백들의 공격력이 중요한데, 신입생인 엘 하지 말릭 디우프와 카일 워커-피터스가 공수 모두에서 제 몫을 해내야 한다. 수비 라인을 높이는 대신 중원에는 수비력을 갖춘 두 명의 미드필더를 배치해 역습에 대비한다. 토마스 수첵과 제임스 워드-프로즈가 이 역할을 수행할 가능성이 크다. 수첵은 헤더에, 워드-프로즈는 킥에 강점이 있어 공격 전개나 세트 피스에서도 활약을 기대해볼 만하다. 둘 모두 30대에 접어들었기에 21세 신예 미드필더 프레디 포츠가 팀에 활력을 불어넣으며 주전 도약을 노릴 수 있다. 공격에는 불법 베팅 혐의를 벗고 홀가분해진 브라질 국가대표 미드필더 루카스 파케타가 담당한다. 공격진에는 에이스 제로드 보웬과 지난 시즌 영입됐다가 부상으로 고생했던 니클라스 필크루크가 부활을 노리고 있다. 득점 감각이 뛰어난 칼럼 윌슨이 합류해 슈퍼 서브와 로테이션 역할을 담당한다. 이제 포터 감독의 전술을 소화할 기본적인 진용은 갖춰졌다.

시즌 프리뷰 우려와 기대가 공존하는 시즌

생각보다 오래 이어지고 있는 혼란과 부진을 지켜본 웨스트햄 팬들의 걱정은 이만저만이 아니다. 그레이엄 포터 감독이 지휘한 지난 시즌은 19경기에서 5승밖에 거두지 못했다. 그러나 시즌 개막을 앞두고 웨스트햄은 강도 높은 훈련을 진행하며 철저한 준비를 마쳤다. 프리 시즌 평가전에서 루카스 파케타가 부활의 가능성을 보여준 것은 무척 고무적이며, 신입 윙백 엘 하지 말릭 디우프도 기대에 걸맞은 역동적인 움직임으로 강한 인상을 남겼다. 그렇지만 전술적인 색깔 자체가 완전히 바뀌는 과정에는 시간이 걸리게 마련인데, 특히 경기 도중 디테일한 포지션 변화까지 요구하는 포터 감독의 전술은 더욱 그렇고 선수 구성에도 변화가 많다. 때문에 포터 감독은 팬들과 구단 수뇌부에 인내심을 요구하고 선수들의 멘탈 관리에도 신경을 쓰고 있다. 전반기에는 다소 부진한 모습을 보이더라도 조직력과 전술 완성도가 높아진다면 결국에는 강등까지 걱정할 일은 아니다. 무엇보다 감독도 선수들도 명예 회복을 위한 동기부여가 강한 상태다. 미드필더 보강만 한다면 우려를 기대로 바꿔나갈 수 있는 시즌이다. 단기적인 성공보다는 장기적인 팀 건설을 위해 투자를 해야 한다.

IN & OUT

주요 영입	주요 방출
마테우스 페르난데스, 장-클레르 토디보, 엘 하지 말릭 디우프, 마스 헤르만센, 순구투 마가사, 카일 워커-피터스, 칼럼 윌슨	모하메드 쿠두스, 블라디미르 추팔, 애런 크레스웰, 커트 주마, 대니 잉스, 미카일 안토니오, 우카시 파비앙스키

TEAM FORMATION

PLAN 4-2-3-1

TEAM RATINGS

31

슈팅 6 / 패스 6 / 수비력 4 / 선수층 6 / 감독 5 / 조직력 4

2024/25프로필

팀 득점	46
평균 볼 점유율	48.60%
패스 정확도	82.70%
평균 슈팅 수	12.5
경고	78
퇴장	3

골 타입	
오픈 플레이	61
세트 피스	17
카운터 어택	9
패널티 킥	7
자책골	7 단위 (%)

패스 타입	
쇼트 패스	85
롱 패스	11
크로스 패스	3
스루 패스	0 단위 (%)

지역 점유율
공격 진영 26% / 중앙 42% / 수비 진영 32%

공격 방향
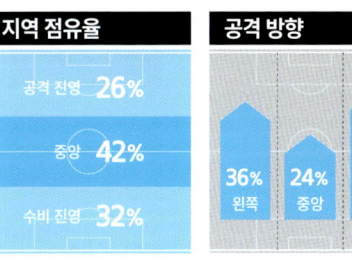
36% 왼쪽 / 24% 중앙 / 40% 오른쪽

슈팅 지역
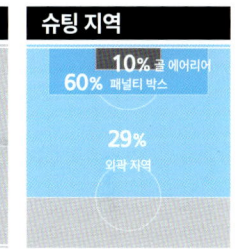
10% 골 에어리어 / 60% 패널티 박스 / 29% 외곽 지역

상대팀 최근 6경기 전적

구분	승	무	패
리버풀 FC		1	5
아스널 FC	3	1	2
맨체스터 시티			6
첼시 FC	1	1	4
뉴캐슬 유나이티드 FC	1	2	3
애스턴 빌라		3	3
노팅엄 포레스트	2		4
브라이튼 앤 호브 알비온	1	2	3
AFC 본머스	2	4	
브렌트포드 FC	2	1	3
풀럼 FC	3	1	2
크리스탈 팰리스 FC	1	1	4
에버턴 FC	2	2	2
웨스트햄 유나이티드 FC			
맨체스터 유나이티드	4		2
울버햄튼 원더러스	4		2
토트넘 홋스퍼 FC	1	3	2
리즈 유나이티드 FC	4	1	1
번리 FC	3	3	
선덜랜드 AFC	3	3	

SQUAD

포지션	등번호	이름		생년월일	키(cm)	체중(kg)	국적
GK	1	마스 헤르만센	Mads Hermansen	2000.07.11	187	87	덴마크
	23	알퐁스 아레올라	Alphonse Areola	1993.02.27	195	94	프랑스
DF	2	카일 워커-피터스	Kyle Walker-Peters	1997.04.13	173	64	잉글랜드
	3	막시밀리안 킬먼	Maximilian Kilman	1997.05.23	193	89	잉글랜드
	12	엘 하지 말릭 디우프	El Hadji Malick Diouf	2004.12.28	183	75	세네갈
	15	콘스탄티노스 마브로파노스	Konstantinos Mavropanos	1997.12.11	194	89	그리스
	25	장 클레르 토디보	Jean-Clair Todibo	1999.12.30	190	88	프랑스
	29	아론 완-비사카	Aaron Wan-Bissaka	1997.11.26	183	72	콩고
	30	올리버 스칼스	Oliver Scarles	2005.12.12	180	75	잉글랜드
MF	8	제임스 워드-프로즈	James Ward-Prowse	1994.11.01	177	66	잉글랜드
	10	루카스 파케타	Lucas Paquetá	1997.08.27	180	72	브라질
	17	루이스 길레르미	Luis Guilherme	2006.02.09	175	70	브라질
	18	마테우스 페르난데스	Mateus Fernandes	2004.07.10	180	72	포르투갈
	24	귀도 로드리게스	Guido Rodríguez	1994.04.12	185	80	아르헨티나
	27	순구투 마가사	Soungoutou Magassa	2003.10.08	190	-	프랑스
	28	토마스 수첵	Tomáš Souček	1995.02.27	192	86	체코
	32	프레디 포츠	Freddie Potts	2003.09.12	183	79	잉글랜드
	39	앤디 어빙	Andrew Irving	2000.05.13	177	78	스코틀랜드
FW	7	크리센시오 서머빌	Crysencio Summerville	2001.10.30	174	64	네덜란드
	9	칼럼 윌슨	Callum Wilson	1992.02.27	180	94	잉글랜드
	11	니클라스 퓔크루크	Niclas Füllkrug	1993.02.09	189	83	독일
	20	제로드 보웬	Jarrod Bowen	1996.12.20	175	70	잉글랜드
	22	막스웰 코르네	Maxwel Cornet	1996.09.27	179	69	코트디부아르
	50	칼럼 마샬	Callum Marshall	2004.11.28	172	64	북아일랜드

COACH

그레이엄 포터 Graham Potter
1977년 11월 29일생 잉글랜드

공 소유를 중시하는 펩 과르디올라 감독의 전술 철학에 영감을 받아 토털 풋볼을 추구하는 지도자. 선수의 개성과 잠재력을 끌어내기 위해 연기 수업을 받도록 권하는 등 틀에 얽매이지 않는 훈련 방식과 다양한 포메이션을 활용한다. 브라이턴을 지휘하며 이름을 알렸는데, 부임 세 번째 시즌부터 매력적인 공격 축구를 완성해냈다. 이후 첼시에서는 감독에게 많은 시간을 주지 않는 구단 특성상 자신의 전술을 완성할 새도 없이 한 시즌을 버티지 못하고 떠나야 했다. 웨스트햄에서 부활을 노린다.

PLAYERS

MF	10	루카스 파케타
		Lucas Paqueta

KEY PLAYER

국적: 브라질

플라멩구, 리옹, AC 밀란에 몸 담았던 화려한 경력을 자랑하는 브라질 국가대표 미드필더. 불법 베팅을 하고 이를 위해 경기 도중 고의로 옐로 카드를 받았다는 혐의가 제기되며 지난 2년간 선수 생활 자체가 끝날 위기에 처한 힘든 시기를 보내다 최근에야 무죄 판결을 받고 부담을 털어낼 수 있게 됐다. 경기 흐름을 읽고 공간을 찾아 들어가 득점 기회를 잡을 수 있는 것은 물론 영리한 수비 가담으로 상대 역습을 저지하는 능력도 뛰어나다. 최대 강점은 탈압박과 창의적인 패스 능력으로, 이번 시즌 그레이엄 포터 감독의 전술에서 가장 중요한 역할을 맡게 됐다. 특정 위치에 구애 받지 않고 중앙과 측면을 자유롭게 오가면서 기회 창출을 노릴 것이다.

출전경기	경기시간(분)	골	어시스트	경고	퇴장
33	2,385	4	-	10	-

GK	1	마스 헤르만센
		Mads Hermansen

국적: 덴마크

그레이엄 포터 감독이 구단 수뇌부를 강력하게 설득해서 이뤄낸 영입. 후방 빌드업에 필요한 뛰어난 패스 능력은 물론이고 과감하게 전진해서 상대의 긴 패스를 차단하는 넓은 공간 커버 능력도 보유하고 있어 공격적인 전술에 어울리는 골키퍼. 선방 능력도 떨어지지 않는데, 특히 페널티킥 선방은 헤르만센의 특기라고까지 할 수 있다. 집중력이 뛰어나 압박 상황에서도 실수를 저지르지 않는 편이다.

출전경기	경기시간(분)	실점	무실점(경기)	경고	퇴장
27	2,385	58	1	1	-

DF	2	카일 워커-피터스
		Kyle Walker-Peters

국적: 잉글랜드

양쪽 측면 모두를 소화할 수 있는 다재다능한 풀백으로 특히 전진 드리블 능력이 뛰어나 팀의 측면 공격에 힘을 실어줄 수 있는 선수다. 패스 정확도도 뛰어난 데다가 수비 면에서는 경기 흐름을 읽고 상대 패스를 가로채는 플레이가 특징이며, 활동량도 많아 팀이 경기 주도권을 확보하는 데 도움을 준다. 그레이엄 포터 감독이 영입을 위해 오랫동안 지켜본 것으로 알려져 확고한 주전을 맡을 전망이다.

출전경기	경기시간(분)	골	어시스트	경고	퇴장
33	2,922	-	2	5	-

DF	3	막시밀리안 킬먼
		Maximilian Kilman

국적: 잉글랜드

192cm의 장신 수비수로 위치 선정과 1대1 수비가 뛰어나고 침착하기 때문에 쉽사리 돌파를 허용하지 않는 선수다. 여기에 정확한 패스는 물론 전진 드리블 능력까지 갖춘 왼발잡이기 때문에 센터백이 빌드업에 적극 가담하고 전진하기를 요구하는 그레이엄 포터 감독의 전술에 완벽하게 어울리는 자원이라고 할 수 있다. 경험도 풍부하고 리더십도 있어 장기적으로 웨스트햄에서의 활약이 기대되고 있다.

출전경기	경기시간(분)	골	어시스트	경고	퇴장
38	3,349	-	1	5	-

DF	12	엘 하지 말릭 디우프
		El Hadji Malick Diouf

국적: 세네갈

프로 무대에 데뷔한 지 채 3년이 되지 않은 20세 유망주 윙백. 이번 여름 400억의 이적료로 슬라비아 프라하로부터 영입됐다. 빠른 스피드와 날카로운 크로스가 최대 강점으로, 적극적으로 공격에 가담해 박스 안까지 진입해서 직접 골을 노리기도 한다. 나이에 어울리지 않는 침착함으로 공을 지켜내고 좋은 상황 판단으로 패스를 연결할 수 있어 공격 축구로 변신을 시도하는 웨스트햄에 어울리는 자원이다.

출전경기	경기시간(분)	골	어시스트	경고	퇴장
27	2,056	7	3	4	-

DF	25	장 클레르 토디보
		Jean-Clair Todibo

국적: 프랑스

빠른 스피드와 전진 패스 능력을 겸비한 센터백. 193cm의 거구임에도 민첩하게 전진해서 적극적인 압박을 펼치고 공격의 시발점 역할도 하는 선수다. 그렇지만 때로는 성급하게 전진했다가 실수를 저지르는 약점이 있으며, 정작 공중 경합 능력은 기대에 미치지 못한다. 지난 시즌 임대로 웨스트햄에 합류했으나 부상과 부진이 겹쳐 오랜 적응 기간을 보내야 했다. 2025년 여름 647억에 완전 영입됐다.

출전경기	경기시간(분)	골	어시스트	경고	퇴장
27	1,833	-	-	3	-

DF	29	아론 완-비사카
		Aaron Wan-Bissaka

국적: 콩고민주공화국

1대1 수비에서 탁월한 능력을 발휘하는 오른쪽 풀백. 빠른 스피드와 날카로운 태클을 겸비하고 있어 상대 공격수의 돌파를 막아내는 데 있어서는 세계 최고 수준을 자랑한다. 공격력은 부족하다는 평가를 받아왔지만, 웨스트햄에서는 돌파와 크로스 능력까지 개선해 지난 시즌 구단 최우수 선수로 선정되는 맹활약을 펼쳤다. 그 덕분에 그레이엄 포터 감독이 원하는 윙백 역할도 무리 없이 소화할 수 있다.

출전경기	경기시간(분)	골	어시스트	경고	퇴장
36	3,155	2	5	1	-

PLAYERS

MF 8 제임스 워드-프로즈
James Ward-Prowse

국적: 잉글랜드

중앙과 오른쪽 측면을 소화할 수 있는 다재다능한 미드필더. 믿기 어려운 수준의 각도로 휘어지는 오른발 킥 능력으로 득점 기회를 만들고 직접 프리킥 골을 터트리기도 해서 세트 피스 키커로는 세계 최고라는 평가를 받는다. 체력과 자기 관리도 뛰어나 결장하는 법이 거의 없었지만, 지난 시즌에는 노팅엄 포레스트 임대를 떠났다가 출전 기회를 잡지 못하자 후반기 웨스트햄에 돌아와 다시 주전으로 활약했다.

출전경기	경기시간(분)	골	어시스트	경고	퇴장
24	1,442	1	2	2	1

MF 18 마테우스 페르난데스
Mateus Fernandes

국적: 포르투갈

성실한 움직임과 창의성을 겸비한 중앙 미드필더. 712억의 이적료에 사우샘프턴에서 영입됐다. 태클과 가로채기, 경합에 모두 능숙하기 때문에 중원에서 수비 임무를 수행해내는 동시에 자신이 공을 잡았을 때는 유려한 턴 동작과 전진 패스로 공격 전환을 시작할 수 있다. 경기를 보는 시야가 넓어 전방의 공격수를 향해 중장거리 패스를 정확하게 전달하고 본인도 공격에 가담하지만 득점력이 좋지는 않다.

출전경기	경기시간(분)	골	어시스트	경고	퇴장
36	2,923	2	4	8	-

MF 27 순구투 마가사
Soungoutou Magassa

국적: 프랑스

모나코 유소년팀 출신의 젊은 수비형 미드필더. 지난 시즌 모나코 소속으로 리그 1과 챔피언스 리그 무대에서 박스 투 박스 미드필더로서 인상적인 활약을 펼친 뒤 324억에 웨스트햄으로 이적했다. 188cm에 달하는 장신에 빠른 발을 활용한 움직임과 경합 능력이 강점이며, 강력한 태클뿐만 아니라 영리하게 공을 다루는 기술과 침착한 패스 능력까지 갖춰 중원 싸움에 크게 보탬이 될 수 있는 자원이다.

출전경기	경기시간(분)	골	어시스트	경고	퇴장
21	1,025	-	1	5	1

MF 28 토마스 수첵
Tomas Soucek

국적: 체코

왕성한 활동량을 자랑하는 박스 투 박스 미드필더로, 193cm의 장신을 활용한 헤더 능력이 탁월해 공격에서 확실한 무기가 되기도 한다. 침투 패스 능력이 뛰어나지는 않아도 상대 박스 근처까지 전진했을 때는 공을 지켜내고 연계하는 플레이에 능하다. 지난 시즌에도 득점력이 건재했고, 공격 시 최대한 많은 선수가 전진해 수적 우위를 점하기를 요구하는 그레이엄 포터 감독의 전술에서 쓰임새가 충분하다.

출전경기	경기시간(분)	골	어시스트	경고	퇴장
35	2,573	9	1	8	-

MF 32 프레디 포츠
Freddie Potts

국적: 잉글랜드

중원에서 왕성한 활동량과 적극적인 압박을 무기로 하는 선수. 웨스트햄에서 500경기 넘게 소화한 레전드이자 현 23세 이하 팀 감독인 스티브 포츠의 아들로 유명하다. 아버지를 따라 자연스럽게 웨스트햄 유소년팀에서 성장하며 주장 역할까지 맡는 등 기대를 받았고, 하부리그 임대를 통해 경험을 쌓으며 전진 드리블과 패스 능력을 키웠다. 프리 시즌부터 그레이엄 포터 감독의 강한 신뢰를 받고 있다.

출전경기	경기시간(분)	골	어시스트	경고	퇴장
37	3,063	1	4	7	-

FW 7 크리센시오 서머빌
Crysencio Summerville

국적: 네덜란드

2024년 여름 리즈 유나이티드에서 영입된 측면 공격수. 빠른 스피드와 화려한 개인 기술, 지능적인 침투 움직임을 보유하고 있지만 프리미어 리그 무대의 수비수들을 상대로는 아직까지 인상적인 활약을 보여주지 못했다. 이번 시즌은 서머빌의 경력에서 매우 중요한 시기로, 모하메드 쿠두스가 떠난 빈 자리를 성공적으로 메우며 기회를 잡는다면 한 단계 성장해 웨스트햄에서 장기적인 미래를 꿈꿀 수 있을 것이다.

출전경기	경기시간(분)	골	어시스트	경고	퇴장
19	784	1	1	2	-

FW 9 칼럼 윌슨
Callum Wilson

국적: 잉글랜드

지능적인 움직임과 탁월한 골 결정력을 겸비한 최전방 공격수. 2022-23시즌 프리미어 리그에서 18골을 터트리는 폭발적인 활약을 펼치기도 했으며, 감각적인 패스로 연계 플레이도 능하다. 그러나 선수 경력 내내 달고 다니는 부상으로 한계가 명확한 선수다. 지난 시즌에도 햄스트링 부상에 시달리며 자신의 프리미어 리그 경력 처음으로 한 골도 넣질 못했다. 웨스트햄과의 계약 기간도 1년 단기다.

출전경기	경기시간(분)	골	어시스트	경고	퇴장
18	358	-	-	1	-

FW 11 니클라스 퓔크루크
Niclas Füllkrug

국적: 독일

독일 분데스리가 무대에서 여러 시즌 두 자릿수 득점을 기록했던 최전방 공격수. 경합과 연계 플레이가 뛰어나고 지능적인 공간 파악 능력으로 공격과 압박 작업 모두에 기여하는 선수다. 2024년 여름 보루시아 도르트문트에서 영입됐으나 시즌 초반부터 부상에 시달리며 어려움을 겪었다. 그럼에도 성실한 태도로 복귀에 성공해 이번 시즌에는 믿음직한 주전 공격수로서 다시금 리그 두 자릿수 득점에 도전한다.

출전경기	경기시간(분)	골	어시스트	경고	퇴장
18	788	3	2	2	-

FW 20 제로드 보웬
Jarrod Bowen

국적: 잉글랜드

웨스트햄의 주장이자 부동의 에이스. 빠르고 저돌적인 돌파와 뛰어난 개인 기술, 강력한 마무리 슈팅 능력을 겸비하고 있어 어느 순간에든 위협적인 공격 장면을 만들어낼 수 있는 선수. 지난 네 시즌 연속으로 팀 내 리그 최다 득점을 책임졌을 만큼 막중한 임무를 맡고 있는데, 공격 2선의 모든 포지션은 물론이고 최전방까지도 소화하면서 팀에 헌신해 왔다. 이제는 웨스트햄이 보웬을 도와줄 필요가 있다.

출전경기	경기시간(분)	골	어시스트	경고	퇴장
34	2,980	13	8	1	-

맨체스터 유나이티드
Manchester United

TEAM PROFILE	
창 립	1878년
회 장	글레이저 가문(미국)
감 독	루벤 아모림(포르투갈)
연 고 지	맨체스터
홈 구 장	올드 트래퍼드(7만 4,310명)
라 이 벌	맨체스터 시티, 리버풀
홈페이지	www.manutd.com

최근 5시즌 성적

시즌	순위	승점
2020-2021	2위	74점(21승11무6패, 73득점 44실점)
2021-2022	6위	58점(16승10무12패, 57득점 57실점)
2022-2023	3위	75점(23승6무9패, 58득점 43실점)
2023-2024	8위	60점(18승6무14패, 57득점 58실점)
2024-2025	15위	42점(11승9무18패, 44득점 54실점)

PREMIER LEAGUE (전신 포함)

통 산	우승 20회
24-25 시즌	15위(11승9무18패, 승점 42점)

FA CUP

통 산	우승 13회
24-25 시즌	16강

LEAGUE CUP

통 산	우승 6회
24-25 시즌	8강

UEFA

통 산	챔피언스리그 우승 1회
	유로파리그 우승 1회
24-25 시즌	유로파리그 우승 1회

 전력분석 ## '역대 최악의 맨유'를 벗어나 리빌딩 시작

"지금의 팀이 맨체스터 유나이티드 역사상 최악인 것 같다." 이는 2025년 1월 브라이턴과의 홈 경기에서 1-3으로 완패한 이후 나왔던 후벵 아모림 감독의 뼈 있는 발언이다. 맨유는 마지막까지 우승을 안기고 떠난 알렉스 퍼거슨 감독의 2013년 은퇴 이후, 데이비드 모이스, 루이 판 할, 주제 무리뉴, 올레 군나 솔샤르, 에릭 텐 하흐까지 다섯 명의 감독이 실패를 거듭했다. 그 과정에서 일관된 전술 기조나 선수 영입 철학도 사라진 탓에 이제는 어떤 감독이 와도 자신의 전술을 팀에 입히기 어려운 지경이 됐다. 뒤늦게나마 사태를 파악한 맨유는 2024년 11월 아모림 감독을 선임하고 전권을 맡겼다. 아모림은 자신의 원칙에 맞지 않는 선수들을 과감하게 내치며 리빌딩 작업을 진행하고 있다. 마테우스 쿠냐, 브라이언 음뵈모, 베냐민 세슈코가 차례로 영입돼 공격진의 얼굴이 완전히 바뀌었다. 마커스 래시포드, 제이든 산초, 알레한드로 가르나초와 같이 팀에 헌신하지 못하던 선수들은 정리 대상이 된 반면, 감독의 전술에 맞는 선수들이 중용되기 시작했다. 맨유의 리빌딩 작업은 이제 시작일 뿐이다. 우선은 화끈한 공격력을 되찾는 것이 팬들의 성원과 홈 경기 성적을 개선하는 데 도움이 될 것이다. 미드필드 구성과 후방 빌드업에 대한 고민은 여전히 남아 있다.

 전술분석 ## 아모림의 전술은 어디까지 통할까?

아모림 감독은 이전 팀인 스포르팅에서와 마찬가지로 3-4-2-1 포메이션을 사용하고 있다. 세 명의 센터백 중 하나가 전진해서 중원의 두 미드필더와 함께 삼각 형태를 취하고 빌드업에 관여하며 수적 우위를 점한다. 두 윙백은 최대한 사이드라인에 가깝게 서서 하프 스페이스에 공간을 만들어내고, 이 공간으로 두 명의 측면 공격수이자 공격형 미드필더가 침투해 상대 수비에 타격을 가하는 것이 아모림의 공격 전술이다. 수비 시에는 윙백들이 내려와 5-2-3 형태를 취해야 하기 때문에 발이 빠르고 강한 체력을 갖춘 자원들이 필수다. 팀 전체가 경기 내내 빠른 속도로 공격과 수비를 오르내리며 뛰어다녀야 하고, 중원에는 압박 능력과 공간으로 정확한 패스를 찔러줄 넓은 시야를 겸비한 플레이 메이커도 필요하다. 관건은 이 전술로 과연 어디까지 올라갈 수 있을지다. 아모림은 1부 리그를 기준으로 하면 채 5년이 안되는 감독이고, 역동적인 3-4-2-1 포메이션 하나로 승승장구해왔기에 유연한 전술 변화를 보여준 적은 없다. 이를 간파한 상대 팀들이 대처법을 들고 나오거나 아예 수비 라인을 낮추고 경기에 임할 텐데, 그때가 바로 아모림의 역량을 검증받는 시험대가 될 것이다.

Manchester City v Manchester United - Premier League
에티하드 스타디움에서 열린 프리미어리그 맨체스터 시티와
맨체스터 유나이티드의 경기에서,
맨체스터 유나이티드의 벤자민 세슈코가
맨체스터 시티의 요슈코 그바르디올과
볼 소유권을 두고 다투고 있다.
〈2025/09/14, Etihad Stadium〉

시즌 프리뷰 화려해진 공격진, 고민은 중원 조합

새로운 시즌을 맞이하는 맨체스터 유나이티드의 분위기는 긍정적이다. 지난 시즌 마지막 경기인 유로파 리그 결승에서 토트넘에 패한 실망은 컸지만, 이번 시즌 유럽 대회에 참가하지 않고 프리미어 리그에만 집중하며 많은 훈련을 통해 전술 완성도를 높일 수 있으니 지난 시즌의 상처는 오히려 전화위복이 될 수 있다. 막대한 이적료를 투자한 만큼 화려해진 공격진은 기대를 갖기에 충분하다. 마테우스 쿠냐와 브라이언 음뵈모는 득점과 기회 창출, 돌파와 침투에 모두 능한 선수들이다. 최전방의 베냐민 세슈코는 기존의 라스무스 호일룬에게 기대하기 어려웠던 전진 드리블과 연계 플레이 능력을 보유한 자원이다. 수비진에도 루크 쇼, 레니 요로, 리산드로 마르티네스, 마티아스 더 리흐트 등 부상만 없다면 뛰어난 수비력과 패스 실력을 겸비한 자원들이 대기하고 있다. 왼쪽 측면에는 파트리크 도르구, 오른쪽에는 아마드 디알로 같이 발이 빠르고 공격력을 갖춘 자원들이 윙백 역할을 훌륭하게 소화할 수 있다. 이제 남은 고민은 중원 조합이다. 어려운 시기 맨유를 지탱해온 에이스 브루누 페르난데스는 창의적인 패스 능력이 장점인데, 후벵 아모림 감독의 전술에서는 공격형 미드필더로도 중앙 미드필더로도 입지가 애매해졌다. 이는 메이슨 마운트와 코비 마이누도 마찬가지다. 공격 2선에서 뛰기에는 스피드나 돌파력이 부족하기 때문에 중원에 배치해 수비형 미드필더와 호흡을 맞추는 편이 낫다. 그런데 베테랑 미드필더 카세미루는 기동력이 너무나 떨어지고, 스포르팅에서도 아모림 감독의 지도를 받은 마누엘 우가르테는 압박에 능한 반면 경기 운영 능력은 기대하기 어렵다. 중원에 추가적인 보강이 이뤄지지 않는 이상 이 선수들 중에서 최상의 조합을 찾아내야 하는 게 아모림 감독의 과제다. 맨유를 20년간 이끌고 싶다는 포부는 좋지만, 당장은 구단과 팬들의 인내심이 바닥 나기 전에 반등을 이뤄내야 한다.

TEAM FORMATION

FW B
MF B+
DF B+
GK B-

30 세슈코 (지르크지)
10 쿠냐 (마운트)
19 음뵈모 (디알로)
13 도르구 (레온)
8 페르난데스 (메이누)
25 우가르테 (카세미루)
16 디알로 (달로)
6 마르티네스 (쇼)
4 더 리흐트 (매과이어)
15 요로 (마즈라위)
31 라멘스 (바인디르)

PLAN 3-4-2-1

지역 점유율
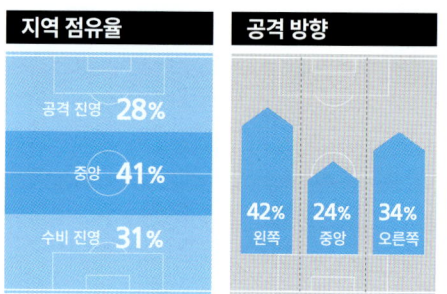
공격 진영 28%
중앙 41%
수비 진영 31%

공격 방향
42% 왼쪽
24% 중앙
34% 오른쪽

슈팅 지역

8% 골 에어리어
55% 패널티 박스
37% 외곽 지역

IN & OUT

주요 영입	주요 방출
베냐민 세슈코, 브라이언 음뵈모, 마테우스 쿠냐, 디에고 레온, 센느 라멘스	라스무스 호일룬, 마커스 래시포드, 빅토르 린델뢰프, 크리스티안 에릭센, 조니 에반스

TEAM RATINGS

슈팅 7
패스 7
조직력 4
수비력 5
감독 6
선수층 7

36

2024/25프로필

팀 득점	44
평균 볼 점유율	53.50%
패스 정확도	84.40%
평균 슈팅 수	13.9
경고	84
퇴장	3

골 타입
오픈 플레이	55
세트 피스	23
카운터 어택	9
패널티 킥	9
자책골	5

단위 (%)

패스 타입
쇼트 패스	87
롱 패스	9
크로스 패스	3
스루 패스	0

단위 (%)

SQUAD

포지션	등번호	이름		생년월일	키(cm)	체중(kg)	국적
GK	31	센느 라멘스	Senne Lammens	2002.07.07	193	92	벨기에
DF	2	디오고 달로트	Diogo Dalot	1999.03.18	183	75	포르투갈
	3	누사이르 마즈라위	Noussair Mazraoui	1997.11.14	183	65	모로코
	4	마타이스 더 리흐트	Matthijs de Ligt	1999.08.12	189	89	네덜란드
	5	해리 매과이어	Harry Maguire	1993.03.05	194	100	잉글랜드
	6	리산드로 마르티네스	Lisandro Martínez	1998.01.18	175	77	아르헨티나
	12	타이럴 말라시아	Tyrell Malacia	1999.08.17	169	67	네덜란드
	13	파트리크 도르구	Patrick Dorgu	2004.10.26	185	78	덴마크
	15	레니 요로	Leny Yoro	2005.11.13	190	83	프랑스
	23	루크 쇼	Luke Shaw	1995.07.12	185	75	잉글랜드
	26	에이든 헤븐	Ayden Heaven	2006.09.22	189	26	잉글랜드
	35	디에고 레온	Diego Leon	2007.04.03	177	16	파라과이
MF	7	메이슨 마운트	Mason Mount	1999.01.10	181	74	잉글랜드
	8	브루누 페르난데스	Bruno Fernandes	1994.09.08	179	69	포르투갈
	18	카세미루	Casemiro	1992.02.23	185	84	브라질
	25	마누엘 우가르테	Manuel Ugarte	2001.04.11	182	77	우루과이
	37	코비 마이누	Kobbie Mainoo	2005.04.19	180	71	잉글랜드
FW	10	마테우스 쿠냐	Matheus Cunha	1999.05.27	183	76	브라질
	11	조슈아 지르크지	Joshua Zirkzee	2001.05.22	193	97	네덜란드
	16	아마드 디알로	Amad Diallo	2002.07.11	173	72	코트디부아르
	19	브라이언 음뵈모	Bryan Mbeumo	1999.08.07	171	72	프랑스
	30	벤자민 세슈코	Benjamin Sesko	2003.05.31	195	86	슬로베니아

COACH

후벵 아모림 *Ruben Amorim*
1985년 1월 27일생 포르투갈

선수 시절 포르투갈 국가대표로도 활약했던 미드필더로, 32세 때부터 지도자 생활을 시작했다. 브라가 감독 시절 컵 대회 우승을 차지하는 성공을 거두며 주목을 받았고, 이어 스포르팅에서는 두 번의 리그 우승과 세 번의 컵 대회 우승을 차지했다. 포르투갈 무대 통산 승률이 70%가 넘는다. 2024년 11월 에릭 텐 하흐 감독의 뒤를 이어 맨체스터 유나이티드의 지휘봉을 잡았다. 시즌 도중 부임한 탓에 준비 부족으로 고전을 면치 못했으나, 이번 시즌에는 자신의 색깔을 확실히 보여줄 준비를 마쳤다.

상대팀 최근 6경기 전적

구분	승	무	패
리버풀 FC	1	3	2
아스널 FC	1	1	4
맨체스터 시티	2	1	3
첼시 FC	2	2	2
뉴캐슬 유나이티드 FC	1		5
애스턴 빌라	5	1	
노팅엄 포레스트	3		3
브라이튼 앤 호브 알비온	2		4
AFC 본머스	2	2	2
브렌트포드 FC	3	1	2
풀럼 FC	4		2
크리스탈 팰리스 FC	2	1	3
에버턴 FC	5	1	
웨스트햄 유나이티드 FC	2		4
맨체스터 유나이티드			
울버햄튼 원더러스	4		2
토트넘 홋스퍼 FC		1	5
리즈 유나이티드 FC	4	2	
번리 FC	4	2	
선덜랜드 AFC	4	1	1

KEY PLAYER

FW 30 베냐민 세슈코
Benjamin Sesko

출전경기	경기시간(분)	골	어시스트	경고	퇴장
33	2,399	13	5	-	1

국적: 슬로베니아

193cm의 장신을 활용한 공중 경합 능력과 빠른 스피드, 뛰어난 골 결정력까지 보유한 완전체 스트라이커. 양발을 모두 사용해서 어떠한 각도에서 어떠한 자세로든 강력한 슈팅을 구사하는 기술이 탁월하다. 상대 수비 뒤쪽 공간이나 측면으로 침투하는 움직임도 좋아 동료들에게 공략할 공간을 만들어주기도 하며, 직접 공을 가지고 전진하거나 연계 플레이에도 능하다. 22세의 젊은 공격수이기에 앞으로의 발전 가능성은 무궁무진하다. 맨유 공격진의 희망이자 새로운 에이스 감이다. 부상만 없으면 매 경기 선발 출전이 유력하다.

DARK HORSE

FW 19 브라이언 음뵈모
Bryan Mbeumo

출전경기	경기시간(분)	골	어시스트	경고	퇴장
38	3,417	20	7	3	-

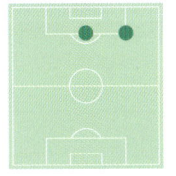

국적: 카메룬

브렌트포드에서 에이스로 활약해온 측면 공격수. 폭발적인 스피드와 지능적이면서도 성실한 움직임으로 끊임없이 공간을 찾아 들어가 날카로운 왼발 슈팅으로 골을 터트리는 플레이가 강점이다. 공격 마무리 단계에서 슈팅과 패스를 선택하는 상황 판단 또한 뛰어나기 때문에 맨유에서 공격형 미드필더 역할도 문제 없이 소화할 수 있다. 양발을 고루 사용하는 데다가 무게 중심이 낮아 쉽게 공을 빼앗기지 않으며, 수비 시에는 쉬지 않고 상대에게 압박을 가하기 때문에 공격 포인트 이외의 면에서도 팀에 많은 도움을 준다.

NEW ADDITION

FW 10 마테우스 쿠냐
Matheus Cunha

출전경기	경기시간(분)	골	어시스트	경고	퇴장
33	2,604	15	6	4	-

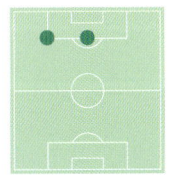

국적: 브라질

거의 혼자 힘으로 울버햄튼의 공격 전개를 책임져온 에이스. 탁월한 드리블 능력 덕분에 공을 갖고 긴 거리를 전진할 수 있으며, 저돌적으로 상대 골문을 향해 접근해 거리를 가리지 않고 강력한 중거리 슈팅으로 골을 터트리는 공격수다. 보통 중하위권 팀에서 에이스 역할을 하던 선수는 개인 플레이에만 집중하는 경향이 있는데, 쿠냐의 경우엔 창의적인 패스와 연계 플레이 능력도 갖추고 있어 빅 클럽 적응에도 전혀 문제가 없다. 이제까지 브루누 페르난데스에게만 집중돼 있던 맨유의 득점 기회 창출 부담을 쿠냐가 덜어줄 수 있다.

PLAYERS

GK 31 센느 라멘스
Senne Lammens

국적: 벨기에

지난 시즌 안트워프의 주전으로 도약한 뒤 엄청난 선방 능력을 보여주며 곧바로 맨유 이적까지 이뤄낸 젊은 골키퍼. 맨유가 장기적인 안목으로 지켜보던 자원이었으나, 주전 골키퍼 안드레 오나나의 끝이 보이지 않는 부진 탓에 좀 더 일찍 라멘스를 영입해 기회를 주게 됐다. 빠른 상황 판단으로 슈팅 각도를 좁히거나 크로스를 차단하러 나오는 수비가 인상적인데, 골문을 비우고 나오는 만큼 실수는 치명적이다.

출전경기	경기시간(분)	실점	무실점 (경기)	경고	퇴장
41	3,690	52	10	1	-

DF 2 디오고 달로트
Diogo Dalot

국적: 포르투갈

전술 이해도가 뛰어나 포백의 풀백과 스리백의 센터백을 모두 소화할 수 있는 다재다능한 수비 자원. 위치 선정이 뛰어나고 태클이 정확해 쉽사리 돌파를 허용하지 않는 장점이 있다. 전진 드리블 능력도 있어 공격 전개에도 기여한다. 그렇지만 윙백으로 출전했을 때는 크로스와 기회 창출 능력이 다소 부족한 편이기 때문에 후벵 아모림 감독의 3-4-2-1 포메이션에는 센터백 역할을 맡을 가능성이 크다.

출전경기	경기시간(분)	골	어시스트	경고	퇴장
33	2,814	3		5	-

DF 3 누사이르 마즈라위
Noussair Mazraoui

국적: 모로코

공을 다루는 기술과 패스 선택이 탁월한 오른쪽 측면 수비수. 포백의 풀백은 물론이고 하이브리드 풀백, 윙백, 스리백의 센터백까지 문제없이 소화할 수 있을 정도로 뛰어난 축구 지능을 갖추고 있다. 1대1 수비는 다소 약하더라도 위치 선정 능력으로 이를 커버하는 수비력과 침착한 플레이 덕분에 맨유에서 전술적인 쓰임새가 굉장히 많은 선수이며, 경기 도중에도 포지션을 바꿔가며 활약을 펼칠 수 있다.

출전경기	경기시간(분)	골	어시스트	경고	퇴장
37	2,850		1	3	-

DF 4 마타이스 더 리흐트
Matthijs de Ligt

국적: 네덜란드

강력한 신체 능력과 지능적인 위치 선정으로 박스 안팎을 수비하고, 전진 능력과 리더십까지 고루 갖춘 센터백. 특히 긴 패스까지 정확하게 공급하는 능력이 가장 큰 장점으로 꼽힌다. 그러나 방향 전환과 민첩성이 떨어져 발이 빠른 상대 공격수를 만났을 때는 고전하는 경향이 있고, 이 과정에서 실수를 저지르기도 한다. 잦은 부상 탓에 일찍부터 높게 평가 받던 잠재력을 아직 다 보여주지는 못했다.

출전경기	경기시간(분)	골	어시스트	경고	퇴장
29	2,128	2		3	-

DF 5 해리 매과이어
Harry Maguire

국적: 잉글랜드

강인한 정신력과 리더십을 갖춘 센터백. 공중 경합 능력이 뛰어나고 킥이 강력해 세트 피스에서 골을 터트리기도 하며, 정확한 방향 전환 패스로 공격 작업에서도 기여할 수 있는 선수다. 민첩성이 떨어진다는 단점이 맨유의 부진 속에서 크게 부각돼 팬들의 야유에 시달리던 시기도 있었지만, 이를 이겨내고 다시금 좋은 활약을 펼쳐 찬사를 받고 있다. 스리백 시스템에서는 더 안정적으로 활약할 수 있다

출전경기	경기시간(분)	골	어시스트	경고	퇴장
27	1,758	1		7	-

DF 6 리산드로 마르티네스
Lisandro Martinez

국적: 아르헨티나

경기 흐름을 읽는 능력이 뛰어나고 정확한 전진 패스로 공격 작업의 시발점 역할을 할 수 있는 수비수. 175cm로 센터백으로서는 신장이 작아 경합 능력에 한계가 있지만, 완벽한 타이밍의 태클과 위치 선정, 실수를 거의 저지르지 않는 침착함, 강한 승부욕으로 이를 만회한다. 불운하게도 올해 초 무릎 인대 부상으로 쓰러졌지만, 컨디션을 회복하고 나면 언제든 스리백의 왼쪽 센터백 주전으로 뛸 수 있다.

출전경기	경기시간(분)	골	어시스트	경고	퇴장
20	1,754		1	7	-

DF 13 파트리크 도르구
Patrick Dorgu

국적: 덴마크

역동적인 움직임과 뛰어난 전진 드리블 능력을 겸비한 공격적인 윙백. 키가 185cm로 신체가 건장하고 발도 빨라 상대와의 경합에서 쉽게 밀리지 않는다. 1대1 돌파 능력이 뛰어나 공격 지역까지 전진해서 득점 기회를 만들 수 있고, 낮은 지역에서는 넓은 패스 범위를 자랑한다. 수비 시에도 저돌적으로 압박을 가하고 빠르게 공간을 커버한다. 후벵 아모림 감독의 전술에 완벽하게 어울리는 자원이다.

출전경기	경기시간(분)	골	어시스트	경고	퇴장
12	844			3	1

DF 15 레니 요로
Leny Yoro

국적: 프랑스

19세의 어린 나이에는 어울리지 않을 정도로 침착함과 집중력이 뛰어나고 경기 흐름을 읽는 능력이 탁월한 센터백. 유럽 무대에서 가장 잠재력이 뛰어난 수비수 중 하나로 꼽힌다. 190cm의 장신으로 신체 능력이 강한 동시에 기술적으로도 뛰어나고 정확한 패스로 상대 압박을 따돌리는 능력 덕분이다. 2024년 여름 맨유 입단 직후 장기 부상을 당하는 불운을 겪었으나, 이번 시즌에는 주전 도약이 기대된다.

출전경기	경기시간(분)	골	어시스트	경고	퇴장
21	1,165			5	-

DF 23 루크 쇼
Luke Shaw

국적: 잉글랜드

뛰어난 전진 드리블과 날카로운 크로스 능력을 보유한 공격적인 레프트백. 선수 경력 내내 잦은 부상에 시달리며 잠재력과 기량을 100% 발휘하지 못한 비운의 선수다. 상대 압박에도 침착하게 대처하고 패스가 정확해 후방 빌드업 작업에서도 중요한 역할을 할 수 있고 1대1 수비 능력도 뛰어나다. 이제는 30대가 됐기에 공격 가담보다는 수비에 더 집중하면서 스리백의 왼쪽 센터백을 소화할 전망이다.

출전경기	경기시간(분)	골	어시스트	경고	퇴장
7	349			1	-

DF 26 에이든 헤븐
Ayden Heaven

국적: 잉글랜드

루크 쇼와 리산드로 마르티네스의 경쟁자이자 후계자로 떠오르고 있는 유망주 수비수. 아스널 유소년팀에서 공격수와 미드필더를 맡아 성장한 덕분에 공을 다루는 기술이 뛰어나고 왼발 패스가 정확하며, 어린 나이에도 수비에서 침착한 모습을 보인다. 프리 시즌 평가전에서 좋은 활약을 펼쳐 후벵 아모림 감독의 칭찬을 받았기에 이번 시즌 수비진에 공백이 발생할 경우 출전 기회를 잡을 가능성이 크다.

출전경기	경기시간(분)	골	어시스트	경고	퇴장
4	171			1	-

DF 35 디에고 레온
Diego Leon

국적: 파라과이

올해 1월 맨유 이적에 합의한 뒤 여름에 합류한 18세 유망주 레프트백. 최근 파라과이가 배출한 최고의 유망주 중 하나로 꼽힌다. 빠른 스피드와 강력한 경합 능력을 활용한 수비가 탁월하며, 세트 피스에서는 헤더로 골을 터트리는 공격력도 갖췄다. 체력이 강해 경기 내내 공격 가담을 쉬지 않고, 정확한 크로스로 득점 기회를 만든다. 이번 시즌 주로 컵 대회에 출전하며 경험을 쌓을 것으로 보인다.

출전경기	경기시간(분)	골	어시스트	경고	퇴장
12	815	1	-	2	-

MF 7 메이슨 마운트
Mason Mount

국적: 잉글랜드

지난 시즌 노팅엄에서 데려온 젊은 공격수. 최전방과 오른쪽 윙어를 모두 소화할 수 있다. 몸이 가볍고 빠르며 쇄도 타이밍이 좋다. 예전 델리 알리를 떠올리게 하는 스타일. 축구 센스가 있고, 통통 튀는 플레이를 많이 한다. 다만 상대 수비수가 강한 몸싸움을 걸면 다소 고전한다. 크로스의 정확도가 아쉬워 가장 좋지 않은 선택도 하고, 경기 경험 부족으로 저조한 경기력을 보여줄 때도 있다.

출전경기	경기시간(분)	골	어시스트	경고	퇴장
17	623	1	-	3	-

MF 8 브루누 페르난데스
Bruno Fernandes

국적: 포르투갈

넓은 시야와 창의적인 패스, 강력한 슈팅 능력으로 많은 득점을 만들어 내는 공격형 미드필더. 2020년 맨유 입단 직후부터 팀의 부진 속에서도 꾸준하게 최고의 활약을 펼쳤고, 리더십 또한 뛰어나 에이스이자 주장으로서 제 몫을 해왔다. 후벵 아모림 감독의 전술에서는 공격 2선이 아닌 중원에서 플레이 메이커 역할을 맡아야 하기에 이번 시즌에는 수비적으로 더 기여해야 하는 등 변신이 필요하다.

출전경기	경기시간(분)	골	어시스트	경고	퇴장
36	3,024	8	10	3	2

MF 18 카세미루
Casemiro

국적: 브라질

레알 마드리드에서 챔피언스 리그 우승을 다섯 번이나 차지한 화려한 경력을 자랑하는 수비형 미드필더. 중원에서 넓은 지역을 커버하며 전투적인 압박으로 공을 빼앗는 플레이에 강한 선수인데, 2022년 맨유 입단 시점에는 이미 30세의 나이로 기량이 하락하기 시작하며 프리미어 리그의 빠른 경기 템포에 어려움을 겪었다. 그래도 노련함이나 리더십은 여전하기에 베테랑으로서 팀에 기여할 여지는 충분하다.

출전경기	경기시간(분)	골	어시스트	경고	퇴장
24	1,499	1		5	-

MF 25 마누엘 우가르테
Manuel Ugarte

국적: 우루과이

스포르팅에서부터 후벵 아모림 감독과 호흡을 맞춰온 수비형 미드필더. 강도 높은 압박과 태클, 가로채기, 슈팅 차단 능력을 고루 보유하고 있어 수비진을 보호하는 역할에 특화된 선수다. 탈압박 능력도 준수하지만 패스 범위가 좁아 공격 전환을 지휘하는 역할까지는 맡기 어렵다는 한계도 있어 입지가 단단하지는 못하다. 베테랑 미드필더 카세미루와 로테이션으로 뛰면서 점차 출전 시간을 늘려가야 한다.

출전경기	경기시간(분)	골	어시스트	경고	퇴장
29	1,790	1	2	11	-

MF 37 코비 마이누
Kobbie Mainoo

국적: 잉글랜드

맨유 유소년팀 출신의 침착한 경기 운영 능력이 돋보이는 미드필더로, 탈압박 능력이 뛰어나 중원에서 공수의 연결 고리 역할을 수행할 수 있다. 수비 시에는 지능적으로 위치 선정을 하는 능력이 있지만, 경합 능력이 떨어져 전문 수비형 미드필더의 도움이 필요하다. 공격형 미드필더로서는 득점 생산 능력이 부족하다. 후방 플레이 메이커 역할에 집중하며 약점을 보완해야 주전 도약이 가능하다.

출전경기	경기시간(분)	골	어시스트	경고	퇴장
25	1,657			5	-

FW 11 조슈아 지르크지
Joshua Zirkzee

국적: 네덜란드

지능적인 움직임과 위치 선정, 연계 플레이가 뛰어난 공격수. 192cm의 장신임에도 민첩한 데다 양발을 모두 사용하는 슈팅으로 골을 터트린다. 지난 시즌 세리에 A의 볼로냐를 떠나 맨유에 입단한 이후로는 프리미어 리그 적응에 어려움을 겪었고, 시즌 막바지 허벅지 부상으로 이탈했다. 그 사이 공격진이 보강돼 입지가 흔들릴 수 있지만, 최전방과 2선에 모두 기용될 수 있어 활용 가치가 높다.

출전경기	경기시간(분)	골	어시스트	경고	퇴장
32	1,395	3	1	2	-

FW 16 아마드 디알로
Amad Diallo

국적: 코트디부아르

폭발적인 스피드와 최고 수준의 드리블 돌파 능력을 갖춘 측면 자원. 2020년 당시 18세의 나이로 아탈란타에서 영입됐고, 레인저스와 선덜랜드 임대를 통해 경험을 쌓고 돌아온 이후 에릭 텐 하흐 전임 감독에게는 외면을 받다가 후벵 아모림 감독에게 중용되며 잠재력을 만개했다. 마무리 슈팅과 기회 창출이 강점이지만 압박 수비 능력도 뛰어나기 때문에 경기 상황에 따라 윙백으로도 활용될 수 있다.

출전경기	경기시간(분)	골	어시스트	경고	퇴장
26	1,903	8	6	5	-

울버햄튼 원더러스
Wolverhampton Wanderers

TEAM PROFILE	
창 립	1877년
회 장	곽광창(중국)
감 독	비토르 페레이라(포르투갈)
연 고 지	웨스트미들랜즈 울버햄튼
홈 구 장	몰리뉴 스타디움(3만 2,050명)
라 이 벌	웨스트브롬위치, 아스톤 빌라
홈페이지	www.wolves.co.uk

최근 5시즌 성적

시즌	순위	승점
2020-2021	13위	45점(12승9무17패, 36득점 52실점)
2021-2022	10위	51점(15승6무17패, 38득점 43실점)
2022-2023	13위	41점(11승8무19패, 31득점 58실점)
2023-2024	14위	46점(13승7무18패, 50득점 65실점)
2024-2025	16위	42점(12승6무20패, 54득점 69실점)

PREMIER LEAGUE (전신 포함)

통 산	우승 3회
24-25 시즌	16위(12승6무20패, 승점 42점)

FA CUP

통 산	우승 4회
24-25 시즌	16강

LEAGUE CUP

통 산	우승 2회
24-25 시즌	32강

UEFA

통 산	없음
24-25 시즌	없음

 전력분석 ## 반복되는 에이스 이적, 계속되는 하락세

울버햄튼은 2024년 여름 에이스 측면 공격수 페드루 네투를 첼시로 떠나 보낸뒤 전반기 내내 강등권을 전전했다. 프리미어 리그에서 16라운드까지 2승 3무 11패라는 충격적인 성적을 기록하던 게리 오닐 감독은 시즌 도중 경질됐다. 베테랑 감독 비토르 페레이라가 후임으로 부임해 안정을 찾은 덕분에 일찌감치 강등권에서 탈출해 잔류를 확정 지었지만, 이번 여름에도 같은 행보가 반복되고 있다. 팀 내 최다 득점자 마테우스 쿠냐를 맨체스터 유나이티드로 이적시켰고, 공격적인 양쪽 윙백 라얀 아잇-누리와 넬송 세메두 또한 각각 맨체스터 시티와 페네르바체로 떠났다. 팀의 공격에서 가장 중요한 역할을 하던 세 선수가 동시에 이탈해버린 것이다. 대신 존 아리아스와 페르 로페스가 영입되기는 했지만, 아리아스는 유럽 무대 도전 자체가 처음이고 로페스는 유럽 1부 리그를 지난 시즌에 처음 소화한 20대 초반 선수다. 울버햄튼은 이번 시즌에도 프리미어 리그 잔류를 두고 악전고투해야 하는 팀이다. 그나마 페레이라 감독이 오닐 감독보다는 훨씬 경험이 풍부하기에 초반부터 위기를 맞이하지는 않을 수 있겠지만, 2021-22시즌 10위 이후 13위, 14위, 16위를 기록한 하락세가 어디서 멈출지는 누구도 알 수 없다.

 전술분석 ## 선수의 강점을 살린 명확한 지시

비토르 페레이라는 경험이 풍부한 감독답게 지난 시즌 각 선수를 자신의 강점을 살릴 수 있는 위치에 배치하고 명확한 전술 지시로 위기를 수습하는 데 성공했다. 풀백 출신 맷 도허티가 스리백의 오른쪽 수비수로 배치된 것을 제외하면 자기 포지션에서 벗어난 역할을 맡은 선수는 없었다. 과거 팀에 성공을 안겼던 누누 산투스 에스피리투 감독 시절의 3-4-3 포메이션을 사용하면서도 역습에만 의존하는 대신 압박 강도를 높이고 전방으로 더 빠르게 공을 투입해서 수비 안정과 공격력 강화를 모두 잡았다. 이 과정에서 마테우스 쿠냐의 절대적인 개인 기량과 라얀 아잇-누리의 저돌적인 움직임이 공격을 이끌었는데, 이번 시즌 두 선수의 공백을 메우기는 쉽지 않아 보인다. 특히 즉시 전력 감으로 영입된 측면 공격수 존 아리아스의 어깨가 무겁다. 페르 로페스는 라르센과 마찬가지로 스페인의 셀타 비고에서 영입해 또 하나의 성공작이 되기를 기대하고 있지만, 경험이 부족한 게 흠이다. 새로운 레프트백 데이비드 묄러 볼프도 준수한 공격력을 갖췄으나 아잇-누리의 공격력을 기대하기는 어렵다. 라르센이 지난 시즌 리그 마지막 아홉 경기에서 일곱 골을 터트린 것은 희망적이다.

시즌 프리뷰 신입 선수들의 적응에 달린 울버햄튼의 운명

혼자 힘으로 골을 만들어내던 마테우스 쿠냐의 이탈만으로도 울버햄튼의 전력은 객관적으로 크게 약해진 것처럼 보이지만, 지난 시즌의 예르겐 스트란드 라르센과 같이 신입 선수가 곧바로 활약을 펼쳐준다면 상황은 달라질 수도 있다. 선수 영입에는 여전히 포르투갈의 '슈퍼 에이전트' 조르제 멘데스가 깊숙하게 관여해 남미와 남부 유럽 출신의 유망주들이 울버햄튼에 입단, 최고의 무대인 프리미어 리그에서 도약을 꿈꾼다. 비토르 페레이라 감독의 탁월한 선수 관리 능력으로 팀 분위기가 좋아지고 팬들과의 유대감이 강해진 것은 긍정적인 요소다. 매 시즌 에이스를 내보내는 구단의 행보에 팬들이 불만을 가질 수 있는데, 펍에서 만남의 자리를 마련하는 등 적극적인 스킨십으로 마음을 달랬기에 시즌 초반 부진이 찾아오더라도 조금 더 인내심 있게 선수들의 발전을 기다려줄 것이다. 아무리 선수단에 큰 투자를 하지 않는 울버햄튼이라도 프리미어 리그 잔류만큼은 반드시 이뤄내야 하기 때문에 겨울 이적시장에서 추가적인 보강을 할 가능성도 있다. 그렇지만 당장의 전력만을 놓고 보자면 목표는 강등권으로 추락하지 않는 것이고, 15위 이상의 순위를 기대하기는 어려운 게 냉정한 현실이다.

IN & OUT

주요 영입	주요 방출
예르겐 스트란드 라르센, 톨루 아로코다레, 페르 로페스, 라디슬라브 크레이치, 존 아리아스, 데이비드 묄러 볼프	마테우스 쿠냐, 라얀 아잇-누리, 곤살루 게데스, 넬송 세메두, 파블로 사라비아

TEAM FORMATION

PLAN **3-4-2-1**

TEAM RATINGS

슈팅 4
패스 5
조직력 6
수비력 4
감독 5
선수층 6

30

2024/25프로필

팀 득점	54
평균 볼 점유율	47.90%
패스 정확도	82.70%
평균 슈팅 수	11.3
경고	75
퇴장	2

골 타입	
오픈 플레이	67
세트 피스	17
카운터 어택	15
패널티 킥	0
자책골	2

단위 (%)

패스 타입	
쇼트 패스	85
롱 패스	11
크로스 패스	3
스루 패스	0

단위 (%)

지역 점유율
공격 진영 26%
중앙 43%
수비 진영 31%

공격 방향
39% 왼쪽
24% 중앙
37% 오른쪽

슈팅 지역
6% 골 에어리어
57% 패널티 박스
38% 외곽 지역

상대팀 최근 6경기 전적

구분	승	무	패
리버풀 FC	1		5
아스널 FC			6
맨체스터 시티	1		5
첼시 FC	3		3
뉴캐슬 유나이티드 FC		2	4
애스턴 빌라	2	2	2
노팅엄 포레스트		4	2
브라이튼 앤 호브 알비온	1	2	3
AFC 본머스	2		4
브렌트포드 FC	2	2	2
풀럼 FC	2	2	2
크리스탈 팰리스 FC	1	1	4
에버턴 FC	3	2	1
웨스트햄 유나이티드 FC	2		4
맨체스터 유나이티드	2		4
울버햄튼 원더러스			
토트넘 홋스퍼 FC	4	1	1
리즈 유나이티드 FC	2	1	3
번리 FC	2	2	2
선덜랜드 AFC	3	2	1

SQUAD

포지션	등번호	이름		생년월일	키(cm)	체중(kg)	국적
GK	1	주제 사	José Sá	1993.01.17	192	84	포르투갈
	25	대니얼 벤틀리	Dan Bentley	1993.07.13	188	73	잉글랜드
DF	2	맷 도허티	Matt Doherty	1992.01.16	185	89.5	아일랜드
	4	산티아고 부에노	Santiago Bueno	1998.11.09	190	76	우르과이
	6	데이비드 묄러 볼프	David Møller Wolfe	2002.04.23	187	79	노르웨이
	12	에마뉘엘 아그바두	Emmanuel Agbadou	1997.06.17	192	86	코트디부아르
	15	예르손 모스케라	Yerson Mosquera	2001.05.02	188	84	콜롬비아
	21	호드리구 고메스	Rodrigo Martins Gomes	2003.07.07	175	67	포르투갈
	24	토티 고메스	Toti Gomes	1999.01.16	187	72	포르투갈
	26	키-야나 회버	Ki Jana Hoever	2002.01.18	183	65	네덜란드
	38	잭슨 차추아	Jackson Tchatchoua	2001.09.14	180	79	카메룬
MF	5	마셜 무네치	Marshall Munetsi	1996.06.22	188	83	짐바브웨
	7	안드레	André	2001.07.16	177	77	브라질
	8	주앙 고메스	João Gomes	2001.02.12	176	74	브라질
	27	장리크네르 벨가르드	Jean-Ricner Bellegarde	1998.06.27	170	70	프랑스
FW	9	예르겐 스트란드 라르센	Jorgen Strand Larsen	2000.02.06	194	79	노르웨이
	10	존 아리아스	Jhon Arias	1996.09.21	172	66	콜롬비아
	11	황희찬	Hee-chan Hwang	1996.01.26	177	77	대한민국
	14	톨루 아로코다레	Tolu Arokodare	2000.11.23	197	97	나이지리아
	23	타완다 치레와	Tawanda Chirewa	2003.10.11	181	72	짐바브웨
	28	페르 로페스	Fer López	2004.05.24	186	76	스페인
	30	엔소 곤살레스	Enso González	2005.01.20	169	69	파라과이
	36	마테우스 마네	Mateus Mané	2007.09.16	188	-	포르투갈

COACH

PLAYERS

선수 시절 아마추어 축구만을 경험하고 28세에 일찌감치 은퇴, 감독의 길로 뛰어들었다. 포르투, 알 아흘리, 올림피아코스, 페네르바체, 1860 뮌헨, 상하이 상강, 코린치아스, 플라멩구, 알 샤밥까지 전 세계의 다양한 팀을 지휘하며 포르투갈과 그리스, 중국 무대에서 우승해 지도력을 인정받았다. 에버턴과도 인연이 있었고, 지난 시즌 울버햄튼의 지휘봉을 잡았다. 57세로 웨스트햄의 데이비드 모이스(62)에 이어 이번 시즌 프리미어 리그에서 두 번째로 나이가 많은 감독이다.

비토르 페레이라 *Vitor Pereira*
1968년 7월 26일생 포르투갈

| FW | 9 | 예르겐 스트란드 라르센 | KEY PLAYER |

Jorgen Strand Larsen

국적: 노르웨이

네덜란드의 흐로닝언과 스페인의 셀타 비고에서 두각을 나타낸 193cm의 장신 최전방 공격수. 지난 시즌 임대로 울버햄튼에 합류해 구단 역사상 프리미어 리그 데뷔 시즌 최다 득점(14골) 기록을 수립하는 인상적인 활약을 펼쳐 이번 여름 437억의 이적료에 완전영입됐다. 지난 시즌 전반기에는 팀도 부진을 거듭한 탓에 충분한 지원을 받지 못해 프리미어 리그 적응에 어려움을 겪었으나, 시즌 막바지부터는 적응을 마치고 자신감 있는 모습으로 꾸준한 활약을 펼쳤다. 장신을 활용한 공중 경합 능력으로 공을 확보하는 능력이 탁월해 공격 전개에 중요한 역할을 담당했고, 박스 안에서 위치 선정과 골 결정력도 뛰어나 이번 시즌도 확고한 주전 자리를 지킬 전망이다.

출전경기	경기시간(분)	골	어시스트	경고	퇴장
35	2,603	14	4	4	-

| GK | 1 | 주제 사 |

José Sá

국적: 포르투갈

4년간 울버햄튼의 골문을 지켜온 주전 골키퍼. 선방 능력이 뛰어난 것은 물론 적극적으로 전진해 수비 뒤쪽 공간을 커버하고 빌드업에도 관여할 수 있는 다재다능한 골키퍼. 과거 사우샘프턴과의 맞대결에서는 정확한 패스로 도움을 기록했을 정도다. 지난 시즌 초반에는 샘 존스턴에게 잠시 선발 자리를 내주기도 했으나, 이내 기량을 회복하고 비토르 페레이라 감독의 신뢰를 받아 다시금 주전으로 도약했다.

출전경기	경기시간(분)	실점	무실점(경기)	경고	퇴장
29	2,610	48	7	2	-

| DF | 2 | 맷 도허티 |

Matt Doherty

국적: 아일랜드

울버햄튼에서 공식 대회 380경기 이상을 소화한 측면 수비수. 2020년 토트넘 이적 이후 아틀레티코 마드리드를 거쳐 2023년 울버햄튼에 돌아와 주전 자리를 지키고 있다. 과거에는 저돌적인 공격 가담이 강점이었으나, 30대에 접어들면서 풍부한 경험을 바탕으로 수비에서 안정성이 개선된 모습이다. 스리백의 오른쪽 센터백과 포백의 오른쪽 풀백을 모두 맡을 수 있는 선수여서 전술적인 활용 가치가 크다.

출전경기	경기시간(분)	골	어시스트	경고	퇴장
30	2,115	2	1	6	-

| DF | 6 | 데이비드 묄러 볼프 |

David Møller Wolfe

국적: 노르웨이

AZ 알크마르에서 194억에 영입된 레프트백. 맨체스터 시티로 이적한 라얀 아잇-누리의 대체자 역할을 맡는다. 아잇-누리만큼의 공격력은 아니더라도 강한 체력으로 90분 내내 측면을 빠르게 오르내리며 공수 모두에 기여할 수 있으며, 전진 드리블 이후 올리는 크로스로 장신 공격수에게 좋은 득점 기회를 만들어줄 수 있다. 특히 예르겐 스트란드 라르센과는 노르웨이 대표팀에서도 호흡을 맞추고 있다.

출전경기	경기시간(분)	골	어시스트	경고	퇴장
31	2,513	2	5	5	1

| DF | 12 | 에마뉘엘 아그바두 |

Emmanuel Agbadou

국적: 코트디부아르

193cm의 건장한 체격에 빠른 스피드까지 겸비한 센터백. 경합 능력이 워낙 뛰어나 수비는 물론 세트 피스 공격 시에도 무기가 될 수 있는 자원이다. 패스 정확도도 뛰어난 편이라 빌드업 과정에도 문제 없이 관여할 수 있고, 프랑스 무대에서 랭스의 주장을 맡았을 정도로 리더십도 뛰어나 적극적으로 수비진을 지휘한다. 올해 1월 울버햄튼에 입단해 곧바로 인상적인 활약을 펼쳐 주전으로 자리매김했다.

출전경기	경기시간(분)	골	어시스트	경고	퇴장
16	1,411	1	-	3	-

| DF | 21 | 호드리구 고메스 |

Rodrigo Gomes

국적: 포르투갈

양쪽 측면 공격수와 윙백 역할을 모두 소화할 수 있는 다재다능한 자원. 지난 시즌 울버햄튼에 입단해 주로 교체로 활용되며 프리미어 리그의 빠른 템포에 적응하는 기간을 보냈다. 폭발적인 스피드와 기술적인 드리블 능력을 갖춰 공격 기여도가 높은 편이며, 윙백으로서는 성실하게 수비에 가담해 정확도 높은 태클을 선보였다. 이번 시즌도 측면 주전 경쟁이 치열해 어떤 포지션에서든 기회를 잡아야 한다.

출전경기	경기시간(분)	골	어시스트	경고	퇴장
25	799	2	-	-	-

| DF | 24 | 토티 고메스 |

Toti Gomes

국적: 포르투갈

뛰어난 클리어링과 태클, 가로채기 능력을 보유한 울버햄튼 수비진의 핵심. 2020년 입단 이후 스위스의 그라스호퍼로 임대돼 경험을 쌓았고, 2022-23시즌부터 본격적으로 울버햄튼에서 활약을 시작해 공식 대회 100경기 이상을 소화했다. 과감한 전환 패스와 안정적인 공 처리로 공격 전개를 지원한다. 이번 시즌에는 팀을 떠난 넬송 세메두의 뒤를 이어 주장 역할을 맡아 리더십을 발휘해야 한다.

출전경기	경기시간(분)	골	어시스트	경고	퇴장
31	2,616	-	1	7	-

PLAYERS

DF 26 키-야나 회버
Ki-Jana Hoever

국적: 네덜란드

리버풀 유소년팀 출신의 라이트백. 2020년 리버풀을 떠나 울버햄튼에 입단했으나, 지난 3년간 임대로 팀을 떠나 이제는 이적이 유력해 보였다. 그러나 지난 시즌 오세르에서 좋은 활약을 펼친 데 이어 프리 시즌 훈련에서도 비토르 페레이라 감독에게 강한 인상을 남긴 끝에 팀에 남아 주전 경쟁에 임하게 됐다. 넬송 세메두의 대체자 역할을 맡는데, 세메두보다 공격력은 부족한 반면 수비력은 더 안정적이다.

출전경기	경기시간(분)	골	어시스트	경고	퇴장
30	2,142	1	2	2	1

MF 5 마셜 무네치
Marshall Munetsi

국적: 짐바브웨

188cm의 장신 수비형 미드필더로, 올해 2월 스타드 랭스를 떠나 울버햄튼에 합류해 팀의 프리미어 리그 잔류에 힘을 보탰다. 활동량이 많고 위치 선정 능력이 뛰어나 압박에 강점을 보이며 태클과 가로채기 등 수비 기술도 준수하다. 공격 시에는 상대 수비의 견제를 피해 박스까지 전진해 강력한 슈팅으로 득점을 노리기도 한다. 이번 시즌도 오른쪽 하프 스페이스에서 공수를 연결하는 역할을 맡을 전망이다.

출전경기	경기시간(분)	골	어시스트	경고	퇴장
14	1,079	2	1	-	

MF 7 안드레
Andre Trindade da Costa Neto

국적: 브라질

지난 시즌 큰 성장을 이룬 수비형 미드필더. 적극적인 압박으로 수비진을 보호하고, 후방에서 공을 잡았을 때는 빠른 전진 드리블로 역습의 첨병 역할을 해냈는데, 이때 뛰어난 탈압박 능력이 빛을 발했다. 패스 범위도 넓어 한 번의 긴 전환 패스로 공격 기회를 열어주기도 한다. 이번 시즌도 주앙 고메스와 중원에서 호흡을 맞춰 팀의 공수 균형을 유지하며 경기 템포를 영리하게 조율할 것으로 보인다.

출전경기	경기시간(분)	골	어시스트	경고	퇴장
33	2,488	-		7	

MF 8 주앙 고메스
Joao Gomes

국적: 브라질

프리미어 리그에서 지난 시즌 최고 수준의 태클과 가로채기 기록을 남긴 전투적인 수비형 미드필더. 안드레와 비교해 패스 연결보다는 수비 임무에 더 집중하는 편이지만, 브라질 국가대표로 꾸준하게 발탁될 만큼 유려한 개인 기술도 보유하고 있다. 헌신적인 활약 덕분에 울버햄튼 팬들로부터 지난 시즌 팀 내 최고의 선수로 선정되기도 했고, 구단으로부터는 올해 4월 5년 재계약으로 확실한 보답을 받았다.

출전경기	경기시간(분)	골	어시스트	경고	퇴장
36	2,990	3	1	9	1

MF 27 장리크네르 벨가르드
Jean-Ricner Bellegarde

국적: 프랑스

쉬지 않고 경기장을 누비는 박스 투 박스 미드필더로, 울버햄튼에서는 공격형 미드필더 포지션에 배치돼 공수 모두에 기여하고 있다. 드리블 돌파 능력이 뛰어난 데다 움직임 자체가 영리해 공격 상황에서 울버햄튼이 상대 수비보다 수적 우위를 점할 수 있도록 도움을 준다. 수비에도 적극 가담해 중앙 미드필더들의 부담을 덜어주는데, 이번 시즌에는 효율적으로 더 많은 골 생산에 집중할 필요가 있다.

출전경기	경기시간(분)	골	어시스트	경고	퇴장
35	1,685	2	7	3	-

FW 10 존 아리아스
Jhon Arias

국적: 콜롬비아

올해 6월까지 브라질의 플루미넨시에서 활약하다 울버햄튼에 입단한 공격수. 2025 클럽 월드컵에서 아시아 대표로 참가한 울산 HD를 상대로 선제골을 득점했고, 대회 기록 1골 1도움으로 베스트 팀 후보에도 선정됐다. 숨 돌릴 틈도 없이 울버햄튼에 최대한 빠르게 적응해 마테우스 쿠냐의 공백을 메워야 한다. 강한 경합 능력, 민첩성, 창의성을 고루 갖추고 있어 공격 2선의 모든 포지션을 소화한다.

출전경기	경기시간(분)	골	어시스트	경고	퇴장
12	1,080	1	4	1	-

FW 11 황희찬
Hwang Hee-Chan

국적: 대한민국

입지가 흔들리고 있는 프리미어 리그의 유일한 코리안 리거. 저돌적인 돌파와 침투 능력을 앞세워 꾸준한 활약을 펼치며 2023-24시즌에는 리그 두 자릿수 득점도 기록했지만, 부상과 기복 탓에 지난 시즌에는 주전 경쟁에서 밀려나며 선발 다섯 경기 출전에 그쳤다. 올 여름 버밍엄 시티의 이적 제의를 받기도 했지만, 프리미어 리그에 남겠다는 선수의 의지가 강해 다시금 주전 도약을 다짐하고 있다.

출전경기	경기시간(분)	골	어시스트	경고	퇴장
21	652	2	-	-	-

FW 14 톨루 아로코다레
Tolu Arokodare

국적: 나이지리아

197cm의 장신을 활용한 강력한 최전방 플레이를 자랑하는 공격수. 지난 시즌 벨기에 리그에서 득점왕에 오르는 활약으로 잠재력을 만개했고, 최근에는 나이지리아 국가대표 데뷔골도 터트리는 상승세를 이어가고 있다. 그러나 골 결정력에는 기복이 심하고 공을 다루는 기술이 투박한 편이라 프리미어 리그에 적응하는 데는 시간이 필요해 보인다. 라르센의 백업으로 활약하면서 출전 시간을 늘려가야 한다.

출전경기	경기시간(분)	골	어시스트	경고	퇴장
40	3,086	21	5	2	-

FW 28 페르 로페스
Fer Lopez

국적: 스페인

셀타 비고에서 372억에 영입된 공격형 미드필더. 드리블 돌파 능력이 탁월하며, 왼발로 공을 다루는 기술이 좋아 상대의 강한 압박에도 침착하게 대응해 공을 지켜내고 연결하는 플레이가 강점이라 과거 울버햄튼의 에이스였던 페드루 네투와 비교되기도 한다. 기술을 뽐낼 수 있는 라 리가에서 한 시즌만을 소화한 뒤 쉴 새 없이 강하게 압박이 들어오는 프리미어 리그에 얼마나 빠르게 적응할지가 관건이다.

출전경기	경기시간(분)	골	어시스트	경고	퇴장
17	669	2	-	2	-

토트넘 홋스퍼
Tottenham Hotspur

TEAM PROFILE

창　립	1882년
회　장	다니엘 레비(잉글랜드)
감　독	토마스 프랑크(덴마크)
연 고 지	런던 토트넘
홈 구 장	토트넘 홋스퍼 스타디움(6만 2,850명)
라 이 벌	아스널
홈페이지	www.tottenhamhotspur.com

최근 5시즌 성적

시즌	순위	승점
2020-2021	7위	62점(18승8무12패, 68득점 45실점)
2021-2022	4위	71점(22승5무11패, 69득점 40실점)
2022-2023	8위	60점(18승6무14패, 70득점 63실점)
2023-2024	5위	66점(20승6무12패, 74득점 61실점)
2024-2025	17위	38점(11승5무22패, 64득점 65실점)

PREMIER LEAGUE (전신 포함)

통　산	우승 2회
24-25 시즌	17위(11승5무22패, 승점 38점)

FA CUP

통　산	우승 8회
24-25 시즌	32강

LEAGUE CUP

통　산	우승 4회
24-25 시즌	4강

UEFA

통　산	유로파리그 우승 3회
24-25 시즌	유로파리그 우승

전력분석 | 포스트 손흥민 시대의 시작

주장 완장을 차고 프리미어 리그와 유럽 무대를 누비던 역대 최고의 아시아 선수 손흥민이 지난 시즌 유로파 리그 우승을 끝으로 작별을 고했다. 이로써 토트넘은 마우리시오 포체티노 감독과 함께 2018-19시즌 챔피언스 리그 결승에 올랐던 주축 멤버들이 모두 떠나고 새로운 시대를 맞이하게 됐다. 엔지 포스테코글루 전임 감독의 프리미어 리그는 17위, 유로파 리그 우승으로도 변명할 수 없는 수준의 결과였다. 오로지 전진밖에 할 줄 모르는 고집불통 전술이 경질에 큰 역할을 했다. 토트넘이 목표로 하는 변화의 기조는 젊고 빠른 팀을 구성하는 것이다. 짠돌이로 유명한 다니엘 레비 회장도 지원을 아끼지 않고 있다. 모하메드 쿠두스, 마티스 텔과 같이 젊고 재능 있는 선수들이 합류해 새로운 토트넘의 주축을 구성할 것이다. 사령탑은 상대적으로 중소 구단인 브렌트포드를 성공으로 이끌던 토마스 프랑크 감독. 빠른 측면 공격을 무기로 전술을 운용해왔기 때문에 토트넘 적응에 큰 무리는 없을 전망이다. 수비진에도 젊고 에너지 넘치는 선수들이 풍부하기 때문에 디테일한 지도와 공수 균형을 잡는다면 곧바로 성공을 거둘 수 있는 환경은 갖춰져 있다. 이적설을 낳던 수비의 핵심 크리스티안 로메로도 잔류를 선택하고 4년 재계약을 체결, 손흥민의 뒤를 잇는 주장으로 선임됐다.

전술분석 | 원칙주의에서 실용주의로 180도 변신

엔지 포스테코글루 전임 감독이 원칙주의를 고수했다면, 토마스 프랑크는 실용주의를 중시하는 감독이다. 그 덕분에 브렌트포드에서 강팀들을 상대로도 좋은 성적을 거뒀왔고, 토트넘에서 치른 첫 공식 경기인 UEFA 슈퍼컵에서도 지난 시즌 챔피언스 리그 우승 팀 파리 생제르맹을 상대로 우세한 경기를 펼친 끝에 승부차기까지 갔다. 위험한 후방 빌드업을 고집하는 대신 파페 사르와 같이 경합과 침투 능력을 가진 선수들을 전진시켜 공격 지역에서 수적 우위를 점하게 한 뒤, 한 번의 긴 패스로 좋은 공격 기회를 만드는 모습이었다. 중앙에서 창의적인 패스를 공급할 수 있는 미드필더 제임스 매디슨이 장기 부상으로 이탈하면서 측면을 활용한 빠른 공격 의존도는 더욱 높아질 전망이다. 이미 토트넘에는 브레넌 존슨, 윌슨 오도베르 등 스피드를 갖춘 유망한 측면 자원들이 많고, 중앙 미드필더들도 젊어 측면 지원을 충분히 해줄 수 있다. 특히나 믿음직한 수비형 미드필더가 절실했는데, 바이에른 뮌헨으로부터 주앙 팔리냐를 영입하며 중원의 무게감이 달라졌다. 무리한 전진과 전방 압박 대신 촘촘한 수비 간격을 유지하고, 약점으로 지적됐던 세트 피스 수비도 개선에 나섰다.

Rangers FC v Tottenham Hotspur - UEFA Europa League
아이브록스 스타디움에서 열린 UEFA 유로파리그
2024/25 리그 페이즈 조별리그 6차전
레인저스 FC와 토트넘 홋스퍼의 경기에서, 토트넘의 아치 그레이가
레인저스의 제임스 태번니어와 경합하고 있다.
〈2024/12/12, Ibrox Stadium〉

시즌 프리뷰 현명한 감독 교체, 챔피언스 리그 병행이 관건

지난 1년은 토트넘에 굴욕의 시기였다. 평소 프리미어 리그 4위권 진입 경쟁을 펼치던 팀이 17위로 추락했고, 승점은 고작 38점에 불과했다. 과거처럼 기존 팀들과 승격 팀들의 전력 격차가 크지 않았다면 40점 미만의 승점은 강등을 당했을 성적이다. 이는 당연하게도 토트넘의 프리미어 리그 시즌 최소 승점 신기록이라는 불명예가 됐다. 엔지 포스테코글루 감독은 최악의 경기력 속에서도 어느 팀에서든 부임 2년 차에는 무조건 우승을 차지한다고 호언장담을 했고, 실제로 유로파 리그에서 수비를 우선하는 전술로 정상에 오르며 약속을 지켰다. 그러나 토트넘은 1년 전 맨체스터 유나이티드와 같은 실수를 하지 않았다. 맨유는 에릭 텐 하흐 감독의 지도력에 불만족하면서도 2023-24시즌 FA컵 우승을 지켜보고 유임을 결정했으나, 토트넘은 부진이 이어지며 지난 시즌 도중 감독을 교체하는 혼란을 겪어야 했다. 토마스 프랑크 신임 감독은 토트넘 부임 이전에도 여러 차례 빅 클럽의 사령탑 후보로 거론됐을 만큼 잉글랜드 무대에서 지도력을 인정받았기에 안정적으로 팀을 지휘할 것이다.

프랑크 감독의 브렌트포드는 역동적이고 빠른 축구를 통해 아이반 토니, 브라이언 음뵈모 같은 스타를 배출하기도 했는데, 토트넘에는 그보다 더 큰 잠재력을 갖춘 선수들이 많기 때문에 이전과 같은 위상을 회복하는 데는 오랜 시간이 걸리지 않을 것이다. 관건은 챔피언스 리그 병행이다. 주중에 최소 여덟 경기를, 그것도 강팀들을 상대로 치러야 하는 바쁜 일정을 소화한 경험은 토트넘 선수들에게도 프랑크 감독에게도 없었기 때문이다. 지난 시즌 참가했던 유로파 리그는 로테이션이 가능한 대회였지만 챔피언스 리그는 다르다. 젊은 선수들이 많아 에너지와 투지로 이겨낼 수도 있겠지만, 그러다 보면 부상이라는 악재가 찾아올 수도 있다. 프랑크 감독이 얼마나 영리하게 선수단을 운용할지가 관건이다.

IN & OUT

주요 영입	주요 방출
사비 시몬스, 모하메드 쿠두스, 마티스 텔, 케빈 단소, 주앙 팔리냐, 랑달 콜로 무아니, 다카이 코타	손흥민, 세르히오 레길론, 프레이저 포스터

TEAM FORMATION

FW **B**
MF **B**
DF **B+**
GK **B**

19 솔란케 (히샤를리송)
22 존슨 (텔)
20 쿠두스 (콜로무아니)
7 시몬스 (베리발)
6 팔리냐 (벤탄쿠르)
29 사르 (그레이)
13 우도기 (스펜스)
37 판 더 펜 (데 이비스)
17 로메로 (단소)
23 포로 (스펜스)
1 비카리오 (킨스키)

PLAN **4-3-3**

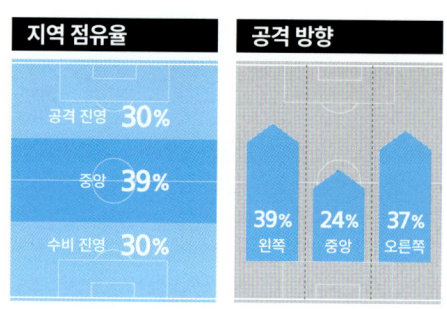

지역 점유율
- 공격 진영 **30%**
- 중앙 **39%**
- 수비 진영 **30%**

공격 방향
- 왼쪽 **39%**
- 중앙 **24%**
- 오른쪽 **37%**

슈팅 지역
- 골 에어리어 **9%**
- 패널티 박스 **63%**
- 외곽 지역 **28%**

TEAM RATINGS

- 슈팅 **7**
- 패스 **7**
- 조직력 **5**
- 수비력 **6**
- 감독 **6**
- 선수층 **7**

38

2024/25 프로필

팀 득점	64
평균 볼 점유율	54.80%
패스 정확도	85.00%
평균 슈팅 수	13.1
경고	70
퇴장	1

골 타입 (단위 (%))
- 오픈 플레이 **59**
- 세트 피스 **16**
- 카운터 어택 **16**
- 패널티 킥 **5**
- 자책골 **5**

패스 타입 (단위 (%))
- 쇼트 패스 **89**
- 롱 패스 **7**
- 크로스 패스 **4**
- 스루 패스 **0**

SQUAD

포지션	등번호	이름		생년월일	키(cm)	체중(kg)	국적
GK	1	굴리엘모 비카리오	Guglielmo Vicario	1996.10.07	194	83	이탈리아
	31	안토닌 킨스키	Antonín Kinský	2003.03.13	190	80	체코
	40	브랜던 오스틴	Brandon Austin	1999.01.08	188	82	잉글랜드
DF	4	케빈 단소	Kevin Danso	1998.09.19	190	85	오스트리아
	13	데스티니 우도기	Destiny Udogie	2002.11.28	188	67	이탈리아
	17	크리스티안 로메로	Cristian Romero	1998.04.27	185	79	아르헨티나
	23	페드로 포로	Pedro Porro	1999.09.13	173	69	스페인
	24	제드 스펜스	Djed Spence	2000.08.09	184	71	잉글랜드
	33	벤 데이비스	Ben Davies	1993.04.24	181	76	웨일즈
	37	미키 판 더 펜	Micky van de Ven	2001.04.19	193	81	네덜란드
MF	6	주앙 팔리냐	Joao Palhinha	1995.07.09	190	85	포르투갈
	7	사비 시몬스	Xavi Simons	2003.04.21	179	58	네덜란드
	14	아치 그레이	Archie Gray	2006.03.12	187	70	잉글랜드
	15	루카스 베리발	Lucas Bergvall	2006.02.02	187	74	스웨덴
	29	파페 사르	Pape Matar Sarr	2002.09.14	184	70	세네갈
	30	로드리고 벤탄쿠르	Rodrigo Bentancur	1997.06.25	187	72	우루과이
FW	9	히샬리송	Richarlison	1997.05.10	179	75	브라질
	11	마티스 텔	Mathys Tel	2005.04.27	183	77	프랑스
	19	도미닉 솔란케	Dominic Solanke	1997.09.14	187	80	잉글랜드
	20	모하메드 쿠두스	Mohammed Kudus	2000.08.02	175	70	가나
	22	브레넌 존슨	Brennan Johnson	2001.05.23	186	73	웨일스
	28	윌슨 오도베르	Wilson Odobert	2004.11.28	182	75	프랑스
	39	랑달 콜로 무아니	Randal Kolo Muani	1998.12.05	187	73	프랑스

COACH

토마스 프랑크 Thomas Frank
1973년 10월 9일생 호주

아마추어 선수로 짧은 경력을 마감하고 20대 초반의 나이부터 지도자 생활을 시작해 오랜 기간 유소년 육성에 집중했고, 덴마크의 연령별 청소년 대표팀 감독을 거치며 두각을 나타냈다. 40세가 되어서야 브뢴비를 맡아 프로 무대에 데뷔했고, 위기에 빠졌던 명문 구단을 다시 리그 상위권으로 올려놓았다. 브렌트포드에서는 3년의 코치 생활을 거쳐 감독이 된 뒤 팀을 프리미어 리그로 이끌었고, 토트넘 감독이 되기까지 단계를 차곡차곡 밟아왔다. 선수의 능력을 이끌어내는 지도력과 상대에 맞춘 유연한 전술 대응이 장점이다.

상대팀 최근 6경기 전적

구분	승	무	패
리버풀 FC	2		4
아스널 FC		1	5
맨체스터 시티	2	1	3
첼시 FC	1	1	4
뉴캐슬 유나이티드 FC	1		5
애스턴 빌라	2		4
노팅엄 포레스트	3		3
브라이튼 앤 호브 알비온	3		3
AFC 본머스	3	1	2
브렌트포드 FC	3	2	1
풀럼 FC	2	1	3
크리스탈 팰리스 FC	4		2
에버턴 FC	3	2	1
웨스트햄 유나이티드 FC	2	3	1
맨체스터 유나이티드	5	1	
울버햄튼 원더러스	1	1	4
토트넘 홋스퍼 FC			
리즈 유나이티드 FC	5		1
번리 FC	5		1
선덜랜드 AFC	4	2	

KEY PLAYER

FW 20 모하메드 쿠두스
Mohammed Kudus

출전경기	경기시간(분)	골	어시스트	경고	퇴장
32	2,604	5	3	2	1

국적: 가나

2022 월드컵에서 대한민국을 상대로 두 골을 터트려 패배의 아픔을 안겼던 선수. 역동적인 움직임과 저돌적인 돌파, 강력한 마무리 슈팅으로 팀의 역습을 이끄는 데 탁월한 능력을 발휘한다. 지난 시즌 웨스트햄에서는 팀의 부진과 잦은 포지션 변경이 맞물려 이전 시즌만큼 좋은 활약을 보여주지는 못했지만, 순간 순간 번뜩이는 개인 기량과 기회 창출 능력만큼은 여전히 뛰어났다. 이번 시즌 토트넘 이적과 함께 부활을 노리고 있으며, 무릎 부상으로 전반기 출전이 불가능한 데얀 쿨루셉스키를 대신해 오른쪽 측면에서 뛸 예정이다.

DARK HORSE

MF 14 아치 그레이
Archie Gray

출전경기	경기시간(분)	골	어시스트	경고	퇴장
28	1,746	-	-	1	-

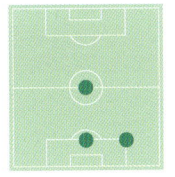

국적: 잉글랜드

미드필더가 소화할 수 있는 모든 포지션은 물론이고 센터백, 풀백으로도 준수한 활약을 보여주는 다재다능한 멀티 플레이어. 이는 높은 축구 지능이 없다면 불가능한 일이다. 어린 나이에도 웬만한 상황에는 흔들리지 않는 침착함과 섬세한 기술을 보유하고 있어 탈압박에 능하며, 수비력과 전진 패스 능력까지 보유한 단점을 찾기 어려운 선수다. 지난 시즌에는 수비진의 부상 위기 탓에 센터백으로 주로 기용돼 좋은 활약을 펼쳤지만, 중원에서 뛸 때 잠재력을 100% 발휘할 수 있는 선수여서 이번 시즌 누구보다 더 큰 발전이 기대된다.

NEW ADDITION

MF 6 주앙 팔리냐
Joao Palhinha

출전경기	경기시간(분)	골	어시스트	경고	퇴장
17	667	-	-	2	1

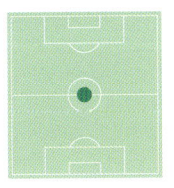

포르투갈

탁월한 위치 선정, 강한 체력, 무자비한 태클 능력을 겸비한 190cm 장신 수비형 미드필더. 강점이 수비 능력에 집중돼 있어 수비진을 보호하는 임무는 누구보다 완벽하게 수행할 수 있는 선수다. 지난 시즌 바이에른 뮌헨에서의 도전은 빅 클럽 적응 실패와 너무 넓은 공간을 커버해야 하는 전술 구조 탓에 성공을 거두지 못했지만, 이전 두 시즌 동안 풀럼 소속으로 이미 프리미어 리그에서 최고의 수비 능력을 증명했다. 토트넘에는 공격적인 풀백들이 많아 소유권 확보 이후 대각 패스로 역습의 기점 역할을 할 수 있다.

PLAYERS

GK 1 굴리엘모 비카리오
Guglielmo Vicario

국적: 이탈리아

2023년 토트넘 입단 직후부터 확고한 주전으로 활약해온 골키퍼. 지난 시즌 유로파 리그에서 결정적인 선방들로 토트넘을 위기에서 구해내며 우승에 크게 기여했다. 탁월한 선방과 공중 볼 처리 능력을 갖추고 있으며, 수비진을 지휘하는 리더십도 뛰어나다. 패스 성공률이 높아 후방 빌드업에도 관여하는데, 토마스 프랑크 감독 체제에서는 롱 패스 성공률을 높여 빠른 공격 전환에 기여할 수 있어야 한다.

출전경기	경기시간(분)	실점	무실점 (경기)	경고	퇴장
24	2,160	37	4	1	-

DF 4 케빈 단소
Kevin Danso

국적: 오스트리아

지난 시즌 토트넘 수비진의 부상 위기를 수습하기 위해 2025년 2월 임대로 합류한 센터백으로 이번 여름 405억에 완전 이적을 마무리했다. 190cm의 장신으로 공중 경합과 슈팅 차단 능력이 뛰어나며, 상대 압박에도 흔들리지 않고 정확한 패스를 연결하는 빌드업 능력도 갖추고 있다. 이번 시즌 로테이션 자원으로 주전 수비수들의 부상 공백을 메우며 주로 컵 대회 경기에 모습을 드러낼 것으로 보인다.

출전경기	경기시간(분)	골	어시스트	경고	퇴장
10	843	-	-	-	-

DF 13 데스티니 우도기
Destiny Udogie

국적: 이탈리아

빠른 스피드를 활용해 왼쪽 측면을 쉴 새 없이 공략하는 공격적인 풀백. 전진 드리블과 크로스 능력이 뛰어난 것은 물론, 중앙으로 치고 들어오며 찔러주는 침투 패스도 날카로워 득점 기회를 만드는 데 특화된 선수다. 수비력은 공격력에 비해 부족하지만 태클과 경합 능력 모두 준수해 쉽게 돌파를 허용하지는 않는다. 사실상 주전 경쟁 상대가 없는 레프트백 자원인데 부상이 잦은 것이 걱정스러운 점이다.

출전경기	경기시간(분)	골	어시스트	경고	퇴장
25	1,933	-	1	2	-

DF 17 크리스티안 로메로
Cristian Romero

국적: 아르헨티나

손흥민의 뒤를 이은 토트넘의 새로운 주장. 거친 태클과 적극적인 압박을 망설이지 않는 전투적인 수비로 유명한 센터백이다. 넓은 범위를 커버하는 움직임과 과감한 전진을 통한 가로채기로 팀의 소유권 확보에 도움을 주며, 전방으로 공급하는 롱 패스의 정확도도 뛰어나다. 주장의 책임을 맡은 만큼 예전과 같이 과한 반칙으로 카드를 받는 플레이는 줄이고 수비진의 기둥으로서 리더십을 보여줘야 한다.

출전경기	경기시간(분)	골	어시스트	경고	퇴장
18	1,421	1	-	3	-

DF 23 페드로 포로
Pedro Porro

국적: 스페인

공격 전개에 도움을 주는 하이브리드 풀백. 사이드 라인에 가까이 붙어 전진하기보다는 중원 싸움에 가담하고 상대 박스 안으로 정확한 패스를 공급하는 데 더 뛰어난 모습을 보이며, 뛰어난 체력으로 쉬지 않고 공수를 오가기 때문에 사실상 박스 투 박스 미드필더와 같은 역할을 수행한다. 지난 시즌 공식 대회에서 무려 51경기를 소화하며 헌신적인 플레이를 펼쳤고, 토트넘의 유로파 리그 베스트 팀 선정에도 기여했다.

출전경기	경기시간(분)	골	어시스트	경고	퇴장
33	2,609	2	6	5	-

DF 24 제드 스펜스
Djed Spence

국적: 잉글랜드

엄청난 스피드의 전진 드리블 능력을 보유한 라이트백. 적극적으로 공격에 가담해 상대 수비를 따돌리고 날카로운 크로스를 올리는 플레이가 강점이다. 과거에는 수비 가담에 게으른 모습을 보이고 전술 이해도도 떨어져 엘리트 선수가 되지 못할 수도 있다는 평가를 받았지만, 점차 경험이 쌓이고 축구에 집중하기 시작하면서 신뢰할 수 있는 자원으로 성장하고 있다. 최근 토트넘과 장기 재계약을 체결했다.

출전경기	경기시간(분)	골	어시스트	경고	퇴장
25	1,791	1	2	2	1

DF 33 벤 데이비스
Ben Davies

국적: 웨일스

토트넘에서만 12번째 시즌을 맞이하는 베테랑 수비수. 왼쪽 측면과 중앙 수비를 소화하는 유용한 자원으로, 지난 시즌 수비진의 부상 위기 속에서 제 몫을 다했다. 노련한 위치 선정을 바탕으로 공중 경합에 강한 모습을 보이며, 패스 성공률이 높아 후방 빌드업 과정에도 기여한다. 이번 시즌 백업 역할과 더불어 손흥민이 떠난 이후 선수단의 리더 역할 또한 해내며 프랑크 감독의 전술에 적응을 도와야 한다.

출전경기	경기시간(분)	골	어시스트	경고	퇴장
17	1,330	-	-	5	-

DF 37 미키 판 더 펜
Micky van de Ven

국적: 네덜란드

세계 최고의 스피드를 보유한 센터백. 분데스리가와 프리미어 리그 모두에서 가장 빠른 순간 속도를 기록했다. 이를 활용해 넓은 수비 공간을 커버하며 날카로운 태클로 상대 공격을 저지하고, 공중 경합에도 강한 모습을 보인다. 공간이 열리면 직접 공을 몰고 전진해 역습을 이끄는데, 지난 시즌 에버턴과의 맞대결에서 폭풍 질주 이후 손흥민의 골에 도움을 기록한 장면은 판 더 펜의 능력을 잘 보여주는 명장면이다.

출전경기	경기시간(분)	골	어시스트	경고	퇴장
13	1,019	-	2	4	-

MF 7 사비 시몬스
Xavi Simons

국적: 네덜란드

감각적인 패스 연계와 화려한 드리블 기술을 자랑하는 공격형 미드필더. 부상으로 쓰러진 제임스 매디슨을 대신해 득점 기회 창출 임무를 맡게 됐다. 좁은 공간에서 상대를 따돌리고 전방으로 공을 이어주는 능력은 일품이다. 등번호는 7번으로 손흥민의 스타성까지도 책임져야 하는데, 바르셀로나 유소년 시절부터 PSV 아인트호번과 RB 라이프치히에 이르기까지 가는 팀마다 주목을 받아와서 압박감에도 익숙하다.

출전경기	경기시간(분)	골	어시스트	경고	퇴장
25	2,157	10	7	5	-

MF 15 루카스 베리발
Lucas Bergvall

국적: 스웨덴

지난 시즌 토트넘의 중원에서 가장 두각을 나타낸 유망주 미드필더. 축구 지능이 높고 기술이 뛰어난 동시에 신체 능력도 강력해서 잠재력이 무궁무진한 선수다. 탈압박과 전진 드리블은 물론 상대 수비를 무너트리는 날카로운 패스로 공격에 기여하는 동시에 수비 임무도 충실히 수행한다. 지난 시즌 인상적인 활약으로 토트넘 올해의 선수로 선정됐는데, 10대 수상자(19세)는 1978년 글렌 호들 이후 처음이었다.

출전경기	경기시간(분)	골	어시스트	경고	퇴장
27	1,206		1	3	-

MF 29 파페 사르
Pape Matar Sarr

국적: 세네갈

역동적인 움직임을 자랑하는 박스 투 박스 미드필더. 전진 드리블 능력이 뛰어나고, 지능적인 위치 선정과 왕성한 활동량을 바탕으로 공수 모두에 기여한다. 지난 시즌 공식 대회에서 팀 최다 출전(54경기)을 기록할 정도로 강한 체력을 자랑했고, 많은 경험을 쌓은 덕분에 플레이에 성숙함이 더해지면서 경기에서 더 많은 영향력을 발휘하기 시작했다. 공격 마무리 패스의 완성도는 더 가다듬을 필요가 있다.

출전경기	경기시간(분)	골	어시스트	경고	퇴장
36	1,917	3	2	6	-

MF 30 로드리고 벤탄쿠르
Rodrigo Bentancur

국적: 우루과이

양발을 모두 사용하며 미드필더가 할 수 있는 모든 역할을 맡을 수 있는 다재다능한 선수. 후방에서 창의적인 패스로 경기를 조율하거나 박스 투 박스 미드필더로서 기술적인 드리블 돌파를 통해 공격을 시작하는 플레이에 능하다. 토트넘이 프랑크 감독 체제에서 측면 위주의 공격을 진행하게 되면 영리한 위치 선정으로 수비에 집중하다가 넓은 시야와 정확한 패스를 활용해 공수의 연결 고리가 될 수 있다.

출전경기	경기시간(분)	골	어시스트	경고	퇴장
26	1,654	2	-	9	-

FW 9 히샬리송
Richarlison

국적: 브라질

브라질 국가대표로 A매치 20골을 기록했을 만큼 뛰어난 득점력과 성실한 압박 능력을 보유한 공격수. 에버턴 시절 혼자 힘으로도 골을 만들어내는 저돌적인 플레이로 프리미어 리그 무대에서 활약을 펼쳤으나, 2022년 토트넘 입단 이후로는 부상과 부진이 겹치면서 자신감까지 떨어지는 힘든 시기를 보내왔다. 이번 시즌이 선수 경력의 기로라고 할 수 있는데, 도미닉 솔란케와의 주전 경쟁이 만만치는 않다.

출전경기	경기시간(분)	골	어시스트	경고	퇴장
15	502	4	1	2	-

FW 11 마티스 텔
Mathys Tel

국적: 프랑스

유망주 시절 센터백부터 시작해 필드 플레이어로서 모든 포지션을 소화했을 만큼 다재다능한 능력을 보유한 공격수. 개인 기술이 뛰어나고 민첩해서 측면 공격수 포지션에서 최고의 기량을 발휘하지만, 최전방과 공격형 미드필더 역할도 준수하게 해낼 수 있다. 바이에른 뮌헨에서 출전 기회가 제한되자 지난 시즌 후반기 임대로 토트넘에 합류한 이후 올여름 566억에 이적을 마무리했다. 손흥민의 대체자 포지션이다.

출전경기	경기시간(분)	골	어시스트	경고	퇴장
13	913	2	1	2	-

FW 19 도미닉 솔란케
Dominic Solanke

국적: 잉글랜드

토트넘 영입 선수 기준 역대 최고 이적료(1,040억)의 주인공. 전방 압박과 연계 플레이는 최고 수준이며, 박스 안에서 영리한 움직임과 침착한 슈팅으로 많은 골을 책임질 수 있는 공격수다. 2023-24시즌 본머스 소속으로 프리미어 리그에서만 19골을 터트리며 재능을 만개했는데, 지난 시즌 토트넘에서는 무릎 부상 탓에 활약을 재현하지 못했다. 이번 시즌 꾸준한 활약으로 가치를 증명해야 한다.

출전경기	경기시간(분)	골	어시스트	경고	퇴장
27	2,205	9	3	-	-

FW 22 브레넌 존슨
Brennan Johnson

국적: 웨일스

가공할 만한 스피드의 직선적인 움직임으로 공간을 파고드는 측면 공격수. 영리한 침투로 동료의 패스를 이어받은 이후 여유 있는 마무리로 골을 터트리거나, 자신이 직접 엔드라인까지 돌파해 들어간 뒤 낮은 크로스로 득점 기회를 만들기도 한다. 측면의 기동성을 중시하는 토마스 프랑크 감독에게는 더욱 중용될 수 있는 자원이다. 공격 포인트 생산 능력이 뛰어나지만 슈팅에는 다소 기복이 있는 편이다.

출전경기	경기시간(분)	골	어시스트	경고	퇴장
33	2,181	11	3	5	-

FW 28 윌슨 오도베르
Wilson Odobert

국적: 프랑스

폭발적인 스피드와 1대1 돌파 능력을 자랑하는 측면 공격수. 슈팅도 강한 편이지만 골 결정력이 뛰어나지는 않고, 공격 지역에서 경험 부족을 노출하는 부족한 판단력 또한 약점이다. 2024년 여름 장기적인 미래를 보고 영입한 로테이션 자원인데, 이번 여름 에베레치 에제와 모하메드 쿠두스의 합류로 입지가 더욱 좁아질 수밖에 없게 됐다. 컵 대회 경기에서 출전 기회를 잡고 경험을 쌓아 약점을 보완해야 한다.

출전경기	경기시간(분)	골	어시스트	경고	퇴장
16	849	1		-	-

FW 39 랑달 콜로 무아니
Randal Kolo Muani

국적: 프랑스

187cm의 신장에도 민첩한 침투 움직임으로 상대 수비 오프사이드 라인을 무너트리는 데 특화된 공격수. 중앙 지역에만 머무르지 않고 측면으로 빠져 들어가면서 동료들에게 침투할 공간을 만들어준다. 이에 더해 박스 안에서는 정교한 드리블과 과감한 슈팅을 활용해 다양한 골을 만들어낸다. 소속팀 PSG의 빌드업 공격보다는 프리미어 리그와 토트넘의 빠른 공격에 더 어울리는 선수여서 활약이 기대된다.

출전경기	경기시간(분)	골	어시스트	경고	퇴장
16	1,164	8	1	-	-

리즈 유나이티드 FC

Leeds United FC

TEAM PROFILE	
창　립	1919년
회　장	파라그 마라테(미국)
감　독	다니엘 파르케(독일)
연 고 지	잉글랜드 웨스트요크셔주 리즈
홈 구 장	엘런드 로드(3만 7,645명)
라 이 벌	맨체스터 유나이티드, 첼시, 셰필드
홈페이지	www.leedsunited.com/en

최근 5시즌 성적

시즌	순위	승점
2020-2021	9위	59점(18승5무15패, 62득점 54실점)
2021-2022	17위	38점(9승11무18패, 42득점 79실점)
2022-2023	19위	31점(7승10무21패, 48득점 78실점)
2023-2024	없음	없음
2024-2025	없음	없음

PREMIER LEAGUE (전신 포함)

통　산	우승 3회
24-25 시즌	없음

FA CUP

통　산	우승 1회
24-25 시즌	32강

LEAGUE CUP

통　산	우승 1회
24-25 시즌	없음

UEFA

통　산	없음
24-25 시즌	없음

전력분석 핵심은 유지하고 약점은 보완했다

잉글랜드 요크셔 지역을 대표하는 빅 클럽 리즈 유나이티드가 2년 만에 프리미어 리그로 돌아왔다. 2023-24 시즌 승격 플레이오프 결승에서 사우샘프턴에 패하는 아픔이 있었지만, 2024-25시즌에는 승점 100점을 기록하는 압도적인 행보로 챔피언십 우승을 차지하며 자동 승격을 이뤄냈다. 결국 리즈는 파르케 감독의 지도력을 믿고 팀의 핵심을 그대로 유지한 채 약점만을 보완하는 이적시장을 보냈다. 끈끈한 조직력이 팀의 강점이었기 때문에 이는 합리적인 판단이다. 영입 선수들의 특징은 대부분 장신이라는 것인데, 이는 리즈의 최대 약점이었던 세트 피스 수비를 보완하기 위해서다. 지난 시즌 챔피언십에서 번리(16실점)가 역대급 수비 기록을 남겨서 그렇지, 리즈 또한 46경기에서 30실점만을 허용하는 짠물 수비를 선보였다. 이제 '높이'라는 약점까지 보완했으니 리즈의 수비는 한층 공고해졌다. 이와 동시에 공격진에는 프리미어 리그 수준의 기량을 갖춘 도니크 칼버트-르윈, 루카스 은메차, 노아 오카포르 같은 선수들을 보강해 기존의 공격진인 조엘 피루, 윌프리드 뇬토, 다니엘 제임스와 경쟁 구도를 형성하도록 했다. 리즈의 준비는 철저하다. 그러나 프리미어 리그 팀들의 전력이 워낙 강하기 때문에 시즌을 치르며 위기를 맞이할 수밖에 없을 것이다.

전술분석 안정된 수비와 측면 연계를 통한 역습

리즈는 지난 시즌 챔피언십에서 4-2-3-1 포메이션을 활용해 최다 득점(95)과 최소 실점 2위(30)를 기록할 만큼 공수 모두에서 안정적인 전력을 선보였다. 이제는 중원 숫자를 늘리고 더 빠른 공수 전환이 가능하도록 4-3-3 포메이션으로 변화를 추진하고 있다. 이미 조직력이 완성된 팀이기에 충분히 빠른 속도의 공격 전환을 진행할 수 있다. 중원에서 에단 암파두와 다나카 아오가 주로 수비진을 보호하는 역할을 맡고, 신입 미드필더 안톤 슈타흐는 경기장 곳곳을 누비며 공격에도 적극 가담한다. 최전방 공격수는 미드필드 위치까지 내려와서 측면 공격수들이 안쪽으로 침투할 수 있도록 돕는다. 측면 공격은 풀백들이 전진해서 같은 쪽 윙어의 침투에 맞춰 패스를 찔러주거나 반대 쪽에서 박스 안으로 쇄도하는 윙어를 향해 크로스를 시도해 득점을 노린다. 지난 시즌 최전방 공격수 조엘 피루는 19골로 챔피언십 득점왕을 차지했고, 측면 공격수 다니엘 제임스(12)와 마노르 솔로몬(10)도 두 자릿수 득점을 기록했으며, 윌프리드 뇬토(9)와 브렌든 아론슨(9)은 한 골이 부족했을 만큼 공격진이 고루 득점에 기여했다. 이번 여름에만 세 명의 주전급 선수가 영입됐다.

시즌 프리뷰 잔류 계획은 완벽하다, 골 결정력이 문제일 뿐

리즈는 프리미어 리그에 승격한 세 팀 중 가장 착실하게 잔류 계획을 준비해왔다. 번리는 강점이던 수비진에 전력 손실이 발생했고, 선덜랜드는 거의 팀을 새로 구성했다. 반면에 리즈는 기존의 전력과 전술을 업그레이드하는 방식을 택했다. 세트 피스 수비 약점을 보완하기 위해 190cm가 넘는 센터백 야카 비욜과 세바스티앙 보르나우를 일찌감치 영입했고, 골문에도 실수가 잦던 일랑 멜리에 대신 주전으로 활약할 루카스 페리 골키퍼를 영입했다. 측면 수비도 가브리엘 구드문드손의 영입으로 전력을 강화했으며, 중원에는 프리미어 리그 경험이 풍부한 션 롱스태프와 분데스리가에서 4년간 활약해온 안톤 슈타흐가 가세했다.

고민은 공격진이다. 리즈는 호드리구 무니스를 풀럼으로부터 영입하려다 실패하고 에버턴에서 계약이 만료된 도미닉 칼버트-르윈으로 선회해야 했다. 칼버트-르윈과 또 다른 신입 공격수 루카스 은메차 모두 지난 시즌 리그 득점이 세 골에 불과할 정도로 저조하며, 노아 오카포르는 한 골에 그쳤다. 기존 공격수인 조엘 피루는 득점력에 기복이 심한 선수다. 프리미어 리그에서는 기회를 살리지 못하면 역습 한 번으로도 실점하고 패할 수 있다.

IN & OUT

주요 영입	주요 방출
안톤 슈타흐, 야카 비욜, 루카스 페리, 션 롱스태프, 가브리엘 구드문드손, 세바스티앙 보르나우, 도미닉 칼버트-르윈, 루카스 은메차, 노아 오카포르	라스무스 크리스텐센, 주니오르 피르포, 요슈야 길라보기

TEAM FORMATION

PLAN 4-3-3

TEAM RATINGS

슈팅	6
패스	6
수비력	6
선수층	6
감독	5
조직력	5

34

2024/25프로필

팀 득점	95
평균 볼 점유율	61.40%
패스 정확도	86.20%
평균 슈팅 수	16.5
경고	70
퇴장	0

골 타입 (단위 %)
오픈 플레이	68
세트 피스	14
카운터 어택	11
패널티 킥	3
자책골	4

패스 타입 (단위 %)
쇼트 패스	89
롱 패스	7
크로스 패스	4
스루 패스	0

지역 점유율

공격 진영	32%
중앙	44%
수비 진영	24%

공격 방향

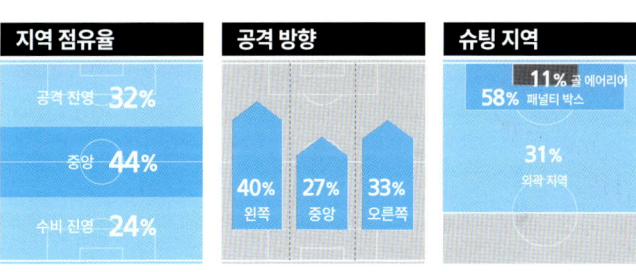

40% 왼쪽	27% 중앙	33% 오른쪽

슈팅 지역

| 11% 골 에어리어 |
| 58% 패널티 박스 |
| 31% 외곽 지역 |

상대팀 최근 6경기 전적

구분	승	무	패
리버풀 FC	1	1	4
아스널 FC			6
맨체스터 시티	1	1	4
첼시 FC	1	1	4
뉴캐슬 유나이티드 FC	2	1	3
애스턴 빌라	1	2	3
노팅엄 포레스트	1	2	3
브라이튼 앤 호브 알비온		3	3
AFC 본머스	4		2
브렌트포드 FC	2	3	1
풀럼 FC	3		3
크리스탈 팰리스 FC	2	1	3
에버턴 FC	1	2	3
웨스트햄 유나이티드 FC	1	1	4
맨체스터 유나이티드		2	4
울버햄튼 원더러스	3	1	2
토트넘 홋스퍼 FC	1		5
리즈 유나이티드 FC			
번리 FC	3	2	1
선덜랜드 AFC	2	3	1

SQUAD

포지션	등번호	이름		생년월일	키(cm)	체중(kg)	국적
GK	1	루카스 페리	Lucas Perri	1997.12.10	194	94	브라질
	26	칼 달로우	Karl Darlow	1990.10.08	190	79	잉글랜드
DF	2	제이든 보글	Jayden Bogle	2000.07.27	178	69	잉글랜드
	3	가브리엘 구드문드손	Gabriel Gudmundsson	1999.04.29	180	78	스웨덴
	5	파스칼 스트루이크	Pascal Struijk	1999.04.11	190	78	벨기에
	6	조 로돈	Joe Rodon	1997.10.22	193	88	잉글랜드
	15	야카 비욜	Jaka Bijol	1999.02.05	190	85	슬로베니아
	23	세바스티안 보르나우	Sebastiaan Bornauw	1999.03.22	191	81	벨기에
	25	샘 바이럼	Sam Byram	1993.09.16	180	72	잉글랜드
MF	4	에단 암파두	Ethan Ampadu	2000.09.14	182	78	웨일스
	8	션 롱스태프	Sean Longstaff	1997.10.30	180	65	잉글랜드
	11	브렌든 아론슨	Brenden Aaronson	2000.10.22	178	70	미국
	18	안톤 슈타흐	Anton Stach	1998.11.15	194	88	독일
	22	다나카 아오	Ao Tanaka	1998.09.10	180	69	일본
	42	샘 챔버스	Sam Chambers	2007.08.18	176	-	잉글랜드
	44	일리아 그루에프	Ilia Gruev	2000.05.06	185	77	불가리아
FW	7	다니엘 제임스	Daniel James	1997.11.10	170	76	잉글랜드
	9	도미닉 칼버트-르윈	Dominic Calvert-Lewin	1997.03.16	189	71	잉글랜드
	10	조엘 피루	Joël Piroe	1999.08.02	185	74	네덜란드
	14	루카스 은메차	Lukas Nmecha	1998.12.14	185	80	독일
	17	라지 라마자니	Largie Ramazani	2001.02.27	167	54	벨기에
	19	노아 오카포	Noah Okafor	2000.05.24	185	86	스위스
	20	잭 해리슨	Jack Harrison	1996.11.20	175	70	잉글랜드
	29	윌프리드 논토	Wilfried Gnonto	2003.11.05	170	71	이탈리아

COACH

다니엘 파르케 Daniel Farke
1976년 10월 30생 독일

잉글랜드 무대에서 노리치 시티를 맡아 두 번의 프리미어 리그 승격을 이끌고 두 번의 실패(강등, 경질)를 맛보기도 했던 감독. 러시아와 독일 무대를 경험하고 잉글랜드로 돌아와 리즈를 맡았다. 노리치 시절에는 팀의 전력도 약했지만, 공격 축구만 고집했던 오류도 있었다. 이번 시즌 리즈에서는 과거의 실수를 교훈 삼아 세 번째 잔류 도전에 나섰고, 이적시장에서 공격진을 제외하면 전력 보강에 만족을 표했다. 리즈에게는 지난 21년 중 3년만 프리미어 리그에 머물렀다는 트라우마가 있다.

PLAYERS

| FW | 7 | **다니엘 제임스**
Daniel James |  KEY PLAYER |

국적: 웨일스

과거 스완지 시티에서의 활약으로 알렉스 퍼거슨 감독의 눈도장을 받아 맨체스터 유나이티드까지 입단했던 측면 공격수. 공격 지역에서 빠른 돌파 이후 정확한 슈팅과 크로스를 통해 공격 포인트를 생산하는 데 능하고, 지난 시즌 리즈 구단 올해의 선수와 챔피언십 베스트 팀에 선정되는 맹활약을 펼쳤다. 지공 상황에서의 상황 판단 능력이나 패스 선택은 좋지 않은 편이지만, 최고 수준의 스피드와 활동량을 자랑하는 덕분에 역습에서는 공격과 수비 모두에서 누구보다 중요한 역할을 해낼 수 있는 선수다. 2022년 맨유를 떠나 리즈에 입단한 이후 강등과 승격을 모두 경험한 선수여서 리더십을 발휘해 프리미어 리그 경험이 부족한 동료들을 이끌어야 한다.

출전경기	경기시간(분)	골	어시스트	경고	퇴장
36	2,620	12	9	4	-

| GK | 1 | **루카스 페리**
Lucas Perri |

국적: 브라질

리옹으로부터 259억의 이적료에 영입된 골키퍼. 기존의 주전이던 일랑 멜리에는 잠재력이 뛰어나지만 실수가 잦아 프리미어 리그 잔류 도전을 함께하기에는 불안했고, 이에 리즈는 페리의 영입으로 골문을 든든하게 보강했다. 197cm의 장신을 활용한 안정적인 선방 능력과 유럽 대회까지 소화한 경험이 강점이며, 전방의 동료를 향해 공을 던져 연결하는 패스 거리가 엄청나 역습 전개에도 기여할 수 있다.

출전경기	경기시간(분)	실점	무실점 (경기)	경고	퇴장
33	2,970	44	10	1	-

| DF | 2 | **제이든 보글**
Jayden Bogle |

국적: 잉글랜드

빠른 스피드와 유려한 돌파, 날카로운 크로스 능력을 겸비한 공격적인 풀백으로 리즈의 역습 공격에서 중요한 역할을 담당한다. 수비에도 성실하게 임해 지난 시즌 공수 모두에서 맹활약을 펼치며 챔피언십 올해의 팀에 이름을 올렸다. 공격에 가담했다가 상대 역습을 저지하느라 고의적인 반칙을 범하다 보니 경고가 많은 것은 어쩔 수 없는 단점이다. 프리미어 리그 경험도 있어 확고한 주전 자리를 지킬 전망이다.

출전경기	경기시간(분)	골	어시스트	경고	퇴장
44	3,836	6	4	12	-

| DF | 3 | **가브리엘 구드문드손**
Gabriel Gudmundsson |

국적: 스웨덴

미드필더로도 뛸 수 있는 드리블과 패스 실력, 센터백으로도 뛸 수 있는 수비 능력을 겸비한 레프트백. 188억의 이적료로 릴에서 영입됐다. 안정적인 플레이를 선호하는 수비수로, 정확한 위치 선정과 태클로 상대 공격을 미리 차단하는 능력이 탁월한 반면 공격 포인트는 기대하기 어렵다. 프랑스 리그 1은 물론이고 지난 시즌 챔피언스 리그에서 쌓은 풍부한 경험은 리즈 선수단에 안정감을 더해줄 수 있다.

출전경기	경기시간(분)	골	어시스트	경고	퇴장
30	1,788	2	-	3	-

| DF | 5 | **파스칼 스트루이크**
Pascal Struijk |

국적: 네덜란드

리즈 유소년팀 출신의 원 클럽 맨으로 팀의 부주장이자 수비진의 리더 역할을 맡고 있다. 수비형 미드필더로도 뛸 수 있을 만큼 뛰어난 패스 능력을 갖춘 왼발잡이 센터백이라서 리즈에서 대체가 불가능한 지원이다. 움직임도 민첩해 왼쪽 풀백까지 소화할 수 있으며 공중 경합에도 강하다. 리즈가 프리미어 리그에 머무르던 세 시즌 동안에도 주전 자리를 지켰기 때문에 이번 시즌 또한 믿음직한 활약이 기대된다.

출전경기	경기시간(분)	골	어시스트	경고	퇴장
35	2,821	5	-	3	-

| DF | 15 | **야카 비욜**
Jaka Bijol |

국적: 슬로베니아

우디네세에서 3년간 활약하다 이번 여름 291억의 이적료로 리즈에 합류한 센터백. 이로써 맨체스터 유나이티드 공격수 베냐민 세슈코를 제외하면 슬로베니아 선수 중 가장 비싼 이적료 기록을 보유하게 됐다. 세리에 A 무대에서도 돋보일 정도의 공중 경합 능력이 강점으로, 투지 넘치는 수비보다는 영리한 위치 선정을 활용한 수비에 능한 선수다. 롱 패스도 정확해서 빠른 역습 전개에 도움을 줄 수 있다.

출전경기	경기시간(분)	골	어시스트	경고	퇴장
34	2,965	1	-	11	1

| MF | 4 | **에단 암파두**
Ethan Ampadu |

국적: 웨일스

강력한 리더십을 갖춘 리즈의 주장. 경기장 안에서는 영리한 위치 선정과 투지 넘치는 압박으로 수비진을 보호하고, 경기장 밖에서는 구단이 준 보너스를 선수들 모두가 고르게 나누자고 제안해서 팀의 결속력을 유지시켜 동료들의 신뢰를 받았다. 이는 이번 시즌 도전자 입장인 리즈에 가장 중요한 요소이기도 하다. 프리미어 리그에서는 잠재력을 다 보여주지 못했기 때문에 각오가 더욱 강할 것으로 보인다.

출전경기	경기시간(분)	골	어시스트	경고	퇴장
29	2,286	-	-	7	-

PLAYERS

MF 8 션 롱스태프 / Sean Longstaff

국적: 잉글랜드

뉴캐슬에서의 치열한 주전 경쟁에 밀려 이번 여름 223억의 이적료로 리즈에 입단한 미드필더. 경기 내내 쉬지 않고 중원을 누비며 상대를 압박하고 공을 빼앗아서 팀의 역습을 이끄는 능력이 뛰어나다. 공격 시에는 상대 박스 주변으로 적극 침투해 골을 터트리는 득점력도 갖췄지만, 섬세한 드리블 기술이나 전진 패스 능력은 부족한 편이다. 프리미어 리그에서 검증된 미드필더라는 점만으로도 큰 힘이 된다.

출전경기	경기시간(분)	골	어시스트	경고	퇴장
25	788	-	-	2	-

MF 11 브렌든 아론슨 / Brenden Aaronson

국적: 미국

성실한 움직임으로 공격 시에는 공간 침투에 능하고 수비 시에는 전방 압박에 능한 공격 2선 자원. 지칠 줄 모르는 체력이 강점으로 시종일관 저돌적인 움직임을 선보인다. 측면 공격수는 물론이고 공격적인 역할의 중앙 미드필더 또한 소화하며 팀에 활력을 불어넣을 수 있다. 공격 지역에서 마무리 슈팅이나 패스 선택은 아쉽지만, 지난 시즌에는 개인 통산 한 시즌 최다 득점을 기록하는 발전을 이뤄냈다.

출전경기	경기시간(분)	골	어시스트	경고	퇴장
46	3,573	9	2	1	

MF 18 안톤 슈타흐 / Anton Stach

국적: 독일

분데스리가에서 4년간 꾸준한 활약을 펼쳐온 박스 투 박스 미드필더. 324억의 이적료로 호펜하임을 떠나 리즈에 합류했다. 뛰어난 수비 지능과 192cm의 장신을 활용한 경합 능력을 겸비하고 있어 중원에서 강력한 영향력을 발휘하는데, 특히 경합 승률과 가로채기는 최고 수준이다. 패스 범위는 좁더라도 전진 드리블 능력으로 공격 전환에도 도움을 줄 수 있다. 곧바로 주전으로 기용될 자원이다.

출전경기	경기시간(분)	골	어시스트	경고	퇴장
30	2,590	1	2	8	-

MF 22 다나카 아오 / Ao Tanaka

국적: 일본

작년 여름 호펜하임을 떠나 리즈에 입단한 이후 대체불가 수준의 활약을 펼친 미드필더. 지난 시즌 리즈 동료들로부터 팀 내 최고의 선수로 선정됐고 챔피언십 베스트 팀에도 이름을 올렸다. 경기 흐름을 빠르게 파악하는 덕분에 가로채기와 소유권 확보 능력이 뛰어나고, 정확한 전진 패스로 공격의 시발점 역할을 한다. 기계체조 등 여러 운동을 연마한 덕분에 신체 능력도 강해 공중 경합에도 강점을 발휘한다.

출전경기	경기시간(분)	골	어시스트	경고	퇴장
43	3,318	5	2	8	-

FW 9 도미닉 칼버트-르윈 / Dominic Calvert-Lewin

국적: 잉글랜드

한때 잉글랜드 대표팀에 발탁되는 등 많은 기대를 받아온 최전방 공격수. 공중 경합 능력이 탁월하고, 상대 골문을 등지는 플레이나 박스 안에서의 영리한 움직임 등 다양한 장점을 가진 선수다. 그러나 선수 경력 내내 크고 작은 부상에 시달린 탓에 잠재력만큼의 활약을 보여주지는 못했고, 지난 시즌에도 햄스트링 부상으로 3개월간 결장했다. 10년간 몸 담았던 에버턴을 떠나 리즈에서 새로운 도전에 나섰다.

출전경기	경기시간(분)	골	어시스트	경고	퇴장
26	1,614	3	1	2	-

FW 10 조엘 피루 / Joel Piroe

국적: 네덜란드

지난 2년간 리즈의 공격을 이끌어 온 최전방 공격수. 공격 2선으로 내려와 연계 플레이를 통해 측면 공격수들이 위험 지역으로 침투해서 득점 기회를 잡을 수 있도록 도와주는 플레이에 능하며, 강하고 정확한 슈팅으로 골을 터트린다. 몸 싸움이 약하고 기복이 심한 단점이 있는데, 지난 시즌 마지막 12경기 중 단 한 경기에서만 득점에 성공했다. 이때 네 골을 몰아쳐 챔피언십 득점왕에 등극했다.

출전경기	경기시간(분)	골	어시스트	경고	퇴장
46	3,093	19	7	2	-

FW 14 루카스 은메차 / Lucas Nmecha

국적: 독일

스위스 FC 시옹에서 유럽 무대를 밟았다. 라이프치히, 헤르타 베를린, 아틀레티코 마드리드를 거쳐 2023년 겨울 울버햄튼에 임대로 왔다. 2023년 여름, 완전이적에 성공했다. 공격의 모든 포지션에서 다 뛸 수 있는 다재다능한 공격 자원이다. 허리까지 내려와서 경기를 펼칠 수 있고, 발재간도 좋다. 화려함보다는 간결함을 추구한다. 실제 경기에서 활용도가 훨씬 높고, 저돌적인 드리블도 돋보인다.

출전경기	경기시간(분)	골	어시스트	경고	퇴장
19	456	3	-	1	-

FW 19 노아 오카포 / Noah Okafor

국적: 스위스

지능적인 움직임과 1대1 돌파 기술, 강한 신체 능력을 겸비한 공격수. 좁은 공간에서도 상대 수비를 따돌릴 수 있고, 양발을 모두 사용하는 슈팅으로 뛰어난 골 결정력을 자랑한다. 340억의 비싼 이적료에 AC 밀란을 떠나 리즈에 합류했지만, 부상이 잦고 체력도 약해 프리미어 리그에서 주전으로 활약하려면 많은 준비가 필요하다. 지난 시즌 세리에 A 후반기 출전 시간이 36분밖에 되지 않는다.

출전경기	경기시간(분)	골	어시스트	경고	퇴장
11	413	1	-	-	-

FW 29 윌프리드 뇬토 / Wilfried Gnonto

국적: 이탈리아

낮은 무게 중심과 빠른 스피드를 활용한 돌파를 강점으로 하는 측면 공격수. 경기 내내 저돌적인 움직임으로 상대 수비를 괴롭힌다. 크지 않은 키에도 강한 경합 능력을 갖추고 있어 측면뿐만 아니라 최전방도 소화할 수 있다. 2022년 당시 18세의 나이로 이탈리아 국가대표 데뷔전을 치를 만큼 일찌감치 잠재력을 인정받았고, 이번 시즌 기복 없이 활약한다면 빅 클럽의 부름을 받을 가능성이 있다.

출전경기	경기시간(분)	골	어시스트	경고	퇴장
43	2,284	9	6	5	-

번리 FC

Burnley FC

TEAM PROFILE	
창 립	1882년
회 장	앨런 페이스(미국)
감 독	스콧 파커(잉글랜드)
연 고 지	잉글랜드 랭커셔주 번리
홈 구 장	터프 무어(2만 1,944명)
라 이 벌	블랙번 로버스
홈페이지	www.burnleyfootballclub.com/

최근 5시즌 성적

시즌	순위	승점
2020-2021	17위	39점(10승9무19패, 33득점 55실점)
2021-2022	18위	35점(7승14무17패, 34득점 53실점)
2022-2023	없음	없음
2023-2024	19위	24점(5승9무24패, 41득점 78실점)
2024-2025	없음	없음

PREMIER LEAGUE (전신 포함)

통 산	우승 2회
24-25 시즌	없음

FA CUP

통 산	우승 1회
24-25 시즌	16강

LEAGUE CUP

통 산	없음
24-25 시즌	없음

UEFA

통 산	없음
24-25 시즌	없음

전력분석 승격을 이끈 철벽 수비, 주축이 빠져버렸다

지난 세 시즌 번리는 롤러코스터를 타는 것과 같은 부침이 심한 행보를 보여왔다. 2022-23시즌에는 챔피언십에서 뱅상 콩파니 감독의 공격 축구를 앞세워 87골을 득점하며 101점의 승점으로 승격을 이뤄냈으나, 2023-24시즌에도 공격 축구의 정체성을 유지했다가 기존 팀들과의 전력 차이를 극복하지 못하고 곧바로 다시 강등됐다. 이 때의 실패로 교훈을 얻은 번리는 지난 시즌 상대에게 역습을 허용하지 않는 데 중점을 뒀고, 그 결과 챔피언십에서 그야말로 역대급 수비력을 선보일 수 있었다. 16실점은 잉글랜드 프로 리그 역사에서 한 시즌 최소 실점 기록이며, 30회의 클린 시트도 1953-54시즌 3부 리그의 포트 베일과 함께한 시즌 최다 기록이 됐다. 2024년 12월부터 2025년 3월 사이에는 12경기 연속 클린 시트를 기록하는 기염을 토했고, 리그 46경기를 치르는 동안 단 한 차례도 멀티 골을 실점하지 않았다. 이러한 성과를 이끈 핵심은 골키퍼 제임스 트래포드와 센터백 듀오 CJ 이건-라일리, 막심 에스테브의 활약이었다. 그런데 이번 여름 이적시장에서 트래포드 골키퍼는 맨체스터 시티로, 이건-라일리는 마르세유로 이적하면서 철벽 수비를 구성했던 주축들이 이탈하고 말았다. 가장 강력한 무기를 잃은 채로 프리미어 리그 잔류라는 임무에 도전하게 됐다.

전술분석 안전 제일 주의의 빌드업 축구

"지루한 행보로 프리미어 리그에 승격했다"는 농담이 나올 정도로 번리는 안전 제일주의 전술을 택했다. 득점보다는 실점하지 않는 것이 우선이었기에 0-0 무승부 경기가 12번이나 됐다. 그렇다고 수비에만 모든 에너지를 집중하고 과거 션 다이시 감독 시절처럼 선이 굵은 역습 축구로 돌아간 것은 아니다. 지난 시즌 번리의 69골은 우승 팀 리즈 유나이티드의 95골에 이어 챔피언십에서 두 번째로 많은 득점이었다. 뱅상 콩파니 감독이 심어 놓은 빌드업 축구의 철학은 그대로 남아 있는 가운데 무게 중심을 수비로 이동시켰을 뿐이다. 또한, 스콧 파커 감독은 적극적인 전진을 주문했던 콩파니 감독과는 달리 선수들이 자기 포지션에서 벗어나서 무리하게 공격에 가담하지 않도록 했다. 공격을 진행하다가 공을 빼앗겼을 경우에는 촘촘한 4-4-2 수비 형태로 빠르게 복귀했다. 득점에서는 2025년 1월 임대로 합류한 측면 공격수 마커스 에드워즈의 활약이 빛을 발했다. 여름 이적시장에서는 에드워즈를 포함해 지난 시즌 임대로 데려왔던 선수들을 완전영입했다. 또한 첼시에서 기회를 잡지 못하던 유망주 아르만도 브로야와 레슬리 우고추쿠를 영입해 전력을 보강했다.

시즌 프리뷰 # 프리미어 리그의 수준을 절감할 시즌

공수 모두에서 핵심 전력이 이탈한 번리의 '2전 3기' 프리미어 리그 도전은 이번에도 쉽지 않아 보인다. 수비에서 팀을 떠난 제임스 트래포드 골키퍼와 CJ 이건-라일리를 대신할 자원이 부족한 데다, 새로 영입된 선수들이 조직력을 맞추는 데도 시간이 필요하기 때문이다. 대신 맨체스터 시티에서 수많은 우승을 경험한 베테랑 카일 워커가 수비진에 합류했는데, 30대 중반의 나이로 더이상 풀백 포지션을 소화하기는 어려워 오른쪽 센터백 역할을 맡아야 한다. 이에 따라 기존의 4-3-3 포메이션 외에도 수비 강화를 위한 스리백 시스템을 병행할 것으로 보인다. 여기에 신입 미드필더 레슬리 우고추쿠가 수비진을 보호하는 역할을 해준다면 안정적인 경기 운영을 기대해볼 수 있다. 공격 면에서는 지난 시즌 18골을 터트린 미드필더이자 팀의 주장 조시 브라운힐이 재계약 협상에서 구단측과 의견 차를 좁히지 못하고 떠난 것이 큰 타격이다. 이적시장 막바지 합류한 신입 공격수 아르만도 브로야, 룸 차우나가 곧바로 활약을 펼쳐야 하는 부담을 안게 됐다. 전술적으로는 챔피언십에서 만큼 높은 점유율을 유지하기 어려울 것이기 때문에 대비도 필요하다. 프리미어 리그의 높은 수준을 절감하는 험난한 시즌이 될 것이다.

IN & OUT

주요 영입	주요 방출
레슬리 우고추쿠, 아르만도 브로야, 룸 차우나, 퀼린치 하트만, 야콥 브룬 라르센, 악셀 튀앙제브, 카일 워커, 마르틴 두브라프카	제임스 트래포드, CJ 이건-라일리, 조시 브라운힐

TEAM FORMATION

PLAN **4-2-3-1**

TEAM RATINGS

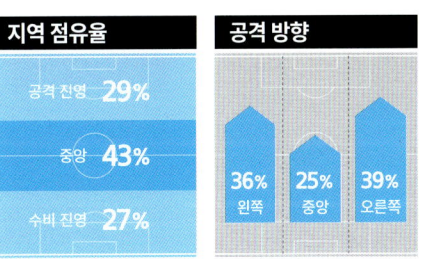 지역 점유율

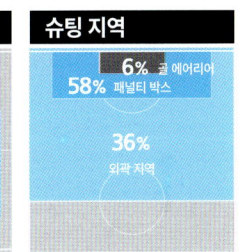 공격 방향 / 슈팅 지역

슈팅 **4**
패스 **4**
조직력 **4**
수비력 **6**
감독 **4**
선수층 **6**

28

2024/25 프로필

팀 득점	69
평균 볼 점유율	56.80%
패스 정확도	84.00%
평균 슈팅 수	12.2
경고	82
퇴장	3

골 타입
오픈 플레이	65
세트 피스	20
카운터 어택	4
패널티 킥	6
자책골	4

단위 (%)

패스 타입
쇼트 패스	86
롱 패스	11
크로스 패스	3
스루 패스	0

단위 (%)

지역 점유율
공격 진영 29%
중앙 43%
수비 진영 27%

공격 방향
왼쪽 36% / 중앙 25% / 오른쪽 39%

슈팅 지역
골 에어리어 6%
패널티 박스 58%
외곽 지역 36%

상대팀 최근 6경기 전적

구분	승	무	패
리버풀 FC	1		5
아스널 FC	1	2	3
맨체스터 시티			6
첼시 FC		2	4
뉴캐슬 유나이티드 FC	1		5
애스턴 빌라	1	2	3
노팅엄 포레스트	3	2	1
브라이튼 앤 호브 알비온	1	4	1
AFC 본머스	3		3
브렌트포드 FC	4		2
풀럼 FC	4	2	
크리스탈 팰리스 FC	2	2	2
에버턴 FC	2		4
웨스트햄 유나이티드 FC		3	3
맨체스터 유나이티드		2	4
울버햄튼 원더러스	2	2	2
토트넘 홋스퍼 FC	1		5
리즈 유나이티드 FC	1	2	3
번리 FC			
선덜랜드 AFC	1	3	2

SQUAD

포지션	등번호	이름		생년월일	키(cm)	체중(kg)	국적
GK	1	마르틴 두브라프카	Martin Dúbravka	1989.01.15	190	80	슬로바키아
	13	막스 바이스	Max Weiß	2004.06.15	190	84	독일
DF	2	카일 워커	Kyle Walker	1990.05.28	183	70	잉글랜드
	3	퀼린치 하트만	Quilindschy Hartman	2001.11.14	183	72	네덜란드
	4	조 워럴	Joe Worrall	1997.01.10	190	84	잉글랜드
	5	막심 에스테브	Maxime Estève	2002.05.26	193	87	프랑스
	6	악셀 튀앙제브	Axel Tuanzebe	1997.11.14	186	75	콩고
	12	바시르 험프리스	Bashir Humphreys	2003.03.15	186	79	잉글랜드
	14	코너 로버츠	Connor Roberts	1995.09.23	175	71	잉글랜드
	23	루카스 피레스	Lucas Pires	2001.03.24	175	72	브라질
	36	조던 베이어	Jordan Beyer	2000.05.19	187	80	독일
MF	8	레슬리 우고추쿠	Lesley Ugochukwu	2004.03.26	190	88	프랑스
	24	조시 컬렌	Josh Cullen	1996.04.07	175	70	잉글랜드
	28	한니발 메브리	Hannibal Mejbri	2003.01.21	177	70	튀니지
	29	조시 로랑	Josh Laurent	1995.05.06	188	70	잉글랜드
FW	7	야콥 브룬 라르센	Jacob Bruun Larsen	1998.09.19.	183	75	덴마크
	9	라일 포스터	Lyle Foster	2000.09.03	185	70	남아프리카공화국
	10	마커스 에드워즈	Marcus Edwards	1998.12.03	168	65	잉글랜드
	11	제이든 앤서니	Jaidon Anthony	1999.12.01	183	67	잉글랜드
	17	룸 차우나	Loum Tchaouna	2003.09.08	180	67	프랑스
	19	지안 플러밍	Zian Flemming	1998.08.01	185	-	네덜란드
	27	아르만도 브로야	Armando Broja	2001.09.10.	191	84	알바니아
	34	제이든 바넬	Jaydon Banel	2004.10.19	173	65	네덜란드
	48	에녹 아기에이	Enock Agyei	2005.01.13	172	68	벨기에

COACH

스콧 파커 *Scott Parker*
1980년 10월 13일생 잉글랜드

잉글랜드 국가대표로 활약하며 첼시, 뉴캐슬, 웨스트햄, 토트넘, 풀럼까지 여러 팀에 몸 담았던 미드필더 출신 지도자. 풀럼에서 감독 생활을 시작해 챔피언십으로 강등됐던 팀을 1년 만에 다시 프리미어 리그로 승격시켰고, 이는 번리에서도 마찬가지였다. 그러나 풀럼과 본머스에서 강등도 경험했다. 도전적인 경기 운영이나 빠른 공격 전환보다는 안정적인 전술 구조를 유지하고 위험 노출을 최소화 할 것을 강조. 선수들에게는 자신의 포지션에서 역할을 다하는 침착한 플레이를 주문한다.

PLAYERS

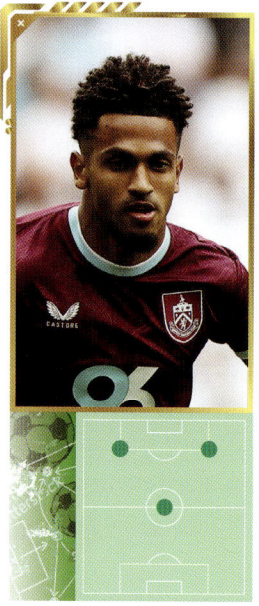

FW 10 마커스 에드워즈 *Marcus Edwards*  **KEY PLAYER**

국적: 잉글랜드

민첩하고 기술적인 드리블 돌파와 빠른 스피드, 창의성을 고루 갖춘 토트넘 유소년팀 출신의 측면 공격수. 네덜란드와 포르투갈 무대를 경험하고 돌아왔다. 2025년 2월 스포르팅에서 임대로 합류한 이후, 곧바로 주전으로 좋은 활약을 펼쳐 여름 이적시장에서 162억에 완전이적을 마무리했다. 지난 시즌 후반기 번리의 공격에서 가장 위협적인 모습을 보인 선수로, 측면에서 1대1 돌파를 통해 상대 수비를 무너트린 뒤 득점 기회를 만드는 플레이가 강점이다. 동료 공격수에게 공간을 만들어주는 움직임도 뛰어나다. 이번 시즌에는 프리미어 리그의 빠른 경기 템포에 적응하며 수비수들의 강한 압박을 견뎌내고 다소 부족했던 공격 포인트를 늘리는 데 전력을 다해야 한다.

출전경기	경기시간(분)	골	어시스트	경고	퇴장
14	946	1	1	1	-

GK 1 마르틴 두브라브카 *Martin Dubravka*

국적: 슬로바키아

뉴캐슬에서 백업으로 활약하던 36세의 베테랑 골키퍼. 번리에 합류해 지난 시즌 최고의 수문장이었던 제임스 트래포드의 공백을 메워야 하는 부담을 안게 됐다. 전성기가 지났음에도 여전히 뛰어난 반사 신경으로 2025년 1월 프리미어 리그 이 달의 선방에 선정되기도 했다. 그러나 주전으로 믿고 기용하기에는 기복이 심하다는 단점이 있고, 상황 판단이 좋지 않아 크로스 차단 능력 또한 약점으로 꼽힌다.

출전경기	경기시간(분)	실점	무실점(경기)	경고	퇴장
10	900	12	5	1	-

DF 2 카일 워커 *Kyle Walker*

국적: 잉글랜드

맨체스터 시티 소속으로 8년간 활약하며 화려한 우승 경력을 자랑하는 수비수. 강한 체력과 빠른 스피드를 무기로 상대 공격수를 제압하는 수비가 트레이드 마크였으나, 이제는 30대 중반이 되어 신체 능력이 떨어지면서 최대 강점을 잃고 풍부한 경험을 활용해서 노련한 수비를 보여주고 있다. 베테랑으로서 경기장 안에서 뿐만 아니라 밖에서도 리더십을 발휘해 힘든 시즌을 치를 번리를 이끌어야 한다.

출전경기	경기시간(분)	골	어시스트	경고	퇴장
11	659	-	1	-	-

DF 3 퀼린치 하트만 *Quilindschy Hartman*

국적: 네덜란드

이번 여름 페예노르트에서 146억에 영입한 레프트백. 심각한 무릎 부상에서 돌아와 2025년 2월부터 꾸준한 활약을 펼쳐왔다. 측면이 아닌 중앙으로 전진해서 중원 싸움에 가담하고 창의적인 침투 패스로 득점 기회를 만드는 플레이가 강점이다. 스피드도 빨라 직접 드리블 돌파를 통해 역습을 이끌 수도 있기 때문에 지공과 속공 상황 모두에서 공격 지원 능력이 뛰어나다. 번리에서 곧바로 주전 기용이 예상된다.

출전경기	경기시간(분)	골	어시스트	경고	퇴장
12	646	-	1	-	-

DF 5 막심 에스테브 *Maxime Esteve*

국적: 프랑스

2022년 울버햄튼에 임대로 왔고, 2023년 겨울 완전이적에 성공했다. 부바카르의 가장 큰 장점은 활동량이다. 넓은 활동반경으로 팀에 큰 도움을 주고 있다. 압박 능력도 뛰어나다. 중원에서 압박을 통해 볼을 낚아채곤 한다. 드리블도 준수하고 피지컬 능력도 갖추고 있다. 이를 통해 팀의 공격 전개를 유려하게 한다. 다만 볼을 다루는 능력이 완벽하게 매끄럽지는 않아 공격 빌드업에서는 다소 어려움을 겪고 있다.

출전경기	경기시간(분)	골	어시스트	경고	퇴장
46	4,057	1	-	3	-

DF 6 악셀 튀앙제브 *Axel Tuanzebe*

국적: 콩고민주공화국

맨유 출신 센터백으로 수비형 미드필더와 라이트백도 소화할 만큼 다재다능한 능력을 갖추고 있다. 민첩한 움직임인 덕분에 1대1 수비에 강점을 보이며, 경기 흐름을 정확하게 읽고 움직이기 때문에 실수도 적은 선수다. 맨유 유소년팀 주장을 맡았을 만큼 리더십도 뛰어나다. 그러나 경력 내내 이어진 부상 탓에 잠재력을 완전히 만개하지 못했고, 지난 시즌 입스위치 소속으로 뛰며 강등을 경험하기도 했다.

출전경기	경기시간(분)	골	어시스트	경고	퇴장
22	1,717	-	1	3	1

DF 14 코너 로버츠 *Connor Roberts*

국적: 웨일스

스피드는 느리지만 축구 지능이 탁월한 라이트백. 공을 다루는 기술도 뛰어나며 적절한 타이밍에 공격에 가담해 정확한 크로스로 득점 기회를 만든다. 롱 스로인에도 능해 세트피스 공격에서 색다른 무기가 되기도 한다. 수비 시에는 안정적인 위치 선정으로 가로채기에 능하며 센터백과의 호흡도 뛰어나다. 이번 시즌에는 카일 워커와 주전 경쟁을 펼치면서 상황에 따라 미드필더로도 기용될 가능성이 있다.

출전경기	경기시간(분)	골	어시스트	경고	퇴장
41	3,638	2	3	4	-

PLAYERS

MF 8 레슬리 우고추쿠
Lesley Ugochukwu

국적: 프랑스

강력한 신체 능력과 섬세한 기술을 겸비한 수비형 미드필더. 구단의 영입 선수 기준 역대 최고 이적료인 464억에 첼시를 떠나 번리에 합류했다. 경기를 보는 시야가 넓어 안정적인 위치 선정으로 상대 공격을 저지하며 수비진을 보호하는 동시에 정확한 롱 패스로 역습의 시발점 역할을 한다. 위험 상황에서는 몸을 아끼지 않는 태클도 시도한다. 사우샘프턴에서 임대 신분으로 프리미어 리그 출전 경험을 쌓았다.

출전경기	경기시간(분)	골	어시스트	경고	퇴장
26	1,667	1	1	7	-

MF 24 조시 컬렌
Josh Cullen

국적: 아일랜드

정확한 패스 공급 능력을 자랑하는 번리의 주장이자 중원의 핵심. 상대의 압박에도 침착하게 공을 지켜내서 전방으로 연결하며 경기를 조율하는 후방 플레이 메이커 역할을 맡고 있다. 리더십, 전술 이해도, 성실성이 모두 뛰어나 조시 브라운힐이 떠나자 스콧 파커 감독의 신임을 받아 이번 시즌부터 주장 역할을 맡게 됐다. 2년 전에도 프리미어 리그를 경험했기 때문에 이번 시즌 각오가 남다를 것이다.

출전경기	경기시간(분)	골	어시스트	경고	퇴장
44	3,810	2	3	11	

MF 28 한니발 메브리
Hannibal Mejbri

국적: 튀니지

맨유 유소년팀 시절부터 각광을 받던 플레이 메이커. 매 경기 엄청난 활동량으로 공격 2선과 중원을 오가며 적극적으로 상대를 압박하고 동료들을 독려하는 투지 넘치는 플레이가 강점이다. 전진 드리블이 뛰어난 데다 패스 범위도 넓어 팀의 공격 전개를 책임질 수 있다. 때로 측면 공격수로 기용되기도 하지만 중앙에서 뛸 때보다 영향력이 떨어졌기에 이번 시즌에는 주전 공격형 미드필더로 활약할 전망이다.

출전경기	경기시간(분)	골	어시스트	경고	퇴장
37	1,933	1	4	8	1

FW 7 야콥 브룬 라르센
Jacob Bruun Larsen

국적: 덴마크

2023-24시즌 번리에서 임대 신분으로 활약한 이후 이번 여름 65억에 완전 영입된 측면 공격수. 지난번 임대 당시 프리미어 리그에서 고전하던 와중에도 팀 내 최다 득점을 기록하는 활약을 펼쳤기에 다시 한번 좋은 모습이 기대된다. 빠른 스피드와 저돌적인 드리블 돌파가 강점으로, 공간을 찾아 최전방까지도 올라가 골을 노린다. 킥이 정확해 크로스와 슈팅이 위협적이며, 전방 압박도 성실하다.

출전경기	경기시간(분)	골	어시스트	경고	퇴장
27	801	3	2	1	-

FW 9 라일 포스터
Lyle Foster

국적: 남아프리카공화국

빠른 스피드와 저돌적인 움직임, 강한 경합 능력을 겸비한 최전방 공격수. 왼쪽 측면과 중앙을 오가며 유려한 돌파로 상대를 따돌리고 득점 기회를 만드는 데 능하다. 뛰어난 체력 덕분에 전방 압박에서도 탁월한 능력을 발휘하지만, 경력 내내 여러 차례 부상을 당하며 꾸준하게 활약을 이어가지는 못했다는 치명적인 단점도 있다. 프리미어 리그 승격과 함께 경쟁자들이 영입되면서 분발이 절실해진 시점이다.

출전경기	경기시간(분)	골	어시스트	경고	퇴장
28	1,595	2	5	4	

FW 11 제이던 앤서니
Jaidon Anthony

국적: 잉글랜드

경기 내내 측면을 왕성하게 누비며 계속되는 돌파와 압박으로 상대 수비를 괴롭히는 공격수. 활발하게 크로스를 시도하는 플레이가 강점인데, 세트 피스도 담당할 정도로 킥의 정확도가 뛰어나다. 공간을 찾아 움직이는 동료를 발견하고 침투 패스를 통해 득점 기회를 만드는 플레이는 번리의 공격 전개에 중요한 부분이다. 슈팅 장면에 많이 관여하고 공격 포인트도 꾸준하게 올리지만 골 결정력이 뛰어나지는 않다.

출전경기	경기시간(분)	골	어시스트	경고	퇴장
43	3,675	8	7	3	-

FW 17 룸 차우나
Loum Tchaouna

국적: 프랑스

폭발적인 가속력과 강력한 슈팅을 겸비한 측면 공격수. 공격 전환 과정에서 이러한 강점을 활용해 역습을 주도한다. 아직 21세로 경험이 부족한데도 상대 압박에 침착하게 대처하며, 측면으로 벌리는 움직임을 통해 동료들이 침투할 공간을 만들어준다. 꾸준함이나 수비 가담에서 경험 부족을 노출하는 면도 있어 프리미어 리그에 적응하는 기간을 보내면서 로테이션 자원으로 활용될 전망이다.

출전경기	경기시간(분)	골	어시스트	경고	퇴장
24	651	1	-	2	1

FW 19 지안 플러밍
Zian Flemming

국적: 네덜란드

공격 2선과 최전방을 오가며 활약하는 자원. 지난 시즌 임대 후 완전 영입 조건으로 밀월을 떠나 번리에 합류해 곧바로 기대에 부응하는 득점력을 선보이며 134억에 완전이적을 마무리했다. 알맞은 타이밍의 침투 움직임과 185cm의 신장인데도 크로스를 헤더 골로 연결하는 플레이가 탁월하다. 공격형 미드필더로도 뛸 수 있을 만큼의 패스 실력도 있기에 주위 동료를 활용한 연계 플레이에도 능하다.

출전경기	경기시간(분)	골	어시스트	경고	퇴장
35	2,439	12	4	3	-

FW 27 아르만도 브로야
Armando Broja

국적: 알바니아

임대를 통해 경험을 쌓다가 꾸준한 출전 기회를 위해 첼시를 떠나 번리 이적을 선택한 최전방 공격수. 이적료는 372억에 달했다. 191cm의 큰 키에 스피드도 빠르기 때문에 움직임 자체가 위협적이고, 양발을 모두 활용한 슈팅으로 골을 터뜨릴 수 있다. 상대를 압박하는 능력 또한 강점이다. 그러나 지난 두 시즌 부상으로 신음하며 리그 19경기에만 모습을 드러내 득점이 없었던 점은 불안 요소다.

출전경기	경기시간(분)	골	어시스트	경고	퇴장
10	331	-	-	1	-

선덜랜드 AFC

Sunderland AFC

TEAM PROFILE	
창 립	1879년
회 장	키릴 루이드레퓌스(프랑스)
감 독	레지스 르브리(프랑스)
연 고 지	잉글랜드 타인위어주 선덜랜드
홈 구 장	스타디움 오브 라이트(4만 9,000명)
라 이 벌	뉴캐슬 유나이티드
홈페이지	www.safc.com/

최근 5시즌 성적

시즌	순위	승점
2020-2021	없음	없음
2021-2022	없음	없음
2022-2023	없음	없음
2023-2024	없음	없음
2024-2025	없음	없음

PREMIER LEAGUE (전신 포함)

통 산	우승 12회
24-25 시즌	없음

FA CUP

통 산	우승 2회
24-25 시즌	없음

LEAGUE CUP

통 산	없음
24-25 시즌	없음

UEFA

통 산	없음
24-25 시즌	없음

전력분석 | 프리미어 리그에 걸맞은 영입 행진

3부 리그까지 추락했던 잉글랜드 북동부의 명문 구단 선덜랜드가 8년 만에 프리미어 리그로 돌아왔다. 지난 시즌 챔피언십에서 나란히 승점 100점을 달성한 리즈 유나이티드와 번리보다 승점이 24점이나 부족했지만, 플레이오프 준결승과 결승에서 연달아 극적인 승리를 거두고 승격에 성공했다. 2021년 당시 24세의 젊은 나이로 구단을 인수한 키릴 루이-드레퓌스 구단주는 스위스 거대 기업 루이-드레퓌스 가문의 후계자로, 인수 이후부터 해온 적극적인 투자가 마침내 결실을 맺었다. 2025년 여름에는 니스와 로마에서 단장을 역임했던 플로랑 기솔피를 이사로 선임, 선수 영입을 진두지휘하도록 했다. 조브 벨링엄과 톰 왓슨 같은 핵심 선수가 떠나기도 했지만, 무려 14명의 선수가 새로 영입됐으니 팀 자체를 새로 꾸리는 수준의 보강이다. 과거 아스널에서 주장까지 맡았던 32세의 베테랑 미드필더 그라니트 자카부터 잠재력을 높게 평가받고 있는 20세 유망주 헴스디네 탈비와 노아 사디키까지 신입생들의 면모는 다양하다. 그러면서도 3년 재계약을 맺은 레지 르 브리 감독의 빠르고 직선적인 역습 축구를 구사할 수 있는 선수들을 영입한다는 기조만큼은 일관되게 유지했다. 그 덕분에 전력 면에서나 전술 면에서나 함께 승격한 다른 두 팀에 비해 프리미어 리그 잔류 가능성이 크다.

전술분석 | 점유율은 관심 없다, 빠른 전진만이 있을 뿐

레지 르 브리 감독은 유려한 패스 연계를 좋아하지만 선덜랜드에서는 실리적인 역습 전술로 팀을 지휘하고 있다. 4-3-3 또는 4-4-2 포메이션을 기반으로 촘촘한 수비 간격을 유지하다가, 공을 잡았을 때는 측면 자원들의 드리블 능력을 최대한 활용해 지체 없이 속공에 나선다. 자기 진영에서 슈팅 시도까지 채 20초가 걸리지 않을 정도다. 지난 시즌 공격수 엘리에제 마옌다와 윌신 이시도르 모두 역습에 탁월한 능력을 발휘했고, 이번 여름 브라이턴에서 영입한 측면 공격수 시몬 아딩그라와 벨기에 무대에서 두각을 나타낸 헴스디네 탈비 또한 측면에서 공격의 첨병 역할을 해낼 자원이다. 중원은 새로운 선수들로 개편됐는데, 그 중 핵심인 그라니트 자카는 강력한 태클과 넓은 패스 범위를 동시에 보유한 데다 리더십도 있어 역습 완성도를 더욱 높일 수 있다. 지공 상황에서는 삼각 패스 연계가 빛을 발한다. 양쪽 풀백이 전진해서 측면 공격력을 유지하고, 측면 공격수들은 중앙 지역으로 침투하며, 박스 투 박스 미드필더도 두 측면 자원 사이의 공간에서 마무리 패스 기회를 엿본다. 올 여름 완전영입한 엔조 르 피와 하비브 디아라가 공수를 오가며 팀의 엔진 역할을 해줄 수 있다.

시즌 프리뷰 2천억이 넘는 투자, 죽어도 프리미어 리그!

선덜랜드는 이전 수뇌부의 무능한 운영으로 3부 리그로까지 추락하는 부침을 겪어야 했다. 넷플릭스가 제작한 다큐멘터리 〈죽어도 선덜랜드〉에는 악전고투 하던 당시의 팀과 어떠한 상황에서도 열정적으로 팀을 응원하던 팬들의 모습이 고스란히 담겨 있다. 2021년 키릴 루이-드레퓌스가 구단을 인수하고 꾸준하게 투자를 이어간 이후에도 성공 가도만을 달려온 것은 아니지만, 잠재력을 갖춘 젊은 선수들을 영입하며 장기적으로 팀의 기반을 닦은 것이 끝내 결실을 맺게 됐다. 2023-24시즌 챔피언십 16위를 기록했던 팀이 이어진 시즌 프리미어 리그 승격까지 이뤄낸 데는 지난 시즌부터 팀을 지휘한 레지 르 브리 감독의 역할이 결정적이었다. 부임 초기 강한 전방 압박과 점유율을 바탕으로 한 공격 축구로 성공을 거뒀음에도, 시즌 막바지 승격이 걸린 경기들에서는 빠른 역습 위주의 전술로도 성과를 내는 탁월한 지도력을 선보였다. 여기에 올 여름 2천억이 넘는 순지출을 기록하며 전력을 보강해 르 브리 감독에게 필요한 자원이 충분히 제공됐다. 상대 팀들은 승격 팀인 선덜랜드를 상대로 공격적으로 나서 수비 뒤쪽 공간을 더 넓게 노출할 것이기 때문에 빠른 역습이 빛을 발할 수 있다.

IN & OUT

주요 영입	주요 방출
하비브 디아라, 시몬 아딩그라, 엔조 르페, 헴스디네 탈비, 노아 사디키, 그라니트 자카, 노르디 무키엘레, 오마르 알데레테, 로빈 루프스, 뤼츠하럴 헤이르트라위다	조브 벨링엄, 톰 왓슨, 피에르 에콰

TEAM FORMATION

FW C

24 아딩그라 (르페)　　12 마옌다 (브로비)　　7 탈비 (이시도르)

MF C+

27 사디키 (르페)　　34 자카 (닐)　　19 디아라 (리그)

DF C

17 만다바 (서킨)　　15 알데레테 (실트)　　5 발라드 (무키엘레)　　32 흄 (헤이르트라위다)

GK C+

22 루프스 (패터슨)

PLAN **4-3-3**

TEAM RATINGS

- 슈팅 4
- 패스 4
- 조직력 4
- 수비력 5
- 감독 5
- 선수층 6

28

2024/25 프로필

팀 득점	63
평균 볼 점유율	48.60%
패스 정확도	81.60%
평균 슈팅 수	12.7
경고	110
퇴장	4

골 타입 (단위 %)
오픈 플레이	57
세트 피스	22
카운터 어택	14
패널티 킥	5
자책골	2

패스 타입 (단위 %)
쇼트 패스	84
롱 패스	12
크로스 패스	4
스루 패스	0

지역 점유율
- 공격 전영 29%
- 중앙 42%
- 수비 진영 29%

공격 방향
- 39% 왼쪽
- 25% 중앙
- 36% 오른쪽

슈팅 지역
- 7% 골 에어리어
- 62% 패널티 박스
- 31% 외곽 지역

상대팀 최근 6경기 전적

구분	승	무	패
리버풀 FC		3	3
아스널 FC		1	5
맨체스터 시티			6
첼시 FC	1	1	4
뉴캐슬 유나이티드 FC	4	1	1
애스턴 빌라	1	2	3
노팅엄 포레스트	5		1
브라이튼 앤 호브 알비온	3	1	2
AFC 본머스	3	1	2
브렌트포드 FC	1	2	3
풀럼 FC	2	2	2
크리스탈 팰리스 FC	3	1	2
에버턴 FC	2		4
웨스트햄 유나이티드 FC		3	3
맨체스터 유나이티드	1	1	4
울버햄튼 원더러스	1	2	3
토트넘 홋스퍼 FC		2	4
리즈 유나이티드 FC	1	3	2
번리 FC	2	3	1
선덜랜드 AFC			

SQUAD

포지션	등번호	이름		생년월일	키(cm)	체중(kg)	국적
GK	1	앤서니 패터슨	Anthony Patterson	2000.05.10	189	77	잉글랜드
	22	로빈 루프스	Robin Roefs	2003.01.17	193	72	네덜란드
DF	3	데니스 서킨	Dennis Cirkin	2002.04.06	182	72	잉글랜드
	5	댄 발라드	Dan Ballard	1999.09.22	187	85	잉글랜드
	13	루크 오닌	Luke O'Nien	1994.11.21.	174	74	잉글랜드
	15	오마르 알데레테	Omar Alderete	1996.12.26	188	77	파라과이
	17	헤이닐도 만다바	Reinildo Mandava	1994.01.21	183	73	모잠비크
	20	노르디 무키엘레	Nordi Mukiele	1997.11.01	187	84	프랑스
	32	트라이 흄	Trai Hume	2002.03.18	180	85	잉글랜드
	33	레오 옐데	Leo Hjelde	2003.08.26	190	-	노르웨이
	42	아지 알리즈	Aji Alese	2001.01.17	192	-	잉글랜드
	45	조 앤더슨	Joe Anderson	2001.02.06	188	-	잉글랜드
MF	4	댄 닐	Dan Neil	2001.12.13	185	-	잉글랜드
	11	크리스 리그	Chris Rigg	2007.06.18	177	74	잉글랜드
	19	하비브 디아라	Habib Diarra	2004.01.03	179	74.9	세네갈
	27	노아 사디키	Noah Sadiki	2004.12.17	173	61	콩고
	28	엔조 르 피	Enzo Le Fée	2000.02.03	173	58	프랑스
	30	밀란 알렉시치	Milan Aleksic	2005.08.30	179	-	세르비아
	34	그라니트 자카	Granit Xhaka	1992.09.27	186	80	스위스
FW	7	헴스디네 탈비	Chemsdine Talbi	2005.05.09	175	65	모로코
	9	브라이언 브로비	Brian Brobbey	2002.02.01	180	78	네덜란드
	12	엘리에세르 마옌다	Eliezer Mayenda	2005.05.08	180	75	스페인
	18	윌슨 이시도르	Wilson Isidor	2000.08.27	186	79	프랑스
	24	시몬 아딩그라	Simon Adingra	2002.01.01	175	63	코트디부아르
	36	이안 포베다	Ian Poveda	2000.02.09	167	-	콜롬비아

COACH

생리학과 생체역학 박사 학위를 취득하고 운동 선수의 정신 상담 교육까지 수료한 박학다식한 지도자. 지난 시즌 선덜랜드에 부임해 곧바로 팀을 프리미어 리그 승격으로 이끌며 올 여름 3년 재계약을 체결했다. 29세의 이른 나이부터 코치 자격을 취득한 이후 로리앙에서 유소년 육성을 담당하다가 7년간의 2군 감독 생활을 거쳐 1군 감독까지 승진했고, 그 과정에서 선덜랜드에서 재회한 엔조 르페를 비롯해 프리미어 리그에서 활약한 마테오 귀엥두지, 일랑 멜리에와 같은 선수들을 배출했다.

레지 르 브리 *Regis Le Bris*
1975년 12월 6일생 프랑스

PLAYERS

MF | **34** **그라니트 자카**
Granit Xhaka  **KEY PLAYER**

국적: 스위스

과거 아스널에서 7년간 활약하며 프리미어 리그 무대에 익숙한 베테랑 미드필더. 아스널에 이어 선덜랜드에서도 주장을 맡게 됐다. 중원을 지배하는 강력한 태클 능력과 활동량으로 수비진을 보호하고, 넓은 시야를 바탕으로 한 정확한 패스로 후방에서 경기를 조율하면서 한 번의 길고 정확한 패스로 공격 전환을 시작할 수 있다. 2025년 여름 레버쿠젠의 에릭 텐 하흐 감독은 자카를 팀의 핵심으로 생각해 잔류를 원했지만, 자카는 다시 한 번 프리미어 리그에서 활약할 기회를 가지기 위해 선덜랜드 이적을 선택했다. 팀에 가장 중요하고 화려한 영입이기 때문에 곧바로 주전 미드필더로 기용될 전망이다. 리더로서 젊은 선수들의 멘토 역할 또한 할 수 있다.

출전경기	경기시간(분)	골	어시스트	경고	퇴장
33	2,892	2	7	3	-

GK | **22** **로빈 루프스**
Robin Roefs

국적: 네덜란드

큰 키와 긴 팔 길이를 자랑하는 골키퍼. 이를 활용한 뛰어난 선방 능력은 물론 크로스를 차단하는 능력은 특히 탁월해 유럽 최고 수준이라는 평가를 받는다. 프로 데뷔 2년 차인 지난 시즌 NEC 네이메헌에서 처음으로 주전 역할을 맡았음에도 시즌 내내 침착한 활약을 펼치며 팀의 8위 도약을 이끌었고, 에레디비지 최고의 골키퍼 중 하나로 꼽혔다. 170억에 영입돼 새로운 주전 골키퍼를 맡게 됐다.

출전경기	경기시간(분)	실점	무실점(경기)	경고	퇴장
32	2,880	42	10	-	-

DF | **15** **오마르 알데레테**
Omar Alderete

국적: 파라과이

스위스, 독일, 스페인까지 다양한 유럽 무대를 경험한 노련한 센터백. 강력한 공중 경합 능력으로 박스 안을 지키는 것은 물론이고, 경기 흐름을 읽는 능력이 탁월해 민첩하게 전진해서 정확한 태클로 위험을 차단하고 공을 확보하는 플레이가 강점이다. 선덜랜드는 왼쪽 센터백 보강이 절실했기에 188억의 이적료를 아끼지 않고 레프트백까지도 소화할 수 있는 왼발잡이 센터백인 알데레테의 영입을 추진했다.

출전경기	경기시간(분)	골	어시스트	경고	퇴장
34	2,978	1	-	8	-

DF | **17** **헤이닐도 만다바**
Reinildo Mandava

국적: 모잠비크

강력한 신체 능력을 갖춘 베테랑 풀백. 빠른 스피드와 강한 경합 능력을 겸비하고 있는 레프트백으로, 수비력이 워낙 뛰어나 스리백의 왼쪽 센터백도 소화할 수 있다. 수비 조직력을 중시하는 디에고 시메오네 감독의 아틀레티코 마드리드에서 4년간 활약했을 정도로 전술 이해도와 수비력은 검증이 됐지만, 30대에 접어든 나이와 부상 후유증 탓에 기량 저하가 우려되기는 한다. 공격력에도 한계가 있다.

출전경기	경기시간(분)	골	어시스트	경고	퇴장
19	936	-	-	4	-

DF | **20** **노르디 무키엘레**
Nordi Mukiele

국적: 프랑스

라이프치히, 파리 생제르맹, 레버쿠젠까지 여러 빅 클럽을 거친 화려한 경력을 자랑하는 라이트백. 194억의 이적료로 2025년 여름 선덜랜드 12번째 신입 선수가 됐다. 공중 경합 능력이 강해서 센터백으로도 활용될 수 있으나, 그보다는 공을 다루는 기술이 뛰어나고 체력이 강해 측면에서 공수를 오가는 활약으로 더욱 팀에 도움을 준다. 전진 패스 능력도 좋아 르 브리 감독이 선호할 만한 자원이다.

출전경기	경기시간(분)	골	어시스트	경고	퇴장
15	897	1	-	4	-

DF | **32** **트라이 흄**
Trai Hume

국적: 북아일랜드

2022년 1월 당시 3부 리그에 있던 선덜랜드에 입단해 프리미어 리그 승격까지 함께해 온 측면 수비수. 꾸준한 활약과 충성심에 대해 2025년 여름 5년 재계약으로 보답을 받았다. 양쪽 풀백은 물론이고 센터백까지 소화할 수 있는 수비력이 강점이며, 공격에도 적극 가담해 정확한 크로스로 득점 기회를 만든다. 특히 지난 시즌 공수 양면에서의 인상적인 활약으로 선덜랜드 올해의 선수에 선정됐다.

출전경기	경기시간(분)	골	어시스트	경고	퇴장
47	4,110	3	6	11	1

MF | **4** **댄 닐**
Dan Neil

국적: 잉글랜드

공수의 연결 고리 역할을 맡아 경기를 운영하는 플레이 메이커. 정확한 패스 능력을 갖추었고 이와 더불어 위치 선정과 태클, 경합 능력도 뛰어나다. 지난 시즌 선덜랜드에서 주장을 맡아 팀을 이끌며 중원에서 핵심적인 활약을 펼쳤다. 이번 시즌에는 자신의 역할을 완벽하게 대체할 수 있는 그라니트 자카에게 주전 자리를 내주게 됐지만, 23세의 젊은 선수이기에 자카를 보고 배우며 성장할 수 있다.

출전경기	경기시간(분)	골	어시스트	경고	퇴장
47	4,165	2	3	3	1

PLAYERS

MF 11 크리스 리그
Chris Rigg

국적: 잉글랜드

2023년 당시 15세의 나이로 1군 데뷔전을 치른 선덜랜드 최고의 유망주. 유려한 개인 기술과 넓은 시야를 고루 갖췄고, 선덜랜드뿐만 아니라 잉글랜드의 연령별 청소년 대표팀을 모두 월반해서 발탁될 만큼 재능을 인정받고 있다. 여러 재능 중에가장 인상적인 것은 낮은 무게 중심과 특별한 왼발 기술로 좁은 공간에서도 탈압박을 해내는 능력이다. 강한 투쟁심까지 겸비한 박스 투 박스 미드필더다.

출전경기	경기시간(분)	골	어시스트	경고	퇴장
45	3,180	4	1	9	-

MF 19 하비브 디아라
Habib Diarra

국적: 세네갈

21세의 나이에 이미 클럽팀과 대표팀을 합해 100경기 넘게 소화한 역동적인 중앙 미드필더. 중원에서 직접 공을 가지고 전진 드리블로 공격 전개를 주도하는 능력이 뛰어나다. 공격과 수비, 중앙과 측면을 가리지 않고 뛸 수 있을 정도로 다재다능하고, 유소년 시절부터 성장해온 스트라스부르에서 주장을 맡을 정도의 리더십도 갖췄다. 510억으로 선덜랜드의 영입 기준 역대 최고 이적료의 주인공이 됐다.

출전경기	경기시간(분)	골	어시스트	경고	퇴장
30	2,357	4	5	5	-

MF 27 노아 사디키
Noah Sadiki

국적: 콩고민주공화국

미드필드 전 지역과 풀백, 측면 공격수까지도 소화할 수 있는 다재다능한 선수. 어느 위치에서든 쉬지 않고 뛰어다니며 상대를 압박하는 작은 체구의 선수여서 전설적인 수비형 미드필더인 은골로 캉테와 비슷하다는 평가도 받는다. 20세의 어린 나이에도 전술 이해도가 높고 상황판단이 뛰어나 영리한 위치 선정으로 공수 모두에 관여하며, 역습으로 전환하는 과정에서 핵심적인 역할을 담당할 수 있는 선수다.

출전경기	경기시간(분)	골	어시스트	경고	퇴장
39	3,306	1	3	6	-

MF 28 엔조 르 피
Enzo Le Fee

국적: 프랑스

로리앙 유소년팀에서부터 르 브리 감독의 지도를 받아온 애제자. 상대의 압박에 침착하게 대응한 뒤 창의적인 패스로 득점 기회를 만들어내는 공격형 미드필더다. 지난 시즌 전반기 로마에서 출전 기회를 잡지 못하다가 후반기에 선덜랜드로 임대돼 부활에 성공하며 올여름 372억에 완전이적을 마무리했다. 원래 포지션은 중앙이지만 수비와 몸 싸움에 대한 부담이 적은 왼쪽 측면에 주로 기용돼 활약 중이다.

출전경기	경기시간(분)	골	어시스트	경고	퇴장
18	1,300	1	3	3	-

FW 7 헴스디네 탈비
Chemsdine Talbi

국적: 벨기에

탁월한 전진 드리블 능력을 갖춘 유망한 측면 공격수. 측면과 하프 스페이스에서 영리하게 공간을 찾아 들어가며 후방에서 날아오는 전진 패스를 받아 공격을 진행하는 플레이에도 능하다. 개인 기술과 창의성이 모두 뛰어나 득점 기회 창출 임무를 충실히 수행한다. 지난 시즌 클럽 브뤼헤 소속으로 챔피언스 리그 무대에서도 활약을 펼치며 본격적인 두각을 나타냈고, 324억의 이적료에 선덜랜드에 합류했다.

출전경기	경기시간(분)	골	어시스트	경고	퇴장
27	1,211	5	3	1	-

FW 9 브라이언 브로비
Brian Brobbey

국적: 네덜란드

강력한 몸싸움 능력으로 최전방에서 공을 지켜내고 연계 플레이로 이어주는 뛰어난 공격수. 역습 상황에서는 빠른 공간 침투 능력도 돋보인다. 지난 시즌 성실한 플레이로 아약스의 공격을 이끌었으나 득점 면에서는 기복이 심한 모습을 보였다. 적응에 성공하면 장점을 발휘할 수 있겠지만, 프리미어 리그는 경합이 치열할 뿐만 아니라 경기 템포도 빠르기 때문에 브로비에게는 쉽지 않은 무대가 될 전망이다.

출전경기	경기시간(분)	골	어시스트	경고	퇴장
30	1,566	4	3	6	-

FW 12 엘리에세르 마옌다
Eliezer Mayenda

국적: 스페인

빠른 스피드를 활용한 공간 침투 능력으로 역습 공격의 선봉에 서는 공격수. 드리블 돌파로 상대 골문을 등진 플레이도 뛰어나 측면과 최전방을 오가며 활약을 펼칠 수 있다. 침착함을 갖춘 데다 양발을 고루 사용하는 슈팅 기술로 골을 터뜨린다. 특히 셰필드 유나이티드와의 승격 플레이오프 결승에서 귀중한 동점 골을 터트려 선덜랜드가 2-1 역전승을 거두며 승격을 이뤄내는 데 크게 힘을 보탰다.

출전경기	경기시간(분)	골	어시스트	경고	퇴장
40	2,452	10	5	2	-

FW 18 윌슨 이시도르
Wilson Isidor

국적: 프랑스

폭발적인 스피드와 강한 몸 싸움 능력을 겸비한 공격수. 최전방과 양쪽 측면을 모두 소화할 수 있고 전방 압박에도 성실하게 임해 활용 가치가 높은 자원이다. 지난 시즌 러시아의 제니트를 떠나 임대로 선덜랜드에 합류했고, 전반기 11골을 몰아치는 활약과 함께 완전이적을 마무리했으나, 후반기에는 두 골에 그치는 등 골 결정력에는 기복이 있다. 잦은 오프사이드로 공격 흐름을 끊는 것도 개선할 점이다.

출전경기	경기시간(분)	골	어시스트	경고	퇴장
46	3,299	13	2	10	-

FW 24 시몬 아딩그라
Simon Adingra

국적: 코트디부아르

뛰어난 드리블 돌파 능력을 갖춘 측면 공격수. 지난 시즌 브라이턴에서 보여준 인상적인 활약을 바탕으로 395억의 이적료로 선덜랜드에 입단했다. 스피드가 빠른 데다가 공을 컨트롤하는 능력이 좋아 역습 과정에서 더욱 빛을 발할 수 있는 선수여서 선덜랜드에서의 활용 가치는 매우 크다. 지난 두 시즌 프리미어 리그에서 60경기를 소화한 경험도 잔류를 목표로 하고 있는 팀에는 귀중한 자산이 될 수 있다.

출전경기	경기시간(분)	골	어시스트	경고	퇴장
29	1,091	2	2	-	-

레알 마드리드 vs RCD 마요르카 (2:1)

안필드에서 열린 프리미어리그 리버풀과 아스널의 경기에서, 아스널의 크리스티안 모스케라가 리버풀의 플로리안 비르츠와 맞붙고 있다.
⟨2025. 08. 30 / Estadio Santiago Bernabeu⟩

비야레알 CF vs RC 셀타 데 비고 (4:3)

무려 7골이 터진 박진감 넘치는 경기였다. 비야레알의 디에고 콘데, 셀타 데 비고의 이반 빌라르 두 골키퍼가 선방했고, 두 팀은 골을 주고받으며 팽팽한 승부를 이어갔다. 결승골은 후반 추가시간 10분에 나왔다. 비야레알의 다니 파레호가 페널티킥에서 실축했지만, 흘러나온 볼을 침착하게 밀어 넣으며 승리를 이끌었다.
〈2024. 08. 27 / 캄 엘 마드리갈〉

FC 바르셀로나 vs 레알 마드리드 (4:3)

레알 마드리드는 15분 만에 킬리안 음바페의 멀티골로 2-0 리드를 잡았다. 하지만 바르셀로나가 곧바로 대응하며 에리크 가르시아의 추격골, 라민 야말의 동점골이 터졌고 하피냐의 멀티골로 스코어를 뒤집었다. 음바페가 후반전 해트트릭을 달성했지만, 거기까지였다.
〈2025. 05. 11 / 에스타디 올림픽 류이스 콤파니스〉

발렌시아 CF vs 레알 마드리드 (1:2)

레알 마드리드가 왜 리그 최고의 팀인지 보여줬다. 전반전 발렌시아에게 선제골을 허용하며 0-1로 끌려갔고, 후반전 비니시우스 주니오르가 상대 도발에 보복 행위를 보이며 퇴장당했다. 수적 열세에 몰렸음에도 레알은 오히려 공격적으로 나섰다. 베테랑 루카 모드리치의 동점골이 터졌고, 후반 추가시간에 주드 벨링엄의 극적골이 나오며 승리했다.
〈2025. 01. 04 / 에스타디오 데 메스타야〉

레알 마드리드 vs FC 바르셀로나 (0:4)

바르셀로나가 최대 라이벌인 레알 마드리드 원정에서 압도적인 경기력을 보였다. 로베르트 레반도프스키의 멀티골, 라민 야말의 추가골, 하피냐의 쐐기골로 산티아고 베르나베우를 침묵하게 했다. 킬리안 음바페, 비니시우스 주니오르를 완벽하게 틀어막은 수비력 역시 돋보였다. 레알 마드리드는 오프사이드 12회를 기록했다.
〈2024. 10. 27 / 산티아고 베르나베우〉

2025-2026

SPAIN LA LIGA

DEPORTIVO ALAVES

팀 명 데포르티보 알라베스
창 단 1921년
홈구장 멘디소로사 스타디움
주 소 www.deportivoalaves.com

ATHLETIC CLUB DE BILBAO

팀 명 아틀레틱 클루브 데 빌바오
창 단 1898년
홈구장 에스타디오 산 마메스
주 소 www.athletic-club.eus

REAL SOCIEDAD

팀 명 레알 소시에다드
창 단 1909년
홈구장 레알레 아레나
주 소 www.realsociedad.eus

CA OSASUNA
팀 명 CA 오사수나
창 단 1920년
홈구장 에스타디오 엘 사다르
주 소 www.osasuna.es

REAL OVIEDO

팀 명 레알 오비에도
창 단 1926년
홈구장 에스타디오 카를로스 타르티에레
주 소 www.realoviedo.es

GIRONA FC
팀 명 지로나 FC
창 단 1930년
홈구장 몬틸리비 스타디움
주 소 www.gironafc.cat

RC CELTA DE VIGO
팀 명 RC 셀타 데 비고
창 단 1923년
홈구장 에스타디오 아방카 발라이도스
주 소 www.rccelta.es

FC BARCELONA

팀 명 FC 바르셀로나
창 단 1899년
홈구장 스포티파이 캄 노우
주 소 www.fcbarcelona.com

RCD ESPANYOL

팀 명 RCD 에스파뇰
창 단 1900년
홈구장 스테이지 프론트 스타디움
주 소 www.rcdespanyol.com

REAL MADRID CF

팀 명 레알 마드리드
창 단 1902년
홈구장 에스타디오 산티아고 베르나베우
주 소 www.realmadrid.com

GETAFE CF

팀 명 헤타페 CF
창 단 1983년
홈구장 에스타디오 콜리세움
주 소 www.getafecf.com

RCD MALLORCA

팀 명 RCD 마요르카
창 단 1916년
홈구장 에스타디 마요르카 손 모시
주 소 www.rcdmallorca.es

ATLETICO MADRID
팀 명 아틀레티코 마드리드
창 단 1903년
홈구장 리야드 에어 메트로폴리타노
주 소 www.atleticodemadrid.com

RAYO VALLECANO
팀 명 라요 바예카노
창 단 1924년
홈구장 캄포 데 풋볼 데 바예카스
주 소 www.rayovallecano.es

ELCHE CF

팀 명 엘체 CF
창 단 1923년
홈구장 에스타디오 마르티네스 발레로
주 소 www.elchecf.es

VILLARREAL CF
팀 명 비야레알 CF
창 단 1923년
홈구장 에스타디오 데 라 세라미카
주 소 www.villarrealcf.es

SEVILLA FC

팀 명 세비야 FC
창 단 1890년
홈구장 에스타디오 라몬 산체스 피스후안
주 소 www.sevillafc.es

VALENCIA CF
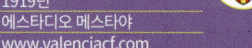
팀 명 발렌시아 CF
창 단 1919년
홈구장 에스타디오 메스타야
주 소 www.valenciacf.com

REAL BETIS BALOMPIE

팀 명 레알 베티스 발롬피에
창 단 1907년
홈구장 에스타디오 베니토 비야마린
주 소 www.realbetisbalompie.es

LEVANTE UD

팀 명 레반테 UD
창 단 1909년
홈구장 에스타디 시우타트 데 발렌시아
주 소 www.levanteud.com

OVIEDO
BILBAO
VITORIA
SAN SEBASTIAN
VIGO
GIRONA
BARCELONA
FC BARCELONA
VILLARREAL
VALENCIA
MADRID
PALMA
ELCHE
SEVILLA

'왕좌를 지켜라' 바르셀로나, '왕좌를 뺏어라' 레알과 ATM

라리가 3강 구도는 더욱 뚜렷해질 것이다. 바르셀로나가 리그, 코파 델 레이, 수페르코파 데 에스파냐를 모두 휩쓸며 '도메스틱 트레블(국내 대회 3관왕)'을 달성했다. 한지 플릭 감독 부임 후 우려의 시선은 순식간에 사라졌고, 과거 점유율을 중시하던 모습을 탈피하고 새롭게 변모했다. 그 중심에는 하피냐-로베르트 레반도프스키-라민 야말로 이어지는 '바르셀로나판 3R'의 활약이 있었다. 세 선수는 시즌 통틀어 총합 94골 53도움을 기록했다. 지난 시즌 유럽 축구 최고의 공격 3인방이라 해도 무방한 세 선수를 앞세워 2년 만에 국내 무대를 탈환했다.

이를 지켜만 본 레알 마드리드와 아틀레티코 마드리드는 이번 시즌 바르셀로나 왕권에 도전한다. 레알은 지난 시즌 축구계 차세대 간판스타 킬리안 음바페를 품었다. 하지만 비니시우스 주니오르-음바페-호드리구로 이어지는 공격진은 엇박자를 보였다. 음바페는 공식전 56경기 43골 5도움을 기록하며 기대만큼의 모습을 보였으나, 레알의 성공적인 시즌은 아니었다. 레알은 2018-19시즌 이후 6년 만에 무관을 기록했다. 이번 시즌에는 사비 알론소 감독이 새롭게 합류했고, 트렌트 알렉산더아놀드 등 이적시장 대어를 품으며 새로운

전성기를 맞이하고자 한다.

아틀레티코는 또 한 번의 '폭풍 영입'을 시작했다. 지난 시즌 에이스 앙투안 그리즈만과 알바레스가 '원투 펀치'로 활약했으나 역부족이었는지, 바르셀로나와 레알의 선두 경쟁에 밀려나 2020-21시즌 이후 4시즌 연속 무관 타이틀을 얻었다. 이를 만회하고자 이번 시즌도 이적시장에서 분주히 움직였다. 로드리고 데 폴, 악셀 비첼, 세자르 아스필리쿠에타, 사울 니게스 등 선수단 정리에 나섰다. 이어 알렉스 바에나, 다비드 한츠코, 조니 카르도소, 티아고 알마다, 마테오 루제리 등을 영입하며 트로피에 대한 열망을 보였다.

라리가의 또 다른 재미는 3강을 위협할 '다크호스'를 바라보는 일이다. 지난 시즌에는 아틀레틱 빌바오와 비야레알이 3강의 뒤를 추격했다. 격차를 좁히지 못했지만 빌바오는 11년 만에, 비야레알은 3년 만에 유럽축구연맹(UEFA) 챔피언스리그 무대를 밟게 됐다. 두 팀이 챔피언스리그를 병행하며 주춤하는 사이, 그 틈을 노릴 수 있는 레알 소시에다드, 레알 베티스, 셀타 데 비고, 발렌시아 등 잔뼈 굵은 팀들이 호시탐탐 기회를 엿보고 있다. 이번 시즌 추격자들의 각축이 흥미롭다.

TOP SCORER

레알 마드리드로 이적한 킬리안 음바페와 바르셀로나에 완벽하게 적응한 로베르트 레반도프스키의 맞대결이 흥미로웠다. 시즌 초반 더 좋은 득점 흐름을 보여준 쪽은 레반도프스키다. 리그 10라운드까지 12골을 기록했다. 이 기간 음바페는 6골에 그쳤다. 많은 기대를 받은 음바페는 현지 언론과 팬들의 비판에서 자유로울 수 없었다. 두 선수의 격차가 좁혀지기 시작한 것은 시즌 중반부터다. 레반도프스키는 11~25라운드까지 8골을 기록했고, 이때 음바페는 라리가와 레알에 적응하며 11골로 추격했다. 그리고 시즌 후반기 음바페가 방점을 찍었다. 음바페는 26~38(최종전)라운드까지 무려 14골을 뽑아냈다. 레반도프스키는 다소 주춤하며 7골에 만족했다. 음바페는 레알 이적 후 첫 시즌 31골로 확실한 해결사로 자리 잡았다. 비록 팀 성적에서는 바르셀로나에 밀려 아쉬움을 보였으나, 데뷔 시즌 득점왕 수상으로 이를 달랠 수 있었다.

이번 시즌에도 라리가 득점왕 1순위 후보는 음바페다. 지난 시즌 득점왕 경쟁을 펼친 레반도프스키가 가장 큰 대항마고, 바르셀로나의 하피냐와 라민 야말 또한 음바페의 자리를 위협할 것으로 보인다.

TITLE RACE

지난 시즌 패권은 바르셀로나로 향했다. 자존심을 구긴 마드리드의 두 팀, 레알 마드리드와 아틀레티코 마드리드는 바쁜 여름을 지냈다. 바르셀로나는 여전히 구단 재정 문제가 발목을 잡고 있어 이적시장에 적극적으로 나서지 못했다. 그 사이 레알과 아틀레티코는 카탈루냐 지역으로 넘어간 챔피언 자리를 스페인 수도로 돌려놓을 계획을 이행했다. 두 팀 모두 최정상급 선수들을 대거 품었다. 심지어 바르셀로나의 라이벌 레알은 사령탑 변화까지 있다. 바르셀로나가 기존 선수단을 지키며 더 완벽한 호흡을 보여줄 것이지만, 공격적인 행보를 보인 레알과 아틀레티코의 변화 또한 기대될 수밖에 없다.

3강을 비집고 경쟁할 팀이 있을지는 미지수다. 세 팀의 입지 모두 확고하다. 2023-24시즌 지로나와 같은 돌풍의 팀이 다시 일어날까.

DARK HORSE

아틀레티코 마드리드는 '다크호스'라는 말이 무색할 정도로 라리가 내 강한 입지를 갖고 있지만, 이번 시즌에는 정말 대권에 도전할 것이다. 아틀레티코는 2011년 12월부터 디에고 시메오네 감독 체제가 이어지고 있다. 이번 시즌까지 15년 차로, 현대 축구에서 보기 힘든 장기 집권이다. 아틀레티코는 언제나 바르셀로나, 레알 마드리드의 그림자에 가려 3강 중에서는 최약체로 꼽혔으나, 이제는 아니다. 두 시즌에 걸쳐 이적시장에서 공격적으로 선수단 개편에 나섰다. 지난 시즌에는 훌리안 알바레스, 로빈 르 노르망, 코너 갤러거, 알렉산더 쇠를로트 등을 영입했고, 이들 모두 팀의 주축이 됐다. 여기에 새 시즌을 앞두고는 클레망 랑글레를 완전영입했을 뿐 아니라, 알렉스 바에나, 다비드 한츠코, 조니 카르도소, 티아고 알마다, 마테오 루게리 등 젊고 유능한 선수를 대거 품었다. 세대교체 과정이 아주 매끄럽다. 이제는 성적만 따라오면 된다.

시메오네 감독 체제에서 아틀레티코가 들어 올리지 못한 트로피는 유럽축구연맹(UEFA) 챔피언스리그다. 리그 우승은 물론, 그 이상을 바라볼 수 있다.

VIEW POINT

바르셀로나의 라리가 연속 우승은 2017-18, 2018-19시즌이 마지막이다. 6년 만에 라리가 패권을 지킬 기회를 잡은 것이다. 부임 첫 시즌부터 '도메스틱 트레블(국내 대회 3관왕)'을 차지한 한지 플릭 감독은 빠르게 연착륙했다. 그의 두 번째 시즌에는 더욱 탄탄하고 날카로움을 보여줄 것으로 기대된다. 6관왕을 경험한 감독과 팀이 결합했다. 이번 시즌에는 라리가 2연패 그 이상을 원할 것이다.

레알 마드리드는 지난 시즌 굴욕적인 무관을 기록했다. 카를로 안첼로티 감독이 떠났고, 빠르게 새로운 사령탑을 물색했고, 과거 팀에서 활약했던 사비 알론소 감독을 선임했다. 알론소 감독은 바이어 레버쿠젠을 이끌고 독일 분데스리가 무패 우승을 이끈 바 있다. 스타플레이어 출신인 알론소 감독이 스타군단을 보유한 레알을 제 위치로 올려놓을 수 있을지 주목된다.

두 시즌에 걸쳐 선수단을 개편한 아틀레티코 마드리드 또한 리그 성적 그 이상을 원한다. 바르셀로나, 레알과 함께 유럽 최정상 정복을 꿈꾸고 있다. 지난 시즌 이적시장의 주인공으로 평가됐으나, 원하는 성적을 얻지 못했다. 이번 시즌에도 이적시장의 주인공임은 틀림없다. 대대적인 개편 효과를 빠르게 볼 수 있을까. 디에고 시메오네 감독 체제에서 또 하나의 새로운 역사에 도전한다.

SPAIN LA LIGA

LEAGUE INFORMATION

1
이적료: **1,012억원**
본머스 ⬌ 레알 마드리드

Dean Huijsen
딘 하위선 / 국적: 스페인

2
이적료: **809억원**
벤피카 ⬌ 레알 마드리드

Alvaro Carreras
알바로 카레라스 / 국적: 스페인

3
이적료: **723억원**
리버 플레이트 ⬌ 레알 마드리드

Franco Mastantuono
프랑코 마스탄투오노 / 국적: 아르헨티나

4
이적료: **680억원**
비야레알 ⬌ 아틀레티코 마드리드

Álex Baena
알렉스 바에나 / 국적: 스페인

TRANSFER

바르셀로나의 '도메스틱 트레블(자국 대회 3관왕)'이 자극이 됐을까. 아틀레티코 마드리드와 레알 마드리드가 공격적인 행보를 보였다.

아틀레티코는 지난 시즌 훌리안 알바레스, 알렉산더 쇠를로트, 코너 갤러거를 품은 데 이어 이번 시즌에도 적극적으로 이적시장에 뛰어들며 트로피에 대한 욕망을 숨기지 않았다.

올여름 알렉스 바에나, 다비드 한츠코, 조니 카르도소, 지아코모 라스파도리, 마테오 루게리를 영입하며 세대교체를 단행했다. 이적료 지출만 1억 7,600만 유로에 달한다. 사무엘 리누, 아르투르 베르미렌, 산티아고 무리뇨, 로드리고 리켈메 등을 매각해 6,800만 유로의 수익을 올렸으니, 순 지출만 약 1억 유로인 셈이다.

레알 마드리드 역시 보강에 열을 올렸다. 지난 시즌 라이벌 바르셀로나의 우승을 지켜봐야만 했던 만큼, 새로 부임한 사비 알론소 감독에게 힘을 실어주고 있다.

자유계약(FA) 최대어 트렌트 알렉산더아놀드를 품었고, 중앙 수비수 딘 하위선, 풀백 알바로 카레라스를 더했다. 여기에 아르헨티나 신성 프랑코 마스탄투오노까지 합류하며 총 1억 6,700만 유로를 지출했다. 이번 영입은 단순 보강을 넘어 세대교체와 전술 다양성 확대라는 의미까지 담고 있다.

5
이적료: **502억원**
올렝피아 리옹 ⬌ 비야레알

Georges Mikautadze
조르지 미카우타제 / 국적: 조지아

6
이적료: **421억원**
페예노르트 ⬌ 아틀레티코 마드리드

Dávid Hancko
다비드 한츠코 / 국적: 슬로바키아

7
이적료: **405억원**
에스파뇰 ⬌ 바르셀로나

Joan García
조안 가르시아 / 국적: 스페인

8
이적료: **397억원**
첼시 ⬌ 비야레알

Renato Veiga
헤나투 베이가 / 국적: 포르투갈

9
이적료: **389억원**
레알 베티스 ⬌ 아틀레티코 마드리드

Johnny Cardoso
조니 카르도주 / 국적: 미국

10
이적료: **356억원**
맨체스터 유나이티드 ⬌ 레알 베티스

Antony
안토니 / 국적: 브라질

REGULATION

라리가는 20개 팀이 홈&어웨이 방식으로 맞대결을 펼친다. 구단별로 38경기를 치러 순위를 정하고, 정규 시즌 일정이 모두 종료된 뒤 18~20위 팀은 라리가 2로 강등된다. 라리가 2에서 우승 팀과 준우승 팀이 승격하고, 3~6위 4팀이 승격 플레이오프를 통해 남은 티켓 한 장을 두고 경쟁한다.

두 팀의 승점이 같을 경우 승자승 원칙에 따른다. ▲맞대결에서 획득한 승점 ▲맞대결에서 기록한 득실차 ▲맞대결에서 기록한 득점 순서에 따른다. 해당 규정에도 순위가 갈리지 않으면 페어플레이 점수를 통해 정한다. 세 팀 이상이 승점이 같을 때는 해당 팀간 전적을 비교한다. 상위권 팀에는 유럽축구연맹(UEFA) 주관 대회 진출권이 주어진다. 1~4위는 챔피언스리그, 5위와 코파 델 레이 우승팀은 유로파리그, 6위는 컨퍼런스리그로 향한다. UEFA 대회는 2024-25시즌부터 확대 및 개편됐다.

TITLE

1928년 출범한 라리가는 총 9팀이 챔피언 자리에 올랐다. 최다 우승은 레알 마드리드(36회)다. 그 뒤를 이어 바르셀로나(28회), 아틀레티코 마드리드(11회)가 강팀의 면모를 유지 중이다. 기존 프리메라리가에서 국제적 경쟁력을 높이고, 현대화를 위해 2023년부터 리브랜딩에 돌입했다. 심플함을 추구하고자 '라리가'로 명칭을 바꿨다. 'The Power of Our Fútbol'이라는 슬로건으로 축구를 넘어 문화와 지역 바탕의 공동체의 화합을 강조한다. 그러면서 비디오 게임 제조업체 'EA(일렉트로닉 아츠)'와 손을 잡았다. 정식 명칭은 라리가 EA스포츠(1부 리그), 라리가 하이퍼모션(2부 리그)이다.

STRUCTURE

스페인 프로축구 리그는 라리가 EA스포츠(1부 리그), 라리가 하이퍼모션(2부 리그)가 대표적이다. 1부에 20개 팀, 2부에는 22개 팀이 우승과 강등, 승격을 두고 치열하게 경쟁을 펼치고 있다. 1, 2부 리그 모두 홈&어웨이 방식으로 리그 일정을 소화한다. 1부 리그에서 최하위 3팀은 강등, 2부 리그 상위 2팀과 3~6위가 경쟁하는 승격 플레이오프 승자 1팀, 총 3팀이 승격한다.

라리가 밑으로는 3~10부 리그까지 있다. 2021-22시즌부터 스페인왕립축구연맹 1, 2, 3부로 나뉘어 재구성됐다. 3~5부 리그로 볼 수 있다. 세미프로 무대로 통칭하며, 3부는 40개 팀이 20개 팀 2개 그룹, 4부 리그는 90개 팀이 18개 팀씩 5개 그룹으로 나뉘어 풀리그를 치른다. 5부 리그는 총 288개로, 16개 팀씩 18개 그룹으로 나눈다. 6부~10부 리그는 논프로리그로, 지역별 디비전이다.

LEAGUE CHAMPION

시즌	팀명	시즌	팀명	시즌	팀명
1928-1929	바르셀로나	1961-1962	레알 마드리드	1994-1995	레알 마드리드
1929-1930	아틀레틱 빌바오	1962-1963	레알 마드리드	1995-1996	아틀레티코 마드리드
1930-1931	아틀레틱 빌바오	1963-1964	레알 마드리드	1996-1997	레알 마드리드
1931-1932	레알 마드리드	1964-1965	레알 마드리드	1997-1998	바르셀로나
1932-1933	레알 마드리드	1965-1966	아틀레티코 마드리드	1998-1999	바르셀로나
1933-1934	아틀레틱 빌바오	1966-1967	레알 마드리드	1999-2000	데포르티보
1934-1935	레알 베티스	1967-1968	레알 마드리드	2000-2001	레알 마드리드
1935-1936	아틀레틱 빌바오	1968-1969	레알 마드리드	2001-2002	발렌시아
1936-1937	중단(스페인 내전)	1969-1970	아틀레티코 마드리드	2002-2003	레알 마드리드
1937-1938	중단(스페인 내전)	1970-1971	발렌시아	2003-2004	발렌시아
1938-1939	중단(스페인 내전)	1971-1972	레알 마드리드	2004-2005	바르셀로나
1939-1940	아틀레티코 마드리드	1972-1973	아틀레티코 마드리드	2005-2006	바르셀로나
1940-1941	아틀레티코 마드리드	1973-1974	바르셀로나	2006-2007	레알 마드리드
1941-1942	발렌시아	1974-1975	레알 마드리드	2007-2008	레알 마드리드
1942-1943	아틀레틱 빌바오	1975-1976	레알 마드리드	2008-2009	바르셀로나
1943-1944	발렌시아	1976-1977	아틀레티코 마드리드	2009-2010	바르셀로나
1944-1945	바르셀로나	1977-1978	레알 마드리드	2010-2011	바르셀로나
1945-1946	세비야	1978-1979	레알 마드리드	2011-2012	레알 마드리드
1946-1947	발렌시아	1979-1980	레알 마드리드	2012-2013	바르셀로나
1947-1948	바르셀로나	1980-1981	레알 소시에다드	2013-2014	아틀레티코 마드리드
1948-1949	바르셀로나	1981-1982	레알 소시에다드	2014-2015	바르셀로나
1949-1950	아틀레티코 마드리드	1982-1983	아틀레틱 빌바오	2015-2016	바르셀로나
1950-1951	아틀레티코 마드리드	1983-1984	아틀레틱 빌바오	2016-2017	레알 마드리드
1951-1952	바르셀로나	1984-1985	바르셀로나	2017-2018	바르셀로나
1952-1953	바르셀로나	1985-1986	레알 마드리드	2018-2019	바르셀로나
1953-1954	레알 마드리드	1986-1987	레알 마드리드	2019-2020	레알 마드리드
1954-1955	레알 마드리드	1987-1988	레알 마드리드	2020-2021	아틀레티코 마드리드
1955-1956	아틀레틱 빌바오	1988-1989	레알 마드리드	2021-2022	레알 마드리드
1956-1957	레알 마드리드	1989-1990	레알 마드리드	2022-2023	바르셀로나
1957-1958	레알 마드리드	1990-1991	바르셀로나	2023-2024	레알 마드리드
1958-1959	바르셀로나	1991-1992	바르셀로나	2024-2025	바르셀로나
1959-1960	바르셀로나	1992-1993	바르셀로나		
1960-1961	레알 마드리드	1993-1994	바르셀로나		

TITLE

	LEAGUE
REAL MADRID	36
BARCELONA	28
ATLETICO MADRID	11
ATHLETIC BILBAO	8
VALENCIA	6

0 5 10 15 20 25 30 35

TOP SCORER

시즌	득점	선수명
2024-2025	31	킬리안 음바페
2023-2024	24	아르템 도우비크
2022-2023	23	로베르트 레반도프스키
2021-2022	27	카림 벤제마
2020-2021	30	리오넬 메시
2019-2020	25	리오넬 메시
2018-2019	36	리오넬 메시
2017-2018	34	리오넬 메시
2016-2017	39	리오넬 메시
2015-2016	40	루이스 수아레스
2014-2015	48	크리스티아누 호날두
2013-2014	31	크리스티아누 호날두
2012-2013	46	리오넬 메시
2011-2012	50	리오넬 메시
2010-2011	40	크리스티아누 호날두
2009-2010	34	리오넬 메시
2008-2009	32	디에고 포를란
2007-2008	27	다니엘 구이사
2006-2007	25	루드 판 니스텔로이
2005~2006	26	사무엘 에투
2004-2005	25	디에고 포를란
2003~2004	24	호나우두

2024-2025 시즌 라리가 최종 순위

순위	팀	승점	경기	승	무	패	득	실	득실차	비고
1	바르셀로나	88	38	28	4	6	102	39	63	챔피언스리그 진출
2	레알 마드리드	84	38	26	6	6	78	38	40	챔피언스리그 진출
3	아틀레티코 마드리드	76	38	22	10	6	68	30	38	챔피언스리그 진출
4	아틀레틱 빌바오	70	38	19	13	6	54	49	25	챔피언스리그 진출
5	비야레알	70	38	20	10	8	71	51	20	챔피언스리그 진출
6	레알 베티스	60	38	16	12	10	57	50	7	유로파리그 진출
7	셀타 데 비고	55	38	16	7	15	59	57	2	유로파리그 진출
8	라요 바예카노	52	38	13	13	12	41	45	-4	유로파 컨퍼런스 리그 진출
9	오사수나	52	38	12	16	10	48	52	-4	
10	마요르카	48	38	13	9	16	35	44	-9	
11	레알 소시에다드	46	38	13	7	18	35	46	-11	
12	발렌시아	46	38	11	13	14	44	54	-10	
13	헤타페	42	38	11	9	18	34	39	-5	
14	에스파뇰	42	38	11	9	18	40	51	-11	
15	알라베스	42	38	10	12	16	38	48	-10	
16	지로나	41	38	11	8	19	44	60	-16	
17	세비야	41	38	10	11	17	42	55	-13	
18	레가네스	40	38	9	13	16	39	56	-17	라리가2로 강등
19	라스 팔마스	32	38	8	8	22	40	61	-21	라리가2로 강등
20	레알 바야돌리드	16	38	4	4	30	26	90	-64	라리가2로 강등

2024-2025 시즌 라리가 득점 순위

순위	득점	이름	국적	당시 소속팀
1	31	킬리안 음바페	프랑스	레알 마드리드
2	27	로버트 레반도프스키	폴란드	바르셀로나
3	21	안테 부디미르	크로아티아	오사수나
4	20	알렉산더 살롯	노르웨이	마틀레티코 마드리드
5	19	아요즈 페레즈	스페인	비야레알
6	18	하피냐	브라질	바르셀로나
7	17	줄리안 알바레즈	아르헨티나	아틀레티코 마드리드
8	15	오이한 산셋	스페인	아틀레틱 빌바오
9	13	키케 가르시아	스페인	데포르티보 알라베스
10	12	하비 파우도	스페인	RCD 바르셀로나

2024-2025 시즌 라리가 도움 순위

순위	도움	이름	국적	당시 소속팀
1	15	라민 야말	스페인	바르셀로나
2	11	하피냐	브라질	바르셀로나
3	10	비니시우스 주니어	브라질	레알 마드리드
3	10	알렉스 베나	스페인	비야레알
4	9	주드 벨링엄	잉글랜드	레알 마드리드
5	8	이스코	스페인	레알 베티스
5	8	예레미 피노	스페인	비야레알
5	8	이냐키 윌리암스	스페인	아틀레틱 빌바오
5	8	알렉스 베렝구에르	스페인	아틀레틱 빌바오
6	7	세르키 카르도나	스페인	비야레알

2024-2025 시즌 라리가2 최종 순위

순위	팀	승점	경기	승	무	패	득	실	득실차	비고
1	레반테	79	42	22	13	7	69	42	27	승격
2	엘체	77	42	22	11	9	59	34	25	승격
3	레알 오비에도	75	42	21	12	9	56	42	14	승격
4	미란데스	75	42	22	9	11	59	40	19	
5	라싱 산탄데르	71	42	20	11	11	65	51	14	
6	UD 알메리아	69	42	19	12	11	72	55	17	
7	그라나다	65	42	18	11	13	65	54	11	
8	SD 우에스카	64	42	18	10	14	58	49	9	
9	SD 에이바르	58	42	15	13	14	44	41	3	
10	알바세테	58	42	15	13	14	57	57	0	
11	히혼	56	42	14	14	14	57	54	3	
12	부르고스 CF	55	42	15	10	17	41	48	-7	
13	카디스	55	42	14	13	15	55	53	2	
14	코르도바 CF	55	42	14	13	15	59	63	-4	
15	데포르티보 라 코루냐	53	42	13	14	15	56	54	2	
16	말라가 CF	53	42	12	17	13	42	46	-4	
17	카스테욘	53	42	14	11	17	65	63	2	
18	레알 사라고사	51	42	13	12	17	56	63	-7	
19	엘덴세	45	42	11	12	19	44	63	-19	강등
20	CD 테네리페	36	42	8	12	22	35	55	-20	강등
21	레이싱 페롤	30	42	6	12	24	22	64	-42	강등
22	카르타헤나	23	42	6	5	31	33	78	-45	강등

CHAMPION

바르셀로나가 한지 플릭 첫 시즌부터 3관왕을 달성했다. 라리가, 코파 델 레이, 수페르코파 데 에스파냐에서 모두 승리했다. 라이벌 레알 마드리드와 엘 클라시코 또한 4번 모두 모두 승리했다.

LEAGUE CHAMPION

FC BARCELONA

바르셀로나가 2년 만에 리그 정상을 탈환했다. 라리가 통산 28회 우승을 차지하며, 최다 우승 레알 마드리드(36회)와 격차를 좁혀갔다. 이번 시즌 바르셀로나는 위기 뒤 찾아온 기회를 제대로 잡았다. 13~18라운드까지 3위로 내려가며 흔들렸지만, 19~36라운드에서 18경기 무패를 내달리며 선두 자리를 굳혔다. 레알은 같은 기간 아틀레틱 빌바오, 에스파뇰, 레알 베티스, 발렌시아에게 덜미를 잡히며 주춤했다. 바르셀로나는 35라운드 레알과의 엘 클라시코에서 직접 격차를 벌렸고, 36라운드에서 에스파뇰을 꺾고 리그 조기 우승을 확정했다.

EUROPEAN CUP

CHAMPIONS LEAGUE(전신포함)		EUROPA LEAGUE(전신포함)	
REAL MADRID	15회	SEVILLA FC	7회
FC BARCELONA	5회	ATLETICO MADRID	3회
		REAL MADRID	2회
		VALENCIA CF	1회
		VILLAREAL CF	1회

CUP CHAMPION

COPA DEL REY

BARCELONA

FINAL

3-2 REAL MADRID

레알 마드리드가 라리가의 압도적인 최다 우승을 보유했다면, 코파 델 레이는 바르셀로나다. 32번의 우승으로 2위 아틀레틱 빌바오(24회)와 격차를 벌렸다. 바르셀로나는 아틀레티코 마드리드를 준결승에서 꺾은 뒤 레알과 결승에서 맞붙었다. 접전 끝 연장 후반 1분에 쥘 쿤데의 결승골로 3-2 승리, 우승을 차지했다.

SUPER COPA de ESPAÑA

BARCELONA

FINAL

5-2 REAL MADRID

라리가 우승 레알 마드리드, 준우승 바르셀로나, 코파 델 레이 우승 아틀레틱 빌바오, 준우승 마요르카가 참가했다. 레알이 마요르카를 3-0으로 꺾었고, 바르셀로나가 빌바오를 2-0으로 쓰러뜨렸다. 엘 클라시코가 열린 결승전에서 바르셀로나가 웃었다. 선제골을 내주고도 전반전에만 4골을 몰아치며 5-2 역전승으로 트로피의 주인공이 됐다.

SPAIN LA LIGA

LEAGUE INFORMATION

FC 바르셀로나
FC Barcelona

TEAM PROFILE	
창 립	1899년
회 장	주안 라포르타(스페인)
감 독	한지 플릭(독일)
연 고 지	카탈루냐 바르셀로나
홈 구 장	스포티파이 캄 노우 (4만 8,000명)
라 이 벌	레알 마드리드, RCD 에스파뇰
홈페이지	www.fcbarcelona.com

최근 5시즌 성적

시즌	순위	승점
2020-2021	3위	79점(24승7무7패, 85득점 38실점)
2021-2022	2위	73점(21승10무7패, 68득점 38실점)
2022-2023	1위	88점(28승4무6패, 70득점 20실점)
2023-2024	2위	85점(26승7무5패, 79득점 44실점)
2024-2025	1위	88점(28승4무6패, 102득점 39실점)

LA LIGA

통 산	우승 28회
24-25 시즌	1위(28승4무6패, 승점 88점)

COPA DEL REY

통 산	우승 32회
24-25 시즌	우승

UEFA

통 산	챔피언스리그 우승 5회
24-25 시즌	챔피언스리그 준우승

 전력분석
'No.10 라민 야말', 래시포드의 합류, 3R + 1R 될까?

2007년생 라민 야말이 등번호 10번을 배정받았다. 바르셀로나의 명실상부 새로운 에이스이자 아이콘이 됐다. 폭발적인 스피드, 화려한 발기술, 저돌적인 돌파를 막을 재간은 없다. 여기에 로베르트 레반도프스키와 하피냐가 함께 최상의 호흡을 자랑한다. 레반도프스키는 여전히 페널티 박스 안쪽에서 위협적인 마무리를 책임지고, 미드필더 지역까지 내려와 공격을 풀어가는 역할도 맡고 있다. 반대편 하피냐는 프리롤에 가깝게 움직인다. 레반도프스키가 만든 최전방 공간을 활용하는 것에 그치지 않고 폭넓게 영향력을 발휘한다. 야말-레반도프스키-하피냐로 이어지는 '3R'은 벌써 세 번째 시즌을 함께 한다. 더욱 견고한 호흡을 보여줄 것이다. 바르셀로나의 고민은 왼쪽 날개다. 플릭 감독은 하피냐의 위치 조정과 역할 변경으로 동선을 정리했다. 니코 윌리엄스 영입에 공을 들였지만 실패로 돌아갔고, 결국 마커스 래시포드를 선택했다. 몇 년간 이어진 부진으로 우려의 시선이 따르고 있지만, 래시포드가 가진 강점은 확실하다. 3R과 함께 비상하길 원한다. 바르셀로나와 래시포드 모두 '4R'이 될 바라고 있다. 최후방 변화도 눈에 띈다. 지난 시즌 에스파뇰의 잔류를 이끈 골키퍼 조안 가르시아가 합류했다. 차세대 스페인 국가대표 수문장으로 평가받고 있는 만큼 10년 넘게 골문을 지킨 마크 안드레 테어 슈테겐을 대체할 것이다.

전술분석
The New 티키타카

플릭 감독은 부임 첫 시즌이 맞나 싶을 정도로 빠르게 바르셀로나의 체질 개선에 성공했다. 플릭 감독은 불필요한 볼 점유를 줄이고, 간결한 전개와 선수들의 자유로운 공간 활용에 초점을 맞췄다. 지난 시즌 평균 점유율은 69.1%다. 강한 전방 압박을 통해 대부분의 시간을 상대 진영에 머무르며 자연스레 공격 지표가 상승했다. 바르셀로나는 지난 시즌 경기당 평균 2.7골, 기회 창출 4.2회, 유효 슈팅 6.6회를 기록했다. 플릭 감독이 성공한 이유는 '공격 삼격 편대' 덕분이다. 하피냐-레반도프스키-야말로 이어지는 삼두마차가 맹활약했다. 레반도프스키가 2선으로 내려와 상대 수비를 끌어당기면, 비어 있는 공간으로 하피냐가 뛰어 들어가며 기회를 만들었다. 야말은 측면에서 개인 능력을 앞세워 상대 수비의 균열을 만드는 역할을 맡았다. 지난 시즌 세 선수는 총 94골 53도움을 기록했다. 바르셀로나를 대표했던 '티키타카'가 플릭 감독 체제에서 업그레이드됐다. 이전까지 압박을 통한 높은 볼 점유율을 유지했다면, 플릭 감독 부임 후에는 강도 높은 전방 압박과 높은 공간 점유율까지 장착했다. 부족했던 포지션에 선수 수급이 이뤄진다면 플릭 감독은 더 많은 옵션을 갖게 될 것이다.

여전히 배고픈 6관왕 팀과 6관왕 감독

바르셀로나는 지난 시즌 '도메스틱 트레블(자국 대회 3관왕)'을 기록했다. 2015-16시즌 이후 9년 만에 리그, 코파 델 레이(국왕컵), 수페르코파 데 에스파냐(스페인 슈퍼컵)를 모두 제패했다. 플릭 감독은 부임 첫 시즌부터 성과를 만들었다. 이번 시즌 목표는 이제 '유럽 최정상'일 것이다. 지난 시즌 팀의 상승세를 이끌며 유럽축구연맹(UEFA) 챔피언스리그 우승 후보로 꼽혔지만, 4강에서 인테르에 덜미를 잡혀 탈락했다. 4관왕의 꿈 또한 무너졌다.

바르셀로나의 마지막 챔피언스리그 우승은 루이스 엔리케 감독 체제에서 트레블을 달성했던 2014-15시즌이다. 11년 동안 우승은커녕 결승전에도 오르지 못했다. 그 사이 최대 라이벌 레알 마드리드는 2015~18년 3연속 우승을 비롯해 총 5번의 챔피언스리그 우승을 거머쥐었다. 바르셀로나는 유럽 최고 무대에서 자존심 회복에 나선다. 프로축구에서 '6관왕' 타이틀은 한 시즌 모든 대회에서 우승했다는 증표다. 과거 바르셀로나는 2008-09시즌에 펩 과르디올라 감독 체제에서, 플릭 감독은 2019-20시즌 바이에른 뮌헨에서 이 타이틀을 얻었다. 이를 맛본 팀과 감독의 목표는 그 어느 때보다 확고할 것이다.

IN & OUT

주요 영입	주요 방출
조안 가르시아, 루니 바르다지, 마커스 래시포드(임대), 오리올 로메우(복귀)	파우 빅토르, 알렉스 바예, 파블로 토레, 클레망 랑글레, 안수 파티, 안데르 아스트랄라가, 이니고 마르티네스, 엑토르 포트, 이냐키 페냐

TEAM FORMATION

PLAN 4-2-3-1

SPAIN LA LIGA

FC BARCELONA

TEAM RATINGS

53

슈팅 9 / 패스 9 / 수비력 8 / 선수층 9 / 감독 9 / 조직력 9

2024/25 프로필

팀 득점	102
평균 볼 점유율	69.20%
패스 정확도	88.70%
게임 평균 슈팅 수	17.8
경고	61
퇴장	3

골타입		
오픈 플레이		68
세트 피스		14
카운터 어택		9
패널티 킥		7
자책골		3 단위 (%)

패스타입		
쇼트 패스		91
롱 패스		6
크로스 패스		3
스루 패스		1 단위 (%)

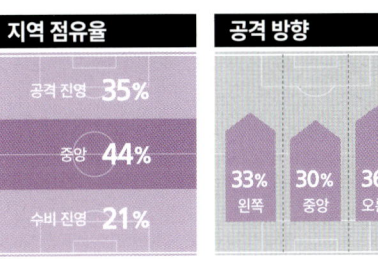

지역 점유율
공격 진영 35%
중앙 44%
수비 진영 21%

공격 방향
33% 왼쪽 / 30% 중앙 / 36% 오른쪽

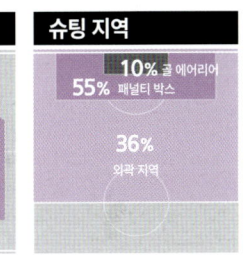

슈팅 지역
10% 골 에어리어
55% 패널티 박스
36% 외곽 지역

상대팀 최근 6경기 전적

구분	승	무	패
FC 바르셀로나			
레알 마드리드	4		2
아틀레티코 마드리드	4	1	1
아틀레틱 빌바오	4	1	1
비야레알 CF	4		2
레알 베티스 발롬피에	4	2	
RC 셀타 데 비고	4	1	1
라요 바예카노	3	2	1
CA 오사수나	5		1
RCD 마요르카	5	1	
레알 소시에다드	4		2
발렌시아 CF	5	1	
헤타페 CF	3	3	
RCD 에스파뇰	4	2	
데포르티보 알라베스	5	1	
지로나 FC	3	1	2
세비야 FC	6		
레반테 UD	4	1	1
엘체 CF	6		
레알 오비에도	3		3

SQUAD

포지션	등번호	이름		생년월일	키(cm)	체중(kg)	국적
GK	1	마르크 안드레 테어슈테겐	Marc-André ter Stegen	1992.04.30	187	85	독일
	13	주안 가르시아	Joan García	2001.05.04	191	79	스페인
	25	보이치에흐 슈쳉스니	Wojciech Szczęsny	1990.04.18	195	90	폴란드
DF	3	알레한드로 발데	Alehandro Balde	2003.10.18	175	69	스페인
	4	로날드 아라우호	Ronald Araujo	1999.03.07	188	79	우루과이
	5	파우 쿠바르시	Pau Cubarsí	2007.01.09	184	75	스페인
	15	안드레아스 크리스텐센	Andreas Christensen	1996.04.10	187	82	덴마크
	18	제라르 마르틴	Andreas Christensen	2002.02.26	186	76	스페인
	23	쥘 쿤데	Jules Koundé	1998.11.12	180	75	프랑스
	24	에릭 가르시아	Eric García	2001.01.09	182	76	스페인
MF	6	파블로 가비	Pablo Gavi	2004.08.05	173	70	스페인
	8	페드리	Pedri	2002.11.25	174	60	스페인
	16	페르민 로페스	Fermín López	2003.05.11	174	64	스페인
	17	마르크 카사도	Marc Casadó	2003.09.14	172	66	스페인
	20	다니 올모	Dani Olmo	1988.05.07	179	72	스페인
	21	프렝키 더용	Frenkie de Jong	1997.05.12	181	74	네덜란드
	22	마르크 베르날	Marc Bernal	2007.05.26	191	84	스페인
FW	7	페란 토레스	Ferran Torres	2000.02.29	184	77	스페인
	9	로베르트 레반도프스키	Robert Lewandowski	1988.08.21	185	81	폴란드
	10	라민 야말	Lamine Yamal	2007.07.13	180	72	스페인
	11	하피냐	Raphinha	1996.12.14	176	68	브라질
	14	마커스 래시포드	Marcus Rashford	1997.10.31	180	70	잉글랜드
	28	루니 바르다지	Roony Bardghji	2005.11.15	173	70	쿠웨이트

COACH

한지 플릭
Hansi Flick
1965년 2월 24일생 독일

2000년 현역 은퇴 후 잘츠부르크, 독일 대표팀, 바이에른 뮌헨에서 긴 코치 생활을 이어갔다. 유프 하인케스 감독의 추천으로 2019년 뮌헨에 정식 감독으로 부임했고, 2019-20시즌 뮌헨을 이끌고 6관왕 대업을 달성했다. 이후 독일 대표팀의 지휘봉을 잡았지만, 부진 속 독일 첫 경질 감독이 되는 굴욕을 맛봤다. 지난 시즌 바르셀로나 사령탑으로 올라 자존심 회복에 나서며 '도메스틱 트레블(국내 대회 3관왕)'을 달성했다. 이번 목표는 '유럽 정복'이다.

PLAYERS

FW	10	라민 야말	 KEY PLAYER
		Lamine Yamal	

국적: 스페인

라민 야말이 '리오넬 메시의 후계자'라는 것을 부정하는 사람은 없을 것이다. 등번호 10번을 물려받으며, 바르셀로나의 새로운 아이콘이 됐다. 2007년생인 그는 10대에 유로 2024 우승으로 벌써 유럽 최정상의 맛을 봤다. 지난 시즌에는 하피냐, 로베르트 레반도프스키와 '3R'을 형성하며 바르셀로나의 '도메스틱 트레블'을 이끌었다. 주전 경쟁에 확실한 마침표를 찍었고, 바르셀로나의 에이스로 자리매김했다. 공식전 55경기 18골 25도움으로 커리어 하이를 찍었다. 여전히 성장하는 단계라는 게 놀라울 뿐이다. 이번 시즌에도 커리어 하이를 갈아치울 수 있는 재능이다. 메시가 그랬듯, 야말 또한 바르셀로나를 유럽 최정상으로 이끌고자 한다.

출전경기	경기시간(분)	골	어시스트	경고	퇴장
35	2,864	9	13	3	-

GK	13	조안 가르시아
		Joan Garcia

국적: 스페인

2021년 12월 프로 무대에 데뷔했다. 2001년생인 가르시아는 일찌감치 잠재력을 인정받았다. 승격팀 에스파뇰의 1부 잔류를 이끌었다. 지난 시즌 라리가 올해의 팀에 선정, 38경기(전 경기) 출전해 세이브 총 146회로 리그 최다, 평균 선방 3.84로 1위에 올랐다. 스페인 대표팀 차기 수문장으로 평가받고 있다. 바르셀로나는 그의 영입을 위해 2,500만 유로의 방출 조항을 발동했다.

출전경기	경기시간(분)	실점	무실점(경기)	경고	퇴장
38	3,420	51	8	2	-

DF	3	알레한드로 발데
		Alejandro Balde

국적: 스페인

바르셀로나가 유스에서 성장시킨 공격형 풀백이다. 폭발적인 스피드와 왼발 킥 능력을 갖췄다. 조르디 알바를 떠나보낼 수 있던 것은 발데가 있었기 때문이다.
시즌을 거듭할수록 성장하는 모습을 보인다. 지난 시즌 공식전 47경기 1골 10도움으로 커리어 하이를 기록했다. 한지 플릭 감독 부임 후, 더욱 공격적인 역할로 강점이 부각됐다. 월드클래스 풀백 반열에 오를 재목이다.

출전경기	경기시간(분)	골	어시스트	경고	퇴장
32	2,292	-	4	2	-

DF	4	로날드 아라우호
		Ronald Araújo

국적: 우루과이

수비의 핵심으로 최고의 하드웨어를 갖췄지만, 잦은 부상과 부진이 아쉽다. 188cm의 큰 키에도 최고 속력이 35km일 정도로 빠른 발을 갖췄다. 한때 라이벌 레알 마드리드와의 엘 클라시코에서 비니시우스 주니오르를 꽁꽁 묶을 정도로 최고의 폼을 선보였지만, 꾸준함을 보여주지는 못했다. 지난 시즌 25경기 출전에 그쳤고 상반기는 햄스트링 부상으로 팀에서 이탈했다. 이번 시즌 재기를 노린다.

출전경기	경기시간(분)	골	어시스트	경고	퇴장
13	760	1	1	3	-

DF	5	파우 쿠바르시
		Pau Cubarsí

국적: 스페인

2007년생으로 또 하나의 재능. 공격은 야말, 수비는 쿠바르시다. 연령별 대표팀을 거쳐 이제는 스페인 대표팀의 핵심 수비수가 됐다. 유로 2024 우승 후 곧바로 2024 파리 올림픽에 출전해 금메달을 목에 걸었다. 2023-24시즌 후반기 중앙 수비수들의 줄부상으로 인해 주전으로 나서기 시작했다. 어린 나이답지 않은 침착함으로 탄탄함을 보였고, 지난 시즌에는 56경기에 나서며 주전을 꿰찼다.

출전경기	경기시간(분)	골	어시스트	경고	퇴장
35	2,621	-	3	3	-

DF	23	쥘 쿤데
		Jules Koundé

국적: 프랑스

중앙 수비수와 우측 풀백에서 모두 좋은 활약을 보여줄 수 있는 멀티 플레이어다. 바르셀로나 합류 후에는 풀백으로서 더 두각을 보여주고 있다. 왕성한 활동량과 특유의 탄력을 바탕으로 바르셀로나 후방에 밸런스를 더했다. 라민 야말이 공격에 집중할 수 있는 이유도 쿤데가 뒤를 지키고 있기 때문이다. 때로는 적극적으로 공격에 가담해 득점까지 기록한다. 지난 시즌 53경기 4골 8도움을 기록했다.

출전경기	경기시간(분)	골	어시스트	경고	퇴장
32	2,606	2	3	4	-

MF	6	가비
		Gavi

국적: 스페인

바르셀로나 중원의 살림꾼 중 한 명이다. 2004년생인 그는 주 포지션인 중앙 미드필더뿐만 아니라 공격형 미드필더, 측면 공격수까지 소화할 수 있다.
2023년 무릎 부상으로 1년 가까이 공백기를 가졌다. 지난해 9월 복귀했지만 부진했고, 후반기에 접어들며 살아나기 시작했다. 3선에서 페드리와 함께 좋은 호흡을 보였다. 이번 시즌에는 지난 시즌 부진을 떨쳐내고자 한다.

출전경기	경기시간(분)	골	어시스트	경고	퇴장
26	1,085	1	1	4	-

SPAIN LA LIGA

FC BARCELONA

MF 8 페드리
Pedri

국적: 스페인

바르셀로나 유스 출신이 아닌데도 가장 유스 같다. 라스팔마스에서 성장한 페드리는 2020년 바르셀로나에 합류했다. 안드레스 이니에스타의 8번을 물려받았다.

2002년생인 그는 아직 전성기 나이에 접어들지 않았다. 한지 플릭 감독 전술에서는 3선에 배치돼 6번과 8번 자리를 오가며 활약 중이다. 지난 시즌 59경기 6골 8도움을 기록했다. 공격포인트가 적지만, 대체 불가 자원이다.

출전경기	경기시간(분)	골	어시스트	경고	퇴장
37	2,897	4	5	3	-

MF 16 페르민 로페스
Fermín López

국적: 스페인

다재다능함을 가진 2003년생 공격수다. 화려한 발기술보다는 날카로운 킥 능력이 돋보인다. 지난 시즌 46경기 2039분 출전해 8골 10도움을 기록했다. 2023-24시즌 42경기 11골 1도움에 이어 또 한 번의 커리어 하이를 기록했다.

가비, 다니 올모 등 일부 선수의 부상으로 조금 더 많은 기회를 잡을 수 있었다. 백업 멤버로 유능했으나, 기대만큼의 성장 속도를 보여주지는 못했다.

출전경기	경기시간(분)	골	어시스트	경고	퇴장
28	1,247	6	5	4	1

MF 17 마르크 카사도
Marc Casadó

국적: 스페인

세르히오 부스케츠를 꿈꾸는 2003년생 유망주다. 2023-24시즌 처음 1군에 콜업됐다. 그리고 지난 시즌 기회를 잡아갔다. 한지 플릭 감독 부임 후 페드리, 가비, 프렝키 더 용 등 미드필더 자원이 부상 이탈한 상황에서 안정된 빌드업과 수비력 등 기대 이상의 모습을 보여줬다.

시즌 36경기 1골 6도움을 기록했다. 후반기에는 무릎 부상으로 경기에 나서지 못했다.

출전경기	경기시간(분)	골	어시스트	경고	퇴장
23	1,618	1	3	2	1

MF 20 다니 올모
Dani Olmo

국적: 스페인

바르셀로나 유스 출신이 돌고 돌아 바르셀로나로 돌아왔다. 크로아티아 디나모 자그레브에서 2015년 프로 데뷔한 그는 라이프치히를 거쳐 지난 시즌 바르셀로나로 복귀했다. 뛰어난 축구 센스와 지능을 갖춘 그는 라이프치히 에이스로 활약했다. 라민 야말, 로베르트 레반도프스키, 하피냐와 함께 공격 4인방이 될 것으로 기대했으나, 시즌 내내 잦은 부상이 발목을 잡았다. 이번 시즌 실력을 다시 입증해야 한다.

출전경기	경기시간(분)	골	어시스트	경고	퇴장
25	1,217	10	3	1	-

MF 21 프렝키 더 용
Frenkie de Jong

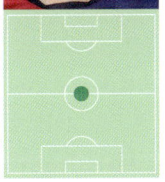

국적: 네덜란드

바르셀로나에 가장 충성심이 높은 선수. 이적설에도 아랑곳하지 않고 바르셀로나만 외쳤다. 2018-19시즌 아약스의 챔피언스리그 돌풍 주역이다. 2019년 바르셀로나 합류 후 팀의 핵심으로 활약 중이다.

현대 축구에서 빌드업을 주도할 수 있는 얼마 없는 3선 미드필더다. 지난 시즌 초반 발목 부상으로 고생했으나 후반기에 접어들면서 제 실력을 되찾았다. 이번 시즌 페드리와 중원을 책임질 것이다.

출전경기	경기시간(분)	골	어시스트	경고	퇴장
26	1,140	2	2	3	1

FW 7 페란 토레스
Ferran Torres

국적: 스페인

한때 스페인 최고 재능이었던 토레스는 점점 애물단지가 되고 있다. 여전히 번뜩이는 모습을 보여주고 있지만, 미약하다. 2007년생 라민 야말의 등장으로 주전 경쟁에서 완전히 밀려났다.

지난 시즌 47경기 나섰지만, 출전 시간은 총 1,921분(경기당 평균 40분)에 그쳤다. 19골 7도움으로 순도 높은 활약을 보였다. '조커'로서 최고였으나, 주전을 차지하기 위해서는 분발해야 한다.

출전경기	경기시간(분)	골	어시스트	경고	퇴장
27	1,104	10	6	1	1

FW 9 로베르트 레반도프스키
Robert Lewandowski

국적: 폴란드

1988년생이다. 누가 그를 황혼기로 바라볼까. 2022년 바르셀로나 이적 후 꾸준히 기량 저하에 대한 우려가 뒤따르고 있지만, 보란 듯 건재함을 과시하고 있다. 지난 시즌 공식전 56경기 42골 3도움을 기록했다. 하피냐, 라민 야말 두 동생을 제치고 팀 내 최다 득점에 올랐다. 그는 여전히 바르셀로나의 해결사라는 타이틀은 그대로 이어간다. 바르셀로나와의 계약은 이번 시즌이 마지막이다.

출전경기	경기시간(분)	골	어시스트	경고	퇴장
34	2,682	27	2	1	-

FW 11 하피냐
Raphinha

국적: 브라질

'환골탈태'라는 말이 적합할 것 같다. 2022년 6,600만 유로의 이적료로 바르셀로나에 합류했다. 새로운 에이스가 될 것이라 기대했으나 아쉬움만 남겼다. 실패한 영입이 될 뻔했을 때 한지 플릭 감독을 만나 날개를 달았다.

2023-24시즌 37경기 10골 13도움을 기록한 그는 지난 시즌 57경기 34골 25도움을 올렸다. 유럽 통틀어 손에 꼽힐 정도로 최고의 선수가 됐다.

출전경기	경기시간(분)	골	어시스트	경고	퇴장
36	2,845	18	9	4	-

FW 14 마커스 래시포드
Marcus Rashford

국적: 영국

맨체스터 유나이티드의 성골 유스는 최악으로 전락했다. 한때는 암흑기 맨유의 빛이 되어줄 존재였다. 그러나 지난 시즌 사생활 논란, 감독과 불화 등이 불거졌다. 부진까지 더해지면서 계속 비판을 받아야 했다. 지난 시즌 후반기 애스턴 빌라에서 재기를 꿈꿨으나, 실패했다.

맨유 복귀 후 그의 자리는 없었다. 바르셀로나행을 갈망했던 그는 결국 소원을 이뤘다. 관건은 경기력 회복 여부다.

출전경기	경기시간(분)	골	어시스트	경고	퇴장
25	1,426	6	3	2	-

레알 마드리드
Real Madrid

TEAM PROFILE	
창 립	1902년
회 장	플로렌티노 페레스(스페인)
감 독	샤비 알론소(스페인)
연 고 지	마드리드
홈 구 장	에스타디오 산티아고 베르나베우 (8만 1,044명)
라 이 벌	FC 바르셀로나, 아틀레티코 마드리드
홈페이지	www.realmadrid.com

최근 5시즌 성적

시즌	순위	승점
2020-2021	2위	84점(25승9무4패, 67득점 28실점)
2021-2022	1위	86점(26승8무4패, 80득점 31실점)
2022-2023	2위	78점(24승6무8패, 75득점 36실점)
2023-2024	1위	95점(29승8무1패, 87득점 26실점)
2024-2025	2위	84점(26승6무6패, 78득점 38실점)

LA LIGA

통 산	우승 36회
24-25 시즌	2위(26승6무6패, 승점 84점)

COPA DEL REY

통 산	우승 20회
24-25 시즌	준우승

UEFA

통 산	챔피언스리그 우승 15회 유로파리그 우승 2회
24-25 시즌	챔피언스리그 8강

전력분석 떠오르는 신예 명장의 친정 복귀, 후방 강화한 레알 마드리드

가장 큰 변화는 사령탑 자리다. 카를로 안첼로티 감독이 브라질 대표팀으로 향했고, 바이어 04 레버쿠젠에서 분데스리가를 정복한 샤비 알론소 감독이 새로 부임했다. 그는 현역으로 뛰던 2014년 이후 11년 만에 친정팀으로 복귀했다. 유연하고 역동적인 축구를 이식할 예정으로, 그가 만들 새로운 레알의 모습은 많은 기대를 받고 있다. 공격에서는 킬리안 음바페, 비니시우스 주니오르가 여전히 핵심이다. 여기에 득점력을 갖춘 미드필더 주드 벨링엄까지 힘을 보탤 예정이다. 알론소 감독 체제에서 레알의 공격 편대가 다시 한번 빛날 수 있을지 주목된다. 가장 큰 고민인 최전방 자리에는 신예들이 기회를 기다리고 있다. 2025 국제축구연맹(FIFA) 클럽 월드컵에서 4골 1도움으로 맹활약한 2004년생 곤살로 가르시아와 '제2의 호나우두'로 평가받는 2006년생 엔드릭이 있다. 중원에는 베테랑 루카 모드리치가 이탈리아로 떠났지만 페데리코 발베르데, 아르다 귈레르, 에두아르도 카마빙가 등 최정상급 자원이 버티고 있다. 그리고 아르헨티나의 새로운 재능 2007년생 프랑코 마스탄투오노까지 합류했다. 레알의 큰 변화는 후방이다. 지난 시즌 안토니오 뤼디거, 에데르 밀리탕, 다비드 알라바, 다니 카르바할의 잦은 부상으로 수혈이 불가피했다. 자유계약(FA)으로 트렌트 알렉산더아놀드가 합류했고, 높은 잠재력을 가진 2005년생 중앙 수비수 딘 하위선, 2003년생 풀백 알바로 카레라스를 품었다.

전술분석 스리백? 포백? 변형 포메이션? 기대되는 알론소 '볼'

사비 알론소 감독은 2017년 현역 은퇴 후 2022년 바이어 04 레버쿠젠으로 향했다. 현역 시절 라파엘 베니테스, 주제 무리뉴 등 세계적인 지도자 밑에서 성장했던 만큼 감독으로서도 빠르게 두각을 보이고 있다. 3-4-2-1, 4-2-3-1, 4-3-3 등 다양한 포메이션을 사용하며 상황에 따라 유연하게 대처하는 능력까지 갖췄다. 중원에 많은 선수를 배치하는 것은 알론소 감독 전술의 특장점이다. 2명의 미드필더 외에도 2명의 공격형 미드필더, 양측면 윙백이 가담한다. 상대 수비 사이를 공략하면서도, 상대의 역습을 저지하는 데 용이하다. 알론소 감독은 2025 국제축구연맹(FIFA) 클럽 월드컵에서 스리백과 포백을 오가며 실험했다. 미드필더 출신인 오른쪽 풀백 트렌트 알렉산더아놀드가 인버티드 역할을 소화하며 중원의 수를 더하는 모습이었다. 이때 반대편 풀백은 두 명의 중앙 수비수와 스리백을 이루거나, 상황에 따라 높게 전진해 측면 공격수를 돕는 모습이었다. 알론소 감독 체제에서 공격 시스템은 3-2-5지만, 유연한 세부 전술이 상대의 균열을 만든다.

어색한 기록 '무관', 스타 군단과 스타 군단 출신 사령탑의 만남

지난 시즌은 굴욕의 시간을 보냈다. 오랜 시간 공들여 영입한 킬리안 음바페를 품으며 기대를 모았으나 라이벌 바르셀로나의 상승세에 밀려났다. 라리가, 코파 델 레이, 수페르코파 데 에스파냐에서 모두 라이벌의 우승을 지켜봐야 했다. 지난 시즌 4번의 엘 클라시코에서 전패를 기록했다.

최다 우승(15회)의 위용을 보인 유럽축구연맹(UEFA) 챔피언스리그에서도 1·2차전 합계 1-5로 아스널에 대패해 8강에서 탈락했다. 레알은 2020-21시즌 이후 4시즌 만에 '무관'에 머물렀다.

이번 시즌 가장 많은 관심을 받을 인물은 당연 사비 알론소 감독이다. 바이어 04 레버쿠젠에서 바이에른 뮌헨의 독주를 끊고 분데스리가 우승을 차지했다. 현역 시절 뛰었던 친정팀으로 돌아와 이제 감독으로서 유럽 정복에 도전한다.

알론소 감독의 과제 중 하나는 공격진의 교통정리다. 음바페, 비니시우스 주니오르, 호드리구의 포지션과 역할 조정이 필요하다. 지난 시즌 세 선수가 스리톱으로 나섰지만, 포지션이 겹치며 일부 장점을 희생해야 했다. 수비에는 새로 합류할 트렌트 알렉산더아놀드와 딘 하위선이 기대주다.

IN & OUT

주요 영입	주요 방출
딘 하위선, 알바로 카레라스, 프랑코 마스탄투오노, 트렌트 알렉산더 아놀드	알바로 로드리게스, 루카 모드리치, 헤수스 바예호, 루카스 바스케스, 마리오 마르틴, 헤이니에르

TEAM FORMATION

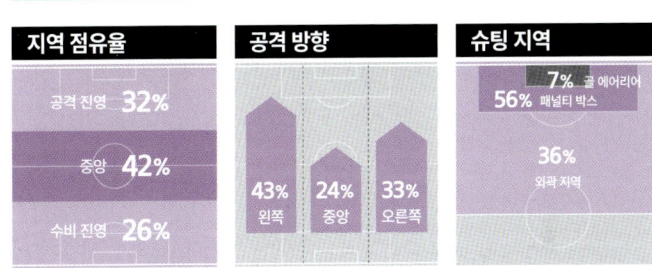

PLAN 4-3-3

FW A⁺
- 7 비니시우스 (디아스)
- 10 음바페 (가르시아)
- 11 호드리구 (마스탄투오노)

MF A⁺
- 5 벨링엄 (귈레르)
- 8 발베르데 (세바요스)
- 14 추아메니 (카마빙가)

DF A
- 18 카레라스 (프란)
- 24 하위선 (밀리탕)
- 22 뤼디거 (아센시오)
- 12 아놀드 (카르바할)

GK A
- 1 쿠르투아 (루닌)

TEAM RATINGS

51

- 슈팅 9
- 패스 9
- 조직력 8
- 수비력 8
- 감독 8
- 선수층 9

2024/25 프로필

팀 득점	78
평균 볼 점유율	60.50%
패스 정확도	89.90%
게임 평균 슈팅 수	16.7
경고	58
퇴장	4

골 타입 (단위 %)
오픈 플레이	60
세트 피스	17
카운터 어택	10
패널티 킥	13
자책골	0

패스 타입 (단위 %)
쇼트 패스	90
롱 패스	7
크로스 패스	2
스루 패스	0

지역 점유율
- 공격 진영 32%
- 중앙 42%
- 수비 진영 26%

공격 방향
- 43% 왼쪽
- 24% 중앙
- 33% 오른쪽

슈팅 지역
- 7% 골 에어리어
- 56% 패널티 박스
- 36% 외곽 지역

상대팀 최근 6경기 전적

구분	승	무	패
FC 바르셀로나	2		4
레알 마드리드			
아틀레티코 마드리드	2	3	1
아틀레틱 빌바오	4	1	1
비야레알 CF	4	1	1
레알 베티스 발롬피에	2	3	1
RC 셀타 데 비고	6		
라요 바예카노	2	3	1
CA 오사수나	5	1	
RCD 마요르카	4	1	1
레알 소시에다드	5	1	
발렌시아 CF	3	1	2
헤타페 CF	6		
RCD 에스파뇰	4		2
데포르티보 알라베스	6		
지로나 FC	4	1	1
세비야 FC	5	1	
레반테 UD	3	1	2
엘체 CF	5	1	
레알 오비에도	3	3	

SQUAD

포지션	등번호	이름		생년월일	키(cm)	체중(kg)	국적
GK	1	티보 쿠르투아	Thibaut Courtois	1992.05.11	200	96	벨기에
	13	안드리 루닌	Andriy Lunin	1999.02.11	191	80	우크라이나
DF	2	다니 카르바할	Daniel Carvajal	1992.01.11	173	73.5	스페인
	3	에데르 밀리탕	Éder Militão	1998.01.18	186	78	브라질
	4	다비드 알라바	David Alaba	1992.06.24	180	78	오스트리아
	12	트렌트 알렉산더-아놀드	Trent Alexander-Arnold	1998.10.07	180	78	잉글랜드
	17	라울 아센시오	Raúl Asencio	2003.02.13	184	85	스페인
	18	알바로 카레라스	Álvaro Carreras	2003.03.23	186	75	스페인
	20	프란 가르시아	Fran García	1999.08.14	169	63	스페인
	22	안토니오 뤼디거	Antonio Rüdiger	1993.03.03	190	86	독일
	23	페를랑 멘디	Ferland Mendy	1995.06.08	180	73	프랑스
MF	5	주드 벨링엄	Jude Bellingham	2003.06.29	186	75	잉글랜드
	6	에두아르도 카마빙가	Eduardo Camavinga	2002.11.10	185	77	프랑스
	8	페데리코 발베르데	Federico Valverde	1998.07.22	182	78	우루과이
	14	오렐리앙 추아메니	Aurélien Tchouaméni	2000.01.27	187	81	프랑스
	15	아르다 귈레르	Arda Güler	2005.02.25	175	70	튀르키예
	19	다니 세바요스	Dani Ceballos	1996.08.07	179	70.5	스페인
FW	7	비니시우스 주니오르	Vinicius Junior	2000.07.12	176	73	브라질
	9	엔드릭	Endrick	2006.07.21	173	67	브라질
	10	킬리안 음바페	Kylian Mbappé	1998.12.20	178	75	프랑스
	11	호드리구	Rodrygo	2001.01.09	174	64	브라질
	16	곤살로 가르시아	Gonzalo García	2004.03.24	182	73	스페인
	30	프랑코 마스탄투오노	Franco Mastantuono	2007.08.14	177	-	아르헨티나

COACH

사비 알론소
Xabi Alonso
1981년 11월 25일생 스페인

현역 시절 레알 소시에다드, 리버풀, 레알 마드리드, 바이에른 뮌헨 등 명문 팀에서만 활약했다. 2017년 현역 은퇴 후 소시에다드 유스팀을 이끌었고, 2022년 바이어 04 레버쿠젠으로 향하며 유럽 5대 빅리그 감독이 됐다. 레버쿠젠에서 승승장구해 두 번째 시즌이었던 2023-24시즌 분데스리가 우승을 거머쥐었다. 구단 최초 우승이자, 리그 최초 무패 우승이었다. 여기에 독일축구협회(DFB) 포칼 우승으로 '더블(2관왕)'의 영광까지 안았다. 최고의 선수는 이제 최고의 감독이 될 재능으로 평가받고 있다.

PLAYERS

FW 10 킬리안 음바페
Kylian Mbappé
KEY PLAYER

국적: 프랑스

지난 시즌 자유계약(FA)으로 '드림 클럽' 레알 마드리드에 입성했다. 1,500만 유로의 연봉과 1억 5,000만 유로의 계약 보너스를 받았다. 그를 향한 기대치가 얼마나 큰지 알 수 있다. 축구계를 이끌 간판스타다. 폭발적인 스피드, 화려한 마무리 능력은 능가할 선수가 없다.
2018년 월드컵 우승을 거머쥐며 어린 나이에 세계 최정상에 올랐다. 음바페가 아직 부족한 것은 유럽축구연맹(UEFA) 챔피언스리그 우승뿐이다.
지난 시즌 초반 다소 주춤하며 비판도 받았지만, 후반기에 제 실력을 결국 뽐냈다. 공식전 59경기 44골 5도움으로 라리가 득점왕에 올랐다. 이제 적응은 끝났고, 다시 우승 트로피를 들어올릴 일만 남았다.

출전경기	경기시간(분)	골	어시스트	경고	퇴장
34	2,917	31	3	3	1

GK 1 티보 쿠르투아
Thibaut Courtois

국적: 벨기에

그는 여전히 세계 최고 골키퍼 중 한 명이다. 헹크, 아틀레티코 마드리드, 첼시를 거쳐 2018년부터 레알 마드리드에서 활약 중이다. 7년 동안 15개의 트로피를 안았다. 2023-24시즌의 십자인대 부상의 여파는 사라져 지난 시즌 53경기에 출전해 팀의 골문을 지켰다.
건재함을 과시하며 레알의 리그 최소 실점 3위(38실점)를 이끌었다. 쿠르투아는 경기당 평균 선방 2.8회를 기록했다.

출전경기	경기시간(분)	실점	무실점(경기)	경고	퇴장
30	2,700	29	11	1	-

DF 12 트렌트 알렉산더아놀드
Trent Alexander-Arnold

국적: 잉글랜드

리버풀 '성골 유스'다. 리버풀 유스에서 성장해 2016년 프로 무대를 처음 밟았다. 본래 미드필더였지만, 전 리버풀 감독인 위르겐 클롭 체제에서 풀백으로 자리 잡았다. 날카로운 킥 능력과 경기 조율 능력으로 월드 클래스 반열에 올랐다.
이번 시즌을 앞두고 자유계약(FA)으로 레알 마드리드에 합류했다. 사비 알론소 감독 전술 아래 공수에 걸쳐 핵심적인 역할을 맡을 것으로 보인다.

출전경기	경기시간(분)	골	어시스트	경고	퇴장
33	2,378	3	6	5	-

DF 18 알바로 카레라스
Álvaro Carreras

국적: 스페인

공격적인 재능이 뛰어난 2003년생 왼쪽 풀백이다. 스페인 출신답게 발밑이 유려하고, 킥 능력에 강점이 있다. 데포르티보 라 코루냐, 레알 마드리드, 맨체스터 유나이티드 유스에서 성장했다. 맨유에서 프로 데뷔하지 못해 임대 생활을 하다, 2024년 벤피카로 완전이적했다. 지난 시즌 공식전 52경기 4골 5도움을 기록했다. 아쉬운 활약의 프란 가르시아, 페를랑 멘디의 아쉬운 활약을 대체할 새 옵션이 됐다.

출전경기	경기시간(분)	골	어시스트	경고	퇴장
32	2,746	3	1	9	-

DF 22 안토니오 뤼디거
Antonio Rüdiger

국적: 독일

빠른 속도, 넓은 활동량, 안정된 빌드업 능력, 공중볼 경합 능력 등 현대 축구에 가장 적합한 능력을 갖춘 중앙 수비수다. 슈투트가르트, AS 로마, 첼시를 거쳐 2022년 레알 마드리드에 합류했고, 곧바로 팀의 핵심으로 자리 잡았다. 3시즌 동안 156경기에 출전했다. 다만, 특유의 기행이 팀에 영향을 미치고 있다. 레알 마드리드는 수비진 개편을 고려하고 있어, 뤼디거의 입지 또한 안전하지 않다.

출전경기	경기시간(분)	골	어시스트	경고	퇴장
29	2,292	-	-	3	-

DF 24 딘 하위선
Dean Huijsen

국적: 스페인

2005년생 유망주 수비수가 벌써 정상급 선수로 평가받고 있다. 2m에 가까운 장신에도 빠른 속도를 가졌고, 부드러운 발밑 능력으로 빌드업에도 강점이 있다.
지난 시즌 본머스 이적 후 안도니 이라올라 감독 체제에서 가파른 성장세를 보였다. 신속한 공격 전개를 강조하는 이라올라 시스템에서 공격의 출발점이 됐다. 수많은 관심 속 레알행을 확정했다. 이적료는 5,000만 유로였다.

출전경기	경기시간(분)	골	어시스트	경고	퇴장
32	2,422	3	2	10	-

MF 5 주드 벨링엄
Jude Bellingham

국적: 잉글랜드

1억 300만 유로의 거액이 아깝지 않은 활약을 여전히 펼쳤다. 등번호 5번은 과거 지네딘 지단을 연상케 할 만큼 팀의 핵심이 됐다. 2003년생 주드 벨링엄은 2019년 버밍엄 시티 데뷔 때부터 주목받았다. 보루시아 도르트문트를 거쳐 2023년 레알 마드리드에 합류했다. 두 시즌을 소화했는데, 벌써 100경기 38골 28도움을 기록 중이다. 사비 알론소 감독 체제에서도 공격을 이끌 지휘관은 벨링엄이다.

출전경기	경기시간(분)	골	어시스트	경고	퇴장
31	2,495	9	8	5	1

MF 6 에두아르도 카마빙가
Eduardo Camavinga

국적: 프랑스

레알 마드리드의 살림꾼으로 거듭나고 있다. 2002년생인 그는 프랑스 무대에서 일찌감치 두각을 보인 수비형 미드필더. 2021년 레알 이적 후 선발과 백업은 물론, 다양한 포지션에서 헌신했다. 왼쪽 풀백으로 활약할 정도로 축구 지능이 높고, 다재다능하다.

다만 지난 시즌 부침을 겪었다. 후반기에 아쉬운 경기력을 보였다. 여기에 부상까지 겹치며 일찍 시즌을 마감했다.

출전경기	경기시간(분)	골	어시스트	경고	퇴장
19	1,098	1	2	2	-

MF 8 페데리코 발베르데
Federico Valverde

국적: 우루과이

토니 크로스의 은퇴 후 8번은 그에게 주어졌다. 레알 마드리드의 팔망미인이다. 모든 능력을 고루 갖춘 '육각형 미드필더'이다. 골키퍼를 제외한 모든 포지션을 소화할 수 있을 정도로 재간꾼이다. 지난 시즌에는 공식전 65경기 11골 8도움을 기록했다. 중앙 미드필더, 오른쪽 풀백, 오른쪽 윙어 등 팀이 필요한 순간마다 다양한 자리에서 활약을 이어갔다. 사비 알론소 감독의 전술에 다채로움을 더할 것이다.

출전경기	경기시간(분)	골	어시스트	경고	퇴장
36	3,034	6	4	4	-

MF 14 오렐리엥 추아메니
Aurélien Tchouaméni

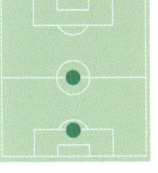

국적: 프랑스

안정된 빌드업 능력과 탄탄한 수비력을 갖춘 수비형 미드필더. 프랑스의 3선까지 책임지고 있다. 지롱댕 보르도에서 성장해 프로 무대를 밟았다. AS모나코를 거쳐 2022년 레알 마드리드에 합류했다. 이적료는 1억 유로다.

중앙 수비수들의 연이은 부상 문제로 본래 자리를 떠나 후방을 지키는 역할까지 맡았다. 지난 시즌 공식전 58경기에 나서며 입지를 다졌다. 단점은 기복이 잦다는 것.

출전경기	경기시간(분)	골	어시스트	경고	퇴장
32	2,691	-	-	5	-

MF 15 아르다 귈레르
Arda Güler

국적: 튀르키예

2005년생 최고 재능이다. 2021년 튀르키예 명문 페네르바체에서 프로 데뷔 후 빠르게 주전 자리를 꿰찼다. 2023년 레알 마드리드에 합류했다. 왼발을 주로 사용하는 공격형 미드필더로, 뛰어난 창의성을 갖췄다. 과거 레알에서 활약했던 메수트 외질과 종종 비교된다. 뛰어난 축구 센스와 창의적인 패스가 돋보인다. 지난 시즌 43경기 5골 9도움을 기록했다.

출전경기	경기시간(분)	골	어시스트	경고	퇴장
28	1,249	3	4	1	-

FW 7 비니시우스 주니오르
Vinicius Junior

국적: 브라질

2018년 합류한 브라질 유망주는 어느덧 레알 마드리드 7번에 가장 어울리는 선수가 됐다. 폭발적인 속도와 유려한 드리블 돌파 능력에 결정력까지 장착하기 시작하며, 현존 최고의 윙어로 자리매김 중이다. 2021-22시즌부터 4시즌 연속 20골 이상을 터뜨리고 있다.

지난 시즌 공식전 58경기 22골 19도움을 기록했다. 킬리안 음바페의 합류에도 여전히 No.7 다운 당찬 활약을 과시하고 있다.

출전경기	경기시간(분)	골	어시스트	경고	퇴장
30	2,259	11	8	8	1

FW 9 엔드릭
Endrick

국적: 브라질

2006년생 브라질 출신 최전방 공격수다. 같은 국적의 호나우두, 아드리아누를 떠올리게 만드는 재능이다. 16세에 브라질 세리에 A 데뷔전을 치르며 최연소 득점자 중 한명으로, 여전히 가장 기대하고 있는 유망주다. 17세 나이에 브라질 대표팀에도 뽑힐 정도로 자국에서도 높은 잠재력을 인정받고 있다. 지난 시즌 공식전에 37경기 847분 활약했고, 점차 기회를 늘려가고 있는 중이다. 7골 1도움을 기록했다.

출전경기	경기시간(분)	골	어시스트	경고	퇴장
22	356	1	-	1	-

FW 11 호드리구
Rodrygo

국적: 브라질

2001년생 호드리구 또한 높은 잠재력을 갖고 10대 나이에 레알 마드리드에 합류했다. 어느덧 6년 차가 됐고, 이제는 유망주로 거론되지는 않는다. 여전히 팀의 핵심 자원으로 분류되고 있지만, 확고한 입지를 다지기 위해서는 꾸준한 활약이 필요하다. 공식전 54경기 14골 11도움을 기록했지만, 대체로 시즌 중반에 공격포인트를 몰아쳤다. 사비 알론소 감독 체제에서는 확고한 입지를 다질지 두고볼 일이다.

출전경기	경기시간(분)	골	어시스트	경고	퇴장
30	1,938	6	5	-	-

FW 21 브라힘 디아스
Brahim Diaz

국적: 모로코

AC밀란에서 2021~23년까지 3년 동안 임대 생활을 거쳐 경험치를 쌓았다. 레알 마드리드에서는 '슈퍼 조커'로 활약하고 있다. 중앙, 측면, 2선 등 공격 전 지역을 소화할 수 있는 멀티 플레이어다. 2023-24시즌 44경기(2,066분 출전) 12골 9도움, 지난 시즌에는 56경기(2,289분 출전) 6골 8도움을 기록했다. 사비 알론소 감독 체제에서도 최고의 백업이 될 것이다.

출전경기	경기시간(분)	골	어시스트	경고	퇴장
31	1,382	4	2	-	-

FW 30 프랑코 마스탄투오노
Franco Mastantuono

국적: 아르헨티나

바르셀로나의 2007년생 에이스 라민 야말에 필적할까. 라울, 메수트 외질, 하메스 로드리게스 이후 왼발 재능이 레알 마드리드에 도착했다. 자국 리버 플레이트에서 성장해 2024년 프로 무대를 밟았다. 일찌감치 잠재력을 터뜨리며 유럽 빅클럽의 관심을 받았고, 레알이 가장 먼저 접근했다. 거액 4,500만 유로의 이적료를 기록했다. 자국에서는 또 한 명의 메시급 재능으로 평가받고 있다.

출전경기	경기시간(분)	골	어시스트	경고	퇴장
12	930	4	4	4	-

아틀레티코 마드리드
Atlético Madrid

TEAM PROFILE	
창 립	1903년
회 장	엔리케 세레소(스페인)
감 독	디에고 시메오네(아르헨티나)
연 고 지	마드리드
홈 구 장	리야드 에어 메트로폴리타노 (7만 0,692명)
라 이 벌	레알 마드리드
홈페이지	www.atleticodemadrid.com

최근 5시즌 성적

시즌	순위	승점
2020-2021	1위	86점(26승8무4패, 67득점 25실점)
2021-2022	3위	71점(21승8무9패, 65득점 43실점)
2022-2023	3위	77점(23승8무7패, 70득점 33실점)
2023-2024	4위	76점(24승4무10패, 70득점 43실점)
2024-2025	3위	76점(22승10무6패, 68득점 30실점)

LA LIGA

통 산	우승 11회
24-25 시즌	3위(22승10무6패, 승점 76점)

COPA DEL REY

통 산	우승 10회
24-25 시즌	4강

UEFA

통 산	유로파리그 우승 3회
24-25 시즌	챔피언스리그 16강

 전력분석 ## 세대교체는 계속, 선수 영입에 2,800억 투자

아틀레티코 마드리드는 또 한 번의 공격적인 이적시장을 통해 대대적인 선수단 보강에 나섰다. 알렉스 바에나, 다비드 한츠코, 조니 카르도소, 티아고 알마다, 마테오 루게리, 지아코모 라스파도리 등 영입에 1억 7,600만 유로를 사용했다. 사무엘 리누, 앙헬 코레아, 사울 니게스, 로드리고 데 폴, 토마 르마 등이 짐을 쌌으나, 앙투안 그리즈만, 알바레스, 쇠를로트, 코케, 르 노르망, 마르코스 요렌테 등 확고한 핵심은 지켰다. 이번 시즌에는 바에나, 카르도소, 한츠코 등 새로운 재능들이 팀에 녹아드는 과정을 보는 재미가 있을 것이다. 공격은 '에이스' 그리즈만, 알바레스가 포진해 있다. 장신 공격수 쇠를로트가 최전방에서 버티고 있고, 비야레알에서 새로 합류한 2001년생 신성 바에나가 힘을 보탤 예정이다. 코레아가 떠난 뒤 등번호 10번을 물려받았다. 이제는 아틀레티코 차세대 에이스 자리를 넘본다. 중원에는 코케, 요렌테, 갤러거, 파블로 바리오스와 함께 지난 시즌 레알 베티스의 엔진 카르도소가 합류했다. 수비에는 꾸준히 관심을 보냈던 한츠코를 품었다. 왼발 수비수로 공격력과 발밑이 부드러워 중앙과 풀백을 오가며 활약할 수 있다. 르노르망, 랑글레, 호세 히메네스와 함께 탄탄함을 더 할 예정이다. 측면 수비는 막강 화력을 갖춘 루제리가 리누를 대체한다.

전술분석 ## 돌아온 4-4-2 시스템, 더블 폴스나인 득점력을 높여라

시메오네 감독의 '4-4-2 두 줄 수비'는 현대 축구의 새로운 전술적 트렌드를 이끌었다. 펩 과르디올라 감독이 점유율과 공격에 초점을 뒀다면, 시메오네 감독은 그와 대척점인 수비와 역습에 공을 들였다. 약팀이 강팀을 꺾을 수 있는 전술을 내세운 것이다. 개인 수비보다는 지역을 지키며 조직력을 강조하는 시메오네 표 4-4-2 시스템은 이제 모든 팀이 수비 상황에서 채택하는 전술로 자리 잡았다. 몇 시즌 동안 3-4-3, 3-5-2 등 스리백을 중용했지만 한계점에 부딪혀, 지난 시즌 도중 4-4-2 회귀했다. 투톱 자리는 원조 에이스 앙투안 그리즈만과 새로운 에이스 훌리안 알바레스가 이어 최고의 호흡을 보이고, 측면에는 주축이 된 줄리아노 시메오네와 새로 합류한 알렉스 바에나, 티아고 알마다가 선택받을 수 있다. 중원에는 코케가 건재하고, 성골 유스 파블로 바리오스, 레알 베티스에서 맹활약한 조니 카르도소가 있다. 코너 갤러거, 마르코스 요렌테 등도 핵심 자원이다. 수비에는 호세 마리아 히메네스, 로빈 르 노르망, 클레망 랑글레와 함께 다비드 한츠코가 주전 경쟁에 불을 지핀다. 풀백 자리에는 올여름 이적한 마테오 루게리, 마르크 푸빌이 주전에 도전한다.

시즌 프리뷰 라리가 최정상 +α, 유럽 제패 꿈꾸는 아틀레티코

지난 시즌 공격적인 투자는 아틀레티코 마드리드에 대한 많은 기대감을 불러 모았다. 전반기는 이보다 더 좋을 수 없었다. 19라운드까지 13승 5무 1패를 기록했다. 스리백에서 포백으로 변화 후 결과를 가져오기 시작했다. 바르셀로나, 레알 마드리드의 상승세를 따돌리고 선두 자리까지 치고 나갔다. 기쁨도 잠시, 후반기 시작과 함께 무너졌다. 20~30라운드까지 3승 4무 4패를 기록하며 3위로 추락, 선두 경쟁에서 완전히 밀려났다. 코파 델 레이에서는 준결승에서 1·2차전 합계 1-5로 바르셀로나에 대패했다. 유럽축구연맹(UEFA) 챔피언스리그에서는 연고지 라이벌 레알 마드리드에게 16강에서 승부차기 끝에 탈락했다.

2011년 부임한 디에고 시메오네 감독은 14년째 팀을 이끌고 있다. 라리가 최장수 감독이다. 하지만 2020-21시즌 라리가 우승 후 4시즌 연속 무관을 이어가고 있다. 시메오네 감독의 아틀레티코 부임 후 가장 오랜 기간 침묵이다. 이번 시즌 또 한 번의 선수단 개편을 이어간 만큼 다시 기대와 주목을 받을 예정이다. 5시즌 만에 바르셀로나, 레알 마드리드를 제치고 리그 패권을 가져오고자 한다. 아울러 유일하게 정복하지 못한 UEFA 챔피언스리그 정상에도 도전한다.

IN & OUT

주요 영입	주요 방출
알렉스 바에나, 다비드 한츠코, 조니 카르도소, 티아고 알마다, 마테오 루제리, 마르크 푸빌, 후안 무소, 클레망 랑글레, 지아코모 라스파도리, 니콜라스 곤잘레스	사무엘 리누, 아르투르 베르미렌, 앙헬 코레아, 헤이닐두 만다바, 사울 니게스, 로드리고 데 폴, 토마 르마, 호라티오 몰도반, 악셀 비첼, 세자르 아필리쿠에타

TEAM FORMATION

PLAN **4-4-2**

TEAM RATINGS

슈팅	패스
8	8

조직력	수비력
8	9

50

감독	선수층
8	9

2024/25 프로필

팀 득점	68
평균 볼 점유율	52.20%
패스 정확도	85.20%
게임 평균 슈팅 수	12.4
경고	75
퇴장	3

골 타 입	오픈 플레이	66
	세트 피스	10
	카운터 어택	15
	패널티 킥	9
	자책골	0 단위 (%)

패 스 타 입	쇼트 패스	88
	롱 패스	9
	크로스 패스	3
	스루 패스	0 단위 (%)

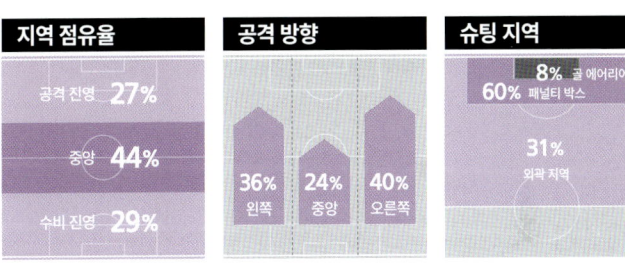

지역 점유율
공격 진영 **27%**
중앙 **44%**
수비 진영 **29%**

공격 방향
36% 왼쪽
24% 중앙
40% 오른쪽

슈팅 지역
8% 골 에어리어
60% 패널티 박스
31% 외곽 지역

상대팀 최근 6경기 전적

구분	승	무	패
FC 바르셀로나	1	1	4
레알 마드리드	1	3	2
아틀레티코 마드리드			
아틀레틱 빌바오	3		3
비야레알 CF	2	3	1
레알 베티스 발롬피에	4	1	1
RC 셀타 데 비고	5	1	
라요 바예카노	4	2	
CA 오사수나	4		2
RCD 마요르카	5		1
레알 소시에다드	4	2	
발렌시아 CF	5		1
헤타페 CF	3	2	1
RCD 에스파뇰	2	4	
데포르티보 알라베스	3	1	2
지로나 FC	5		1
세비야 FC	5		1
레반테 UD	2	2	2
엘체 CF	5		1
레알 오비에도	3	3	

SQUAD

포지션	등번호	이름		생년월일	키(cm)	체중(kg)	국적
GK	1	후안 무소	Juan Musso	1994.05.06	191	93	아르헨티나
	13	얀 오블락	Jan Oblak	1993.01.07	188	87	슬로베니아
DF	2	호세 히메네스	José María Giménez	1995.01.20	185	80	우루과이
	3	마테오 루제리	Matteo Ruggeri	2002.07.11	187	69	이탈리아
	14	마르코스 요렌테	Marcos Llorente	1995.01.30	184	74	스페인
	15	클레망 랑글레	Clément Lenglet	1995.06.17	186	81	프랑스
	16	나우엘 몰리나	Nahuel Molina	1998.04.06	175	70	아르헨티나
	18	마르크 푸빌	Marc Pubill	2003.06.20	190	86	스페인
	21	하비 갈란	Javi Galán	1994.11.19	172	70	스페인
	24	로빈 르노르망	Robin Le Normand	1996.11.11	187	80	스페인
MF	4	코너 갤러거	Conor Gallagher	2000.02.06	182	77	잉글랜드
	5	조니 카르도소	Johnny Cardoso	2001.09.20	186	78	미국
	6	코케	Koke	1992.01.08	176	74	스페인
	8	파블로 바리오스	Pablo Barrios	2003.06.15	181	75	스페인
FW	7	앙투안 그리즈만	Antoine Griezmann	1991.03.21	176	73	프랑스
	9	알렉산데르 쇠를로트	Alexander Sørloth	1995.12.05	195	94	노르웨이
	10	알렉스 바에나	Álex Baena	2001.07.20	174	70	스페인
	11	티아고 알마다	Thiago Almada	2001.04026	171	62	아르헨티나
	12	카를로스 마르틴	Carlos Martín	2002.04.22	184	78	스페인
	19	훌리안 알바레스	Julián Alvarez	2000.01.31	170	71	아르헨티나
	20	줄리아노 시메오네	Giuliano Simeone	2002.12.18	173	75	아르헨티나
	22	자코모 라스파도리	Giacomo Raspadori	2000.02.18	172	69	이탈리아
	23	니콜라스 곤잘레스	Nico González	1998.04.06	180	67	아르헨티나

COACH

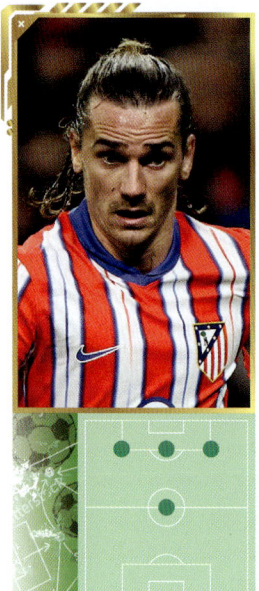

4-4-2 포메이션의 유행을 이끈 선두자. 두 줄 수비와 역습 기반의 전술로 축구계 새로운 패러다임을 제시하며 2010년대 펩 과르디올라 감독과 함께 축구 트렌드를 이끈 감독이다. 2011년 아틀레티코 마드리드에 부임해 14년 동안 팀을 이끌며 팀의 전성기를 열었다. 2013-14시즌 18년 만에 아틀레티코의 라리가 우승을 이끌며 유럽축구연맹(UEFA) 유로파리그 우승 2회를 포함, 총 8번의 트로피를 거머쥐었다. 아틀레티코를 바르셀로나, 레알 마드리드와 어깨를 나란히 하는 라리가 3강으로 만들었다.

디에고 시메오네
Diego Simeone
1970년 4월 28일생 아르헨티나

PLAYERS

FW	7	앙투안 그리즈만
		Antoine Griezmann

KEY PLAYER

국적: 프랑스

아틀레티코 마드리드의 에이스이자 살아있는 전설이다. 2014년 아틀레티코에 합류했다. 공격 전 지역을 소화할 수 있는 멀티 플레이어다. 현대 축구에 보기 드문 판타지스타 유형의 공격수. 2019년에는 바르셀로나로 떠나며 팬들의 원성을 사기도 했다. 바르셀로나에서 100경기 넘게 활약했지만 실패한 영입이라는 불명예스러운 평가를 받고, 2021년 아틀레티코로 다시 돌아와 떨어진 경기력을 완벽하게 회복했다. 아틀레티코 통산 445경기 198골 93도움으로 루이스 아라고네스를 넘어 레전드 중 레전드로 평가받고 있다. 2018 월드컵까지 우승한 그리즈만은 아틀레티코와 함께 유럽축구연맹(UEFA) 챔피언스리그 정복만 남겨두고 있다.

출전경기	경기시간(분)	골	어시스트	경고	퇴장
38	2,480	8	7	2	-

GK	13	얀 오블락
		Jan Oblak

국적: 슬로베니아

세계 최고의 선방 능력을 가진 골키퍼다. 슬로베니아 출신으로 올림피야 류블랴나에서 성장해 벤피카로 이적했다. 임대를 통해 경험을 쌓아, 2014년 티보 쿠르투아를 떠나보낸 아틀레티코 마드리드로 이적해 현재까지 주전 골키퍼로 활약 중이다. 아틀레티코 통산 공식전 495경기 225 클린시트를 기록 중이다. 지난 시즌에는 46경기 출전 44실점으로 경기당 평균 실점이 1이 되지 않았다.

출전경기	경기시간(분)	실점	무실점(경기)	경고	퇴장
36	3,240	30	15	-	-

DF	2	호세 마리아 히메네스
		José María Giménez

국적: 우루과이

2012년 우루과이 다누비오에서 프로 데뷔 후 1년 만에 아틀레티코 마드리드로 이적했다. 코케 다음으로 디에고 시메오네 감독과 가장 오랜 호흡을 맞춘 선수다. 탄탄한 수비력과 엄청난 점프력을 앞세운 볼 경합 능력을 갖춘 파이터형 수비수다. 시메오네 감독의 전술을 누구보다 잘 이해하는 수비수다. 스리백과 포백 모두 소화할 수 있다. 다만 잦은 부상이 매 시즌 발목을 잡고 있다.

출전경기	경기시간(분)	골	어시스트	경고	퇴장
28	1,997	-	1	5	-

DF	3	마테오 루게리
		Matteo Ruggeri

국적: 이탈리아

2002년생으로 여전히 성장하고 있는 풀백 기대주다. 아탈란타에서 성장해 프로 무대까지 밟은 '성골 유스'다. 2021~22년까지 살레르니타나에서 경험을 쌓은 뒤 아탈란타의 주전 수비수로 안착했다. 187cm의 신장에다 저돌적인 공격력까지 갖췄다. 1,900만 유로의 이적료를 기록하며 아틀레티코에 입성했다. 2014-15시즌 알레시오 체르치 이후 11년 만에 아틀레티코의 이탈리아인이 됐다.

출전경기	경기시간(분)	골	어시스트	경고	퇴장
30	1,750	-	3	2	-

DF	17	다비드 한츠코
		Dávid Hancko

국적: 슬로바키아

1997년생 슬로바키아 출신 왼발잡이 수비수다. 중앙 수비뿐만 아니라 왼쪽 풀백으로도 뛸 수 있다. 188cm에도 빠른 속도를 가졌고, 안정된 발밑 능력까지 보유했다. 자국 질리나에서 2016년 프로 데뷔해 피오렌티나, 스파르타 프라하를 거쳐 2022년 페예노르트로 이적했다. 꾸준히 아틀레티코 마드리드의 관심을 받았고, 드디어 합류했다. 과거 마리오 에르모소의 경우처럼 중용될 수 있다.

출전경기	경기시간(분)	골	어시스트	경고	퇴장
32	2,880	3	1	5	-

DF	24	로빈 르 노르망
		Robin Le Normand

국적: 스페인

프랑스 출신이었으나 2023년 스페인 대표팀에 합류하기 위해 귀화했다. 프랑스에서 성장해 2016년 1군 무대를 밟았다. 그 해 레알 소시에다드에 합류, 2018년부터 1군에서 활약했다. 탄탄한 수비력과 188cm의 큰 신장을 이용한 공중볼 경합에 강점이 있다.
지난 시즌에 이적해 팀의 핵심이 됐다. 다만 시즌 도중 머리 부상을 당해 은퇴 가능성까지 전해져 마음고생을 하기도 했다.

출전경기	경기시간(분)	골	어시스트	경고	퇴장
27	2,150	1	-	8	-

MF	4	코너 갤러거
		Conor Gallagher

국적: 잉글랜드

첼시 '성골 유스'다. 2000년생인 그는 8살에 첼시에 입단했다. 2019년부터 찰턴 애슬레틱, 스완지 시티, 웨스트브로미치 알비온, 크리스탈 팰리스에서 임대로 경험을 쌓았다. 팰리스 시절 두각을 보이며 첼시로 복귀해 핵심으로 활약했다.
왕성한 활동량과 탄탄한 기본기를 갖췄다. 6번, 8번, 10번 자리를 모두 소화할 수 있는 유틸리티 플레이어다. 지난 시즌 이적해 자신의 장점을 발휘했다.

출전경기	경기시간(분)	골	어시스트	경고	퇴장
32	1,637	3	3	2	-

MF 5 조니 카르도소
Johnny Cardoso

국적: 미국

브라질 출신인 부모님 밑에서 태어났고 출생지는 미국이다. U-23 미국 대표팀에서 활약한 뒤 2020년 미국 A대표팀에 차출됐다. 브라질 인테르나시오나우에서 성장해 2019년 프로 무대를 밟았다. 2023년 레알 베티스로 이적하며 유럽 무대로 진출했고 6번과 8번 역할을 소화할 수 있는 전도양양한 재능이다.

이번 여름 아틀레티코 마드리드를 떠난 로드리고 데 폴의 완벽한 대체자로 여겨진다.

출전경기	경기시간(분)	골	어시스트	경고	퇴장
28	2,143	3	1	5	-

MF 6 코케
Koke

국적: 스페인

1992년생 코케는 2000년 아틀레티코 마드리드에 입단해 25년 동안 몸담고 있다. 아틀레티코의 원클럽맨이자 프랜차이즈 스타다. 팀의 주장으로서 리더십까지 발휘하고 있고, 전형적인 스페인 미드필더다운 정교한 패스와 경기 조율 능력을 갖추고 있다. 황혼기의 나이에도 기량 저하가 없어 여전히 스페인 대표팀에 차출될 만큼 꾸준함을 유지 중이다. 지난 시즌 44경기 2,798분을 소화했다.

출전경기	경기시간(분)	골	어시스트	경고	퇴장
32	1,928	1	1	4	-

MF 8 파블로 바리오스
Pablo Barrios

국적: 스페인

2017년 아틀레티코 마드리드의 유스로 입단했다. 2003년생인 그는 2022년 10대 나이부터 1군 무대를 밟았다. 디에고 시메오네 감독이 애지중지 키우는 중원 자원이다. 황혼기에 접어든 코케의 차기 대체자이기도 하다.

성실함을 바탕으로 공격과 수비의 연결고리 역할을 맡고 있어 팀 내 입지가 점점 넓어지고 있다. 지난 시즌 공식전 41경기 3,267분 소화해 1골 4도움을 기록했다.

출전경기	경기시간(분)	골	어시스트	경고	퇴장
31	2,338	1	4	4	1

MF 11 티아고 알마다
Thiago Almada

국적: 아르헨티나

2001년생 공격형 멀티 플레이어다. 공격 전 지역을 소화할 수 있다. 2018년 17세 나이에 자국 벨레스 사르스필드에서 프로 데뷔 후 애틀랜타 유나이티드(미국), 보타포구(브라질)을 거쳤다.

2025년 1월 올랭피크 리옹으로 임대되며 유럽 무대를 밟았다. 20경기 2골 5도움을 기록했으나, 리옹의 재정 문제로 완전이적이 결렬됐다. 이후 아틀레티코 마드리드와 손을 잡았다.

출전경기	경기시간(분)	골	어시스트	경고	퇴장
16	949	1	4	3	-

MF 14 마르코스 요렌테
Marcos Llorente

국적: 스페인

레알 마드리드에서 성장한 그는 빛을 발휘하지 못했으나 지역 라이벌 아틀레티코 마드리드로 이적하며 진가를 발휘했다. 2019년부터 팀의 살림꾼으로 맹활약 중으로, 디에고 시메오네 감독 체제에서 공격적인 역할을 부여받은 뒤 물 만난 고기처럼 펄펄 날아올랐다. 세컨드 스트라이커, 공격형 미드필더 자리에서 두각을 보였고, 최근에는 오른쪽 풀백, 윙백, 3선 미드필더에서도 활약 중이다.

출전경기	경기시간(분)	골	어시스트	경고	퇴장
33	2,516	2	4	-	1

FW 9 알렉산더 쇠를로트
Alexander Sørloth

국적: 노르웨이

1995년생 노르웨이 출신 공격수로, 전성기에 접어들었다. 로센보르그, 흐로닝언, 미트윌란, 크리스탈 팰리스, 라이프치히, 레알 소시에다드 등을 거쳐 2023년 비야레알로 이적했다. 2023-24시즌 팀의 해결사로 23골을 터뜨렸으나 아쉽게 리그 득점 2위에 그쳤다.

지난 시즌 아틀레티코 마드리드 합류 후에도 결정력은 둔화되지 않았다. 50경기 24골 2도움을 기록했다. 호기록이다.

출전경기	경기시간(분)	골	어시스트	경고	퇴장
35	1,563	20	2	4	-

FW 10 알렉스 바에나
Alex Baena

국적: 스페인

천재 유형의 선봉장 공격수. 비야레알에서 성장해 2020년 1군 무대를 밟았고 2021년 지로나로 임대를 떠나 경험을 쌓았다. 복귀 후 팀의 선봉장과 같은 역할을 맡았다. 지난 시즌 리그 도움 공동 2위로, 33경기 7골 10도움을 기록했다. 라리가 올해의 팀에도 선정되며 잠재력을 증명했고 대표팀에서도 도드라진다. 2023년 A대표팀 발탁 후 유로 2024 우승, 2024 파리 올림픽 금메달을 차지했다.

출전경기	경기시간(분)	골	어시스트	경고	퇴장
32	2,608	7	9	9	-

FW 19 훌리안 알바레스
Julián Álvarez

국적: 아르헨티나

2000년생인 그는 벌써 모든 걸 이뤘다. 2018년 리버 플레이트에서 프로 데뷔 후 2022년 맨체스터 시티로 이적을 확정했다. 그리고 그해 2022 카타르 월드컵을 시작으로 맨시티에서 트레블까지 경험하며 축구 선수로서 차지할 수 있는 모든 트로피를 거머쥐었다. 엘링 홀란이라는 확고한 주전에 밀려나 지난 시즌 아틀레티코 마드리드로 이적했다. 이제 앙투안 그리즈만과 함께 에이스가 됐다.

출전경기	경기시간(분)	골	어시스트	경고	퇴장
37	2,521	17	4	5	-

FW 22 줄리아노 시메오네
Giuliano Simeone

국적: 아르헨티나

디에고 시메오네 감독의 둘째 아들이다. 2002년생인 그는 2019년부터 아틀레티코 마드리드에서 성장했다. 2022년 레알 사라고사, 2023년 데포르티보 알라베스 임대를 통해 경험을 쌓은 뒤 지난 시즌 드디어 아버지의 선택을 받았다. 공식전 50경기 5골 9도움을 기록했다. 최전방과 측면을 오갈 수 있는 공격수다. 지난 시즌 주로 오른쪽 날개로 활약했다. 아버지의 기대에 부응할지 두고볼 일이다.

출전경기	경기시간(분)	골	어시스트	경고	퇴장
33	1,941	2	6	4	-

SPAIN LA LIGA

ATLÉTICO MADRID

아틀레틱 빌바오

Athletic Club Bilbao

TEAM PROFILE

창 립	1898년
회 장	욘 우리아르테(스페인)
감 독	에르네스토 발베르데(스페인)
연 고 지	바스크 빌바오
홈 구 장	에스타디오 산 마메스(5만 3,331명)
라 이 벌	레알 소시에다드, 레알 마드리드
홈페이지	www.athletic-club.eus

SPAIN LA LIGA

ATHLETIC CLUB BILBAO

최근 5시즌 성적

시즌	순위	승점
2020-2021	9위	46점(11승13무14패, 46득점 42실점)
2021-2022	8위	55점(14승13무11패, 43득점 36실점)
2022-2023	8위	51점(14승9무15패, 47득점 43실점)
2023-2024	5위	68점(19승11무8패, 61득점 37실점)
2024-2025	4위	70점(19승13무6패, 54득점 29실점)

LA LIGA

통 산	우승 8회
24-25 시즌	4위(19승13무6패, 승점 70점)

COPA DEL REY

통 산	우승 24회
24-25 시즌	16강

UEFA

통 산	없음
24-25 시즌	유로파리그 4강

 전력분석

니코? 이적 없다! 2035년까지 함께

아틀레틱 빌바오는 라리가를 대표하는 명문 팀이다. 1898년 창단해 올해로 127주년을 맞이했다. 바르셀로나, 레알 마드리드와 함께 라리가 원년 멤버이고 한 번도 강등을 당하지 않은 '원조 3강'이다. 라리가 우승 8회(4위), 코파 델 레이 우승 24회(2위), 수페르코파 데 에스파냐 우승 3회(공동 3위)를 기록 중이다. 천문학적 이적료가 발생하는 현대 축구에서 바스크 지역 순수 혈통만 팀에서 뛸 수 있다는 독특한 구단 운영 정책을 이어가고 있다. 빌바오는 에이스 니코 윌리암스를 지키는 데 성공했다. 폭발적인 스피드와 드리블 능력을 가진 니코는 '슈퍼크랙'으로 성장했다. 빅 클럽의 관심 가운데 특히 바르셀로나가 영입하려 했으나, 불안한 재정 상황이 발목을 잡아, 빌바오는 기회를 놓치지 않고 재계약을 체결했다. 무려 10년, 2035년까지다. 니코의 방출조항 또한 올랐다. 기존보다 50% 인상해 8,500만 유로다. 빌바오의 또 다른 레전드, 오스카르 데 마르코스가 올여름 36세 나이로 은퇴를 선언했다. 가장 큰 고민은 중앙 수비수. 비비안과 아이토르 파레데스가 확고한 주전으로 활약했으나 베테랑 예라이 알바레스가 지난 시즌 막판 탈모약 복용으로 인한 도핑 문제가 발생했다. 빌바오는 이적시장 막판까지 추가적인 수비 보강을 이루지 못했다.

 전술분석

방패 들고 공격! 잡음 없어진 니코, 새로운 에이스 산세트

빌바오는 4-2-3-1, 4-4-2 포메이션을 중용하고 있다. 지난 시즌에는 팀의 마에스트로 오이한 산세트의 확고한 역할로 4-2-3-1 포메이션이 주를 이뤘다. 양 측면에는 '윌리암스 형제' 니코와 이냐키가 빠른 발을 앞세워 공격의 선봉장 역할을 맡았다. 여기에 또 한 명의 2선 자원 알렉스 베렝게르가 공격 내 빈자리에 투입되며 힘을 더했다. 중원에는 2003년생 신예이자 팀의 핵심인 미켈 야우레기사르가 그의 파트너로 빌바오에서 성장해 2023년 복귀한 이니고 루이스 데 갈라레타와 베냐트 프라도스, 미켈 베스 등이 배치될 수 있다. 지난 시즌 빌바오가 라리가 4위를 기록, 유럽축구연맹(UEFA) 챔피언스리그에 나설 수 있던 것은 탄탄한 수비 덕분이다. 29실점으로, 20팀 중 최소 실점을 기록했다. 그 중심에는 수비를 이끈 다니 비비안의 활약이 컸다. 그러나 이번 시즌에는 예라이 알바레스의 도핑 문제로 중앙 수비수 뎁스가 여유롭지 않다. 비비안, 아이토르 파레데스, 2002년생 우나이 에길루스 뿐이다. 풀백 자리에는 유리 베리치체, 이니고 레쿠에, 안도니 고로사벨을 유지했다. 은퇴한 오스카르 데 마르코스의 오른쪽 풀백 자리는 오사수나에서 활약한 헤수스 아레소가 책임진다.

시즌 프리뷰 11시즌 만에 '별들의 전쟁'

아틀레틱 빌바오와 에르네스토 발베르데 감독의 궁합은 최고다. 발베르데 1기였던 2002~05년, 2기 2013~17년, 3기인 2022~현재까지 모두 유의미한 결과를 만들었다. 발베르데 감독은 세 번째 부임에도 구단의 역사를 써 내려가고 있다. 2023-24시즌 40년 만에 코파 델 레이 우승을 거머쥐었다. 지난 시즌에는 아쉽게 준결승에서 덜미를 잡히며, 홈구장 산 마메스에서 열린 유럽축구연맹(UEFA) 유로파리그 결승전에 오르지 못했다. 하지만 라리가에서 굳건히 상위권을 지켜내 4위로 마감하며 2014-15시즌 이후 11시즌 만에 UEFA 챔피언스리그 진출 티켓을 따냈다. 11시즌 전 빌바오의 챔피언스리그 무대를 이끈 사령탑 역시 발베르데 감독이다. 빌바오는 발베르데 감독과의 동행을 1년 더 이어가기로 했다. 세 번째 부임에서 코파 델 레이 우승과 지난 시즌 챔피언스리그 진출권 획득의 영향이 컸다. 빌바오는 이번 시즌의 핵심 니코 윌리암스를 지켰다. 무려 10년 재계약을 체결하며 등번호 10번까지 부여했다. 니코를 비롯한 핵심 이탈은 없다. 더욱 탄탄한 조직력과 수비력으로 바르셀로나, 레알 마드리드, 아틀레티코 마드리드에 이어 확고한 '4강' 체제를 구축하고자 한다.

IN & OUT

주요 영입	주요 방출
헤수스 아레소, 로베르트 나바로, 아이메릭 라포르트	알바로 디알로, 훌렌 아기레사발라, 우고 린콘, 베냐트 가레나 바렌나, 오스카르 데 마르코스, 페이오 카날레스

TEAM FORMATION

PLAN 4-2-3-1

FW A-
구루세타 (산나디) 11

MF B+
니코 (베렝게르) 10
산세트 (고메스) 8
이냐키 (나바로) 9
아우레기사르 (프라도스) 18
데 갈라레타 (베스가) 16

DF B+
베르치체 (아다마) 17
라포르트 (파레데스) 14
비비안 (에길루스) 3
아레소 (고로사벨) 12

GK A-
시몬 (파디야) 1

TEAM RATINGS

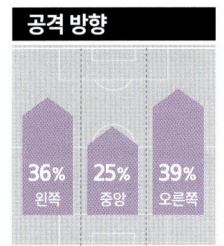

슈팅 7
패스 8
조직력 8
수비력 8
감독 8
선수층 8
47

2024/25 프로필

팀 득점	54
평균 볼 점유율	47.80%
패스 정확도	81.00%
게임 평균 슈팅 수	12.3
경고	62
퇴장	3

골타입		
	오픈 플레이	65
	세트 피스	24
	카운터 어택	4
	패널티 킥	6
	자책골	2
		단위 (%)

패스타입		
	쇼트 패스	83
	롱 패스	12
	크로스 패스	5
	스루 패스	0
		단위 (%)

지역 점유율

공격 진영	32%
중앙	45%
수비 진영	24%

공격 방향

왼쪽	중앙	오른쪽
36%	25%	39%

슈팅 지역

7% 골 에어리어
59% 패널티 박스
33% 외곽 지역

상대팀 최근 6경기 전적

구분	승	무	패
FC 바르셀로나	1	1	4
레알 마드리드	1	1	4
아틀레티코 마드리드	3		3
아틀레틱 빌바오			
비야레알 CF	3	2	1
레알 베티스 발롬피에	1	3	2
RC 셀타 데 비고	4		2
라요 바예카노	5	1	
CA 오사수나	2	2	2
RCD 마요르카	2	4	
레알 소시에다드	3	1	2
발렌시아 CF	4	1	1
헤타페 CF	2	4	
RCD 에스파뇰	4	1	1
데포르티보 알라베스	4	2	
지로나 FC	2	1	3
세비야 FC	3	2	1
레반테 UD	3	3	
엘체 CF	3	1	2
레알 오비에도	3	1	2

SQUAD

포지션	등번호	이름		생년월일	키(cm)	체중(kg)	국적
GK	1	우나이 시몬	Unai Simón	1997.06.11	190	88	스페인
	27	알렉스 파디야	Álex Padilla	2003.09.01	190	-	스페인
DF	2	안도니 고로사벨	Andoni Gorosabel	1996.08.04	174	73	스페인
	3	다니 비비안	Dani Vivian	1999.07.05	184	82	스페인
	4	아이토르 파레데스	Aitor Paredes	2000.04.29	185	76	스페인
	5	예라이 알바레스	Yeray Álvarez	1995.01.24	182	78	스페인
	12	헤수스 아레소	Jesús Areso	1999.07.02	182	81	스페인
	15	이니고 레케	Iñigo Lekue	1993.05.04	180	70	스페인
	17	유리 베르치체	Yuri Berchiche	1990.02.10	181	79	스페인
	19	아다마 보이로	Adama Boiro	2002.06.22	183	75	세네갈
MF	6	미켈 베스가	Mikel Vesga	1993.04.08	191	83	스페인
	8	오이한 산세트	Oihan Sancet	2000.04.25	188	73	스페인
	16	이니고 루이스 데 갈라레타	Iñigo Ruiz de Galarreta	1993.08.06	175	64	스페인
	18	미켈 야우레기사르	Mikel Jauregizar	2003.11.13	177	73	스페인
	20	우나이 고메스	Unai Gómez	2003.05.25	183	78	스페인
	24	베냐트 프라도스	Beñat Prados	2001.02.08	180	75	스페인
	30	알레한드로 레고	Alejandro Rego	2003.06.11	192	-	스페인
FW	7	알렉스 베렝게르	Álex Berenguer	1995.07.04	175	73	스페인
	9	이냐키 윌리엄스	Inaki Williams	1994.06.15	186	78	스페인
	10	니코 윌리엄스	Nico Williams	2002.07.12	180	67	스페인
	11	고르카 구루제타	Gorka Guruzeta	1996.09.12	188	77	스페인
	21	마로안 산나디	Maroan Sannadi	2001.02.01	192	78	스페인
	22	니코 세라노	Nico Serrano	2003.03.05	176	72	스페인

SPAIN LA LIGA

ATHLETIC CLUB BILBAO

아틀레틱 클루브 데 빌바오 3기를 지니고 있다. 4-2-3-1, 4-4-2 포메이션을 바탕으로 세 명의 미드필더를 통해 수적 우위를 점한다. 1997년 현역 은퇴 후 빌바오에서 지도자 커리어를 시작한 그는 에스파뇰, 올림피아코스, 비야레알, 발렌시아를 거쳤다. 이후 바르셀로나에서 두 번의 라리가 우승을 차지했지만, 유럽축구연맹(UEFA) 챔피언스리그에서는 아쉬움만 남겼다. 2022년 빌바오 복귀 후에는 코파 델 레이 우승, 11년 만에 챔피언스리그 복귀 등 또 한 번의 전성기를 맞이했다.

에르네스토 발베르데
Ernesto Valverde
1964년 2월 9일생 스페인

FW 10 니코 윌리암스 KEY PLAYER
Nico Williams

국적: 스페인

이제는 현대 축구를 대표하는 윙어 중 한 명이 됐다. 빌바오뿐만 아니라 스페인 대표팀에서도 에이스로 성장했다. 니코 윌리암스는 오사수나 유스에서 빌바오 유스로 이적해 2020-21시즌 후반기에 1군 데뷔전을 치렀다. 폭발적인 스피드와 드리블 능력에 준수한 마무리 능력, 이타적인 모습까지 갖춘 진정한 '크랙'이다. 이제는 오로지 빌바오에 집중할 수 있게 됐다. 지난 몇 년 동안 빅 클럽들의 관심을 받아왔다. 바르셀로나와 가장 강하게 연결됐지만, 빌바오가 바르셀로나의 빈틈을 공략했고 무려 10년 재계약을 체결했다. 연봉 인상과 함께 미래를 보장받았다. 다만, 지난 시즌 막판 스포츠 탈장 부상으로 아쉬움을 남겼으나, 회복 이후 빠르게 경기력을 되찾아, 유로 2024에서의 스페인 우승에 기여했다.

출전경기	경기시간(분)	골	어시스트	경고	퇴장
29	2,001	5	5	1	-

GK 1 우나이 시몬
Unai Simón

국적: 스페인

아틀레틱 클루브 데 빌바오에서 성장한 스페인 최고의 골키퍼다. 줄곧 빌바오에서 활약한 그는 2018-19시즌부터 1군에서 활약했다. 2019-20시즌에는 주전 자리를 차지하며 잠재력을 발휘했고 라리가 최고 골키퍼로 자리매김했다. 2021년부터는 스페인 대표팀의 골문까지 지키는 수문장이다. 유로 2024 우승 주역이기도 하다. 뛰어난 선방은 물론 안정된 빌드업 능력도 갖췄다.

출전경기	경기시간(분)	실점	무실점(경기)	경고	퇴장
21	1,890	14	10	-	-

DF 2 안도니 고로사벨
Andoni Gorosabel

국적: 스페인

지역 라이벌인 레알 소시에다드 '성골 유스' 출신이다. 2017년부터 1군 무대를 밟았다. 팀의 핵심으로 활약하며 6시즌 동안 146경기 9도움을 기록했다. 2023-24시즌에는 데포르티보 알라베스에서 한 시즌을 보낸 뒤 지난 시즌 빌바오에 합류했다. 안정된 수비 능력을 갖춘 정통 풀백이다. 지난 시즌 주전과 백업을 오가며 공식전 30경기 1,985분 출전해 2도움을 기록했다.

출전경기	경기시간(분)	골	어시스트	경고	퇴장
20	1,489		2	5	-

DF 3 다니 비비안
Dani Vivian

국적: 스페인

바스크 지방 출신이다. 2021-22시즌부터 팀의 핵심으로 활약했다. 183cm의 크지 않은 신장에도 탄탄한 피지컬과 안정된 발밑 능력을 보유했다. 이번 시즌 아틀레틱 클루브 데 빌바오가 라리가 최소 실점을 기록한 데 가장 큰 역할을 했다. 공식전 46경기 3,649분 출전해 4골을 기록하며 지난 시즌 라리가 올해의 팀에 선정될 만큼 최고의 활약을 펼쳤다.

출전경기	경기시간(분)	골	어시스트	경고	퇴장
32	2,605	4		3	-

DF 4 아이토르 파레데스
Aitor Paredes

국적: 스페인

다니 비비안의 파트너로 바스크주에서 자란 빌바오 출신 빌바오 선수다. 각 연령별 팀을 거친 뒤 2021년 1군 무대를 밟았다. 186cm의 신장을 보유했다. 공중볼 경합에 강하고, 롱 패스 능력을 갖춰 팀에 빠른 공격 전개를 이끌 수 있다. 비비안이 확고하게 자리를 꿰찬 상황에서 예라이 알바레스와 번갈아 기회를 잡아갔다. 지난 시즌 공식전 36경기 2,882분 출전해 4골 1도움을 기록했다.

출전경기	경기시간(분)	골	어시스트	경고	퇴장
23	1,815	3	-	2	1

DF 12 헤수스 아레소
Jesús Areso

국적: 스페인

아틀레틱 클루브 데 빌바오의 고민이 큰 포지션은 오른쪽 풀백이다. 베테랑 오스카르 데 마르코스가 지난 시즌을 끝으로 은퇴를 선언했다. 팀의 오른쪽을 장기간 책임질 대체자가 필요한 상황에 오사수나에서 빼어난 활약을 보여준 헤수스 아레소가 합류했다. 적극적인 공격 가담과 오른발 크로스가 강점이다. 빌바오는 아레소 영입에 1,200만 유로의 방출조항에 대해 지불했다.

출전경기	경기시간(분)	골	어시스트	경고	퇴장
36	3,088	-	3	9	-

DF 14 아이메릭 라포르트
Aymeric Laporte

국적: 스페인

희귀성 높은 왼발잡이 중앙 수비수. 뛰어난 발기술을 갖고 있다. 빌드업을 이끄는 것은 물론, 왼발 롱패스는 최강의 무기다. 프랑스 출신으로 연령별 대표팀까지 뛰었지만, A대표팀과는 연이 멀었다. 2021년 스페인으로 귀화했고, 유럽축구연맹(UEFA) 유로 2024 우승 주역으로 활약했다. 빌바오 '성골 유스' 출신이다. 맨체스터 시티, 알 나스르를 거쳐 7년 만에 고향집으로 돌아왔다.

출전경기	경기시간(분)	골	어시스트	경고	퇴장
20	1,538	4	-	2	-

DF 17 유리 베르치체
Yuri Berchiche

국적: 스페인

레알 소시에다드, 빌바오, 토트넘을 거쳐 성장했다. 날카로운 왼발 킥 능력을 보유했다. 공격 상황에서 더 빛을 발휘하는 풀백으로, 상대 측면을 파괴할 수 있다.

토트넘에서는 1군 무대를 밟지 못했다. 첼튼험, 레알 바야돌리드 임대를 떠난 뒤 2010년 레알 우니온, 소시에다드, 파리 생제르맹을 거쳐 아틀레틱 빌바오에 합류했다. 지난 시즌에도 팀의 핵심으로 44경기를 소화했다.

출전경기	경기시간(분)	골	어시스트	경고	퇴장
30	2,041	-	2	5	-

MF 8 오이한 산세트
Oihan Sancet

국적: 스페인

'빌바오 특급'이 될 재목이다. 바스크 출신인 그는 2015년 14세 나이부터 빌바오에서 활약 중이다. 192cm의 장신 미드필더로, 피지컬과 발기술을 겸비한 플레이메이커. 2019년 프로 데뷔 후 꾸준히 기회를 잡으며, 커리어 하이를 써 내려갔다. 지난 시즌 36경기 17골 3도움을 기록하며 최고의 한 해를 보냈다. 공격적인 재능이 득점 능력까지 겸비한 에이스. 뛰어난 경기 조율 능력은 빌바오에서 대체 불가다.

출전경기	경기시간(분)	골	어시스트	경고	퇴장
29	1,628	15	1	2	-

MF 16 이니고 루이스 데 갈라레타
Íñigo Ruiz de Galarreta

국적: 스페인

중원에서 양질의 패스를 뿌려줄 수 있는 정통 바스크 미드필더. 빌바오에서 성장한 뒤 2019년 마요르카로 이적했고, 2022-23시즌에는 이강인과 함께 호흡을 맞췄다. 2023-24 시즌 빌바오로 돌아와 팀의 3선을 책임졌다. 175cm의 체격이지만, 압박 회피 능력, 안정적인 패스를 보인다. 지난 시즌 40경기 2,448분 출전해 4도움을 기록했다. 준수한 발밑 능력을 통해 빌드업 역할을 맡을 수 있다. 팀 중원에 힘을 보태고 있다.

출전경기	경기시간(분)	골	어시스트	경고	퇴장
26	1,490	-	4	5	-

MF 18 미켈 야우레기사르
Mikel Jauregizar

국적: 스페인

2003년생 수비형 미드필더. 바르셀로나의 페드리, 가비가 부럽지 않을 재능이다. 2023-24시즌 프로 무대를 처음 밟았다. 당시 10경기 200분 출전하며 차츰 기회를 잡아갔다. 그리고 이번 시즌에는 주전 자리를 차지했다.

공식전 48경기 3,310분 출전해 3골 3도움을 기록했다. 뛰어난 수비력을 자랑하기보다는 빌드업 상황에서 경기 조율과 전개에 안정감을 보여주고 있다.

출전경기	경기시간(분)	골	어시스트	경고	퇴장
34	2,245	2	1	4	1

MF 20 우나이 고메스
Unai Gómez

국적: 스페인

2003년생 공격형 재능이다. 빌바오에서 태어나고 자란 그는 2023년부터 1군에서 활약 중이다. 니코 윌리암스, 이냐키 윌리암스, 알렉스 베렝게르, 오이한 산세트 등 2선 자원의 백업 역할로 공격 전 지역을 부지런히 누볐다.

2023-24시즌 코파 델 레이 우승을 차지한 멤버로, 2028년까지 계약했다. 지난 시즌에는 47경기 1860분 출전해 2골 4도움을 기록했다.

출전경기	경기시간(분)	골	어시스트	경고	퇴장
32	1,281	1	3	1	-

MF 24 베냐트 프라도스
Beñat Prados

국적: 스페인

2001년생 미드필더. 빌바오 유스를 거쳤다. 일찌감치 재능을 인정받은 미드필더. 탄탄한 대인 수비력과 안정된 발밑 능력을 갖췄다. 경기당 평균 태클 1.8회(팀 내 3위), 가로채기 0.9회(4위)를 기록했다. 에르네스토 발베르데 감독 체제에서 미켈 야우레기사르가 중원의 한 자리를 차지했다면, 남은 한 자리를 놓고 프라도스와 이니고 루이스 데 갈라레타가 경쟁 중이다.

출전경기	경기시간(분)	골	어시스트	경고	퇴장
30	1,721	1	-	7	-

FW 7 알렉스 베렝게르
Álex Berengue

국적: 스페인

측면에서 안쪽으로 치고 들어오는 역발 윙어다. 빠른 속도와 드리블 돌파에 능하다. '크랙' 유형의 공격수로 다재다능함을 갖추고 있다. 오사수나, 토리노를 거쳐 2020년 아틀레틱 클루브 데 빌바오에 둥지를 틀었다.

지난 시즌에는 기복을 보인 주전 공격수들로 인해 더 많은 자리에서 더 많은 기회를 받았다. 공식전 53경기 6골 10도움을 기록했다.

출전경기	경기시간(분)	골	어시스트	경고	퇴장
36	2,354	6	7	5	-

FW 9 이냐키 윌리엄스
Iñaki Williams

국적: 가나

빌바오에서 자랐지만, 가나 출신인 아버지의 국적을 따랐다. 2022 카타르 월드컵부터 가나 대표팀에 귀화했다. 동생 니코 윌리암스의 등장 전 가장 많은 관심을 받았던 빌바오의 공격수이다.

폭발적인 스피드와 뛰어난 운동능력을 앞세운 마무리 능력이 주목받았다. 자기 관리도 철저하다. 2022-23시즌 2,479일 만에 결장하며 라리가 최다 연속 출전(251경기) 기록을 써 내렸다.

출전경기	경기시간(분)	골	어시스트	경고	퇴장
35	2,654	6	8	1	-

FW 12 고르카 구루세타
Gorka Guruzeta

국적: 스페인

빌바오의 최전방을 책임지는 188cm의 장신 공격수다. 하부리그의 사바델, 아모레비에타를 거쳐 2022년에 다시 빌바오로 돌아왔다. 2023-24 시즌 공식전 36경기 16골 5도움을 기록하며 이냐키, 니코 형제와 함께 삼각 편대를 이뤘다.

하지만 지난 시즌 다소 기복을 보이며 공식전 51경기 8골 5도움에 그쳤다. 후반기에는 선발 기회 또한 줄어들었다.

출전경기	경기시간(분)	골	어시스트	경고	퇴장
36	1,845	7	2	2	-

비야레알 CF

Villarreal CF

TEAM PROFILE

창 립	1923년
회 장	페르난도 로이그 알폰소(스페인)
감 독	마르셀리노(스페인)
연 고 지	발렌시아 카스테욘주 비야레알
홈 구 장	에스타디오 데 라 세라미카(2만 1,332명)
라 이 벌	발렌시아 CF, 레반테 UD
홈페이지	www.villarrealcf.es

최근 5시즌 성적

시즌	순위	승점
2020-2021	7위	58점(15승13무10패, 60득점 44실점)
2021-2022	7위	59점(16승11무11패, 63득점 37실점)
2022-2023	5위	64점(19승7무12패, 59득점 40실점)
2023-2024	8위	53점(14승11무13패, 65득점 65실점)
2024-2025	5위	70점(20승10무8패, 71득점 51실점)

LA LIGA

통 산	없음
24-25 시즌	5위(20승10무8패, 승점 70점)

COPA DEL REY

통 산	없음
24-25 시즌	32강

UEFA

통 산	유로파리그 우승 1회
24-25 시즌	없음

전력분석 에이스의 이탈은 뼈아프지만, 보강은 부지런히

지난 시즌 이적시장은 꽤 성공적이었다. 레알 베티스에서 합류한 아요세 페레스는 공식전 32경기 22골 4도움을 기록하며 팀의 해결사로 자리 잡았다. 바젤에서 합류한 티에르노 베리는 37경기 11골 4도움으로 공격의 한 축을 담당했다. 중앙 수비수 로건 코스타와 윌리 캄브왈라도 합류하며 마르셀리노 감독의 시스템에 안착했다. 가장 의문의 영입이었던 니콜라 페페는 최고의 영입이 됐다. 비야레알에서 재기에 나서며 28경기 3골 6도움을 기록했다. 가장 큰 고민은 페레스와 공격 편대를 이루며 33경기 7골 10도움을 기록한 에이스 알렉스 바에나의 이탈이다. 최전방 공격수 배리도 떠나며 고민만 깊어졌다. 비야레알은 두 선수의 이적이 남긴 약 8,000만 유로로 적극적으로 이적시장에 나섰다. 공격에는 지난 시즌 임대 신분이었던 타존 뷰캐넌을 완전영입했고, 라스 팔마스의 테크니션 알베르토 몰레이로를 품었다. 이적시장 막판에는 3,100만 유로를 투자해 조르지 미카우테제를 품었고, 예리미 피노가 떠난 측면에는 마노르 솔로몬을 임대 영입했다. 중원과 후방 보강도 이어갔다. 미드필더에는 아스널의 주축이었던 토마스 파티가 합류했고, 수비에는 은퇴한 라울 알비올을 대신해 아틀레티코 출신 산티아고 무리뇨, 레알 마드리드 유스 출신 라파 마린이 임대 이적했다.

전술분석 확고한 4-4-2 시스템, 페페-페레스 라인은 유지

마르셀리노 감독은 2025-26시즌에도 전매특허인 4-4-2 포메이션을 중심에 둔다. 두 줄 수비를 통해 촘촘한 간격을 유지하며 중앙 침투를 차단하고, 빠른 전환으로 역습을 전개하는 데 주력한다. 공격 상황에서는 양측면 미드필더와 최전방 공격수가 동시에 상대 뒷공간을 파고들고, 투톱 중 한 명이 미드필더 지역까지 내려와 연결고리 역할을 맡는다. 지난 시즌 마르셀리노는 발 빠른 공격 자원을 적극적으로 활용했다. 알렉스 바에나가 중원에서 공격의 방향타를 잡았고, 페레스는 32경기 22골 4도움으로 팀의 확실한 해결사 역할을 했다. 페페는 역습의 선봉장이었고, 바에나는 지공 상황에서 창의적인 패스와 전환 플레이로 경기를 지휘했다. 새 시즌에는 바에나와 배리의 공백을 메울 선수가 필요하다. 이를 위해 타존 뷰캐넌을 완전영입했고, 라스 팔마스에서 1,600만 유로에 영입한 알베르토 몰레이로가 바에나의 역할을 대체할 자원으로 기대된다. 최전방에는 2000년생 조지아 국가대표의 조르지 미카우테제가 합류한다. 기존 페페-페레스 조합과 더불어 새 얼굴들의 활약이 비야레알의 시즌 성패를 가를 전망이다. 중원에서는 토마스 파티가 힘을 보탤 예정이다.

시즌 프리뷰 리그와 병행, 4강 구축해라

노란 잠수함은 2020년대 들어서며 상승세를 맞이했다. 우나이 에메리 전 감독의 역할이 컸다. 비야레알은 에메리 감독 체제에서 2020-21시즌 유럽축구연맹(UEFA) 유로파리그 우승, 2021-22시즌 UEFA 챔피언스리그 4강 등 돌풍을 보여줬다. 라리가 3강에 또 하나의 신흥 강호로 떠오르는 듯했으나 에메리 감독이 떠난 후 기세를 이어가지 못했다. 키케 세티엔, 파체코 감독을 거쳤으나 만족스러운 결과를 얻지 못했고, 결국 2023년 과거 영광을 만들었던 마르셀리노 감독과 다시 손을 잡았다. 마르셀리노 감독은 2012-13시즌 당시 2부로 추락했던 비야레알의 승격을 이끈 인물이다. 이어 1부에서 유로파리그 진출 티켓을 따내며 성과를 만들었다. 2015-16시즌에는 리그 4위로 챔피언스리그 진출에 성공했다.

비야레알은 지난 시즌 리그 5위를 기록했다. UEFA 리그 랭킹포인트로 라리가의 챔피언스리그 티켓이 1장 늘어나며 비야레알이 3시즌 만에 별들의 무대에 복귀하게 됐다. 2026년 6월 계약이 종료되는 마르셀리노 감독의 입지는 확고하다. 관건은 여러 대회의 병행 여부다. 지난 시즌은 리그와 코파 델 레이뿐이었지만 이번 시즌에는 챔피언스리그까지 소화해야 한다. 빡빡한 일정 속 경쟁력을 보여줄 때다.

IN & OUT

주요 영입	주요 방출
알베르토 몰레이로, 산티아고 무리뉴, 토마스 파티, 타존 뷰캐넌, 라파 마린(임대), 헤나투 베이가, 아르나우 테나스, 조르지 미카우타제, 마노르 솔로몬(임대)	알렉스 바예나, 예레미 피노, 티에르노 베리, 안들에스 페라리, 칼 에타 에용, 아르나우트 단주마, 에릭 바이, 데니스 수아레스, 키코 페메니아, 라몬 테라스

TEAM FORMATION

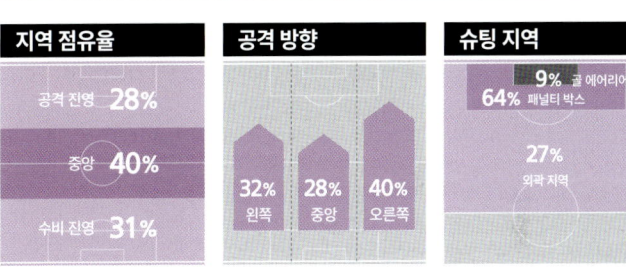

FW B
9 미카우테제 (모레노)　19 페페 (아코마흐)

MF B+
22 페레스 (몰레이루)　10 파레호 (게예)　16 파티 (코메사냐)　17 뷰캐넌 (페페)

DF B-
23 카르도나 (페드라사)　5 캄브왈라 (베이가)　2 코스타 (무리뇨)　8 포이스 (알티미라)

GK B-
1 주니오르 (콘데/테나스)

PLAN 4-4-2

TEAM RATINGS

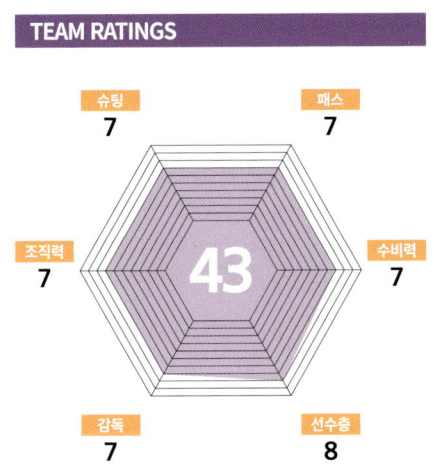

43

슈팅	7
패스	7
수비력	7
선수층	8
감독	7
조직력	7

2024/25 프로필

팀 득점	71
평균 볼 점유율	47.10%
패스 정확도	83.50%
게임 평균 슈팅 수	14.1
경고	94
퇴장	4

골 타입
오픈 플레이	66
세트 피스	15
카운터 어택	8
패널티 킥	7
자책골	3

단위 (%)

패스 타입
쇼트 패스	85
롱 패스	11
크로스 패스	4
스루 패스	0

단위 (%)

지역 점유율
공격 진영 28%
중앙 40%
수비 진영 31%

공격 방향
32% 왼쪽　28% 중앙　40% 오른쪽

슈팅 지역
9% 골 에어리어
64% 패널티 박스
27% 외각 지역

상대팀 최근 6경기 전적

구분	승	무	패
FC 바르셀로나	2		4
레알 마드리드	1	1	4
아틀레티코 마드리드	1	3	2
아틀레틱 빌바오	1	2	3
비야레알 CF			
레알 베티스 발롬피에	2	1	3
RC 셀타 데 비고	3	1	2
라요 바예카노	2	2	2
CA 오사수나	4		2
RCD 마요르카	3	1	2
레알 소시에다드	2	1	3
발렌시아 CF	2	3	1
헤타페 CF	2	4	
RCD 에스파뇰	5	1	
데포르티보 알라베스	2	2	2
지로나 FC	4	1	1
세비야 FC	3	2	1
레반테 UD	4		2
엘체 CF	2	2	2
레알 오비에도	2	3	1

SQUAD

포지션	등번호	이름		생년월일	키(cm)	체중(kg)	국적
GK	1	루이스 주니오르	Luiz Júnior	2001.01.14	192	87	브라질
	13	디에고 콘데	Diego Conde	1998.10.28	188	76	스페인
	25	아르나우 테나스	Arnau Tenas	2001.05.30	185	85	스페인
DF	2	로건 코스타	Logan Costa	2001.04.01	190	91	카보베르데
	3	아드리아 알티미라	Adrià Altimira	2001.03.28	170	62	스페인
	4	라파 마린	Rafa Marín	2002.05.19	191	76	스페인
	5	일리 캄브왈라	Willy Kambwala	2004.08.25	192	86	프랑스
	8	후안 포이스	Juan Foyth	1998.01.12	187	75	아르헨티나
	12	헤나투 베이가	Renato Veiga	2003.07.29	190	-	포르투갈
	15	산티아고 모리뇨	Santiago Mouriño	2002.02.13	186	-	우루과이
	23	세르지 카르도나	Sergi Cardona	1999.07.08	186	80	스페인
	24	알폰소 페드라사	Alfonso Pedraza	1996.04.09	184	73	스페인
MF	6	데니스 수아레스	Denis Suárez	1994.01.06	176	69	스페인
	10	다니 파레호	Dani Parejo	1989.04.16	182	74	스페인
	14	산티 코메사냐	Santi Comesaña	1996.10.05	188	75	스페인
	16	토마스 파티	Thomas Partey	1993.06.13	185	75	가나
	18	파페 게예	Pape Gueye	1999.01.24	189	79	세네갈
	20	알베르토 몰레이로	Alberto Moleiro	2003.09.30	171	68	스페인
FW	7	제라르 모레노	Gerard Moreno	1992.04.07	180	77	스페인
	11	일리아스 아호마시	Ilias Akhomach	2004.04.16	175	71	모로코
	19	니콜라 페페	Nicolas Pépé	1995.05.29	183	73	코트디부아르
	21	예레미 피노	Yéremy Pino	2002.10.20	172	65	스페인
	22	아요세 페레스	Ayoze Pérez	1993.07.29	178	72	스페인

COACH

마르셀리노
Marcelino
1965년 08월 14일생 스페인

CD 레알타드, 스포르팅 히혼 등 하부리그에서 감독 커리어를 시작했다. 레크레아티보의 라리가 승격을 이끌었고, 라싱 데 산탄데르에서 UEFA컵 진출을 이루며 지도력을 인정받았다. 이후 세비야를 거쳐 2013년 비야레알 1기를 맞이했다. 당시 2부에 있던 비야레알의 승격과 UEFA 주관 대회 진출 티켓까지 따냈다. 이후 발렌시아에서는 2018-19시즌 코파 델 레이 우승으로 상위 리그 첫 트로피를 차지했다. 2023년 비야레알로 복귀해 지난 시즌 팀을 챔피언스리그로 이끌었다.

PLAYERS

KEY PLAYER

FW 22 아요세 페레스
Ayoze Pérez

국적: 스페인

공격적인 재능이 뛰어난 2선 자원이다. 공격 전 지역을 소화할 수 있는 멀티 플레이어다. 돌파와 킥 능력에 강점이 있다. 2012년 테네리페에서 데뷔해 2014년 뉴캐슬 유나이티드로 향했다. 5시즌 동안 꾸준한 활약을 보여준 뒤 2019년 레스터 시티로 둥지를 옮겼다. 그러나 레스터에서는 다소 부진했다. 2023년 1월 레알 베티스로 임대됐고, 그해 여름 FA로 완전이적했다. 지난 시즌 비야레알이 방출 조항을 발동했다.

페레스는 마르셀리노 감독 체제에서 팀의 해결사로 급부상하며 32경기 22골 4도움으로 커리어 하이를 내달렸다. 이번 시즌에는 첫 유럽축구연맹(UEFA) 챔피언스리그 무대를 밟는다.

출전경기	경기시간(분)	골	어시스트	경고	퇴장
30	1,978	19	2	4	-

GK 1 루이스 주니오르
Luiz Júnior

국적: 브라질

2001년생 브라질 출신 젊은 골키퍼다. 브라질 미라소우를 거쳐 2019년 포르투갈 파말리캉으로 이적해 성장했다. 2020년 10대 나이로 프로 데뷔를 했으며 194cm의 큰 신장을 앞세운 뛰어난 선방 능력과 공중볼 경합에 강하다. 파말리캉에서 곧바로 주전으로 활약했다. 4시즌 동안 139경기를 소화했다. 지난 시즌 비야레알로 이적해 후반기 디에고 콘데를 밀어내고 주전 경쟁에 우위를 점했다.

출전경기	경기시간(분)	실점	무실점(경기)	경고	퇴장
17	1,457	18	6	2	-

DF 2 로건 코스타
Logan Costa

국적: 카보베르데

아프리카 서쪽 작은섬 카보베르데 출신이다. 청소년 대표팀은 프랑스에서 활약했지만, A대표팀은 카보베르데를 선택했고 스타드 드 랭스에서 성장했다. 탄탄한 대인 수비에, 부드러운 발밑을 보유해 툴루즈 시절 2022-23시즌 쿠프 드 프랑스 결승전 멀티골로 우승을 견인했다. 지난 시즌 비야레알에 합류해 주전으로 활약했는데, 이번 시즌을 앞두고 십자인대 부상을 당했다. 복귀 시점은 2026년 4월.

출전경기	경기시간(분)	골	어시스트	경고	퇴장
32	2,586	2	1	3	-

DF 4 라파 마린
Rafa Marín

국적: 스페인

2002년생 유망주 중앙 수비수로 191cm의 탄탄한 피지컬을 보유했다. 레알 마드리드 유스 출신이고 카스티야에서 성장했다. 스페인 출신답게 안정된 발밑 능력을 보유했다. 2023년 데포르티보 알라베스에서 경험을 쌓은 뒤 지난해 이탈리아 나폴리로 이적했다. 세리에 A 우승을 경험했지만, 리그 4경기 139분 출전, 코파 이탈리아 2경기 180분 출전이 전부였다. 이번 시즌 출전 기회를 위해 비야레알 임대를 선택했다.

출전경기	경기시간(분)	골	어시스트	경고	퇴장
4	139	-	-	1	-

DF 5 윌리 캄브왈라
Willy Kambwala

국적: 프랑스

프랑스 소쇼에서 성장해 2020년 맨체스터 유나이티드 유스팀에 입단했다. 2023-24시즌 맨유 수비진의 줄부상으로 1군에 콜업돼 기회를 잡았다. 준수한 활약을 펼치며 기대를 받았다.

출전 기회를 위해 맨유의 재계약을 거절하고 지난 시즌 비야레알에 합류해, 시즌 후반기부터 팀의 핵심으로 활약했다. 다만 프리시즌 도중 햄스트링 부상을 당해 이번 시즌 초반은 결장이다.

출전경기	경기시간(분)	골	어시스트	경고	퇴장
19	1,116	-	-	1	1

DF 8 후안 포이스
Juan Foyth

국적: 아르헨티나

토트넘의 유망주 중 한 명이었으나 부상과 부진이 겹치면서 경쟁에 밀려났다. 기회를 찾아 2020년 비야레알로 임대를 떠났고, 1년 뒤 완전이적하며 스페인 무대에서 실력이 만개했다.

안정된 빌드업과 빠른 발을 이용한 수비로 주목받았다. 비야레알에서 인버티드 풀백 역할을 자주 맡았다. 지난 시즌 무릎 부상으로 후반기 돼서야 출전할 수 있었다. 복귀 후 폼은 완벽했다.

출전경기	경기시간(분)	골	어시스트	경고	퇴장
19	1,517	1	-	4	-

DF 12 헤나투 베이가
Renato Veiga

국적: 포르투갈

2003년생 중앙 수비수. 왼발을 주로 사용하며 풀백, 수비형 미드필더도 소화할 수 있다. 190cm의 큰 신장과 탄탄한 피지컬을 보유했다. 빌드업 능력을 갖추어 현대 축구에 적합한 수비수로, 특히 정확한 롱 패스가 강점이다.

스포르팅에서 성장해 아우크스부르크, 바젤을 거쳐 2024년 첼시로 향했다. 비대한 선수단 속에서 기회를 잡지 못해 지난 시즌 중반 유벤투스에서 임대로 경험을 쌓았다.

출전경기	경기시간(분)	골	어시스트	경고	퇴장
20	1,270	1	2	4	-

MF 10 다니 파레호
Dani Parejo

국적: 스페인

유려한 발기술, 안정된 볼 소유, 탁월한 경기 운영 능력까지 전형적인 스페인 미드필더다. 경험까지 더해지며, 축구 도사에 가까운 모습을 보여주고 있다. 6번, 8번, 10번 역할을 모두 소화할 수 있는 전천후 미드필더이다.

레알 마드리드 유스에서 성장해 헤타페를 거쳐, 2011년 발렌시아로 이적했다. 팀의 핵심으로 활약하다 2020년 비야레알로 이적한 후에도 여전히 건재함을 보여주고 있다.

출전경기	경기시간(분)	골	어시스트	경고	퇴장
36	2,281	3	3	8	-

MF 14 산티 코메사냐
Santi Comesaña

국적: 스페인

3부리그 코룩소에서 프로 무대를 밟았다. 2016년 라요 바예카노로 이적한 뒤 7시즌 동안 활약하며 두 번의 승격을 이끌었다.

2023-24시즌 자유계약(FA)으로 비야레알에 합류해 주로 6번과 8번에서 활약 중이다. 탈압박에 능하고, 중원에서 안정된 패스를 뿌릴 수 있다. 수비 상황에서는 188cm의 탄탄한 피지컬을 앞세운다. 지난 시즌 37경기 4골 2도움을 기록했다.

출전경기	경기시간(분)	골	어시스트	경고	퇴장
35	2,565	4	2	8	-

MF 16 토마스 파티
Thomas Partey

국적: 가나

아틀레티코 마드리드 유스에서 성장했다. 마요르카, 알메리아에서 임대로 경험을 쌓은 뒤 아틀레티코 중원의 핵심이 됐다. 2020년 아스널로 이적해 마르틴 외데고르, 데클란 라이스 등과 합을 맞췄다. 탄탄한 피지컬과 운동능력을 앞세운 수비력을 갖췄지만, 3선에서 뿌리는 패스의 퀄리티는 굳이 설명할 필요가 없다. 아스널에서는 풀백으로도 활약했다. 인버티드 역할을 맡으며 중원의 수를 더했다.

출전경기	경기시간(분)	골	어시스트	경고	퇴장
35	2,799	4	2	4	-

MF 17 타존 뷰캐넌
Tajon Buchanan

국적: 캐나다

캐나다 출신 1999년생 윙어다. 폭발적인 스피드와 돌파가 장점으로, 좌우 측면 모두 뛸 수 있다. 미국 MLS 뉴잉글랜드 레볼루션에서 두각을 보인 뒤 2022년 벨기에 클뤼프 브뤼허로 이적해 유럽 무대에 도전했다. 2024년 1월 세리에 A 인테르로 둥지를 옮기며 주목을 받았으나 별다른 활약을 보여주지 못했다. 지난 시즌 하반기 비야레알에 임대돼 13경기 1골 2도움을 기록, 올여름 완전이적했다.

출전경기	경기시간(분)	골	어시스트	경고	퇴장
13	414	1	2	2	-

MF 18 파페 게예
Pape Gueye

국적: 세네갈

190cm의 신장과 탄탄한 피지컬을 앞세워 중원을 장악한다. 뛰어난 운동능력, 활동량을 바탕으로 안정된 수비력을 갖춘 3선 미드필더다. 르아브르, 왓포드, 올랭피크 마르세유, 세비야를 거쳐 지난 시즌 비야레알에 합류했다.

마르세유 시절 스승이었던 마르셀리노 감독과 스페인에서 재회했다. 지난 시즌 초반 적응기를 거친 뒤에는 3선을 벗어나 2선에서도 활약했다. 36경기 5골을 기록했다.

출전경기	경기시간(분)	골	어시스트	경고	퇴장
34	2,232	4	-	4	2

MF 20 알베르토 몰레이로
Alberto Moleiro

국적: 스페인

주로 중앙 공격형 미드필더와 좌측 윙포워드를 소화한다. 2003년생 어린 나이답지 않은 테크닉과 전진능력을 통해 팀 공격을 이끌고 있다. 172cm의 단신이지만, 힘과 밸런스를 겸비해 쉽게 밀리지 않는다. 라스팔마스에서 성장해 1군 무대까지 밟은 '성골 유스'로, 2021년 10대 나이에 프로 데뷔했다.

알렉스 바에나를 떠나보낸 비야레알이 가장 많은 기대를 걸고 있는 공격수다.

출전경기	경기시간(분)	골	어시스트	경고	퇴장
35	2,729	6	1	5	-

FW 7 제라르 모레노
Gerard Moreno

국적: 스페인

날카로운 왼발 킥 능력이 최대 강점인 공격수. 빠른 발과 유려한 발기술을 보유해 측면과 최전방에 모두 나설 수 있다. 비야레알에서 성장해 마요르카 임대 후, 2015년 에스파뇰에서 팀의 해결사로 자리매김했다. 2018년 비야레알에서도 자신의 강점을 발휘하며 2020-21시즌에는 46경기 30골 11도움을 기록했다. 스페인 대표팀에도 차출될 재목이나, 잦은 부상이 덜미를 잡아 마음고생이 크다.

출전경기	경기시간(분)	골	어시스트	경고	퇴장
17	719	3	2	-	-

FW 9 조르지 미카우타제
Georges Mikautadze

국적: 조지아

프랑스 메스에서 성장해 2019년 프로에 데뷔했다. 세랭에서 임대를 통해 경험을 쌓은 뒤 2023년 아약스로 이적했으나 반 시즌 만에 경쟁에 밀려났고, 다시 메스로 복귀해 해결사로 활약했다.

지난 시즌 올랭피크 리옹으로 향했다. 유연한 몸놀림과 뛰어난 테크닉을 갖춘 최전방 공격수다. 공중볼 경합이 약점이지만, 이를 상쇄할 장점이 더 많다. 지난 시즌 17골 11도움을 기록했다.

출전경기	경기시간(분)	골	어시스트	경고	퇴장
7	481	-	-	-	-

FW 19 니콜라 페페
Nicolas Pepe

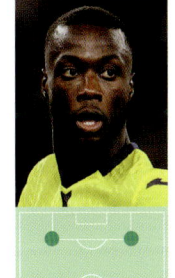

국적: 프랑스

화려한 테크닉과 빠른 속도를 이용한 돌파는 리그앙 시절 최고의 모습이었다. LOSC 릴에서 2018-19시즌 35개의 공격포인트를 기록하며 모두의 이목을 이끌었다. 2019년 아스널로 이적하며 천문학적 이적료를 기록했으나 부진 속 최악의 영입생으로 전락했다.

OGC니스, 트라브존스포르를 거쳐 지난 시즌 비야레알에 합류했다. 28경기 3골 6도움이지만, 영향력은 최고였다.

출전경기	경기시간(분)	골	어시스트	경고	퇴장
28	1,497	3	6	3	-

레알 베티스 발롬피에
Real Betis Balompié

TEAM PROFILE

창 립	1907년
회 장	앙헬 아로(스페인)
감 독	마누엘 페예그리니(칠레)
연 고 지	안달루시아 세비야
홈 구 장	에스타디오 베니토 비야마린(6만 721명)
라 이 벌	세비야 FC
홈페이지	www.realbetisbalompie.es

최근 5시즌 성적

시즌	순위	승점
2020-2021	6위	61점(17승10무11패, 50득점 50실점)
2021-2022	5위	65점(19승8무11패, 62득점 40실점)
2022-2023	6위	60점(17승9무12패, 46득점 41실점)
2023-2024	7위	57점(14승15무9패, 48득점 45실점)
2024-2025	6위	60점(16승12무10패, 57득점 50실점)

LA LIGA

통 산	우승 1회
24-25 시즌	6위(16승12무10패, 승점 60점)

COPA DEL REY

통 산	우승 3회
24-25 시즌	16강

UEFA

통 산	없음
24-25 시즌	없음

전력 분석 '로 셀소-이스코-안토니' 트리플 에이스

지난 시즌 레알 베티스는 이적시장에서 핵심 자원을 품었다. 토트넘에서 이적한 지오바니 로 셀소가 2선에서 34경기 9골 3도움으로 맹활약했고, 수비에는 중앙 수비수 디에고 요렌테가 안정감을 더했다. 임대 신분 나탕 또한 파트너로 두각을 나타냈다. 겨울 이적시장도 대성공이었다. 시즌 전반기에 부진을 겪었던 최전방 공격수 자리에 미국 메이저리그사커(MLS) 콜럼버스 크루의 쿠초 에르난데스를 품었다. 쿠초는 치미 아빌라, 세드릭 바캄부를 제치고 후반기 해결사로 활약했다. 측면에는 맨체스터 유나이티드 1,500억 원의 사나이 안토니가 합류, 에이스로 도약하며 후반 26경기 9골 5도움을 기록해 리그 6위와 함께 유럽축구연맹(UEFA) 컨퍼런스리그 준우승에 큰 힘을 보탰다. 올여름 가장 반가운 소식은 안토니의 합류다. 맨체스터 유나이티드와의 기나긴 협상 끝에 그를 다시 품게 됐다. 로 셀소-이스코-안토니로 이어지는 2선을 유지하며 다시 한번 베티스의 공격을 이끌 예정이다. 아쉬운 이탈도 있다. 중원의 핵심 조니 카르도소가 아틀레티코 마드리드로, 유망주 공격수 헤수스 로드리게스는 코모 1907로 향했다. 이에 맞춰 아틀레티코에서 성장한 로드리고 리켈메를 공격에, 2025 국제축구연맹(FIFA) 클럽월드컵에서 두각을 보인 넬손 데오사를 중원에, 수비에는 나탕을 완전영입했다.

전술 분석 클래식 10번에 대한 애착, 노련한 노장

펠레그리니 감독은 4-2-3-1 포메이션을 중용하며, 현대 축구에서 역할과 존재감이 줄어든 10번 역할에 대한 전술 고집을 갖고 있다. 10번 역할인 중앙 공격형 미드필더에게 자유도를 부여해 경기 영향력을 높이는 것이다. 감독의 전술은 레알 베티스에 빠르게 안착했다. 2020년 부임 후 5시즌 연속 유럽 클럽 대항전을 이끌었다. 지난 시즌에도 2선 자원의 활약이 도드라졌다. 이스코가 부상으로 전반기 이탈한 상황에서 로 셀소가 10번 역할로 기대 이상의 활약을 보였다. 쿠초 에르난데스, 안토니도 빠르게 힘을 발휘했다. 주로 왼쪽으로 공격을 전개, 로 셀소, 이스코, 압데 에잘줄리, 파블로 포르날스 등 2선 자원이 상대를 한쪽으로 몰아넣으면 전환 패스를 통해 반대편 안토니의 개인 능력을 활용했다. 시즌 초반 다소 주춤했지만, 후반기에 이스코의 복귀, 쿠초와 안토니의 능력을 앞세워 상승세를 맞았다. 이번 시즌, 이탈에 대한 대비는 착실했다. 조니 카르도소가 빠진 중원에 넬손 데오사가 합류했다. 수비는 유수프 사발리, 로망 페라우를 대신해 주니오르 피르포, 발렌틴 고메스가 합류했다. 골키퍼에는 베티스에서 성장해 2022-23시즌 라스 팔마스의 승격을 이끈 알바로 바예스를 영입했다.

시즌 프리뷰 20년 만에 챔스 도전!

레알 베티스의 지난 시즌 전반기와 하반기 흐름은 확연히 달랐다. 전반기 베티스는 마누엘 페예그리니 감독 시스템의 핵심인 이스코가 장기 부상으로 이탈했다. 이 시기 팀을 이끈 건 지오바니 로 셀소였다. 2선 공격형 미드필더 자리에서 팀 공격을 조율했다. 그러나 최전방의 치미 아빌라, 세드릭 바캄부, 빅토르 호키, 측면의 압데 에잘줄리, 로드리 산체스의 활약이 아쉬웠다.

후반기 들어서면서 이스코가 부상에서 복귀했다. 겨울 이적시장에서는 안토니와 쿠초 에르난데스가 합류했다. 빠르게 반등한 베티스는 리그 6위까지 올라서며 다음 시즌 유럽축구연맹(UEFA) 유로파리그 티켓을 거머쥐었다. 팀의 반등은 UEFA 컨퍼런스리그에서도 이어져 결승전까지 승승장구했다. 구단 첫 UEFA 대회 우승을 노렸지만, 첼시에 패하며 준우승에 머물렀다.

이번 시즌 베티스는 펠레그리니 감독의 계약 마지막 해에 접어든다. 지난 몇 시즌 동안 다시 중상위권으로 반등한 만큼 기회를 잡고자 한다. 유로파리그 우승 혹은 리그 상위권 진입을 통해 다음 시즌 챔피언스리그 무대에 도전한다. 베티스의 마지막 챔피언스리그 무대는 오래전 2005-06시즌이었다.

IN & OUT

주요 영입	주요 방출
나탕, 넬손 데오사, 도르리고 리켈메, 발렌틴 고메스, 주니오르 피르포, 파우 로페스, 알바로 바예스. 안토니, 소피앙 암라바트(임대)	조니 카르도주, 헤수스 로드리게스, 후이 실바, 로망 페라우, 알렉스 콜라도, 유수프 사빌리, 후안미, 윌리엄 카르발류, 보르하 이글레시아스

TEAM FORMATION

PLAN 4-2-3-1

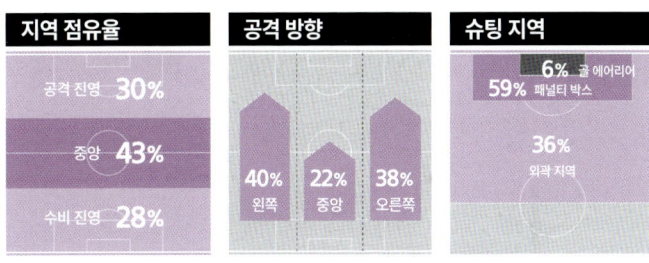

TEAM RATINGS

슈팅 7 | 패스 8 | 조직력 7 | 수비력 7 | 감독 7 | 선수층 7 | **43**

2024/25 프로필

팀 득점	57
평균 볼 점유율	52.40%
패스 정확도	83.70%
게임 평균 슈팅 수	13.9
경고	76
퇴장	4

골 타입: 오픈 플레이 56, 세트 피스 19, 카운터 어택 9, 패널티 킥 12, 자책골 4 (단위 %)

패스 타입: 쇼트 패스 86, 롱 패스 10, 크로스 패스 3, 스루 패스 0 (단위 %)

지역 점유율: 공격 진영 30%, 중앙 43%, 수비 진영 28%
공격 방향: 왼쪽 40%, 중앙 22%, 오른쪽 38%
슈팅 지역: 골 에어리어 6%, 패널티 박스 59%, 외곽 지역 36%

상대팀 최근 6경기 전적

구분	승	무	패
FC 바르셀로나		2	4
레알 마드리드	1	3	2
아틀레티코 마드리드	1	1	4
아틀레틱 빌바오	2	3	1
비야레알 CF	3	1	2
레알 베티스 발롬피에			
RC 셀타 데 비고	4	1	1
라요 바예카노	3	2	1
CA 오사수나	3	1	2
RCD 마요르카	5		1
레알 소시에다드	2	2	2
발렌시아 CF	2	2	2
헤타페 CF	3	2	1
RCD 에스파뇰	4	1	1
데포르티보 알라베스	1	3	2
지로나 FC	3	2	1
세비야 FC	1	4	1
레반테 UD	4		2
엘체 CF	4	1	1
레알 오비에도	3	3	

SQUAD

포지션	등번호	이름		생년월일	키(cm)	체중(kg)	국적
GK	1	알바로 바예스	Álvaro Valles	1997.07.25	191	83	스페인
DF	2	엑토르 베예린	Héctor Bellerín	1995.03.19	178	74	스페인
	3	디에고 요렌테	Diego Llorente	1993.08.16	186	75	스페인
	4	나탕	Natan	2001.02.06	188	84	브라질
	5	마르크 바르트라	Marc Bartra	1991.01.15	184	73	스페인
	12	리카르도 로드리게스	Ricardo Rodríguez	1992.08.25	182	77	스위스
	16	발렌틴 고메스	Valentín Gómez	2003.06.26	181	75	아르헨티나
	23	주니오르 피르포	Junior Firpo	1996.08.22	184	78	도미니카공화국
	24	아이토르 루이발	Aitor Ruibal	1996.03.22	176	75	스페인
MF	6	세르지 알티미라	Sergi Altimira	2001.08.25	188	80	스페인
	8	파블로 포르날스	Pablo Fornals	1996.02.22	178	67	스페인
	14	소피앙 암라바트	Sofyan Amrabat	1996.08.21	185	70	모로코
	18	넬손 데오사	Nelson Deossa	2000.02.06	185	72	콜롬비아
	20	지오바니 로셀소	Giovani Lo Celso	1996.04.09	177	68	아르헨티나
	21	마르크 로카	Marc Roca	1996.11.26	184	74	스페인
	22	이스코	Isco	1992.04.21	176	79	스페인
FW	7	안토니	Antony	2000.02.24	172	63	브라질
	9	치미 아빌라	Chimy Ávila	1994.02.06	172	81	아르헨티나
	10	압데 에잘줄리	Abde Ezzalzouli	2001.12.17	177	73	모로코
	11	세드릭 바캄부	Cédric Bakambu	1991.04.11	182	70	콩고
	17	로드리고 리켈메	Rodrigo Riquelme	2000.04.02	174	68	스페인
	19	쿠초 에르난데스	Cucho Hernández	1999.04.02	176	73	콜롬비아

COACH

마누엘 펠레그리니
Manuel Pellegrini
1953년 9월 16일생 칠레

1988년부터 현재까지 37년째 지도자의 길을 걷고 있는 71세 노장이다. 현대 축구로 오며 점차 역할이 줄어든 10번을 여전히 중용하는 감독이다. 지도자 커리어 초반 남미에서 주로 활약했다. 2004년 비야레알 감독으로 부임하며 유럽으로 무대를 옮겼고, 상승세를 이끌며 지도력을 입증했다. 이후 레알 마드리드에서 실패를 겪었지만, 말라가의 챔피언스리그 진출, 맨체스터 시티의 비유럽 출신 첫 프리미어리그 우승 등의 업적을 세웠다. 레알 베티스에는 2020년 부임했다.

PLAYERS

MF 22 이스코
Isco
KEY PLAYER ★★★

국적: 스페인

현대 축구에서 10번의 역할이 사라지는 것이 정말 아쉬울 정도로 10번에 가장 잘 어울리는 선수다. 유려한 발기술과 볼 컨트롤, 창의적인 패스를 통한 기회 창출은 라리가 내 최정상급이다.
발렌시아에서 성장해 프로 무대를 밟았다. 2011년 말라가로 이적해 어린 나이부터 두각을 보였다. 당시 마누엘 펠레그리니와 최고의 호흡을 보였다. 2013년에는 레알 마드리드로 이적해 월드클래스 반열에 올랐다. 레알에서 주축으로 활약했으나 잦은 부상과 부진이 겹치며 떠났고, 2022-23시즌에는 세비야에서 반년 활약한 뒤 계약을 해지했다. 후반기 이적이 불발되면서 무직 기간을 가진 뒤 2023년 여름 레알 베티스 유니폼을 입었다.

출전경기	경기시간(분)	골	어시스트	경고	퇴장
22	1,552	9	8	5	-

GK 1 알바로 바예스
Álvaro Valles

국적: 스페인

레알 베티스에서 성장한 골키퍼. CD 헤레나를 거쳐 2018년 라스팔마스로 이적했다. 2019년부터 1군 무대를 밟았다. 2022-23시즌 팀의 주전 골키퍼로 도약했고, 엄청난 활약 속 1부 승격을 이끌었다. 2023-24시즌 라리가에서도 잠재력을 인정받으며 빅 클럽의 관심을 받았다. 지난 시즌 이적 문제로 구단과 마찰을 빚으며 한 경기도 나서지 못했다. 계약 해지 후, 올여름 베티스에 합류했다.

출전경기	경기시간(분)	실점	무실점(경기)	경고	퇴장
37	3,264	44	9	2	1

DF 3 디에고 요렌테
Diego Llorente

국적: 스페인

레알 마드리드에서 성장해 2013년 1군 무대를 밟았다. 경험을 쌓기 위해 라요 바예카노, 말라가로 임대를 떠났고, 2017년 레알 소시에다드로 완전이적했다. 스페인 출신다운 부드러운 발밑과 안정된 빌드업을 능력을 갖췄고, 특히 롱 패스가 강점이다. 2020년 리즈 유나이티드로 향하며 프리미어리그 무대에 도전했으나 실패했다. AS 로마를 거쳐 지난 시즌 레알 베티스에 합류하며 주축이 됐다.

출전경기	경기시간(분)	골	어시스트	경고	퇴장
30	2,522	2	-	4	-

DF 4 나탕
Natan

국적: 브라질

2001년생 브라질 수비수로, 저돌적인 수비를 보여준다. 최대 강점은 왼발을 앞세운 빌드업 능력. 2020년 플라멩구에서 성장해 레드불 브라간치누를 거쳐 2023-24시즌을 앞두고 세리에 A 나폴리에 입단했다. 당시 김민재의 공백을 대체하기 위해 영입됐다. 상반기 주전으로 활약하다 후반기에는 외면받았다. 1년 만에 방출 대상에 올랐고, 지난 시즌 레알 베티스 합류 후, 올여름 완전이적했다.

출전경기	경기시간(분)	골	어시스트	경고	퇴장
31	2,172	1	1	5	1

DF 5 마르크 바르트라
Marc Bartra

국적: 스페인

바르셀로나 라마시아 출신으로, 2012년 1군에서 활약하다 주전 경쟁에서 밀려났다. 보루시아 도르트문트에서 팀의 핵심이 됐지만 오래 활약하지 못했다. 2018년 레알 베티스로 이적해 전성기를 맞았고, 이어 2022년 트라브존스포르로 떠난 뒤 1년 만에 복귀했다.
안정된 빌드업과 빠른 속도를 통한 뒷공간 커버 능력을 갖췄다. 다만 잦은 부상 이력이 흠이다.

출전경기	경기시간(분)	골	어시스트	경고	퇴장
25	2,101	2	1	2	-

DF 23 주니오르 피르포
Júnior Firpo

국적: 도미니카 공화국

왕성한 활동량, 빠른 속도와 적극적인 공격 가담에 강점이 있다. 레알 베티스 유스에서 성장한 뒤 2018년 1군 무대를 밟았다. 인상적인 활약 속 2년 만에 명문 바르셀로나로 향했다. 그러나 바르셀로나에서 주전 경쟁에서 완전히 밀려났다. 결국 2021년 리즈 유나이티드로 이적해 팀의 주축으로 활약했지만, 강등을 면치 못했다.
지난 시즌 1부 승격을 이끈 뒤 FA로 베티스에 복귀했다.

출전경기	경기시간(분)	골	어시스트	경고	퇴장
32	2,622	4	10	7	-

DF 24 아이토르 루이발
Aitor Ruibal

국적: 스페인

빠른 속도와 돌파 능력을 갖췄다. 여기에 오른발 킥 능력까지 겸비했다. 주로 우측 윙어에서 뛰지만, 윙백과 풀백 역할까지 소화할 수 있는 멀티성을 보유했다. 하부리그인 만레사, 코르네야, 로스피탈레트에서 활약하다 2017년 레알 베티스에 합류했다. 카르타헤나, 라요 마하다온다, 레가네스에서 임대 생활을 보낸 뒤 2021년부터 1군 전력으로 자리를 잡았다. 지난 시즌 주로 풀백으로 뛰었다.

출전경기	경기시간(분)	골	어시스트	경고	퇴장
29	1,311	1	3	5	-

MF 6 세르지 알티미라
Sergi Altimira

국적: 스페인

188㎝의 신장과 탄탄한 피지컬로 포백 앞을 지키는 수비형 미드필더이다. 적극적인 볼 경합과 압박으로 상대 공격을 차단하며, 때로는 전진해 과감한 중거리 슈팅을 시도하기도 한다.

바르셀로나 유스에서 성장해 사바델을 거쳐 2023년 레알 베티스에 합류했다. 2001년생으로 여전히 성장 중이다. 확고한 주전은 아니지만 지난 시즌 공식전 53경기 3,101분 출전해 준수한 활약을 펼쳤다.

출전경기	경기시간(분)	골	어시스트	경고	퇴장
32	1,978	-	1	4	-

MF 8 파블로 포르날스
Pablo Fornals

국적: 스페인

2선과 3선, 좌우 측면까지 소화 가능한 멀티 자원으로 부드러운 발기술과 안정적인 드리블, 패스를 갖춘 테크니션이다.

말라가에서 데뷔해 비야레알에서 성장했다. 2019년 웨스트햄으로 이적해 주축으로 활약하며 유로파리그 우승에도 기여했다. 2023-24시즌 들어서며 입지가 줄어들었고, 시즌 도중 레알 베티스로 이적했다. 강점인 멀티성을 살려 다양한 포지션에서 제 몫을 다하고 있다.

출전경기	경기시간(분)	골	어시스트	경고	퇴장
26	1,838	2	-	2	-

MF 18 넬슨 데오사
Nelson Deossa

국적: 콜롬비아

2000년생 콜롬비아 미드필더. 여전히 성장 가능성이 큰 선수로, 주로 6번과 8번 역할을 소화한다. 자국 아틀레티코 우일라에서 2021년 데뷔해 에스투디안테스, 아틀레티코 후니오르, 아틀레티코 나시오날에서 임대를 통해 경험을 쌓았다. 파추카를 거쳐 몬테레이에서 활약했다. 올해 여름에는 2025 국제축구연맹(FIFA) 클럽월드컵에 출전해 벼락같은 왼발 중거리포로 자신의 이름을 처음 알렸다.

출전경기	경기시간(분)	골	어시스트	경고	퇴장
33	2,306	5	3	7	-

MF 20 지오바니 로 셀소
Giovani Lo Celso

국적: 아르헨티나

드리블 능력을 갖춘 미드필더로, 2선과 3선을 모두 소화한 멀티 플레이어이다. 자국에서 프로 데뷔 후 2016년 파리 생제르맹으로 이적했다. 주전 경쟁에서 밀려나며 2018년 레알 베티스로 이적했고, 잠재력을 터뜨리며 토트넘으로 향했으나 꾸준하지는 못했다. 2022년 비야레알에서 성공적인 임대 후에도 토트넘에 자리는 없었다.

지난 시즌 베티스로 복귀해 핵심 중핵심으로 활약 중이다.

출전경기	경기시간(분)	골	어시스트	경고	퇴장
25	1,458	8	3	4	-

FW 7 안토니
Antony

국적: 브라질

2000년생 브라질 출신 측면 공격수이다. 상파울루를 거쳐 2020년 아약스에서 잠재력을 인정받고 드리블과 왼발 킥 능력으로 주목을 받았다. 2022년 스승이었던 에릭 텐 하흐를 떠나 맨체스터 유나이티드로 향했다. 무려 옵션 포함 1억 유로의 이적료를 기록했다. 많은 기대를 모았지만 최악의 이적생으로 평가받았다.

지난 시즌 후반기 레알 베티스로의 임대가 신의 한 수가 됐다.

출전경기	경기시간(분)	골	어시스트	경고	퇴장
25	1,500	5	2	2	1

FW 9 치미 아빌라
Chimy Ávila

국적: 아르헨티나

준수한 기술과 힘을 갖춘 포처 유형의 공격수다. 173cm의 크지 않은 신장에도 오프 더 볼 움직임이 좋아 헤더에 강점이 있다. 자국에서 프로 데뷔해 2017년 우에스카로 이적하며 유럽 무대를 밟았다.

팀의 해결사로 활약했고, 2019년 오사수나로 옮겨 라리가에서도 두각을 보이는 듯했다. 그러나 불행히도 두 번의 십자인대 부상 후 주춤하고 있다. 지난 시즌 32경기 4골에 그쳤다.

출전경기	경기시간(분)	골	어시스트	경고	퇴장
19	672	2	-	5	1

FW 10 압데 에잘줄리
Abde Ezzalzouli

국적: 모로코

3부 리그 에르쿨레스에서 프로 무대를 밟았다. 이후 바르셀로나 유스로 이적해 성장했고, 2021년 1군에 합류했다. 빠른 속도를 앞세운 돌파를 통해 상대 수비를 흔드는 능력이 있다. 좌우 측면에서 자기의 강점을 발휘할 수 있는 유형.

2022-23시즌 오사수나 임대를 떠나 경험을 쌓았고, 2023-24시즌 출전 기회를 위해 레알 베티스에 합류했다. 지난 시즌 49경기 9골을 기록했다.

출전경기	경기시간(분)	골	어시스트	경고	퇴장
32	1,999	2	2	2	-

FW 17 로드리고 리켈메
Rodrigo Riquelme

국적: 스페인

유스팀에서 성장한 아틀레티코 마드리드의 기대주였다. 본머스, 미란데스, 지로나 임대 생활을 거쳐 가파른 성장세를 보여줬다. 2023-24시즌 아틀레티코로 복귀해 꾸준히 기회를 받았으나, 지난 시즌 후반기 경쟁에서 밀려나며 벤치를 지키는 시간이 많았다.

이번 여름 아틀레티코에 경쟁자가 합류하며 레알 베티스 이적을 선택했다. 공격 전 지역을 뛸 수 있는 멀티플레이어다.

출전경기	경기시간(분)	골	어시스트	경고	퇴장
16	509	-	1	5	-

FW 19 쿠초 에르난데스
Cucho Hernandez

국적: 콜롬비아

1999년생 콜롬비아 공격수다. 전형적인 포처 유형의 공격수로, 민첩한 움직임과 정확한 결정력을 자랑한다. 2015년 자국 데포르티보 페레이라에서 데뷔했고 2017년 그라나다로 이적해 유럽 무대를 밟았다.

이후 왓포드, 우에스카, 마요르카, 헤타페를 거쳤으나 만족스럽지 못했다.

2022년 MLS에서 부활해 지난 시즌 겨울 레알 베티스에 합류해 팀의 해결사로 자리매김했다.

출전경기	경기시간(분)	골	어시스트	경고	퇴장
15	1,149	5	1	-	-

셀타 데 비고
Celta de Vigo

TEAM PROFILE	
창 립	1923년
회 장	마리안 무리뇨(스페인)
감 독	클라우디오 히랄데스(스페인)
연 고 지	폰테베드라 주 비고
홈 구 장	에스타디오 아방카 발라이도스 (2만 4,870명)
라 이 벌	데포르티보 라 코루냐
홈페이지	www.rccelta.es/

최근 5시즌 성적

시즌	순위	승점
2020-2021	8위	53점(14승11무13패, 55득점 57실점)
2021-2022	11위	46점(12승10무16패, 43득점 43실점)
2022-2023	13위	43점(11승10무17패, 43득점 53실점)
2023-2024	14위	41점(10승11무17패, 46득점 57실점)
2024-2025	7위	55점(16승7무15패, 59득점 57실점)

LA LIGA

통 산	없음
24-25 시즌	7위(16승7무15패, 승점 55점)

COPA DEL REY

통 산	없음
24-25 시즌	16강

UEFA

통 산	없음
24-25 시즌	없음

 ## 스리톱 주목! 비싸게 팔고, 싸게 사고

지난 시즌 알짜 영입을 통해 반등에 성공했다. 여름에 합류한 최전방 공격수 보르하 이글레시아스가 6년 만에 친정팀에 임대돼 해결사 역할을 맡았고, RB 라이프치히에서 성장한 미드필더 일라이스 모리바는 반등의 주역으로 활약했다. 후방에는 자유계약으로 이적한 마르코스 알론소가 중앙 수비수로 확고한 입지를 굳히며 안정감을 더했다. 이번 시즌, 예르겐 스트랑 라르센과 유망주 공격수 페르 로페스가 울버햄튼으로 향하며 셀타는 총 5,000만 유로의 이적료를 챙겼다. 유럽축구연맹(UEFA) 유로파리그에 나서는 만큼 임대생 신분이었던 이글레시아스, 모리바의 영입에 700만 유로를 투자했다. 여기에 최전방 힘을 보태기 위해 페란 주트글라를 품었다. 추가로 그라나다에서 두각을 나타내 바이에른 뮌헨으로 향한 브리안 사라고사를 임대 영입하며 사라고사-주트글라-이아고 아스파스로 이어지는 스리톱을 구축했다. 중원에는 지난 시즌 핵심 모리바-프란 벨트란 라인을 유지했고, 후방 역시 알론소, 칼 스타펠트, 오스카르 밍게사, 하비 로드리게스가 지난 시즌에 이어 자리를 지킬 예정이다. 2016-17시즌 이후 8년 만에 UEFA 주관 대회에 나선다. 라리가와 코파 델 레이까지 병행하는 만큼 주전과 백업 선수들의 적절한 로테이션 또한 필요하다.

 ## '볼 점유율 + 압박 강조' 히랄데스 표 공격 스리백

히랄데스 감독은 3-4-3, 3-4-2-1 포메이션을 앞세우며 점차 공격적으로 변모했다. 공격 상황에서 스토퍼와 풀백의 인버티드 움직임을 통해 중원의 수적 우위를 점한다. 이때 다른 중앙 미드필더는 2선으로 전진해 하프 스페이스를 공략한다. 중원에는 3명 이상의 선수가 배치되어 측면 전개뿐 아니라 중앙으로 직접 파고든다. 후방에서부터 차근히 빌드업을 시도하기 때문에 점유율이 높다. 지난 시즌 경기당 평균 점유율 53.8%로 리그 전체 5위를 기록했다. 공격에서는 에이스 이아고 아스파스의 역할이 크다. 주로 하프 스페이스 공간에서 활약하며 플레이메이커 역할로 공격을 이끈다. 이때 우측 윙백 오스카르 밍게사, 최전방 공격수 보르하 이글레시아스가 오프 더 볼 움직임을 통해 공간 창출을 돕는다. 이번 시즌에는 페란 주트글라와 브리안 사라고사의 합류로 더욱 날카로운 공격을 보여줄 것이다. 수비 상황에서는 5-2-3 형태를 고수하나, 전방에서부터 강하게 압박을 시도한다. 이때 4-4-2 형태로 조직력을 앞세운다. 공격수 한 명이 중원으로, 중앙 미드필더 한 명이 센터백 사이로 내려서며 포백을 형성한다. 포지션 변동이 많아 역습에 취약한 약점을 보완하고 있다.

시즌 프리뷰 히랄데스호 셀타, 다크호스로 떠오르나!

셀타 데 비고가 2011-12시즌 라리가2에서 우승해 1부에 승격한 이후 기록한 최고 성적은 2015-16시즌 6위다. 2020-21시즌(8위)을 제외하면 아쉬운 성적이었으나, 지난해 3월 히랄데스 감독 부임 후 반등했다. 2023-24시즌은 시즌 막판 합류해 성과를 만들기 힘들었으나 지난 시즌에는 처음부터 팀을 이끌며 반등했다. 시즌 중반까지 과도기를 거치며 아쉬운 흐름을 보였지만 후반기에 8경기 무패를 내달리며 수직 상승했고, 7위 자리를 유지했다. 라리가의 유럽축구연맹(UEFA) 랭킹 2위에 오르며 5위까지 주는 챔피언스리그 티켓이 주어졌고, 차순위에 유로파리그와 컨퍼런스리그 티켓이 부여됐다. 셀타는 바르셀로나(리그 우승)의 코파 델 레이 우승으로 유로파리그 무대에 나서게 됐다. 2016-17시즌 이후 8년 만이다.

이번 시즌은 유로파리그를 비롯해 라리가, 코파 델 레이까지 빡빡한 일정을 소화해야 한다. 이적시장에 적극적으로 나섰던 이유도 이 때문이다. 페란 주트글라, 브리안 사라고사를 합류시키며 공격진을 늘렸다. 히랄데스 감독 체제에서 1990년대 후반부터 2000년대 초반까지의 전성기를 되살릴 수 있을지 주목된다.

IN & OUT

주요 영입	주요 방출
페란 주트글라, 보르하 이글레시아스, 일라이스 모리바, 브리안 사라고사, 이오누츠 라두(임대)	예르겐 스트랑 라르센, 페르 로페스, 미겔 로드리게스, 알폰 곤잘레스, 마누 산체스, 우나이 누네스, 하비에르 만키요, 빈센테 과이타

TEAM FORMATION

PLAN 3-4-2-1

TEAM RATINGS

슈팅	7
패스	7
수비력	7
선수층	7
감독	7
조직력	6

41

2024/25 프로필

팀 득점	59
평균 볼 점유율	53.60%
패스 정확도	85.30%
게임 평균 슈팅 수	11.9
경고	78
퇴장	6

골 타입

오픈 플레이	69
세트 피스	8
카운터 어택	7
패널티 킥	14
자책골	2

단위 (%)

패스 타입

쇼트 패스	89
롱 패스	9
크로스 패스	2
스루 패스	0

단위 (%)

지역 점유율

공격 진영	27%
중앙	46%
수비 진영	27%

공격 방향

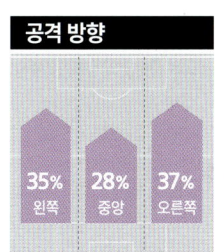

왼쪽	중앙	오른쪽
35%	28%	37%

슈팅 지역

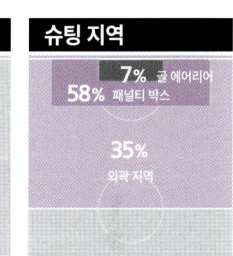

골 에어리어	7%
패널티 박스	58%
외곽 지역	35%

상대팀 최근 6경기 전적

구분	승	무	패
FC 바르셀로나	1	1	4
레알 마드리드			6
아틀레티코 마드리드		1	5
아틀레틱 빌바오	2		4
비야레알 CF	2	1	3
레알 베티스 발롬피에	1	1	4
RC 셀타 데 비고			
라요 바예카노	1	3	2
CA 오사수나	2	1	3
RCD 마요르카	2	1	3
레알 소시에다드	2	2	2
발렌시아 CF	2	2	2
헤타페 CF	2	2	2
RCD 에스파뇰	1	1	4
데포르티보 알라베스	3	2	1
지로나 FC	1	3	2
세비야 FC	2	3	1
레반테 UD	2	2	2
엘체 CF	4	1	1
레알 오비에도	4		2

SQUAD

포지션	등번호	이름		생년월일	키(cm)	체중(kg)	국적
GK	1	이반 빌라르	Iván Villar	1997.07.09	186	76	스페인
DF	2	칼 스타르펠트	Carl Starfelt	1995.06.01	187	80	스웨덴
	3	오스카르 밍게사	Óscar Mingueza	1999.05.13	184	75	스페인
	4	조셉 에이두	Joseph Aidoo	1995.09.29	181	80	가나
	5	세르히오 카레이라	Sergio Carreira	2000.10.13	170	65	스페인
	20	마르코스 알론소	Marcos Alonso	1990.12.28	188	81	스페인
	21	미하일로 리스티치	Mihailo Ristić	1995.10.31	180	73	세르비아
	24	카를로스 도밍게스	Carlos Domínguez	2001.02.11	187	81	스페인
MF	6	일라익스 모리바	Ilaix Moriba	2003.01.19	185	73	기니
	8	프란 벨트란	Fran Beltrán	1999.02.03	170	66	스페인
	14	다미안 로드리게스	Damián Rodríguez	2003.03.17	180	75	스페인
	16	미겔 로만	Miguel Román	2002.12.26	178	70	스페인
	22	우고 소텔로	Hugo Sotelo	2003.12.19	180	76	스페인
FW	7	보르하 이글레시아스	Borja Iglesias	1993.01.17	187	86	스페인
	9	페란 주트글라	Ferran Jutglà	1999.02.01	175	75	스페인
	10	이아고 아스파스	Iago Aspas	1987.08.01	176	67	스페인
	11	프랑코 체르비	Franco Cervi	1994.05.26	165	67	아르헨티나
	15	브리안 사라고사	Bryan Zaragoza	2001.09.09	164	60	스페인
	18	파블로 두란	Pablo Durán	2001.05.25	176	71	스페인
	19	윌리엇 스웨드버그	Williot Swedberg	2004.02.01	185	80	스웨덴
	23	우고 알바레스	Hugo Álvarez	2003.07.02	176	72	스페인
	39	존스 델 압델라위	Jones El-Abdellaoui	2006.01.12	184	-	모로코

COACH

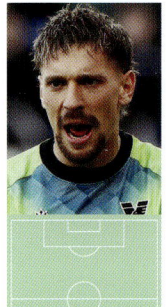

현역 시절 레알 마드리드 유스인 카스티야에서 성장했다. 폰테베드라, 오우렌세, 코룩소 등 주로 하부리그에서 활약한 뒤 31세 나이에 은퇴했다. 선수 시절 포리뇨의 유스 코치를 겸직하기도 했다.

2016년 셀타 유스 코치를 시작으로 C, B팀을 차례로 거친 뒤, 2024년 3월 1군 지휘봉을 잡았다. 강한 압박과 점유율을 무기로 삼아 3-4-2-1 포메이션으로 셀타의 색깔을 재정립했다. 지난 시즌 리그 7위, 유럽축구연맹(UEFA) 유로파리그 진출을 이끌었다.

클라우디오 히랄데스
Claudio Giráldez
1988년 2월 24일생 스페인

PLAYERS

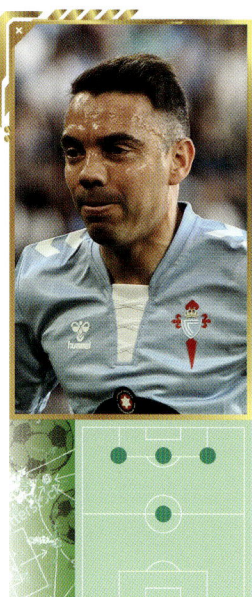

FW 10 이아고 아스파스
Iago Aspas

KEY PLAYER

국적: 스페인

셀타 데 비고를 대표하는 상징적인 공격수. 1987년생으로 황혼기지만, 경기 운영 능력과 노련미를 바탕으로 점점 축구 도사의 면모를 보여주며 건재함을 과시하고 있다. 셀타에서 성장한 프랜차이즈 스타로, 2008년 1군 무대에 데뷔해 에이스로 맹활약했다. 2013년 리버풀로 이적하며 프리미어리그에 도전했으나 적응하지 못해 부진했다. 1년 만에 세비야 임대를 떠나며 점차 부활하기 시작했다. 2015년에는 고향팀 셀타로 돌아와 전성기를 열며 현재까지 10년 동안 꾸준함을 보여주고 있다. 셀타 통산 524경기 214골을 기록 중으로, 최다 출전 2위와 최다 골의 주인공이다. 조만간 최다 출전 기록까지 갈아치울 가능성이 높다. 곧 팀의 살아있는 전설로 군림할 예정이다.

출전경기	경기시간(분)	골	어시스트	경고	퇴장
30	1,747	10	5	4	1

GK 13 이오누츠 라두
Ionuț Radu

국적: 루마니아

루마니아 부쿠레슈티 출신 골키퍼이다. 민첩한 반사신경을 통한 선방 능력을 갖췄다. 자국에서 성장한 그는 2013년 인테르나치오날레 유스팀에 입단했다. 2016년 프로 데뷔 후 아벨리노, 제노아 임대를 떠났다. 완전이적 후 얼마 지나지 않아 인테르가 바이백 조항을 발동했으나, 사미르 한다노비치에게 밀려 백업이 됐다. 다시 임대 생활을 하다 올여름 자유계약으로 셀타 데 비고에 합류했다.

출전경기	경기시간(분)	실점	무실점(경기)	경고	퇴장
15	1,350	18	4	1	-

DF 2 칼 스타펠트
Carl Starfelt

국적: 스웨덴

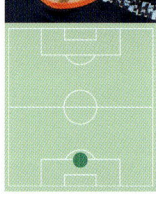

발밑이 좋아 빌드업을 주도할 수 있고 상대의 움직임을 예측하는 능력 또한 뛰어나다. 스웨덴 출신으로 자국 IF 브롬마포이카르나에서 성장해 2013년 프로 무대를 밟았다. 2021년 셀틱으로 이적하며 이름을 알리기 시작했다. 당시 셀틱의 핵심으로 성장해 두각을 보였다. 2022-23시즌 팀의 도메스틱 트레블(자국 대회 3관왕)을 이끈 뒤 2023년 셀타 데 비고 합류 후 꾸준히 주전으로 활약 중이다.

출전경기	경기시간(분)	골	어시스트	경고	퇴장
28	2,273	1	-	5	-

DF 3 오스카르 밍게사
Óscar Mingueza

국적: 스페인

바르셀로나 유스 라마시아 출신이다. 2020-21시즌 1군에 콜업돼 기회를 잡아갔다. 본래 포지션인 풀백에서부터 중앙 수비수까지 소화하며 후방을 책임졌다. 2021-22시즌을 끝으로 계속되는 부진 속 바르셀로나를 떠났고, 2022-23시즌을 앞두고 셀타 데 비고에 합류했다. 셀타 합류 후에 전성기를 맞았다. 왕성한 활동량과 공수 양면으로 최고의 활약을 펼치며 팀의 살림꾼으로 변신했다.

출전경기	경기시간(분)	골	어시스트	경고	퇴장
34	2,740	4	6	6	1

DF 17 하비 루에다
Javi Rueda

국적: 스페인

좌우 측면과 풀백, 윙어 모두 소화할 수 있으며 공격에 더 강점이 있다. 말라가, 레알 마드리드 유스팀에서 성장한 뒤 2021년 SS 레이예스 임대를 통해 프로 무대를 밟았다. 무르시아를 거쳐 2023년 셀타에 합류했다.

주로 B팀에서 합류 후 지난 시즌에는 경험을 쌓기 위해 2부 리그의 알베세테로 임대돼 팀의 주축으로 활약했다. 31경기 4골 1도움을 기록했다.

출전경기	경기시간(분)	골	어시스트	경고	퇴장
31	2,175	4	1	7	-

DF 20 마르코스 알론소
Marcos Alonso

국적: 스페인

스리백과 포백을 가리지 않으며, 풀백, 센터백, 윙백 등 다양한 역할을 소화할 수 있다. 최대 강점은 파괴적인 왼발 킥 능력이다. 전담 키커로 배정됐을 만큼 위협적이다. 레알 마드리드 유스팀에서 성장해 2010년 1군에 콜업됐다. 볼턴 원더러스, 피오렌티나, 선덜랜드를 거쳐 2016년 첼시에서 전성기를 맞았다. 이후 바르셀로나에서 부진했으나, 2024년 셀타에서 센터백으로 맹활약하고 있다.

출전경기	경기시간(분)	골	어시스트	경고	퇴장
31	2,656	3	-	9	2

DF 21 미하일로 리스티치
Mihailo Ristić

국적: 세르비아

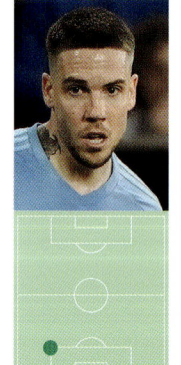

세르비아 출신 1995년생 레프트백. 공수 양면에 걸쳐 준수한 모습을 보여주고 있다. 왼발 킥이 날카로운 선수다.

세르비아 명문 츠르베나 즈베즈다에서 성장해 2013년 프로 무대에 데뷔했다. 크라스노다르, 스파르타 프라하, 몽펠리에, 벤피카 등 다양한 경험을 거쳤다. 2023-24시즌 셀타 데 비고로 이적해 두 번째 시즌을 맞이했다. 준수한 백업이지만, 잦은 부상이 발목을 잡는다.

출전경기	경기시간(분)	골	어시스트	경고	퇴장
10	432	-	1	1	-

DF 32 하비 로드리게스
Javi Rodríguez

국적: 스페인

2003년생 유망주 수비수. 어린 나이답지 않게 경기 집중력이 높다. 안정된 발밑과 탄탄한 수비력을 보유했다. 풀백과 중앙 수비수를 오갈 수 있으며, 클라우디오 히랄데스 감독 체제에서는 스리백의 스토퍼로 성장해 팀의 핵심이 됐다. 셀타 데 비고 유스에서 성장한 '성골 유스'로 C, B팀을 단계적으로 거쳐 2023년 프로 무대에 데뷔했다. 지난 시즌 주로 선발로 출전하며 42경기 3골 3도움을 기록했다.

출전경기	경기시간(분)	골	어시스트	경고	퇴장
36	2,514	3	2	7	-

MF 6 일라이스 모리바
Ilaix Moriba

국적: 기니

제2의 야야 투레라 평가받았던 2003년생 유망주다. 바르셀로나 라 마시아에서 성장해 2021년 1군 무대를 밟았다. 바르셀로나 중원의 희망이 될 것으로 여겨졌다. 하지만 재계약 과정에서 미숙한 모습을 보이며 팬들의 원성을 샀다.

출전을 위해 라이프치히로 향했지만 자리 잡지 못했다. 결국 반년 만에 임대 생활을 전전하다 지난 시즌 셀타 데 비고에 합류했고, 올여름 완전이적했다.

출전경기	경기시간(분)	골	어시스트	경고	퇴장
33	2,135	1	1	7	1

MF 8 프란 벨트란
Fran Beltrán

국적: 스페인

1999년생 미드필더로 전 지역을 소화할 수 있는 멀티 플레이어. 왕성한 활동량과 날카로운 킥 능력이 강점이다. 라요 바예카노 유스팀에서 성장해 2016년 프로 무대에 데뷔했다. 2018년 셀타 데 비고로 이적해 꾸준함을 보여주고 있다. 2021-22 시즌부터 주전으로 활약 중이며, 클라우디오 히랄데스 감독 체제에서는 빌드업의 출발점이자 역습 상황에서 센터백을 보호하는 역할을 맡고 있다.

출전경기	경기시간(분)	골	어시스트	경고	퇴장
34	2,431	2	1	3	-

MF 22 우고 소텔로
Hugo Sotelo

국적: 스페인

셀타 데 비고 유스팀에서 성장했다. 2003년생 유망주로, 안정된 볼 소유와 경기를 풀어가는 능력을 갖췄다. 전진 패스와 드리블 전개 능력을 통해 공격적인 역할을 수행하고 있다. 2021-22시즌 1군 데뷔 후 꾸준히 출전 시간을 늘려갔다. 지난 시즌부터는 팀의 백업으로 활약했다. 공식전 27경기 1,455분 출전해 1골을 기록했다. 주로 6번 수비형과 8번(박스 투 박스형)역할을 부여받았다.

출전경기	경기시간(분)	골	어시스트	경고	퇴장
24	1,259	-	-	5	-

FW 7 보르하 이글레시아스
Borja Iglesias

국적: 스페인

187cm의 큰 키와 탄탄한 피지컬을 보유한 타겟형 공격수이다. 2014년 셀타 데 비고에서 프로 무대를 밟았다. 2018년 에스파뇰로 임대 후 17골을 터뜨리며 자신의 잠재력을 뽐냈다. 2019년 레알 베티스로 둥지를 옮기며 주전으로 활약했다. 그러나 부진에 빠지며 경쟁에서 밀려났고, 바이어 레버쿠젠 임대 생활을 거쳤다. 복귀 후 곧바로 셀타로 임대를 떠난 뒤 올여름 완전이적했다.

출전경기	경기시간(분)	골	어시스트	경고	퇴장
37	1,967	11	3	2	-

FW 9 페란 주트글라
Ferran Jutglà

국적: 스페인

에스파뇰에서 성장해 바르셀로나 유스를 거쳐 2021년에는 1군 무대에서도 활약한 바 있다. 당시 B팀에서 19골을 터뜨리는 괴력을 보였다. 최전방과 측면을 오갈 수 있을 만큼 스피드도 보유했고, 성실한 움직임을 통해 상대 수비를 압박한다. 개인 돌파보다는 주변 동료와 연계에 능하다.

2022년 클뤼프 브뤼허로 이적해 팀의 주전으로 활약하며 148경기 40골 24도움을 기록했다.

출전경기	경기시간(분)	골	어시스트	경고	퇴장
36	1,706	10	3	2	-

FW 16 브리안 사라고사
Bryan Zaragoza

국적: 스페인

2001년생 공격수로, 2선 전 지역을 소화할 수 있는 멀티 플레이어다. 드리블 돌파와 유려한 발재간을 가졌다. 그라나다 유스에서 성장해 2020년 3부 엘 에히도에서 임대 생활을 했고, 2021년 그라나다로 복귀해 핵심이 됐다.

2023-24시즌 바이에른 뮌헨 이적을 확정했지만 7경기 출전에 그치며 기회를 받지 못했다. 후반기 오사수나로 임대를 떠나 28경기 1골 6도움을 기록했다.

출전경기	경기시간(분)	골	어시스트	경고	퇴장
27	1,848	1	6	4	-

FW 19 빌리오트 스베드베리
Williot Swedberg

국적: 스웨덴

스웨덴 함마르뷔에서 성장해 고작 16세인 2020년에 프로 무대를 데뷔했다. 2022년 셀타 데 비고에서 합류해 곧바로 1군 무대에서 기회를 받기 시작했다. 2022-23시즌 7경기 출전에 그쳤지만, 점차 기회를 늘려갔다. 2023-24시즌 20경기 5골 1도움, 지난 시즌 35경기 5골 5도움으로 두각을 보이고 있다. 주로 2선에서 활약중으로, 플레이메이킹 능력과 득점력을 겸비한 세컨드 라인 침투가 강점이다.

출전경기	경기시간(분)	골	어시스트	경고	퇴장
32	1,351	4	5	1	-

FW 23 우고 알바레스
Hugo Alvarez

국적: 스페인

2003년생인 알바레스는 4살 때 셀타 데 비고 유스에 입단해 성장한 성골 자원으로 현재까지 활약 중이다. 한 번의 임대 없이 셀타에서만 몸담아온 원클럽맨 유망주다. 2021-22 시즌 프로 무대에 데뷔해 꾸준히 기회를 받고 있다. 주로 측면에서 활약하며 좌우 측면 모두 소화할 수 있다. 클라우디오 히랄데스 감독 체제에서는 스리백의 윙백으로 출전 중이다. 지난 시즌 28경기 1,682분 출전해 4골 3도움을 기록했다.

출전경기	경기시간(분)	골	어시스트	경고	퇴장
26	1,572	4	3	6	-

라요바예카노
Rayo Vallecano

TEAM PROFILE

창 립	1924년
구 단 주	라울 마르틴 프레사(스페인)
감 독	이니고 페레스(스페인)
연 고 지	마드리드 비야 데 바예카스 구
홈 구 장	캄포 데 풋볼 데 바예카스(1만 4,708명)
라 이 벌	레알 마드리드, 마틀레티코 마드리드
홈페이지	www.rayovallecano.es

최근 5시즌 성적

시즌	순위	승점
2020-2021	없음	없음
2021-2022	12위	42점(11승9무18패, 39득점 50실점)
2022-2023	12위	49점(13승10무15패, 45득점 53실점)
2023-2024	17위	38점(8승14무16패, 29득점 48실점)
2024-2025	8위	52점(13승13무12패, 41득점 45실점)

LA LIGA

통 산	없음
24-25 시즌	8위(13승13무12패, 승점 52점)

COPA DEL REY

통 산	없음
24-25 시즌	16강

UEFA

통 산	없음
24-25 시즌	없음

 전력분석
핵심은 유지하지만, 빈약한 뉴페이스

2024년 2월 이니고 페레스 감독의 부임 후 리그 8위라는, 2020-21시즌 승격 이후 최고 성적을 기록하며 유럽축구연맹(UEFA) 컨퍼런스리그 티켓을 거머쥐었다. 선수단 증원이 필요하지만, 이적료 지출을 최대한 아끼며 소극적인 모습을 보였다. 중앙 수비수 아들 무민의 부상 여파로 루이스 펠리피를 자유계약(FA)으로 품었고, 풀백의 수를 더해줄 2004년생 네덜란드 유망주 요슈아 베르투르드를 임대 영입했다. 세르지 과르디올라, 라울 데 토마스가 떠난 최전방에는 레알 오비에도의 1부 승격을 이끈 알레망을 450만 유로에 영입했다. 지난 시즌 핵심 멤버를 모두 지킨 것은 고무적이다. 중원에서 주전과 백업을 오가며 활약한 제라르 굼바우를 그라나다로부터 재임대했고, 골문을 지킨 아우쿠스토 바타야를 리버 플레이트로부터 160만 유로에 영입했다. 최전방에는 세르히오 카메요, 2선에 이시 팔라손, 호르헤 데 프루토스, 알바로 가르시아가 이번 시즌에도 공격을 이끌 예정이다. 미드필더진에는 굼바우와 함께 오스카르 발렌틴, 파테 시스가 중원을 책임질 예정이다. 수비를 위해 안드레이 라치우에 대한 지분을 비야레알로부터 모두 매입했으며, 플로리안 르쥔, 펩 차바리아도 계속해서 자리를 지킬 예정이다. 지난 시즌 무릎 부상으로 장기 이탈했던 무민까지 복귀한다면, 더욱 견고해질 것이다.

 전술분석
높은 리드감을 앞세운 4-2-3-1 포메이션

페레스 감독의 라요 바예카노는 강한 압박과 빠른 속도감을 앞세워 상대를 두드린다. 전임자였던 안도니 이라올라 감독에게 영향을 받은 듯하다. 여기에 자신만의 변화를 추가했다. 포지션에 구애받지 않고 자유로움을 추구하면서 특유의 리듬감을 강조한다. 페레스 감독은 4-2-3-1 포메이션을 중용하는데, 여기서 10번의 역할이 중요하다. 때로는 최전방 공격수보다 더 전방으로 뛰어 들어가, 측면 공격수에게 공간을 만들어주는 역할을 맡는다. 주로 왼발 윙어 이시 팔라손이 하프 스페이스 공간을 공략하며 라요 공격을 이끌었다. 양측면에서는 알바로 가르시아와 호르헤 데 프루토스가 맹활약했다. 데 프루토스는 8골 3도움, 가르시아는 4골 5도움을 기록했다. 수비에서는 풀백 안드레이 라치우의 활약이 도드라졌다. 측면으로 넓게 배치되면서도, 안쪽으로 파고들어 공격수보다 더 공격적인 모습을 보였다. 지난 시즌 라요는 5시즌 연속 라리가에 잔류하며 최다 연속 잔류 기록을 세웠다. 여기에 2000-01시즌 유럽축구연맹(UEFA)컵 이후 25년 만에 유럽클럽대항전에 나선다. 다만, 이적시장에서의 실리적인 선택으로 선수단 운영이 여유롭지는 않을 것이다.

시즌 프리뷰 컨퍼런스리그? 잔류가 먼저!

라요 바예카노는 지난 시즌 이니고 페레스 감독 체제에서 중위권에 안착했다. 셀타 데 비고, 오사수나와 함께 시즌 종료까지 유럽축구연맹(UEFA) 클럽대항전 자리를 두고 경쟁을 펼쳤다. 라요는 치열한 분위기 속 승점 52점으로 오사수나와 동률을 이뤘다. 라리가는 승점이 같을 때 양 팀의 전적을 따지는데, 라요가 우위를 점하며 최종 8위로 컨퍼런스리그 티켓을 따냈다. 1924년 구단 창단 후 하부리그에 머문 시간이 더 많던 라요는 강등 후보에 더 가까웠다. 그러나 1990년대 후반~2000년대 초반, 2010년 초반~중반 라리가에서 저력을 보여줬다. 2020-21시즌 승격 후 5시즌 연속 1부 무대를 누빈다. 구단 역대 최다 연속 잔류 기록이다.

이번 시즌에는 라리가, 코파 델 레이에 이어 컨퍼런스리그까지 병행해야 하는 입장이다. 하지만 최우선 목표는 라리가 잔류. 최다 연속 잔류를 위해 내달릴 예정이다. 여러 대회를 병행해야 하는 부분이 가장 우려스럽다. 알레망, 아우쿠스토 바타야, 프란 페레스 등을 품었지만 선수단 운영에 있어 여유로운 편은 아니다. 대회 도중 주전급 선수가 이탈한다면 휘청일 수 있다. 시즌을 치르며 득과 실을 따지며 팀을 운영해야 할 것이다.

IN & OUT

주요 영입	주요 방출
아우구스토 바타야, 루이스 펠리피, 알레망, 프란 페레스, 제라르 굼바우(임대), 요슈아 베르투르드(임대)	조니 몬티엘, 세르지 과르디올라, 라울 데 토마스, 미구엘 앙헬 모로, 아리단 에르난데스, 펠라요 페르난데스, 에티엔 에투

TEAM FORMATION

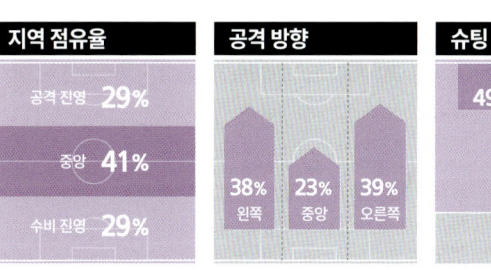

FW **C-**

MF **C**

DF **C-**

GK **C-**

11 은테카 (카메요)

18 가르시아 (페레스) 7 팔라손 (트레포) 19 프루토스 (카메요)

17 로페스 (발렌틴) 7 시스 (굼바우)

3 차발리아 (베르투르드) 16 무민 (펠리피) 24 르죈 (펠라요) 2 라티우 (발리우)

13 바타야 (카르데나스)

PLAN 4-2-3-1

TEAM RATINGS

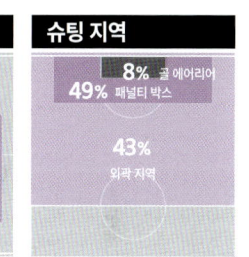

슈팅 6	패스 7
조직력 6	수비력 6
감독 6	선수층 7

38

2024/25 프로필

팀 득점	41
평균 볼 점유율	51.70%
패스 정확도	80.40%
게임 평균 슈팅 수	13.6
경고	96
퇴장	3

골 타입

오픈 플레이	63
세트 피스	22
카운터 어택	7
패널티 킥	0
자책골	7

단위 (%)

패스 타입

쇼트 패스	82
롱 패스	13
크로스 패스	5
스루 패스	0

단위 (%)

지역 점유율

공격 진영	29%
중앙	41%
수비 진영	29%

공격 방향

38% 왼쪽 23% 중앙 39% 오른쪽

슈팅 지역

8% 골 에어리어
49% 패널티 박스
43% 외곽 지역

상대팀 최근 6경기 전적

구분	승	무	패
FC 바르셀로나	1	2	3
레알 마드리드	1	3	2
아틀레티코 마드리드		2	4
아틀레틱 빌바오		1	5
비야레알 CF	2	2	2
레알 베티스 발롬피에	1	2	3
RC 셀타 데 비고	2	3	1
라요 바예카노			
CA 오사수나	3	1	2
RCD 마요르카		2	4
레알 소시에다드	1	3	2
발렌시아 CF	2	3	1
헤타페 CF	2	4	
RCD 에스파뇰	3		3
데포르티보 알라베스	4		2
지로나 FC	1	2	3
세비야 FC	1	3	2
레반테 UD	2	1	3
엘체 CF	3	3	
레알 오비에도	2	3	1

SQUAD

포지션	등번호	이름		생년월일	키(cm)	체중(kg)	국적
GK	1	다니 카르데나스	Dani Cárdenas	1997.05.28	186	80	스페인
DF	2	안드레이 라티우	Andrei Rațiu	1998.06.20	183	75	로마니아
	3	펩 차바리아	Pep Chavarría	1998.04.10	174	72	스페인
	5	루이스 펠리페	Luiz Felipe	1997.03.22	187	-	이탈리아
	16	압둘 무민	Abdul Mumin	1998.06.06	188	79	가나
	20	이반 발리우	Iván Balliu	1992.01.01	172	63	알바니아
	22	알폰소 에스피노	Alfonso Espino	1992.01.05	172	71	우루과이
	24	플로리안 르죈	Florian Lejeune	1991.05.20	190	89	프랑스
	32	노벨 멘디	Nobel Mendy	2004.09.03	187	78	세네갈
MF	4	페드로 디아스	Pedro Díaz	1998.06.05	180	72	스페인
	6	파테 시스	Pathé Ciss	1994.03.16	186	71	세네갈
	7	이시 팔라손	Isi Palazón	1994.12.27	169	69	스페인
	8	오스카 트레호	Óscar Trejo	1988.04.26	180	79	아르헨티나
	15	제라르 굼바우	Gerard Gumbau	1994.12.18	188	77	스페인
	17	우나이 로페스	Unai López	1995.10.30	170	64	스페인
	23	오스카르 발렌틴	Óscar Valentín	1994.08.20	178	82	스페인
FW	9	알레망	Alemão	1998.04.01	182	-	브라질
	10	세르히오 카메요	Sergio Camello	2001.02.10	182	69	스페인
	11	랜디 은테카	Randy Nteka	1997.12.06	189	75	앙골라
	18	알바로 가르시아	Álvaro García	1992.10.27	167	61	스페인
	19	호르헤 데 프루토스	Jorge de Frutos	1997.02.20	173	72	스페인
	21	프란 페레스	Fran Pérez	2002.09.09	176	68	스페인

COACH

2006년 바스코니아에서 프로 데뷔했다. 아틀레틱 클럽 데 빌바오, 누만시아, 오사수나를 거쳐 2022년 선수 생활 은퇴를 선언했다. 2022년 라요 바예카노 수석코치를 시작으로 지도자의 길을 걸었고 안도니 이라올라 감독 사단에 합류해 경험을 쌓았다. 이라올라와 함께 잉글랜드로 동행할 예정이었지만, 영국 취업비자 문제로 불발됐다. 이후 2024년 2월 프란시스코 로드리게스 빌체스 감독이 경질된 후, 라요의 감독이 됐다. 감독 경력은 짧지만, 바예카노에 새로운 변화를 불어넣고 있다.

이니고 페레스
Iñigo Pérez
1988년 1월 18일생 스페인

PLAYERS

MF	7	이시 팔라손	
		Isi Palazón	KEY PLAYER

국적: 스페인

라요 바예카노의 에이스다. 드리블러 유형의 윙어로 빠른 속도와 화려한 발기술을 보유했다. 여기에 날카로운 왼발 킥 능력까지 갖췄다. 플레이메이킹에도 능해 전반적인 팀의 공격을 지휘한다. 이니고 페레스 감독 체제에서는 중앙 공격형 미드필더로 변신해 지휘관 역할을 맡고 있다.

비야레알에서 1군 무대를 밟은 뒤 산타 클라라, 레알 무르시아, 폰페라디나 등 하부 리그에서 주로 활약했다. 2019-20시즌 도중 라요로 이적해 현재까지 팀의 핵심으로 활약 중이다. 2020-21시즌에는 팀의 라리가 승격에 중추적인 역할을 맡았다. 5시즌 연속 1부 리그 잔류를 이끈 1등 공신이라 해도 과언이 아니다. 왕성한 활동량과 경기 운영 능력으로 '라요의 심장'이라 불린다.

출전경기	경기시간(분)	골	어시스트	경고	퇴장
35	2,169	4	4	5	-

GK	13	아우구스토 바타야
		Augusto Batalla

국적: 아르헨티나

아르헨티나의 명문 리버 플레이트에서 성장했다. 2016년 프로 무대 데뷔 후 아틀레티코 투쿠만, CA 티그레, 오이긴스, 산 로렌소 등 임대를 통해 경험을 쌓았고, 2024년 1월 그라나다로 임대돼 유럽 무대를 밟았다. 2024년 여름 라요 바예카노로 다시 임대됐고, 주전 골키퍼로 활약했다. 올여름 라요바예카노로 완전이적을 확정했다. 빼어난 반사 신경과 안정된 선방 능력을 갖추고 있다.

출전경기	경기시간(분)	실점	무실점(경기)	경고	퇴장
32	2,880	39	8	6	-

DF	2	안드레이 라치우
		Andrei Rațiu

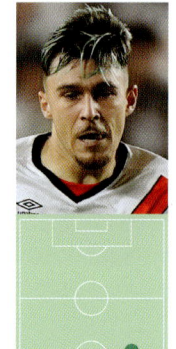

국적: 루마니아

루마니아 출신 풀백이다. 왕성한 활동량과 빠른 주력을 앞세워 적극적인 공격력을 보여주고 있다. 이니고 페레스 감독 체제에서 또 한 명의 공격수로 활약 중이다. 2015년 비야레알 유스팀에 합류해 성장했고 네덜란드 ADO 덴하흐, 스페인 우에스카 등 임대를 통해 경험을 쌓았다. 2023년 라요 바예카노 합류 후 꾸준히 팀의 핵심으로 활약 중이다. 지난 시즌 36경기 2골 3도움을 기록했다.

출전경기	경기시간(분)	골	어시스트	경고	퇴장
35	3,067	2	2	5	-

DF	3	펩 차바리아
		Pep Chavarria

국적: 스페인

저돌적인 플레이를 즐기는 풀백이다. 왕성한 활동량과 안정된 수비력까지 보여주고 있다. 안드레이 라치우의 파트너로 팀의 감초 같은 역할을 맡고 있다. 스페인 출신답게 발밑 테크닉도 좋다. 카탈루냐 지방 피게레스 출신으로 UE 피게레스에서 성장했다.

UE 오롯, 레알 사라고사를 거쳐 2022-23시즌 라요 바예카노로 이적했다. 2023-24시즌부터 팀의 확실한 주전으로 자리매김했다.

출전경기	경기시간(분)	골	어시스트	경고	퇴장
34	2,584	-	1	3	-

DF	5	루이스 펠리피
		Luiz Felipe

국적: 이탈리아

이탈리아 대표팀 제안을 받았으나, 태어나고 성장한 브라질 대표팀을 선택했다. 그러나 A대표팀 선택을 받지는 못해, 결국 2022년 다시 이탈리아 국적으로 국가대표의 꿈을 이뤘다.

준수한 속도와 탄탄한 수비력을 갖췄다. 빌드업에도 특화된 중앙 수비수다. 브라질 이투아누에서 성장해 라치오, 살레르니타나, 레알 베티스, 알 이티하드, 올랭피크 드 마르세유에서 수많은 경험을 쌓았다.

출전경기	경기시간(분)	골	어시스트	경고	퇴장
4	122	-	-	1	-

DF	16	압둘 무민
		Abdul Mumin

국적: 가나

가나 출신의 중앙 수비수다. 188cm의 키와 탁월한 운동능력을 보유했다. 라요 바예카노 수비의 핵심으로, 탄탄한 수비력을 앞세워 팀을 위기에서 구해낸다.

덴마크 노르셸란에서 성장해 2016년 프로 무대를 데뷔했다. 포르투갈의 비토리아 SC를 거쳐 2022년 라요 바예카노로 이적했다. 다만, 지난 시즌 무릎 부상을 당해 장기 이탈했다. 새 시즌을 앞두고 복귀해 컨디션을 끌어올리고 있는 중이다.

출전경기	경기시간(분)	골	어시스트	경고	퇴장
24	2,020	2	1	6	-

DF	24	플로리안 르죈
		Florian Lejeune

국적: 프랑스

프랑스 출신이지만 리그앙보다는 라리가에서 더 많은 시간을 보냈다. 비야레알, 지로나, 에이바르, 데포르티보 알라베스에서 활약했다. 맨체스터 시티, 뉴캐슬 유나이티드에도 몸담았지만 기회를 받지 못했다. 2021년 알라베스를 거쳐 2022년 라요 바예카노에 임대로 합류, 2023년 완전이적했다.

190cm의 큰 신장을 앞세운 공중볼 경합 능력이 뛰어나고, 빌드업 능력까지 갖췄다.

출전경기	경기시간(분)	골	어시스트	경고	퇴장
37	3,326	2	3	8	-

SPAIN LA LIGA

RAYO VALLECANO

MF 6 파테 시스
Pathé Ciss

국적: 세네갈

왕성한 활동량과 수비력을 갖춘 3선 미드필더. 자국 세네갈에서 2014년 프로 무대에 데뷔했다. 우니앙을 거쳐 2018년 포르투갈의 파말리캉으로 임대돼 첫 유럽 무대를 밟았다. 2019년에는 스페인 3부 리그 푸엔라브라다로 다시 임대됐고, 2020년 완전이적했다. 두각을 보인 그는 1년 만에 라요 바예카노에 합류해 곧바로 팀의 핵심으로 활약했다. 세네갈 대표팀으로 2022 카타르 월드컵 본선에도 참가했다.

출전경기	경기시간(분)	골	어시스트	경고	퇴장
33	2,147	4	1	12	-

MF 8 오스카르 트레호
Óscar Trejo

국적: 아르헨티나

탄탄한 기본기를 갖춘 2선 자원이다. 폭넓은 활동량과 오프 더 볼 움직임에 강점이 있다. 공격형 미드필더에서 주로 활약했지만, 좌우 측면, 최전방 공격수로도 활약할 수 있는 멀티플레이어다.

자국 보카 주니어스에서 성장해 마요르카, 엘체, 스포르팅 히혼, 툴루즈를 거쳐 2017년 라요 바예카노로 합류했다. 2010~11년 임대 이후 6년 만에 복귀해 현재까지 활약 중이다.

출전경기	경기시간(분)	골	어시스트	경고	퇴장
19	489	1		1	-

MF 15 제라르 굼바우
Gerard Gumbau

국적: 스페인

지로나에서 성장해 바르셀로나 유스를 거쳐 2015년 1군 무대를 밟았다. 바르셀로나에서는 많은 기회를 받지 못했다. 2017년 레가네스로 이적했고, 지로나, 엘체, 그라나다에서 경험을 쌓았다. 지난 시즌 라요 바예카노에서 임대생으로 활약해 이번 시즌 재임대 됐다.

188cm 신장의 미드필더로 3선에서 넓은 활동 범위와 탄탄한 수비력을 갖췄다. 이니고 페레스 감독의 라요에서는 살림꾼이 됐다.

출전경기	경기시간(분)	골	어시스트	경고	퇴장
22	845	-	1	4	-

MF 23 오스카르 발렌틴
Óscar Valentín

국적: 스페인

라요 바예카노의 캡틴이다. 라요 바예카노에서 성장해 알코르콘, 라요 마하다온다를 거쳐 2019년에 다시 라요 바예카노로 복귀했다. 2020-21시즌 라요의 라리가 승격을 일궜고 팀의 핵심으로 활약하며 꾸준히 제 몫을 다하고 있다.

이니고 페레스 감독 체제에서 3선과 2선을 오가며 활약 중이다. 왕성한 활동량과 뛰어난 수비력을 앞세워 팀의 궂은일을 도맡고 있다.

출전경기	경기시간(분)	골	어시스트	경고	퇴장
35	1,833	-		5	-

FW 9 알레망
Alemão

국적: 브라질

폴란드계 브라질 선수로 본명은 알렉산드르 주라프스키다. 1998년생으로 2017년 메트로폴리타노에서 프로 데뷔했다. 2018년에는 J리그의 교토 퍼플상가로 임대를 떠났지만, 한 경기도 뛰지 못했다. 이후 아바이, 주벤투스 SC, 인테르나시오나우 등 남미에서 활약했다. 2023-24시즌 레알 오비에도로 임대돼 주축으로 활약했다.

지난 시즌에는 40경기 14골 4도움으로 1부 승격을 이끌었다.

출전경기	경기시간(분)	골	어시스트	경고	퇴장
40	2,987	14	4	3	-

FW 10 세르히오 카메요
Sergio Camello

국적: 스페인

2024 파리 올림픽 결승전 멀티골 활약으로 스페인의 금메달을 이끈 주역이다. 아틀레티코 마드리드 유스팀에서 성장해 2019년 첫 프로 무대를 밟았다. 미란데스, 라요 바예카노에서 임대를 통해 다양한 경험을 쌓은 뒤 2023년에 라요로 완전이적했다.

빠른 발로 상대 수비 뒷공간을 파고드는 능력을 갖췄다. 지난 시즌 후반기에는 중족골 부상을 당해 일찌감치 시즌 아웃됐다.

출전경기	경기시간(분)	골	어시스트	경고	퇴장
23	1,140	3	2	2	-

FW 11 랜디 은테카
Randy Nteka

국적: 앙골라

프랑스 출생이나, 앙골라 혈통을 가졌다. 2024년 앙골라 대표팀에서 데뷔전을 치렀다. 라요 바예카노에서 성장해 푸엔라브라다를 거쳐 2021년 라요로 이적했다. 2023년 엘체에서의 임대 생활을 제외하면 계속해서 라요에서 뛰고 있다.

190cm의 장신에도 빠른 속도와 드리블 능력을 갖추고 있어 주전과 백업을 오가며 활약 중이다. 이니고 페레스 감독 체제에서 주로 최전방에서 활약 중이다.

출전경기	경기시간(분)	골	어시스트	경고	퇴장
24	1,138	3	-	6	-

FW 18 알바로 가르시아
Álvaro García

국적: 스페인

폭발적인 속도와 과감한 움직임으로 득점 기회를 노린다. 좌우 측면부터 최전방, 공격형 미드필더까지 소화할 수 있는 멀티플레이어다. 위트레라, 산 페르난도, 그라나다, 라싱 산탄데르, 카디스 등 하부리그에서 주로 활약했다. 2018년 라요 바예카노로 이적했고, 2020-21시즌 승격을 일군 뒤 꾸준히 팀의 핵심으로 활약 중이다.

지난 시즌 36경기 4골 5도움을 기록했다.

출전경기	경기시간(분)	골	어시스트	경고	퇴장
36	2,570	4	5	4	-

FW 19 호르헤 데 프루토스
Jorge de Frutos

국적: 스페인

라요 마하다온다를 거쳐 레알 마드리드로 향한다. 유스팀 카스티야에서 성장해 레알 바야돌리드, 2020년 라요 바예카노로 임대를 통해 경험을 쌓았다. 레반테로 이적해 세 시즌 동안 핵심으로 활약하다 2023년 라요로 복귀했다.

정교한 테크닉과 화려한 발재간을 갖춘 윙어다. 킥 능력도 보유하고 있어 플레이메이킹 능력도 겸비했다. 지난 시즌에는 8골 3도움으로 팀의 해결사 역할을 맡았다.

출전경기	경기시간(분)	골	어시스트	경고	퇴장
36	2,512	6	3	3	1

C.A. 오사수나
C.A. Osasuna

TEAM PROFILE	
창 립	1920년
회 장	루이스 사발사(스페인)
감 독	알레시오 리시(이탈리아)
연 고 지	나바라 팜플로나
홈 구 장	에스타디오 엘 사다르(2만 3,576명)
라 이 벌	알라베스
홈페이지	www.osasuna.es

최근 5시즌 성적

시즌	순위	승점
2020-2021	11위	44점(11승11무16패, 37득점 48실점)
2021-2022	10위	47점(12승11무15패, 37득점 51실점)
2022-2023	7위	53점(15승8무15패, 37득점 42실점)
2023-2024	11위	45점(12승9무17패, 45득점 56실점)
2024-2025	9위	52점(12승16무10패, 48득점 52실점)

LA LIGA

통 산	없음
24-25 시즌	9위(12승16무10패, 승점 52점)

COPA DEL REY

통 산	없음
24-25 시즌	8강

UEFA

통 산	없음
24-25 시즌	없음

TEAM RATINGS

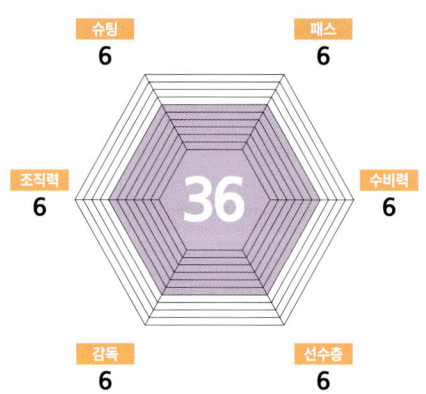

슈팅 6
패스 6
조직력 6
수비력 6
36
감독 6
선수층 6

2024/25 프로필

팀 득점	48
평균 볼 점유율	45.70%
패스 정확도	79.00%
게임 평균 슈팅 수	11
경고	88
퇴장	0

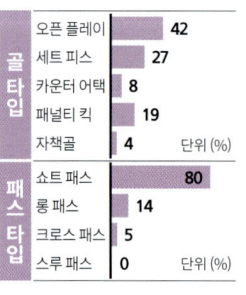

골 타입
오픈 플레이 42
세트 피스 27
카운터 어택 8
패널티 킥 19
자책골 4
단위 (%)

패스 타입
쇼트 패스 80
롱 패스 14
크로스 패스 5
스루 패스 0
단위 (%)

시즌 프리뷰 1년 만에 사령탑 교체, 기대받는 젊은 감독의 부임

1년 만에 사령탑이 교체된다. 지난 시즌 하고바 아라사테 감독과 6년간의 동행을 끝내고, 짐나스틱 데 타라고나, 마요르카, 에스파뇰, 알메리아를 이끌었던 비센테 모레노 감독을 선임했다. 모레노 감독 체제에서 안테 부디미르가 24골을 터뜨리며 괴력을 보였다. 임대생 브리안 사라고사, 라울 가르시아, 아이마르 오로스, 루벤 가르시아가 힘을 보탰다. 지난 시즌 중반에 중하위권으로 추락했으나, 막판 힘을 발휘하며 유럽축구연맹(UEFA) 클럽대항전 진출권 경쟁을 펼쳤다. 컨퍼런스로 향하는 라요 바예카노와 승점으로 동률이었으나, 승자승 원칙에 따라 최종 9위로 시즌을 마감했다.

모레노 감독은 카타르 알 와크라행을 확정하며 팀을 떠났다. 오사수나는 차기 감독 물색에 나섰고, 스페인 하부리그에서 인상적인 모습을 보여준 1985년생 젊은 지도자, 알레시오 리시를 선임했다. 리시 감독은 지난 시즌 선수 수급이 어려웠던 미란데스를 이끌고 리그 3위로 승격 문턱까지 향했다. 강한 압박과 유연한 상황 대처로 지도력을 인정받았다. 전술 변화가 눈에 띈다. 리시 감독 체제에서 스리백으로 변신했다. 측면에 수비수가 아닌 윙어를 배치해 공격적으로 나서고 있다. 사라고사가 임대 복귀했지만, 부디미르, 오로스 등 핵심 공격수가 여전히 남아 있다.

COACH

알레시오 리시 *Alessio Lisci*
1985년 11월 4일생 이탈리아

스페인에서 지도자의 커리어를 이어갔다. 30대에 막 들어선 2006년 라치오 유소년 피지컬 코치로 시작해 2011년 레반테 유스팀으로 향했고, 이후 레반테 유소년 감독으로 부임하며 본격적인 감독 커리어를 쌓았다. 2021년 11월에는 레반테 1군 감독으로 부임했지만, 팀의 강등을 막지 못했다. 지난 시즌 2부 미란데스 지휘봉을 잡은 뒤 강등 위기에 처한 팀을 이끌며 리그 3위를 기록했으나, 플레이오프에서 발목을 잡혀 승격에 실패했다.

SQUAD

포지션	등번호	이름		생년월일	키(cm)	체중(kg)	국적
GK	1	세르지오 헤레라	Sergio Herrera	1993.06.05	192	82	스페인
	13	아이토르 페르난데스	Aitor Fernández	1991.05.03	182	78	스페인
DF	3	후안 크루스	Juan Cruz	1992.07.28	182	79	스페인
	5	호르헤 에란도	Jorge Herrando	2001.02.28	192	86	스페인
	19	발렌틴 로지에	Valentin Rosier	1996.08.19	175	71	프랑스
	22	엔조 보요모	Enzo Boyomo	2001.10.07	184	70	카메룬
	23	아벨 브레토네스	Abel Bretones	2000.08.21	188	78	스페인
	24	알레한드로 카테나	Alejandro Catena	1994.10.28	194	82	스페인
MF	6	루카스 토로	Lucas Torró	1994.07.19	190	77	스페인
	7	혼 몬카욜라	Jon Moncayola	1998.05.13	182	73	스페인
	8	이케르 무뇨스	Iker Muñoz	2002.09.05	180	74	스페인
	10	아이마르 오로스	Aimar Oroz	2001.11.27	177	72	스페인
	14	루벤 가르시아	Rubén García	1993.07.14	172	72	스페인
FW	2	이케르 베니토	Iker Benito	2002.08.10	176	71	스페인
	9	라울 가르시아	Raúl García	2000.11.03	192	67	스페인
	11	키케 바르하	Kike Barja	1997.04.01	179	70	스페인
	16	모이 고메즈	Moi Gómez	1994.06.23	176	73	스페인
	17	안테 부디미르	Ante Budimir	1991.07.22	190	75	크로아티아
	18	모이 고메즈	Moi Gómez	1994.06.23	176	73	스페인
	21	빅토르 무뇨스	Víctor Muñoz	2003.07.13	173	70	스페인

IN & OUT

주요 영입	주요 방출
빅토르 무뇨스, 발렌틴 로시에르, 셰랄도 베커	헤수스 아레소, 파블로 이바녜스. 호세 마누엘 아르나이스, 루벤 페냐, 우나이 가르시아, 브리안 사라고사

TEAM FORMATION

FW C-
MF C-
DF C-
GK C-

17 부디미르 (라울)

10 아미마르 (고메스)　　**14** 루벤 (무뇨스)

23 브레톤스 (크루스)　**6** 토로 (이케르)　**7** 몬카욜라 (오삼벨라)　**7** 로시에르 (몬카욜라)

3 크루스 (베니토)　**24** 카테나 (에란도)　**22** 보요모

1 에레라 (아이토르)

PLAN **3-4-3**

지역 점유율

- 공격 진영 **29%**
- 중앙 **43%**
- 수비 진영 **28%**

공격 방향

36% 왼쪽　**22%** 중앙　**42%** 오른쪽

슈팅 지역

- **7%** 골 에어리어
- **66%** 패널티 박스
- **28%** 외곽 지역

PLAYERS

FW 17 안테 부디미르
Ante Budmir

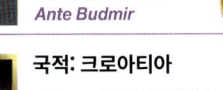

KEY PLAYER

국적: 크로아티아

190cm의 장신 공격수다. 공중볼 경합 능력이 뛰어나고, 속도까지 갖췄다. 자국 크로아티아에서 성장한 뒤 장크트파울리, 크로토네, 삼프도리아에서 활약했다. 실력을 인정받아 2019년 마요르카로 임대돼 스페인 무대를 밟았다. 마요르카의 1부 리그가 승격을 이끌고 완전이적한 뒤 인상적인 활약을 펼쳤으나, 팀의 강등을 막지 못했다. 2020년 오사수나로 향했고 지난 시즌 42경기 24골 2도움으로 커리어 하이를 달렸다.

출전경기	경기시간(분)	골	어시스트	경고	퇴장
38	2,966	21	4	4	-

DF 22 엔조 보요모
Enzo Boyomo

국적: 카메룬

뛰어난 운동신경과 탄탄한 수비력을 갖춘 수비수. 2001년생 카메룬 출신이다. 발밑 또한 부드러워 빌드업 능력도 갖추며 오사수나 빌드업의 출발점 역할을 맡고 있다. 툴루즈, 블랑번 로버스에서 성장해 2020년 2부 리그 알바세테에서 프로 무대에 데뷔했다. 2023년 레알 바야돌리드로 이적해 팀의 승격을 이끌었다. 이번 시즌에도 알레시오 리시 감독의 스리백에도 핵심으로 활약할 예정이다.

출전경기	경기시간(분)	골	어시스트	경고	퇴장
34	2,988	2	-	5	-

상대팀 최근 6경기 전적

구분	승	무	패	구분	승	무	패
FC 바르셀로나	1		5	레알 소시에다드	3	1	2
레알 마드리드		1	5	발렌시아 CF	1	2	3
아틀레티코 마드리드	2		4	헤타페 CF	1	1	4
아틀레틱 빌바오	2	2	2	RCD 에스파뇰	2	4	
비야레알 CF		2	4	데포르티보 알라베스	4	2	
레알 베티스 발롬피에	2	1	3	지로나 FC	2	1	3
RC 셀타 데 비고	3	1	2	세비야 FC	3	3	
라요 바예카노	2		3	레반테 UD	3	2	1
CA 오사수나				엘체 CF	2	4	
RCD 마요르카	2	3	1	레알 오비에도	3	1	2

MF 10 아이마르 오로스
Aimar Oroz

국적: 스페인

2001년생 멀티 플레이어다. 공격형 미드필더지만 측면에서도 뛸 수 있어 8번 역할까지 소화할 수 있다. 민첩한 발놀림과 테크닉을 보유한 공격 자원이다. 오사수나에서 성장한 '성골유스'다. 2018년 B팀에서 활약하다 2019년부터 빅 클럽에서 기회를 잡기 시작했다. 2022-23시즌부터 팀의 주축으로 활약하기 시작했다. 지난 시즌에는 37경기 5골 4도움으로 커리어 하이를 기록했다.

출전경기	경기시간(분)	골	어시스트	경고	퇴장
37	2,983	5	4	8	-

MF 14 루벤 가르시아
Rubén García

국적: 스페인

공격 전 지역을 소화할 수 있는 멀티 플레이어다. 화려한 드리블, 날카로운 킥 능력을 보유했다. 특히 세트피스 상황에서 도드라진 활약을 보여주고 있다. 발렌시아, 레반테 유스에서 성장해 2012년 1군에서 프로 무대를 밟았다. 스포르팅 히혼, 오사수나에서 임대를 거치며 경험을 쌓았고, 2019년 오사수나로 완전이적했다. 1993년생으로 황혼기를 향해 달리고 있지만, 그는 여전히 팀의 주축이다.

출전경기	경기시간(분)	골	어시스트	경고	퇴장
36	2,435	5	5	2	-

FW 9 라울 가르시아
Raúl García

국적: 스페인

192cm의 장신으로 공중볼 경합 능력이 강하다. 발밑도 좋아 2선과 연계 플레이에 능하다. 알메리아, 레알 베티스 유스팀에서 성장했고, 2019년 베티스 1군에서 프로 무대에 데뷔했다. 2022년 2부 리그 미란데스로 임대를 떠났다. 39경기 19골 8도움을 터뜨리며 주목받았고, 2023년 오사수나에 합류하며 지난 시즌 백업으로 활약했다. 36경기(931분 출전) 7골 1도움을 기록했다.

출전경기	경기시간(분)	골	어시스트	경고	퇴장
32	732	4	-	1	-

RCD 마요르카
RCD Mallorca

TEAM PROFILE	
창 립	1916년
회 장	앤디 콜버그(미국)
감 독	하고바 아라사테(스페인)
연 고 지	발레아레스 제도 팔마 데 마요르카
홈 구 장	에스타디 마요르카 손 모시(2만 5,736명)
라 이 벌	-
홈페이지	www.rcdmallorca.es

최근 5시즌 성적

시즌	순위	승점
2020-2021	없음	없음
2021-2022	16위	39점(10승9무19패, 36득점 63실점)
2022-2023	9위	50점(14승8무16패, 37득점 43실점)
2023-2024	15위	40점(8승16무14패, 33득점 44실점)
2024-2025	10위	48점(13승9무16패, 35득점 44실점)

LA LIGA

통 산	없음
24-25 시즌	10위(13승9무16패, 승점 48점)

COPA DEL REY

통 산	우승 1회
24-25 시즌	32강

UEFA

통 산	없음
24-25 시즌	없음

TEAM RATINGS

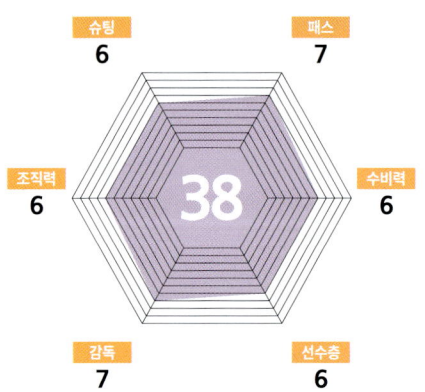

슈팅 6
패스 7
조직력 6
38
수비력 6
감독 7
선수층 6

시즌 프리뷰 저력 보여준 아라사테 시스템, 유럽대항전도 노려볼까?

마요르카는 2017-18시즌 2부 리그 승격, 2018-19시즌 1부 리그 승격을 잇따라 이뤄냈다. 2019-20시즌엔 강등의 아픔이 있었지만 한 시즌 만에 다시 승격했고, 2021-22시즌부터는 5시즌 연속 1부에 잔류하고 있다. 2022-23시즌 이강인과 베다트 무리키를 앞세워 리그 9위를 기록했고, 2023-24시즌에는 코파 델 레이 준우승을 차지했다. 지난 시즌을 끝으로 하비에르 아기레 감독이 떠났다. 차기 사령탑으로 레알 소시에다드, 누만시아, 오사수나에서 지도력을 인정받은 하고바 아라사테 감독을 선임했다. 조직력과 압박을 중시하는 4-2-3-1 포메이션이 빠르게 녹아들었다. 공격에서는 에이스 무리키가 주포 역할을 여전히 유지했고, 카일 라린이 주전과 백업을 오가며 힘을 보탰다. 시즌 중반까지 레알 베티스, 소시에다드 등 중위권 팀을 꺾으며 6위까지 올라, 유럽대항전 경쟁에 제대로 뛰어들었다. 하지만 시즌 중반부터 미끄러졌다. 주축의 부상으로 인한 이탈이 뼈아팠다. 시즌 막판 반등하는 듯하며 희망을 보였지만, 최종 10위로 시즌을 마쳤다.

이번 시즌 주전 수비수 호세 코페테가 이탈했지만, 세리에 A에서 두각을 보였던 마라쉬 쿰불라를 임대 영입했다. 공격에는 바르셀로나에서 성장한 파블로 토레가 합류했다. 중앙, 측면 모두 소화할 수 있는 공격수로 마요르카의 새 엔진으로 기대를 모으고 있다.

COACH

하고바 아라사테 Jagoba Arrasate
1978년 4월 22일생 스페인

2007년 현역 은퇴 후 아마추어팀에서 지도자의 길을 시작했다. 2010년 레알 소시에다드 유스팀 감독으로 선임되며 두각을 보이기 시작했고, 2018년 오사수나의 지휘봉을 잡은 뒤 1부 승격을 이끌었다. 잔류와 함께 라리가 중위권 전력에 안착시키며 꾸준함을 보여줬다. 조직력과 압박, 빠른 전개를 강조하는 전술을 앞세워 입지를 다졌다. 최전방과 2선 자원의 연계 플레이를 통해 상대를 공략한다. 지난해 마요르카 부임 후 팀 색채를 빠르게 바꿔갔다.

2024/25 프로필

팀 득점	35
평균 볼 점유율	46.20%
패스 정확도	80.30%
게임 평균 슈팅 수	10.2
경고	79
퇴장	6

골 타입
오픈 플레이	54
세트 피스	26
카운터 어택	6
패널티 킥	11
자책골	3	단위 (%)

패스 타입
쇼트 패스	81
롱 패스	14
크로스 패스	5
스루 패스	0	단위 (%)

SQUAD

포지션	등번호	이름		생년월일	키(cm)	체중(kg)	국적
GK	1	레오 로만	Leo Román	2000.07.06	189	83	스페인
	13	루카스 베리스트룀	Lucas Bergström	2002.09.05	205	82	핀란드
DF	2	마테우 모레이	Mateu Morey	2000.03.02	173	67	스페인
	3	토니 라토	Toni Lato	1997.11.21	171	64	스페인
	4	마라쉬 쿰불라	Marash Kumbulla	2000.02.08	191	78	이탈리아
	21	안토니오 라이요	Antonio Raíllo	1991.10.08	187	80	스페인
	22	요한 모이카	Johan Mojica	1992.08.21	185	73	콜롬비아
	23	파블로 마페오	Pablo Maffeo	1997.07.12	172	70	아르헨티나
	24	마르틴 발렌트	Martin Valjent	1995.12.11	187	70	슬로바키아
	27	다비드 로페즈	David López	2003.02.03	195	-	스페인
MF	5	오마르 마스카렐	Omar Mascarell	1993.02.02	181	74	기니
	6	안토니오 산체스	Antonio Sánchez	1999.04.22	179	78	스페인
	8	마누 모를라네스	Manu Morlanes	1999.01.12	178	75	스페인
	10	세르지 다르데르	Sergi Darder	1993.12.22	180	71	스페인
	12	사무 코스타	Samú Costa	2000.11.27	185	78	포르투갈
	14	다니 로드리게스	Dani Rodríguez	1988.01.06	178	73	스페인
	20	파블로 토레	Pablo Torre	2003.04.03	173	65	스페인
FW	7	베다트 무리치	Vedat Muriqi	1994.04.24	194	92	코소
	9	아브돈 프라츠	Abdón Prats	1992.12.07	181	81	스페인
	11	아사노 다쿠마	Takuma Asano	1994.11.10	173	71	일본
	17	얀 비르질리	Jan Virgili	2006.07.26	177	72	스페인
	18	마테오 조셉	Mateo Joseph	2003.10.19	185	74	스페인
	19	하비 야브레스	Javi Llabrés	2002.09.11	174	70	스페인
	30	마르크 도메네크	Marc Domènech	2006.12.01	182	71	스페인

IN & OUT

주요 영입	주요 방출
파블로 토레, 루카스 베르스트룀, 마테오 조셉, 마라쉬 쿰불라(임대), 얀 비르길리	호세 코페테, 지베 반 덴 헤이든, 로베르트 나바로, 발레리 페르난데스, 치키뉴

TEAM FORMATION

PLAN **4-2-3-1**

FW	C-
MF	C
DF	C-
GK	C-

지역 점유율

공격 진영 **26%**

중앙 **44%**

수비 진영 **30%**

공격 방향

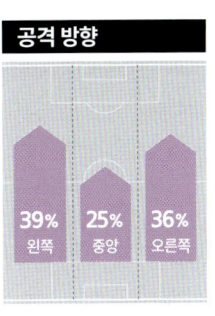

39%	25%	36%
왼쪽	중앙	오른쪽

슈팅 지역

8% 골 에어리어
65% 패널티 박스
28% 외곽 지역

PLAYERS

FW 7 베다트 무리키
Vedat Muriqi

국적: 코소보

압도적인 피지컬을 가진 공격수. 194cm의 신장을 이용한 공중볼은 당연히 라리가 내 최고 중 최고다. 최전방에서 포스트 플레이를 비롯해 발밑 또한 투박하지 않아 연계에 능하다.
튀르키예 무대에서 두각을 보였다. 차이쿠르 리제스포르, 페네르바흐체에서 득점력을 과시했다. 수많은 빅 클럽의 관심을 받으며 세리에 A 라치오로 향했으나 실패했고, 2021-22시즌 도중 마요르카로 이적해 팀의 주포로 부활했다.

출전경기	경기시간(분)	골	어시스트	경고	퇴장
29	2,068	7	2	1	2

MF 14 다니 로드리게스
Dani Rodriquez

국적: 스페인

데포르티보 라 코루냐 유스팀에서 성장했다. 2007년 베탄소스 임대로 프로 무대를 밟았다. 콘켄세, 라싱 클루브 데 페롤, 라싱 데 산탄데르, 알바세테를 거쳐 2018년 마요르카에 합류했다.
날카로운 킥 능력과 전진성, 드리블 능력을 갖췄다. 공격형 미드필더 외 좌우 측면에서도 활약할 수 있는 멀티플레이어다. 1988년생으로 선수 적령기를 넘어가지만, 건재함을 과시하고 있다.

출전경기	경기시간(분)	골	어시스트	경고	퇴장
37	2,177	4	7	5	-

상대팀 최근 6경기 전적

구분	승	무	패	구분	승	무	패
FC 바르셀로나		1	5	레알 소시에다드	3	1	2
레알 마드리드	1	1	4	발렌시아 CF	3	2	1
아틀레티코 마드리드	1		5	헤타페 CF	3	1	2
아틀레틱 빌바오		4	2	RCD 에스파뇰	2	1	3
비야레알 CF	2	1	3	데포르티보 알라베스	2	3	1
레알 베티스 발롬피에	1		5	지로나 FC	3		3
RC 셀타 데 비고	3	1	2	세비야 FC	1	2	3
라요 바예카노	4	2		레반테 UD	2	1	3
CA 오사수나	1	3	2	엘체 CF		4	2
RCD 마요르카				레알 오비에도	2	3	1

MF 20 파블로 토레
Pablo Torre

국적: 스페인

공격적인 재능을 두루 갖춘 2003년생 2선 자원이다. 탄탄한 기본기를 가져 2선 전 지역을 소화할 수 있는 멀티 플레이어. 라싱 산탄데르에서 성장해 2022년 바르셀로나 유스로 이적했다.
지로나에서 임대를 통해 경험을 쌓은 뒤 바르셀로나로 복귀해 지난 시즌 1군에서 활약했다. 지난 시즌 14경기 411분 출전 4골 3도움을 기록했다. 더 많은 경험을 쌓기 위해 올여름 마요르카로 이적했다.

출전경기	경기시간(분)	골	어시스트	경고	퇴장
10	309	3	1	-	-

FW 11 아사노 다쿠마
Takuma Asano

국적: 일본

일본이 자랑하는 스피드스타. 빠른 속도와 저돌적인 돌파 능력을 갖췄다. 주로 좌측면에서 중앙으로 파고들어 직접 골문을 노린다. 최전방에도 배치될 수 있다. 산프레체 히로시마에서 데뷔해 2016년 아스널로 이적했지만, 슈투트가르트와 하노버 임대 생활만 하다 세르비아 파르티잔으로 향했다. 이후 보훔에서 활약하다 지난 시즌 마요르카로 이적했다. 지난 시즌 부상으로 23경기 출전에 그쳤다.

출전경기	경기시간(분)	골	어시스트	경고	퇴장
21	1,060	2	1	-	-

DF 21 안토니오 라이오
Antonio Raillo

국적: 스페인

레알 베티스, 에스파뇰 유스에서 성장해 2015년 프로에 데뷔했다. 2016년 하부리그 폰페라디나에서 임대로 경험을 쌓은 뒤, 2016-17시즌을 앞두고 마요르카로 이적했다. 187cm의 큰 신장과 안정된 빌드업 능력, 탄탄한 수비력을 두루 갖췄다. 세트 피스 상황에서 공중볼 경합 능력은 그의 무기다. 2022-23시즌부터는 주장으로 활약 중. 지난 9시즌 동안 297경기에 나섰다. 구단 최단 출전 2위를 기록한 선수.

출전경기	경기시간(분)	골	어시스트	경고	퇴장
36	3,209	2	-	7	1

레알 소시에다드
Real Sociedad

TEAM PROFILE	
창 립	1909년
회 장	호킨 아페리바이(스페인)
감 독	세르히오 프란시스코(스페인)
연 고 지	바스크주 기푸스코아도 산 세바스티안
홈 구 장	레알레 아레나(3만 9,313명)
라 이 벌	아틀레틱 클루브 데 빌바오
홈페이지	www.realsociedad.eus

최근 5시즌 성적

시즌	순위	승점
2020-2021	5위	62점(17승11무10패, 59득점 38실점)
2021-2022	6위	62점(17승11무10패, 40득점 37실점)
2022-2023	4위	71점(21승8무9패, 51득점 35실점)
2023-2024	6위	60점(16승12무10패, 51득점 39실점)
2024-2025	11위	46점(13승7무18패, 35득점 46실점)

LA LIGA

통 산	우승 2회
24-25 시즌	11위(13승7무18패, 승점 46점)

COPA DEL REY

통 산	우승 3회
24-25 시즌	4강

UEFA

통 산	없음
24-25 시즌	유로파리그 16강

TEAM RATINGS

슈팅 7
패스 8
조직력 7
수비력 7
감독 6
선수층 7
42

2024/25 프로필

팀 득점	35
평균 볼 점유율	53.60%
패스 정확도	82.20%
게임 평균 슈팅 수	10.2
경고	85
퇴장	4

골 타입
오픈 플레이 60
세트 피스 17
카운터 어택 9
패널티 킥 11
자책골 3
단위 (%)

패스 타입
쇼트 패스 85
롱 패스 11
크로스 패스 4
스루 패스 0
단위 (%)

시즌 프리뷰 웰컴 '프란시스코'! 굴욕을 설욕하라!

레알 소시에다드는 이마놀 알과실 감독과 2,377일 동행에 마침표를 찍었다. 알과실 감독은 2018년 12월 지휘봉을 잡아 6시즌 반 동안 팀을 이끌었다. 2019-20시즌에는 코파 델 레이 우승을 차지했다. 1986-87시즌 이후 33년 만에 트로피를 들어 올리는 업적이었다. 알과실 감독과 아쉬운 작별을 뒤로하고, 빠르게 현실을 바라봐야 한다. 지난 시즌 리그 11위, 유럽축구연맹(UEFA) 유로파리그 16강 탈락, 코파 델 레이 준결승 탈락으로 부진했다. 유럽클럽대항전 연속 진출 기록 또한 마감했다.

소시에다드는 B팀을 이끌었던 세르히오 프란시스코 감독을 승격시켰다. B팀의 라리가 2 승격을 일근 터라 많은 기대를 받고 있다. 하지만 첫 시즌부터 녹록지 않다. 지난 시즌 부진을 빠르게 극복하고, 중위권 이상의 팀으로 만들어야 한다. 스페인 현지에서는 프란시스코 감독에 대한 기대와 걱정이 공존하고 있다. 소시에다드를 잘 아는 감독인 만큼 과거 제자들을 잘 활용하면서 반등을 이끌 것이라는 의견이 있는 반면, 아직 라리가 무대에서는 검증되지 않아 더 큰 부진에 빠지는 게 아니냐는 우려도 따르고 있다. 득점력, 효율적인 볼 점유, 볼 경합 능력, 세트피스 등 지난 시즌 부족한 부분을 프란시스코 감독 체제에서 어떤 전술로 보완할 수 있을지 주목된다.

COACH

세르히오 프란시스코 *Sergio Francisco*
1979년 3월 19일생 스페인

현역 시절에도 레알 소시에다드에서 성장했다. 2012년 현역 은퇴 후 곧바로 지도자의 길을 걸었다. 레알 우니온 코치를 시작으로, 2013년 1군의 지휘봉까지 잡았다. 2017년 소시에다드 C팀을 이끌며 경험을 쌓았고, 2022년 사비 알론소 감독이 떠나며 맡은 B팀에서 지난 시즌 라리가 2 승격을 일구며 주목받았다. 이를 눈여겨본 구단이 이번 시즌부터 소시에다드 1군 사령탑에 프란시스코를 지명했다.

SQUAD

포지션	등번호	이름		생년월일	키(cm)	체중(kg)	국적
GK	1	알렉스 레미로	Álex Remiro	1995.03.24	192	79	스페인
	2	존 아람부루	Jon Aramburu	2002.07.23	176	71	베네수엘라
DF	3	아이엔 무뇨스	Aihen Muñoz	1997.08.16	175	68	스페인
	5	이고르 수벨디아	Igor Zubeldia	1997.03.30	181	73	스페인
	6	아리츠 엘루스톤도	Aritz Elustondo	1994.03.28	180	71	스페인
	16	두예 칼레타-카르	Duje Caleta-Car	1996.09.17	193	89	크로아티아
	17	세르히오 고메스	Sergio Gómez	2000.09.04	171	71	스페인
	20	알바로 오드리오솔라	Álvaro Odriozola	1995.12.14	176	66	스페인
MF	4	욘 고로차테기	Jon Gorrotxategi	2002.02.02	177	-	스페인
	8	베나트 투리엔테스	Beñat Turrientes	2002.01.31	181	70	스페인
	12	양헬 에레라	Yangel Herrera	1998.01.17	184	77	베네수엘라
	18	카를로스 솔레르	Carlos Soler	1997.01.02	180	76	스페인
	21	아르센 자하랸	Arsen Zakharyan	2003.05.26	182	73	러시아
	22	미켈 고티	Mikel Goti	2002.05.23	185	-	스페인
	23	브라이스 멘데스	Brais Méndez	1997.01.07	187	76	스페인
	24	루카 수시치	Luka Sucic	2002.09.08	185	78	크로아티아
	28	파블로 마린	Pablo Marín	2003.07.03	178	73	스페인
FW	7	안데르 바레네체아	Ander Barrenetxea	2001.12.27	175	74	스페인
	9	오리 오스카르손	Orri Óskarsson	2004.08.29	186	80	아이슬란드
	10	미켈 오야르사발	Mikel Oyarzabal	1997.04.21	181	79	스페인
	11	곤살루 게드스	Gonçalo Guedes	1996.11.29	179	68	포르투갈
	14	구보 다케후사	Takefusa Kubo	2001.06.04	173	64	일본
	15	우마르 사디크	Umar Sadiq	1997.02.02	192	85	나이지리아

IN & OUT

주요 영입	주요 방출
곤살루 게드스, 두에 찰레타 차르, 앙헬 에레라, 카를로스 솔레르	마르틴 수비멘디, 우르코 곤잘레스, 하마리 트라오레, 욘 안데르 올라사가스티, 욘 마구나젤라이아, 나예프 아게르드, 우마르 사디크, 세랄도 베커, 욘 파체코

TEAM FORMATION

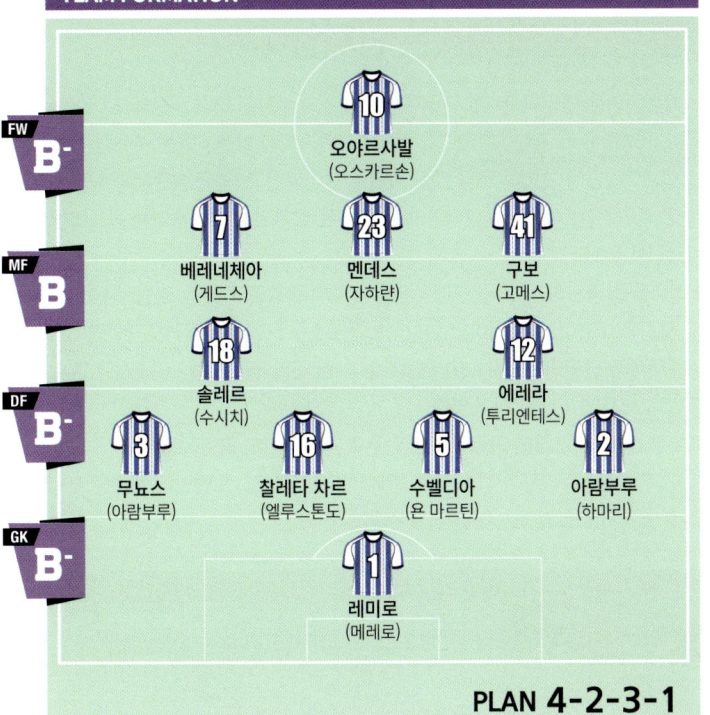

PLAN **4-2-3-1**

지역 점유율

공격 진영	29%
중앙	43%
수비 진영	28%

공격 방향

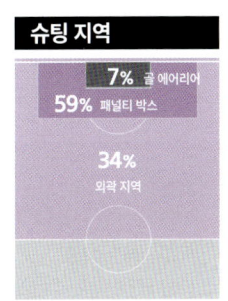

| 38% | 22% | 39% |
| 왼쪽 | 중앙 | 오른쪽 |

슈팅 지역

7%	골 에어리어
59%	패널티 박스
34%	외곽 지역

상대팀 최근 6경기 전적

구분	승	무	패	구분	승	무	패
FC 바르셀로나	2		4	레알 소시에다드			
레알 마드리드		1	5	발렌시아 CF	3	1	2
아틀레티코 마드리드		2	4	헤타페 CF	2	2	2
아틀레틱 빌바오	2	1	3	RCD 에스파뇰	5		1
비야레알 CF	3	1	2	데포르티보 알라베스	2	2	2
레알 베티스 발롬피에	2	2	2	지로나 FC	3	3	
RC 셀타 데 비고	2	2	2	세비야 FC	4		2
라요 바예카노	2	3	1	레반테 UD	2	1	3
CA 오사수나	2	1	3	엘체 CF	6		
RCD 마요르카	2	1	3	레알 오비에도	4	1	1

PLAYERS

FW 10 미켈 오야르사발
Mikel Oyarzabal

KEY PLAYER

국적: 스페인

레알 소시에다드에서 성장한 '성골 유스'다. 2015년 1군 데뷔 후 11년 동안 활약 중인 프랜차이즈 스타. 날카로운 왼발 킥 능력을 앞세워 공격을 조율한다. 마무리, 도움, 기회 창출 등 크랙의 모습을 보여주고 있다. 2022년 십자인대 부상을 당했으나, 복귀 후 팀의 주장직을 맡아 리더십까지 발휘하고 있다. 지난 시즌 부상 없이 한 시즌을 완벽하게 보냈다. 팀의 해결사로 날아오르며 53경기 18골 8도움으로 커리어 하이를 기록했다.

출전경기	경기시간(분)	골	어시스트	경고	퇴장
35	2,263	9	3	4	1

DF 2 욘 아람부루
Jon Aramburu

국적: 베네수엘라

에너지가 넘치는 풀백. 적극적으로 공격에 가담하면서도, 안정된 수비력을 갖췄다. 주로 오른쪽 풀백으로 활약하지만, 좌측에서도 활약할 수 있다. 베네수엘라 연령별 대표팀을 거쳐 2023년부터 A대표팀에서 활약 중이다. 자국 데포르티보 라과이라에서 2020년 프로 데뷔 후 리그 우승을 이끌었다. 레알 우니온을 거쳐 2023년 레알 소시에다드로 이적했다. 지난 시즌에는 팀의 주전 자리를 꿰찼다.

출전경기	경기시간(분)	골	어시스트	경고	퇴장
35	2,463	1	1	8	-

MF 12 앙헬 에레라
Yangel Herrera

국적: 베네수엘라

탄탄한 수비력을 자랑하는 3선 미드필더. 움직임이 좋아 미첼 산체스 감독 체제에서는 공격적인 역할을 부여받기도 한다. 2017년 베네수엘라의 U-20 월드컵 준우승 돌풍의 주역이다. 같은 해 맨체스터 시티로 이적해 뉴욕시티, 우에스카, 그라나다, 에스파뇰 임대를 거쳐 2022년 지로나에 합류했다. 2023년 완전이적 후 현재까지 팀의 핵심으로 활약 중이다.

출전경기	경기시간(분)	골	어시스트	경고	퇴장
29	2,266	4	3	10	1

MF 18 카를로스 솔레르
Carlos Soler

국적: 스페인

탄탄한 기본기와 볼을 다루는데 능하다. 예리한 오른발 킥 능력을 장착했다. 세트피스 담당 키커로도 활약할 수 있다. 발렌시아에서 성장한 성골 유스로 2016년부터 1군에서 활약했다. 공격적인 역할을 주로 맡았으나, 점차 3선에 자리 잡았다. 2022년 파리 생제르맹으로 향했으나 주전 경쟁에서 밀려난 뒤 부진까지 겹쳤다. 지난 시즌 웨스트햄 유나이티드 임대로 부활을 노렸으나 실패했다.

출전경기	경기시간(분)	골	어시스트	경고	퇴장
31	1,404	1		6	-

FW 7 안데르 바레네체아
Ander Barrenetxea

국적: 스페인

민첩한 발기술과 폭발적인 스피드를 앞세운 돌파가 장점이다. 중앙으로 파고들어 직접 기회를 노리는 역발 윙어다. 2013년 레알 소시에다드 입단 후 꾸준히 활약 중이다. B팀을 거치지 않고 곧바로 1군 무대를 밟아, 2018년부터 꾸준히 기회를 받았다. 2021-22시즌에는 근육 부상으로 장기 이탈했으나 다시 돌아와 기복 없이 제 몫을 다해주고 있다. 지난 시즌 47경기 8골 6도움을 기록했다.

출전경기	경기시간(분)	골	어시스트	경고	퇴장
30	1,263	1	3	6	-

발렌시아 CF
Valencia CF

TEAM PROFILE

창 립	1919년
회 장	피터 림(싱가포르)
감 독	카를로스 코르베란(스페인)
연 고 지	발렌시아주 발렌시아
홈 구 장	에스타디오 메스타야(4만 9,430명)
라 이 벌	비야레알 CF, 레반테 UD
홈페이지	www.valenciacf.com

최근 5시즌 성적

시즌	순위	승점
2020-2021	13위	43점(10승13무15패, 50득점 53실점)
2021-2022	9위	48점(11승15무12패, 48득점 53실점)
2022-2023	14위	42점(11승9무18패, 42득점 45실점)
2023-2024	9위	49점(13승10무15패, 40득점 45실점)
2024-2025	12위	46점(11승13무14패, 44득점 54실점)

LA LIGA

통 산	우승 6회
24-25 시즌	12위(11승13무14패, 승점 46점)

COPA DEL REY

통 산	우승 8회
24-25 시즌	8강

UEFA

통 산	유로파리그 우승 1회
24-25 시즌	없음

TEAM RATINGS

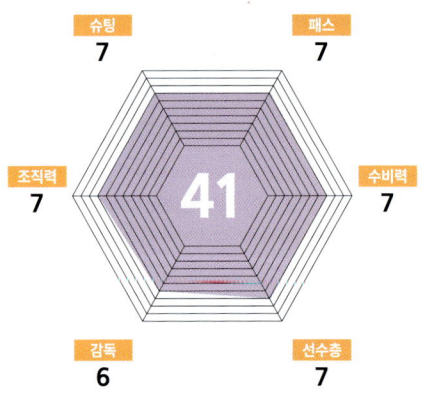

슈팅 7 · 패스 7 · 수비력 7 · 선수층 7 · 감독 6 · 조직력 7 · **41**

2024/25 프로필

팀 득점	44
평균 볼 점유율	48.30%
패스 정확도	81.20%
게임 평균 슈팅 수	10.2
경고	84
퇴장	1

골 타입

오픈 플레이	70
세트 피스	14
카운터 어택	2
패널티 킥	11
자책골	2

단위 (%)

패스 타입

쇼트 패스	84
롱 패스	12
크로스 패스	5
스루 패스	0

단위 (%)

시즌 프리뷰 또 한 명의 소방수, 영광의 시대는 언제입니까?

라리가를 대표했던 '다크호스' 박쥐군단은 옛말이다. 피터 림 구단주 체제의 부진은 지난 시즌에도 이어졌고, 적절한 투자 또한 이뤄지지 않아 어려움은 더 컸다. 2022-23시즌 강등 위기에서 발렌시아를 구했던 루벤 바라하 감독은 지난 시즌 리그 중반까지 2승에 그치며 팀을 강등 위기로 몰아넣었다. 결국 발렌시아는 감독 교체 카드를 꺼내 들었다. 소방수로 허더즈필드 타운, 올림피아코스, 웨스트 브롬위치 알비온에서 잠재력을 인정받은 카를로스 코르베란 감독을 선임했다.

코르베란 감독은 전방 압박과 점유율을 중시하는 4-4-2 포메이션을 앞세워 반등을 꾀했다. 후반기 10경기 무패 성적을 거두며 리그 12위로 시즌을 마쳤다. 발렌시아의 현실적인 목표는 다시 한 번 유럽축구연맹(UEFA) 클럽대항전 진출권이다. 2010년대까지 단골이었으나, 2019-20시즌 이후 내리막길을 걸으며 6시즌 연속 중위권에 머물고 있다. 코르베란 감독 체제에 기대를 걸어 본다.

올여름 이적시장은 꽤 적극적으로 나섰다. 공격에 아르나우트 단주마, 다니 라바, 중원에 필립 우그리니치, 밥티스트 산타마리아를 품었다. 후방에는 검증된 수비수 호세 코페테가 합류했다. 오랜만에 선수단 보강에 나선 만큼 원하는 결과를 만들 수 있을지 주목된다.

COACH

카를로스 코르베란 *Carlos Corberan*
1983년 4월 7일생 스페인

발렌시아 출신 선수가 감독으로 돌아왔다. 23살 젊은 나이에 은퇴해 일찌감치 지도자의 길을 준비했고, 2016년 도하 카토코피아스에서 감독 커리어를 시작했다. 2017년에는 리즈 유나이티드 23세 팀을 맡아 지도력을 인정받았다. 이후 허더즈필드 타운, 올림피아코스, 웨스트 브롬위치 알비온을 이끌었다. 지난 시즌 도중 발렌시아에 부임해 위기의 팀을 구해냈다. 4-4-2 시스템이 트레이드 마크다. 발렌시아의 옛 영광을 되찾을 수 있을까.

SQUAD

포지션	등번호	이름		생년월일	키(cm)	체중(kg)	국적
GK	1	스톨 디미트리예프스키	Stole Dimitrievski	1993.12.25	188	84	마케도니아
	13	크리스티안 리베로	Cristian Rivero	1998.03.21	188	75	스페인
DF	3	호세 코페테	José Copete	1999.10.10	190	73	스페인
	4	무크타르 디아카비	Mouctar Diakhaby	1996.12.19	189	78	프랑스
	5	세사르 타레가	César Tárrega	2002.02.26	194	78	스페인
	12	티에리 코레이라	Thierry Correia	1999.03.09	176	69	포르투갈
	14	호세 가야	José Gayà	1995.05.25	172	66	스페인
	20	디미트리 폴퀴에	Dimitri Foulquier	1993.03.23	183	72	과들루프
	21	헤수스 바스케스	Jesús Vázquez	2003.01.02	182	76	스페인
	24	에라이 쿠마르트	Eray Cömert	1998.02.04	183	80	스위스
MF	8	하비 게라	Javi Guerra	2003.05.13	187	81	스페인
	10	안드레 알메이다	André Almeida	2000.05.30	176	76	포르투갈
	15	루카스 벨트란	Lucas Beltrán	2001.03.29	176	75	아르헨티나
	18	페펠루	Pepelu	1988.08.11	186	77	스페인
	22	바티스트 산타마리아	Baptiste Santamaria	1995.03.09	183	81	프랑스
	23	필립 우그리니치	Filip Ugrinic	1999.01.05	184	88	스위스
FW	7	아르나우트 단주마	Arnaut Danjuma	1997.01.31	178	74	나이지리아
	9	우고 두로	Hugo Duro	1999.11.10	177	70	스페인
	11	루이스 리오하	Luis Rioja	1993.10.16	175	68	스페인
	16	디에고 로페스	Diego López	2002.05.13	172	62	스페인
	17	라지 라마자니	Largie Ramazani	2001.02.27	168	55	벨기에
	19	다니엘 라바	Dani Raba	1995.10.29	185	76	스페인

IN & OUT

주요 영입	주요 방출
필립 우그리니치, 호세 코페테, 밥티스트 산타마리아, 홀렌 아기레사발라(임대), 아르나우트 단주마, 다니 라바, 라지 라마자니(임대), 루카스 벨트란(임대)	크리스티안 모스케라, 야렉 가시오로브스키, 프란 페레스, 젱크 위즈카차르, 제르망 발레라, 우고 기야몬, 자우메 도메네크, 기오르기 마마르다슈빌리, 엔소 바레네체아, 우마르 사디크

TEAM FORMATION

FW **B-**	
MF **B-**	
DF **B-**	
GK **B-**	

9 두로
7 단주마 (라바)
16 로페스 (알메이다)
18 페펠루 (산타마리아)
8 게라 (우그리니치)
11 리오하 (라마자니)
14 가야 (바스케스)
3 코페테
4 타레가 (디아카비)
20 폴퀴에 (코레이라)
25 아기레사발라 (디미트리예프스키)

PLAN **4-2-2**

지역 점유율

공격 진영	**28%**
중앙	**44%**
수비 진영	**29%**

공격 방향

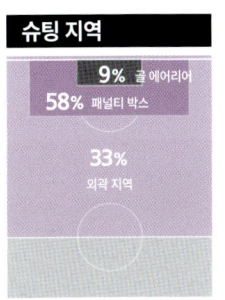

39% 왼쪽	24% 중앙	37% 오른쪽

슈팅 지역

9% 골 에어리어
58% 패널티 박스
33% 외곽 지역

PLAYERS

FW 9 우고 두로 / Hugo Duro — KEY PLAYER

국적: 스페인

빠른 속도와 드리블 능력을 갖춘 포처 유형의 공격수. 측면에서도 충분히 뛸 수 있지만, 최전방에 있을 때 장점이 더 발휘된다. 활발한 활동량과 폭넓은 움직임을 가져간다. 왼발을 주로 사용하지만, 오른발 능력 또한 준수하다.

헤타페 유스에서 성장해 2017년 프로 무대를 밟았다. 2020년 레알 마드리드 임대돼 카스티야와 1군에서 경험을 쌓았다. 2021년 발렌시아로 임대, 2022년 완전이적해 팀의 해결사로 활약 중이다.

출전경기	경기시간(분)	골	어시스트	경고	퇴장
31	2,173	11	2	5	-

DF 14 호세 가야 / José Gayà

국적: 스페인

발렌시아에서 가장 많은 사랑을 받고 있는 선수다. 2006년 입단해 20년간 발렌시아에서만 활약 중인 '성골 유스'다.

2012년 1군에 데뷔하며 빠른 속도를 앞세운 측면 돌파와 날카로운 왼발 킥 능력을 앞세워 두각을 보였다. 리그 최정상급 풀백으로 늘 빅 클럽의 스카우트 표적이 됐다. 스페인 17세 이하 대표팀부터 A대표팀까지 꾸준히 발탁되고 있다. 다만, 잦은 부상이 큰 단점이다.

출전경기	경기시간(분)	골	어시스트	경고	퇴장
23	1,811	-	1	7	-

상대팀 최근 6경기 전적

구분	승	무	패	구분	승	무	패
FC 바르셀로나		1	5	레알 소시에다드	2	1	3
레알 마드리드	2	1	3	발렌시아 CF			
아틀레티코 마드리드	1		5	헤타페 CF	3	1	2
아틀레틱 빌바오	1	1	4	RCD 에스파뇰		5	1
비야레알 CF	1	3	2	데포르티보 알라베스	1	1	4
레알 베티스 발롬피에	2	2	2	지로나 FC	2	1	3
RC 셀타 데 비고	2	2	2	세비야 FC	2	3	1
라요 바예카노	1	3	2	레반테 UD	3	2	1
CA 오사수나	3	2	1	엘체 CF	4	1	1
RCD 마요르카	1	2	3	레알 오비에도	3	3	

MF 8 하비 게라 / Javi Guerra

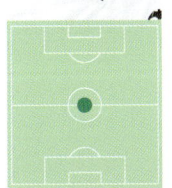

국적: 스페인

2003년생 유망주 미드필더. 발렌시아의 보석이다. 187cm의 체격에도 스페인 출신다운 발밑 능력과 전진성을 갖춘 육각형 미드필더.

6번, 8번 10번 자리를 모두 소화할 수 있다. 루벤 바라하, 카를로스 코르베란 감독 체제에서는 대체로 6번, 8번에서 중용을 받고 있다. 꾸준히 빅 클럽의 관심을 받고 있는 재능이다. 지난 시즌 발렌시아와 2029년까지 재계약을 체결했다. 당분간 이적시장에서의 입질은 없을 듯하다.

출전경기	경기시간(분)	골	어시스트	경고	퇴장
36	2,594	3	3	5	-

FW 11 루이스 리오하 / Luis Rioja

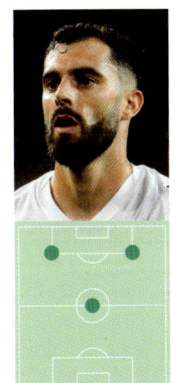

국적: 스페인

왕성한 활동량과 뛰어난 축구 지능을 보유한 측면 공격수. 주로 하부 리그에서 활약하다 2018년 알메리아로 이적했다. 첫 시즌부터 두각을 보였고, 한 시즌 만에 데포르티보 알라베스로 둥지를 옮기며 라리가에서 활약하게 됐다.

알라베스의 에이스로 군림해, 2022-23시즌에는 팀의 강등에도 잔류하며 다시 승격을 이끌었다. 지난 시즌 발렌시아로 이적해 공격의 한 축을 담당했다.

출전경기	경기시간(분)	골	어시스트	경고	퇴장
36	2,846	5	3	6	-

FW 16 디에고 로페스 / Diego Lopez

국적: 스페인

스포르팅 히혼, 레알 마드리드, 바르셀로나 유스에서 성장해 2021년 발렌시아 유스에 합류했다. 1년 만에 잠재력을 터뜨리며, 1군에 콜업됐다. 뛰어난 축구 센스와 지능을 갖추어 2023-24시즌부터는 팀의 핵심으로 활약했다.

연계 플레이에 능해 동료를 이용해 측면을 파고든다. 지난 시즌 42경기 9골 6도움으로 팀 내 최다 공격포인트를 기록하며 팀의 해결사 역할까지 맡고 있다.

출전경기	경기시간(분)	골	어시스트	경고	퇴장
38	2,760	8	5	3	-

헤타페 CF
Getafe CF

TEAM PROFILE

창 립	1983년
회 장	앙헬 토레스 산체스(스페인)
감 독	호세 보르달라스(스페인)
연 고 지	마드리드주 헤타페
홈 구 장	에스타디오 콜리세움(1만 6,500명)
라 이 벌	CD 레가네스
홈페이지	www.getafecf.com

최근 5시즌 성적

시즌	순위	승점
2020-2021	15위	38점(9승11무18패, 28득점 43실점)
2021-2022	15위	39점(8승15무15패, 33득점 41실점)
2022-2023	15위	42점(10승12무16패, 34득점 45실점)
2023-2024	12위	43점(10승13무15패, 42득점 54실점)
2024-2025	13위	42점(11승9무18패, 34득점, 39실점)

LA LIGA

통 산	없음
24-25 시즌	13위(11승9무18패, 승점 42점)

COPA DEL REY

통 산	없음
24-25 시즌	8강

UEFA

통 산	없음
24-25 시즌	없음

TEAM RATINGS

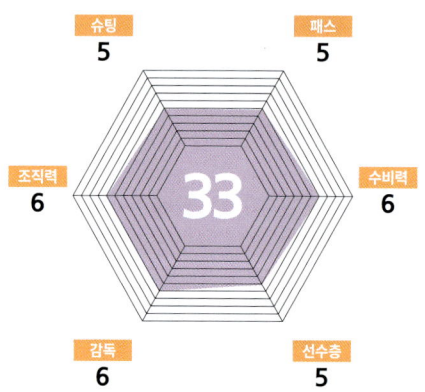

슈팅	패스
5	5

조직력	수비력
6	6

33

감독	선수층
6	5

2024/25 프로필

팀 득점	34
평균 볼 점유율	40.90%
패스 정확도	69.80%
게임 평균 슈팅 수	11.4
경고	104
퇴장	7

골 타입

오픈 플레이	50
세트 피스	32
카운터 어택	3
패널티 킥	15
자책골	0	단위 (%)

패스 타입

쇼트 패스	73
롱 패스	20
크로스 패스	6
스루 패스	0	단위 (%)

중상위권을 향한 도약, 보르달라스 지도력에 달렸다

헤타페는 2000년대 들어서며 꾸준히 라리가에서 활약하다 2016-17시즌 부진 속 강등을 당했다. 그러나 현재도 팀을 이끄는 호세 보르달라스 감독과 함께 한 시즌 만에 라리가 승격을 일군 후, 9시즌 연속 잔류했다. 승격 후 곧바로 저력을 보였으나, 2020-21시즌부터 2022-23시즌까지 3시즌 연속 강등 위기에 내몰렸다. 결국 헤타페를 구한 건 승격을 이끌었던 보르달라스 감독이었다. 2022-23시즌 막판 헤타페로 복귀해 잔류에 성공했다. 이후 2023-24시즌과 지난 시즌에는 중위권에 팀을 안착시키며 안정감을 찾아갔다.

보르달라스 감독 체제에서 중위권 이상의 도약을 꿈꾸고 있지만, 현실은 녹록지 않다. 후안미, 다빈치, 압델 아브카르, 이반 네유 등 총 9명의 선수를 영입했지만, 대체로 자유계약(FA) 혹은 임대 영입이다. 돈 때문이다. 재정적 페어플레이(FFP) 규정과 라리가 샐러리캡이 발목을 잡았다. 핵심 수비수 오마르 알데레테를 1,160만 유로에 매각했음에도 어려움의 연속이었다. 앙헬 토레스 구단주는 라리가 샐러리캡 제도에 대해 강도 높은 비판의 목소리를 내며, 라리가 팀의 발전을 저해한다고 주장했다.

실리적인 투자와 작은 선수단 규모를 토대로 기적을 꿈꿔야 하는 상황이다. 유일한 기대는 보르달라스 감독의 지도력뿐이다.

COACH

호세 보르달라스 *Jose Bordalás*
1964년 3월 5일생 스페인

알리칸테, 에르쿨레스 등 하부리그에서 주로 경력을 이어갔다. 2016년에 2부로 강등된 헤타페를 리그 3위로 만들며 라리가 승격을 이뤄냈고, 이후 2018-19시즌에는 리그 5위를 기록하며 유럽축구연맹(UEFA) 유로파리그 진출권을 따내는 돌풍을 일으켰다. 4-4-2 시스템을 바탕으로 한 강한 압박과 빠른 전개를 중시한다. 2022-23시즌 막판 헤타페 소방수로 부임해 잔류에 성공했다. 보르달라스는 중위권에 있는 헤타페를 상위권으로 밀어 올려야 하는 과제를 안고 있다.

SQUAD

포지션	등번호	이름		생년월일	키(cm)	체중(kg)	국적
GK	1	이르지 레타세크	Jiri Letacek	1999.01.09	196	77	체코
	13	다비드 소리아	David Soria	1993.04.04	192	85	스페인
DF	2	다코남 제네	Dakonam Djené	1991.12.31	178	71	토고
	3	압델 압카르	Abdel Abqar	1999.03.1	188	80	모로코
	16	다에고 리코	Diego Rico	1993.02.23	183	76	스페인
	17	키코 페메니아	Kiko Femenía	1991.02.02	174	61	스페인
	21	후안 이글레시아스	Juan Iglesias	1998.07.03	187	76	스페인
	22	도밍고스 두아르테	Domingos Duarte	1995.03.10	192	86	포르투갈
	26	다빈치	Davinchi	2007.10.16	182	-	스페인
	31	이스마엘 베쿠차	Ismael Bekhoucha	2004.11.20	176	69	모로코
MF	4	이반 네유	Yvan Neyou	1997.01.03	180	64	카메룬
	5	루이스 미야	Luis Milla	1994.10.07	175	67	스페인
	6	마리오 마르틴	Mario Martín	2004.03.05	177	75	스페인
	8	마우로 아람바리	Mauro Arambarri	1995.09.30	175	74	우루과이
	14	하비 무뇨즈	Javi Muñoz	1995.02.28	177	69	스페인
FW	7	후안미	Juanmi	1993.05.20	172	63	스페인
	9	보르하 마요랄	Borja Mayoral	1997.04.05	182	73	스페인
	11	아부 카마라	Abu Kamara	2003.07.21	183	-	잉글랜드
	18	알렉스 산크리스	Álex Sancris	1997.01.18	181	-	스페인
	20	코바 다 코스타	Coba da Costa	2002.07.26	182	-	스페인
	23	아드리안 리소	Adrián Liso	2005.04.02	182	60	스페인

IN & OUT

주요 영입	주요 방출
후안미, 다빈치, 압델 아브카르, 이반 네유, 하비 무뇨스, 알렉스 산크리스, 키코 페메니아, 아드리안 리소(임대), 마리오 마르틴(임대), 압두 카마라(임대)	오마르 알데레데, 카를레스 알레냐, 엘류 산티아고, 조나탄 실바, 후안 베로칼, 후안 베르나트, 앨런 은놈, 라몬 테라츠

TEAM FORMATION

FW **C**
MF **B-**
DF **C+**
GK **C**

23 리소 (솔라)
9 마요랄 (카마라)

7 후안미 (다코스타)
5 미야 (네유)
8 아람바리 (무뇨스)
18 솔라 (페데리코)

16 리코 (다빈치)
3 아브카르 (리코)
2 제네 (두아르테)
17 페메니아 (이글레시아스)

13 소리아 (라테체크)

PLAN **4-4-2**

지역 점유율

공격 진영 **32%**
중앙 **44%**
수비 진영 **24%**

공격 방향

42% 왼쪽
25% 중앙
33% 오른쪽

슈팅 지역

6% 골 에어리어
53% 패널티 박스
41% 외곽 지역

PLAYERS

MF 8 마우로 아람바리
Mauro Arambari
KEY PLAYER

국적: 우루과이

왕성한 활동량을 앞세워 팀의 살림꾼 역할을 맡을 수 있는, 전형적인 박스 투 박스 유형이다. 수비를 하며 공격과 수비의 연결 고리 역할까지 수행한다.
2016년 지롱댕 드 보르도로 이적했지만, 한 시즌 반 동안 12경기 출전에 그쳤다. 2017년 보스톤 리베르 이적과 동시에 헤타페로 임대됐고, 1년 만에 완전이적했다. 지난 시즌에는 공격적인 역할까지 맡아 10골을 넣으며 팀의 해결사 역할을 했다.

출전경기	경기시간(분)	골	어시스트	경고	퇴장
35	2,665	10	-	10	-

DF 2 제네 다코남
Djené Dakonam

국적: 토고

178cm의 단신에도 적극적이고 거침없는 모습을 보여주는 수비수. 헤타페 수비의 핵심이다. 빠른 속도와 뛰어난 대인 수비력, 폭넓은 커버 범위 등 많은 강점을 보유했다. 자국에서 축구를 시작해 스페인 하부리그 알코르콘, 벨기에 신트트라위던을 거쳐 2017년 헤타페로 이적했다. 1991년생으로 황혼기를 향해 달려가고 있으나, 아직 건재하다. 부상 없는 철강왕으로 2021년부터 캡틴으로 활약 중이다.

출전경기	경기시간(분)	골	어시스트	경고	퇴장
31	2,556	-	-	10	1

상대팀 최근 6경기 전적

구분	승	무	패	구분	승	무	패
FC 바르셀로나		3	3	레알 소시에다드	2	2	2
레알 마드리드			6	발렌시아 CF	2	1	3
아틀레티코 마드리드	1	2	3	헤타페 CF			
아틀레틱 빌바오		4	2	RCD 에스파뇰	2		4
비야레알 CF		4	2	데포르티보 알라베스	3	2	1
레알 베티스 발롬피에	1	2	3	지로나 FC	3		3
RC 셀타 데 비고	2	2	2	세비야 FC	2	1	3
라요 바예카노		4	2	레반테 UD	2	1	3
CA 오사수나	4	1	1	엘체 CF	2	2	2
RCD 마요르카	2	1	3	레알 오비에도	2	3	1

DF 3 압델 아브카르
Abdel Abqar

국적: 모로코

말라가를 거쳐 2020년 데포르티보 알라베스로 향한 뒤 핵심으로 활약했다. 2022-23시즌 알라베스의 라리가 승격을 이끌며 잠재력을 인정받았다.
1999년생으로, 전성기로 향하고 있으며 188cm의 탄탄한 피지컬을 보유하고 있다. 발밑 능력 또한 갖춰 빌드업 상황에서 강점을 발휘할 수 있다. 헤타페는 주전 수비수 오마르 알데레테를 보내고, 자유계약(FA)으로 대체자를 구했다.

출전경기	경기시간(분)	골	어시스트	경고	퇴장
29	2,467	-	1	13	-

DF 16 디에고 리코
Diego Rico

국적: 스페인

레알 사라고사에서 성장해 프로 무대에 데뷔했다. 레가네스, 본머스를 거치며 성장했다. 2021년 레알 소시에다드로 이적하며 첫 1부 무대를 밟았으나 두 시즌 동안 확고한 입지를 다지지 못했다.
2023년 헤타페로 임대 이적해 팀의 핵심으로 활약하며, 1년 만에 완전 이적했다. 빠른 속도와 위협적인 왼발 크로스를 보유한 풀백. 최근에는 센터백으로도 안정된 활약을 보여주고 있다.

출전경기	경기시간(분)	골	어시스트	경고	퇴장
33	2,820	-	3	9	1

MF 5 루이스 미야
Luis Milla

국적: 스페인

왕성한 활동량을 앞세워 중원을 장악한다. 공격과 수비 능력을 모두 고루 갖춘 미드필더로 꼬집을 만한 단점이 없다. 스페인 출신다운 발기술을 보유했다.
팀의 궂은일을 도맡아 하는 육각형 미드필더. 라요 바예카노, 알코르콘, 푸엔라브라다, 테네리페를 거쳐 2020년 그라나다로 향하며 소망하던 라리가 무대를 밟았다. 2022년 헤타페 이적 후, 팀의 핵심으로 활약 중이다.

출전경기	경기시간(분)	골	어시스트	경고	퇴장
33	2,878	1	4	6	-

RCD 에스파뇰
RCD Espanyol

TEAM PROFILE	
창 립	1900년
회 장	천옌성(중국)
감 독	마놀로 곤살레스(스페인)
연 고 지	카탈루냐주 바르셀로나도 코르네야 데 요브레가트
홈 구 장	스테이지 프론트 스타디움 (4만 명)
라 이 벌	FC 바르셀로나
홈페이지	https://www.rcdespanyol.com/en/

최근 5시즌 성적

시즌	순위	승점
2020-2021	없음	없음
2021-2022	14위	42점(10승12무16패, 40득점 53실점)
2022-2023	19위	37점(8승13무17패, 52득점 69실점)
2023-2024	없음	없음
2024-2025	14위	42점(11승9무18패, 40득점 51실점)

LA LIGA

통 산	없음
24-25 시즌	14위(11승9무18패 승점 42점)

COPA DEL REY

통 산	우승 4회
24-25 시즌	없음

UEFA

통 산	없음
24-25 시즌	없음

TEAM RATINGS

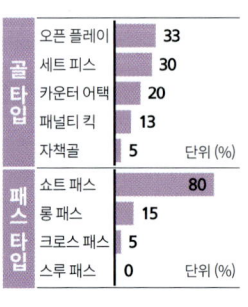

슈팅 5 · 패스 5 · 조직력 6 · 수비력 5 · 감독 5 · 선수층 5

31

시즌 프리뷰 또 한 번의 핵심 이탈, 잔류를 위한 사투

꾸준히 라리가 무대를 밟았던 에스파뇰은 2020년대 들어서며 강등되는 아픔을 두 번 겪었다. 다행히 곧바로 승격에 성공하며 암흑기를 오래 보내지는 않았다.

지난 시즌에는 승격의 주축들이 대거 이탈했다. 마르틴 브레이스웨이트, 니코 멜라메드, 케이디 바레 등의 계약이 만료됐다. 에스파뇰은 알바로 테레호, 이르뱅 카르도나, 알레호 벨리스, 왈리드 체디라, 알렉스 크랄, 마라쉬 쿰불라, 로베르토 페르난데스 등을 영입했지만, 모두 자유계약(FA) 혹은 임대 영입이었다. 라리가 승격을 이끈 마놀로 곤살레스 감독 체제에서 힘겹게 잔류에 성공했다. 순위는 14위지만, 역대급 강등 경쟁을 펼쳤다. 라리가 2로 강등된 레가네스와 불과 2점 차이로 아슬아슬했다.

재정적 페어플레이(FFP) 규정과 라리가 샐러리캡 제도로 선수 영입이 쉽지 않다. 이번 시즌에는 조안 가르시아가 바르셀로나로 향하며 2,500만 유로의 수익을 남겼지만, 마음 편하게 쓸 수 없다. 페르난데스의 완전영입과 우르코 곤살레스, 클레멘 리델 영입에 약 1,300만 유로를 지출했기 때문이다. 세 선수 외에도 타이리스 도란, 호세 살리나스, 루카 콜레오쇼, 라몬 테라츠를 품었다. 지난 시즌과 마찬가지로 FA 혹은 임대다. 과거 에스파뇰은 꾸준히 중위권을 유지했으나, 이제는 매 시즌 잔류를 위해 경쟁해야 한다.

COACH

마놀로 곤살레스 *Manolo González*
1979년 2월 14일생 스페인

1995년부터 코치로 경험을 쌓은 뒤 2012년 몬타녜사를 시작으로 감독 커리어를 시작했다. 2023-24 시즌 후반기에 팀을 맡아 라리가 승격에 성공했고, 지난 시즌에는 강등 위기에서 살아나 잔류를 확정 짓는 처력을 발휘했다. 선수단의 지지를 받으며 새 시즌을 앞두고 2027년까지 재계약을 맺었다. 빠른 전개를 앞세운 4-2-3-1 포메이션을 중용하며 왕성한 활동량을 통한 압박을 강조한다. 주축들이 많이 빠져나간 상황에서 이번 시즌 역시 쉽지 않다.

2024/25 프로필

팀 득점	40
평균 볼 점유율	39.00%
패스 정확도	77.70%
게임 평균 슈팅 수	9.4
경고	88
퇴장	1

골 타입
오픈 플레이	33
세트 피스	30
카운터 어택	20
패널티 킥	13
자책골	5

단위 (%)

패스 타입
쇼트 패스	80
롱 패스	15
크로스 패스	5
스루 패스	0

단위 (%)

SQUAD

포지션	등번호	이름		생년월일	키(cm)	체중(kg)	국적
GK	1	앙헬 포투노	Ángel Fortuño	2001.10.05	183	77	스페인
	13	마르코 드미트로비치	Marko Dmitrovic	1992.01.24	189	93	세르비아
DF	2	루벤 산체	Rubén Sánchez	2001.02.04	185	-	스페인
	5	페르난도 칼레로	Fernando Calero	1995.09.14	183	71	스페인
	6	레안드로 카브레라	Leandro Cabrera	1991.06.17	190	80	우루과이
	12	호세 살리나스	José Salinas	2000.09.30	178	69	스페인
	15	미겔 루비오	Miguel Rubio	1998.03.11	191	63	스페인
	22	카를로스 로메로	Carlos Romero	2001.10.29	180	70	스페인
	23	오마르 엘 힐랄리	Omar El Hilali	2003.09.12	183	78	모로코
MF	4	우르코 곤잘레스	Urko González de Zárate	2001.03.20	189	83	스페인
	8	에두 엑스포지토	Edu Expósito	1996.08.01	178	68	스페인
	10	폴 로자노	Pol Lozano	1999.10.06	176	68	스페인
	14	라몬 테라츠	Ramón Terrats	2000.10.18	181	70	스페
	18	샤를 피켈	Charles Pickel	1997.05.15	187	76	스위
FW	7	하비 푸아도	Javi Puado	1998.05.25	177	69	스페인
	9	로베르토 페르난데스	Roberto Fernández	2002.07.03	186	89	스페인
	16	루카 콜레오쇼	Luca Koleosho	2004.09.15	175	59	미국
	17	조프레 카레라스	Jofre Carreras	2001.06.17	175	71	스페인
	19	키케 가르시아	Kike García	1989.11.25	186	79	스페인
	20	안토니우 로카	Antoniu Roca	2002.09.05	180	-	스페인

IN & OUT

주요 영입	주요 방출
로베르토 페르난데스. 우르코 곤잘레스, 클레멘스 리델, 타이 리스 도란, 미구엘 루비오, 키케 가르시아, 마르코스 페르난 데스, 우고 페레스, 루카 콜레오쇼(임대), 라몬 테라츠(임대)	조안 가르시아, 알바로 트레호, 세르지 고메 스, 호게 그라게라, 오마르 사딕, 브라이언 올리반, 알바로 아구아도, 개스톤 바예스

TEAM FORMATION

FW **C⁻**
MF **C⁻**
DF **C⁻**
GK **C⁻**

9 페르난데스 (가르시아)

7 푸아도 (페레 미야)
14 테라츠 (엑스포시토)
17 카레라스 (콜레오쇼)

8 엑스포시토 (피켈)
10 로사노 (곤잘레스)

22 로메로 (살리나스)
6 카브레라 (리델)
5 칼레로 (루비오)
23 엘 힐라리 (산체스)

13 디미트로비치 (포르투뇨)

PLAN **4-2-3-1**

지역 점유율

공격 진영	**23%**
중앙	**44%**
수비 진영	**32%**

공격 방향

35% 왼쪽 | **27%** 중앙 | **39%** 오른쪽

슈팅 지역

6% 골 에어리어
56% 패널티 박스
38% 외곽 지역

PLAYERS

FW 7 하비 푸아도
Javi Puado

KEY PLAYER

국적: 스페인

에스파뇰에서 성장한 '성골 유스'는 이제 팀의 에이스가 됐다. 2018년 1군 무대를 밟은 뒤 2019년 레알 사라고사를 통해 경험을 쌓았다. 두 번의 강등에도 팀에 잔류해 입지를 굳혀갔다.
2020-21시즌, 2023-24시즌 에스파뇰의 승격을 이끌기도 했다. 빠른 속도와 유려한 발기술을 앞세운 드리블 돌파에 강점이 있다. 주로 좌측에서 중앙으로 좁혀 들어와 기회를 만드는 데 능하다. 에스파뇰 통산 58골로 구단 역대 9위다.

출전경기	경기시간(분)	골	어시스트	경고	퇴장
35	2,989	12	4	7	-

DF 6 레안드로 카브레라
Leandro Cabrera

국적: 우루과이

빠른 발과 190cm의 큰 신장에서 하는 공중볼 경합 능력을 앞세우는 수비수. 패스 능력 또한 준수하다. 2009년 아틀레티코 마드리드로 이적한 뒤 하부리그 임대로 경험을 쌓았다. 2013년 레알 마드리드로 이적했지만 주로 카스티야에서 활약했다. 이후 라리가2 레알 사라고사에서 팀의 주축으로 활약했으며 크로토네, 헤타페를 거쳐 2020년 에스파뇰에 합류했다.

출전경기	경기시간(분)	골	어시스트	경고	퇴장
33	2,871	4	2	4	1

상대팀 최근 6경기 전적

구분	승	무	패	구분	승	무	패
FC 바르셀로나		2	4	레알 소시에다드	1		5
레알 마드리드	2		4	발렌시아 CF	1	5	
아틀레티코 마드리드		4	2	헤타페 CF	4		2
아틀레틱 빌바오	1	1	4	RCD 에스파뇰			
비야레알 CF		1	5	데포르티보 알라베스	4	1	1
레알 베티스 발롬피에	1	1	4	지로나 FC		2	4
RC 셀타 데 비고	4	1	1	세비야 FC		2	4
라요 바예카노	3		3	레반테 UD	4	1	1
CA 오사수나		4	2	엘체 CF	2	3	1
RCD 마요르카	3	1	2	레알 오비에도	3	1	2

MF 14 라몬 테라츠
Ramon Terrats

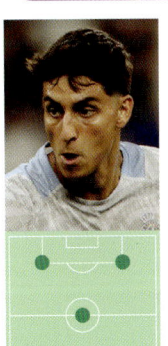

국적: 스페인

지로나에서 경험을 쌓아 2020년 프로 무대를 밟았다. 2023년 비야레알로 임대를 떠나 1년 만에 완전이적한 후, 백업으로 활약하며 기회를 잡아갔다.
지난 시즌 하반기에는 헤타페로 임대돼 16경기 4골 1도움을 기록했다. 새 시즌을 앞두고 에스파뇰에 합류했다. 중앙 미드필더를 비롯해 2선 자리도 모두 소화할 수 있을 만큼 다재다능함을 가졌다. 2000년생으로 계속 성장 중이다.

출전경기	경기시간(분)	골	어시스트	경고	퇴장
26	1,354	4	1	2	-

FW 9 로베르토 페르난데스
Roberto Fernandez

국적: 스페인

코르도바, 세비야를 거쳐 말라가에서 성장했다. 2021년 1군에 콜업되었고, 2022년 바르셀로나 유스로 임대를 떠났다가 복귀했다. 말라가 B팀에서 핵심 공격수로 성장하며 폭발적인 득점력을 뽐냈다. 지난 시즌 포르투갈 브라가로 넘어간 뒤 후반기에는 에스파뇰로 임대됐다. 후반기에만 19경기 6골 1도움을 몰아치며 팀의 1부 잔류에 힘을 보탰다. 이번 시즌 들어 에스파뇰로 완전이적했다.

출전경기	경기시간(분)	골	어시스트	경고	퇴장
19	1,508	6	-	1	-

FW 16 루카 콜레오쇼
Luca Koleosho

국적: 이탈리아

나이지리아인 아버지와 이탈리아계 캐나다인 어머니 사이에서 태어났다. 미국에서 성장해 나이지리아, 이탈리아, 캐나다, 미국까지 총 사중 국적을 가졌다. U-15 미국 대표팀을 거쳐 현재는 U-21 이탈리아 대표팀에서 활약 중이다. 에스파뇰에서 성장해 2022년 1군 무대를 밟았고 2023년 번리로 이적했다. 첫 시즌 무릎 부상으로 장기 이탈했다. 지난 시즌 번리의 프리미어리그 승격을 이끌기도 했다.

출전경기	경기시간(분)	골	어시스트	경고	퇴장
28	1,683	2	-	4	-

데포르티보 알라베스
Deportivo Alavés

TEAM PROFILE

창 립	1921년	
회 장	알폰소 페르난데스(스페인)	
감 독	에두아르도 코우데트(아르헨티나)	
연 고 지	바스크주 알라바도 비토리아 가스테이스	
홈 구 장	멘디소로사 스타디움(1만 9,840명)	
라 이 벌	아틀레틱 클루브 데 빌바오, 레알 소시에다드	
홈페이지	https://www.deportivoalaves.com/es/	

최근 5시즌 성적

시즌	순위	승점
2020-2021	16위	38점(9승11무18패, 36득점 57실점)
2021-2022	20위	31점(8승7무23패, 31득점 65실점)
2022-2023	없음	없음
2023-2024	10위	46점(12승10무16패, 36득점 46실점)
2024-2025	15위	42점(10승12무16패, 38득점 48실점)

LA LIGA

통 산	없음
24-25 시즌	15위(10승12무16패 승점 42점)

COPA DEL REY

통 산	없음
24-25 시즌	없음

UEFA

통 산	없음
24-25 시즌	없음

TEAM RATINGS

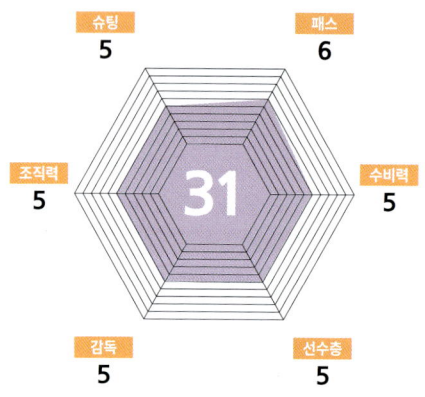

슈팅 5 · 패스 6 · 수비력 5 · 선수층 5 · 감독 5 · 조직력 5 · (31)

2024/25 프로필

팀 득점	38
평균 볼 점유율	44.60%
패스 정확도	74.00%
게임 평균 슈팅 수	10.6
경고	103
퇴장	5

골 타입
오픈 플레이	53
세트 피스	18
카운터 어택	5
패널티 킥	24
자책골	0	단위 (%)

패스 타입
쇼트 패스	77
롱 패스	17
크로스 패스	6
스루 패스	0	단위 (%)

시즌 프리뷰 — 치열한 잔류 경쟁에서 벗어나라

2022-23시즌 팀의 라리가 승격을 이끌었던 루이스 가르시아 플라사 감독은 지난 시즌 알라베스와 결별했다. 가르시아 감독 체제에서 2023-24시즌 10위를 기록하며 저력을 보였지만, 핵심 선수들의 이탈 공백을 제대로 메우지 못했다. 알라베스는 결국 시즌 도중 감독 교체라는 강수를 두게 됐다. 시즌 초반부터 크게 휘청이며 하위권으로 추락했고, 가르시아 감독을 대신해 셀타 데 비고에서 준수한 모습을 보여준 에두아르도 코우데트 감독이 지휘봉을 잡았다. 마지막까지 강등 위기에 몰리다가 15위로 잔류에 성공했다. 18위로 강등된 레가네스와 1점 차다. 지난 시즌 종료 후, 계약이 종료되는 상황에서 1년 연장 옵션을 발동하며 코우데트 감독과의 동행을 이어가게 됐다.

이적시장에서 호아킨 파니첼리, 산티아고 무리뇨, 토마스 코네츠니, 키케 가르시아 등 또 한 번의 핵심 이탈이 이어졌지만, 알라베스는 2,350만 유로의 수익을 남겼다. 그리고 루카스 보예, 유세프 엔리케스, 카를레스 알레냐(완전영입) 영입에 1,000만 유로를 지출했다. 이어 조니 카스트로, 마리아노 디아스를 자유계약(FA), 욘 파체코를 임대해 선수단을 보강했다. 코우데트 감독의 두 번째 시즌. 현실적인 목표는 잔류다. 지난 시즌처럼 치열한 경쟁 구도에서는 빠져 나와야 한다.

COACH

에두아르도 코우데트 *Eduardo Coudet*
1974년 9월 12일생 아르헨티나

현역 시절 자국의 로사리오 센트랄, 리버 플레이트에서 활약했다. 2011년 은퇴 후 2014년 친정팀 로사리오에서 지도자의 길에 들어섰다. 2017년 라싱 클루브를 이끌었고, 2019년 자국 리그 우승을 거두며 주목받았다. 그러나 아틀레치쿠 미네이루, 인테르 2기에서 경질된 후, 약 반년 동안 야인으로 지내다 알라베스와 손을 잡았다. 4-2-3-1, 4-1-4-1 포메이션을 중용한다. 이번 시즌은 지난 시즌의 악몽을 씻는 게 급선무이다.

SQUAD

포지션	등번호	이름		생년월일	키(cm)	체중(kg)	국적
GK	1	안토니오 시베라	Antonio Sivera	1996.08.11	185	75	스페인
	13	라울 페르난데스	Raúl Fernández	1988.03.13	195	88	스페인
DF	2	파쿤도 가르세스	Facundo Garcés	1999.09.05	191	82	아르헨티나
	3	유세프 엔리케스	Youssef Enríquez	2005.12.19	170	68	스페인
	5	욘 파체코	Jon Pacheco	2001.01.08	184	77	스페인
	12	니콜라 마라시	Nikola Maras	1995.12.19	189	79	세르비아
	14	나우엘 테나글리아	Nahuel Tenaglia	1996.02.21	181	73	아르헨티나
	17	조니 오토	Jonny Otto	1994.03.03	175	70	스페인
	22	무사 디아라	Moussa Diarra	2000.11.10	185	73	말리
MF	4	데니스 수아레즈	Denis Suárez	1994.01.06	176	69	스페인
	6	안데르 게바라	Ander Guevara	1997.07.07	180	73	스페인
	7	카를로스 비센테	Carlos Vicente	1999.04.23	179	74	스페인
	8	안토니오 블랑코	Antonio Blanco	2000.07.23	176	71	스페인
	10	카를레스 알레냐	Carles Aleñá	1998.01.05	180	73	스페인
	18	욘 구리디	Jon Guridi	1995.02.28	179	64	스페인
	19	파블로 이바녜스	Pablo Ibáñez	1998.09.20	179	-	스페인
	20	칼레베	Calebe	2000.04.30	173	-	브라질
	21	압데 레바시	Abde Rebbach	1998.08.11	176	71	알제리아
	9	마리아노 디아스	Mariano Díaz	1993.08.01	180	76	스페인
	11	토니 마르티네즈	Toni Martínez	1997.06.30	187	81	스페인
	15	루카 보예	Lucas Boyé	1996.02.28	183	-	아르헨티나

IN & OUT

주요 영입	주요 방출
루카스 보예, 카를레스 알레냐, 조니 카스트로, 파블로 이바녜스, 마리아노 디아스, 데니스 수아레스, 욘 파체코(임대), 칼레비(임대)	호아킨 파니첼리, 산티아고 무리뇨, 토마시 코네츠니, 압델 아브카르, 키케 가르시아, 아시에르 비야리브레, 마누 산체스

TEAM FORMATION

FW **D+**

MF **C-**

DF **D**

GK **D**

11 토니 (마리아노)

10 알레냐 (레바흐) **18** 구리디 (칼레비) **7** 비센테 (보예)

6 게바라 (이바녜스) **8** 브랑코 (베나비데스)

17 조니 (엔리케스) **22** 디아라 (테날리아) **2** 가르세스 (마라시) **14** 테날리아 (노보아)

1 시베라 (라울)

PLAN **4-2-3-1**

지역 점유율

공격 진영	29%
중앙	44%
수비 진영	26%

공격 방향

38% 왼쪽	25% 중앙	38% 오른쪽

슈팅 지역

8% 골 에어리어
58% 패널티 박스
34% 외곽 지역

상대팀 최근 6경기 전적

구분	승	무	패	구분	승	무	패
FC 바르셀로나		1	5	레알 소시에다드	2	2	2
레알 마드리드			6	발렌시아 CF	4	1	1
아틀레티코 마드리드	2	1	3	헤타페 CF	1	2	3
아틀레틱 빌바오		2	4	RCD 에스파뇰	1	1	4
비야레알 CF	2	2	2	데포르티보 알라베스			
레알 베티스 발롬피에	2	3	1	지로나 FC	2	2	2
RC 셀타 데 비고	1	2	3	세비야 FC	3	2	1
라요 바예카노	2		4	레반테 UD	2	1	3
CA 오사수나		2	4	엘체 CF	3	1	2
RCD 마요르카	1	3	2	레알 오비에도	3	1	2

PLAYERS

MF	7	**카를로스 비센테** Carlos Vicente	KEY PLAYER

국적: 스페인

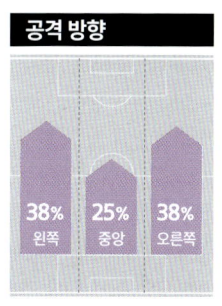

좌우 측면 모두 뛸 수 있는 활용도가 높은 윙어다. 저돌적인 돌파를 앞세운 오른발 크로스 능력이 돋보인다. 때로는 직접 골문을 겨냥해 득점까지 할 수 있다.

레알 사라고사 유스팀에서 성장해 주로 하부리그에서 시간을 보냈다. 칼라호라, 라싱 클루브 드 페롤에서 팀의 핵심으로 활약했다. 2024년 데포르티보 알라베스로 이적해, 첫 시즌 팀의 새로운 에이스가 됐다. 지난 시즌 39경기 5골 6도움으로 실력을 증명했다.

출전경기	경기시간(분)	골	어시스트	경고	퇴장
37	3,099	5	5	3	-

DF	14	**나우엘 테날리아** Nahuel Tenaglia

국적: 아르헨티나

자국에서 활약하다 2022년 데포르티보 알라베스로 임대되며 유럽 무대를 밟았다. 2022-23시즌 알라베스의 라리가 승격에 힘을 보탠 뒤 완전이적했다.

왕성한 활동량과 저돌적인 수비력을 갖추고 있다. 준수한 속도까지 갖춘 풀백으로 중앙 수비수와 스리백의 스토퍼까지 소화할 수 있는 재목이다. 지난 시즌 34경기 2,924분을 소화하며 팀 내 확고한 입지를 다졌다.

출전경기	경기시간(분)	골	어시스트	경고	퇴장
34	2,924	2	1	11	-

MF	18	**욘 구리디** Jon Guridi

국적: 스페인

레알 소시에다드에서 성장해 2017년 프로 무대에 데뷔했다. 이후 경험을 쌓기 위해 미란데스 임대를 거쳐, 2022년 여름, 데포르티보 알라베스로 이적해 현재까지 팀의 핵심으로 활약하고 있다.

뛰어난 왼발 킥, 탈압박 능력과 특유의 공격적인 재능이 도드라진다. 플레이메이킹에 능해 알라베스의 지휘관 역할을 맡고 있다. 지난 시즌 33경기 출전해 3골 1도움을 기록했다.

출전경기	경기시간(분)	골	어시스트	경고	퇴장
33	2,098	3	1	6	-

MF	20	**칼레베** Calebe

국적: 브라질

브라질 출신 2000년생 공격수. 공격형 미드필더가 주 포지션이지만, 공격 전 지역을 맡을 수 있을 정도로 다재다능함을 갖췄다. 왼발을 주로 사용하며 뛰어난 기술과 시야, 전진성을 보여줬다.

자국에서 성장해 2020년 미네이루에서 프로 데뷔 후 완전이적했다. 2023년 포르탈레자에서 꾸준히 출전 기회를 쌓은 뒤, 올여름 데포르티보 알라베스에 합류했다.

출전경기	경기시간(분)	골	어시스트	경고	퇴장
7	226	-	1	2	-

FW	9	**마리아노 디아스** Mariano Diaz

국적: 도미니카공화국

레알 마드리드 유스에서 성장해 2016년 프로 무대에 데뷔했다. 2017년 올랭피크 리옹으로 이적해 잠재력을 터뜨린 뒤 2018년 레알로 돌아왔다.

라리가 3회, 유럽축구연맹(UEFA) 챔피언스리그 2회, 코파 델 레이 1회 우승 등 수많은 트로피를 들어올렸지만, 비중은 크지 않았다. 거듭된 부진 속에서 2023년 세비야로 향했으나 실패했다. 지난 시즌은 소속팀 없이 지냈다.

출전경기	경기시간(분)	골	어시스트	경고	퇴장
-	-	-	-	-	-

지로나 FC
Girona FC

TEAM PROFILE

창 립	1930년
회 장	델피 겔리(스페인)
감 독	미첼 산체스(스페인)
연 고 지	카탈루냐주 지로나
홈 구 장	몬틸리비 스타디움(1만 3,500명)
라 이 벌	라요 바예카노
홈페이지	https://www.gironafc.cat/

최근 5시즌 성적

시즌	순위	승점
2020-2021	없음	없음
2021-2022	없음	없음
2022-2023	10위	49점(13승10무15패, 58득점 55실점)
2023-2024	3위	81점(25승6무7패, 85득점 46실점)
2024-2025	16위	41점(11승8무19패, 44득점 60실점)

LA LIGA

통 산	없음
24-25 시즌	16위(11승8무19패, 승점 41점)

COPA DEL REY

통 산	없음
24-25 시즌	없음

UEFA

통 산	없음
24-25 시즌	없음

TEAM RATINGS

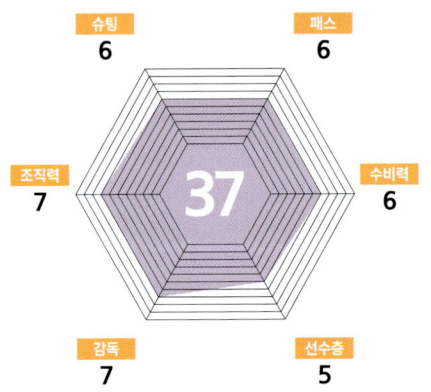

슈팅 6
패스 6
조직력 7
수비력 6
37
감독 7
선수층 5

2024/25 프로필	
팀 득점	44
평균 볼 점유율	56.10%
패스 정확도	87.80%
게임 평균 슈팅 수	10.6
경고	77
퇴장	2

골타입		
오픈 플레이	57	
세트 피스	30	
카운터 어택	2	
패널티 킥	9	
자책골	2	단위 (%)

패스타입		
쇼트 패스	88	
롱 패스	8	
크로스 패스	4	
스루 패스	0	단위 (%)

[시즌 프리뷰] 한여름 밤의 꿈, 1부에서 확고한 입지 다지기

지로나 돌풍의 기쁨은 딱 1년이었다. 2021-22시즌 승격 후 4시즌 연속 1부 잔류에 만족해야 했다. 지로나는 미첼 산체스 감독 체제에서 2023-24시즌 돌풍을 일으켜, 3위를 기록하며 유럽축구연맹(UEFA) 챔피언스리그 무대에 나서게 됐다. 지난 시즌 아르템 도우비크, 알렉시 가르시아, 사비뉴 등 핵심 전력이 빅 클럽으로 떠나며 선수단 개편이 불가피했다. 야세르 아스프리야, 아벨 루이스, 라디슬라프 크레이치 등을 영입하며 기존 전력과 함께 새 판을 꾸렸다. 하지만 챔피언스리그를 포함해 여러 대회를 병행하는 일은 쉽지 않았다. 선수단의 부진과 부상이 겹치면서 팀은 흔들렸다. 미첼 감독의 전술 또한 상대에게 읽히기 시작했다. 리그 후반기에는 11경기 무승으로 단번에 강등권으로 추락했다. 다행히 막판 상승세를 잡으며 겨우 잔류했으나, 강등권 18위 레가네스와 1점 차였다.

이번 여름에도 일부 주축이 이탈했다. 크레이치, 미겔 구티에레스, 양헬 엘레라가 떠났고, 아르투르, 단주마 등이 임대 복귀했다. 이적시장에서는 악셀 비첼, 알렉스 모레노, 빅토르 헤이스, 토마 르마 등 자유계약(FA) 혹은 임대를 통해 영입하는 실리적인 모습을 보이는 듯했다. 하지만 이적시장 막판에 이르러서 블라디슬라우 바나트와 아제딘 우나히를 품었고, 브리안 힐을 완전영입하며 공격의 무게감을 더했다.

COACH

미첼 산체스 *Michel Sanchez*
1975년 10월 30일생 스페인

선수 시절 오랜 기간을 라요 바예카노에서 보냈다. 은퇴 후 지도자 커리어 또한 라요에서 시작해 2021년 지로나에 부임했다. 우에스카에 이어 지로나까지 라리가 승격을 이끌며 '승격 전도사'란 명성을 얻었다. 4-3-3, 4-2-3-1 포메이션을 중용하나, 강한 압박과 간결하고 빠른 전개로 공격적인 축구를 구사한다. 2023-24시즌에는 라리가 3강 체제를 깨며 지로나를 3위로 만들어, 지도력을 인정받았다.

SQUAD

포지션	등번호	이름		생년월일	키(cm)	체중(kg)	국적
GK	1	도미니크 리바코비치	Dominik Livakovic	1995.01.09	188	81	크로아티아
	13	파울로 가차니가	Paulo Gazzaniga	1992.01.02	195	90	아르헨티나
DF	2	우고 링콘	Hugo Rincón	2003.01.27	183	-	스페인
	4	아르나우 마르티네스	Arnau Martínez	2003.04.25	182	74	스페인
	5	다비드 로페스	David López	1989.10.09	185	81	스페인
	12	비토르 헤이스	Vitor Reis	2006.01.12	186	77	브라
	16	알레한드로 프란시스	Alejandro Francés	2002.08.01	181	72	스페인
	17	달레이 블린트	Daley Blind	1990.03.09	180	72	네덜란드
	20	악셀 비첼	Axel Witsel	1989.01.12	186	81	벨기에
	24	알렉스 모레노	Alexandre Moreno Lopera	1993.06.08	179	68	스페인
MF	6	도니 반더비크	Donny van de Beek	1997.04.18	184	74	네덜란드
	11	토마 르마	Thomas Lemar	1995.11.12	171	66	프랑스
	22	존 솔리스	Jhon Solís	2004.10.03	186	80	콜롬비아
	23	이반 마르틴	Iván Martín	1999.02.14	178	73	스페인
	7	크리스티안 스투아니	Cristhian Stuani	1986.10.12	184	72	우루과이
	8	포르투	Portu	1992.05.21	167	66	스페인
	9	아벨 루이스	Abel Ruiz	2000.01.28	182	75	스페인
	10	야세르 아스프리야	Yaser Asprilla	2003.11.19	186	75	콜롬비아
	15	빅토르 치간코프	Viktor Tsygankov	1997.11.15	178	69	우크라이나
	21	브라이언 힐	Bryan Gil	2001.02.11	175	69	스페인

IN & OUT

주요 영입	주요 방출
블라디슬라우 바나트, 브리안 힐, 아제딘 우나히, 우고 린콘, 알렉스 모레노, 악셀 비첼, 빅토르 헤이흐(임대), 토마 르마(임대), 도미니크 리바코비치(임대)	라디슬라프 크레이치, 미겔 구티에레스, 양헬 에레라, 보얀 미오브스키, 일리야스 차이라, 발레리 페르난데스, 아르투르 멜루, 아르나우트 단주마, 오리올 로메우, 김민수

TEAM FORMATION

FW **D+**
MF **C-**
DF **C-**
GK **D+**

7 스투아니 (루이스/바나트)

21 힐 (아스프리야)　**11** 르마 (힐)　**15** 치칸코프 (포르투)

23 마르틴 (솔리스)　**18** 우나히 (반 더 비크)

17 블린트 (모레노)　**20** 비첼 (블린트)　**5** 로페스 (헤이스)　**4** 마르티네스 (린콘)

13 가차니가 (크라피우초우)

PLAN **4-2-3-1**

지역 점유율

공격 진영	28%
중앙	43%
수비 진영	28%

공격 방향

39% 왼쪽	24% 중앙	37% 오른쪽

슈팅 지역

8% 골 에어리어
58% 패널티 박스
34% 외곽 지역

상대팀 최근 6경기 전적

구분	승	무	패	구분	승	무	패
FC 바르셀로나	2	1	3	레알 소시에다드		3	3
레알 마드리드	1	1	4	발렌시아 CF	3	1	2
아틀레티코 마드리드	1		5	헤타페 CF	3		3
아틀레틱 빌바오	3	1	2	RCD 에스파뇰	4	2	
비야레알 CF	1	1	4	데포르티보 알라베스	2	2	2
레알 베티스 발롬피에	1	2	3	지로나 FC			
RC 셀타 데 비고	2	3	1	세비야 FC	5		1
라요 바예카노	3	2	1	레반테 UD	1	3	2
CA 오사수나	3	1	2	엘체 CF	3	1	2
RCD 마요르카	3		3	레알 오비에도	3	2	1

PLAYERS

FW 7 크리스티안 스투아니
Cristhian Stuani ★ KEY PLAYER ★

국적: 우루과이

지로나의 살아있는 전설이다. 1986년생으로 불혹에 가까운 나이에도 건재함을 보여주고 있다. 2004년 10대 나이에 프로 무대를 밟은 그는 레반테, 라싱 데 산탄데르, 에스파뇰, 미들즈브러를 거쳐 2017년 지로나에 입단했다.

2선에서 주로 활약했지만, 점차 최전방 공격수로 자리매김했다. 뛰어난 득점력에 경험까지 더해졌다. 지로나 통산 289경기 141골로 구단 최대골의 주인공이다. 올여름 재계약까지 체결했다.

출전경기	경기시간(분)	골	어시스트	경고	퇴장
32	1,058	11	2	4	-

MF 11 토마 르마
Thomas Lemar

국적: 프랑스

2015년 AS 모나코 돌풍의 주역 중 한 명이다. 당시 레오나르두 자르딤 감독 체제에서 측면과 중앙을 오가며 창의적인 모습을 보여줬다. 수많은 빅 클럽의 관심 속 아틀레티코 마드리드로 향했다. 이적료는 7,000만 유로. 하지만 기대 이하의 모습을 보였다. 점차 부활하는 모습이었지만, 오래가지 못했다. 2023년 아킬레스건 부상으로 시즌을 통째로 날렸고, 지난 시즌 역시 부상에서 자유롭지 못했다.

출전경기	경기시간(분)	골	어시스트	경고	퇴장
5	80	-	-	-	-

MF 20 악셀 비첼
Axel Witsel

국적: 벨기에

벨기에 황금세대의 폭탄 머리 유망주 미드필더가 어느덧 황혼기를 내달리고 있다. 1989년생으로 30대 중반이다. 스탕다르 리에주, 벤피카, 제니트 상트페테르부르크, 톈진 취안젠, 보루시아 도르트문트, 아틀레티코 마드리드에서 활약했다. 탄탄한 수비력을 갖춘 미드필더에서 점차 중앙 수비수로 기용을 받기 시작했다. 2021년 큰 부상이 있었지만, 줄곧 철각왕의 이미지로 꾸준함을 보여줬다.

출전경기	경기시간(분)	골	어시스트	경고	퇴장
14	848	-	1	1	-

FW 15 빅토르 치간코프
Viktor Tsyhankov

국적: 우크라이나

다재다능함이 돋보이는 왼발 공격수. 공격 전 지역을 소화할 수 있는 멀티 플레이어다. 측면 자원다운 드리블 능력과 발기술을 보유하고 있는 데다가 플레이메이킹에도 능해, 10번과 8번 역할처럼 움직일 때도 있다.

미첼 산체스 감독 체제의 핵심 중 핵심. 우크라이나 대표팀에서도 에이스로 활약 중이다. 지로나의 돌풍 당시 맹활약한 바 있다. 다만, 잦은 부상과 부진이 흠이다.

출전경기	경기시간(분)	골	어시스트	경고	퇴장
27	1,922	2	5	1	-

FW 21 브리안 힐
Bryan Gil

국적: 스페인

한때 스페인의 떠오르는 샛별이었다. 지금도 번뜩이는 플레이를 보여주고 있지만, 성장세가 더디다. 2012년 세비야 유스팀에 입단한 뒤 2019년 17세 나이에 1군 무대를 밟았다. 이후 레가네스, 에이바르에서 임대를 통해 경험을 쌓았다. 많은 팀의 관심 속 프리미어리그 토트넘으로 향했으나, 기대 이하의 활약으로 임대를 떠나녀야 했다. 지난 시즌 지로나에 임대된 뒤 이번 시즌 완전이적했다.

출전경기	경기시간(분)	골	어시스트	경고	퇴장
25	1,734	3	3	4	-

세비야 FC

Sevilla FC

최근 5시즌 성적

시즌	순위	승점
2020-2021	4위	77점(24승5무9패, 53득점 33실점)
2021-2022	4위	70점(18승16무4패, 53득점 30실점)
2022-2023	11위	49점(13승10무15패, 47득점 54실점)
2023-2024	13위	41점(10승11무17패, 48득점 54실점)
2024-2025	17위	41점(10승11무17패, 42득점 55실점)

LA LIGA

통 산	우승 1회
24-25 시즌	17위(10승11무17패, 승점 41점)

COPA DEL REY

통 산	우승 5회
24-25 시즌	32강

UEFA

통 산	유로파리그 우승 7회
24-25 시즌	없음

TEAM RATINGS

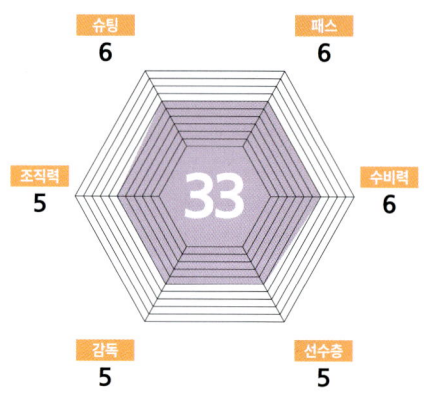

슈팅 6
패스 6
조직력 5
수비력 6
감독 5
선수층 5
33

시즌 프리뷰 유로파의 제왕은 옛말, 생존이 시급하다

거상의 몰락! 재건은 쉽지 않다. 세비야는 꾸준히 라리가에서 경쟁력을 유지하며 바르셀로나, 레알 마드리드, 아틀레티코와 함께 신흥 강호로 자리했다. 유럽축구연맹(UEFA) 클럽 대항전의 단골손님이었고, 유로파리그 7회 우승(최다 우승)으로 '제왕'의 호칭까지 얻었다. 이적시장에서는 선수를 영입해 성장시킨 뒤 웃돈에 판매해 구단을 성장시켰다.

그러나 2022-23시즌 유로파리그 우승 이후 몰락의 길을 걸었다. 코로나19의 여파와 부채로 재정이 흔들렸다. 주축 선수들을 판매하며 해결에 나섰으나 오히려 전력 약화로 인한 성적 부진까지 겹쳐 더욱 크게 흔들렸다. 라리가 샐러리캡 역시 가장 낮은 금액만 쓸 수 있었다. 2023-24시즌보다 지난 시즌은 더 부진했다. 가르시아 파미엔타 감독이 경질되고, 호아킨 카파로스가 소방수로 팀을 이끌었다. 강등 위기에 몰렸으나 라스팔마스전 승리로 간신히 17위 잔류에 성공했다. 여름에는 또 다른 세비야 출신인 마티아스 알메이다가 새 감독으로 부임했다. 또 디렉터직 교체까지 이어가며 구단 재건에 나섰다.

이번 시즌에도 재정 문제로 적극적인 보강은 불가능했다. 알렉시스 산체스, 바티스타 멘디, 가브리엘 수아소, 세자르 아스플리쿠에타 등 대체로 자유계약(FA) 신분으로 품었다. 수준급 베테랑을 앞세워 잔류에 도전한다.

COACH

마티아스 알메이다 Matías Almeyda
1973년 12월 21일생 아르헨티나

현역 시절 아르헨티나 대표팀에서 꾸준히 활약하며 1998 프랑스 월드컵, 2002 한일 월드컵을 경험했다. 2011년 현역 은퇴 후 곧바로 지도자로 변신해 고향 팀인 리버 플레이트에서 1부 승격을 이끌었고, 이후 2022년 그리스 AEK 아테네에서 첫 시즌부터 그리스 리그와 컵대회를 휩쓸며 지도력을 인정받았다. 포백을 중용하며, 강한 압박과 빠른 공수 전환을 통해 상대를 공략하고, 세밀한 조직력을 강조하는 지도자로 평가받는다.

2024/25 프로필

팀 득점	42
평균 볼 점유율	50.20%
패스 정확도	82.10%
게임 평균 슈팅 수	12.5
경고	92
퇴장	8

골타입		
오픈 플레이	62	
세트 피스	17	
카운터 어택	10	
패널티 킥	5	
자책골	7	단위 (%)

패스타입		
쇼트 패스	84	
롱 패스	12	
크로스 패스	4	
스루 패스	0	단위 (%)

SQUAD

포지션	등번호	이름		생년월일	키(cm)	체중(kg)	국적
GK	1	오디세아스 블라호디모스	Odysseas Vlachodimos	1994.04.26	191	77	그리스
	13	외르얀 뉠란	Ørjan Nyland	1990.09.10	192	90	노르웨이
	25	알바로 페르난데스	Álvaro Fernández	1998.04.13	185	75	스페인
DF	2	호세 앙헬 카르모나	José Ángel Carmona	200201.29	184	80	스페인
	3	세사르 아스필리쿠에타	César Azpilicueta	1989.08.28	178	77	스페인
	4	키케 살라스	Kike Salas	2002.04.23	188	80	스페인
	5	탕기 니앙주	Tanguy Nianzou	2002.06.07	191	83	프랑스
	12	가브리엘 수아소	Gabriel Suazo	1997.08.09	178	72	칠레
	16	후안루 산체스	Juanlu Sánchez	2003.08.15	186	68	스페인
	22	라몬 마르티네즈	Ramón Martínez	2002.10.22	185	71	스페인
	23	마르캉	Marcão	1996.06.05	185	80	브라질
MF	6	네만야 구데이	Nemanja Gudelj	1991.11.16	187	81	세르비아
	8	조안 조르단	Joan Jordán	1994.07.06	185	74	스페인
	18	루시앙 아구메	Lucien Agoumé	2002.02.09	188	75	프랑스
	19	바티스타 멘디	Batista Mendy	2000.01.12	191	82	프랑스
	20	지브릴 소우	Djibril Sow	1997.02.06	184	77	스위스
	28	마누 부에노	Manu Bueno	2004.07.27	178	73	스페인
FW	7	이삭 로메로	Isaac Romero	2000.05.18	184	78	스페인
	9	아코르 아담스	Akor Adams	2000.01.29	190	92	나이지리아
	10	알렉시스 산체스	Alexis Sánchez	1988.12.19	169	62	칠레
	11	루벤 바르가스	Rubén Vargas	1998.08.05	179	77	스위스
	14	페케 페르난데스	Peque Fernández	2002.10.04	172	66	스페인
	21	치데라 에주케	Chidera Ejuke	1998.05.04	172	72	나이지리아

IN & OUT

주요 영입	주요 방출
바티스타 멘디, 알폰 곤잘레스, 가브리엘 수아소, 파비우 카르도소, 알렉스 산체스, 세자르 아스필리쿠에타, 오디세아스 블라호디모스	로익 바데, 수소, 라파 미르, 스타니스 이둠보, 아드리아 페드로사, 사울 니게스, 알베르 삼비 로콩가, 켈레치 이헤아나초

TEAM FORMATION

FW **C-**
MF **D+**
DF **D-**
GK **D**

7
로메로
(아담스)

21
에주케
(산체스)

11
바르가스
(야누자이)

24
수아소
(곤잘레스)

18
아구메
(멘디)

6
구델
(소우)

12
마르캉
(살라스)

4
쿠아시
(구델)

6
아스필리쿠
(블라호디모스)

2
에타
(카스트린)

13
뉠란
(블라호디모스)

PLAN **4-2-3-1**

지역 점유율

공격 진영	**27%**
중앙	**43%**
수비 진영	**29%**

공격 방향

38% 왼쪽	22% 중앙	40% 오른쪽

슈팅 지역

5% 골 에어리어
55% 패널티 박스
40% 외곽 지역

상대팀 최근 6경기 전적

구분	승	무	패	구분	승	무	패
FC 바르셀로나			6	레알 소시에다드	2		4
레알 마드리드		1	5	발렌시아 CF	1	3	2
아틀레티코 마드리드	1		5	헤타페 CF	3	1	2
아틀레틱 빌바오	1	2	3	RCD 에스파뇰	4	2	
비야레알 CF	1	2	3	데포르티보 알라베스	1	2	3
레알 베티스 발롬피에	1	4	1	지로나 FC	1		5
RC 셀타 데 비고	1	3	2	세비야 FC			
라요 바예카노	2	3	1	레반테 UD	5	1	
CA 오사수나		3	3	엘체 CF	3	2	1
RCD 마요르카	3	2	1	레알 오비에도	2	1	3

PLAYERS

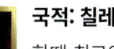

FW 10 알렉시스 산체스  KEY PLAYER
Alexis Sánchez

국적: 칠레

한때 최고의 크랙형 공격수. 화려한 발기술과 뛰어난 축구 센스를 갖췄다. 일찍이 실력을 인정받아 우디네세를 거쳐 2011년 바르셀로나로 이적했다. 리오넬 메시가 부재할 때, '왕'으로 활약, '매없산왕'이라는 별명을 얻었다. 2014년 아스널로 향한 뒤, '산왕'으로 군림하며 팀의 공격을 이끌었다. 그러나 2018년 맨체스터 유나이티드로 옮긴 뒤 급격한 하락세에 들어, 여러 팀을 전전하다 올해 세비야에 합류했다.

출전경기	경기시간(분)	골	어시스트	경고	퇴장
13	434	-	-	-	-

MF 6 네마냐 구델
Nemanja Gudelj

국적: 세르비아

190cm에 달하는 큰 신장과 탄탄한 수비력을 갖춘 미드필더. 중앙 수비수로 기용될 만큼 안정감을 갖췄다. 브레다, 알크마르, 아약스에서 활약하다 2017년 아시아 무대로 눈을 돌렸다. 텐진 터다, 광저우 헝다에서 활약하다 2018년 포르투갈 스포르팅 CP로 임대를 떠나며 유럽 무대에 복귀했다. 2019년 자유계약(FA)으로 세비야에 합류했고, 헤수스 나바스가 은퇴한 뒤 주장직을 물려받았다.

출전경기	경기시간(분)	골	어시스트	경고	퇴장
31	2,496	1	1	6	-

MF 18 뤼시앵 아구메
Lucien Agoumé

국적: 프랑스

탄탄한 피지컬을 갖춘 3선 미드필더다. 발밑이 좋아 빌드업 능력을 갖췄다. 카메룬 출신이나 프랑스에서 자질을 키웠다.
2018 U-17 월드컵 프랑스 대표팀에서 맹활약하며 주목받았다. 같은 해, 소쇼몽벨리아르에서 프로 데뷔 후 2019년 인테르로 향했으나 많은 기회를 갖기가 여의치 않았다. 스페치아 칼초, 스타드 브레스투아, 트루아를 거쳐 2024년 세비야에 합류했다.

출전경기	경기시간(분)	골	어시스트	경고	퇴장
35	2,119	1	3	6	1

FW 11 루벤 바르가스
Rubén Vargas

국적: 스위스

공격적인 재능이 뛰어난 2선 자원. 주로 윙포워드로 활약하고 있지만, 공격 전 지역을 소화할 수 있을 만큼 다재다능하다. 스위스 루체른에서 성장해 2017년 프로 데뷔했다. 2019년 분데스리가 아우크스부르크로 이적했다. 팀의 주전으로 활약하며 5시즌 반 동안 161경기 23골 19도움을 기록했다. 지난 시즌 겨울 이적시장에서 세비야로 이적했고, 하반기 동안 12경기 2골 1도움을 기록했다.

출전경기	경기시간(분)	골	어시스트	경고	퇴장
18	591	2	1	5	-

FW 21 치데라 에주케
Chidera Ejuke

국적: 나이지리아

나이지리아 출신 윙어. 2018년 자국에서 프로 데뷔 후 노르웨이 볼레렝아 포트발로 이적해 유럽 무대를 밟았다. 네덜란드 헤이렌베인, 러시아 CSKA 모스크바, 헤르타 베를린, 로열 앤트워프를 거쳐 2024년 세비야에 합류했다. 빠른 속도를 앞세운 돌파를 즐기고, 킥 능력 또한 준수해 직접 골문을 노릴 수 있다. 지난 시즌 초반 햄스트링 부상으로 장기 이탈한 뒤 후반기에 합류해 팀의 잔류에 힘을 보탰다.

출전경기	경기시간(분)	골	어시스트	경고	퇴장
25	960	2	1	-	-

레반테 UD
Levante UD

TEAM PROFILE	
창 립	1909년
회 장	파블로 산체스(스페인)
감 독	훌리안 칼레로(스페인)
연 고 지	발렌시아 주 발렌시아
홈 구 장	에스타디 시우타트 데 발렌시아 (2만 6,354명)
라 이 벌	발렌시아 CF
홈페이지	www.levanteud.com

최근 5시즌 성적

시즌	순위	승점
2020-2021	14위	41점(9승14무15패, 46득점 57실점)
2021-2022	19위	35점(8승11무19패, 51득점 76실점)
2022-2023	없음	없음
2023-2024	없음	없음
2024-2025	없음	없음

LA LIGA

통 산	없음
24-25 시즌	없음

COPA DEL REY

통 산	없음
24-25 시즌	없음

UEFA

통 산	없음
24-25 시즌	없음

TEAM RATINGS

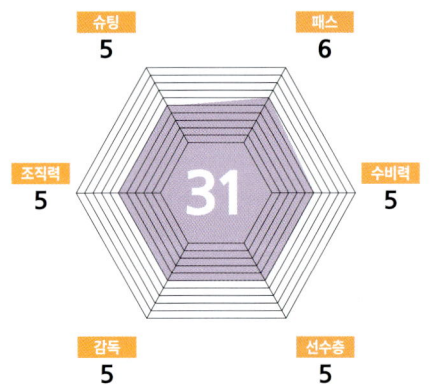

슈팅 5　패스 6
조직력 5　수비력 5
31
감독 5　선수층 5

2024/25 프로필

팀 득점	69
평균 볼 점유율	49.10%
패스 정확도	82.00%
게임 평균 슈팅 수	12.8
경고	84
퇴장	1

골타입	오픈 플레이	
	세트 피스	NO DATA
	카운터 어택	
	패널티 킥	
	자책골	
패스타입	쇼트 패스	
	롱 패스	NO DATA
	크로스 패스	
	스루 패스	

시즌 프리뷰 3년 만의 승격…돌아온 데르비 발렌시아노

발렌시아 주(州) 발렌시아를 연고지로 둔 레반테는 1909년 창단해 올해 115주년을 맞았다. 오랜 역사에도 1부 리그에 머문 시간은 16시즌뿐으로, 많은 시간을 하부리그에서 보냈다. 그나마 2011-12시즌은 레반테에 있어 가장 명예로운 한 해였다. 라리가에서 돌풍을 일으키며 리그 6위로 유럽축구연맹(UEFA) 유로파리그에 진출하는 저력을 보여줬기 때문이다. 2021-22시즌 강등 후 2022-23시즌 라리가 2에서 3위를 기록, 플레이오프행을 확정했지만, 데포르티보 알라베스에 발목을 잡히며 승격에 실패했다. 2023-24시즌 리그 8위로 플레이오프에 나서지 못했다. 지난 시즌에는 훌리안 칼레로 감독 부임 후 상승세를 맞아 라리가 2 우승과 함께 3시즌 만에 승격, 17번째 라리가 시즌을 맞이했다.

이번 이적시장에서 골키퍼 안드레스 페르난데스, 미드필더 기오르기 크초라슈빌리를 제외하면 승격의 주역을 대거 지켰다. 루이스 모랄레스, 로헤르 부르기, 카를로스 알바레스, 이반 로메로가 여전히 공격을 이끈다. 이적시장은 주로 중원과 후방에 초점을 뒀다. 베테랑 골키퍼 매슈 라이언이 합류했고, 독일 출신 베테랑 수비수 제레미 톨리안을 영입했다. 셀타 데 비고의 풀백 마누 산체스, 레알 베티스의 공격수 이케르 로사다의 임대 영입을 통해 선수단의 깊이를 더했다.

COACH

훌리안 칼레로 *Julian Calero*
1970년 10월 26일생 스페인

페르난도 이에로 감독 밑에서 수석 코치로 4년 동안 함께했다. 이후 2017년 스페인 4부 리그인 나발 카르네로에서 감독으로 활약하다, 2018 러시아 월드컵을 앞두고 이에로 감독의 부름으로 스페인 대표팀 수석 코치직을 맡았다. 대표팀을 떠난 뒤 부르고스로 향했고, 팀의 라리가 2 승격을 이끌었다. 2023년 카르타헤나를 거쳐 지난 시즌 레반테의 지휘봉을 잡았다. 조직적인 수비 전술과 팀워크로 '승격 전문가'라는 명성을 얻은 칼레로의 도전이 기대된다.

SQUAD

포지션	등번호	이름		생년월일	키(cm)	체중(kg)	국적
GK	1	파블로 캄포스	Pablo Campos	2002.04.28	188	82	스페인
	13	매튜 라이언	Mathew Ryan	1992.04.08	184	82	호주
DF	2	마티아스 모레노	Matías Moreno	2003.09.24	193	-	아르헨티나
	3	알란 마투로	Alan Matturro	2004.10.11	189	74	우루과이
	4	아드리안 데 라 푸엔테	Adrián de la Fuente	1999.02.26	178	78	스페인
	5	우나이 엘게자발	Unai Elgezabal	1993.04.25	185	74	스페인
	6	디에고 팜핀	Diego Pampín	2000.03.15	175	71	스페인
	14	호르헤 카벨로	Jorge Cabello	2004.04.25	183	75	스페인
	17	빅토르 가르시아	Víctor García	1997.09.16	180	72	스페인
	22	예레미 톨리안	Jeremy Toljan	1994.08.08	182	73	독일
MF	8	욘 안데르 올라사가스티	Jon Ander Olasagasti	2000.08.16	176	74	스페인
	10	파블로 마르티네즈	Pablo Martínez	1998.02.22	182	74	스페인
	12	우나이 벤세도르	Unai Vencedor	2000.11.15	176	70	스페인
	16	케빈 아리아가	Kervin Arriaga	1998.01.05	176	77	스페인
	20	오리올 레이	Oriol Rey	1998.02.25	177	60	스페인
	24	카를로스 알바레스	Carlos Álvarez	2003.08.06	168	64	스페인
FW	7	로헤르 부르기	Roger Brugué	1996.11.04	174	68	스페인
	9	이반 로메로	Iván Romero	2001.04.10	173	68	스페인
	11	호세 모랄레스	José Luis Morales	1987.07.23	180	70	스페인
	15	고두인 코야리푸	Goduine Koyalipou	2000.02.15	184	82	프랑스
	18	이케르 로사다	Iker Losada	2001.08.01	175	70	스페인
	19	카를로스 에스피	Carlos Espí	2005.07.24	194	87	스페인
	21	카를 에 에용	Karl Etta Eyong	2003.10.14	181	75	카메룬

IN & OUT

주요 영입	주요 방출
칼 에타 에용, 앨런 마투로, 욘 안데르 올라사가스티, 마티아스 모레노(임대), 고틴 코얄리푸, 매슈 라이언, 제리미 톨리안, 빅토르 가르시아, 마누 산체스(임대), 이케르 로사다(임대)	기오르기 크초라슈빌리, 안드레스 페르난데스, 마르코스 나바로, 오스카르 클레멘테, 이그나시 미구엘, 앙헬 알고비아

TEAM FORMATION

FW **D**

MF **D-**

DF **D-**

GK **D**

```
              9
           로메로
          (모랄레스)

   7        10        20        24
  브루게   마르티네스    레이     알바레스
 (로사다) (올라가가스티) (로사노)  (코얄리푸)

        6                22
       팜핀              톨리안
      (산체스)          (가르시아)

   14        5                 4
  카베요    엘헤사벨          데 라 푸엔테
 (마투로)   (마투로)          (모레노)

              13
           라이언
          (캄포스)
```

PLAN **5-4-1**

지역 점유율

공격 진영 —%

NO DATA

수비 진영 —%

공격 방향

NO DATA

—%	—%	—%
왼쪽	중앙	오른쪽

슈팅 지역

—% 골 에어리어
—% 패널티 박스

NO DATA

상대팀 최근 6경기 전적

구분	승	무	패	구분	승	무	패
FC 바르셀로나	1	1	4	레알 소시에다드	3	1	2
레알 마드리드	2	1	3	발렌시아 CF	1	2	3
아틀레티코 마드리드	2	2	2	헤타페 CF	3	1	2
아틀레틱 빌바오		3	3	RCD 에스파뇰	1	1	4
비야레알 CF	2		4	데포르티보 알라베스	3	1	2
레알 베티스 발롬피에	2		4	지로나 FC	2	3	1
RC 셀타 데 비고	2	2	2	세비야 FC		1	5
라요 바예카노	3	1	2	레반테 UD			
CA 오사수나	1	2	3	엘체 CF	3		3
RCD 마요르카	3	1	2	레알 오비에도	1	3	2

PLAYERS

MF 24 카를로스 알바레즈
Carlos Álvarez

KEY PLAYER

국적: 스페인

2003년생 왼발잡이 윙포워드. 폭발적인 속도가 돋보이며, 수준급 테크닉을 갖춘 드리블러다. 170cm의 단신이지만 무게 중심이 낮아 밸런스가 좋고, 공격적인 재능이 뛰어나다. 주로 오른쪽 측면에서 활약하지만, 공격 전 지역을 소화할 수 있는 멀티 플레이어다.

세비야 유스에서 성장해 2022년 프로에 데뷔 후 많은 기회를 부여받지 못했으나, 2023년 레반테로 이적한 뒤 만개했다. 지난 시즌 팀의 주전으로 발돋움해 승격을 이끌었다.

출전경기	경기시간(분)	골	어시스트	경고	퇴장
42	3,401	7	11	4	-

DF 22 제레미 톨리안
Jeremy Toljan

국적: 독일

왕성한 활동량과 빠른 속도를 가진 풀백. 주로 우측에서 뛰지만 양발 모두 준수하게 사용해 좌측에서도 뛸 수 있다. 스리백과 포백 모두 소화할 수 있지만 다소 투박한 면이 단점이다. 미국인 아버지와 크로아티아인 어머니 사이에서 태어났다. 독일에서 거주해 슈투트가르트, 호펜하임 유스에서 성장했다. 2013년 프로 데뷔 후 보루시아 도르트문트, 셀틱, 사수올로를 거쳐 이번 시즌 레반테에 합류했다.

출전경기	경기시간(분)	실점	무실점(경기)	경고	퇴장
34	2,865	-	7	3	-

FW 7 로헤르 부르기
Roger Brugué

국적: 스페인

폭발적인 스피드를 앞세운 돌파 능력과 날카로운 왼발 실력을 갖췄다. 주로 측면에서 활약하지만, 공격 전 지역을 소화할 수 있을 만큼 다재다능한 선수다.

스페인 하부리그에서 성장했다. 피게레스, 포블라 마푸메트, 짐나스틱을 거쳐 2021년 레반테로 이적했다. 2022년부터 팀의 주축으로 활약하며 지난 시즌 40경기 11골 4도움을 기록했다.

출전경기	경기시간(분)	골	어시스트	경고	퇴장
37	2,472	11	4	4	-

FW 9 이반 로메로
Iván Romero

국적: 스페인

알바세테 발롬피에, 세비야 유스에서 성장했고, 2021년 세비야에서 프로 데뷔했다. 테네리페 임대로 경험을 쌓은 뒤 2023년 레반테에 합류했다. 어린 나이부터 잠재력을 인정받아 '제2의 다비드 비야'라고 불릴 만큼 두루 재능을 갖춘 선수로 평가받았다. 커리어 초반 주로 측면에서 활약하다 지난 시즌부터 최전방 공격수로 변신했다. 주전과 백업을 오가며 지난 시즌 9골 4도움을 기록했다.

출전경기	경기시간(분)	골	어시스트	경고	퇴장
35	1,868	9	4	1	-

FW 11 호세 루이스 모랄레스
José Luis Morales

국적: 스페인

레반테의 살아있는 전설로 통한다. 파를라, 푸엔라브라다를 거쳐 2011년 레반테로 향했다. 2013년 에이바르 임대를 통해 경험을 쌓은 뒤 팀의 주축으로 활약했다. 2022년 비야레알로 향해 라리가에서 커리어를 이어갔다.

2024년 자유계약(FA)으로 레반테로 돌아왔다. 레반테 통산 357경기 82골 47도움으로 최다 출전, 골, 도움을 갱신하고 있는 중이다.

출전경기	경기시간(분)	골	어시스트	경고	퇴장
42	2,689	11	4	4	-

엘체 CF
Elche CF

TEAM PROFILE	
창 립	1923년
회 장	호아킨 부이트라고 마르우엔다(스페인)
감 독	에데르 사라비아(스페인)
연 고 지	발렌시아주 알리칸테도 엘체
홈 구 장	에스타디오 마르티네스 발레로 (3만 1,388명)
라 이 벌	에르쿨레스 CF
홈페이지	www.elchecf.es

최근 5시즌 성적

시즌	순위	승점
2020-2021	17위	36점(8승12무18패, 34득점 55실점)
2021-2022	13위	42점(11승9무18패, 40득점 52실점)
2022-2023	20위	25점(5승10무23패, 30득점 67실점)
2023-2024	없음	없음
2024-2025	없음	없음

LA LIGA

통 산	없음
24-25 시즌	없음

COPA DEL REY

통 산	없음
24-25 시즌	없음

UEFA

통 산	없음
24-25 시즌	없음

TEAM RATINGS

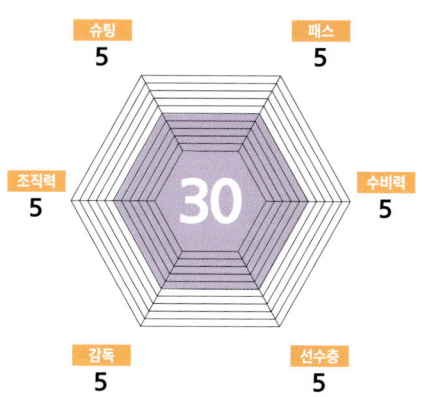

슈팅 5
패스 5
조직력 5
수비력 5
감독 5
선수층 5
30

2024/25 프로필

팀 득점	59
평균 볼 점유율	61.70%
패스 정확도	87.20%
게임 평균 슈팅 수	12.9
경고	89
퇴장	5

골타임	오픈 플레이	NO DATA
	세트 피스	
	카운터 어택	
	패널티 킥	
	자책골	
패스타입	쇼트 패스	NO DATA
	롱 패스	
	크로스 패스	
	스루 패스	

시즌프리뷰 감격스러운 승격, 잔류를 위한 지혜를

3년 만에 라리가로 복귀했다. 1923년 창단한 뒤 다수의 시간을 하부리그에 머물렀다. 3부 리그까지 떨어진 시기도 있었지만, 차근히 올라왔다. 1990년대부터 2000년대 2부와 3부를 거친 뒤 2013년 라리가 승격에 성공했으나, 2014-15시즌 재정 악화와 세금 체납 문제로 리그 13위를 기록했음에도 강등되는 사태가 있었다. 2017년에는 3부 리그까지 추락하며 위기를 맞았지만, 한 시즌 만에 2부 승격에 성공했다. 2019-20시즌에는 플레이오프 끝에 라리가로 복귀했다. 3시즌 연속 잔류하는 듯했지만, 2023년 다시 2부로 강등됐다. 이후 2024-25시즌을 앞두고 라스팔마스, 레알 베티스, 바르셀로나에서 수석 코치를 지냈던 에데르 사라비아 감독을 선임했고, 라리가 2 준우승을 기록하며 승격에 성공했다.

여름 이적시장에서는 승격 주역으로 활약한 니콜라스 페르난데스와 니콜라스 가스트로, 무란드 엘 게주아니가 떠나며 1,300만 유로의 수익을 남겼다. 최전방에는 RB 라이프치히에서 활약한 안드레 실바, 측면에는 발렌시아 출신 제르망 발레라 등 6명을 영입했음에도 675만 유로만 사용했다. 여기에 임대 영입으로 바르셀로나의 서브 골키퍼였던 이냐키 페냐와 발렌시아, 세비야에서 활약했던 라파 미르를 임대 영입해 알찬 보강을 이어갔다.

COACH

에데르 사라비아 Eder Sarabia
1980년 9월 27일생 스페인

2015년 키케 세티엔 감독 사단에 합류해 수석 코치로서 프로 무대를 경험했다. 바르셀로나에서는 선수단과 불화가 있기도 했다. 이후 2021년 3부 리그 안도라의 지휘봉을 잡으며 감독 커리어를 쌓기 시작했다. 안도라를 이끌고 구단 최초 라리가 2 승격에 성공하며 지도력을 인정받기 시작했다. 지난 시즌 승격에 성공하며 엘체와 2027년까지 재계약을 체결했다. 디테일과 조직력 면에서 높은 평가를 받고, 선수들에게 전술 이해와 높은 몰입도를 요구하는 스타일이다.

SQUAD

포지션	등번호	이름		생년월일	키(cm)	체중(kg)	국적
GK	1	마티아스 디투로	Matías Dituro	1987.05.08	191	86	아르헨티나
	13	이냐키 페냐	Iñaki Peña	1999.03.02	184	78	스페인
DF	3	아드리아 페드로사	Adrià Pedrosa	1998.05.13	172	69	스페인
	4	밤보 디아비	Bambo Diaby	1997.12.17	188	81	스페인
	6	페드로 비가스	Pedro Bigas	1990.05.15	181	82	스페인
	15	알바로 누녜스	Álvaro Núñez	2000.07.07	177	72	스페인
	18	존 도날드	John Donald	2000.09.25	182	78	스페인
	21	레오 페트로	Léo Pétrot	1997.04.15	188	80	프랑스
	22	다비드 아펜그루버	David Affengruber	2001.03.19	185	79	오스트리아
	23	빅토르 추스트	Víctor Chust	2000.03.05	184	79	스페인
MF	5	페데리코 레돈도	Federico Redondo	2003.01.18	188	75	아르헨티나
	7	야고 산티아고	Yago Santiago	2003.04.15	180	73	스페인
	8	마크 아과도	Marc Aguado	2000.02.22	182	68	스페인
	11	헤르만 발레라	Germán Valera	2002.03.16	170	68	스페인
	14	알레익스 페바스	Aleix Febas	1996.02.02	172	61	스페인
	16	마르팀 네투	Martim Neto	2003.01.14	185	82	포르투갈
	17	호산	Josan	1989.12.03	176	68	스페인
	19	그래디 디앙가나	Grady Diangana	1998.04.19	180	73	콩고
	30	로드리 멘도사	Rodrigo Mendoza	2005.03.15	182	72	스페인
	32	아담 보아야르	Adam Boayar	2005.10.13	180	74	모로코
FW	9	안드레 실바	André Silva	1995.11.06	186	84	포르투갈
	10	라파 미르	Rafa Mir	1997.06.18	191	86	스페인
	20	알바로 로드리게스	Álvaro Rodríguez	2004.07.14	193	80	우루과이

IN & OUT

주요 영입	주요 방출
안드레 실바, 알바로 로드리게스, 페데리코 레돈도, 제르망 발레라, 라파 미르(임대), 이냐키 페냐(임대), 엑토르 포트(임대), 빅토르 추스트(임대)	니콜라스 페르난데스, 니콜라스 카스트로, 호세 살리나스, 오스카르 플라노, 오스틴 알바레스(복귀)

TEAM FORMATION

FW	D-
MF	D-
DF	D-
GK	D-

10 라파 미르 (안드레 실바)
9 안드레 실바 (로드리게스)
11 발레라 (포트)
17 호산 (누네스)
30 멘도사 (페바스)
14 페바스 (네투)
8 아구아도 (레돈도)
6 비가스 (디아비)
22 아펜그루버 (레돈도)
23 추스트 (은완코)
1 디투로 (이냐키 페냐)

PLAN 3-5-2

지역 점유율

공격 진영 —%

NO DATA

수비 진영 —%

공격 방향

NO DATA

| —% | —% | —% |
| 왼쪽 | 중앙 | 오른쪽 |

슈팅 지역

—% 골 에어리어
—% 패널티 박스

NO DATA

PLAYERS

FW	10	라파 미르	KEY PLAYER

Rafa Mir

국적: 스페인

191cm의 신장에도 침투 플레이에 능할 만큼 속도를 갖춘 공격수다. 양발을 자유롭게 활용할 수 있어 페널티 박스 안쪽에서 플레이에 제약을 받지 않는다. 발렌시아 유스에 성장해 2015년 프로 무대를 밟았다. 울버햄튼의 러브콜을 받았지만, 적응 문제를 겪었다. 임대를 떠나 다니며 자리 잡지 못했다. 2021년 세비야 이적 후에도 부진했다. 지난 시즌 발렌시아로 임대됐지만, 부활하지 못했다. 이번 시즌 엘체로 다시 임대됐다.

출전경기	경기시간(분)	골	어시스트	경고	퇴장
20	745	1	2	3	-

DF	22	다비드 아펜그루버

David Affengruber

국적: 오스트리아

레드불 라젠발스포츠 산하의 레드불 잘츠부르크에서 성장했다. 2019년 리퍼링에서 프로 데뷔 후 2021년 다시 잘츠부르크로 향했다. 슈투름 그라츠에서 3시즌 동안 팀의 핵심 수비수로 활약했다. 지난 시즌 자유계약(FA)으로 엘체에 합류한 뒤 곧바로 팀의 핵심 수비수로 활약했다. 안정된 수비와 빌드업 능력을 갖췄다. 지난 시즌 라리가 2 올해의 팀에 선정됐다.

출전경기	경기시간(분)	골	어시스트	경고	퇴장
40	3,203	-	2	3	-

상대팀 최근 6경기 전적

구분	승	무	패	구분	승	무	패
FC 바르셀로나			6	레알 소시에다드			6
레알 마드리드		1	5	발렌시아 CF	1	1	4
아틀레티코 마드리드	1		5	헤타페 CF	2	2	2
아틀레틱 빌바오	2	1	3	RCD 에스파뇰	1	3	2
비야레알 CF	2	2	2	데포르티보 알라베스	2	1	3
레알 베티스 발롬피에	1	1	4	지로나 FC	2	1	3
RC 셀타 데 비고	1	1	4	세비야 FC	1	2	3
라요 바예카노	3		3	레반테 UD		3	3
CA 오사수나		4	2	엘체 CF			
RCD 마요르카	2	4		레알 오비에도	3	1	2

DF	39	엑토르 포트

Hector Fort

국적: 스페인

바르셀로나에서 태어나 바르셀로나에서 성장한 2006년생 유망주 수비수. 주포지션은 오른쪽 풀백이지만, 왼쪽 풀백, 중앙 수비수 모두 뛸 수 있다. 186cm의 탄탄한 피지컬과 준수한 속도, 발기술을 겸비했다. 여전히 성장하는 단계지만, 많은 주목을 받고 있는 바르셀로나 기대주 중 한 명이다.
지난 시즌 1군에서 20경기를 뛰었다. 이번 시즌에는 엘체로 임대돼 많은 경험을 쌓을 예정이다.

출전경기	경기시간(분)	골	어시스트	경고	퇴장
17	1,538	4		2	-

MF	6	페드로 비가스

Pedro Bigas

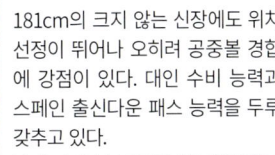

국적: 스페인

181cm의 크지 않은 신장에도 위치 선정이 뛰어나 오히려 공중볼 경합에 강점이 있다. 대인 수비 능력과 스페인 출신다운 패스 능력을 두루 갖추고 있다.
본래 수비형 미드필더로 활약했지만, 최근에는 센터백 자리에서 더 주목받고 있다. 수비 위치 선정과 경기 이해도가 높다. 마요르카, 라스 팔마스, 에이바르를 거쳐 2021년부터 엘체에서 활약 중이다. 엘체의 캡틴이다.

출전경기	경기시간(분)	골	어시스트	경고	퇴장
33	2,566	2	2	4	-

FW	9	안드레 실바

André Silva

 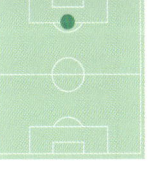

국적: 포르투갈

FC 포르투에서 성장해 2015년 1군 무대에 데뷔했다. 등장 당시 만능형 공격수에 가까운 모습을 보이며 어린 나이부터 잠재력을 인정받았다. 2017년 AC 밀란으로 향했지만, 기대만큼 성장하지 못해 세비야, 아인트라흐트 프랑크푸르트 등으로 임대를 떠나야 했다.
2020년 프랑크푸르트로 완전이적한 뒤 28골을 넣으며 부활했다. 하지만 라이프치히 이적 후 다시 부진했다.

출전경기	경기시간(분)	골	어시스트	경고	퇴장
15	501	2	2	1	-

레알 오비에도
Real Oviedo

TEAM PROFILE	
창 립	1926년
회 장	마르틴 페레즈(멕시코)
감 독	벨코 파우노비치(세르비아)
연 고 지	아스투리아스 주 오비에도
홈 구 장	에스타디오 카를로스 타르티에레 (3만 500명)
라 이 벌	스포르팅 히혼
홈페이지	https://www.realoviedo.es/

최근 5시즌 성적

시즌	순위	승점
2020-2021	없음	없음
2021-2022	없음	없음
2022-2023	없음	없음
2023-2024	없음	없음
2024-2025	없음	없음

LA LIGA

통 산	없음
24-25 시즌	없음

COPA DEL REY

통 산	없음
24-25 시즌	없음

UEFA

통 산	없음
24-25 시즌	없음

TEAM RATINGS

슈팅 5
패스 5
조직력 5
수비력 5
감독 5
선수층 5

30

2024/25 프로필

팀 득점	56
평균 볼 점유율	51.80%
패스 정확도	82.10%
게임 평균 슈팅 수	12.1
경고	105
퇴장	1

골 타 입	오픈 플레이 세트 피스 카운터 어택 패널티 킥 자책골	NO DATA
패 스 타 입	쇼트 패스 롱 패스 크로스 패스 스루 패스	NO DATA

시즌 프리뷰 21년 만의 1부 리그! 감격스럽다

스페인 아스투리아스주 오비에도를 연고지로 삼고 있다. 1926년 스타디움 오베텐세, 레알 클루브 데포르티보 오비에도가 한 팀으로 합치며 지금의 팀이 됐다. 창단 초창기에는 1부 리그에 주로 머물렀지만, 1960년대부터는 하부리그에 머무는 시간이 더 길어졌다. 최전성기는 1990년대다. 1988-89시즌부터 2000-01시즌까지 13년 연속 1부에서 활약했다. 1990-91시즌 리그 6위로 유럽축구연맹(UEFA)컵 진출권을 따내며 이후 코파 델 레이에서도 성과를 만들었으나, 2000-01시즌에 강등의 아픔을 겪었다. 이후 심각한 재정난을 겪으며 4부까지 강등되는 수모를 겪어야만 했다. 해체설까지 흘러나왔지만 가까스로 재정을 회복한 뒤, 3부와 2부를 오가며 구단의 역사를 이어갔다.

지난 시즌에는 무려 21년 만에 라리가 승격을 이뤘다. 하비에르 카예하 감독 체제에서 전반기 승승장구했다. 2위까지 내달렸으나 후반기 4경기 무승으로 주춤했다. 오비에도는 감독 교체를 선택했고, 과거 팀에서 선수로 활약했던 벨코 파우노비치 감독을 선임했다. 새 감독과 함께 리그 10경기 무패를 내달리며 4위를 기록했다. 승격 플레이오프에서 3위 미란데스를 꺾고 반전을 만들었다. 베테랑 산티 카솔라와는 1년 재계약을 맺었다. 그의 경험이 잔류에 큰 힘이 될 것이다.

COACH

벨코 파우노비치 Veljko Paunović
1977년 8월 21일생 세르비아

현역 시절 파르티잔에서 데뷔해 아틀레티코 마드리드, 마요르카, 레알 오비에도 등 다수의 스페인 팀에서 활약했다. 2011년 현역 은퇴 후 세르비아 연령별 대표팀 감독직을 맡으며 잠재력을 인정받기 시작했다. 2015년 미국 MLS의 시카고 파이어로 향하며 프로 첫 감독 커리어를 쌓아갔다. 2020년에 잉글랜드 챔피언십 레딩 감독으로 첫 시즌 리그 상위권 경쟁을 이끌었고, 지난 시즌 중반, 오비에도 감독으로 부임해 안정적인 수비와 역습 축구로 팀의 승격을 이끌었다.

SQUAD

포지션	등번호	이름		생년월일	키(cm)	체중(kg)	국적
GK	1	호라치우 몰도반	Horațiu Moldovan	1998.01.20	186	72	루마니아
	13	아론 에스칸델	Aarón Escandell	1995.09.27	184	72	스페인
DF	2	에릭 바이	Eric Bailly	1994.04.12	187	77	코트 디 부아르
	3	라힘 알하사네	Rahim Alhassane	2002.01.01	184	77	나이지리아
	4	다비드 코스타스	David Costas	1995.03.26	184	73	스페인
	12	다니 칼보	Dani Calvo	1994.04.01	193	82	스페인
	15	오이에르 루엥고	Oier Luengo	1997.11.11	185	81	스페인
	16	다비드 카르무	David Carmo	1999.07.19	196	84	앙골라
	22	나초 비달	Nacho Vidal	1995.01.24	180	75	스페인
MF	5	알베르토 레이나	Alberto Reina	1997.11.19	179	71	스페인
	6	크와시 시보	Kwasi Sibo	1998.06.24	183	72	가나
	7	일리아스 셰이	Ilyas Chaira	2001.02.02	179	75	모로코
	8	산티 카솔라	Santi Cazorla	1984.12.13	168	65	스페인
	10	하이셈 하산	Haissem Hassan	2002.02.08	175	69	프랑스
	11	산티아고 콜롬바토	Santiago Colombatto	1997.01.17	178	71	아르헨티나
	14	오비에 에자리아	Ovie Ejaria	1997.11.18	188	75	잉글랜드
	17	브랜든 도밍게스	Brandon Dominguès	2000.06.06	172	63	프랑스
	18	요십 브레칼로	Josip Brekalo	1998.06.23	175	70	크로아티아
	20	브랜든 도밍게스	Leander Dendoncker	1995.04.15	188	76	벨기에
	21	루카 일리치	Luka Ilic	1999.07.02	185	73	세르비아
FW	9	페데리코 비냐스	Federico Viñas	1998.06.30	182	80	우루과이
	19	알렉스 포레스	Álex Forés	2001.04.12	179	86	스페인
	23	살로몬 론돈	Salomón Rondón	1989.09.16	189	98	베네수엘라

IN & OUT

주요 영입	주요 방출
루카 일리치, 일리야스 차이라, 레안드로 덴동커, 요심 브레칼로, 에락 바이, 알베르토 레이나, 하비 로페스(임대), 호라티오 몰도반(임대), 살로몬 론돈(임대)	세바스 모야노, 파울리노 데 라 푸엔테, 쿠엔틴 브라트, 알레망, 자이메 세오아네

TEAM FORMATION

FW **D-**
MF **D-**
DF **D-**
GK **D-**

23 론돈 (비냐스)

7 차이라 (브레칼로) **21** 일리치 (카솔라) **10** 하산 (에자리아)

20 덴동커 (콜롬바토) **6** 시보 (레이나)

3 알하산 (로페스) **12** 칼보 (루엔고) **4** 코스타스 (바이) **22** 비달 (아히아도)

13 에스켄델 (몰도반)

PLAN **4-2-3-1**

지역 점유율

공격 진영 **―%**

NO DATA

수비 진영 **―%**

공격 방향

NO DATA

―% 왼쪽 **―%** 중앙 **―%** 오른쪽

슈팅 지역

―% 골 에어리어
―% 패널티 박스

NO DATA

상대팀 최근 6경기 전적

구분	승	무	패	구분	승	무	패
FC 바르셀로나	3		3	레알 소시에다드	1	1	4
레알 마드리드		3	3	발렌시아 CF		3	3
아틀레티코 마드리드		3	3	헤타페 CF	1	3	2
아틀레틱 빌바오	2	1	3	RCD 에스파뇰	2	1	3
비야레알 CF	1	3	2	데포르티보 알라베스	2	1	3
레알 베티스 발롬피에		3	3	지로나 FC	1	2	3
RC 셀타 데 비고	2		4	세비야 FC	3	1	2
라요 바예카노	1	3	2	레반테 UD	2	3	1
CA 오사수나	2	1	3	엘체 CF	2	1	3
RCD 마요르카	1	3	2	레알 오비에도			

PLAYERS

MF 8 산티 카솔라
Santi Cazorla

국적: 스페인

불혹의 나이에도 건재함을 보여주고 있다. 오비에도에서 성장한 뒤 비야레알로 향해 2003년 프로 무대를 밟았다. 말라가에서 라리가 최정상 미드필더로 활약했고, 2012년 아스널로 향했다. 타고난 테크닉은 프리미어리그에서도 통했다. 뛰어난 축구 센스, 지능은 안드레스 이니에스타, 사비 에르난데스와 비교될 정도였으나, 아스널에서 많은 시간을 부상으로 인한 회복에 쏟아야 했다. 2020년 알사드를 거친 뒤 2023년 오비에도에 합류했다.

출전경기	경기시간(분)	골	어시스트	경고	퇴장
32	1,914	3	5	1	-

DF 2 에릭 바이
Eric Bailly

국적: 코트디부아르

빠른 속도와 타고난 운동신경을 통한 수비 능력이 돋보인다. 프로 데뷔 후 2015년 비야레알로 이적하며 주목받았고, 1년 만에 맨체스터 유나이티드로 떠났다. 곧바로 주전으로 활약하며 기대를 받았지만, 2017-18시즌부터 잦은 부상과 부진이 겹치며 경쟁에서 밀려나 임대를 떠나녀야 했다. 2023년 비야레알로 복귀한 뒤 이번 시즌에 자유계약(FA)으로 레알 오비에도에 합류했다.

출전경기	경기시간(분)	골	어시스트	경고	퇴장
12	620	-	-	2	1

MF 20 레안드로 덴동커
Leandro Dendoncker

국적: 벨기에

왕성한 활동량과 탄탄한 수비력을 자랑하는 수비형 미드필더. 188cm의 신장을 보유해 공중볼 경합 능력 또한 대단하다. 때로는 센터백 자리도 소화할 수 있는 쓰임새 많은 멀티 플레이어다. 2013년 자국 안데를레흐트에서 프로 데뷔 후 울버햄튼으로 이적했다. 울버햄튼의 핵심으로 활약하다 2019년 애스턴 빌라로 향했다. 경쟁에서 밀려나며 임대를 떠나야 했고, 이번 시즌에 레알 오비에도로 이적했다.

출전경기	경기시간(분)	골	어시스트	경고	퇴장
30	2,615	2	1	6	-

FW 7 일리야스 차이라
Ilyas chaira

국적: 모로코

2002년생 유망주다. 준수한 속도와 저돌적인 돌파 능력, 드리블 능력까지 갖춘 윙어다. 주로 왼쪽에서 뛰지만 오른쪽 역시 어색하지 않다. 지로나에서 성장했지만, 줄곧 하부리그에서 활약했다. 이비사, 산페르난도, 미란데스 등 임대를 통해 경험을 쌓았다. 지난 시즌 레알 오비에도에 임대됐고, 주전 공격수로 활약하며 35경기 8골 3도움을 기록했다. 이번 시즌에 오비에도로 완전이적했다.

출전경기	경기시간(분)	골	어시스트	경고	퇴장
31	2,255	7	3	8	-

FW 23 살로몬 론돈
Salomón Rondón

국적: 베네수엘라

190cm의 큰 신장과 거구를 보유했다. 탄탄한 피지컬을 이용한 볼 경합 능력이 뛰어나다. 1989년생으로 은퇴에 접어들었지만, 실력이 전혀 녹슬지 않았다. 라스팔마스, 말라가, 루빈 카잔, 제니트 상트페테부르크, 뉴캐슬 유나이티드, 다롄 이팡, 리버 플레이트 등 2005년 프로 데뷔 후 거쳐 간 팀만 무려 12팀이다. 이번 시즌 레알 오비에도에 임대되면서 13번째 팀을 맞이했다.

출전경기	경기시간(분)	골	어시스트	경고	퇴장
30	2,393	14	5	3	1

바이에른 뮌헨 vs 보루시아 도르트문트 (2:2)

보루시아 도르트문트의 발데마르 안톤이 팀의 두 번째 골을 터뜨렸고,
바이에른 뮌헨의 골키퍼 요나스 우르비히는 이를 막지 못했다.
〈2025. 04. 13 / Allianz Arena〉

슈투트가르트 vs 레버쿠젠 (3:4)

두 팀 모두 전 시즌 2위, 1위였던 것과는 거리가 있었다. 레버쿠젠 홈에서는 0-0으로 첫 맞대결이 끝나기도 했다. 이번에는 화끈했다. 슈투트가르트가 3-1로 앞서던 상황. 레버쿠젠이 67분부터 3득점으로 경기를 뒤집었다. 두 팀 모두 세 번째 골은 자책골이었다. 결국 계속해서 공격 자원을 늘린 레버쿠젠이 추가 시간 결승골로 'Late'쿠젠의 명성을 이어갔다.
〈2025. 03. 17 / MHP 아레나〉

마인츠 vs 바이에른 뮌헨 (2:1)

이재성, 홍현석과 김민재의 맞대결로 국내에서 관심을 모았던 경기. 이재성의 멀티골로 마인츠가 바이에른을 잡아냈다. 이재성은 5경기 연속 공격 포인트로 절정의 폼을 과시했다. 바이에른의 시즌 첫 패배이기도 했다. 마인츠는 바이에른 상대 3연패를 끊어냈다. 점유율은 내줬으나 역습으로 상대를 괴롭히며 막판 1실점만 허용했다. 역사적 시즌의 예고편이었다.
〈2024. 12. 14 / 메바 아레나〉

라이프치히 vs 바이에른 뮌헨 (3:3)

바이에른의 조기 리그 우승 확정이 걸린 경기였다. 라이프치히는 로제 감독이 물러나고도 혼란에서 벗어나지 못했다. 그러나 전반에만 2-0으로 앞서갔다. 후반 3실점으로 무너지는 듯 했으나 추가 시간에 포울센의 극적 동점골로 자존심을 지켰다. 바이에른과는 리그 홈 1-1, 2-2, 3-3, 연달아 무승부를 기록. 이후 바이에른은 프라이부르크 덕에 우승을 확정 지었다.
〈2025. 05. 03 / 레드불 아레나〉

프라이부르크 vs 레버쿠젠 (2:2)

전반 막판 막시밀리안 에게슈타인의 중거리 슈팅이 레이저처럼 레버쿠젠의 골문에 꽂혔다. 후반 시작 직후 레버쿠젠의 자책골까지 나왔다. 프라이부르크로서는 디펜딩 챔피언을 잡고 UCL 티켓 확률도 높일 수 있던 기회. 그러나 레버쿠젠이 그 전 시즌 우승 원동력 중 하나였던 뒷심을 하나 발휘했다. 바이에른의 조기 우승을 막지는 못했으나 '알론소 레버쿠젠'의 저력을 재차 보였다.
〈2025. 05. 05 / 유로파파크 슈타디온〉

2025-2026

GERMANY BUNDESLIGA

HAMBURGER SV
팀 명 함부르크 SV
창 단 1887년
홈구장 폴크스파르크슈타디온
주 소 www.hsv.de

FC ST. PAUL
팀 명 FC 장크트파울리
창 단 1910년
홈구장 밀러론토어 슈타디온
주 소 https://www.fcstpauli.com/

SV WERDER BREMEN
팀 명 SV 베르더 브레멘
창 단 1899년
홈구장 베저슈타디온
주 소 https://www.werder.de/

BORUSSIA DORTMUND
팀 명 보루시아 도르트문트
창 단 1909년
홈구장 지그날 이두나 파크
주 소 http://www.bvb.de

BORUSSIA MÖNCHENGLADBACH
팀 명 보루시아 묀헨글라트바흐
창 단 1900년
홈구장 보루시아 파크
주 소 www.borussia.de

FC KÖLN
팀 명 FC 쾰른
창 단 1948년
홈구장 라인에네르기슈타디온
주 소 www.fc.de

BAYER 04 LEVERKUSEN
팀 명 바이엘 04 레버쿠젠
창 단 1904년 ·
홈구장 바이 아레나
주 소 www.bayer04.de/en-us

EINTRACHT FRANKFURT
팀 명 아인트라흐트 프랑크푸르트
창 단 1899년
홈구장 도이체 방크 파르크
주 소 www.eintracht.de

1. FSV MAINZ 05
팀 명 FSV 마인츠 05
창 단 1905년
홈구장 메바 아레나
주 소 www.mainz05.de

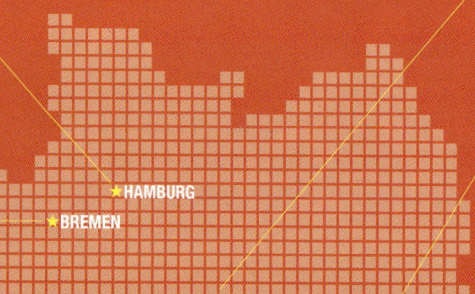

HAMBURG
BREMEN
WOLFSBURG
BERLIN
DORTMUND
LEIPZIG
MÖNCHENGLADBACH
LEVERKUSEN
KÖLN
FRANKFURT AM MAIN
MAINZ
SINSHEIM
STUTTGART
HEIDENHEIM
AUGSBURG
MÜNCHEN
FREIBURG IM BREISGAU

VfL WOLFSBURG
팀 명 VfL 볼프스부르크
창 단 1945년
홈구장 폴크스바겐 아레나
주 소 www.vfl-wolfsburg.de

FC UNION BERLIN
팀 명 FC 우니온 베를린
창 단 1966년
홈구장 슈타디온 안 데어 알텐 퍼르스터라이
주 소 www.fc-union-berlin.de

RB LEIPZIG
팀 명 RB 라이프치히
창 단 2009년
홈구장 레드불 아레나
주 소 www.rbleipzig.com/en

TSG 1899 HOFFENHEIM
팀 명 TSG 1899 호펜하임
창 단 1899년
홈구장 프리제로 아레나
주 소 www.tsg-hoffenheim.de

VfB STUTTGART
팀 명 VfB 슈투트가르트
창 단 1893년
홈구장 메르세데스 벤츠MHP아레나
주 소 www.vfb.de

FC HEIDENHEIM
팀 명 FC 하이덴하임
창 단 1846년
홈구장 포이트 아레나
주 소 www.fc-heidenheim.de

FC BAYERN MUNCHEN
팀 명 FC 바이에른 뮌헨
창 단 1900년
홈구장 알리안츠 아레나
주 소 www.fcbayern.com/de

SC FREIBURG
팀 명 SC 프라이부르크
창 단 1904년
홈구장 유로파 파크 슈타디온
주 소 www.scfreiburg.com

FC AUGSBURG
팀 명 아우크스부르크
창 단 1907년
홈구장 WWK 아레나
주 소 www.fcaugsburg.de

다시 경쟁력을 찾아야 한다

2024-25시즌 분데스리가는 다시 뻔한 이야기로 돌아왔다. 바이에른 뮌헨이 한 시즌 만에 리그 타이틀을 탈환, 조기 우승이 이뤄졌다. 도르트문트는 막판 스퍼트로 4위를 달성했다. 라이프치히는 리그 7위로 1부 승격 이래 최악의 시즌을 보냈다. 레버쿠젠도 2023-24시즌과는 다소 거리가 있었다.

2023-24시즌에는 레버쿠젠이 창단 이래 첫 리그 우승이자 리그 사상 최초의 무패 우승을 달성했고, 슈투트가르트의 2위 돌풍, 하이덴하임의 8위 선전 등 이야깃거리가 풍성했다. 이런 흐름이 이어지고 바이에른도 회복했더라면, 리그가 더 흥미로워지고 경쟁력을 높이는 선순환이 이뤄졌을 것이다. 전통적으로 바이에른이 얼마나 흔들리느냐 따라 리그 우승의 향방이 가려져 왔다. 바이에른이 2022-23시즌까지 리그 11연패로 역대 최다 연승을 기록했던 만큼, 리그에는 보다 흥미로운 경쟁 구도가 필요했다. 이런 맥락에서 2023-24시즌은, 바이에른이 제풀에 무너지기는 했지만, 다른 팀들의 국내외 선전이 반가웠다. 도르트문트가 리그 성적은 5위였으나 챔피언스리그 결승에 진출했다. 레버쿠젠은 포칼도 우승했고, 유로파리그는 무패로 결승에 올랐다.

유럽 대항전에서의 좋은 성적 덕에 2024-25시즌에는 챔피언스리그 본선에 다섯 개의 독일 팀이 올랐다. 하지만 지난 시즌 유럽 무대 성적은 좋지 못했다. 라이프치히는 6연패를 당하며 1승 7패로 32위로 탈락했다. 슈투트가르트도 26위로 바로 탈락, 리그 9위였다. 도르트문트, 바이에른은 10, 12위로 16강 플레이오프를 치렀다. 레버쿠젠이 그나마 6위로 16강 직행. 결국 바이에른, 도르트문트의 8강이 끝이었다. 유로파리그에서는 호펜하임이 27위로 리그 페이즈 탈락, 프랑크푸르트는 8강에서 탈락했다. 호펜하임은 리그 15위로 승강 플레이오프는 면했다. 하이덴하임은 컨퍼런스리그 리그 페이즈 16위, 플레이오프에서 코펜하겐에 탈락했다. 리그에서는 승강 플레이오프 끝에 살아남았다. 리그 전체로서는 재정 균형을 신경 쓰는 만큼, 많은 팀들이 성적을 내도 주축 자원을 매각하는 등 스쿼드 두께를 충분히 늘리지 못하여 유럽무대를 병행하는 시즌에 어려움을 겪고 있다. 강등이나 재정난만 피해도 다행인 상황이다. 이는 중하위권 클럽들뿐만 아니라 상위권 팀들도 크게 다르지 않다. 독보적 재정과 전력, 위상의 메가 클럽인 바이에른도 2019-20시즌 6관왕 이후, 챔피언스리그에서는 2023-24시즌 4강 외에 8강에 머무르고 있다. 선수와 감독 인재풀이 아쉬워지고 있다. 재정, 구조적 문제 외에도 유망 선수, 감독을 계속 키워내던 모습을 되찾아야 한다.

TOP SCORER

해리 케인이 두 시즌 연속 득점왕을 차지했다. 2023-24에는 팀 무관에도 36득점을 올렸다. 지난 시즌 26득점에 비하면 10골이 줄었다. 여기에는 PK가 9개이었다. 세루 기라시는 두시즌 연속 2위. 지지난 시즌에는 28골로 단독 2위, 지난 시즌에는 21골로 공동 2위였다. 파트리크 시크는 골 감각이 살아나며 공동 2위를 달성했고, 그 뒤를 요나탄 부르카르트, 팀 클라인딘스트, 오마르 마르무시, 위고 에키티케 등이 이었다. 마르무시는 겨울에 떠났음에도 15골로 공동 6위를 차지했다.

본인 기량과 팀 전력 등으로 볼 때 올 시즌도 케인의 득점왕이 유력하다. 다만 전 시즌보다 좋은 모습을 보여야 한다. 한번에 몰아넣거나 빅매치나 중요한 순간에 침묵하는 경우가 늘었기 때문이다. 올 시즌 전반기에는 바이에른의 부상자들도 변수이다. 그러나 다른 팀들 전력 상황이 바이에른에 도전할 수 있을지는 의문이다. 시크의 경우 주변의 도움이 이전 같지 않을 수 있다. 기라시는 전 시즌에 팀의 극심한 부진에도 꾸준히 좋은 모습을 보여 더 나빠질 것이 없을 듯하다. 그는 올 시즌도 유력한 2위 후보이다. 부르카르트는 더 좋아진 팀에서 더 득점할 공산이 있다. 월드컵을 앞두고 불타는 의욕에 깜짝 활약 선수가 올라올 수도 있다.

TITLE RACE

지난 시즌 바이에른이 무난하게 우승을 차지하는 동안 다른 팀들은 모두 흔들렸다. 레버쿠젠은 화려했던 2023-24시즌에 비해 지난 시즌은 너무 아쉬웠다. 이제 핵심이었던 감독과 선수들이 떠났다. 전력과 조직력 모두 흔들릴 수 있다. 도르트문트는 큰 수입에도 구멍 난 스쿼드를 제대로 손보지 않고 있다. 라이프치히는 1부 승격 이래 최악의 시즌을 보냈다. 그런 와중에서도 주축들을 보내고 유망주를 영입하는 정책을 이어가고 있다. 도박에 가깝다. 그렇지 않아도 바이에른이 흔들리지 않는 한 바이에른 외의 리그 우승팀을 상상하기가 쉽지 않다. 외부 견제 없이, 바이에른 또한 자신과의 싸움을 해야 할지 모른다. 바이에른도 명성에 비해 전력이 아쉽고, 부상 선수들의 영향도 있을 수 있다. 전반기는 팀 간 격차가 비교적 작겠지만, 중반, 후반부터 격차가 벌어질 전망이다.

DARK HORSE

지지난 시즌에는 레버쿠젠이 무패 우승으로 첫 리그 우승을 달성하고, 슈투트가르트가 리그 2위, 승격 팀 하이덴하임이 8위에 오르는 등 다채로운 의외의 볼거리들이 있었다. 반면 지난 시즌은 기대치에 비해 실망스러웠던 팀들만 있었다. 프랑크푸르트는 6위에서 3위가 됐으나 핵심 공격수들이 반년 사이 연달아 떠났다. 프라이부르크, 마인츠는 지난 시즌 챔피언스리그 티켓을 노려봤으나 결국 한계를 보였고, 올 시즌은 유럽대항전을 병행해야 하는 부담이 있다.

전력 유출도 있었다. 브레멘에서 전력 이상의 결과를 끌어냈던 올레 베르너 감독이 떠났다. 슈투트가르트는 2위 시절의 전력을 다시 찾을 수 있을지 미지수다. 볼프스부르크는 매 시즌 나름대로 투자하지만 결과는 아쉽다. 그나마 호펜하임이 살아날 가능성이 있다. 2023-24시즌 7위 이후 유로파리그 병행을 위해 다양한 투자를 했으나 결과는 15위였다. 이번 여름에 중원의 주축 둘이 떠나기도 했다. 하지만 선수단 정리와 보강이 의외로 깔끔하고 준수했다. 한 시즌 만에 돌아온 쾰른도 보통 승격 팀이라 하기에는 괜찮은 전력이다. 우니온도 일리야스 안자의 좋은 폼이 이어진다면 전 시즌 이상의 순위로 오르기에 충분하다.

VIEW POINT

바이에른은 한 시즌 만에 리그 타이틀을 탈환했고 케인의 무관 저주도 끝났다. 2025-26시즌에 바이에른이 타이틀을 수성하고, 케인이 3연속 득점왕과 트로피 추가 수집을 해낼 지가 일단 주요 관심사다. 이들을 견제할 클럽이 있느냐도 리그의 흥미를 돋우는 부분이다. 레버쿠젠은 주축 선수들과 감독이 떠나 정신이 없다. 도르트문트는 전 시즌의 혼란과 여름에 얻은 쏠쏠한 수입에도 이적시장에서는 소극적이었다. 전 시즌 성적으로 유럽대항전도 못 나가는 라이프치히는 또 가공한 선수를 비싸게 팔고 재투자하며 유망주들에게 기대를 걸고 있다. 그나마 바이에른에 비벼볼 체급의 팀들마저 어수선해 예상 밖의 일이 벌어지기는 힘들 전망이다. 프랑크푸르트, 슈투트가르트도 가장 좋았던 시절의 전력은 아니다. 기대 이상의 성적을 거두며 유럽대항전에 나가는 프라이부르크, 마인츠는 두 마리 토끼를 잡을 수 있을지 의문이다. 비슷한 규모의 팀들의 전철을 밟지 않을까 우려된다. 한편으로 승격 팀과 기존 중하위권 팀들 간 격차가 그리 크지 않아 잔류 경쟁이 혼전으로 향할 수도 있다. 마지막으로는 코리안리거의 활약이다. 김민재가 부침 없이 활약하는 시즌이 될 것인가, 정우영은 한 팀에 정착할 것인가, 이재성이 유럽에서도 팀과 함께 역사를 쓸 수 있을 것인가에 한국인들의 이목이 쏠린다.

1 이적료: **1,132억원**
리버풀 ⇄ 바이에른 뮌헨

Luis Díaz
루이스 디아스 / 국적: 콜롬비아

2 이적료: **566억원**
리버풀 ⇄ 바이엘 레버쿠젠

Jarell Quansah
자렐 콴사 / 국적: 잉글랜드

2 이적료: **566억원**
PSV에인트호번 ⇄ 바이엘 레버쿠젠

Malik Tillman
말릭 틸만 / 국적: 미국

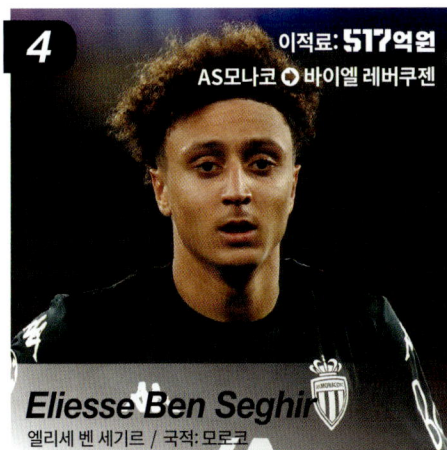

4 이적료: **517억원**
AS모나코 ⇄ 바이엘 레버쿠젠

Eliesse Ben Seghir
엘리세 벤 세기르 / 국적: 모로코

TRANSFER

지난 시즌 오른쪽 윙어 마이클 올리세로 분데스리가 최고 수준의 이적료 영입을 기록했던 바이에른이, 이번 시즌에는 왼쪽 윙어 루이스 디아스 영입으로 최고 이적료 영입을 기록했다. 디아스 금액이 올리세 때보다 높은 것은 왼쪽 윙어 자원 부족이 반영된 것으로 볼 수 있다. 매 시즌 가장 큰 손이어서 이 순위, 이 액수는 놀랄 일은 아니다. 그만큼 다른 팀들과의 이적료 최고액과의 격차도 컸다. 주요 선수 매각으로 수입이 컸던 레버쿠젠은 주축 이탈을 보완하려고 자렐 콴사와 말리크 틸만을 데려왔다. 그러나 그 둘의 합계가 디아스 한 건과 맞먹는다. 레버쿠젠은 평소보다 더 썼으나 여전히 막대한 흑자를 기록 중이다. 도르트문트는 조브 벨링엄 영입과 임대생 얀 코투 완전 영입으로 상위권에 이름을 올렸다. 라이프치히도 임대생 완전영입을 비롯해 새 유망주들에게 2,000만 유로씩 투자했다. 프랑크푸르트도 핵심 공격수들 대체 자원 영입으로 요나탄 부르카르트와 도안 리츠를 각각 영입, 상위 10위 내에 두 명을 올렸다. 전체적인 액수도 그렇고, 벌어들인 금액에 비해 몸을 사리는 모습이었다. 디아스 가격 외에는 지난 시즌과 거의 비슷한 금액대가 형성되었다. 바이에른조차 순수 이적수지 흑자를 기록했다. 반대로 볼프스부르크, 쾰른은 비교적 적자를 감수한 투자를 했다. 그 외에는 매우 소액의 적자였다.

5 이적료: **493억원**
선덜랜드 ⇄ 보루시아 도르트문트

Jobe Bellingham
조브 벨링엄 / 국적: 잉글랜드

6 이적료: **404억원**
세비야 ⇄ 바이엘 레버쿠젠

Loïc Badé
로익 바데 / 국적: 프랑스

6 이적료: **404억원**
알 카디시야 ⇄ 바이엘 레버쿠젠

Ezequiel Fernández
에세키엘 페르난데스 / 국적: 아르헨티나

8 이적료: **388억원**
스포르팅 리스본 ⇄ RB라이프치히

Conrad Harder
콘라드 하더 / 국적: 덴마크

9 이적료: **364억원**
울버햄튼 ⇄ 보루시아 도르트문트

Fábio Silva
파비우 실바 / 국적: 포르투갈

10 이적료: **339억원**
마인츠 ⇄ 프랑크푸르트

Jonathan Burkardt
요나탄 부르카르트 / 국적: 독일

이적료: **339억원**
프라이부르크 ⇄ 프랑크푸르트

Ritsu Doan
도안 리츠 / 국적: 일본

REGULATION

분데스리가는 올 시즌도 18개 팀으로 치른다. 승리 시 승점 3점, 무승부 시 1점, 패배 시 0점 획득. 승점이 동률이면 상대 전적이 아닌 골득실, 다득점 순으로 순위가 결정된다. 각 팀 별로 홈, 원정 17경기씩 총 34경기를 치른다. 올 시즌도 UEFA 리그 랭킹은 4위. 기본적으로 챔피언스리그에는 리그 1위부터 4위가 나선다. 유로파리그 티켓은 5위와 DFB 포칼 우승팀의 차지다. 6위 팀이 컨퍼런스리그행. 다만 챔피언스리그, 유로파리그 진출 확정 팀이 포칼 우승 시 6위 팀이 유로파리그, 7위 팀이 컨퍼런스리그다. 또한 전 시즌 유럽 대항전 성적 상위 두 리그에는 챔피언스리그 티켓이 한 장 추가된다. 2023-24시즌에는 유럽무대 호성적으로, 지난 시즌 챔피언스리그 다섯 팀에 8위가 컨퍼런스리그 플레이오프에 나갔다. 17, 18위는 강등 직행. 16위는 2부 리그 3위와 홈, 원정 승강 플레이오프를 치른다.

TITLE

분데스리가 우승팀은 마이스터 샬레, 즉 11kg에 달하는 우승 방패를 들 수 있다. 1963년 분데스리가 공식 출범 이래 3회 이상 우승팀은 유니폼에 별 하나를 달 수 있다. 5회 이상은 2개, 10회 이상은 3개, 그 후로는 10회 간격으로 별 하나씩을 더 추가할 수 있다. 지난 시즌 부로 34회 우승팀이 된 바이에른 만이 별 5개를 달고 있다. 뮌헨글라트바흐, 도르트문트가 5회 우승으로 별 2개. 4회 우승 브레멘, 3회 우승 함부르크와 슈투트가르트는 별 하나씩이다. 쾰른과 카이저슬라우테른은 2회 우승으로 별을 달 수 없다. 분데스리가 우승팀은 역대 13팀. 2023-24시즌에 레버쿠젠이 추가됐다.

STRUCTURE

분데스리가는 '연방(Bundes)'과 '리그(Liga)'의 합성어다. 핸드볼, 농구, 하키 등 독일, 오스트리아의 각종 스포츠 리그를 통칭한다. 두 나라 모두 독일어를 쓰는 연방제 국가다. 축구 리그는 푸스발-분데스리가(Fußball-Bundesliga)라 부른다. 1963년 분데스리가로 개편 이전, 독일은 각 지역별로 리그를 운영했다. 각 지역 리그 챔피언들이 토너먼트에서 독일 챔피언을 정했다. 1950년대 후반 독일 축구의 하락세에, 경쟁력 제고를 위해 지역 대표들이 모인 통합리그가 출범한 것. 1.분데스리가부터 3부 리그까지는 통합 프로리그, 4부 이하로는 지역별 세미프로 이하 리그다. 2군 팀은 1군 팀과 같은 리그에 속할 수 없고, 더 낮은 리그에 있어야 하며 최대 3부까지 올라갈 수 있다. 현재 3부에 있는 1부의 2군 팀은 슈투트가르트와 호펜하임이다. 도르트문트 2군은 강등됐고 호펜하임이 올라왔다.

LEAGUE CHAMPION

시즌	팀명	시즌	팀명	시즌	팀명
1963-1964	FC 쾰른	1984-1985	바이에른 뮌헨	2005-2006	바이에른 뮌헨
1964-1965	베르더 브레멘	1985-1986	바이에른 뮌헨	2006-2007	슈투트가르트
1965-1966	1860 뮌헨	1986-1987	바이에른 뮌헨	2007-2008	바이에른 뮌헨
1966-1967	브라운슈바이크	1987-1988	베르더 브레멘	2008-2009	슈투트가르트
1967-1968	뉘른베르크	1988-1989	바이에른 뮌헨	2009-2010	바이에른 뮌헨
1968-1969	바이에른 뮌헨	1989-1990	바이에른 뮌헨	2010-2011	도르트문트
1969-1970	뮌헨글라트바흐	1990-1991	카이저슬라우테른	2011-2012	도르트문트
1970-1971	뮌헨글라트바흐	1991-1992	슈투트가르트	2012-2013	바이에른 뮌헨
1971-1972	바이에른 뮌헨	1992-1993	베르더 브레멘	2013-2014	바이에른 뮌헨
1972-1973	바이에른 뮌헨	1993-1994	바이에른 뮌헨	2014-2015	바이에른 뮌헨
1973-1974	바이에른 뮌헨	1994-1995	도르트문트	2015-2016	바이에른 뮌헨
1974-1975	뮌헨글라트바흐	1995-1996	도르트문트	2016-2017	바이에른 뮌헨
1975-1976	뮌헨글라트바흐	1996-1997	바이에른 뮌헨	2017-2018	바이에른 뮌헨
1976-1977	뮌헨글라트바흐	1997-1998	카이저슬라우테른	2018-2019	바이에른 뮌헨
1977-1978	FC 쾰른	1998-1999	바이에른 뮌헨	2019-2020	바이에른 뮌헨
1978-1979	함부르크	1999-2000	바이에른 뮌헨	2020-2021	바이에른 뮌헨
1979-1980	바이에른 뮌헨	2000-2001	바이에른 뮌헨	2021-2022	바이에른 뮌헨
1980-1981	바이에른 뮌헨	2001-2002	도르트문트	2022-2023	바이에른 뮌헨
1981-1982	함부르크	2002-2003	바이에른 뮌헨	2023-2024	바이엘 레버쿠젠
1982-1983	함부르크	2003-2004	베르더 브레멘	2024-2025	바이에른 뮌헨
1983-1984	슈투트가르트	2004-2005	바이에른 뮌헨		

TITLE

	LEAGUE	
BAYERN MUNICH		34
MÖNCHENGLADBACH	5	
DORTMUND	5	
WERDER BREMEN	4	
HAMBURGER SV	3	

0 5 10 15 20 25 30 35

TOP SCORER

시즌	득점	선수명
2024-2025	26	해리 케인
2023-2024	36	해리 케인
2022-2023	16	크리스토퍼 은쿤쿠, 니클라스 퓔크루크
2021-2022	35	로베르트 레반도프스키
2020-2021	41	로베르트 레반도프스키
2019-2020	34	로베르트 레반도프스키
2018-2019	22	로베르트 레반도프스키
2017-2018	29	로베르트 레반도프스키
2016-2017	31	피에르-에메릭 오바메양
2015-2016	30	로베르트 레반도프스키
2014-2015	19	알렉산더 마이어
2013-2014	20	로베르트 레반도프스키
2012-2013	24	슈테판 키슬링
2011-2012	29	클라스 얀 훈텔라르
2010-2011	28	마리오 고메스
2009-2010	22	에딘 제코
2008-2009	28	그라피테
2007-2008	24	루카 토니
2006-2007	20	테오파니스 게카스
2005-2006	25	미로슬라프 클로제
2004-2005	24	마렉 민탈
2003-2004	28	아일톤
2002-2003	21	토마스 크리스티안센, 지오반니 에우베르

2024-2025 시즌 분데스리가 최종 순위

순위	팀	승점	경기	승	무	패	득	실	득실차	비고
1	바이에른 뮌헨	82	34	25	7	2	99	32	67	챔피언스리그 진출
2	바이엘 레버쿠젠	69	34	19	12	3	72	43	29	챔피언스리그 진출
3	프랑크푸르트	60	34	17	9	8	68	46	22	챔피언스리그 진출
4	도르트문트	57	34	17	6	11	71	51	20	챔피언스리그 진출
5	프라이부르크	55	34	16	7	11	49	53	-4	유로파리그 진출
6	마인츠	52	34	14	10	10	55	43	12	유로파 컨퍼런스 리그진출
7	RB 라이프치히	51	34	13	12	9	53	48	5	
8	베르더 브레멘	51	34	14	9	11	54	57	-3	
9	VfB 슈투트가르트	50	34	14	8	12	64	53	11	유로파리그 진출
10	묀헨글라트바흐	45	34	13	6	15	55	57	-2	
11	볼프스부르크	43	34	11	10	13	56	54	2	
12	아우크스부르크	43	34	11	10	13	35	51	-16	
13	우니온 베를린	40	34	10	10	14	35	51	-16	
14	장크트 파울리	32	34	8	8	18	28	41	-13	
15	호펜하임	32	34	7	11	16	46	68	-22	
16	하이덴하임	29	34	8	5	21	37	64	-27	
17	홀슈타인 킬	25	34	6	7	21	49	80	-31	2.분데스리가로 강등
18	보훔	25	34	6	7	21	33	67	-34	2.분데스리가로 강등

2024-2025 시즌 분데스리가 득점 순위

순위	득점	이름	국적	당시 소속팀
1	26	해리 케인	잉글랜드	바이에른 뮌헨
2	21	세루 기라시	기니	도르트문트
	21	페트릭 쉬크	체코	바이엘 레버쿠젠
3	18	요나탄 부르카르트	독일	프랑크푸르트
4	16	팀 클라인디엔스트	독일	묀헨글라트바흐
	15	오마르 마르무시	이집트	프랑크푸르트
5	15	위고 에키티케	프랑스	프랑크푸르트
	15	에르메딘 데미로비치	보스니아	슈투트가르트
6	13	벤자민 세스코	슬로베니아	라이프치히
7	12	마이클 올리세	프랑스	바이에른 뮌헨

2024-2025 시즌 분데스리가 도움 순위

순위	도움	이름	국적	당시 소속팀
1	18	마이클 올리세	프랑스	바이에른 뮌헨
2	13	플로리안 비르츠	독일	바이엘 레버쿠젠
3	12	모하메드 아무라	알제리	볼프스부르크
4	11	빈첸조 그리포	이탈리아	프라이부르크
	10	오마르 마르무시	이집트	프랑크푸르트
5	10	파스칼 그로스	독일	도르트문트
	10	율리안 브란트	독일	도르트문트
	10	해리 케인	잉글랜드	바이에른 뮌헨
	9	프랑크 오노라	프랑스	묀헨글라트바흐
6	9	팀 클라인디엔스트	독일	묀헨글라트바흐
	9	마르빈 두크슈	독일	베르더 브레멘
	9	미첼 바이저	독일	베르더 브레멘

2024-2025 시즌 분데스리가 2부 리그 최종 순위

순위	팀	승점	경기	승	무	패	득	실	득실차	비고
1	쾰른	61	34	18	7	9	53	38	15	승격
2	함부르크	59	34	16	11	7	78	44	34	승격
3	엘버스베르크	58	34	16	10	8	64	37	27	
4	파더보른	55	34	15	10	9	56	46	10	
5	마그데부르크	53	34	14	11	9	64	52	12	
6	뒤셀도르프	53	34	14	11	9	57	52	5	
7	카이저슬라우테른	53	34	15	8	11	56	55	1	
8	카를스루어 SC	52	34	14	10	10	57	55	2	
9	하노버	51	34	13	12	9	41	36	5	
10	뉘른베르크	48	34	14	6	14	60	57	3	
11	헤르타 베를린	44	34	12	8	14	49	51	-2	
12	다름슈타트	42	34	11	9	14	56	55	1	
13	그로이터 퓌르트	39	34	10	9	15	45	59	-14	
14	살케	38	34	10	8	16	52	62	-10	
15	프로이센 뮌스터	36	34	8	12	14	40	43	-3	
16	브라운슈바이크	35	34	8	11	15	38	64	-26	강등
17	울름	30	34	6	12	16	36	48	-12	강등
18	레겐부르크	25	34	6	7	21	23	71	-48	강등

CHAMPION

바이에른 뮌헨이 리그 챔피언을 탈환했다. 다만 포칼에서는 16강 홈경기에서 초반 골키퍼의 퇴장으로 레버쿠젠에 1-0으로 패하며 조기 탈락했다. 레버쿠젠도 4강에서 탈락, 예상 밖 대진이 완성됐다. 슈투트가르트는 28년만에 포칼 우승.

LEAGUE CHAMPION

BAYERN MÜNCHEN

2023-24시즌에는 큰 영입에 비해 스쿼드에 구멍이 있었고, 감독을 포함해 기대치에 못 미치는 모습으로 3위에 그치며 저조했던 바이에른이었다. 2010-11시즌 이후 3위는 처음. 지난 시즌에는 그에 비해 큰 영입과 구멍 보강 측면에서 완벽하지는 않아도 나아진 모습이었다. 마이클 올리세 영입으로 우측 윙은 향상됐고, 수비진 숫자 문제도 보완됐다. 아직 초보였던 뱅상 콤파니 감독 선임 도박도 무난한 결과물을 냈다. 명성 있던 전임 감독들의 좌충우돌보다 더 좋아진 모습이었다. 여기에 대항마가 되어줘야 할 팀들의 부진도 맞물리며 리그 우승을 조기에 편안하게 가져갈 수 있었다.

EUROPEAN CUP

CHAMPIONS LEAGUE(전신포함)		EUROPA LEAGUE(전신포함)	
BAYERN MUNCHEN	6회	EINTRACHT FRANKFURT	2회
BORUSSIA DORTMUND	1회	BORUSSIA MÖNCHENGLADBACH	2회
HAMBURGER SV	1회	BAYER 04 LEVERKUSEN	1회
		FC SCHALKE 04	1회

CUP CHAMPION

DFB POKAL

VfB STUTTGART
FINAL

FINAL
VfB STUTTGART 4-2
ARMINIA BIELEFELD

슈투트가르트는 막판 3연승에도 리그 9위에 그쳤다. 현재 2부인 빌레펠트는 당시 3부 리그에 있었다. 포칼에서 연이은 홈 이점도 있었으나 하노버, 우니온, 프라이부르크, 브레멘, 레버쿠젠을 연파하며 돌풍을 일으켰다. 결승은 슈투트가르트가 28분 만에 3득점으로 앞서갔다. 빌레펠트는 후반 공세로 막판 2득점에 만족해야 했다.

FRANZ BECKENBAUER SUPERCUP

DFL SUPERCUP

BAYERN MÜNCHEN
FINAL

BAYERN MÜNCHEN 2-1
VfB STUTTGART

바이에른이 초반 해리 케인의 선제골로 경기를 무난하게 풀어갔다. 후반 들어 슈투트가르트가 재정비하고 반격했으나 독일 무대 데뷔전에 나선 루이스 디아스에게 추가 실점했다. 추가 시간에, 제이미 레벨링의 한 골 만회에 만족해야 했다. 바이에른은 3년 만에 슈퍼컵 우승을 차지했다. 슈투트가르트는 두 시즌 연속 준우승에 머물렀다.

바이에른 뮌헨

Bayern München

TEAM PROFILE

창 립	1900년
회 장	헤르베르트 하이너(독일)
감 독	뱅상 콤파니(벨기에)
연 고 지	바이에른 오버바이에른 뮌헨
홈 구 장	알리안츠 아레나(7만 5,024명)
라 이 벌	TSV 1860 뮌헨, FC 뉘른베르크, VfB 슈투트가르트
홈페이지	www.fcbayern.com/de

DEUTSCHER FUSSBALLMEISTER 2025

최근 5시즌 성적

시즌	순위	승점
2020-2021	1위	78점(24승6무4패, 99득점 44실점)
2021-2022	1위	77점(24승5무5패, 97득점 37실점)
2022-2023	1위	71점(21승8무5패, 92득점 38실점)
2023-2024	3위	72점(23승3무8패, 94득점 45실점)
2024-2025	1위	82점(25승7무2패, 99득점 32실점)

BUNDESLIGA (전신 포함)

통 산	우승 34회
24-25 시즌	1위(25승7무2패, 승점 82점)

DFB POKAL

통 산	우승 20회
24-25 시즌	16강

UEFA

통 산	챔피언스리그 우승 6회
24-25 시즌	챔피언스리그 8강

전력분석 ## 시작 전부터 꼬여버린 플랜

지난 시즌 분데스리가 타이틀 탈환만으로도 자존심은 어느 정도 회복했다. 아직 덜 여문 뱅상 콤파니 감독 선임 도박도 나름 통했다. 그런데 바이에른이 리그 우승만으로 만족할 수 있는 팀은 아니다. 확실한 전력 보강으로 더 치고 올라가야 한다. 그러나 정규시즌 종료 이후부터 안 좋은 소식만 들려왔다. 플로리안 비르츠 영입에 실패했고 자말 무시알라는 클럽 월드컵에서 큰 부상을 당했다. 독일 대표팀의 핵심 2선 라인을 이식하려던 야망이 무너졌다. 독일 내에서 독보적 위상을 활용한 영입 행보를 해왔는데 실리도, 자존심도 모두 상처를 입었다. 한지 플릭 감독 시절 6관왕 이후로는 팀 전력 자체도 구단 위상과 야망과는 거리가 있어 왔다. 일단 지난 시즌 마이클 올리세, 올 시즌 루이스 디아스 영입으로 그간 누가 나와도 아쉽던 좌우 측면은 달라졌다. 역습 시 폭발력과 1대1 드리블이 좋은 오른발잡이 왼쪽 윙포워드가 필요했는데, 우선순위 영입에 줄줄이 실패했다. 슈투트가르트 스트라이커 닉 볼테마데 영입도 세 차례 거절당했다. 그나마 니콜라 잭슨 임대로 해리 케인의 백업을 확보했다. 알폰소 데이비스, 이토 히로키도 장기 부상으로 시즌 초중반까지 결장한다. 톰 비쇼프, 레나르트 칼 등 기대주들이 위안이다.

전술분석 ## 공격이 최선의 수비

기본적으로 4-2-3-1 포메이션을 선호한다. 최종 수비라인은 하프라인 위까지 올라와 매우 공격적인 포진이다. 센터백들이 넓은 뒷공간을 커버할 수 있어야 한다. 빠르고 1대 1수비에 강한 센터백들이 있다. 구조적으로 역습에 취약하고 체력, 부상에 노출될 우려가 크다. 실책의 여파도 마찬가지. 반대급부로 상대를 자기 진영에서 못 나오게 찍어 누를 수 있다. 마누엘 노이어와 같이 활동 반경이 넓고 볼 처리와 빌드업 능력도 갖춘 골키퍼가 여러 뒷받침을 해준다. 두 명의 좌우 풀백 역시 좁게 서서 빌드업에 도움을 준다. 이들은 아예 중앙 깊숙이 전진해 전방에서 공격에도 가담한다. 좌우 윙포워드들은 반대로 측면에 넓게 포진해 상대 수비진을 끌어내는 역할을 한다. 중앙 공격형 미드필더는 원톱 스트라이커와 비슷한 높이에 위치하며 상대 페널티 박스를 위협한다. 전방부터 강한 압박을 하고 빠른 볼탈취로 상대를 누르고 재차 공격에 나서는 것이 목표다. 선발 포메이션은 4-2-3-1인 한편 경기 중 공수의 움직임은 4-4-2 내지 4-2-2-2에 가깝다. 콤파니 감독의 라인 내리고 역습, 3선과 후방의 스위칭으로 압박 대응, 커버링 등 융통성과 세부 전술에 기대를 걸고 있다.

여러 불안 요소 무시 못한다

원하는 수준의 보강을 못했고, 장기 부상자들의 공백이 새 시즌에도 이어진다. 클럽 월드컵 참가로 제대로 쉬지 못한 여파도 우려된다. 나이 들어가는 자원들이나 고액 주급을 받으면서 폼이 떨어진 선수들로 인해, 전력의 양과 질에서 고민이 있었다. 지난 시즌 성적, 보강과 방출, 베스트 라인업과 선수층 모두 나쁘지는 않았는데 올 시즌도 그 정도다. 이대로는 성적 향상을 기대하기 어렵다. 에이스 중 에이스인 무시알라의 예정된 공백, 복귀 이후 예후가 장담 안 된다는 점도 크다. 그나마 연봉 감축 목표는 달성했고, 이적시장에서 소액 흑자도 봤으나 전력이 문제다. 긍정적이라면 콤파니 감독이 전임들보다 유연함과 안정성을 보였다는 점, 독일 내에서는 여전히 우세한 전력이고 남은 자원들로도 리그와 챔피언스리그 리그 페이즈는 무난하게 넘길 수 있어 보인다는 것 등이다. 물론 이는 리그 내 경쟁자들 상황도 좋지 않은 덕분이지만, 유럽의 강자들 상대로는 의문이다. 그간 감독 교체는 물론, 구단 레전드 선수 출신 수뇌부들의 교체도 있었으나 여전히 불만족스러운 상황. 아직도 구단에 큰 영향력을 행사하는 울리 회네스 명예회장을 비롯한 경영진의 역량, 운영 방식이 근원적 문제일지 모른다.

IN & OUT

주요 영입	주요 방출
니콜라 잭슨(임대), 조나단 타, 톰 비쇼프, 루이스 디아스	다니엘 페레츠, 주앙 팔리냐(이상 임대), 에릭 다이어, 아담 아즈누, 리로이 사네, 토마스 뮐러, 파울 바너, 킹슬리 코망, 마티스 텔

TEAM FORMATION

PLAN 4-2-3-1

TEAM RATINGS

<table>
<tr><td>슈팅</td><td></td><td>패스</td></tr>
<tr><td>9</td><td></td><td>9</td></tr>
<tr><td>조직력
9</td><td>51</td><td>수비력
8</td></tr>
<tr><td>감독
8</td><td></td><td>선수층
8</td></tr>
</table>

2024/25 프로필

팀 득점	99
평균 볼 점유율	68.50%
패스 정확도	90.00%
게임 평균 슈팅 수	19
경고	48
퇴장	1

골 타입		
오픈 플레이	69	
세트 피스	13	
카운터 어택	6	
패널티 킥	9	
자책골	3	단위 (%)

패스 타입		
쇼트 패스	91	
롱 패스	6	
크로스 패스	2	
스루 패스	1	단위 (%)

지역 점유율

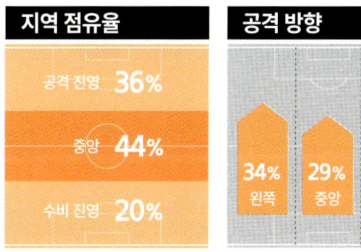

공격 진영	36%
중앙	44%
수비 진영	20%

공격 방향

왼쪽	중앙	오른쪽
34%	29%	37%

슈팅 지역

10% 골 에어리어
59% 패널티 박스
32% 외곽 지역

상대팀 최근 6경기 전적

구분	승	무	패
FC 바이에른 뮌헨			
바이엘 04 레버쿠젠	2	2	2
아인트라흐트 프랑크푸르트	3	2	1
보루시아 도르트문트	2	3	1
SC 프라이부르크	4	1	1
FSV 마인츠 05	4		2
RB 라이프치히	2	2	2
SV 베르더 브레멘	5		1
VfB 슈투트가르트	4	1	1
보루시아 묀헨글라드바흐	4	1	1
VfL 볼프스부르크	6		
아우크스부르크	6		
FC 우니온 베를린	4	2	
FC 장크트파울리	6		
TSG 1899 호펜하임	4	1	1
FC 하이덴하임	4		1
FC 쾰른	5	1	
함부르크 sv	6		

SQUAD

포지션	등번호	이름		생년월일	키(cm)	체중(kg)	국적
GK	1	마누엘 노이어	Manuel Neuer	1986.03.27	193	93	독일
	40	요나스 우르비히	Jonas Urbig	2003.08.08	189	83	독일
DF	2	다요 우파메카노	Dayot Upamecano	1998.10.27	186	90	프랑스
	3	김민재	Min-jae Kim	1996.11.15	190	81	대한민국
	4	조나단 타	Jonathan Tah	1996.02.11	195	94	독일
	19	알폰소 데이비스	Alphonso Davies	2000.11.02	183	75	캐나다
	21	이토 히로키	Hiroki Ito	1999.05.12	188	80	일본
	22	라파엘 게헤이루	Raphaël Guerreiro	1993.12.22	170	71	포르투갈
	23	사샤 보이	Sacha Boey	2000.09.13	178	76	프랑스
	44	요시프 스타니시치	Josip Stanisic	2000.04.02	186	77	독일
MF	6	조슈아 키미히	Joshua Kimmich	1995.02.08	177	75	독일
	8	레온 고레츠카	Leon Goretzka	1995.02.06	189	82	독일
	10	자말 무시알라	Jamal Musiala	2003.02.26	184	72	독일
	20	톰 비쇼프	Tom Bischof	2005.06.28	176	66	독일
	27	콘라드 라이머	Konrad Laimer	1997.05.27	180	72	오스트리아
	42	레나르트 칼	Lennart Karl	2008.02.22	168	67	독일
	45	알렉산다르 파블로비치	Aleksandar Pavlovic	2004.05.03	188	75	독일
FW	7	세르주 그나브리	Serge Gnabry	1995.07.14	176	77	독일
	9	해리 케인	Harry Kane	1993.07.28	188	86	잉글랜드
	11	니콜라 잭슨	Nicolas Jackson	2001.06.20	187	78	세네갈
	14	루이스 디아스	Luis Díaz	1997.01.13	180	73	콜롬비아
	17	마이클 올리세	Michael Olise	2001.12.12	184	73	프랑스

어려서부터 대형 센터백 유망주로 손꼽혔고 리더십도 탁월했다. 벨기에 대표팀과 맨시티의 주장이자 레전드. 잦은 부상에도 클래스를 유지했다. 선수 생활 초창기에는 수비형 미드필더로 배치되기도 했을 정도로 다재다능했다. 친정팀 안더레흐트에서 선수 겸 감독, 현역 은퇴와 동시에 감독 생활을 시작했다. 2022-23 시즌 번리에서는 기록적 승점으로 챔피언십 우승을 차지했다. 승격 시즌에 바로 강등됐으나 당시 보인 가능성 덕에 바이에른의 부름을 받았다. 무난한 첫 시즌을 통해 발전 가능성을 보였다.

뱅상 콤파니 *Vincent Kompany*
1986년 4월 10일생 벨기에

FW 9 — 해리 케인 *Harry Kane* **KEY PLAYER**

국적: 잉글랜드

지난 시즌 분데스리가 우승으로 마침내 본인 커리어 첫 우승의 기쁨을 맛봤다. 그간 각종 대회 득점왕처럼 개인 타이틀만 있었다. 우승을 노리고 바이에른에 왔으나 지지난 시즌까지는 무관 징크스를 이어갔다. 체격과 슈팅력은 물론 체격에 비해 기민함도 갖췄다. 연계와 롱패스도 갖춘, 다재다능하면서도 높은 클래스의 컴플리트 스트라이커다. 많은 출전 시간도 소화하고, 부상도 잘 당하지 않는 편이다. 다만 큰 경기나 토너먼트의 중요한 순간에 부상을 당하거나 본인의 기량을 제대로 못 보여주는 경우가 잦다. 나이가 들며 점차 역동성, 영향력도 떨어지고 있다. 이러한 흐름과 틀을 깨야 추가적인 타이틀 수집이 가능하다. 남은 커리어는 본인 발에 달렸다.

출전경기	경기시간(분)	골	어시스트	경고	퇴장
31	2,391	26	8	5	-

GK 1 — 마누엘 노이어 *Manuel Neuer*

국적: 독일

샬케 유스 출신으로 바이에른에 넘어와 소속팀과 독일 대표팀 부동의 주전으로 오랜 기간 자리매김했다. 지난해 여름에야 대표팀 은퇴를 선언했다. 여전히 바이에른의 주전 골키퍼이자 현대적 만능 골키퍼의 롤모델이기는 하나 세월을 거스를 수는 없는 모습이다. 장기 부상과 골키퍼로서도 적지 않은 나이가 겹치며 선방률이 떨어지고 실책이 늘었다. 발로 공을 다루는 플레이도 불안해졌다. 명성에 비해 아쉬운 모습.

출전경기	경기시간(분)	실점	무실점(경기)	경고	퇴장
22	1,980	15	13	-	-

DF 2 — 다요 우파메카노 *Dayot Upamecano*

국적: 프랑스

잘츠부르크, 라이프치히를 거친 레드불 산 센터백. 유럽 최고의 센터백 인재풀을 자랑하는 프랑스 대표팀에서도 주전급 자원이다. 거구, 빠른 스피드와 민첩성에서 나오는 지상과 공중 경합 능력, 반응 속도, 롱패스, 빌드업 능력 등 현대 축구에서 센터백에게 요구하는 많은 장점을 갖고 있다. 부상과 큰 경기에서의 집중력 저하, 실책과 같은 문제는 여전히 불안 요소지만, 센터백들 중 가장 입지가 좋은 상태다.

출전경기	경기시간(분)	골	어시스트	경고	퇴장
20	1,763	2		6	-

DF 3 — 김민재 *Min-jae Kim*

국적: 대한민국

첫 시즌에 이어 두 번째 시즌도 순탄치 않았다. 첫 시즌에는 훈련소에서 프리시즌을 보내 온전치 않은 몸 상태로 시작했다. 두 번째 시즌에는 전술적으로 잘 맞는 콤파니 감독의 신뢰를 받았으나 실책으로 현지 여론은 썩 좋지 못하다. 또다시 혹사 논란이 일 정도의 출전시간, 부상을 안고 뛰게 했다는 의혹 등으로 나폴리의 철기둥이자 코리안 몬스터의 바이에른 생활은 경기장 안팎에서 조용한 날이 없다.

출전경기	경기시간(분)	골	어시스트	경고	퇴장
27	2,289	2		2	-

DF 4 — 조나단 타 *Jonathan Tah*

국적: 독일

레버쿠젠에서 차츰 성장해 독일 대표팀 주전으로까지 자리잡은 거구의 센터백이다. 커리어 초창기에는 집중력 부족, 실책으로 불안감이 있었으나 경험이 쌓이고 안정감을 얻었다. 키 195cm, 몸무게 94kg이면서도 빠른 스피드를 자랑한다. 공격과 수비에서 모두 제공권을 활용할 수 있고 커버링, 빌드업, 발기술도 강점이다. 다만 상대적으로 민첩성, 방향 전환, 최고 스피드에 오르는 가속에서는 약점이 있다.

출전경기	경기시간(분)	골	어시스트	경고	퇴장
33	2,970	3	-	3	-

DF 19 — 알폰소 데이비스 *Alphonso Davies*

국적: 캐나다

MLS에서 바이에른으로 직행하며 당시 MLS 최고 이적료 기록을 세웠다. 폭발적 스피드와 공격력이 주무기로 대표팀에서는 전진 배치된다. 자국 최연소 A매치 출전, 득점 기록과 더불어 현재 캐나다 역대 득점 10위에 올라왔다. 다만 수비력, 수비 마인드, 부상 이력이 흠이다. 올해 3월 십자인대 부상을 당하기도 했다. 계약 만료를 앞두던 올해 2월 재계약으로 레알 마드리드 이적설에는 종지부를 찍었다.

출전경기	경기시간(분)	골	어시스트	경고	퇴장
19	1,562	1	2	-	-

DF 21 — 이토 히로키 *Hiroki Ito*

국적: 일본

3시즌 동안 슈투트가르트에서 활약, 2024년 여름 바이에른이 적지 않은 바이아웃 금액을 지불하고 영입했다. 전 시즌은 큰 부상, 복귀하고 또 큰 부상을 당해 거의 없는 선수나 마찬가지였다. 새 시즌은 폼을 찾고 부상 없이 뛰는 것이 관건이다. 레프트백, 센터백은 물론 수비형 미드필더로도 뛸 수 있는 멀티 자원이다. 장신에 왼발 빌드업과 킥 능력이 강점이다. 상대적으로 운동능력, 수비력이 아쉬운 면은 있다.

출전경기	경기시간(분)	골	어시스트	경고	퇴장
6	249	1	-	1	-

GERMANY BUNDESLIGA

BAYERN MÜNCHEN

DF 22 라파엘 게헤이루
Raphaël Guerreiro

국적: 포르투갈

프랑스 태생으로 캉, 로리앙, 도르트문트를 거쳤다. 기본적으로 왼발잡이 레프트백이지만 공격력에 비해 수비력이 아쉽다. 이로 인해 중앙 미드필더나 공격형 미드필더, 윙으로 전진 배치도 잦다. 유사시에는 라이트백으로도 쓰인다. 영리함, 기술, 킥 능력을 바탕으로 한 멀티성이 강점이다. 활동량도 좋은 편이고 빌드업에도 도움을 준다. 다만 체격, 운동능력, 부상, 실책 등 불안 요소가 있기는 하다.

출전경기	경기시간(분)	골	어시스트	경고	퇴장
23	1,583	4	3	2	-

DF 44 요시프 스타니시치
Josip Stanišić

국적: 크로아티아

바이에른 로컬보이다. 2021년 4월 바이에른 1군 데뷔전을 치렀다. 2023-24시즌 레버쿠젠으로 임대되며 역사에 남을 시즌에 일조했다. 후반기 들어 기회를 얻고 활약했다. 정작 바이에른은 수비수 부족에 시달렸고, 스타니시치에게 실점도 당했다. 수비 전 포지션에서 다양한 역할을 소화할 수 있다. 레버쿠젠 임대를 통해 한층 성장했다. 지난 시즌 전반기의 부상 이후로는 팀에 쏠쏠한 보탬이 되고 있다.

출전경기	경기시간(분)	골	어시스트	경고	퇴장
14	873	-	2		

MF 6 요슈아 키미히
Joshua Kimmich

국적: 독일

라이트백과 중앙 미드필더를 오가는 자원. 볼배급이 강점이다. 지난 시즌에는 중원으로 돌아왔다. 본인 폼도 좋아졌고, 콤파니 감독이 압박을 덜 당하게 전술적 배려를 해주기도 했다. 당초 2025년 6월로 계약 만료였으나, 줄다리기 끝에 올해 3월에 2029년까지 계약을 연장했다. 필립 람, 토니 크로스 등 바이에른, 독일 대표팀의 전임자들에 비하면 기동력이나 탈압박 능력 등에서 아쉬운 면은 있다.

출전경기	경기시간(분)	골	어시스트	경고	퇴장
33	2,847	3	6	4	

MF 8 레온 고레츠카
Leon Goretzka

국적: 독일

보훔, 샬케를 거쳤다. 6관왕 시절 코로나 휴식기 동안 벌크업하고 장악력, 슈팅력을 과시한 바 있다. 이후로는 부상, 부진 등 하락세. 지난 여름에는 콤파니 감독에게 지적을 받기도 했고, 방출 대상에 센터백 백업으로 꼽히기도 했다. 그나마 지난 시즌에는 나아졌다. 그럼에도 여전히 고액 주급과 연령, 부상 이력, 폼으로 인해 올 시즌 이후 계약 종료가 예상된다. 패스, 테크닉이 빌드업 축구에 부적합하기도.

출전경기	경기시간(분)	골	어시스트	경고	퇴장
26	1,318	4	1	2	-

MF 10 자말 무시알라
Jamal Musiala

국적: 독일

사우샘프턴, 첼시 유스를 거쳐 바이에른에 입단했다. 빠른 성장세로 어린 나이부터 주목받았고 독일 대표팀과 바이에른의 핵심으로 자리 잡았다. 2선 중앙과 측면에서 드리블, 탈압박이 돋보이는 자원이다. 영리한 움직임, 슈팅, 패스의 양발잡이이기도 하다. 클럽 월드컵에서 불운하게 큰 부상을 당했다. 부상 후유증으로 드리블에 지장이 생길 경우, 위력이 반감될 수 있다. 안 그래도 부상이 다소 있던 편.

출전경기	경기시간(분)	골	어시스트	경고	퇴장
25	1,807	12	2	3	-

MF 27 콘라트 라이머
Konrad Laimer

국적: 오스트리아

팀의 또 다른 멀티요원이다. 리퍼링, 잘츠부르크, 라이프치히 등 레드불 팀을 거친 자원답게 활동량과 멀티 포지션 이해도가 뛰어나다. 기본적으로는 박스 투 박스 중앙 미드필더다. 확실한 라이트백 자원이 없는 바이에른에서 라이트백으로 주로 뛰고 있다. 체력, 성실함, 적극성, 영리한 움직임, 연계가 돋보인다. 운동능력, 수비력은 있으나 기술의 세밀함, 포지셔닝, 다소 거친 면, 빌드업은 아쉽다.

출전경기	경기시간(분)	골	어시스트	경고	퇴장
29	1,698	2	2	8	-

MF 45 알렉산다르 파블로비치
Aleksandar Pavlović

국적: 독일

바이에른 유스팀에 7세에 입단했고, 주목받는 선수는 아니었으나 2023-24시즌 투헬 감독이 발탁했다. 1군 선수 부족 상황에서 희망으로 떠올랐다. 체격도 좋고 양발 킥도 뛰어나 세트피스 키커로 나서기도 한다. 직접 볼 운반과 탈압박, 빌드업 능력, 활동량도 갖추고 있다. 수비형과 박스 투 박스 모두 가능한 미드필더. 수비를 더 영리하게 할 필요는 있다. 지난 시즌에는 부상, 질병으로 정상이 아니었다.

출전경기	경기시간(분)	골	어시스트	경고	퇴장
21	1,457	1	-	2	-

FW 14 루이스 디아스
Luis Díaz

국적: 콜롬비아

포르투와 리버풀을 거친 오른발잡이 윙포워드. 주 포지션은 왼쪽이나 오른쪽, 톱으로도 설 수 있다. 윙어 치고 준수한 체격에 스피드와 돌파력이 강점이다. 체력, 수비 가담도 좋다. 이따금씩 머리로 해결하는 모습도 있다. 다만 풀백 활용, 연계, 시야 등이 다소 아쉽다. 안쪽으로 치고 들어오는 움직임은 괜찮지만 그에 비해 직접 슈팅으로 마무리하는 능력은 그리 좋지는 않다. 그래도 기존 자원들보다 낫다.

출전경기	경기시간(분)	골	어시스트	경고	퇴장
36	2,413	13	5	2	-

FW 17 마이클 올리세
Michael Olise

국적: 프랑스

아스널, 첼시, 맨시티, 레딩 유스팀을 거쳐 크리스탈 팰리스의 핵심으로 활약했다. PL 빅클럽들의 구애를 뿌리치고 바이에른을 택했다. 바이에른 입성 첫 시즌에 구단 올해의 선수상을 차지했다. 팀 내 최다 도움도 기록했다. 왼발잡이 오른쪽 윙포워드지만 중앙에서도 플레이 할 수 있다. 스피드와 돌파력도 있지만 1대1 드리블보다는 패스, 연계, 컷백, 테크닉, 슈팅, 크로스가 더 돋보이는 유형이다.

출전경기	경기시간(분)	골	어시스트	경고	퇴장
34	2,348	12	15	3	-

바이엘 레버쿠젠
Bayer 04 Leverkusen

TEAM PROFILE	
창 립	1904년
회 장	페르난도 카로(스페인)
감 독	에릭 텐하흐(네덜란드)
연 고 지	쾰른 현 레버쿠젠
홈 구 장	바이 아레나(3만 210명)
라 이 벌	뮌헨글라트바흐, 뒤셀도르프
홈페이지	www.bayer04.de/en-us

최근 5시즌 성적

시즌	순위	승점
2020-2021	6위	52점(14승10무10패, 53득점 39실점)
2021-2022	3위	64점(19승7무8패, 80득점, 47실점)
2022-2023	6위	50점(14승8무12패, 57득점, 49실점)
2023-2024	1위	90점(28승6무0패, 89득점 24실점)
2024-2025	2위	69점(19승12무3패, 72득점 43실점)

BUNDESLIGA (전신 포함)

통 산	우승 1회
24-25 시즌	2위(19승12무3패, 승점 69점)

DFB POKAL

통 산	우승 2회
24-25 시즌	4강

UEFA

통 산	유로파리그 우승 1회
24-25 시즌	챔피언스리그 16강

전력분석 핵심들의 줄이탈

커다란 변화와 우려 속에 시즌을 시작했다. 성공을 이끌어 온 차비 알론소 감독도, 함께한 핵심 자원들도 떠났다. 에이스 플로리안 비르츠, 주축 오른쪽 윙백 제레미 프림퐁, 중원의 핵 그라니트 자카, 주축 센터백 셋 중 조나단 타와 피에로 인카피에를 대체해야 한다. 또한 베테랑 주장단 루카시 흐라데츠키까지 모두 떠나 필드 위 리더십도 타격을 입었다. 거액 수입에도 그만한 보강은 어렵다. 넘버원, 투톱 모두 바꾼 골문은 긍정적이든 아니든 지난 시즌과 비슷한 수준을 확보했다. 그 위로는 전임들의 무게감을 채워주기 어렵다. 적응과 성장에 시간이 필요하다. 워낙 많은 선수가 바뀌고 이적시장 막판까지 영입과 방출이 있었기에 조직력도 문제. 최적의 조합도 찾아내야 한다. 한편 2023-24시즌을 앞두고 무사 디아비가 떠난 2선 오른쪽에는 확실한 자원이 없다. 왼발잡이 오른쪽 공격 자원이 없는 상태에서 오른발잡이 2선 자원들만 많다. 이들의 포지션, 공간과 역할 배분도 과제다. 올 시즌 중반, 아프리카 네이션스컵으로 인한 대표 차출 공백도 우려된다. 60일간 텐 하흐 감독 체제에서 아무런 성과가 없었다. 전술, 훈련, 소통 등 모든 분야에서 총체적 난국이었고, 결국 리그 역대 최단 시간 경질이라는 기록만 세웠다. 중요한 국면에서 시간 낭비만 했다. 새로운 감독의 어깨가 무겁다.

전술분석 기본만 해도 나아진다

알론소 감독의 레버쿠젠은 3-4-2-1 위주 운영을 벗어나 포백을 자주 활용했다. 4-2-3-1, 4-3-3을 주로 사용했던 텐 하흐 감독도 레버쿠젠에서는 3-4-2-1을 우선했다. 마지막 경기는 포백이기는 했다. 어쨌든 그가 빠르게 경질되고 수뇌부는 3-4-2-1을 잘 구사하는 새 감독을 선임했다. 스쿼드 구성도 양과 질 양 측면에서 새 감독에 맞게 구성했다. 양쪽 윙백의 공격력을 활용하기에 가장 좋은 시스템이다. 다만 아무래도 선수단의 기량과 전술, 적응 등에서 리스크가 있기도 하다. 특히 센터백들이 그렇다. 영입 자원인 로익 바데, 자렐 콴사는 포백을 주로 쓰는 팀에서 왔다. 스피드, 빌드업, 전진 등에서 전임들만큼 능숙하게, 빠른 적응을 해낼지 미지수다. 중원에서 빌드업과 전개, 2선의 개인 기량도 전에 비해 아쉬울 수 있는 상황이다. 뒤에서부터 빠르게 안정을 찾아 버팀목이 되어줘야 한다. 2선의 두 자리도 보통의 윙포워드, 공격형 미드필더에 비해 포지션, 역할이 애매할 수 있어 빠른 적응이 필요하다. 새로 부임한 캐스퍼 율만 감독도 리스크가 있지만, 전술적으로 기본만 해줘도 되는 상황이다. 이전보다 심각할 수는 없다.

힘든 상황도 각오해야 한다

레버쿠젠 구단 측은 텐 하흐 감독을 더 빨리 경질할 생각도 있었다. 성적, 전술도 문제였지만 수뇌부와 갈등도 컸다. 수뇌부 권한이 강하고 유스에서부터 전술적 풍토를 체득해서 올라오는 아약스에서는, 헤드코치로서 전술에만 집중했던 텐 하흐 감독이다. 감독에게 전권을 주는 맨유에서는 선수 영입에 직접 나섰고 그 결과는 처참했다. 이 곳에 와서도 맨유에서와 마찬가지였다. 선수들도 텐 하흐 감독이 떠난 후 수석코치가 진행한 훈련이 나았다고 평가했다든가, 선수단이 대 폭 물갈이 되고 어색한 상황에서 선수들을 독려하는 라커룸 연설조차도 없었다 는 괴담스러운 이야기들도 이어졌다. 원래 사단 없이 홀로 다니는 감독이지만 자 신이 택한 코칭스태프들과도 갈등이 있었다고 한다.

그래도 레버쿠젠은 수뇌부 주도로 영입했고 일관된 플랜에 따랐다. 여러 위험 부담, 후유증은 우려되더라도 조기에 더 큰 위기의 싹을 잘랐다. 새 얼굴들도 양적, 질적으로 일단 준수하다. 다소 아쉽던 중원과 오른쪽 윙백 선수층도 마지막까지 보강했다. 챔피언스리그 진출권 정도는 충분히 노려볼만하다. 물론 새 감독이 팀을 빠르게 안정시키고 하나로 만드느냐에 달려있다. 율만 감독도 어려운 도전을 극복해야 한다.

IN & OUT

주요 영입	주요 방출
마르크 플레켄, 야니스 블라스비히, 로익 바데, 자렐 콴사, 어니스트 포쿠, 에세키엘 페르난데스, 말릭 틸만, 이브라힘 마자, 엘리세 벤 세기르, 크리스티안 코판	노르디 무키엘레(임대복귀), 마체이 코바르, 피에로 인카피에, 빅토르 보니페이스(임대), 루카스 흐라데츠키, 요나탄 타, 제레미 프림퐁, 그라니트 자카, 아민 아들리, 플로리안 비르츠

TEAM FORMATION

FW **B+**
MF **B+**
DF **B+**
GK **B+**

14 쉬크 (코판)

17 벤 세기르 (마자)
10 틸만 (텔라)

20 그리말도 (아르투르)
25 팔라시오스 (가르시아)
8 안드리히 (페르난데스)
19 포쿠 (바스케스)

12 탑소바 (벨로시앙)
5 바데 (안드리히)
4 콴사 (타페)

1 플레켄 (블라스비히)

PLAN 3-4-2-1

TEAM RATINGS

슈팅 8
패스 7
수비력 7
선수층 7
감독 7
조직력 7

43

2024/25 프로필

팀 득점	72
평균 볼 점유율	59.50%
패스 정확도	87.10%
게임 평균 슈팅 수	14.9
경고	60
퇴장	1

골 타입		
오픈 플레이	57	
세트 피스	25	
카운터 어택	11	
패널티 킥	4	
자책골	3	단위 (%)

패스 타입		
쇼트 패스	88	
롱 패스	8	
크로스 패스	4	
스루 패스	0	단위 (%)

지역 점유율
공격 진영 **33%**
중앙 **44%**
수비 진영 **23%**

공격 방향
41% 왼쪽
25% 중앙
34% 오른쪽

슈팅 지역
10% 골 에어리어
58% 패널티 박스
32% 외곽 지역

상대팀 최근 6경기 전적

구분	승	무	패
FC 바이에른 뮌헨	2	2	2
바이엘 04 레버쿠젠			
아인트라흐트 프랑크푸르트	5		1
보루시아 도르트문트	1	2	3
SC 프라이부르크	3	2	1
FSV 마인츠 05	4	1	1
RB 라이프치히	3	1	2
SV 베르더 브레멘	3	2	1
VfB 슈투트가르트	3	3	
보루시아 묀헨글라드바흐	4	2	
VfL 볼프스부르크	3	3	
아우크스부르크	4		2
FC 우니온 베를린	4	2	
FC 장크트파울리	3	2	1
TSG 1899 호펜하임	5		1
FC 하이덴하임	4		1
FC 쾰른	4		2
함부르크 sv	4	1	1

SQUAD

포지션	등번호	이름		생년월일	키(cm)	체중(kg)	국적
GK	1	마르크 플레켄	Mark Flekken	1993.06.13	195	92	네덜란드
	28	야니스 블라스비히	Janis Blaswich	1991.05.02	193	90	독일
	36	니클라스 롬브	Niklas Lomb	1993.07.28	186	86	독일
DF	4	자렐 콴사	Jarell Quansah	2003.01.29	190	83	잉글랜드
	5	로익 바데	Loïc Badé	2000.04.11	191	89	프랑스
	12	에드몽 탑소바	Edmond Tapsoba	1999.02.02	192	84	부르키나파소
	13	아르투르	Arthur	2003.03.17	174	72	브라질
	16	악셀 타페	Axel Tape	2007.08.10	180	79	프랑스
	20	알레한드로 그리말도	Alejandro Grimaldo	1995.09.20	171	69	스페인
	21	루카스 바스케스	Lucas Vázquez	1991.07.01	173	70	스페인
	44	주누엘 벨로시앙	Jeanuël Belocian	2005.02.17	186	78	프랑스
MF	6	에세키엘 페르난데스	Ezequiel Fernández	2002.07.25	178	80	아르헨티나
	7	요나스 호프만	Jonas Hofmann	1992.07.14	176	73	독일
	8	로베르트 안드리히	Robert Andrich	1994.09.22	186	87	독일
	9	클라우디오 에체베리	Claudio Echeverri	2006.01.02	171	62	아르헨티나
	10	말릭 틸만	Malik Tillman	2002.05.28	187	86	미국
	24	알레시 가르시아	Aleix García	1997.06.28	173	80	스페인
	25	에세키엘 팔라시오스	Exequiel Palacios	1998.10.05	176	72	아르헨티나
	30	이브라힘 마자	Ibrahim Maza	2005.11.24	180	79	알제리
FW	11	마틴 테리어	Martin Terrier	1997.03.04	184	81	프랑스
	14	파트리크 쉬크	Patrik Schick	1996.01.24	191	86	체코
	17	엘리세 벤 세기르	Eliesse Ben Seghir	2005.02.16	178	72	모로코
	18	알레호 사르코	Alejo Sarco	2006.01.06	179	79	아르헨티나
	19	어니스트 포쿠	Ernest Poku	2004.01.28	176	76	네덜란드
	23	네이선 텔라	Nathan Tella	1999.07.05	173	68	나이지리아

GERMANY BUNDESLIGA

BAYER 04 LEVERKUSEN

COACH

눈에 띄지 않던 선수 생활은 부상으로 짧게 마쳤다. 은퇴 이후 링비에서는 수석코치와 감독까지 올라갔다. 이후 노르셸란에서 수석코치를 맡다가 감독이 되고 팀의 첫 리그 우승 등 큰 성공을 거뒀다. 2014-15 시즌 마인츠에 부임했으나 24경기 만에 경질됐다. 이후 다시 노르셸란에서 좋은 모습이었고, 2020년 8월부터 덴마크 A대표를 맡았다. 유로2020 4강 이후로는 2022월드컵 조별리그 탈락, 유로2024 16강 탈락에 그쳤다. 그 후 쉬다가 1년여 만에 감독으로 복귀. 스리백, 포백, 원톱, 투톱 등 여러 포메이션을 구사한다.

카스페르 휼만드 *Kasper Hjulmand*
1972년 4월 9일생 덴마크

PLAYERS

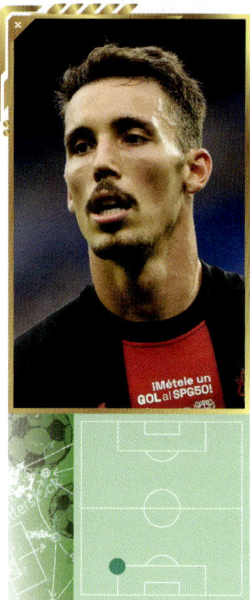

DF 20 알레한드로 그리말도
Alejandro Grimaldo
KEY PLAYER

국적: 스페인

발렌시아, 바르셀로나 유스 출신이다. 바르셀로나 B팀에서 활약했으나 1군 기회는 얻지 못했고 결국 벤피카로 이적한다. 벤피카에서 공격력이 돋보이는 레프트백으로서 주목받았다. 빅클럽들 포함 여러 클럽들과 링크만 있다가 2023-24시즌을 앞두고 레버쿠젠에 입단했다. 이후 스페인 대표팀에서도 기회를 잡았다. 포백의 풀백으로서는 체격, 수비력이 아쉽기는 하다. 민첩함과 테크닉, 슈팅력, 킥력을 갖췄다. 빌드업 시에도 영리한 움직임과 기술로 도움을 준다. 측면과 중앙을 파고들며 득점, 도움을 다양한 방식으로 기록한다. 다만 뒷공간을 스스로 지킬 만큼의 스피드가 있지는 않다. 주변 동료들의 전술적 지원이 필요한 윙백이지만, 현재 팀의 공격에서 가장 확실한 카드다.

출전경기	경기시간(분)	골	어시스트	경고	퇴장
32	2,647	2	7	4	1

GK 1 마르크 플레켄
Mark Flekken

국적: 네덜란드

뒤스부르크, 프라이부르크를 거쳐 브렌트퍼드에서 활약했다. 2년 만의 독일 무대 복귀. 지난 시즌의 레버쿠젠 골키퍼들과 달리 꾸준함, 안정감을 보여줘야 한다. 기존 주전 흐라데츠키보다는 3살 어리다. 후방 빌드업을 적극적으로 주도하면서 킥도 좋고 장신을 활용한 선방 능력도 갖추고 있다. 다만 다소 기복이 있고 키에 비해 팔 길이가 아쉬운 편. 그로 인해 공중볼 처리에서 문제를 보이기도 한다.

출전경기	경기시간(분)	실점	무실점(경기)	경고	퇴장
37	3,276	55	8	1	-

GK 28 야니스 블라스비히
Janis Blaswich

국적: 독일

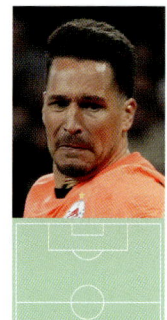

묀헨글라트바흐 유스 출신. 하부리그 팀들 임대로 주전 경험을 쌓았다. 이후 네덜란드의 헤라클레스에 입단하고, 2022-23시즌 라이프치히로 이적했다. 당초 굴라치의 백업이었으나 그의 장기 부상으로 주전으로 활약했다. 2023년 11월에는 독일 대표로 발탁되기도. 2023-24시즌 다시 주전을 내주고 지난 시즌에는 잘츠부르크로 임대됐었다. 선방이 준수하고 활동 범위도 넓은 편. 빌드업은 다소 아쉽다.

출전경기	경기시간(분)	실점	무실점(경기)	경고	퇴장
11	990	14	5	4	-

DF 4 자렐 콴사
Jarell Quansah

국적: 잉글랜드

틸만과 함께 레버쿠젠 역사상 최고 이적료를 기록했다. 리버풀 유스 출신으로 2023-24시즌에는 출전 시간과 활약 등에서 기대 이상의 모습이었다. 지난 시즌에는 그 반대로 여러모로 부진했고 출전시간도 크게 줄었다. 좋은 체격과 빠른 스피드, 발기술, 빌드업 참여 등 장점이 다양하지만 꾸준함과 안정감이 부족하다. 실책이 잦고 지상과 공중 경합, 태클 등은 적극적이나 성공률이 떨어지는 모습이다.

출전경기	경기시간(분)	골	어시스트	경고	퇴장
13	489			2	-

DF 5 로익 바데
Loïc Badé

국적: 프랑스

파리FC, 르아브르 유스 출신이다. 르아브르, 랑스, 렌에서 성장하고 2022-23시즌 노팅엄으로 임대된다. 기회를 얻지 못했고, 세비야로 후반기에 또 임대됐는데 활약을 펼쳐 여름에 완전이적했다. 2024 파리 올림픽 프랑스 대표로 발탁된 데에 이어, 9월부터 A대표로도 뛰고 있다. 장신을 활용한 수비력이 돋보인다. 세트피스에서도 위협적이다. 전체적으로 성장세. 스피드는 다소 아쉬운 편이다.

출전경기	경기시간(분)	골	어시스트	경고	퇴장
32	2,688	1	1	7	1

DF 12 에드몽 탑소바
Edmond Tapsoba

국적: 부르키나파소

193cm의 장신 센터백. 큰 키에도 빠른 스피드를 자랑한다. 뿐만 아니라 볼을 잘 다루는 수비수다. 테크닉과 패스가 좋아 후방 빌드업에서 중요한 역할을 하고 있다. 상대 압박을 풀어내고 직접 볼을 몰고 전진하거나 롱패스로 전개하는 능력이 있다. 좌우 풀백도 볼 수 있다. 다만 키에 비해 공중볼이 아쉽다. 공수에 걸친 공중볼 경합이나 볼 처리, 위치 선정은 개선이 필요하다. 안정감이 변수이긴 하다.

출전경기	경기시간(분)	골	어시스트	경고	퇴장
29	2,512	-		4	-

MF 6 에세키엘 페르난데스
Ezequiel Fernández

국적: 아르헨티나

파라과이 이중 국적자로 보카 주니어스 유스 출신이다. 2021년 5월 프로 데뷔했다. 2022년에는 티그레로 임대되어 활약했다. 2024-25 시즌을 앞두고 사우디의 알 카디시아로 이적했다. 올림픽 대표 포함 아르헨티나의 연령별 대표를 두루 거쳤다. 기본적으로 수비형 미드필더지만 전진 배치되기도 한다. 활동량, 패스, 수비 공헌도가 돋보인다. 공격 가담과는 거리가 있고, 공중볼 경합은 약점이다.

출전경기	경기시간(분)	골	어시스트	경고	퇴장
32	2,662	1	3	4	-

MF 8 로베르트 안드리히
Robert Andrich

국적: 독일

헤르타 베를린 유스 출신이다. 1군 데뷔 기회를 얻지 못하고 하부리그 팀들을 거치며 성장했다. 2019-20 시즌을 앞두고 1부에 승격한 우니온 베를린에 이적한다. 두 시즌 뒤 레버쿠젠에 입단하고, 2023년 10월부터 독일 대표팀에 발탁되고 있다. 2028년까지 계약 연장 등 늦깎이의 표본이다. 좋은 체격과 활동량으로 팀을 위해 궂은 일을 마다하지 않는다. 묵직한 중거리 슈팅 등 한 방도 갖춘 선수다.

출전경기	경기시간(분)	골	어시스트	경고	퇴장
23	1,607	2	1	7	-

MF 10 말릭 틸만
Malik Tillman

국적: 미국

뉘른베르크 태생으로 독일과 미국 이중 국적자다. 기본적으로 공격형 미드필더지만 중앙 미드필더나 왼쪽 측면, 톱에서도 뛸 수 있다. 그로이터 퓌르트, 바이에른 유스 출신으로 2022-23시즌 레인저스로 임대된다. 그 시즌 스코틀랜드 올해의 젊은 선수상을 수상한다. 지난 두 시즌간 PSV에서 활약해 레버쿠젠에 현 시점 클럽 레코드로 영입된다. 좋은 체격과 공격 포인트 생산능력을 갖춘 자원이다.

출전경기	경기시간(분)	골	어시스트	경고	퇴장
26	1,921	12	2	1	-

MF 24 알레시 가르시아
Aleix García

국적: 스페인

비야레알, 맨시티 유스 출신이다. 맨시티에서는 기회를 얻지 못했고 2017년부터 두 시즌 간 지로나 임대를 통해 경험을 쌓았다. 그 후 여러 리그를 전전하다가 에이바르를 거쳐 2021-22시즌 지로나로 돌아왔다. 바로 팀의 라리가 승격에 공헌했고, 2023-24시즌 리그 3위의 주역 중 하나였다. 지난 시즌 레버쿠젠에 입단했으나 기대에 미치지 못했다. 패스, 킥은 좋지만 수비, 경합이 아쉽다.

출전경기	경기시간(분)	골	어시스트	경고	퇴장
28	1,451	3	4	3	-

MF 25 에세키엘 팔라시오스
Exequiel Palacios

국적: 아르헨티나

리버플레이트 유스 출신으로 프로 데뷔도 하고 2019-20시즌 도중 레버쿠젠에 입단했다. 그 1년 전에는 레알 마드리드로 갈 뻔했으나 부상으로 이적이 무산됐다. 중원에서 많은 활동량과 더불어 연결고리 역할을 수행한다. 압박과 태클, 볼 탈취 후 전개가 강점이다. 공수 양면으로 다재다능하지만, 부상에서 자유롭지 못한 편. 자카의 공백을 메워줘야 한다. 슈팅, 경합 능력 등은 개선될 필요도 있다.

출전경기	경기시간(분)	골	어시스트	경고	퇴장
24	1,149	1	6	2	-

MF 30 이브라힘 마자
Ibrahim Maza

국적: 알제리

베를린 태생으로 독일과 알제리 이중 국적자다. 헤르타 베를린 유스 출신으로, 2022년 헤르타 2군에서 프로로 데뷔했다. 2023년 4월에는 바이에른 상대로 분데스리가에 출전했다. 독일 연령별 대표를 지냈으나 2024년 10월 알제리 A대표팀을 택했다. 비르츠의 대체자 후보로 꼽힌다. 돌파력과 슈팅력을 갖추고 있다. 기본적으로 중앙 공격형 미드필더지만 톱이나 중앙 미드필더로도 뛸 수 있다.

출전경기	경기시간(분)	골	어시스트	경고	퇴장
33	2,659	5	3	6	-

FW 14 파트리크 시크
Patrik Schick

국적: 체코

191cm에 87kg의 장신 스트라이커로 득점력이 강점이다. 대표팀에서는 46경기 24득점 중. 유로2020에서는 득점왕을 차지했다. 신장 활용도 좋고, 측면에서 뛰던 시절도 있을 정도로 스피드와 기술도 있다. 다만 부상이 있는 편이다. 그로 인해 기복도 있었다. 레버쿠젠에서도 2021-22시즌 리그 24득점 이후로는 아쉬웠다. 2023-24시즌 후반기 반등 이후 지난 시즌에는 주포로 활약했다.

출전경기	경기시간(분)	골	어시스트	경고	퇴장
31	1,687	21		4	-

FW 17 엘리세 벤 세기르
Eliesse Ben Seghir

국적: 모로코

프랑스 태생으로 모로코 이중 국적자다. 프랑스 연령별 대표 이후 모로코 대표로 뛰고 있다. 2024 올림픽 동메달 멤버였다. 모나코 유스로 2022-23시즌 프로 데뷔 했다. 첫 시즌부터 출전시간, 스탯 등에서 좋은 모습을 보이며 주목 받는 재능이었다. 오른발잡이 왼쪽 윙포워드로, 톱이나 공격형 미드필더도 가능하다. 돌파력과 창조성 등 공격 재능은 충분하다. 부상이나 무리한 판단은 개선 필요.

출전경기	경기시간(분)	골	어시스트	경고	퇴장
33	1,753	6	3	-	-

FW 19 어니스트 포쿠
Ernest Poku

국적: 네덜란드

함부르크 태생의 네덜란드와 가나 이중 국적자다. FC암스테르담, AZ 알크마르 유스와 2군을 거쳐 어려서부터 알크마르 1군에서 활약했다. 네덜란드 연령별 대표에도 꾸준히 발탁됐다. 좌우는 물론 중앙까지 여러 공격 포지션을 소화할 수 있으며, 주 포지션은 오른쪽 윙이다. 폭발력이 돋보이는 자원으로 스타일, 체격, 국적 등 여러 면에서 프림퐁의 뒤를 이을 전망이다. 수비력은 기대하기 어렵다는 점도 같다.

출전경기	경기시간(분)	골	어시스트	경고	퇴장
23	1,543	2	3	2	-

FW 23 네이선 텔라
Nathan Tella

국적: 나이지리아

잉글랜드 태생으로 나이지리아 이중 국적자다. 나이지리아 대표를 택했다. 아스널, 사우샘프턴 유스 출신이다. 프로 데뷔하고 프리미어리그에서는 별다른 활약을 못했으나, 2022-23 시즌 번리로 임대되어 챔피언십에서 맹활약했다. 2023-24시즌 레버쿠젠에 입단했다. 팀 내 입지가 그리 좋은 편은 아니다. 빠른 발에 비해 세밀함도 아쉽다. 그래도 좌우 윙과 윙백 등을 소화하고 나름 스탯도 올린다.

출전경기	경기시간(분)	골	어시스트	경고	퇴장
27	1,364	6	3	-	-

아인트라흐트 프랑크푸르트
Eintracht Frankfurt

TEAM PROFILE	
창 립	1899년
회 장	마티아스 베크(독일)
감 독	디노 토프묄러(독일)
연 고 지	헤센주 프랑크푸르트암마인
홈 구 장	도이체 방크 파르크(5만 8,000명)
라 이 벌	SV 다름슈타트, 키커스 오펜바흐
홈페이지	www.eintracht.de

최근 5시즌 성적

시즌	순위	승점
2020-2021	5위	60점(16승12무6패, 69득점 53실점)
2021-2022	11위	42점(10승12무12패, 45득점 49실점)
2022-2023	7위	50점(13승11무10패, 58득점 52실점)
2023-2024	6위	47점(11승14무9패, 51득점 50실점)
2024-2025	3위	60점(17승9무8패, 68득점 46실점)

BUNDESLIGA (전신 포함)

통 산	우승 1회
24-25 시즌	3위(17승9무8패, 승점 60점)

DFB POKAL

통 산	우승 5회
24-25 시즌	16강

UEFA

통 산	유로파리그 우승 2회
24-25 시즌	유로파리그 8강

 전력분석 ## 반년 사이에 떠난 간판 공격수들

프랑크푸르트는 겨울 이적시장에서 주 득점원인 오마르 마르무시를 맨체스터 시티로 보내야 했다. 그가 떠나도 위고 에키티케를 비롯한 팀의 분전으로 리그 3위를 달성할 수 있었다. 이제는 에키티케도 떠났다. 연이어 거액을 손에 넣었지만 최전방을 완전히 개편해야 하는 상황이다. 피니셔 자리는 마인츠의 요나탄 부르카르트 영입으로 일단 한숨 돌렸다. 그를 보조할 공격 자원이 관건이다. 2024년 겨울에 마르무시를 보내고 영입한 엘리예 와히는 부상도 있었지만 제 기량을 발휘하지 못했다. 성향 자체도 마무리 능력에 국한된 타입이다. 이 두 선수의 공존 혹은 경쟁의 성과에 시즌 농사가 달려있다. 부르카르트가 후방이나 측면으로 빠지는 움직임이 민첩하다는 점에서 공존 가능성도 없지는 않다. 매번 성공은 아니라도 높은 확률로 공격수들을 키워내 크게 가치를 올려온 프랑크푸르트의 역량 발휘가 재차 필요한 시점이다. 도안 리츠 영입으로 측면 공격진을 강화했고, 2선 자원들의 성장세도 보탬이 될 수 있다. 특히 중앙 미드필더 후고 라르손이 해외의 빅클럽들이 탐내는 자원으로 성장했다. 너새니얼 브라운은 인버티드 풀백 등으로 활약하며 팀 내 경쟁을 뚫고 자리 잡았다. 성적 자체도 그렇고 여러모로 예상 밖 수확이 있던 지난 시즌이었다.

 전술분석 ## 대체 자원들이 관건

당초 포백 전술도 가능하나 3-4-2-1 등 스리백에 맞는 스쿼드였다. 그러나 지난 시즌 감독이 점차 4-4-2로 바꾸어 갔다. 마르무시가 떠나고는 4-2-3-1로 변했다. 프리시즌 동안 3-4-2-1과 4-2-3-1, 4-4-2, 4-3-3 등 다양한 포메이션, 선수 조합을 테스트했다. 일단은 올 시즌도 포백에 무게가 실리고 있다. 와히와 부르카르트를 포메이션에 맞춰 각각 톱과 측면으로 빼보기도 했다. 두 가지 이상의 포지션을 소화할 수 있는 선수들이 많아 선수들의 포지션 이동도 활발한 편이다. 2선 자원들이 측면과 3선도 소화하고, 수비 자원들도 여러 위치와 역할을 맡을 수 있어 이러한 유동성은 올 시즌에도 보탬이 될 전망이다. 지난 시즌 프랑크푸르트는 90분 당 평균 점유율 39.5%로 분데스리가에서 두 번째로 낮은 수치를 기록했다. 그만큼 간결한 역습에 강한 팀이다. 지난 시즌 라르손-스키리 듀오가 선발 출전한 경기에서는 2패만 당했다. 빠른 공격 자원들이 제 몫을 해준다면 전임자들의 공백을 어느 정도 메워낼 수 있다. 또한 점유율에서 알 수 있듯이 안정과 실속을 우선하는 편이다. 수비 시에는 4-4-2로 라인을 내려 수비에 집중하고, 볼 탈취 시 바로 역습에 나선다.

시즌 프리뷰 또 다른 가능성에 기대

젊은 선수들의 성장에 기대를 건다. 지난 시즌 리그에서 평균 연령 24.7세로 리그에서 가장 젊은 팀이었다. 산투스, 콜린스, 브라운, 바호야의 성장은 큰 보탬이 됐다. 올 시즌도 임대를 통해 성장한 엘리아스 바움 같은 기대주들이 있다. 와히도 전 시즌보다 몸이 가볍다. 일단 추가적인 보강보다는 선수단 정리가 먼저다. 지난 시즌에도 유로파리그에 나섰으나 출전 시간 분배 이슈가 있었다. 올 시즌도 두터운 스쿼드로 인해 선수단 교통정리가 필요하다. 유로파리그에 비하면 챔피언스리그의 레벨이 더 높기도 하다. 그만큼 핵심자원들이 더 소모될 우려가 있다. 스쿼드의 양과 질 모두 향상이 필요한데 현 시점에서는 모두 애매한 감이 있다. 감독 역시 마찬가지다. 지난 시즌 토프묄러 감독이 기대 이상의 성과를 냈으나 챔피언스리그 병행은 또 다른 차원의 문제다. 감독도 선수도 젊고 신선하지만 경험, 체력과 멘탈 관리가 관건이 될 전망이다. 지난 시즌 중, 부침을 보이는 구간들이 있었고 상위권 팀들 상대로 무력한 면도 보였다. 젊고 풍부한 선수층의 에너지 레벨과 패기는 그래도 긍정적 요인이다. 다만 공격진 약화 우려로 더 중요해진 중원은 라르손-스키리의 백업이 다른 포지션에 비해 아쉽다.

EUROPEAN FOOTBALL ALL GUIDE BOOK **The champion** 231

IN & OUT

주요 영입	주요 방출
미하엘 체터러, 도안 리츠, 요나탄 부르카르트	닐스 은쿤쿠, 주니오르 디나 에빔베(임대), 케빈 트라프, 투타, 팩스턴 애런슨, 오마르 마르무시, 위고 에키티케, 이고르 마타노비치

TEAM FORMATION

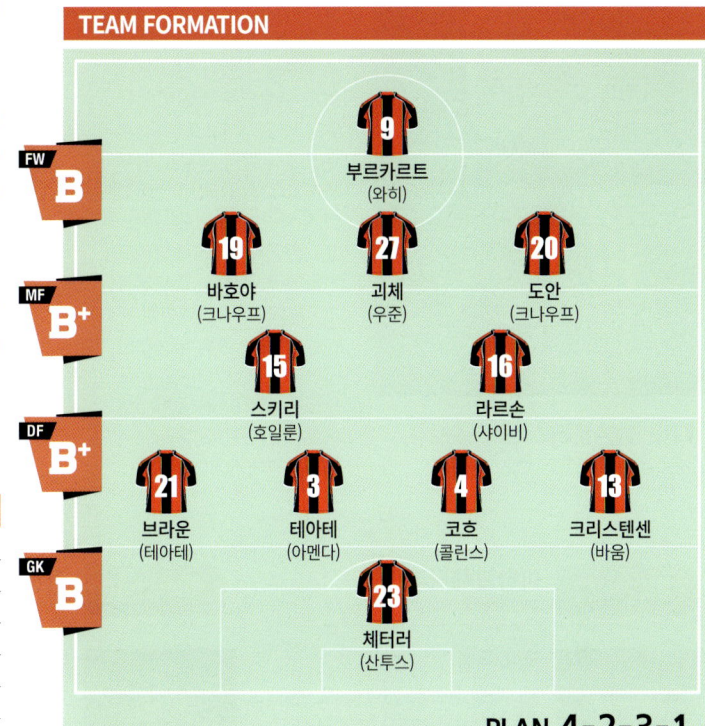

PLAN 4-2-3-1

TEAM RATINGS

슈팅	7
패스	7
수비력	7
선수층	7
감독	7
조직력	7

42

2024/25 프로필

팀 득점	68
평균 볼 점유율	49.30%
패스 정확도	83.20%
게임 평균 슈팅 수	14.3
경고	52
퇴장	1

골 타입
오픈 플레이	56
세트 피스	22
카운터 어택	18
패널티 킥	4
자책골	0

단위 (%)

패스 타입
쇼트 패스	86
롱 패스	10
크로스 패스	3
스루 패스	0

단위 (%)

지역 점유율
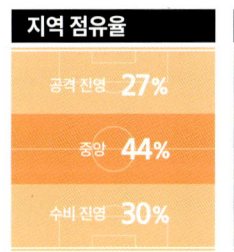

공격 진영 27%
중앙 44%
수비 진영 30%

공격 방향
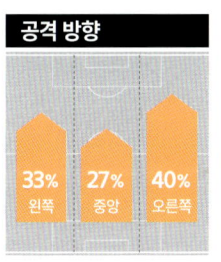

33% 왼쪽 / 27% 중앙 / 40% 오른쪽

슈팅 지역
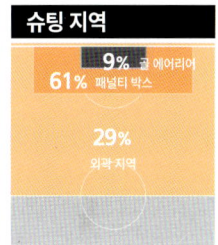

9% 골 에어리어
61% 패널티 박스
29% 외곽 지역

상대팀 최근 6경기 전적

구분	승	무	패
FC 바이에른 뮌헨	1	2	3
바이엘 04 레버쿠젠	1		5
아인트라흐트 프랑크푸르트			
보루시아 도르트문트	1	1	4
SC 프라이부르크	3	3	
FSV 마인츠 05	2	3	1
RB 라이프치히	2	1	3
SV 베르더 브레멘	3	2	1
VfB 슈투트가르트	3	1	2
보루시아 묀헨글라드바흐	3	3	
VfL 볼프스부르크	1	3	2
아우크스부르크	2	3	1
FC 우니온 베를린	2	2	2
FC 장크트파울리	3	2	1
TSG 1899 호펜하임	4	1	1
FC 하이덴하임	5		
FC 쾰른	3	3	
함부르크 SV	3	3	

SQUAD

포지션	등번호	이름		생년월일	키(cm)	체중(kg)	국적
GK	23	미하엘 체터러	Michael Zetterer	1995.07.12	187	79	독일
	40	카우앙 산투스	Kaua Santos	2003.04.11	196	84	브라질
DF	3	아르투르 테아테	Arthur Theate	2000.05.25	185	78	벨기에
	4	로빈 코흐	Robin Koch	1996.07.17	192	85	독일
	5	오렐 아멘다	Aurèle Amenda	2003.07.31	194	90	스위스
	13	라스무스 크리스텐센	Rasmus Kristensen	1997.07.11	187	83	덴마크
	21	나다니엘 브라운	Nathaniel Brown	2003.06.16	176	71	독일
	22	티모시 챈들러	Timothy Chandler	1990.03.29	187	83	미국
	29	아우렐리우 부타	Aurélio Buta	1997.02.10	172	-	포르투갈
	34	은남디 콜린스	Nnamdi Collins	2004.01.10	188	81	독일
MF	6	오스카 회이룬	Oscar Højlund	2005.01.04	184	78	덴마크
	8	파레스 샤이비	Farès Chaïbi	2002.11.28	183	79	알제리
	15	엘리에스 스키리	Ellyes Skhiri	1995.05.10	185	73	튀니지
	16	휴고 라르손	Hugo Larsson	2004.06.27	187	63	스웨덴
	18	마흐무드 다후드	Mahmoud Dahoud	1996.01.01	178	68	시리아
	27	마리오 괴체	Mario Götze	1992.06.03	176	75	독일
	47	노아 페뇨	Noah Fenyö	2006.01.30	182	72	헝가리
FW	7	안스가르 크나우프	Ansgar Knauff	2002.01.10	180	73	독일
	9	요나탄 부르카르트	Jonathan Burkardt	2000.07.11	181	76	독일
	17	엘리예 와히	Elye Wahi	2003.01.02	184	74	프랑스
	19	장마테오 바호야	Jean-Mattéo Bahoya	2005.05.07	180	75	프랑스
	20	도안 리츠	Ritsu Doan	1998.06.16	172	72	일본
	30	미키 바추아이	Michy Batshuayi	1993.10.02	185	91	벨기에
	42	잔 우준	Can Uzun	2005.11.11	186	75	튀르키예

COACH

레버쿠젠의 2001-02시즌 준우승 트레블 당시 감독 클라우스의 아들이다. 이탈리아의 명 골키퍼 디노 조프에게서 이름을 따왔다. 클라우스 역시 프랑크푸르트 감독을 맡은 바 있다. 디노는 룩셈부르크에서 현역 생활을 마무리하고 코칭의 길로 들어섰다. 뒤들랑주 감독으로 2018-19시즌 유로파리그 조별리그 진출에 성공했다. 룩셈부르크 클럽의 첫 유럽대항전 본선행이었다. 이후 나겔스만 사단의 수석코치가 됐다. 프랑크푸르트에서는 올해 5월 공로를 인정받아 2028년까지 재계약에 성공했다.

디노 토프묄러 *Dino Toppmöller*
1980년 11월 23일생 독일

PLAYERS

MF	16	후고 라르손
		Hugo Larsson	KEY PLAYER

국적: 스웨덴

스웨덴 강호 말뫼 유스 출신으로 1군에 데뷔하고부터 바로 주목받았다. 프로 데뷔한 2022시즌에 리그 올해의 젊은 선수로 선정됐다. 2023-24시즌을 앞두고 프랑크푸르트에 입단한다. 스웨덴 리그 최고 이적료였다. 첫 시즌부터 준수한 활약으로 가능성을 보였고, 지난 시즌에는 출전시간도 두 배 가까이 늘며 맹활약했다. 핵심으로 자리매김하고 해외 빅클럽들의 주목을 받으며 가치가 수직 상승했다. 2024 골든보이 후보 23위, 그 해 10월 재계약도 했다. 대표팀의 토마손 감독에게 배제되던 것도 옛말이 됐다. 체격도 좋고 활동량, 포백 보호, 침투, 볼배급, 킥 등 다방면으로 뛰어난 재능을 뽐내고 있다. 상대적으로 수비에서는 아쉬운 면이 있다.

출전경기	경기시간(분)	골	어시스트	경고	퇴장
33	2,406	3	1	2	-

GK	23	미하엘 체터러
		Michael Zetterer

국적: 독일

운터하힝 유스로 1군 데뷔도 했다. 3부 리그에서 활약으로 2014-15시즌 중간에 브레멘에 영입됐다. 1군 백업, 2군 선발, 임대 생활과 주전 경쟁을 거쳐 2023-24시즌부터 주전이 됐다. 국내 외 여러 링크가 있던 차에 케빈 트라프의 이적 공백을 메우게 됐다. 선방, 스위퍼 키퍼, 공중볼 처리, 빌드업, 롱킥, 롱스로인 능력과 별개로 안정감은 아쉽다. PK 선방에는 약하기도 하다.

출전경기	경기시간(분)	실점	무실점(경기)	경고	퇴장
34	3,060	57	10	2	-

GK	40	카우앙 산투스
		Kauã Santos

국적: 브라질

197cm의 장신이다. 2023-24시즌을 앞두고 플라멩구 1군이 아닌 연령별 팀에서 바로 영입됐다. 이 시즌에는 2군에서 뛰었다. 지난 시즌부터 옌스 그랄 대신 세컨 골키퍼가 됐다. 트라프의 부상으로 출전 시간을 꽤 얻었다. 1군 경험 자체가 적었던 만큼 불안한 모습도 있었으나, 연이은 선방으로 팀을 구해내는 경기들도 있었다. 기복을 줄이는 것이 과제다. 지난 4월에 십자인대 부상을 당했다.

출전경기	경기시간(분)	실점	무실점(경기)	경고	퇴장
9	765	12	3	-	-

DF	3	아르투르 테아테
		Arthur Theate

국적: 벨기에

지난 시즌 파리로 떠난 파초의 공백을 메워줬다. 왼발잡이 센터백으로 볼을 다루는 데에 자신이 있다. 패스 전개와 직접 볼 운반으로 빌드업에서 중요한 역할을 하고 있다. 포백의 왼쪽 센터백과 레프트백은 물론 스리백의 왼쪽 스토퍼를 오가며 제 몫을 했다. 벨기에 대표팀에서도 주력으로 활약 중이다. 적극적 수비는 장점이자 단점. 카드 관리가 문제다. 장신 센터백은 아니고 제공권이 다소 아쉽기도 하다.

출전경기	경기시간(분)	골	어시스트	경고	퇴장
31	2,709	-	-	3	1

DF	4	로빈 코흐
		Robin Koch

국적: 독일

192cm로 좋은 체격을 활용한 수비가 돋보인다. 롱패스 능력도 있어 유사 시 수비형 미드 필더도 볼 수 있다. 지난 시즌 완전이적 이후 부주장이 됐다. 다만 키가 큰 만큼 민첩함은 아쉽다. 발기술이 좋은 편은 아니고 압박에도 다소 약하다. 대표팀에 꾸준히 발탁되지만 소속팀에서보다 실책이 눈에 띄기도 한다. 아버지 해리와 마찬가지로 센터백이며, 커리어 초기에 거친 팀들이 아버지가 말년에 활약한 팀과 같다.

출전경기	경기시간(분)	골	어시스트	경고	퇴장
30	2,589	3	-	3	-

DF	13	라스무스 크리스텐센
		Rasmus Kristensen

국적: 덴마크

미틸란드, 아약스, 잘츠부르크, 리즈, 로마를 거쳤다. 기본적으로는 라이트백. 윙백과 센터백도 오갈 수 있다. 왼발 사용도 나쁘지 않다. 좋은 체격과 운동능력, 활동량이 눈에 띈다. 우측면 위아래를 오가며 적극적으로 지상과 공중에서 경합을 해준다. 오버래핑과 세트피스 가담도 위협적. 안쪽으로 들어오는 언더래핑도 가져간다. 공격력이나 기술적인 면이 다소 아쉽기는 했으나 점차 발전하는 모습을 보이는 자원이다.

출전경기	경기시간(분)	골	어시스트	경고	퇴장
30	2,516	5	3	4	-

DF	21	나다니엘 브라운
		Nathaniel Brown

국적: 독일

얀 레겐스부르크, 뉘른베르크 유스 출신. 뉘른베르크에서 프로로 데뷔하고 2024년 1월 프랑크푸르트로 영입된다. 잔여 시즌은 뉘른베르크에서 보냈다. 지난 시즌 기대 이상 활약으로 2025년 2월에 재계약을 했다. 기본적으로 레프트백이지만 중앙 미드필더도 가능하다. 상당히 빠른 스피드에 체격도 준수하다. 이를 활용해 인버티드 풀백은 물론 중앙이나 측면으로 깊숙하게 전진하는 등 다양한 플레이를 보여준다.

출전경기	경기시간(분)	골	어시스트	경고	퇴장
26	1,954	3	6	2	-

DF 34 은남디 콜린스
Nnamdi Collins

국적: 독일

뒤셀도르프, 도르트문트 유스 출신. 2023-24시즌 영입됐다. 이 시즌 말부터 1군 기회를 얻었다. 지난 시즌부터 출전시간이 늘었다. 기본적으로 센터백이지만 라이트백으로도 좋은 모습을 보여주고 있다. 좋은 체격에 운동능력도 갖추고 있다. 발기술, 빌드업도 준수하다. 다재다능함으로 팀에 보탬이 되고 있다. 라이트백으로 오버래핑은 물론, 유사 시에 전진 배치 되기도 했다. 연령별 대표 주축이다.

출전경기	경기시간(분)	골	어시스트	경고	퇴장
24	1,486	1	1	4	-

MF 15 엘리에스 스키리
Ellyes Skhiri

국적: 튀니지

프랑스 태생으로 몽펠리에 유스를 거쳐 1군에서 자리 잡았다. 이후 쾰른으로 이적해 중원의 핵으로 활약했다. 튀니지 대표팀에서도 핵심 자원이다. 2023-24시즌 프랑크푸르트로 이적해서도 활약을 이어가고 있다. 분데스리가 최고의 수비형 미드필더 중 하나다. 포백 보호, 활동량, 볼 탈취 등 수비력은 물론 간간히 전진해서도 위협적인 모습을 보여준다. 지난 시즌 전까지 4시즌 연속 5득점 이상이었다.

출전경기	경기시간(분)	골	어시스트	경고	퇴장
30	2,236	1	1	6	-

MF 27 마리오 괴체
Mario Götze

국적: 독일

도르트문트산 천재 미드필더. 2014 월드컵 결승전 결승골의 주인공이다. 다만 바이에른에서는 기대만큼 성장하지 못하고 포지션도 자리를 잡지 못했다. 공격형 미드필더지만 2선 측면이나 제로톱으로 뛰기도 했다. 도르트문트로 돌아왔으나 부상, 대사장애 등으로 고전했다. PSV에서 부활하고 프랑크푸르트에 입단했다. 나이도 들고 운동 능력도 떨어졌으나 축구 센스가 여전하다. 필요 시 3선으로 내려오기도.

출전경기	경기시간(분)	골	어시스트	경고	퇴장
24	1,549	3	2	1	-

FW 7 안스가르 크나우프
Ansgar Knauff

국적: 독일

하노버, 도르트문트 유스 출신으로 도르트문트 1군에서는 기회를 얻지 못했다. 2021-22시즌 도중 프랑크푸르트로 임대되고 팀의 유로파리그 우승에 공헌했다. 측면에서 스피드, 활동량, 직선적인 움직임이 강점이다. 안으로 들어오는 도안과는 여러모로 다른 공격 옵션이다. 좌우 윙포워드, 오른쪽 윙백으로 활동한다. 수비와 세밀함은 아쉽지만 아직도 22세. 36번에서 7번으로 등번호도 바뀌었다.

출전경기	경기시간(분)	골	어시스트	경고	퇴장
30	1,604	4	5	3	-

FW 9 요나탄 부르카르트
Jonathan Burkardt

국적: 독일

마인츠 유스로 2018-19시즌 프로 데뷔했고, 꾸준히 성장했다. 2021-22시즌에는 리그 11득점을 올렸다. 2022-23시즌은 부상으로 장기 결장했다. 2023-24시즌 복귀해 팀을 강등위기에서 구해냈고, 지난 시즌에는 리그 18득점을 올렸다. 상대 수비 라인을 깨는 움직임, 스피드, 마무리가 돋보인다. 장신은 아니지만 위치 선정으로 헤더골도 넣는다. 활동량, 중앙과 측면에서 연계도 준수하다.

출전경기	경기시간(분)	골	어시스트	경고	퇴장
29	2,126	18	2	3	-

FW 17 엘리예 와히
Elye Wahi

국적: 프랑스

캉, 몽펠리에 유스를 거쳐 몽펠리에에서 1군 데뷔했다. 득점력으로 해외 빅클럽들의 관심을 끌었으나, 라이프치히로 떠난 오펜다를 대신해 랑스로 가게 됐다. 양 팀의 영입, 방출 이적료 기록을 세웠으나 기대에 못 미쳤다. 2024-25시즌 마르세유에서도 역시 아쉬웠고, 겨울에 프랑크푸르트로 이적한다. 이곳에서도 좋지 못했으나 이번 프리시즌부터는 향상된 모습. 폼을 찾고 득점 외의 장점 개발이 필요하다.

출전경기	경기시간(분)	골	어시스트	경고	퇴장
8	193	-	1	-	-

FW 19 장마테오 바호야
Jean-Mattéo Bahoya

국적: 프랑스

앙제 유스 출신으로 2022-23시즌 프로 데뷔했다. 2023-24시즌 눈에 띄는 활약에 프랑크푸르트가 지난 시즌 영입했다. 잠재력을 보고 영입했으나 기대 이상의 성장 속도를 보이고 있다. 전반기에는 스피드만 보였지만, 후반기 들어 공격 포인트 생산력이 좋아졌다. 프랑스 연령별 대표이기도 하다. 지난 시즌 시속 37.16km로 리그 톱 스피드 1위였는데, 이는 역대 1위다. 37km대를 깬 선수도 처음이다.

출전경기	경기시간(분)	골	어시스트	경고	퇴장
24	924	2	3	3	-

FW 20 도안 리츠
Ritsu Doan

국적: 일본

감바 오사카 유스 출신. FC서울과의 아시아 챔피언스리그 경기로 프로 데뷔했다. 당시 나이 16세. 흐로닝언, PSV 에인트호벤, 빌레펠트, 프라이부르크를 거쳤다. 지난 시즌에는 커리어 처음으로 리그 10호 골을 기록했다. 왼발잡이 오른쪽 윙으로 민첩함과 테크닉, 연계, 성실한 수비 가담, 왼발 킥이 돋보인다. 중앙 공격형 미드필더뿐 아니라 윙백으로도 뛸 수 있다. 발 자체가 빠른 편은 아니다.

출전경기	경기시간(분)	골	어시스트	경고	퇴장
34	2,876	10	7	2	-

FW 42 잔 우준
Can Uzun

국적: 튀르키예

얀 레겐스부르크, 잉골슈타트, 뉘른베르크 유스를 거쳤다. 2023-24시즌 2부의 뉘른베르크에서 19득점 4도움을 올려 주목받았다. 공격형 미드필더로서는 장신인 186cm에 테크닉, 득점력이 돋보이는 자원이다. 지난 시즌 프랑크푸르트에서는 기대에 못 미치고 포지션도 자리를 못 잡았다. 올여름 거취도 불투명했으나 새 시즌 들어 제 포지션에서 맹활약 중이다. 독일 태생이나 튀르키예 대표를 택했다.

출전경기	경기시간(분)	골	어시스트	경고	퇴장
20	699	4	1	1	-

보루시아 도르트문트
Borussia Dortmund

TEAM PROFILE	
창 립	1909년
회 장	라인홀트 루노(독일)
감 독	니코 코바치(크로아티아)
연 고 지	노르트라인베스트팔렌 주 도르트문트
홈 구 장	지그날 이두나 파크(8만 1,365명)
라 이 벌	샬케 04, FC 바이에른 뮌헨
홈페이지	www.bvb.de

최근 5시즌 성적

시즌	순위	승점
2020-2021	3위	64점(20승4무10패, 75득점 46실점)
2021-2022	2위	69점(22승3무9패, 85득점 52실점)
2022-2023	2위	71점(22승5무7패, 83득점 44실점)
2023-2024	5위	63점(18승9무7패, 68득점 43실점)
2024-2025	4위	57점(17승6무11패, 71득점 51실점)

BUNDESLIGA (전신 포함)

통 산	우승 5회
24-25 시즌	4위(17승6무11패, 승점 57점)

DFB POKAL

통 산	우승 5회
24-25 시즌	32강

UEFA

통 산	챔피언스리그 우승 1회
24-25 시즌	챔피언스리그 8강

 전력분석 ## 막판에 체면치레가 습관

2024-25시즌 도르트문트는 유럽대항전도 못 나가나 싶었다. 감독 교체하고 극적으로 4위를 달성했으나 이런 방식이 언제까지 통할지 의문이다. 엘링 홀란, 주드 벨링엄이 있던 시절에는 리그 우승 도전자로서 막판에 타이틀을 놓쳤다. 그들이 떠난 후로는 후반기에 위기의식을 느끼고 챔피언스리그 티켓을 따내며 체면치레를 해왔다. 스타 플레이어 부재를 절감하고 있다. 기대주를 영입해 스타로 키워내고 파는 방식의 한계다.

제이미 기튼스의 매각은 그의 활약, 비중을 고려하면 큰 영향은 아니다. 좋은 가격을 받았고, 여기에 클럽 월드컵 참가로 큰 부수입도 생겼지만, 이적시장에서 소극적이었다. 임대생들 완전 영입에 백업 골키퍼 영입 정도였다. 막판에 겨우 여러 보강을 했다. 파비우 실바, 카니 추쿠에메카, 아론 안셀미노가 가세했다. 각각 장신 공격수 추가, 잦은 부상에도 지난 시즌 후반기 임대로 가능성을 보인 중원 자원의 복귀, 부족한 전문 센터백 숫자 보강의 의미가 있다. 한편 기튼스 대신 윙플레이를 해줄 자원이 마땅치 않다. 쥘리앵 뒤랑빌은 아직 유망주고 부상이 잦다. 측면에서 뛸 수 있는 자원들도 중앙 투톱 유형이다. 중원도 나이, 부상, 기복, 기량 문제 등이 있다. 최전방 세루 기라시 의존도를 낮춰야 한다.

 전술분석 ## 속도와 화력에 명운을 건다

2024-25시즌 전문 센터백 부족에도 스리백을 쓰며, 윙 자원들을 더 활용했던 누리 샤힌 감독과 달리, 니코 코바치 감독은 4-2-3-1을 선호한다. 2025년 2월 부임 후 이 포메이션을 썼으나, 3월 말부터 스리백을 가동했고 극적으로 4위를 달성했다. 샤힌 감독과 툴베르 임시 감독간의 스리백에서 차이는 투톱 활용이었다. 윙 자원이 도니엘 말런, 기튼스 정도였는데 말런이 겨울에 떠난 영향도 있었다. 그 외에도 윙포워드 가능 자원들이 측면보다는 중앙에서 효율적이기도 했다. 발 빠른 공격수들을 더 높은 위치에 숫자를 늘려 배치하고, 이들을 향해 빠른 타이밍으로 전개하자 팀이 살아났다. 중원의 기복도 이런 변화에 호응하며 나아졌다. 겨울에 가세한 다니엘 스벤손의 활약으로 좌 윙백에 대한 고민은 덜었다. 팀 전반의 스리백 이해도도 높아졌다. 엠레 잔과 라미 벤세바이니 등도 센터백에서 향상됐다. 측면을 더 활용하려 할 때는 윙포워드 가능 자원들이 전방에 조커로 투입됐다. 카림 아데예미, 막시밀리안 바이어처럼 투톱에 가까운 자원들도 스리톱 측면에 배치, 다양한 변주로 좋은 성과를 냈다. 총체적 부진에 시달리던 전반기에 비해 후반기에 팀 컨디션이 달라지고 있다.

시즌 프리뷰 '미라클 런'은 이제 그만

지난 6시즌 동안은 후반기 성적이 더 좋았다. 2024-25시즌은 막판 7승 1무로 다른 팀들의 뒷심 부족 덕에 4위를 기록했다. 감독 선임, 선수 영입 등 수뇌부의 문제가 크다. 안 되면 감독을 교체하든, 알아서 하라는 식이다. 7월 초 바츠케 CEO는 영입 자금이 충분하다고 밝혔으나 이후 행보는 달랐다. 감독의 영입 요청 거절, 수뇌부는 현재 스쿼드에 만족, 자금 부족으로 이적시장 막판 할인을 노린다는 보도가 나왔다. 결국 원하던 선수들을 놓쳤고, 막판 영입에도 원하던 재임대, 가격할인에도 실패했다. 영입생들 몸 상태를 빨리 끌어올려 리그, 팀에 적응시켜도 시원찮을 판이었다. 한편 되팔기 좋은 또 다른 잉글랜드 유망주 벨링엄 영입에는 적극적이었다. 안 그래도 빅클럽이면서 셀링클럽식 경영이라서 전력과 성적의 한계, 선수단의 헌신에 대한 우려가 있었다. 선수들도 기량, 기복, 부상, 나이, 1년 남은 계약 기간 등 불안 요소가 있다. 선수층이 문제인데, 잉여 자원 처분이 잘 안되고 있다. 유망주 성장도 전 같지 않고, 주급 규모는 바이에른 다음이다. 코바치 감독도 빅클럽에서 긴 기간 지휘봉을 잡지 않았다. 클럽 월드컵으로 시즌 준비도 늦어졌다. 이래서는 또 불안하다.

IN & OUT

주요 영입	주요 방출
아론 안셀미노(임대), 패트릭 드르위스, 조브 벨링엄, 카니 추쿠에메카, 파비우 실바	수마일라 쿨리발리, 제이미 기튼스, 지오반니 레이나, 유수파 무코코

TEAM FORMATION

PLAN 3-4-1-2

TEAM RATINGS

슈팅 8
패스 7
조직력 8
수비력 8
감독 7
선수층 7
45

2024/25 프로필

팀 득점	71
평균 볼 점유율	59.20%
패스 정확도	86.10%
게임 평균 슈팅 수	14.2
경고	65
퇴장	6

골 타입	
오픈 플레이	68
세트 피스	11
카운터 어택	11
패널티 킥	7
자책골	3

단위 (%)

패스 타입	
쇼트 패스	87
롱 패스	9
크로스 패스	4
스루 패스	0

단위 (%)

지역 점유율

공격 진영	30%
중앙	44%
수비 진영	27%

공격 방향

왼쪽	중앙	오른쪽
36%	28%	36%

슈팅 지역

골 에어리어 10%
패널티 박스 63%
외곽 지역 28%

상대팀 최근 6경기 전적

구분	승	무	패
FC 바이에른 뮌헨	1	3	2
바이엘 04 레버쿠젠	3	2	1
아인트라흐트 프랑크푸르트	4	1	1
보루시아 도르트문트			
SC 프라이부르크	6		
FSV 마인츠 05	2	2	2
RB 라이프치히	2		4
SV 베르더 브레멘	3	2	1
VfB 슈투트가르트	5	1	
보루시아 묀헨글라드바흐	4	1	1
VfL 볼프스부르크	4	1	1
아우크스부르크	3	1	2
FC 우니온 베를린	4		2
FC 장크트파울리	5		1
TSG 1899 호펜하임	4	1	1
FC 하이덴하임	2	2	
FC 쾰른	4	1	1
함부르크 sv	5		1

SQUAD

포지션	등번호	이름		생년월일	키(cm)	체중(kg)	국적
GK	1	그레고르 코벨	Gregor Kobel	1997.12.06	195	88	스위스
	30	패트릭 드레웨스	Patrick Drewes	1993.02.04	194	90	독일
	33	알렉산더 마이어	Alexander Meyer	1991.04.13	195	90	독일
DF	2	얀 코투	Yan Couto	2002.06.03	168	60	브라질
	3	발데마르 안톤	Waldemar Anton	1996.07.20	189	86	독일
	4	니코 슐로터베크	Nico Schlotterbeck	1999.12.01	191	86	독일
	5	라미 벤세바이니	Ramy Bensebaini	1995.04.16	187	82	알제리
	24	다니엘 스벤손	Daniel Svensson	2002.02.12	183	72	스웨덴
	25	니클라스 쥘레	Niklas Süle	1995.09.03	195	91	독일
	42	알무게라 카바르	Almugera Kabar	2006.06.06	186	78	독일
MF	6	살리 외즈칸	Salih Özcan	1998.01.11	182	74	튀르키예
	7	조브 벨링엄	Jobe Bellingham	2005.09.23	191	75	잉글랜드
	8	펠릭스 은메차	Felix Nmecha	2000.10.10	190	73	독일
	10	율리안 브란트	Julian Brandt	1996.05.02	185	83	독일
	13	파스칼 그로스	Pascal Groß	1991.06.15	181	78	독일
	17	카니 추쿠에메카	Carney Chukwuemeka	2003.10.20	187	70	잉글랜드
	20	마르셀 자비처	Marcel Sabitzer	1994.03.17	178	76	오스트리아
	23	엠레 잔	Emre Can	1994.01.12	186	86	독일
FW	9	세루 기라시	Serhou Guirassy	1996.03.12	187	82	기니
	14	막시밀리안 바이어	Maximilian Beier	2002.10.17	183	72	독일
	16	쥘리앙 뒤랑빌	Julien Duranville	2006.05.05	170	59	벨기에
	27	카림 아데예미	Karim Adeyemi	2002.01.18	180	75	독일
	37	콜 캠벨	Cole Campbell	2006.02.20	170	68	미국

COACH

동생 로베르트와는 레버쿠젠, 바이에른에서 선수 생활을 함께 했다. 2012년 니코가 크로아티아 21세 이하 팀 감독을 맡고서부터 동생이 수석코치로 함께 하는 중. 크로아티아 A대표, 프랑크푸르트를 거쳐 바이에른을 맡게 됐으나 두 번째 시즌에 극심한 부진으로 중도 사임했다. 모나코, 볼프스부르크에서도 두 시즌을 못 채우고 경질됐다. 빅클럽 감독으로는 의문이 간다. 전술적으로 압박과 속공은 좋지만 점유와 주도권 잡기에 약점이 있다. 수뇌부와의 관계, 선수단 장악력에 대한 이슈도 있다.

니코 코바치 *Niko Kovač*
1971년 10월 15일생 크로아티아

PLAYERS

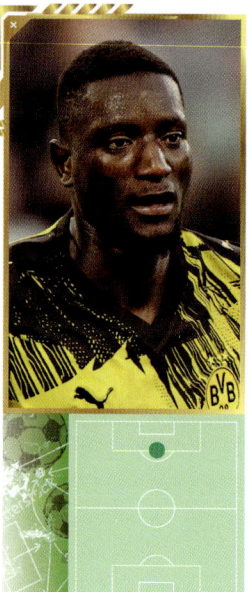

FW 9 세루 기라시 *Serhou Guirassy* **KEY PLAYER**

국적: 기니

라발, 릴, 오세르, 쾰른, 아미앵을 거쳐 렌에서 두각을 드러냈다. 쾰른 시절은 부상의 연속이었다. 2022-23시즌 슈투트가르트로 임대됐고 리그 11득점으로 팀을 잔류시켰다. 2023-24시즌에는 완전이적해서 리그 28득점. 저렴한 바이아웃으로 많은 팀들의 관심을 받았고, 도르트문트에 입단했다. 바로 꾸준히 맹활약하며 핵심 선수가 됐다. 내구성에 대한 우려에도 많은 경기를 소화했다. UCL에서는 8강 탈락에도 13골로 득점왕에 올랐다. 바르셀로나에 해트트릭도 했다. 이 팀에서 홀란, 레반도프스키의 UCL 단일 시즌 10득점 기록도 깼다. 큰 키에 스피드와 점프력도 있으며, 날카롭고 다양한 움직임과 마무리 능력이 강점. 연계도 준수하다.

출전경기	경기시간(분)	골	어시스트	경고	퇴장
30	2,601	21	2	4	-

GK 1 그레고르 코벨 *Gregor Kobel*

국적: 스위스

그라스호퍼, 호펜하임 유스 출신으로 아우크스부르크, 슈투트가르트에서 성장했다. 195cm, 88kg의 거구에 반사신경과 선방 능력이 돋보인다. PK 선방과 1대1에서도 강하다. 근래 수년간 리그 베스트 골키퍼로 꼽혀 왔다. 다만 롱킥에서 기복이 있고 골키퍼치고 잔부상이 있는 편이다. 지난 시즌 전반기에 부진하고 후반기에 살아났는데, 샤힌 감독의 빌드업 축구와도 연관이 있다. 커버 범위도 넓지 않다.

출전경기	경기시간(분)	실점	무실점(경기)	경고	퇴장
32	2,880	47	7	1	-

DF 2 얀 코투 *Yan Couto*

국적: 브라질

코리치바FC 유스 출신으로 같은 팀에서 프로로 데뷔했다. 바르셀로나 대신 맨시티를 택하고, 맨시티의 자매구단이자 바르셀로나 인근의 지로나로 임대됐다. 당시에는 세군다리가에서 좋은 모습이었고, 이후 브라가로 임대됐다. 다시 지로나에 임대되어 2023-24시즌 라리가 3위 돌풍의 주축 멤버가 됐다. 체격과 수비는 약점이라도 공격력에서 뤼에르손보다 우위다. 이제는 꾸준히 좋은 모습을 보여줘야 한다.

출전경기	경기시간(분)	골	어시스트	경고	퇴장
26	1,948	2	2	4	-

DF 3 발데마르 안톤 *Waldemar Anton*

국적: 독일

하노버 유스 출신으로 팀의 강등과 승격을 함께 했다. 2019-20시즌에는 강등에도 남아 22세에 주장이 됐다. 2020-21시즌 슈투트가르트로 이적해 부주장, 주장도 달고 2023-24시즌 성장세에 도르트문트로 이적, 독일 대표팀에도 승선한다. 훔멜스의 대체자원으로 발은 빠르지 않지만 제공권, 빌드업, 발기술 등 비슷한 스타일이다. 전 시즌 전반기에는 부상, 부진이 겹쳤으나 후반기 들어 살아났다.

출전경기	경기시간(분)	골	어시스트	경고	퇴장
26	1,948	2	2	4	-

DF 4 니코 슐로터베크 *Nico Schlotterbeck*

국적: 독일

친형 케벤과 마찬가지로 프라이부르크 유스 출신 센터백. 훔멜스가 떠나고 팀 수비의 핵심이 됐다. 장신에 스피드도 있고 발기술도 장점이다. 빌드업, 전진 패스, 압박 대응이 좋고 직접 볼을 몰고 전진하거나 롱킥과 중거리 슈팅 능력을 과시하기도 한다. 코바치 감독이 부임하고 왼발 코너 키커로 나서 도움을 기록하기도. 수비에서도 집중력과 헌신, 태클이 인상적이다. 레프트백도 가능. 팀의 세 번째 주장이다.

출전경기	경기시간(분)	골	어시스트	경고	퇴장
23	1,984	-	4	5	2

DF 5 라미 벤세바이니 *Ramy Bensebaïni*

국적: 알제리

몽펠리에, 렌에서의 활약으로 묀헨글라트바흐에서 뛰게 된다. 게헤이루가 자유계약으로 떠나고, 자유계약으로 영입했다. 기본적으로 레프트백이지만 187cm, 82kg의 체구 덕에 센터백도 소화할 수 있다. 경합 능력, 스피드도 있으나 풀백으로서는 공격과 수비 모두 무난한 정도다. 그래도 지난 시즌, 샤힌 감독 하에서 풀백, 코바치 감독 하에서 왼쪽 윙백과 스토퍼 모두 일정 수준 소화하며 입지를 다시 찾았다.

출전경기	경기시간(분)	골	어시스트	경고	퇴장
31	2,026	1	6	6	-

DF 24 다니엘 스벤손 *Daniel Svensson*

국적: 스웨덴

지난 겨울 이적시장에서 영입한 레프트백. 덴마크의 노르셸란에서 빅리그, 빅클럽으로 갑자기 넘어왔으나 금방 제 기량을 발휘하며 팀의 희망으로 떠올랐다. 분데스리가에서 90분 평균 12.82km를 뛰며 리그 최상위권의 활동량을 기록했다. 단순히 위아래를 왕복하며 숫자싸움뿐 아니라, 공격력과 기술도 준수해 기존 측면 수비수들보다 나은 모습이다. 체격도 준수하고 윙백뿐 아니라 중앙 미드필더도 가능하다.

출전경기	경기시간(분)	골	어시스트	경고	퇴장
12	779	1	3	-	-

DF 25 니클라스 쥘레
Niklas Süle

국적: 독일

호펜하임 유스로 1군에서 활약하며 바이에른에 입단했다. 195cm, 99kg의 거구이면서 발도 빠르다. 킥, 발기술 등 공격력도 있어 라이트백도 가능. 다만 이런 스타일로 인해 몸에 무리가 가서 크고 작은 부상이 잦다. 십자인대 부상만 두 번. 가속, 민첩성, 방향 전환도 아쉽다. 체중 관리 논란이 있기도 했다. 꾸준함을 기대하기가 힘들다. 자유계약으로 넘어와서 주급도 높고 나이도 차고 있다.

출전경기	경기시간(분)	골	어시스트	경고	퇴장
15	1,059	-	-	1	-

MF 7 조브 벨링엄
Jobe Bellingham

국적: 잉글랜드

도르트문트에서 성장한 형 주드의 뒤를 잇게 됐다. 형의 그림자를 의식해 마킹에 이름만 적어 뒀고, 프랑크푸르트 구단 시설을 가족과 방문하기도 했다. 체격, 얼굴, 포지션까지 형과 많이 닮았다. 형과 마찬가지로 버밍엄 유스였다. 측면에 배치되던 시기도 있고, 공격형 미드필더와 중앙 미드필더는 물론 수비형 미드필더도 가능하다. 지난 시즌 챔피언십 올해의 팀, 올해의 영플레이어에 선정되기도 했다.

출전경기	경기시간(분)	골	어시스트	경고	퇴장
43	3,807	4	3	11	1

MF 8 펠릭스 은메차
Felix Nmecha

국적: 독일

친형 루카스와 함께 맨시티 유스로 볼프스부르크에서 가능성을 보였다. 주드 벨링엄이 떠나고 2023-24 시즌 꽤 거액으로 영입됐다. 첫 시즌은 부상, 부진으로 아쉬웠다. 지난 시즌 샤힌 감독 하에서는 낮은 위치에서 볼을 받아 턴하고 전진하며 좋은 모습을 보였다. 코바치 감독 하에서 좀 더 윗선에 배치돼서도 괜찮았다. 체격, 테크닉, 볼운반 등 팀에서 유니크한 스타일. 그러나 수비력, 부상이 아쉽다.

출전경기	경기시간(분)	골	어시스트	경고	퇴장
26	1,512	4	1	3	-

MF 10 율리안 브란트
Julian Brandt

국적: 독일

볼프스부르크 유스 출신으로 레버쿠젠을 거쳐 도르트문트에 입단했다. 공격형 미드필더지만 윙이나 조금 아래에서도 뛸 수 있다. 그만큼 활동량이 좋고 영리한 유형이다. 다만 천재로 꼽히던 것에 비해 개인 기량이 아쉬운 면도 있다. 테크닉, 패스, 슈팅 등이 시즌 단위로, 혹은 시즌 중에도 기복이 있다. 유로2024 명단 탈락 당시에는 논란이 될 정도로 폼이 좋았으나 지난 시즌은 부진, 기복을 보였다.

출전경기	경기시간(분)	골	어시스트	경고	퇴장
30	2,319	5	10	1	-

MF 13 파스칼 그로스
Pascal Groß

국적: 독일

호펜하임 유스 출신으로 카를스루어, 잉골슈타트를 거쳐 브라이턴에서 7시즌 간 활약했다. 공격형 미드필더, 윙, 중앙 미드필더, 라이트백 등 멀티플레이어다. 그만큼 영리하고 여러 기술을 갖추고 있다. 나이가 들어 운동능력이 떨어지고 3선으로 내려왔다. 그래도 지난 시즌 이 팀에서 활동량 1위였고 팀 사정에 따라 우풀백도 소화해냈다. 2023년 32세에 처음 A대표로 발탁돼 여전히 자리를 지키고 있다.

출전경기	경기시간(분)	골	어시스트	경고	퇴장
30	2,339	-	10	5	1

MF 20 마르첼 자비처
Marcel Sabitzer

국적: 오스트리아

아드미라, 라피트 빈, 잘츠부르크, 라이프치히, 바이에른을 거쳐 도르트문트에 입단했다. 공격형, 수비형은 물론 측면도 가능한 중앙 미드필더다. 활동량이 좋고 양발 슈팅과 킥이 강력하다. 다만 그 외 수비 공헌도, 빌드업, 테크닉, 내구성 등은 아쉽다. 지난 시즌 샤힌 감독의 측면 기용에, UCL 베스트 팀 선정 이력을 제시하며 3선 배치를 요구했으나, 결국 어느 포지션에서든 시즌 내내 부진했다.

출전경기	경기시간(분)	골	어시스트	경고	퇴장
26	1,616	1	-	3	-

MF 23 엠레 찬
Emre Can

국적: 독일

팀의 주장. 바이에른 유스 출신으로 레버쿠젠, 리버풀, 유벤투스를 거쳤다. 체격, 활동량, 운동능력, 킥력을 갖추고 있다. 다만 패스, 세밀함, 안정감, 빌드업 등에서 아쉽다. 기복, 서두르는 수비도 문제다. 중앙 미드필더, 수비형 미드필더지만 풀백, 센터백도 가능하다. 지난 시즌 전반기, 센터백에서는 부진했고 이재성을 막다가 레드카드도 받았다. 코바치 감독 부임 이후로는 센터백에서 무난했다.

출전경기	경기시간(분)	골	어시스트	경고	퇴장
31	2,102	3	-	4	1

FW 14 막시밀리안 바이어
Maximilian Beier

국적: 독일

호펜하임 유스 출신으로 연령별 팀에서부터 득점력이 강점이었다. 2023-24시즌 주전으로 리그 33경기 16골 1도움을 기록했다. 준수한 체격에 빠른 발과 공 없을 때 움직임, 마무리 능력이 강점이나 그 외에는 개선될 필요가 있다. 빠른 발로 좌우 윙포워드에 설 수도 있으나, 스피드를 활용하지 못하는 지공 상황이나 좁은 공간에서는 테크닉 부족이 문제된다. 원톱도 경합능력, 볼 간수 등에서 안전치 못하다.

출전경기	경기시간(분)	골	어시스트	경고	퇴장
29	1,592	8	5	2	-

FW 27 카림 아데예미
Karim Adeyemi

국적: 독일

잘츠부르크 출신. 스피드로 상대 뒷공간을 파거나 역습 시 볼 운반이 특기다. 바이어와 비슷한 스타일로 전 소속팀에서 투톱으로 활약이 좋았다. 다만 결정력 기복이 있다. 대신 스피드는 유럽 최고 수준이다. 수비 가담도 수준급이다. 2022-23시즌 영입되고 윙포워드로 주로 쓰였다. 다만 돌파하거나 안으로 들어와서 마무리하기에는 기량, 스타일에 문제가 있었다. 차라리 원톱이 나았다. 부상도 다소 있다.

출전경기	경기시간(분)	골	어시스트	경고	퇴장
25	1,441	7	6	4	-

SC 프라이부르크
SC Freiburg

TEAM PROFILE

창 립	1904년
회 장	에버하르트 푸크만(독일)
감 독	율리안 슈스터(독일)
연 고 지	프라이부르크 임브라이스가우
홈 구 장	유로파 파크 슈타디온(3만 4,700명)
라 이 벌	VfB 슈투트가르트
홈페이지	www.scfreiburg.com

최근 5시즌 성적

시즌	순위	승점
2020-2021	10위	45점(12승9무13패, 52득점 52실점)
2021-2022	6위	55점(15승10무9패, 58득점 46실점)
2022-2023	5위	59점(17승8무9패, 51득점 44실점)
2023-2024	10위	42점(11승9무14패, 45득점 58실점)
2024-2025	5위	55점(16승7무11패, 49득점 53실점)

BUNDESLIGA (전신 포함)

통 산	없음
24-25 시즌	5위(16승7무11패, 승점 55점)

DFB POKAL

통 산	없음
24-25 시즌	16강

UEFA

통 산	없음
24-25 시즌	없음

전력분석 풍요 속 빈곤?

2023-24시즌에 리그 10위, 포칼 32강, 유로파리그 16강 탈락에 그친 프라이부르크는 2024-25시즌에도 팀 형편상 큰 보강은 못 했고, 감독도 내부 승격을 택했다. 그럼에도 리그 5위. 뒷심 부족에 마지막 경기도 패하며 챔피언스리그 진출은 실패했다. 예상 밖 선전이었고 나름 보강도 했다. 180만 유로 적자로 이적료 수입 이상을 지출했다. 최전방, 2선 전체, 라이트백과 센터백을 보강해 선수층을 강화했다. 2선 과포화 문제도 정리했다. 팀 전체적으로 양은 충분하나 질이 관건이다. 지난 시즌 공격 포인트 2위였던 도안 리츠가 떠나, 우측면은 모두에게 기회가 있다. 2023-24시즌 하이덴하임에서 맹활약한 에렌 딩치가 오른쪽에서 기회를 얻고 있다. 하이덴하임의 돌풍 주역이었던 니클라스 베스테도 있지만 그 시절의 폼은 아니다. 꾸준한 에이스인 왼쪽의 빈첸초 그리포 외에는 누가 나와도 이상하지 않다. 영입생들은 검증할 시간이 필요하다. 톱 자리에 이고르 마타노비치가 영입됐으나, 기존 자원들보다 낫다는 장담은 어렵다. 일단 그가 앞선 추세지만 다른 선수들에게도 기회는 있다. 3선의 파트리크 오스터하게-막시밀리안 에게슈타인 라인은 상당히 단단하나 백업이 아쉽다. 불안 요소들이 리그 초반 2연패로 유로파리그 시작도 전에 드러나고 있어 고민이다.

전술분석 더 다양한 전술과 선수 활용 등 새로운 과제

율리안 슈스터 감독은 4-2-3-1을 선호하나 선수 성향이나 배치에 따라 4-4-1-1, 4-4-2로 약간의 변형을 준다. 2선도 겸하는 공격수들이 배치될 시에 그렇다. 2024-25시즌 끝에는 3-4-2-1, 3-4-1-2도 시험해봤다. 도안이 윙백으로, 그리포가 톱 아래 공격형 미드필더로 배치되고 여러 포지션이 가능한 수비수들을 활용했다. 비대칭 변형 포백으로 볼 수 있었다. 도안이 떠나고 스리백 카드를 다시 쓸지는 미지수. 최전방, 2선, 3선 자원들 모두 성실하게 전방 압박을 하거나 수비에 가담한다. 활동량이 좋다. 최전방 자원들은 체격이나 스피드를 갖추고 있으나 결정력이 문제다. 지난 시즌에는 좌우에서 그리포와 도안의 패스, 크로스를 잘 살리지 못했다. 올 시즌 우측에서 적임자를 못 찾으면 그리포 홀로 고전할 수 있다. 지난 시즌 팀 내 공격 포인트 1위 그리포와 2위 도안의 공격 포인트 차이는 근소했으나, 기회 창출은 그리포가 크게 앞섰다. 그래도 좌우 밸런스가 안 맞으면 상대의 그리포 견제가 편해질 수 있다. 또한 3선 자원들 중 전문적으로 포백을 보호하고 빌드업에 능한 자원이 없다. 이로 인해 대량 실점을 당하기도. 체력 관리, 약점 보완, 더 다양한 전술과 선수 활용이 과제다.

시즌 프리뷰 좋은 점만 계승하기를….

선수와 감독으로 33년 동안 프라이부르크와 함께한 크리스티안 슈트라이히 감독이 2023-24시즌을 끝으로 물러난 뒤, 첫 시즌은 일단 성공적이었다. 역시 팀과 오래 함께 한 슈스터 감독이 기대 이상으로 해줬다. 선수 시절 슈트라이히 감독에게 배운 것과 팀 문화가 조화를 이뤘다고 볼 수 있다. 슈트라이히 시절처럼 일정한 성적의 연속성을 기대할 수도 있겠다. 한편 챔피언스리그 문턱에서 좌절한 것도 슈트라이히 감독 시절을 연상케 한다. 경험 많은 슈트라이히 감독도 유로파리그 병행 시즌에는 고전했다. 2013-14 14위, 2017-18 15위, 2023-24 10위였다. 2022-23시즌만 5위에 올랐다. 좋은 성적을 거두면 주축 선수들을 뺏겼고 선수층, 보강 문제가 컸다. 그 후유증으로 2014-15시즌에는 강등까지 됐다. 다행히 바로 승격했고 클럽 재정 규모에 비해 꾸준히 괜찮은 성적을 내는 것은 수뇌부의 운영 능력 덕도 있다. 선수단의 질이 여전히 관건이다. 양적 팽창과 더불어 스쿼드는 젊어지고 있으나, 주축들은 나이 들고 있다. 도안 공백도 느끼고 있다. 슈스터 감독에게 유럽대항전 병행은 처음이다. 전임 감독의 장점과 단점을 비슷하게 계승한 것도 기대 반, 우려 반이다. 전술이나 선수 선발 등에서 완고한 면이 있다.

TEAM RATINGS

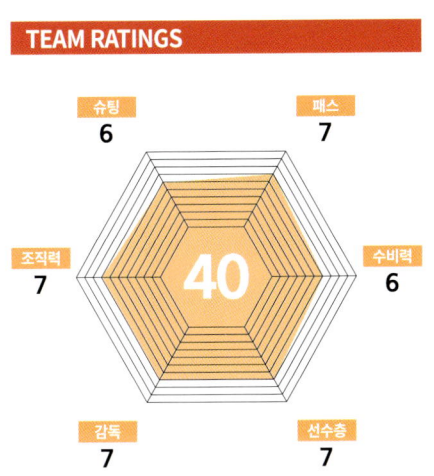

슈팅 6	패스 7
조직력 7	수비력 6
감독 7	선수층 7

40

2024/25 프로필

팀 득점	49
평균 볼 점유율	48.40%
패스 정확도	80.50%
게임 평균 슈팅 수	12
경고	52
퇴장	2

골 타입 (단위 %)
오픈 플레이	65
세트 피스	27
카운터 어택	2
패널티 킥	0
자책골	6

패스 타입 (단위 %)
쇼트 패스	85
롱 패스	11
크로스 패스	4
스루 패스	0

IN & OUT

주요 영입	주요 방출
안토니 융, 필리프 트로이, 데리 셰르한트, 스즈키 유이토, 시리아크 이리에, 이고르 마타노비치	로베르트 바그너, 메를린 뢸, 플로렌트 무슬리야(이상 임대), 케네스 슈미트, 킬리안 실디야, 도안 리츠, 미하엘 그레고리치

TEAM FORMATION

C+ FW — 31 마타노비치 (아다무)

B- MF — 32 그리포 (베스테) · 14 스즈키 (횔러) · 18 딩치 (이리에)

6 오스테르하게 (만잠비) · 8 에게슈타인 (회플러)

B- DF — 28 귄터 (마켄고) · 3 린하르트 (융) · 28 긴터 (로젠펠더) · 17 퀴블러 (트로이)

C+ GK — 1 아투볼루 (뮐러)

PLAN 4-2-3-1

지역 점유율

공격 진영	29%
중앙	43%
수비 진영	28%

공격 방향
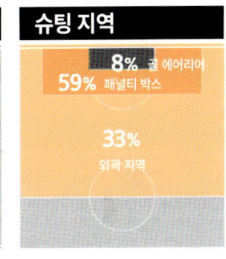
| 32% 왼쪽 | 29% 중앙 | 39% 오른쪽 |

슈팅 지역
8% 골 에어리어
59% 패널티 박스
33% 외곽 지역

상대팀 최근 6경기 전적

구분	승	무	패
FC 바이에른 뮌헨	1	1	4
바이엘 04 레버쿠젠	1	2	3
아인트라흐트 프랑크푸르트		3	3
보루시아 도르트문트			6
SC 프라이부르크			
FSV 마인츠 05	2	4	
RB 라이프치히		1	5
SV 베르더 브레멘	5		1
VfB 슈투트가르트	3		3
보루시아 묀헨글라드바흐	3	3	
VfL 볼프스부르크	4		2
아우크스부르크	4	1	1
FC 우니온 베를린	1	2	3
FC 장크트파울리	3	1	2
TSG 1899 호펜하임	4	2	
FC 하이덴하임	4	1	1
FC 쾰른	3	2	1
함부르크 sv	3	2	1

SQUAD

포지션	등번호	이름		생년월일	키(cm)	체중(kg)	국적
GK	1	노아 아투볼루	Noah Atubolu	2002.05.25	191	98	독일
	21	플로리안 뮐러	Florian Müller	1997.11.13	191	88	독일
DF	3	필리프 린하르트	Philipp Lienhart	1996.07.11	189	83	오스트리아
	5	안토니 융	Anthony Jung	1991.11.03	186	83	스페인
	17	루카스 퀴블러	Lukas Kübler	1992.08.30	182	78	독일
	28	마티아스 긴터	Matthias Ginter	1994.01.19	191	89	독일
	29	필리프 트로이	Philipp Treu	2000.12.03	173	72	독일
	30	크리스티안 귄터	Christian Günter	1993.02.28	185	83	독일
	33	조르디 마켄고	Jordy Makengo	2001.08.03	191	81	프랑스
	37	막스 로젠펠더	Max Rosenfelder	2003.02.10	186	76	독일
	43	브루노 오그부스	Bruno Ogbus	2005.12.17	185	86	스위스
MF	6	파트리크 오스테르하게	Patrick Osterhage	2000.02.01	186	80	독일
	8	막시밀리안 에게슈타인	Maximilian Eggestein	1996.12.08	181	82	독일
	11	다니엘코피 체레	Daniel-Kofi Kyereh	1996.03.08	179	79	가나
	14	스즈키 유이토	Yuito Suzuki	2001.10.25	175	71	일본
	19	얀니클라스 베스테	Jan-Niklas Beste	1990.04.01	175	66	독일
	27	니콜라스 호플러	Nicolas Höfler	1990.03.09	181	80	독일
	32	빈첸초 그리포	Vincenzo Grifo	1993.04.07	180	77	이탈리아
	44	요한 만잠비	Johan Manzambi	2005.10.14	183	79	스위스
FW	7	데리 셰르한트	Derry Scherhant	2002.11.10	186	82	독일
	9	루카스 횔러	Lucas Höler	1994.07.10	184	82	독일
	18	에렌 딩치	Eren Dinkçi	2001.12.13	188	80	튀르키예
	20	추쿠부이케 아다무	Chukwubuike Junior Adamu	2001.06.06	183	79	오스트리아
	22	시리아크 이리에	Cyriaque Irié	2005.06.20	186	87	코트디부아르
	31	이고르 마타노비치	Igor Matanović	2003.03.31	195	93	크로아티아

COACH

슈투트가르트 유스 출신으로 프로 데뷔도 했으나 1군 기회 부족으로 프라이부르크로 이적했다. 2008년부터 2018년까지 프라이부르크에서 활약했다. 좋은 체구의 수비형 미드필더, 센터백이었고 주장도 역임했다. 은퇴 직후부터 팀의 유소년 코디네이터, 보조 코치 등의 역할을 하며 감독직을 준비했다. 2022년 10월에는 슈트라이히 감독의 코로나 감염으로 인해 그를 대신해 유로파리그 낭트 전을 공동지휘 했다. 슈트라이히 감독처럼 팀과 인연이 깊다. 2025 독일 올해의 감독으로 선정됐다.

율리안 슈스터 *Julian Schuster*
1985년 4월 15일생 독일

PLAYERS

MF 32 빈첸초 그리포 *Vincenzo Grifo* — KEY PLAYER

국적: 이탈리아

독일 태생이고 독일에서 축구를 배웠지만 부모 모두 이탈리아인이고 독일 국적이 아니다. 카를스루어에서 데뷔해 호펜하임, 디나모 드레스덴, FSV 프랑크푸르트를 거쳤다. 2015-16시즌 2부에 있던 프라이부르크에 영입돼 승격을 이끌었다. 2017-18시즌 묀헨글라트바흐로 이적했으나 부진했고, 다음 시즌 호펜하임에서도 반년 만에 프라이부르크로 임대됐다. 2019-20시즌 프라이부르크가 재영입했다. 꾸준히 팀의 기둥 역할을 하고 있다. 왼쪽에서 안으로 들어와 오른발로 득점과 도움을 올린다. 돌파력, 스피드는 아쉽지만 테크닉, 패스, 킥력이 돋보인다. 수비 가담도 좋고 PK포함 세트피스 전담이다. 2022-23시즌 키커지 선정 올해의 팀에 뽑힌 바 있다.

출전경기	경기시간(분)	골	어시스트	경고	퇴장
34	2454	8	11	2	-

GK 1 노아 아투볼루 *Noah Atubolu*

국적: 독일

나이지리아 이중 국적으로 190cm에 96kg의 체격을 자랑한다. 프라이부르크 유스 출신. 2021년 프리츠 발터 메달 19세 이하 동메달 수상자다. 2023-24시즌부터 1군 주전으로 뛰고 있다. 2시즌 연속 리그 무실점 10회 기록을 갖고 있다. 팀 성적에 따라 실점수도 줄었다. 공중볼과 페널티킥 선방에 강하다. 선방 능력이 좋지만 기복, 안정감, 실책이 문제다. 활동 범위, 킥 등은 무난한 편이다.

출전경기	경기시간(분)	실점	무실점(경기)	경고	퇴장
26	2,308	37	10	2	-

GK 21 플로리안 뮐러 *Florian Müller*

국적: 독일

자르브뤼켄, 마인츠 유스 출신으로 마인츠에서 프로 데뷔도 했다. 2018-19시즌에는 로빈 첸트너를 넘어 주전 골키퍼로 자리 잡았다. 다음 시즌에는 다시 다소 밀렸고 2020-21시즌 프라이부르크로 임대된다. 선방쇼로 2021-22시즌 슈투트가르트로 이적했다. 아쉬운 모습에 2023-24시즌 프라이부르크로 이적했으나 계속 백업에 머물러 있다. 선방과 빌드업 기복, 실책 등 안정감이 문제다.

출전경기	경기시간(분)	실점	무실점(경기)	경고	퇴장
9	752	16	2	-	-

DF 3 필리프 린하르트 *Philipp Lienhart*

국적: 오스트리아

라피트 빈, 레알 마드리드 유스 출신으로 레알 1군 데뷔도 했으나 그 뿐이었다. 2017-18시즌 프라이부르크로 임대 후 다음 시즌 완전이적했다. 점차 주전으로 자리 잡으며 팀의 주축이 됐다. 그러나 부상이 꽤 있었다. 190cm에 달하는 체격으로 센터백이면서 수비형 미드필더도 가능하다. 세트피스에서도 위협적이다. 빠르지는 않고 커버에 주력하는 편이다. 패스나 발기술도 나쁘지 않다.

출전경기	경기시간(분)	골	어시스트	경고	퇴장
32	2,772	1	-	5	-

DF 17 루카스 퀴블러 *Lukas Kübler*

국적: 독일

기본적으로 라이트백이지만 오른쪽 윙백, 센터백, 레프트백도 볼 수 있다. 쾰른에서는 2군 자원이었다. 잔트하우젠에서 성장해 2015-16시즌 강등된 프라이부르크로 이적해왔다. 그 후로 부상이 없는 한 꾸준히 로테이션 멤버 이상으로 활동 중이다. 공수 모두 애매하고 공격포인트도 적었으나, 지난 시즌에는 지지난 시즌까지의 통산 분데스리가 득점과 동률에 지상과 공중 경합에서도 좋은 모습을 보였다.

출전경기	경기시간(분)	골	어시스트	경고	퇴장
28	1,849	5	1	5	-

DF 28 마티아스 긴터 *Matthias Ginter*

국적: 독일

프라이부르크 태생으로 프라이부르크 유스 출신이다. 어려서부터 기대를 받으며 1군에 데뷔했다. A대표 출전 기록도 꽤 된다. 도르트문트, 글라트바흐를 거쳐 2022-23시즌에 프라이부르크로 돌아왔다. 도르트문트에서는 수비력이 아쉬웠으나 이후로는 꾸준하다. 191cm, 89kg에 발기술과 킥, 패스, 영리한 플레이가 돋보인다. 풀백, 수비형 미드필더, 스리백 스토퍼도 가능하다. 스피드는 부족한 편.

출전경기	경기시간(분)	골	어시스트	경고	퇴장
32	2,560	2	1	5	-

DF 30 크리스티안 귄터 *Christian Günter*

국적: 독일

프라이부르크 유스 출신으로 원클럽맨이자 주장이다. 클럽의 최다 경기 출전 기록 보유자이기도 하다. 1군 두 번째 시즌인 2013-14시즌부터 주전으로 활약하며 공격 포인트도 꾸준히 올리고 있다. 부상이 컸던 2023-24시즌 외에는 리그 30경기 전후 소화 중. 좋은 체격에 공수 활동량과 수비력, 왼발 킥 등 고른 기량을 갖추고 있다. 윙백으로 전진 배치도 가능하다. A대표에 차출되기도 했다.

출전경기	경기시간(분)	골	어시스트	경고	퇴장
29	2,324	2	2	-	-

DF 37 막스 로젠펠더
Max Rosenfelder

국적: 독일

프라이부르크 유스 출신으로 2군을 거쳐 1군에서도 자리 잡았다. 2023-24시즌은 1군에 올라왔으나 부상이 문제였다. 지난 시즌부터 기회를 잡고 있다. 기본적으로 센터백이지만 라이트백도 소화할 수 있다. 안정감을 우선하는 감독 특성상 라이트백으로도 자주 기용된다. 186cm의 신장으로 공중볼 포함 전반적으로 수비력이 썩 좋지는 않다. 대신 공격 가담 시 드리블 등의 의외성이 있다.

출전경기	경기시간(분)	골	어시스트	경고	퇴장
25	1,245	1	-	2	-

MF 6 파트리크 오스테르하게
Patrick Osterhage

국적: 독일

브레멘, 도르트문트 유스를 거쳐 도르트문트 2군에서 프로 데뷔했다. 2021-22시즌 당시 승격팀 보훔으로 이적해 자리를 잡고 성장했다. 지난 시즌을 앞두고 바이아웃으로 프라이부르크에 영입됐다. 첫 시즌부터 주전으로 활약했다. 독일 연령별 대표를 지냈다. 포지션과 플레이스타일 면에서 여러모로 파트너 에게슈타인과 비슷하다. 투지가 돋보이지만 카드 관리나 세밀함 등에 주의할 필요가 있다.

출전경기	경기시간(분)	골	어시스트	경고	퇴장
30	2,275	1	-	4	1

MF 8 막시밀리안 에게슈타인
Maximilian Eggestein

국적: 독일

브레멘 유스 출신으로 2017-18시즌부터 주전이 됐다. 공격형 미드필더였으나 중앙 미드필더, 수비형 미드필더로 내려온 것이 주효했다. 활동량, 압박, 지상과 공중 경합이 돋보이는 유형이다. 2018-19시즌 리그 5득점 4도움을 올렸으나 대체로 공격포인트와는 거리가 멀다. 그래도 강력한 중거리 한 방이 있다. 미드필더로서 포백 보호, 세밀한 빌드업과 전개는 아쉽다. 형과 아버지는 공격수다.

출전경기	경기시간(분)	골	어시스트	경고	퇴장
33	2,855	2	-	4	-

MF 14 스즈키 유이토
Yuito Suzuki

국적: 일본

2020년 시미즈에 입단해 그 해 여름 데뷔했다. 2023년 1월 스트라스부르로 임대된다. 리그1에서 3경기 출전에 그치고 반년 만에 돌아왔으나 그 해 8월 브뢴비로 이적했다. J1리그 시절만 해도 공격 포인트가 많지 않았으나, 덴마크에서 달라진 모습을 보였다. 올 시즌 프라이부르크가 1,000만 유로에 300만 유로 보너스까지 들여 영입했다. 기본적으로 공격형 미드필더지만 톱이나 오른쪽 윙도 가능.

출전경기	경기시간(분)	골	어시스트	경고	퇴장
32	2,614	12	6	3	-

MF 19 얀니클라스 베스테
Jan-Niklas Beste

국적: 독일

도르트문트 유스로 1군 기회를 얻지 못하고 브레멘으로 이적했다. 브레멘에서도 2군이나 임대를 돌았다. 2부의 얀 레겐스부르크 임대로 가능성을 보였고, 2022-23시즌 하이덴하임에 입단한다. 팀의 1부 승격과 1부 첫 시즌 돌풍의 주축으로 활약을 이어갔다. 지난 시즌 벤피카에서는 부진했고 반 시즌 만에 프라이부르크로 이적했다. 주력, 왼발 킥이 돋보이지만 드리블이 좋지 못하다. 윙보다는 윙백이다.

출전경기	경기시간(분)	골	어시스트	경고	퇴장
12	204	-	1	-	-

FW 9 루카스 휠러
Lucas Höler

국적: 독일

최전방과 2선에서 다양한 포지션과 역할을 소화할 수 있는 공격 자원이다. 부상도 적은 편이며 매 시즌 꾸준한 출전시간과 공격 포인트를 기록하고 있다.

키가 큰 편은 아니나 잘 버텨주고 제공권에 강점이 있다. 전방 압박과 태클 등 활동량과 수비가담도 적극적이고 뛰어나다. 다만 결정력이 영 좋지 않다. 지난 시즌도 18개의 결정적 기회를 놓치는 기록을 세웠다. 보조 자원으로서는 쏠쏠하다.

출전경기	경기시간(분)	골	어시스트	경고	퇴장
31	1,870	6	4	3	-

FW 18 에렌 딩치
Eren Dinkçi

국적: 튀르키예

브레멘 유스 출신으로 2020-21시즌 중반 교체 투입되면서 데뷔전 결승골을 기록했다. 이후 팀은 강등되고 본인도 별다른 활약이 없다가 2023-24시즌 하이덴하임에서 오른쪽 공격수로 10골 6도움을 기록하며 주목받았다. 당시 리그 최고 속도 2위도 기록했다. 188cm 키에 빠른 스피드와 슈팅 마무리가 좋지만 볼 컨트롤이 아쉽다. 지난 시즌 프라이부르크에서 톱 아래로 뛰었으나 성적은 그리 좋지 못했다.

출전경기	경기시간(분)	골	어시스트	경고	퇴장
23	1,198	-	3	1	-

FW 20 추쿠부이케 아다무
Chukwubuike Junior Adamu

국적: 오스트리아

나이지리아에서 오스트리아로 이민을 왔다. 잘츠부르크, 리퍼링, 장크트갈렌을 거쳤다. 2020-21시즌 후반기 장크트갈렌 임대로 가능성을 보였고, 2021-22시즌부터 잘츠부르크 1군에서 자리를 잡았다. 2023-24시즌 프라이부르크로 영입됐다. 키가 큰 편은 아니지만 탄력이 좋아 제공권도 강점이다. 빠른 발을 살려 전방압박과 지상경합에도 능하다. 다만 테크닉, 결정력은 개선이 필요하다.

출전경기	경기시간(분)	골	어시스트	경고	퇴장
25	1,557	2	2	5	1

FW 31 이고르 마타노비치
Igor Matanović

국적: 크로아티아

부모가 크로아티아계로 독일에서 나고 자랐다. 연령별 대표로 두 국가에서 모두 출전했으나, A대표는 크로아티아를 택했다. 장크트파울리 유스 출신으로 프랑크푸르트에 영입된 후 재임대됐다. 2023-24시즌 2부의 카를스루어에서 맹활약하고, 지난 시즌 프랑크푸르트에 9번을 달고 복귀했으나 경쟁에서 밀렸다. 194cm에 90kg 체구로 공중볼에 강하고 수비가담과 슈팅도 적극적이다. 테크닉도 있다.

출전경기	경기시간(분)	골	어시스트	경고	퇴장
16	302	1	-	-	-

GERMANY BUNDESLIGA

SC FREIBURG

FSV 마인츠
1. FSV Mainz 05

TEAM PROFILE

창 립	1905년
회 장	슈테판 호프만(독일)
감 독	보 헨릭센(덴마크)
연 고 지	라인란트팔츠 마인츠
홈 구 장	메바 아레나(3만 3,305명)
라 이 벌	카이저슬라우테른, 프랑크푸르트
홈페이지	www.mainz05.de

최근 5시즌 성적

시즌	순위	승점
2020-2021	12위	39점(10승9무15패, 39득점 56실점)
2021-2022	8위	46점(13승7무14패, 50득점 45실점)
2022-2023	9위	46점(12승10무12패, 54득점 55실점)
2023-2024	13위	35점(7승14무13패, 39득점 51실점)
2024-2025	6위	52점(14승10무10패, 55득점 43실점)

BUNDESLIGA (전신 포함)

통 산	없음
24-25 시즌	6위(14승10무10패, 승점 52점)

DFB POKAL

통 산	없음
24-25 시즌	32강

UEFA

통 산	없음
24-25 시즌	없음

 전력분석 주포 이적과 선수층 고민

2023-24시즌 강등이 유력했던 마인츠는 유럽대항전 진출 팀으로 거듭났다. 뜻밖의 호성적이었다. 9년 만이다. 토마스 투헬 감독 시절의 5위, 마르틴 슈미트 감독 시절의 6위에 비견될 성과다. 다 함께 최선의 활약과 조화를 만들어냈다. 새 시즌에도 이러한 기세를 잇고 싶겠지만 상황이 녹록지는 않다. 주포 요나탄 부르카르트의 이적 공백이 크다. 기대에 비해 이적료 수익도 적었다. 베네딕트 홀러바흐가 영입됐으나, 원톱 스트라이커에 더 가까운 부르카르트와 달리, 투톱이나 윙포워드에 더 익숙한 선수다. 하지만 홀러바흐는 공격 지원이 부실하고 빈공에 시달리던 우니온 베를린에서도 기대 이상의 골을 넣어준 선수다. 부르카르트처럼 결정력도 좋다. 그나마 부르카르트 외에 전력 누수는 없었다는 점이 위안이다. 기존 주전 자원들을 지켰다. 역시 선수층이 문제다. 아쉬운 모습으로 떠난 홍현석의 자리는 가와사키 소타가 대신한다. 그렇다고 해도 강점인 허리가 유럽대항전을 병행할 두께는 아니다. 수비진의 질이 특히 문제다. 모리츠 옌츠가 임대에서 복귀했다. 새로 들어온 수비 자원들이 빅리그에서 어떨지는 의문이다. 지난 시즌 수비진은 뜻밖의 부활, 의외의 활용과 적응을 보여줬다.

 전술분석 일관성의 조건

보 헨릭센 감독은 3-4-2-1을 선호하며, 3-4-3이나 3-4-1-2같이 미세한 변화만 준다. 스쿼드 구성도 쓸만한 선수가 부족한 탓도 크다. 간간이 득점을 위해 톱을 하나 더 늘리는 정도다. 부르카르트나 홀러바흐 모두 전방 압박과 수비 가담에 적극적이다. 빠른 스피드로 상대 수비의 전진, 빌드업을 방해한다. 2024-25시즌에 새로 떠오른 파울 네벨, 사노 카이슈가 기대 이상의 활약을 했다. 압박과 볼 탈취, 빠른 전환과 마무리 과정, 결과가 모두 개선됐다. 기존의 나딤 아미리와 이재성까지. 좌우 윙백 역시 빠르게 뛰어다니며 공수 양면을 지원한다. 상하운동만이 아니라 안쪽으로 들어오기도. 양쪽 윙백 모두 양발 사용에 능해 이러한 전술에 이점이 있다. 다만 필리프 음베네는 기동력에 비해 수비, 빌드업 안정감과 세밀함 등이 아쉽다. 인버티드 윙백으로서 기복이 있다. 센터백으로는 수비형 미드필더 도미니크 코어, 오른쪽 윙백 다니 다 코스타가 내려왔다. 다 코스타는 체격과 운동능력, 윙백으로서 특성을 활용해 직접 전진하거나 롱패스를 넣기도. 이따금씩 템포 조절도 하지만 압박과 빠른 전개로 체력 소모가 크다. 바이에른도 잡고, 3위도 해봤으나 7경기 무승 등 뒷심이 떨어진 이유다.

2026 북중미 World Cup
FINAL GROUP

★★★ 2026 FIFA 월드컵 토너먼트 구조 ★★★

* 사상 최초 32강 토너먼트: 조별리그 1·2위(24팀) + 조 3위 중 상위 8팀 = 48개 팀 중 32팀이 진출
* 본선 진출의 마지막 관문, 총 6장의 티켓으로 결정: FIFA 인터컨티넨털 플레이오프 2장(비유럽 6개국이 단판 토너먼트, 3월 26일 준결승, 3월 31일 결승) + UEFA 플레이오프 4장(유럽 예선 진출에 실패한 상위권 팀들, Path A~D 4개 경로로 각 Path별 준결승(3월 26일) 결승 단판 토너먼트
* 조별리그 이후 모든 경기는 연장전·승부차기 포함 단판 토너먼트

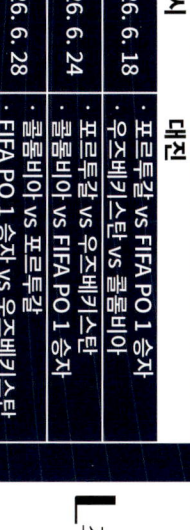

조별 편성 (Group Flags)

A조: 멕시코 · 대한민국 · 남아프리카공화국 · European PO B 승자
B조: 스위스 · 카타르 · 캐나다 · European PO A 승자
C조: 브라질 · 모로코 · 아이티 · European PO C 승자
D조: 미국 · 파라과이 · 오스트레일리아 · 스코틀랜드
E조: 독일 · 크로아티아 · 쿠라소 · European PO C 승자
F조: 네덜란드 · 일본 · 튀니지 · European PO B 승자
G조: 벨기에 · 이집트 · 이란 · 뉴질랜드
H조: 스페인 · 카보베르데 · 사우디아라비아 · 우루과이
I조: 프랑스 · 세네갈 · 노르웨이 · FIFA PO 2 승자
J조: 아르헨티나 · 알제리 · 요르단 · 우즈베키스탄
K조: 포르투갈 · 콜롬비아 · 잉글랜드 · FIFA PO 1 승자
L조: 크로아티아 · 가나 · 파나마 · 크로아티아

A조

일시	대진
2026. 6. 12	멕시코 vs 남아프리카공화국
2026. 6. 14	유럽 PO D 승자 vs 멕시코
2026. 6. 19	유럽 PO D 승자 vs 남아프리카공화국
2026. 6. 25	**대한민국 vs 남아프리카공화국**

B조

일시	대진
2026. 6. 13	캐나다 vs 유럽 PO A 승자
2026. 6. 14	스위스 vs 카타르
2026. 6. 19	미국 vs 스위스
2026. 6. 25	유럽 PO A 승자 vs 카타르

C조

일시	대진
2026. 6. 14	브라질 vs 모로코
2026. 6. 20	유럽 PO C 승자 vs 멕시코
2026. 6. 25	크로아티아 vs 모로코

D조

일시	대진
2026. 6. 14	미국 vs 호주
2026. 6. 20	유럽 PO C 승자 vs 파라과이
2026. 6. 26	파라과이 vs 미국

E조

일시	대진
2026. 6. 15	독일 vs 쿠라소
2026. 6. 21	크로아티아 vs 에콰도르
2026. 6. 26	에콰도르 vs 이집트

F조

일시	대진
2026. 6. 16	네덜란드 vs 유럽 PO B 승자
2026. 6. 21	튀니지 vs 네덜란드
2026. 6. 26	일본 vs 유럽 PO B 승자

G조

일시	대진
2026. 6. 16	벨기에 vs 이집트
2026. 6. 22	이란 vs 뉴질랜드
2026. 6. 26	뉴질랜드 vs 벨기에

H조

일시	대진
2026. 6. 16	스페인 vs 카보베르데
2026. 6. 22	사우디아라비아 vs 우루과이
2026. 6. 27	우루과이 vs 스페인

I조

일시	대진
2026. 6. 17	프랑스 vs 세네갈
2026. 6. 23	노르웨이 vs FIFA PO 2 승자
2026. 6. 27	FIFA PO 2 승자 vs 프랑스

J조

일시	대진
2026. 6. 17	알제리 vs 요르단
2026. 6. 23	우즈베키스탄 vs 아르헨티나
2026. 6. 28	요르단 vs 우즈베키스탄

K조

일시	대진
2026. 6. 18	포르투갈 vs FIFA PO 1 승자
2026. 6. 24	콜롬비아 vs 우즈베키스탄
2026. 6. 28	FIFA PO 1 승자 vs 콜롬비아

L조

일시	대진
2026. 6. 18	잉글랜드 vs 크로아티아
2026. 6. 24	가나 vs 파나마
2026. 6. 28	크로아티아 vs 가나

대박이 독이 될 수도

그간 마인츠는 극적으로 생존하든, 유럽대항전 진출권 근처까지 가보든 다소 운이 따랐다. 위기 상황에서 감독 교체로 급한 불을 끄고 각성효과를 노리는 경우도 잦았다. 2024-25시즌의 뒷심 부족에도 결국 운이 따랐다는 것을 부정할 수 없게 한다. 수비진의 경우 슈테판 벨은 갑자기 부상이 줄고 폼을 회복했고, 도미니크 코어는 센터백으로 내려와서 적응하고 트레이드 마크인 카드 수집도 어느새 확연히 줄어들었다. 기존 자원들을 쥐어짜 가며 수비진을 구성한 것도 결과적으로 나쁘진 않았으나, 최근 부쩍 성장한 로빈 첸트너가 골문을 든든하게 막아준 덕도 있었다. 그러나 운이 따른 시즌에도 보였던 리스크를 확실히 처리하지 않으면, 유럽대항전을 병행한 다른 중소클럽들처럼 될 우려가 있다. 물론 컨퍼런스리그는 난도가 낮은 대회다. 기둥뿌리를 뽑히고 강등당할 뻔했던 하이덴하임도 2024-25 전반기 리그 페이즈는 수월했다. 컨퍼런스리그에서 로테이션을 가동하기도 했다. 그들과 달리 마인츠는 부르카르트만 떠난 상황이다. 그렇다고 해도 선수층이나 리그 성적, 유럽대항전 병행 경험 부족 등을 고려하면 리그에서 위기가 안 오리라는 법이 없다. 헨릭센 감독도 미트윌란 시절의 유로파리그 외에 유럽대항전 병행 경험이 없다.

TEAM RATINGS

슈팅 **7**
패스 **7**
수비력 **7**
선수층 **7**
감독 **7**
조직력 **8**

43

2024/25 프로필

팀 득점	55
평균 볼 점유율	50.30%
패스 정확도	78.00%
게임 평균 슈팅 수	12.4
경고	66
퇴장	5

| 골
타
입		
오픈 플레이	64	
세트 피스	20	
카운터 어택	5	
패널티 킥	7	
자책골	4	단위 (%)

| 패
스
타
입		
쇼트 패스	82	
롱 패스	14	
크로스 패스	4	
스루 패스	0	단위 (%)

IN & OUT

주요 영입	주요 방출
가와사키 소타(임대), 콘스탄틴 쇼프, 케이시 보스, 윌리엄 보빙, 베네딕트 홀러바흐	모리츠 옌츠(임대 복귀), 홍현석(임대), 요나탄 부르카르트

TEAM FORMATION

FW **C+**
MF **B+**
DF **B-**
GK **B+**

PLAN **3-4-2-1**

지역 점유율

공격 진영 **30%**
중앙 **43%**
수비 진영 **28%**

공격 방향

33% 왼쪽
26% 중앙
41% 오른쪽

슈팅 지역

11% 골 에어리어
60% 패널티 박스
29% 외곽 지역

상대팀 최근 6경기 전적

구분	승	무	패
FC 바이에른 뮌헨	2		4
바이엘 04 레버쿠젠	1	1	4
아인트라흐트 프랑크푸르트	1	3	2
보루시아 도르트문트	2	2	2
SC 프라이부르크		4	2
FSV 마인츠 05			
RB 라이프치히	3	2	1
SV 베르더 브레멘	1	1	4
VfB 슈투트가르트	1	2	3
보루시아 묀헨글라드바흐	3	3	
VfL 볼프스부르크	1	2	3
아우크스부르크	4	1	1
FC 우니온 베를린		3	3
FC 장크트파울리	4	1	1
TSG 1899 호펜하임	3	1	2
FC 하이덴하임	1	1	2
FC 쾰른	1	4	1
함부르크 SV	3	3	

SQUAD

포지션	등번호	이름		생년월일	키(cm)	체중(kg)	국적
GK	1	라세 리스	Lasse Rieß	2001.07.27	192	90	독일
	27	로빈 첸트너	Robin Zentner	1994.10.28	194	96	독일
	33	다니엘 바츠	Daniel Batz	1991.01.12	191	87	독일
DF	2	필리프 음베네	Phillipp Mwene	1994.01.29	170	66	오스트리아
	5	막심 라이치	Maxim Leitsch	1998.05.18	188	75	독일
	16	슈테판 벨	Stefan Bell	1991.08.24	192	88	독일
	19	앙토니 카시	Anthony Caci	1997.07.01	184	76	프랑스
	21	다니 다 코스타	Danny da Costa	1993.07.13	187	87	독일
	23	콘스탄틴 쇼프	Konstantin Schopp	2005.12.30	195	90	오스트리아
	25	안드레아스 한케-올센	Andreas Hanche-Olsen	1997.01.17	185	79	노르웨이
	30	실반 비드머	Silvan Widmer	1993.03.05	183	77	스위스
	31	도미니크 코어	Dominik Kohr	1994.01.31	183	77	독일
MF	6	사노 카이슈	Kaishu Sano	2000.12.30	176	67	일본
	7	이재성	Jae-sung Lee	1992.08.10	180	70	대한민국
	8	파울 네벨	Paul Nebel	2002.10.10	169	66	독일
	9	아르노 노르당	Arnaud Nordin	1998.06.17	170	70	프랑스
	10	나딤 아미리	Nadiem Amiri	1996.10.27	180	75	독일
	24	가와사키 소타	Sota Kawasaki	2001.07.30	172	70	일본
	42	다니엘 글레이버	Daniel Gleiber	2005.02.01	181	78	독일
FW	11	아르민도 지브	Armindo Sieb	2003.02.17	175	75	독일
	17	베네딕트 홀러바흐	Benedict Hollerbach	2001.05.17	181	83	독일
	37	벤 보브시엔	Ben Bobzien	2003.04.29	176	70	독일
	44	넬슨 바이퍼	Nelson Weiper	2005.03.17	191	82	독일

COACH

선수 시절에는 여러 팀을 전전했고 인상적이지 않았으나 감독으로서는 상승세다. 현역 생활 마무리 후 자국 3부 리그 팀 브론쇼이를 맡아 2부로 올렸다. 2부 리그 팀 지위도 유지해냈다. 2부의 호르센스도 6년 간 맡고 강호 미트윌란에 부임됐다. 컵 우승에 리그 우승을 아쉽게 놓친 성적에도 경질됐다. 2022년 10월 FC취리히를 최하위에서 건져내고, 2024년 2월 상호합의로 계약 해지 후 마인츠에 중도 부임했다. 첫 시즌 강등이 유력한 상황에서 극적 잔류에 이어, 두 번째 시즌 컨퍼런스 리그 진출권을 따냈다.

보 헨릭센 *Bo Henriksen*
1975년 2월 7일생 덴마크

PLAYERS

MF	7	이재성
		Jae-sung Lee

KEY PLAYER

국적: 대한민국

2014년 전북에서 데뷔해 2015년 K리그 영 플레이어상, 2017년 K리그 MVP를 수상했다. 2018-19시즌 2부에 있던 홀슈타인 킬에 입단하며 다소 늦게 유럽무대를 밟았다. 가는 곳마다 주축으로 꾸준하게 활약 중이다. 2선 좌우, 중앙은 물론 3선이나 제로톱도 가능하다. 전방 압박, 수비 가담 등 전방위 활동량이 돋보인다. 지난 시즌 리그 전력 질주 10위, 고강도 러닝 5위. 그러면서도 공격 전개와 연계는 물론 마무리까지 놓치지 않는다. 침투와 위치 선정으로 헤더골도 잦다. 독일에서 적응하며 몸싸움도 좋아졌다. 간결하고 영리한 선수로 골 솜씨도 있다. 지난 시즌은 마인츠 입단 이래 가장 많은 출전시간과 공격 포인트를 기록한 시즌으로 앞으로의 활약이 기대된다.

출전경기	경기시간(분)	골	어시스트	경고	퇴장
33	2,665	7	6	4	-

GK	27	로빈 첸트너
		Robin Zentner

국적: 독일

마인츠 유스 출신으로 2015-16시즌부터 두 시즌 간 홀슈타인 킬 임대를 다녀온 것 외에는 마인츠에서만 뛰고 있다. 임대 복귀 이후부터 점점 출전시간을 늘렸고 결국 경쟁에서 승리해 2019-20시즌부터 주전으로 입지를 굳혔다. 실책, 부상 없이 선방과 안정감을 보여주고 있다. 195cm에 96kg으로 공중볼에 강하다. 지난 시즌 리그 선방 횟수 3위를 기록하며 리그 올해의 팀 자리도 차지했다.

출전경기	경기시간(분)	실점	무실점(경기)	경고	퇴장
32	2,880	41	9	3	-

DF	2	필리프 음베네
		Phillipp Mwene

국적: 오스트리아

슈투트가르트 유스로 2군에서만 뛰다가 2부 리그의 카이저슬라우테른에서 1군 데뷔했다. 이후 마인츠로 이적했으나 출전 기회를 얻지 못했고 부상까지 당했다. PSV로 이적했다가 2023-24시즌 재영입됐다. 지난 시즌은 주전으로 입지를 굳혔다. 공격 포인트도 늘었다. 오른발잡이지만 양발 사용에 능해 좌우풀백, 윙백 모두 가능하다. 작은 체구에도 저돌적인 편이어서 수비 시 카드를 수집하는 편.

출전경기	경기시간(분)	골	어시스트	경고	퇴장
32	2,620	1	4	7	-

DF	16	슈테판 벨
		Stefan Bell

국적: 독일

마인츠 유스 출신으로 2010-11시즌부터 2시즌 간 2부 팀들에 임대된 것 외에는 마인츠에서만 뛰었다. 2013-14시즌부터 주전으로 자리를 잡는다. 2017-18시즌에는 주장 완장을 달았다. 2019-20시즌에는 시작도 전에 시즌아웃이 됐고 주장직을 내려놨다. 큰 체구와 수비력이 강점이나 나이와 부상이 문제다. 그래도 지지난 시즌보다 출전시간이 2배로 늘었다. 패스와 발기술은 약점이다.

출전경기	경기시간(분)	골	어시스트	경고	퇴장
18	1,435	-	1	4	-

DF	19	앙토니 카시
		Anthony Caci

국적: 프랑스

스트라스부르 유스 출신으로 1군 주전 레프트백으로 활약했다. 센터백, 왼쪽 윙백, 오른쪽 윙백, 라이트백도 소화했다. 2022-23시즌 마인츠에 입단해 매 시즌 리그 31경기 이상 뛰고 있다. 마인츠에서는 오른쪽 윙백에서 가장 많이 뛰었고 생산성도 제일 좋았다. 185cm에 양발잡이로 공수에서 다재다능하다. 지난 시즌 리그 크로스 횟수 5위, 수비수 중 도움 2위. 다만 카드 수집이 문제이다.

출전경기	경기시간(분)	골	어시스트	경고	퇴장
33	2,706	1	7	6	-

DF	21	다니 다코스타
		Danny da Costa

국적: 독일

레버쿠젠 유스 출신으로 2011-12시즌 프로 데뷔했으나 1군에서 자리 잡지는 못했다. 잉골슈타트, 레버쿠젠, 프랑크푸르트를 거쳐 2022-23시즌부터 마인츠에서 뛰고 있다. 2020-21시즌에 반 시즌 임대를 온 바도 있다. 대체로 주전급으로 뛴 시즌이 적다. 체격과 운동능력 외에는 아쉽다. 시즌 별 기복도 크다. 오른쪽 윙백, 라이트백이었으나 지난 시즌에는 센터백 주전급으로 자리를 잡았다.

출전경기	경기시간(분)	골	어시스트	경고	퇴장
25	2,011	-	1	-	-

DF	25	안드레아스 한케-올센
		Andreas Hanche-Olsen

국적: 노르웨이

자국의 스타베크 유스로 프로 데뷔하고 2020-21시즌 헨트로 이적했다. 주전으로 활약하고 2022-23시즌 도중 마인츠에 입단했다. 첫 시즌에는 좋았으나 이후 부상, 출전정지가 꽤 있었다. 두 시즌 연속 경고누적, 결장 이후 지난 시즌에는 첫 퇴장을 당했다. 185cm에 운동능력이 좋아 지상, 공중 경합에 강점이 있다. 좌우 측면 수비도 볼 수 있다. 그러나 지난 시즌에 전체적 폼은 좋지 못했다.

출전경기	경기시간(분)	골	어시스트	경고	퇴장
22	1,279	1	1	2	1

DF 30 실반 비드머
Silvan Widmer

국적: 스위스

공격력 있는 오른쪽 풀백, 윙백. 스위스 아라우 태생으로 2부에 있던 고향팀에서 데뷔하고 활약했다. 이후 2013-14시즌부터 다섯 시즌 동안 우디네세에서 주전급으로 이름을 날렸다. 2018-19시즌 자국 강호 바젤로 이적해서도 명성을 이어갔다. 2021-22시즌 마인츠에 입단하고 첫 시즌은 출전시간, 골과 도움 모두 훌륭했다. 이후로는 부상, 하락세가 겹치고 있다. 2022-23시즌부터 주장이다.

출전경기	경기시간(분)	골	어시스트	경고	퇴장
27	488	-	1	3	-

DF 31 도미니크 코어
Dominik Kohr

국적: 독일

레버쿠젠 유스 출신으로 아우크스부르크, 레버쿠젠, 프랑크푸르트를 거쳐 2022-23시즌 마인츠에 입단한다. 2020-21시즌 이미 반 시즌 동안 임대로 머무르기도 했다. 거칠고 궂은 일을 하는 수비형 미드필더였으나 지지난 시즌부터 본격 3백 스토퍼로 자리를 잡았다. 포지션 탓인지 2023-24리그 최다 경고, 카드 수집에 파울 횟수 9위. 지난 시즌도 경고 공동 1위, 카드 획득 1위, 파울 공동 8위였다.

출전경기	경기시간(분)	골	어시스트	경고	퇴장
28	2,306	2		11	1

MF 6 사노 카이슈
Kaishu Sano

국적: 일본

마치다, 가시마를 거쳐 2024년 여름 마인츠에 입단했다. 이적 확정 직후 불미스러운 혐의가 있었으나 불기소됐다. 그 탓인지 전반기 폼은 다소 좋지 못했다. 크지 않은 체구지만 체력, 활동량, 운동능력이 뛰어나다. 지난 시즌 리그 경합 승리 4위, 고강도 러닝 4위, 뛴 거리 1위였다. 볼 탈취 후 전개나 연계, 볼운반 능력도 인정을 받고 있다. 일본의 칸테로 불린다. 과거에는 우측 풀백으로 뛰기도 했다.

출전경기	경기시간(분)	골	어시스트	경고	퇴장
34	3,044	-		3	-

MF 8 파울 네벨
Paul Nebel

국적: 독일

마인츠 유스로 2020-21시즌 1군에 데뷔했다. 2군에서 활동하다가 2022-23시즌부터 두 시즌 동안 2부의 카를스루어 임대를 다녀왔다. 2023-24시즌 팀 내 최다 도움 기록에 공격 포인트 도합 3위였다. 지난 시즌 1부에서 바로 팀 내 공격 포인트 2위를 달성했다. 리그 크로스 시도 8위, 고강도 러닝 1위 등 저력을 발휘했다. 작은 체구에도 수비 가담에 적극적이고 결과물도 종종 얻어낸다.

출전경기	경기시간(분)	골	어시스트	경고	퇴장
31	2,349	10	4	3	1

MF 10 나딤 아미리
Nadiem Amiri

국적: 독일

호펜하임 유스 출신으로 레버쿠젠, 제노아를 거쳐 2023-24시즌 도중 마인츠로 이적했다. 마인츠에서는 고정된 포지션, 출전시간, 폼 등 전성기를 보내고 있다. 2025년 3월에는 2019년 10월 이후 처음 A대표에도 차출됐다. 중앙 미드필더로 활동량, 킥, 패스, 드리블, 프리킥 득점 등 다재다능하다. 지난 시즌 팀 내 최다 도움 기록. 올 시즌에는 등번호도 18번에서 10번으로 바뀌어 기대를 모으고 있다.

출전경기	경기시간(분)	골	어시스트	경고	퇴장
30	2,485	7	5	7	2

MF 24 가와사키 소타
Sota Kawasaki

국적: 일본

방포레 고후, 교토상가 유스 출신으로 교토에서 2020시즌 중반 데뷔해 이후 계속 주전으로 나섰다. 2021시즌에는 팀의 1부 승격에 이바지했다. 활약을 이어가며 2023년부터는 7번, 주장이 됐다. 2025년 여름 마인츠로 임대된다. 완전이적 옵션 포함이다. 체격, 포지션, 스타일, 나이 등 여러모로 같은 팀의 사노와 비슷하다. 중앙 미드필더, 수비형 미드필더로 볼 탈취에 능하다. 공격 가담도 적극적이다.

출전경기	경기시간(분)	골	어시스트	경고	퇴장
23	1,794	4	1	1	-

FW 11 아르민도 지브
Armindo Sieb

국적: 독일

라이프치히와 호펜하임 유스, 바이에른 유스와 2군을 거쳐 2020-21시즌 바이에른 1군에 데뷔했다. 2022-23시즌 2부의 그로이터 퓌르트로 이적하고, 2023-24시즌의 활약에 바이에른이 바이백 조항을 발동했다. 지난 시즌부터 마인츠로 2년 임대된 상태다. 주로 톱 아래에서 뛰며 측면까지 공격 전 포지션을 소화할 수 있다. 양발잡이이기도 하다. 전체적인 기량은 아직 더 올라올 필요가 있다.

출전경기	경기시간(분)	골	어시스트	경고	퇴장
27	754	2	2	2	-

FW 17 베네딕트 홀러바흐
Benedict Hollerbach

국적: 독일

바이에른, 슈투트가르트 유스 출신으로 2020-21시즌 3부 리그에서 프로로 데뷔했다. 2022-23시즌을 활약으로 2023-24시즌에 우니온 베를린으로 이적했다. 첫 시즌은 아쉬웠으나, 지난 시즌 빈공의 팀에서 해결사로 분투하며 부르카르트의 자리를 대신하게 됐다. 지난 시즌 리그 경합 승리 7위, 고강도 러닝 7위, 전력질주 6위. 양발, 적극성, 한 방에 비해 헤더, 제공권, 세밀함은 부족하다는 평가다.

출전경기	경기시간(분)	골	어시스트	경고	퇴장
34	2,554	9	-	3	-

FW 44 넬슨 바이퍼
Nelson Weiper

국적: 독일

마인츠 유스 출신으로 2022-23시즌 1군 무대에 데뷔했다. 적은 출전시간에도 리그 2득점을 올렸다. 2023-24시즌에는 출전시간도 짧고 공격포인트도 없었다. 지난 시즌에는 출전시간, 공격 포인트 모두 늘며 가능성을 보였다. 192cm의 장신 스트라이커. 체격, 제공권, 테크닉, 결정력으로 연령별 대표 무대에서는 강력했다. 이제 프로 1군 무대에서 더 보여줘야 한다. 직접 프리킥 능력도 있다.

출전경기	경기시간(분)	골	어시스트	경고	퇴장
23	701	3	2	2	-

GERMANY BUNDESLIGA

1. FSV MAINZ 05

RB 라이프치히
RB Leipzig

TEAM PROFILE

창 립	2009년
회 장	올리버 민츨라프(독일)
감 독	올레 베르너(독일)
연 고 지	작센주 라이프치히
홈 구 장	레드불 아레나(4만 7,800명)
라 이 벌	FC 로코모티베 라이프치히
홈페이지	www.rbleipzig.com/en

최근 5시즌 성적

시즌	순위	승점
2020-2021	2위	65점(19승8무7패, 60득점 32실점)
2021-2022	4위	58점(17승7무10패, 72득점 37실점)
2022-2023	3위	66점(20승6무8패, 64득점 41실점)
2023-2024	4위	65점(19승8무7패, 77득점 39실점)
2024-2025	7위	51점(13승12무9패, 53득점 48실점)

BUNDESLIGA (전신 포함)

통 산	없음
24-25 시즌	7위(13승12무9패, 승점 51점)

DFB POKAL

통 산	우승 2회
24-25 시즌	4강

UEFA

통 산	없음
24-25 시즌	없음

전력분석 최악의 시즌 이후 과감한 출발

분데스리가 승격 이래 꾸준히 성장하며 일정한 성적을 내왔던 라이프치히가 최악의 늪에 빠졌다. 2017-18시즌 6위보다 더 떨어진 리그 7위에 무관으로 시즌을 마쳤다. 챔피언스리그에서는 1승 7패, 5득점 27실점으로 굴욕적 리그 페이즈 탈락. 1부 승격하고 매 시즌 유럽대항전에 진출했고, 2018-19시즌 유로파리그 외에는 모두 챔피언스리그에 나갔던 팀이다. 이제는 유럽대항전도 없는 시즌을 맞게 됐다. 임시 감독으로 지난 시즌을 마무리하고, 베르더 브레멘에서 꾸준하게 기대 이상의 성적을 내온 올레 베르너 감독이 부임했다. 주축 공격수 벤야민 셰슈코와 로이스 오펜다, 에이스 사비 시몬스는 떠났다. 높은 에너지 레벨을 보이며 주 공격수들의 생산력을 지원해온 만큼 우려가 있다. 검증되지 않은 영입생들과 기존 자원들로 이 상황을 헤쳐나가야 한다. 비대한 스쿼드도 잉여 자원들도 정리가 되다 말았다. 한편, 오펜다, 시몬스는 팀 분위기를 해치는 언행을 했다. 지난 시즌 주 공격자원들도 부진했다. 라이프치히의 성장에 젊고 굶주린 선수들의 열정과 에너지가 크게 기여했던 전통을 고려하면, 새 얼굴들을 통한 분위기 일신을 기대할 수 있다. 이들 역시 국내외 경쟁 클럽들을 제치고 데려온 자원들이다. 그들이 빠르게 더 큰 리그, 팀에서 기량을 보여주느냐가 올 시즌의 관건이다.

전술분석 더 젊고 화끈하게

베르너 감독은 브레멘에서는 3-5-2를 선호했으나 라이프치히에서는 팀에 맞게 공격적 4-3-3을 쓰고 있다. 물론 전임 감독들도 스리백과 포백, 스리톱과 투톱 등을 혼용했고 현재 스쿼드도 그러한 구성을 갖추고 있다. 높은 수비라인, 발 빠른 수비진, 활동량이 좋은 중원과 풀백 등이 그러하다. 일단 스리톱은 빠른 선수들로 구성, 전방 압박과 공수 전환, 역습에서 속도감을 살린다. 새로운 톱 자원들은 오펜다 만큼 빠르지는 않아도 스피드와 전방 압박, 적극성이 준수한 자원이다. 측면 자원들의 수비 가담도 요구된다. 프리시즌과 시즌 초반에는 아직 전 시즌의 단점을 벗지 못했다. 중원에서 전문적 포지셔닝으로 포백을 보호하고 전개하거나, 직접 볼 운반에 능한 자원이 마땅찮다. 전방에서 득점, 도움, 드리블 등 플레이메이커도 마찬가지다. 운동능력, 체격, 활동량 위주의 구성이라 세밀함이 아쉽고 불안한 상황이 나올 수 있다. 물론 이들의 커버링이 있어 전방 자원들과 좌우 풀백들이 높게 전진할 수 있다. 한편 이러한 좌우 풀백의 높은 전진 시 뒷공간 리스크는 분명하다. 팀 전체의 활동량과 스피드는 좋다. 공수 밸런스, 역압박, 포지셔닝 등 새 얼굴들의 조직력 구축이 과제다.

기로에 선 운영 모델

유럽대항전 유무 차이는 있지만 도르트문트와 비슷한 어려움에 처한 라이프치히다. 유망주 영입에 투자하고, 그들을 키워내 큰 이적료에 판매한다. 그러면서 리그와 챔피언스리그에서 일정한 성적을 낸다. 성적에 따른 수입과 이적료 수익으로 팀을 운영하며, 재정 균형과 팀 레벨 유지의 두 마리 토끼를 잡는 선순환 구조를 추구한다. 현재로서는 성적, 전력, 재정 모두 균형이 깨진 상태다. 주축 자원의 이탈, 확실치 않은 유망주들로의 대체, 잉여 자원 매각으로 스쿼드 비용 절감 계획의 차질 등 총체적 난국이다. 약점 보강도 이루지 못했다. 챔피언스리그에 나가는 시즌에도 이적료 수입과 지출의 균형을 맞춰왔는데, 올 시즌은 유럽대항전 자체를 못 나가 더욱더 선수 매각 이적료가 필요했다. 팀과 개인 성적 부진으로 인해 핵심 공격 트리오조차도 원하던 수준의 이적료를 얻지 못했다. 셰슈코를 통한 수입은 그래도 괜찮았으나, 시몬스, 오펜다는 기대치와 들인 비용에 비해 타산이 맞지 않았다. 시몬스의 경우 짧은 3년 계약으로 패착도 드러냈다. 여러모로 계획대로 풀리지 않고 꼬였다. 베르너 감독도 젊고 재능 있지만 큰 클럽은 처음이다. 그야말로 운영 모델을 돌아봐야 할 위기다. 그나마 리그에만 집중할 수 있어 체력, 부상 관리가 수월하긴 하다.

IN & OUT

주요 영입	주요 방출
막스 핑크그레페, 에제키엘 반주지, 안드리야 막시모비치, 얀 디오망데, 요한 바카요코, 호물루, 콘라드 하더	뤼츠하럴 헤이르트라위다, 아르투르 베르미렌, 로이스 오펜다(이상 임대), 야니스 블라스비히, 일라익스 모리바, 사비 시몬스, 유수프 폴센, 벤야민 셰슈코

TEAM FORMATION

FW **B**
누사 (디오망데) / 하더 (호물루) / 바카요코 (디오망데)

MF **B⁻**
바움가르트너 (막시모비치)
자이발트 (반주지) / 슐라거 (아이다라)

DF **B⁺**
라움 (핑크그레페) / 뤼케바 (비치아부) / 오르반 (클로스터만) / 바쿠 (네델코비치)

GK **B⁺**
굴라치 (클로스터만)

PLAN **4-2-1-3**

TEAM RATINGS

슈팅 7 · 패스 7 · 조직력 7 · 수비력 7 · 감독 8 · 선수층 8

44

2024/25 프로필

팀 득점	53
평균 볼 점유율	52.20%
패스 정확도	82.90%
게임 평균 슈팅 수	12
경고	65
퇴장	5

골 타입
	(%)
오픈 플레이	62
세트 피스	15
카운터 어택	13
패널티 킥	6
자책골	4

패스 타입
	(%)
쇼트 패스	88
롱 패스	8
크로스 패스	3
스루 패스	0

지역 점유율
공격 진영	27%
중앙	45%
수비 진영	27%

공격 방향
왼쪽 39% · 중앙 28% · 오른쪽 33%

슈팅 지역
10% 골 에어리어 · 56% 패널티 박스 · 34% 외곽 지역

상대팀 최근 6경기 전적

구분	승	무	패
FC 바이에른 뮌헨	2	2	2
바이엘 04 레버쿠젠	2	1	3
아인트라흐트 프랑크푸르트	3	1	2
보루시아 도르트문트	4		2
SC 프라이부르크	5	1	
FSV 마인츠 05	1	2	3
RB 라이프치히			
SV 베르더 브레멘	3	3	
VfB 슈투트가르트	2		4
보루시아 묀헨글라드바흐	3	1	2
VfL 볼프스부르크	3		3
아우크스부르크	3	3	
FC 우니온 베를린	2	2	2
FC 장크트파울리	2	1	3
TSG 1899 호펜하임	4	1	1
FC 하이덴하임	4	2	
FC 쾰른	3	3	
함부르크 SV	4	1	1

SQUAD

포지션	등번호	이름		생년월일	키(cm)	체중(kg)	국적
GK	1	페테르 굴라치	Péter Gulácsi	1990.05.06	193	86	헝가리
	25	레오폴트 칭게를레	Leopold Zingerle	1994.04.10	182	76	독일
	26	마르텐 반데부르트	Maarten Vandevoordt	2002.02.26	192	81	벨기에
DF	4	빌리 오르반	Willi Orbán	1992.11.03	186	89	헝가리
	5	엘 샤데유 비치아부	El Chadaille Bitshiabu	2005.05.16	196	95	프랑스
	17	리들 바쿠	Ridle Baku	1998.04.08	176	79	독일
	19	코스타 네델코비치	Kosta Nedeljković	2005.12.16	184	72	세르비아
	22	다비트 라움	David Raum	1998.04.22	181	83	독일
	23	카스텔로 뤼케바	Castello Lukeba	2002.12.17	183	84	프랑스
	35	막스 핑크그레페	Max Finkgräfe	2004.03.27	183	60	독일
MF	6	에제키엘 반주지	Ezechiel Banzuzi	2005.02.16	191	80	네덜란드
	7	안토니오 누사	Antonio Nusa	2005.04.17	183	77	노르웨이
	8	아마두 하이다라	Amadou Haidara	1998.01.31	178	75	말리
	13	니콜라스 자이발트	Nicolas Seiwald	2001.05.04	180	80	오스트리아
	14	크리스토프 바움가르트너	Christoph Baumgartner	1999.08.01	180	77	오스트리아
	20	아산 웨드라오고	Assan Ouédraogo	2006.05.09	191	89	독일
	24	크사버 슐라거	Xaver Schlager	1997.09.28	174	78	오스트리아
	33	안드리야 막시모비치	Andrija Maksimovic	2007.06.05	182	70	세르비아
FW	9	요한 바카요코	Johan Bakayoko	2003.04.20	179	76	벨기에
	11	콘라드 하더	Conrad Harder	2005.04.07	185	71	덴마크
	40	호물루 카르도주	Rômulo Cardoso	2002.02.08	193	79	브라질
	49	얀 디오망데	Yan Diomande	2006.11.14	181	76	코트디부아르

GERMANY BUNDESLIGA · RB LEIPZIG

COACH

올레 베르너 *Ole Werner*
1988년 5월 4일생 독일

홀슈타인 킬 유스 출신으로 선수 생활도 킬에서 했다. 현역 은퇴 후 킬의 유스 팀 코치가 됐다. 킬 1군을 거쳐 두 차례 1군 임시 감독직을 맡은 이후 2019년 정식 감독으로 선임됐다. 이재성과 함께 승격은 아쉽게 못했으나 바이에른을 꺾고 포칼 4강에 오르기도 했다. 2021년 9월 성적 부진으로 사임하고 그 해 11월 브레멘 감독이 됐다. 당시 2부 10위였던 팀을 2위로 승격시켰다. 1부에 올라와서도 꾸준히 성적을 냈으나, 지난 시즌 종료 후 라이프치히가 이적료를 지불하고 새 감독으로 선임했다.

PLAYERS

DF 4 빌리 오르반 *Willi Orbán*

국적: 헝가리

카이저슬라우테른 태생으로 4살 때 고향팀 FC 카이저슬라우테른 유스팀에 입단했다. 연령별 팀을 거쳐 2011-12시즌 1군 데뷔했다. 이 시즌 팀은 2부로 강등당했다. 2013-14시즌부터 주전으로 자리 잡았다. 2015-16시즌 라이프치히에 입단해 그 때부터 지금까지 부상이 없는 한 수비의 리더로 활약했다. 입단 첫 시즌부터 팀의 1부 승격을 함께하기도. 186cm로 센터백 치고 큰 키는 아니지만 지난 시즌 리그 공중볼 경합 승리 4위였다. 후방 빌드업도 담당한다. 독일, 폴란드 국적도 있다. 연령별 대표는 독일이었다. 전 시즌 맡았던 주장직은 내려놨다. 그와 별개로 주전이자 베테랑으로서 후방에서 중심을 잡아줄 필요성이 더 커졌다.

출전경기	경기시간(분)	골	어시스트	경고	퇴장
25	2,224	5	-	4	2

GK 1 페테르 굴라치 *Péter Gulácsi*

국적: 헝가리

헝가리와 라이프치히 골문의 터줏대감이다. 2025년 5월 대표팀은 은퇴했다. 라이프치히에서는 큰 부상이 아니면 주전이다. 리버풀 소속으로 임대를 전전하며 잘츠부르크로 갔다가 라이프치히로 넘어왔다. 193cm에 86kg의 체구에 반사신경, 안정감, 스위핑, 롱킥 등 다재다능하다. 다만 크고 작은 부상과 나이가 겹치며 주장 자리도 넘기고 다소 하락세. 그럼에도 지난 시즌 리그 선방 개수 1위였다.

출전경기	경기시간(분)	실점	무실점(경기)	경고	퇴장
30	2,632	39	14	-	-

GK 26 마르턴 판데보르트 *Maarten Vandevoordt*

국적: 벨기에

192cm에 81kg의 체격을 자랑하는 유망주다. 신트트라위던, 헹크 유스를 거쳤고 2019-20시즌 헹크에서 프로 데뷔를 치렀다. 당시 17세로, 이 시즌 최연소 UCL 데뷔 골키퍼 기록도 세웠다. 2022년 4월 라이프치히가 미리 영입했고, 지난 시즌 합류했다. 벨기에 연령별 대표를 거쳐 A대표로 뽑히기도 했다. 다만 최근 성장세는 주춤해 차세대 경쟁에서는 밀렸다. 컵대회 선발 세컨드 골키퍼.

출전경기	경기시간(분)	실점	무실점(경기)	경고	퇴장
6	428	9	2	-	-

DF 5 엘 샤데유 비치아부 *El Chadaille Bitshiabu*

국적: 프랑스

PSG 유스 출신으로 2021-22시즌 데뷔하고, 2022-23시즌 나름대로 1군에서 기회를 얻었다. 2023-24시즌 영입돼 첫 시즌은 부상으로 인해 극히 적은 시간만 뛰었으나, 지난 시즌에는 달라졌다. 196cm, 95kg이면서 발도 빠르다. 기본적으로 센터백이지만 레프트백도 볼 수 있다. 빌드업이 되는 왼발잡이라는 점도 희소성이 있다. 다만 아직 경합 등 전체적 기량이 더 발전해야 하는 과제를 안고 있다.

출전경기	경기시간(분)	골	어시스트	경고	퇴장
21	1,129	-	-	2	1

DF 17 리들레 바쿠 *Ridle Baku*

국적: 독일

마인츠 유스로 2017-18시즌 1군 리그 데뷔전도 치른다. 마인츠에서는 중앙 미드필더로 주로 쓰였다. 2019-20시즌 말부터 라이트백으로 옮기며 가능성을 보였다. 2020-21시즌 볼프스부르크로 옮기자마자 득점과 도움이 폭발했다. 다소 기복도 있었지만 공격력, 스피드, 활동량, 체력 등의 강점이 확실하다. 지난 시즌 도중 라이프치히에 입단했다. 지난 시즌 리그 전력질주 1위, 고강도 러닝 9위.

출전경기	경기시간(분)	골	어시스트	경고	퇴장
19	1,280	2	3	1	-

DF 22 다비트 라움 *David Raum*

국적: 독일

그로이터 퓌르트 유스 출신으로 2020-21시즌 13도움으로 2부 도움왕에 등극했다. 2021-22 시즌 호펜하임에서는 3득점 11도움 작성. 라이프치히에서 2022-23시즌에는 부진했지만 이후로는 살아났다. 독일 대표팀에서도 주전이 됐고, 올 시즌부터 라이프치히의 주장이다. 빠른 발과 왼발이 매섭지만 전진으로 인한 뒷공간과 수비력이 문제다. 리그 세 시즌 연속 경고 5회 이상을 수집했다.

출전경기	경기시간(분)	골	어시스트	경고	퇴장
23	1,790	1	5	5	-

DF 23 카스텔로 루케바 *Castello Lukeba*

국적: 프랑스

리옹 유스 출신으로 2군을 거쳐 1군 주전으로 자리 잡았다. 2023-24시즌 그바르디올을 떠나 보낸 라이프치히가 3,500만 유로를 들여 영입했다. 2025년부터 바이아웃 조항이 있다. 첫 해 9,000만 유로로 시작해 해마다 낮아진다. 183cm로 센터백으로서는 제공권이 아쉽다. 몸으로 밀고 들어오는 상대에 약하다. 그럼에도 영리하고 깔끔한 수비, 왼발 패스, 킥, 빌드업과 테크닉, 스피드가 돋보인다.

출전경기	경기시간(분)	골	어시스트	경고	퇴장
23	1,577	-	-	2	-

MF	6	에제키엘 반주지

Ezechiel Banzuzi

국적: 네덜란드

NAC브레다 유스 출신으로 2021-22시즌 프로 데뷔했다. 2부 리그에서 두 시즌 간 활약 이후 벨기에 1부 리그인 OH뢰벤에 2023-24시즌 입단했다. 두 시즌 간 주전으로 활약하며 올 시즌 라이프치히에 이적했다. 191cm의 중앙 미드필더로 공격형 미드필더, 수비형 미드필더도 가능하다. 위치선정, 활동량, 롱볼, 공중볼, 태클 등 다재다능하나 빌드업 관여, 기회 창출, 카드 수집은 아쉽다.

출전경기	경기시간(분)	골	어시스트	경고	퇴장
34	2,486	2	5	6	1

MF	7	안토니오 누사

Antonio Nusa

국적: 노르웨이

스타베크 유스 출신으로 2021시즌에 프로로 데뷔했다. 3개월 만에 2021-22시즌을 앞둔 클뤼프 브뤼허로 이적하고 챔피언스리그에서 활약하며 주목받았다. 노르웨이의 네이마르로 불리는 만큼 부드러운 드리블과 테크닉이 돋보인다. 슈팅도 부드럽고 정교한 유형이다. 주로 오른발잡이 왼쪽 윙포워드로 활동하나 다른 공격 포지션도 소화 가능하다. 힘, 판단력 등 전체적으로 성장해야겠으나 잠재력은 보여줬다.

출전경기	경기시간(분)	골	어시스트	경고	퇴장
25	1,557	3	3	-	-

MF	13	니콜라스 자이발트

Nicolas Seiwald

국적: 오스트리아

잘츠부르크 유스팀, 리퍼링, 잘츠부르크 1군에서 뛰며 성장했다. 2023-24시즌 라이프치히에 입단했다. 첫 시즌에는 백업 자원으로 많이 뛰지 못했으나, 지난 시즌은 그래도 많은 시간을 소화했다. 슐라거의 부상 영향도 있기는 했으나 수비형 미드필더, 중앙 미드필더는 물론 센터백으로도 거의 균등하게 뛰었다. 레드불 미드필더답게 활동량, 성실함, 멀티 플레이어 능력이 뛰어나다. 경합과 포지셔닝이 강점.

출전경기	경기시간(분)	골	어시스트	경고	퇴장
30	2,084	-	-	2	-

MF	14	크리스토프 바움가르트너

Christoph Baumgartner

국적: 오스트리아

호펜하임 유스 출신으로 2018-19시즌 막판에 1군 데뷔했다. 그 다음 시즌부터 주전으로 활약했고, 2023-24시즌을 앞두고 라이프치히에 입단했다. 기본적으로 공격형 미드필더인 한편 세컨 스트라이커 역할이나 왼쪽 측면 배치 등도 가능하다. 슈팅력, 킥력, 움직임이 좋아 득점과 도움 등 공격 포인트 생산성이 좋다. 활동량, 압박, 연계도 준수하다. 다만 테크닉의 세밀함이나 카드 수집은 단점이다.

출전경기	경기시간(분)	골	어시스트	경고	퇴장
31	1,607	2	1	5	-

MF	24	크사버 슐라거

Xaver Schlager

국적: 오스트리아

리퍼링, 잘츠부르크를 거쳐 볼프스부르크에서의 활약으로 2022-23시즌 라이프치히에 영입됐다. 자이발트처럼 평범한 체구지만 중앙 미드필더, 수비형 미드필더로서 근면하고 체력, 활동량, 경합 능력이 좋다. 왼발잡이지만 오른발도 잘 쓰는 편이다. 나름 기술적이고 패스력으로 플레이메이킹도 가능하다는 것이 자이발트와의 차이다. 지난 시즌은 큰 부상이 이어졌으나 올 시즌은 부주장이 되어 돌아왔다.

출전경기	경기시간(분)	골	어시스트	경고	퇴장
4	181	-	-	1	-

FW	9	요한 바카요코

Johan Bakayoko

국적: 벨기에

벨기에의 여러 팀 유스를 거쳐 PSV 에인트호번 유스팀에 입단하고 같은 팀에서 프로로 데뷔했다. 지난 시즌에는 다소 부진했으나 그간 활약 덕에 분데스리가 여러 팀들의 관심을 받았다. 왼발잡이가 오른쪽 윙으로 안으로 파고 들어와 득점과 도움을 올린다. 코트디부아르 이중 국적자지만 벨기에 연령별 대표를 거쳐 A대표로 뛰고 있다. 전방압박은 좋으나 다른 수비 기여는 아쉽고, 패스 타이밍이 늦은 편이다.

출전경기	경기시간(분)	골	어시스트	경고	퇴장
30	1,580	9	1	1	-

FW	11	콘라드 하더

Conrad Harder

국적: 덴마크

자국의 노르셸란 유스 출신으로 2022-23시즌 19세 이하 팀 리그에서 폭발적 득점력을 보여 시즌 말미에 1군 데뷔했다. 2023-24시즌 1군에서 자리 잡았고, 2024-25시즌 스포르팅 리스본에 입단했다. 빅토르 요케레스의 백업으로 중앙은 물론 좌우 측면도 소화했다. 준수한 체격과 스피드, 전방 압박과 득점력 등 아직 세밀함은 부족하지만, 대형 스트라이커로서의 잠재력을 갖춘 자원이다.

출전경기	경기시간(분)	골	어시스트	경고	퇴장
28	770	5	5	-	1

FW	40	호물루 카르도주

Rômulo Cardoso

국적: 브라질

팀을 떠난 셰슈코의 대체 자원으로 영입됐다. 프로필 상 셰슈코와 겹치는 부분이 많다. 193cm의 장신에 스피드와 슈팅력, 유연함도 있고 연계도 준수하다. 브라질의 아틀레치쿠 파라나엔시 유스 출신으로 2024년 2월 튀르키예의 괴즈테페로 임대됐다. 바로 활약하며 팀의 1부 승격을 함께 했다. 지난 시즌 1부 리그와 컵대회에서도 인상적 득점과 도움 기록을 남겼다. 상위 리그에서의 적응이 관건이다.

출전경기	경기시간(분)	골	어시스트	경고	퇴장
29	2,498	13	9	5	-

FW	49	얀 디오망데

Yan Diomande

국적: 코트디부아르

지난 시즌 라리가의 레가네스에서 3월 말에 레알 마드리드를 상대로 막판 교체 투입되며 성인 무대 데뷔전을 치렀다. 출전시간을 늘려가며 돌파력을 보여줬고 공격 포인트도 기록했다. 팀은 강등됐지만 디오망데는 분데스리가 빅클럽들을 포함해 여러 클럽들의 관심을 받았다. 어리고 1군 경험도 적지만 스피드와 자신감이 돋보여 빠르게 자리 잡고 있다. 기본적으로 오른발잡이 왼쪽 윙이지만 오른쪽도 가능하다.

출전경기	경기시간(분)	골	어시스트	경고	퇴장
10	544	2	1	1	-

SV 베르더 브레멘

SV Werder Bremen

TEAM PROFILE	
창 립	1899년
회 장	후베르투스 헤스그루네발트(독일)
감 독	호르스트 슈테펜(독일)
연 고 지	브레멘
홈 구 장	베저슈타디온(4만 2,100명)
라 이 벌	함부르크 SV
홈페이지	https://www.werder.de/

최근 5시즌 성적

시즌	순위	승점
2020-2021	17위	31점(7승10무17패, 36득점 57실점)
2021-2022	없음	없음
2022-2023	13위	36점(10승6무18패, 51득점 64실점)
2023-2024	9위	42점(11승9무14패, 48득점 54실점)
2024-2025	8위	51점(14승9무11패, 54득점 57실점)

BUNDESLIGA (전신 포함)

통 산	우승 4회
24-25 시즌	8위(14승9무11패, 승점 51점)

DFB POKAL

통 산	우승 6회
24-25 시즌	8강

UEFA

통 산	없음
24-25 시즌	없음

TEAM RATINGS

슈팅 7
패스 6
조직력 6
37
수비력 6
감독 6
선수층 6

2024/25 프로필

팀 득점	54
평균 볼 점유율	49.60%
패스 정확도	81.80%
게임 평균 슈팅 수	12.6
경고	69
퇴장	4

골 타입
오픈 플레이	63
세트 피스	19
카운터 어택	11
패널티 킥	6
자책골	2 단위 (%)

패스 타입
쇼트 패스	85
롱 패스	11
크로스 패스	4
스루 패스	0 단위 (%)

시즌 프리뷰 급히 수습했다

지난 시즌 종료 이후부터 혼란이 이어졌다. 가장 먼저 올레 베르너 감독을 내보냈다. 계약 연장에 동의하지 않았다는 이유였다. 그는 2021-22시즌 도중 부임해 2부리그 10위였던 팀을 2위로 승격시켰고, 이후 세 시즌 동안 13위, 9위, 8위를 기록한 지도자였다. 그럼에도 구단은 갑작스레 결별을 선택했다. 이어 최전방에서 고군분투해온 마르빈 두크슈가 낮은 이적료로 떠났고, 여러 선수들이 자유계약으로 이탈하며 스쿼드 두께에도 큰 타격을 입었다. 영입은 방향성이 어긋났다. 구단은 아직 유망주인 사무엘 음방굴라를 클럽 역대 두 번째 이적료로 영입했다. 급한 자리도 아니었다. 스트라이커 보강을 노렸으나 잇따라 실패했고, 결국 미하엘 체터러까지 떠나 베테랑 자원이 또 줄었다. 리더십 부재 우려도 커졌다. 게다가 오른쪽 측면에서 꾸준한 활약과 공격포인트를 올려왔던 미첼 바이저가 시즌 개막 전 십자인대 부상으로 장기간 이탈하게 되었다. 새 감독은 전임과 달리 포백 전술을 구사하고 있으나, 스쿼드 구성은 포백과 잘 맞지 않았다. 전력 손실과 보강 실패가 겹치며 시즌은 DFB 포칼 1라운드 탈락으로 시작했다. 경기 직후 주장 마르코 프리들이 수뇌부를 공개적으로 비판하며 분위기는 더욱 가라앉았다. 구단은 부랴부랴 임대생들을 데려와 구멍을 메웠지만, 이들 역시 몸 상태와 적응이 변수다. 총체적 난국 속에서 맞이한 이번 시즌, 브레멘의 앞날은 여전히 불투명하다.

COACH

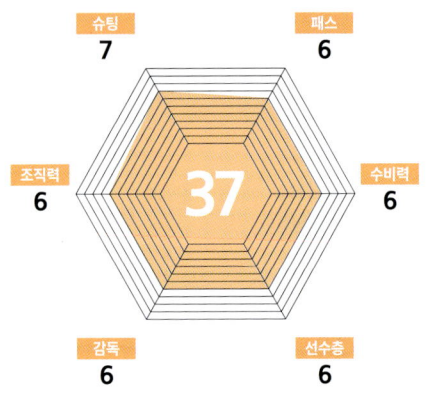

호르스트 슈테펜 *Horst Steffen*
1969년 3월 3일생 독일

선수 시절에는 미드필더였다. 뒤스부르크 2군, 묀헨글라트바흐 연령별 팀 감독 등을 거쳐 2013-14시즌 도중 슈투트가르트 키커스에 부임했으나 성적 부진으로 사임하고 이후 프로이센 뮌스터, 켐니처 등 3부 팀을 맡았다. 2018년 4부의 엘버스베르크로 와서 최초로 2부까지 올려놓았다. 2023-24시즌은 중위권으로 마치고, 지난 시즌 승강 플레이오프에서 하이덴하임에 패했다. 4-2-3-1을 선호하고 4-3-3이나 4-4-2도 병행한다. 지난 7월 브레멘에 부임.

SQUAD

포지션	등번호	이름		생년월일	키(cm)	체중(kg)	국적
GK	25	마르쿠스 콜케	Markus Kolke	1990.08.18	187	90	독일
	2	올리비에 드망	Olivier Deman	2000.04.06	181	74	벨기에
DF	4	니클라스 스타크	Niklas Stark	1995.04.14	190	88	독일
	8	미첼 바이저	Mitchell Weiser	1994.04.21	177	70	독일
	22	훌리안 말라티니	Julián Malatini	2001.05.31	191	84	아르헨티나
	27	펠릭스 아구	Felix Agu	1999.09.27	180	67	독일
	32	마르코 프리들	Marco Friedl	1998.03.16	187	82	오스트리아
	33	미크 슈메트겐스	Mick Schmetgens	2007.09.09	190	75	독일
MF	6	옌스 스타게	Jens Stage	1996.11.08	187	81	덴마크
	7	사무엘 음방굴라	Samuel Mbangula	2004.01.16	179	76	벨기에
	10	레오나르도 비텐코트	Leonardo Bittencourt	1993.12.19	171	63	독일
	14	센느 리넨	Senne Lynen	1999.02.19	185	80	벨기에
	20	로마노 슈미트	Romano Schmid	2000.01.27	168	69	오스트리아
	28	스켈리 알베로	Skelly Alvero	2002.05.04	202	93	프랑스
FW	9	케케 토프	Keke Topp	2004.03.25	192	81	독일
	11	저스틴 은진마	Justin Njinmah	2000.11.15	184	75	독일
	17	마르코 그륄	Marco Grüll	1998.07.06	182	74	오스트리아
	29	살림 무사	Salim Musah	2006.02.22	198	83	독일

IN & OUT

주요 영입	주요 방출
칼 헤인, 막시밀리안 뵈버, 이삭 슈미트, 스가와라 유키나리, 카메론 푸에르타스, 빅터 보니페이스(이상 임대), 사무엘 음방굴라	미하엘 체터러, 안토니 융, 밀로시 벨코비치, 올리버 버크, 마르빈 두크슈, 데리크 퀸(임대복귀)

TEAM FORMATION

FW C-

MF C+

DF C

GK C-

44
보니페이스
(토프)

7
음방굴라
(그릴)

20
슈미트
(푸에르타스)

11
은진마
(음방굴라)

6
스타게
(비텡쿠르)

14
리넨
(알베로)

27
아구
(드망)

32
프리들
(피퍼)

39
뵈버
(슈타르크)

3
스가와라
(I.슈미트)

30
바크하우스
(헤인)

PLAN **4-2-3-1**

지역 점유율

공격 진영	27%
중앙	44%
수비 진영	29%

공격 방향

37% 왼쪽	27% 중앙	37% 오른쪽

슈팅 지역

6% 골 에어리어
70% 패널티 박스
24% 외곽 지역

상대팀 최근 6경기 전적

구분	승	무	패	구분	승	무	패
FC 바이에른 뮌헨	1		5	보루시아 묀헨글라드바흐	1	3	2
바이엘 04 레버쿠젠	1	2	3	VfL 볼프스부르크	2	2	2
아인트라흐트 프랑크푸르트	1	2	3	아우크스부르크	2	1	3
보루시아 도르트문트	1	2	3	FC 우니온 베를린	2	1	3
SC 프라이부르크	1		5	FC 장크트파울리	3	3	
FSV 마인츠 05	4	1	1	TSG 1899 호펜하임	2		4
RB 라이프치히		3	3	FC 하이덴하임			
SV 베르더 브레멘				FC 쾰른	2	3	1
VfB 슈투트가르트	3	2	1	함부르크 sv	3	2	1

PLAYERS

MF 6 옌스 스타게
Jens Stage

국적: 덴마크

자국의 브라브란드 유스 출신으로 같은 팀에서 1군에 데뷔했다. 이후 오르후스를 거쳐 강호 코펜하겐에 입단했다. 3시즌 동안의 활약으로 2022-23시즌부터 브레멘 유니폼을 입고 있다. 187cm에 81kg의 좋은 체격을 갖고 있는 중앙 미드필더다. 공격형 미드필더, 수비형 미드필더는 물론 풀백, 포워드도 가능하다. 첫 시즌부터 꾸준히 출전하고 공격 포인트도 쌓았는데, 지난 시즌 생산성이 대폭 증가했다. 다만 경고도 두 배로 받았다.

출전경기	경기시간(분)	골	어시스트	경고	퇴장
28	2,213	10	5	10	-

DF 27 펠릭스 아구
Felix Agu

국적: 독일

3부 리그의 오스나뷔르크 유스로 프로 데뷔도 했다. 2부 승격에 공헌하고 2021-22시즌 브레멘으로 영입됐다. 1부 승격에 기여했으나 그 다음 시즌에 당한 무릎 부상으로 1년 가까이 쉬기도 했다. 기본적으로 왼쪽 윙백이지만 왼쪽 풀백, 오른쪽 윙백과 풀백도 볼 수 있다. 오른발잡이이기도 하다. 바이저의 부상 공백을 메우게 됐다. 공격 포인트 생산력은 아쉽지만 운동능력, 경합, 킥 등이 준수하다.

출전경기	경기시간(분)	골	어시스트	경고	퇴장
22	1,763	3	-	1	-

DF 32 마르코 프리들
Marco Friedl

국적: 오스트리아

바이에른 유스 출신으로 1군 데뷔전도 치렀다. 2017-18시즌 도중 브레멘에 임대됐고, 2019-20시즌 완전이적했다. 이때부터 주전이 됐고, 2022-23시즌부터는 주장 완장을 차고 있다.
왼발잡이 레프트백, 윙백이었으나 스피드, 공격력이 부족했다. 마침 체격도 준수해 센터백으로 포지션을 변경했다. 후방에서 안정적으로 볼을 다룬다. 다만 공중볼 경합은 약점이다. 카드 수집도 꾸준하다.

출전경기	경기시간(분)	골	어시스트	경고	퇴장
26	2,165	-	-	8	2

MF 14 센느 리넨
Senne Lynen

국적: 벨기에

클뤼프 브뤼허 유스 출신으로 프로 데뷔는 네덜란드 2부의 텔스타 임대를 통해 이루어졌다. 텔스타로 완전이적해 2년 간 뛰고, 위니옹 생질루아즈에서 3년 간 활약했다. 2023-24시즌부터 브레멘에서 뛰고 있다. 두 시즌 연속 리그 32경기 출전 중. 내구성, 체구가 좋은 중앙 미드필더, 수비형 미드필더로 수비 기여도가 높다. 지난 시즌에서 리그 뛴 거리 10위. 다만 공격력, 카드 수집이 아쉽다.

출전경기	경기시간(분)	골	어시스트	경고	퇴장
32	2,747		1	9	-

MF 20 로마노 슈미트
Romano Schmid

국적: 오스트리아

슈투름 그라츠 유스에서 잘츠부르크를 거쳐 브레멘에 입단했다. 2018-19시즌 도중 브레멘이 영입했고, 바로 볼프스베르거에 한 시즌 반 임대를 보냈다. 그전까지 1부, 1군 무대에서 기회를 못 잡던 선수가 달라져서 돌아왔다. 체구는 작지만 패스, 킥, 테크닉이 좋아 기회 창출, 공격 포인트 생산 능력은 뛰어나다. 수비 가담도 적극적이다. 기량이 향상되면서 연령별 대표에 이어 A대표에서도 자리를 잡았다.

출전경기	경기시간(분)	골	어시스트	경고	퇴장
32	2,846	5	4	4	-

VfB 슈투트가르트

VfB Stuttgart

TEAM PROFILE

창 립	1893년
회 장	디트마어 알가이어(독일)
감 독	제바스티안 회네스(독일)
연 고 지	바덴뷔르템베르크 주 슈투트가르트
홈 구 장	MHP 아레나(6만 449명)
라 이 벌	슈투트가르트 키커스, FC 바이에른 뮌헨
홈페이지	www.vfb.de

최근 5시즌 성적

시즌	순위	승점
2020-2021	9위	45점(12승9무13패, 56득점 55실점)
2021-2022	15위	33점(7승12무15패, 41득점 59실점)
2022-2023	16위	33점(7승12무15패, 45득점 57실점)
2023-2024	2위	73점(23승4무7패, 78득점 39실점)
2024-2025	9위	50점(14승8무12패, 64득점 53실점)

BUNDESLIGA (전신 포함)

통 산	우승 3회
24-25 시즌	9위(14승8무12패, 승점 50점)

DFB POKAL

통 산	우승 4회
24-25 시즌	우승

UEFA

통 산	없음
24-25 시즌	없음

 전력 분석 ## 또 새 얼굴들이 관건이다

2023-24시즌 어부지리로 2위에 오른 뒤, 기대가 컸던 슈투트가르트였다. 그러나 공수의 주축 선수들이 떠난 영향이 컸다. 여러 선수가 영입됐으나 양에 비해 질이 아쉬웠다. 부상도 한 이유였지만 여러 라인업을 가동했음에도 해답을 찾지 못하고 리그를 9위로 마쳤다. 그래도 포칼 우승으로 유로파리그 진출권을 따냈다. 2010년대 이후 첫 트로피였다. 올 시즌에는 닉 볼테마데, 엔조 미요가 떠났다. 최전방과 2선 모두 양적, 질적으로 약화될 수 있다. 전체적인 선수층은 충분하다. 더블 스쿼드 이상이며, 멀티 포지션 선수들도 꽤 있다. 한편 수비진은 워낙 부상이 잦아, 올 시즌도 다양한 조합에서도 답을 못 찾는 상황이 벌어질 수 있다. 그에 비해 확실한 최전방 공격수는 에르메딘 데미로비치 하나다. 오현규 영입을 시도했던 이유다. 3선도 다른 포지션에 비해 숫자가 적다. 다만 체마 안드레스가 기대주로서 역할을 해주고 있는 것이 직전 시즌과는 다르다. 결국 올 시즌도 예상 밖으로 터져주는 선수들이 나와야 한다. 2024-25시즌에는 볼테마데, 제이미 레벨링이 터져줬다. 다른 공격자원들은 다소 아쉬웠다. 그래도 리그 득점 5위였다. 수비진은 변수보다 상수에 가까운데, 전 시즌엔 최다실점 공동 8위였다. 많은 변화에도 불안 요소가 여전한 것이 문제다.

전술 분석 ## 다양함과 유연성

회네스 감독은 꾸준히 4-2-3-1을 선호하며, 변화라면 공격수 추가 투입 4-4-2 정도이다. 임기 초반이나 2024-25시즌 한 때 3-4-2-1, 3-4-3도 쓴 적이 있다. 센터포워드들은 최전방 스트라이커는 물론, 2선 중앙과 측면에서 보조자 역할도 할 수 있는 자원들로 구성, 직접 해결하거나 연계한다. 측면 공격수들도 톱 아래 2선 중앙이나 투톱으로 활용된다. 크리스 퓌리히는 왼쪽에서 안으로 들어오는 유형, 레벨링은 측면을 파는 유형이다. 다채로운 구성, 포지션 체인지로 상대를 혼란하게 할 수 있다. 3선은 안젤로 슈틸러가 조율하고 아타칸 카라초어가 그를 보호한다. 체마가 슈틸러와 좋은 모습을 보여준다면 3선 고민을 덜 수 있다. 좌우 풀백들은 전진성, 운동능력, 공격 지원을 우선한다. 측면에 깊숙이 파고들어 공격 폭을 넓혀, 윙어들이 안쪽에서 공격 숫자를 늘릴 수 있게 한다. 후방 빌드업 시에는 인버티드 풀백으로서 안쪽에 들어와 빌드업을 돕기도. 측면 오버래핑 뿐 아니라 안쪽 언더래핑으로 사이드 라인에 있는 윙포워드를 이용해 수비진에 혼란을 주기도 한다. 챔피언스리그 강팀들 상대로는 중앙을 틀어막고 역습으로 상대를 괴롭히는 유연성도 보였다. 회네스 감독이 은근히 감독 공석 빅클럽 등과 연결되는 이유다.

매끄럽지 못한 구석들

2024-25시즌에는 전력 약화, 확실한 조합 찾기 실패, 챔피언스리그 병행 부담, 부상이나 폼 저하와 같은 요인들이 복합적으로 작용했다. 리그와 챔피언스리그 성적은 아쉬웠다. 그럼에도 회네스 감독과 선수들이 포칼 우승이라는 성과를 냈다. 이번 시즌을 위한 자신감을 얻었다. 직전 시즌 유럽대항전 경험도 올 시즌에 보탬이 될 수 있다. 챔피언스리그보다 여유 있는 유로파리그이기도 하다. 유럽대항전에서 어느 정도 로테이션을 할 수 있다. 선수층도 두텁다. 다만 지난 겨울과 여름에 열심히 변화를 준 수비진이 올 시즌은 어떨지, 변화한 공격진도 우려를 불식시킬 수 있을지가 관건이다. 미요를 대체할 엘 카누스 등의 영입은 시간 여유가 있었음에도 이적시장 막판에야 이뤄졌다. 볼테마데도 바이에른의 세 차례 제안 거절 이후 갑자기 이적시장 막판에 떠났다. 프리시즌부터 준비된 플랜이 아닌 채 시즌에 돌입하게 됐다. 3선의 양과 질도 여전히 아쉬운 면이 있다. 2024-25시즌 리그에서 팀의 뛴 거리, 스프린트, 고강도 달리기 등의 수치가 모두 최하위권이었다. 스쿼드에 30대 선수가 백업 골키퍼 파비안 브레틀로 하나뿐인 팀으로서는 의문이 생기는 수치다. 직전 시즌 세 명의 선수가 카드 수집 랭킹 상위권에 있기도 했다. 여러 과제를 안고 있다.

IN & OUT

주요 영입	주요 방출
빌랄 엘 카누스(임대), 로렌츠 아시뇽, 체마 안드레스, 라자르 요바노비치, 노아 다르위시, 바드레딘 부아나니, 티아구 토마스	파비안 리더, 엘 빌랄 투레(임대복귀), 체이스 안리, 야콥 브룬 라르센, 엔조 미요, 닉 볼테마데

TEAM FORMATION

PLAN 4-2-3-1

TEAM RATINGS

슈팅 8
패스 7
조직력 7
수비력 7
감독 8
선수층 8

45

2024/25 프로필

팀 득점	64
평균 볼 점유율	57.60%
패스 정확도	85.50%
게임 평균 슈팅 수	13.9
경고	66
퇴장	5

골타입		
	오픈 플레이	55
	세트 피스	28
	카운터 어택	9
	패널티 킥	3
	자책골	5 단위 (%)

패스타입		
	쇼트 패스	88
	롱 패스	9
	크로스 패스	3
	스루 패스	0 단위 (%)

지역 점유율
공격 진영 30%
중앙 44%
수비 진영 25%

공격 방향

43% 왼쪽
29% 중앙
28% 오른쪽

슈팅 지역
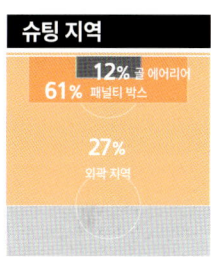
12% 골 에어리어
61% 패널티 박스
27% 외곽 지역

상대팀 최근 6경기 전적

구분	승	무	패
FC 바이에른 뮌헨	1	1	4
바이엘 04 레버쿠젠		3	3
아인트라흐트 프랑크푸르트	2	1	3
보루시아 도르트문트		1	5
SC 프라이부르크	3		3
FSV 마인츠 05	3	2	1
RB 라이프치히	4		2
SV 베르더 브레멘	1	2	3
VfB 슈투트가르트			
보루시아 묀헨글라드바흐	3		3
VfL 볼프스부르크	2	1	3
아우크스부르크	5		1
FC 우니온 베를린	4	1	1
FC 장크트파울리	4	1	1
TSG 1899 호펜하임	1	4	1
FC 하이덴하임	2	2	2
FC 쾰른	3	2	1
함부르크 sv	4	1	1

SQUAD

포지션	등번호	이름		생년월일	키(cm)	체중(kg)	국적
GK	1	파비안 브레드로	Fabian Bredlow	1995.03.02	190	87	독일
	33	알렉산더 뉘벨	Alexander Nübel	1996.09.30	193	86	독일
DF	3	라몬 헨드릭스	Ramon Hendriks	2001.07.18	189	83	네덜란드
	4	요샤 파그노만	Josha Vagnoman	2000.12.11	190	90	독일
	7	막시밀리안 미텔슈테트	Maximilian Mittelstädt	1997.03.18	180	71	독일
	14	루카 하케스	Luca Jaquez	2003.06.02	187	80	스위스
	22	로렌츠 아시뇽	Lorenz Assignon	2000.06.22	181	77	독일
	23	단-악셀 자가두	Dan-Axel Zagadou	1999.06.03	196	90	프랑스
	24	제프 샤봇	Jeff Chabot	1998.02.12	195	95	독일
	29	핀 옐치	Finn Jeltsch	2006.07.17	187	86	독일
MF	6	앙겔로 슈틸러	Angelo Stiller	2001.04.04	183	77	독일
	10	크리스 퓌리히	Chris Führich	1998.01.09	181	73	독일
	11	빌랄 엘 카누스	Bilal El Khannouss	2004.05.10	180	70	모로코
	16	아타칸 카라초어	Atakan Karazor	1996.10.13	191	76	독일
	28	니콜라스 나르테위	Nikolas Nartey	2000.02.22	187	82	덴마크
	30	체마 안드레스	Chema Andrés	2005.04.25	190	82	스페인
	35	미르자 차토비치	Mirza Catovic	2007.05.01	190	88	세르비아
FW	8	티아고 토마스	Tiago Tomás	2002.06.16	180	78	포르투갈
	9	에르메딘 데미로비치	Ermedin Demirovic	1998.03.25	185	84	보스니아 헤르체코비나
	13	실라스	Silas	1998.10.06	189	82	콩고
	18	제이미 레벨링	Jamie Leweling	2001.02.26	185	86	독일
	26	데니스 운다프	Deniz Undav	1996.07.19	179	86	독일
	27	바드레딘 부아나니	Badredine Bouanani	2004.12.08	172	-	알제리

선수 시절에는 별다른 인상을 남기지 못했다. 아버지가 바이에른의 전설적 공격수 디터 회네스고, 큰아버지는 바이에른에서 선수, 단장, 회장으로 모두 성공한 울리 회네스라는 점을 고려하면 아쉬울 수 있는 대목. 그래도 2011년부터 빠르게 감독의 길을 걸었다. 라이프치히, 바이에른의 유스팀에 이어 바이에른 2군을 맡으며 두각을 드러냈다. 압도적 성적과 더불어 어린 선수들 발굴 능력도 이때부터 보였다. 호펜하임에서는 아쉬웠으나, 슈투트가르트에서는 매 시즌 잔류, 2위, 우승 등 성과가 있다. 2025년 3월 재계약도 했다.

세바스티안 회네스 *Sebastian Hoeneß*
1982년 5월 12일생 독일

MF	6	앙겔로 슈틸러
		Angelo Stiller	KEY PLAYER

국적: 독일

바이에른 유스 출신 기대주였다. 바이에른 1군에서 리가 경기는 못 나왔으나 포칼, UCL에서는 출전 기회를 얻었다. 회네스 감독의 애제자로 정우영과 바이에른 19세 이하 팀, 2군 팀에서 함께 했다. 자유계약으로 호펜하임에 이적해 회네스 감독과 재회했다. 호펜하임에서는 자리를 잡지 못했으나 2023-24시즌 슈투트가르트로 이적 후로는 성장세를 이어가고 있다. 회네스 감독 하에서 주전으로 바로 자리 잡았고 토니 크로스에 비견되기도 한다. 크로스의 추천으로 그가 있던 레알 마드리드와 연결되기도 했다. 후방 플레이메이커로서 테크닉, 킥, 기회 창출, 볼배급이 돋보이는 자원이다. 다만 경합, 기동력 등 수비 관련으로도 크로스와 비슷한 약점을 공유하고 있다.

출전경기	경기시간(분)	골	어시스트	경고	퇴장
32	2,743	1	8	6	-

GK	33	알렉산더 뉘벨
		Alexander Nübel

국적: 독일

파더보른 14세 이하 팀에 입단하고 수비수에서 골키퍼가 됐다. 1군에서 기회를 못 얻고 샬케로 이적했다. 2군에서 주로 뛰다가 당시 주장 페어만의 잦은 부상 공백을 메우며 점차 주전이 됐다. 주장 완장도 찼다. 바이에른에 자유계약으로 입단했으나 노이어에 밀려 모나코, 슈투트가르트로 임대됐다. 좋은 체격과 선방 능력이 있지만 안정감 문제, 빌드업 기복, 활동 범위, PK 선방 부족 등이 다소 아쉽다.

출전경기	경기시간(분)	실점	무실점(경기)	경고	퇴장
34	3,060	53	7	-	-

DF	3	라몬 헨드릭스
		Ramon Hendriks

국적: 네덜란드

도르드레흐트, 페예노르트 유스 출신으로 2020-21시즌 2부의 브레다로 임대 가서 프로 데뷔하고 주전급으로 활약했다. 2022-23 위트레흐트 임대는 백업에 그쳤으나, 2023-24 피테서 임대로 주전 자리를 잡았다. 지난 시즌 슈투트가르트로 영입됐다. 기본적으로 189cm 장신의 왼발잡이 센터백이지만 레프트백도 가능하다. 지상, 공중 경합 능력이 좋고 왼발 패스, 킥이 준수한 자원이다.

출전경기	경기시간(분)	골	어시스트	경고	퇴장
25	1,143		1	-	-

DF	4	요샤 파그노만
		Josha Vagnoman

국적: 독일

함부르크 유스 출신. 아버지가 코트디부아르, 어머니가 독일 사람이다. 유스 시절부터 두각을 드러내 구단 역대 최연소 분데스리가 데뷔 기록을 남겼다. 거구로 좌우풀백을 보면서 적극적으로 공격에 가담한다. 빠르고 힘이 넘치는 돌파력, 양발 사용은 좋지만 세밀함과 수비에서 불안하다. 격한 스타일로 190cm, 90kg의 몸이 잦은 부상을 당한다. 연령별 대표를 거쳐 A대표 이력도 있다.

출전경기	경기시간(분)	골	어시스트	경고	퇴장
26	1,836	1	1	4	-

DF	7	막시밀리안 미텔슈테트
		Maximilian Mittelstädt

국적: 독일

헤르타 베를린 유스 출신으로 2군에서 뛰다가 2018-19시즌부터 주전급으로 자리 잡았다. 2022-23시즌 팀이 강등 되면서 슈투트가르트로 왔다. 이때부터 공수 양면으로 발전하는 모습을 보였다. 포지션도 고정되고 수비 약점도 보완했다. 기동력, 체격이 좋은 데다 왼발 킥이 돋보인다. 지난 시즌 리그 크로스 시도 1위. 오버래핑뿐 아니라 인버티드 풀백으로 안쪽에 들어와 빌드업에 도움도 준다.

출전경기	경기시간(분)	골	어시스트	경고	퇴장
31	2,476	1	7	5	-

DF	22	로렌츠 아시뇽
		Lorenz Assignon

국적: 프랑스

스타드 렌 유스 출신으로 스타드 렌 B팀, 바스티아를 거쳐 1군에서 자리를 잡았다. 2023-24시즌 전반기는 렌에서, 후반기는 임대로 번리에서 뛰었다. PL 경험 후 지난 시즌 맹활약했다. 기본적으로 라이트백이지만 전진 배치도 가능하다. 체격도 준수하고 빠른 발에 기술도 갖추고 있다. 볼 운반, 공격 포인트 생산력이 좋다. 활동량과 경합 능력도 있다. 다만 파울, 카드는 조심할 필요가 있다.

출전경기	경기시간(분)	골	어시스트	경고	퇴장
32	2,363	3	4	9	-

DF	24	제프 샤보
		Jeff Chabot

국적: 독일

다름슈타트, 프랑크푸르트, 뉘른베르크, 라이프치히 유스를 거쳐 라이프치히 2군에서 프로로 데뷔했다. 이후 스파르타 로테르담, 흐로닝언, 삼프도리아, 스페치아, 쾰른을 거쳐 지난 시즌 슈투트가르트에 입단했다. 195cm에 95kg의 거구다. 스피드, 민첩성, 카드 수집은 아쉽지만, 제공권, 경합 능력, 왼발 패스 같은 강점이 있다. 그간 분데스리가 득점이 없다가 지난 시즌에만 3득점을 기록했다.

출전경기	경기시간(분)	골	어시스트	경고	퇴장
31	2,274	3	1	9	1

DF 29 핀 옐치
Finn Jeltsch

국적: 독일

뉘른베르크 유스 출신으로 2023-24시즌 후반기부터 주전 자원이 됐다. 2024-25시즌 도중 슈투트가르트가 800만 유로를 들여 영입해 주전급으로 기용했다. 스무살도 안 된 겨울에 2부 리거 가능성을 보고 파격 기용한 것이었다. 190cm에 가까운 장신에 수비형 미드필더도 볼 수 있다. 연령별 대표로도 꾸준히 차출되고 있다. 양발 사용, 침착한 수비와 볼 컨트롤이 돋보인다. 지상 경합과 태클도 강점.

출전경기	경기시간(분)	골	어시스트	경고	퇴장
12	777	-	-	2	-

MF 10 크리스 퓌리히
Chris Führich

국적: 독일

샬케, 도르트문트, 보훔 등 여러 유스팀을 거쳤다. 쾰른, 도르트문트 2군에서 활동하다가 2020-21시즌 2부 리그의 파더보른 임대를 통해 분발했다. 2021-22시즌 슈투트가르트로 이적하며 성장세를 보였다. 2023-24시즌 득점과 도움을 고르게 많이 기록한 것에 비해, 지난 시즌은 폼 저하로 아쉬운 모습이었다. 그렇지만 스피드, 돌파력, 슈팅력 등 측면 공격수로서 좋은 자질을 지니고 있다.

출전경기	경기시간(분)	골	어시스트	경고	퇴장
33	1,990	2	3	1	-

MF 11 빌랄 엘 카누스
Bilal El Khannouss

국적: 모로코

벨기에 태생으로 모로코 대표를 택했다. 안데를레흐트, 헹크 유스 출신으로 헹크에서 프로 데뷔했다. 지난 시즌 레스터에 입단했다. 팀이 무기력하게 강등당했으나 분투하여 여러 팀들의 관심을 받았다. 임대 후 의무적으로 슈투트가르트에 입단했다. 좋은 발기술, 탈압박 능력에 주력도 준수하다. 중앙 공격형 미드필더 뿐 아니라 측면 배치도 가능하다. 다소 내려와서 게임을 풀어주기도. 마무리가 과제다.

출전경기	경기시간(분)	골	어시스트	경고	퇴장
32	2,195	2	3	4	-

MF 16 아타칸 카라초어
Atakan Karazor

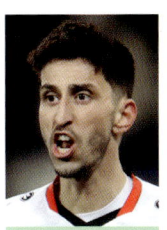

국적: 독일

보훔 유스, 도르트문트 2군을 거쳐 2부 리그에 있던 홀슈타인 킬에서 프로로 데뷔했다. 2019-20시즌 슈투트가르트에 입단해 승격에 공을 세웠다. 매 시즌 경고를 많이 받지만 퇴장은 한 번뿐이다. 그만큼 거칠면서도 선을 잘 탄다. 수비형 미드필더면서 간혹 센터백도 가능하다. 활동량과 수비가 강점이고 두 시즌 연속 공격 포인트도 늘고 있다. 팀의 주장이고 부상도 잘 안 당하는 편이여서 상승세이다.

출전경기	경기시간(분)	골	어시스트	경고	퇴장
32	2,627	2	4	8	1

MF 30 체마 안드레스
Chema Andrés

국적: 스페인

발렌시아 태생으로 지역팀 레반테 유스를 거쳐 레알 마드리드 유스 팀으로 이적했다. 레알 마드리드 리저브 팀인 카스티야로 승격해 활약했고 올해 1월 코파 델 레이에서 1군 데뷔전을 치렀다. 라 리가, 분데스리가 팀들의 관심 끝에 바이백, 셀온 조항을 달고 슈투트가르트에 입단했다. 체격, 제공권, 포지셔닝, 수비력에 강점이 있고 패스, 빌드업도 나쁘지 않다. 다만 스피드, 민첩성은 다소 아쉽다.

출전경기	경기시간(분)	골	어시스트	경고	퇴장
2	10	-	-	-	-

FW 8 티아구 토마스
Tiago Tomás

국적: 포르투갈

스포르팅 리스본 유스 출신으로 1군에 데뷔해 많은 출전 시간을 얻었다. 해외 빅클럽들의 관심설도 있었다. 2022-23시즌 도중 슈투트가르트로 18개월 임대됐다. 이 시즌에 팀의 잔류에 일조했다. 2023-24시즌을 앞두고 볼프스부르크로 완전 이적했다. 포르투갈 연령별 대표를 지냈고, 공격 전 포지션을 소화할 수 있다. 공중볼 경합과 세밀한 플레이는 약점. 그래도 돌파력, 슈팅력이 있다.

출전경기	경기시간(분)	골	어시스트	경고	퇴장
32	1,895	6	1	7	-

FW 9 에르메딘 데미로비치
Ermedin Demirovic

국적: 보스니아 헤르체고비나

함부르크, 라이프치히 유스 출신으로 알라베스, 소쇼, 알메리아, 장크트갈렌, 프라이부르크, 아우크스부르크를 거쳤다. 아우크스부르크에서의 다채로운 활약으로 지난 시즌 슈투트가르트에 영입됐으나 다소 기대 이하였다. 골 기록은 좋았으나 경기에서 경합이나 연계에 영향력이 떨어졌고 득점도 다소 특정 기간에 몰려 있었다. 그나마 원래 장점 중 하나인 적극적 전방 압박, 수비 가담은 나쁘지 않았다.

출전경기	경기시간(분)	골	어시스트	경고	퇴장
34	1,857	15	1	2	-

FW 18 제이미 레벨링
Jamie Leweling

국적: 독일

그로이터 퓌르트 유스 출신으로 퓌르트에서의 활약으로 우니온 베를린에 입단했다. 다만 기회를 얻지 못해 2023-24시즌 슈투트가르트로 임대됐다. 지난 시즌을 앞두고 완전 이적했다. 당초 로테이션 자원 정도로 여겼으나 스탯 이상의 활약을 펼쳐 독일 A대표로도 발탁됐다. 우측면에서의 돌파력, 양발 사용이 위협적이다. 185cm, 86kg의 체구도 상대 수비에겐 부담이다. 중앙과 좌측도 뛸 수 있다.

출전경기	경기시간(분)	골	어시스트	경고	퇴장
27	1,678	2	2	4	-

FW 26 데니스 운다프
Deniz Undav

국적: 독일

독일 4부, 3부 리그 이후, 벨기에 무대에서의 활약으로 브라이턴에 영입됐다. 그러나 브라이턴에서 경쟁에서 밀렸고 2023-24시즌 슈투트가르트로 임대된다. 여기서 득점, 도움이 대폭발, 지난 시즌을 앞두고 완전 이적했다. 정작 지난 시즌에는 부상과 마무리 폼 저하가 아쉬웠다. 그래도 스피드, 양발 슈팅력, 활동량, 압박, 연계 등 다양한 툴이 있다. 키, 점프력으로 인해 제공권은 아주 약한 편이다.

출전경기	경기시간(분)	골	어시스트	경고	퇴장
27	1,729	9	3	4	-

보루시아 묀헨글라트바흐
Borussia Mönchengladbach

TEAM PROFILE	
창 립	1900년
회 장	라이너 본호프(독일)
감 독	헤라르도 세오아네(스위스)
연 고 지	노르트라인베스트팔렌 주 묀헨글라트바흐
홈 구 장	보루시아 파크(5만 4,042명)
라 이 벌	FC 쾰른, 바이어 04 레버쿠젠
홈페이지	www.borussia.de

최근 5시즌 성적

시즌	순위	승점
2020-2021	8위	49점(13승10무11패, 64득점 56실점)
2021-2022	10위	45점(12승9무13패, 54득점 61실점)
2022-2023	10위	43점(11승10무13패, 52득점 55실점)
2023-2024	14위	34점(7승13무14패, 56득점 67실점)
2024-2025	10위	45점(13승6무15패, 55득점 57실점)

BUNDESLIGA (전신 포함)

통 산	우승 5회
24-25 시즌	10위(13승6무15패, 승점 45점)

DFB POKAL

통 산	우승 3회
24-25 시즌	32강

UEFA

통 산	유로파리그 우승 2회
24-25 시즌	없음

TEAM RATINGS

슈팅 7
패스 7
조직력 7
수비력 6
감독 6
선수층 6

39

2024/25 프로필

팀 득점	55
평균 볼 점유율	49.50%
패스 정확도	82.70%
게임 평균 슈팅 수	12.3
경고	49
퇴장	3

골타입
오픈 플레이	60
세트 피스	24
카운터 어택	5
패널티 킥	7
자책골	4
단위 (%)

패스타입
쇼트 패스	86
롱 패스	10
크로스 패스	4
스루 패스	0
단위 (%)

시즌 프리뷰 | 한계와 악재

직전 시즌에는 오랜만에 유럽대항전 무대를 밟아보나 했다. 하지만 결국 4시즌 중 3시즌을 10위로 마쳤다. 막판 2무 5패 무승이 컸다. 2023-24시즌보다는 나았지만 올 시즌 전망도 썩 좋지 않다. 작년 여름 영입해 최전방의 무게감을 바꿔놓은 팀 클라인딘스트가 시즌 초반이 지나야 부상에서 복귀한다. 지난 시즌 수비와 수비형 미드필더를 오가며 분투했던 이타쿠라 코도 떠났다. 지난해 여름 마누 코네를 내보내 영입생 이적료를 충당했던 것과 같다. 장부 상 이득, 머릿수 채우기에 급급하고 안목도 대체로 좋지 못하다.

작년 여름에도 최대 약점인 수비진에 손을 대지 않았다. 올 시즌은 수비수 둘이 나가자 멀티요원 하나 영입했다. 공격진은 나간 선수 둘과 비슷한 스타일의 둘을 데려왔다. 옌스 카스트로프의 자리인 3선도 당장 급하지는 않았다. 스쿼드의 밸런스, 양과 질에 구멍이 많은데 경영진의 의사 결정도 문제다.

헤라르도 세오아네 감독에 대해서도, 4월부터 공식경기 1승 3무 7패의 부진에도 결단이 늦었다. 클라인딘스트는 그 중 5경기만 결장이었다. 그 과정에서 세오아네는 요나스 오믈린, 율리안 바이글의 부진에도 미련을 못 버렸다. 그나마 오믈린이 벤치로 내려가고, 바이글은 이적했으나 세오아네와의 계약은 9월 중순에야 해지됐다. 혼란을 자초하고 있다.

COACH

오이겐 폴란스키 *Eugen Polanski*
1986년 3월 17일생 폴란드

묀헨글라트바흐 유스 출신으로 프로 데뷔도 이 팀에서 했다. 라 리가의 헤타페로, 마인츠, 호펜하임에서 뛰었다. A대표는 폴란드를 택했다. 은퇴 이후 장크트갈렌 수석코치를 거쳐, 2019-20시즌부터 묀헨글라트바흐 코치, 17세 이하 팀, 2군 감독을 거쳐 1군의 임시감독을 맡게 됐다. 2군에서 3-4-3, 4-2-3-1, 4-4-2 등 여러 전술을 썼고 성적도 나쁘지 않았다. 경험은 일천하나 이 팀에서의 경력, 선수 경력 등에서 어수선하고 의욕 저하된 팀을 수습할 수 있을 듯.

SQUAD

포지션	등번호	이름		생년월일	키(cm)	체중(kg)	국적
GK	1	요나스 오믈린	Jonas Omlin	1994.01.10	190	85	스위스
	21	토비아스 지펠	Tobias Sippel	1988.03.22	183	78	독일
	33	모리츠 니콜라스	Moritz Nicolas	1997.10.21	193	89	독일
DF	2	파비오 키아로디아	Fabio Chiarodia	2005.06.05	188	78	이탈리아
	4	케빈 딕스	Kevin Diks	1996.10.06	186	75	인도네시아
	5	마빈 프리드리히	Marvin Friedrich	1995.12.13	193	84	독일
	20	루카 네츠	Luca Netz	2003.05.15	184	83	독일
	26	루카스 울리히	Lukas Ullrich	2004.03.16	178	73	독일
	29	조 스캘리	Joe Scally	2002.12.31	184	80	미국
	30	니코 엘베디	Nico Elvedi	1996.09.30	189	78	스위스
MF	7	케빈 슈퇴거	Kevin Stöger	1993.08.27	176	74	오스트리아
	9	프랑크 오노라	Franck Honorat	1996.08.11	180	70	프랑스
	10	플로리안 노이하우스	Florian Neuhaus	1997.03.16	185	77	독일
	13	지오반니 레이나	Giovanni Reyna	2002.11.13	185	79	미국
	16	필립 샌더	Philipp Sander	1998.02.21	186	80	독일
	17	옌스 카스트로프	Jens Castrop	2003.07.29	179	76	독일
	19	네이선 은구무	Nathan Ngoumou	2000.03.14	185	74	카메룬
	25	로빈 하크	Robin Hack	1998.08.27	178	69	독일
	27	로코 라이츠	Rocco Reitz	2002.05.29	176	72	독일
	34	찰스 헤르만	Charles Herrmann	2006.01.21	180	73	독일
FW	11	팀 클라인딘스트	Tim Kleindienst	1995.08.31	195	86	독일
	15	하리스 타바코비치	Haris Tabaković	1994.06.20	196	90	보스니아
	18	마치노 슈토	Shuto Machino	1999.09.30	185	81	일본
	28	그란트레온 라노스	Grant-Leon Ranos	2003.07.20	181	73	아르메니아

IN & OUT

주요 영입	주요 방출
하리스 타바코비치(임대), 케빈 딕스, 옌스 카스트로프, 마치노 슈토, 야닉 엥겔하르트, 지오반니 레이나	토마시 츠반차라(임대), 슈테판 라이너, 이타쿠라 코, 알레산 플레아, 율리안 바이글

TEAM FORMATION

FW **B**
MF **B-**
DF **C-**
GK **C+**

- 11 클라인딘스트 (타바코비치)
- 25 하크 (마치노)
- 7 슈퇴거 (레이나)
- 9 오노라 (은구무)
- 16 샌더 (엥겔하르트)
- 27 라이츠 (카스트로프)
- 26 울리히 (네츠)
- 30 엘베디 (키아로디아)
- 4 딕스 (프리드리히)
- 29 스캘리 (카스트로프)
- 33 니콜라스 (오믈린)

PLAN **4-2-3-1**

지역 점유율

공격 진영	23%
중앙	43%
수비 진영	34%

공격 방향

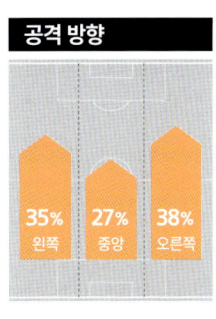

35% 왼쪽	27% 중앙	38% 오른쪽

슈팅 지역

9% 골 에어리어
62% 패널티 박스
28% 외곽 지역

상대팀 최근 6경기 전적

구분	승	무	패	구분	승	무	패
FC 바이에른 뮌헨	1	1	4	보루시아 묀헨글라드바흐			
바이엘 04 레버쿠젠		2	4	VfL 볼프스부르크	4		2
아인트라흐트 프랑크푸르트		3	3	아우크스부르크	1	1	4
보루시아 도르트문트	1	1	4	FC 우니온 베를린	2	1	3
SC 프라이부르크		3	3	FC 장크트파울리	3	1	2
FSV 마인츠 05		3	3	TSG 1899 호펜하임	4	1	1
RB 라이프치히	2	1	3	FC 하이덴하임	5	1	
SV 베르더 브레멘	2	3	1	FC 쾰른	1	2	3
VfB 슈투트가르트	3		3	함부르크 sv	2	1	3

PLAYERS

FW 11 팀 클라인딘스트
Tim Kleindienst

 KEY PLAYER

국적: 독일

늦깎이 1부 리거가 독일 대표 주전까지 됐다. 대표팀에서도 골 감각이 좋았다. 194cm에 85kg의 거구가 쉴새 없이 뛰어다니며 상대를 괴롭힌다. 2023-24시즌보다 골과 도움 모두 향상됐다. 전력 질주, 고강도 질주, 파울 수, 공중볼 경합 승리, 지상 경합 승리, 뛴 거리 등에서 두 시즌 연속 상위권을 차지할 정도로 열심이다. 전방압박부터 매우 적극적이다. 다만 지난 시즌 말미에 반월판 부상을 당해 11월 즈음에나 복귀할 전망이다.

출전경기	경기시간(분)	골	어시스트	경고	퇴장
31	2,744	16	7	3	1

GK 33 모리츠 니콜라스
Moritz Nicolas

국적: 독일

로트바이스 에센 유스 출신으로 2015-16시즌 이 팀의 2군으로 이적해왔다. 우니온 베를린 포함 여러 팀들로 임대를 다녀왔다. 2023-24시즌부터 1군에서 자리를 잡기 시작했다. 오믈린이 잦은 부상과 하락세에 시달리는 동안 좋은 폼을 보여줬다. 그런데 정작 지난 시즌에는 본인이 부상을 당했다. 지난 시즌 선방률 2위, 90분 당 선방 1위, 득점 차단 3위를 기록했다. 롱킥도 준수한 다재다능한 자원이다.

출전경기	경기시간(분)	실점	무실점(경기)	경고	퇴장
19	1,640	25	5	-	-

MF 9 프랑크 오노라
Franck Honorat

국적: 프랑스

니스 유스 출신으로 소쇼, 클레르몽, 생테티엔, 브레스투아 등을 거쳤다. 2023-24시즌 입단 이래 에이스로 맹활약 중이다. 양발 킥 능력을 바탕으로 득점과 도움을 생산한다. 슈퇴거가 부담을 덜어줬으나 여전히 팀 내에서 기회 창출 담당이다. 기본적으로 오른쪽 윙이지만 좌우 윙과 윙백 모두 소화할 수 있다. 다만 스피드, 드리블, 수비 가담과 각종 수비 지표는 아쉬운, 측면 플레이메이커 유형이다.

출전경기	경기시간(분)	골	어시스트	경고	퇴장
19	1,455	4	7	-	-

MF 17 옌스 카스트로프
Jens Castrop

국적: 독일

뒤셀도르프 태생으로 포르투나 뒤셀도르프 유스팀에 있다가 쾰른 유스로 이적했다. 2021-22시즌 도중에 뉘른베르크로 한 시즌 반 임대됐다. 2023-24시즌을 앞두고 완전 이적했다. 2025년 2월 2일 묀헨글라트바흐 이적이 발표됐는데 합류는 이번 시즌부터. 아버지가 독일인, 어머니가 한국인으로, 2026 월드컵 대한민국 대표팀에 합류했다. 박스 투 박스 미드필더인 한편 라이트백도 볼 수 있다.

출전경기	경기시간(분)	골	어시스트	경고	퇴장
25	1,995	3	3	11	-

MF 27 로코 라이츠
Rocco Reitz

국적: 독일

묀헨글라트바흐 유스 출신으로 벨기에의 신트트라위던 임대 기간을 제외하면 이 팀에서만 뛰고 있다. 이미 2021-22시즌 1군 데뷔전을 치른 바 있다. 2023-24시즌부터 1군에서 자리를 잡기 시작했다. 지난 시즌은 주축으로 입지를 공고히 했다. 박스 투 박스 미드필더로 활동량, 압박은 물론 태클과 직접 볼 운반까지 다양한 역할을 할 수 있다. 다만 체격과 몸싸움, 롱패스 정확도에서는 아쉬운 면이 있다.

출전경기	경기시간(분)	골	어시스트	경고	퇴장
27	1,842	2	1	1	-

VfL 볼프스부르크
VfL Wolfsburg

TEAM PROFILE	
창 립	1945년
회 장	미하엘 미스케(독일)
감 독	파울 시모니스(네덜란드)
연 고 지	니더작센주 볼프스부르크
홈 구 장	폴크스바겐 아레나(3만 명)
라 이 벌	하노버
홈페이지	www.vfl-wolfsburg.de

최근 5시즌 성적

시즌	순위	승점
2020-2021	4위	61점(17승10무7패, 61득점 37실점)
2021-2022	12위	42점(12승6무16패, 43득점 54실점)
2022-2023	8위	49점(13승10무11패, 57득점 48실점)
2023-2024	12위	37점(10승7무17패, 41득점 56실점)
2024-2025	11위	43점(11승10무13패, 56득점 54실점)

BUNDESLIGA (전신 포함)

통 산	우승 1회
24-25 시즌	11위(11승10무13패, 승점 43점)

DFB POKAL

통 산	우승 1회
24-25 시즌	8강

UEFA

통 산	없음
24-25 시즌	없음

TEAM RATINGS

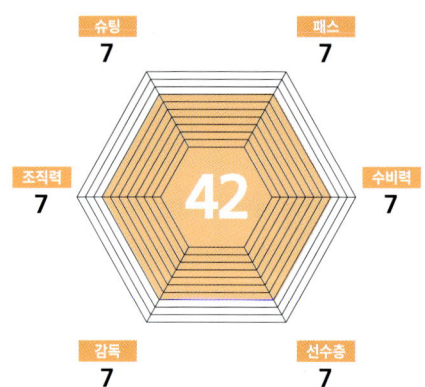

슈팅 7
패스 7
조직력 7
수비력 7
감독 7
선수층 7
42

2024/25 프로필

팀 득점	56
평균 볼 점유율	45.90%
패스 정확도	78.80%
게임 평균 슈팅 수	12.9
경고	75
퇴장	3

골 타입
오픈 플레이	48
세트 피스	32
카운터 어택	7
패널티 킥	7
자책골	5	단위 (%)

패스 타입
쇼트 패스	82
롱 패스	14
크로스 패스	4
스루 패스	0	단위 (%)

시즌 프리뷰: 수비 우선 접근? 스쿼드로는 상위권 도전

볼프스부르크는 매 시즌 유럽대항전 진출을 목표로, 이적시장에서 적극적인 행보를 보이지만 결과는 늘 기대에 못 미친다. 2020-21시즌 4위를 기록한 이후 리그 순위는 12위, 8위, 12위, 11위로 답보 상태다. 스쿼드 규모는 크지만, 꾸준히 기량을 발휘하는 선수는 제한적이다. 지난 시즌에도 강팀들을 상대로 의외의 선전을 펼쳤지만, 잡아야 할 경기에서 무너졌고, 전체적으로 기복이 심했다. 특히 3월 중순 이후에는 2무 6패라는 최악의 흐름으로 추락했다. 결국 랄프 하젠휘틀 감독이 한 시즌도 채우지 못한 채 5월 초 경질됐다. 새 시즌은 정반대의 접근을 택했다. 감독 경력이 짧은 파울 시모니스가 새롭게 부임했다. 성과는 인상적이었으나 더 큰 무대에서 어떤 모습을 보일지는 미지수다. 선수 경력이 없는 만큼 팀을 장악할 리더십이 의문이다. 네덜란드에서 중소클럽을 맡아 다양한 전술을 썼지만, 기본적으로 수비를 우선하는 접근이 많았다. 더 높은 목표를 지향하는 볼프스부르크에서는 공격적인 변화를 보여야 성공할 수 있으며, 좋은 자원을 활용하여 색다른 모습을 드러낼 여지도 있다. 이번 이적시장은 효율적이었다. 임대 선수들을 완전영입했고, 대형 보강은 많지 않았다. 대신 잉여 자원들을 정리하고 임대 복귀 선수 중 쓸만한 자원을 추려냈다. 전체적으로 스쿼드의 양과 질은 여전히 상위권 경쟁이 가능한 수준이다. 무엇보다 모하메드 아무라의 잔류가 호재다.

COACH

파울 시모니스 *Paul Simonis*
1985년 2월 14일생 네덜란드

선수 경력은 없고 2005년부터 15년 간 스파르타 로테르담의 17세, 19세 이하 팀을 지도했다. 2020년부터 2부의 고 어헤드 이글스에서 수석코치로 팀의 승격을 함께 했다. 이후 감독과 함께 헤이렌베인으로 이적했다. 2024-25시즌에는 고 어헤드에 복귀, 1군 감독 첫 시즌에 리그 7위와 네덜란드 컵 우승을 차지했다. 1970-71시즌 이후 리그 최고 성적, 구단 역사상 첫 컵 우승이었다. 4-3-3, 4-2-3-1, 4-4-2는 물론 스리백 등 다양한 전술을 썼다.

SQUAD

포지션	등번호	이름		생년월일	키(cm)	체중(kg)	국적
GK	1	카밀 그라바라	Kamil Grabara	1999.01.08	195	88	폴란드
	12	파바오 페르반	Pavao Pervan	1987.11.13	194	88	오스트리아
	29	마리우스 뮐러	Marius Müller	1993.07.12	192	93	독일
DF	2	킬리안 피셔	Kilian Fischer	2000.10.12	182	77	독일
	3	데니스 바브로	Denis Vavro	1996.04.10	189	81	슬로바키아
	4	콘스탄티노스 쿨리에라키스	Konstantinos Koulierakis	2003.11.28	188	83	그리스
	13	호제리우	Rogério	1998.01.13	178	70	브라질
	15	모리츠 옌츠	Moritz Jenz	1999.04.30	190	86	독일
	21	요아킴 멜레	Joakim Maehle	1997.05.20	185	76	덴마크
	22	마티스 앙젤리	Mathys Angély	2007.04.21	190	84	프랑스
MF	5	비니시우스 소자	Vinicius Souza	1999.06.17	187	80	브라질
	8	벤스 다르다이	Bence Dardai	2006.01.24	188	71	헝가리
	10	로브로 마예르	Lovro Majer	1998.01.17	178	75	크로아티아
	19	예스페르 린스트룀	Jesper Lindstrøm	2000.02.29	182	66	덴마크
	25	아론 젠터	Aaron Zehnter	2004.10.31	180	70	독일
	27	막시밀리안 아르놀트	Maximilian Arnold	1994.05.27	184	74	독일
	31	야니크 게르하르트	Yannick Gerhardt	1994.03.13	184	81	독일
	32	마티아스 스반베리	Mattias Svanberg	1999.01.05	185	77	스웨덴
	40	케빈 파레데스	Kevin Paredes	2003.05.07	170	61	미국
FW	7	안드레아스 스코브 올센	Andreas Skov Olsen	1999.12.29	187	79	덴마크
	9	모하메드 아무라	Mohamed Amoura	2000.05.09	170	61	알제리아
	23	요나스 빈	Jonas Wind	1999.02.07	190	82	덴마크

IN & OUT

주요 영입	주요 방출
모리츠 옌츠(임대복귀), 옌슨 실트, 샤엘 쿰베디, 예스페르 린스트룀, 아담 다그힘(임대), 에런 첸터, 비니시우스 소자, 크리스티안 에릭센	마즈 로에르슬레프(임대복귀), 야쿱 카민스키(임대), 세바스티안 보르나우, 세드리크 체지거, 티아구 토마스, 루카스 은메차, 아스터르 브랑크스, 다비드 오도구

TEAM FORMATION

FW B-
MF B
DF B
GK B-

9 아무라 (빈)

39 비머 (파레데스)　10 마예르 (다르다이)　7 스코우 울센 (린스트룀)

5 소자 (스반베리)　27 아르놀트 (게르하르트)

21 멜레 (첸터)　4 쿨리에라키스 (실트)　3 바브로 (옌츠)　2 피셔 (쿰베디)

1 그라바라 (뮐러)

PLAN 4-2-3-1

지역 점유율

공격 진영 **28%**
중앙 **42%**
수비 진영 **30%**

공격 방향

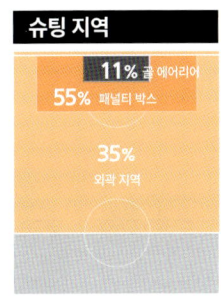

36% 왼쪽　26% 중앙　38% 오른쪽

슈팅 지역

11% 골 에어리어
55% 페널티 박스
35% 외곽 지역

상대팀 최근 6경기 전적

구분	승	무	패	구분	승	무	패
FC 바이에른 뮌헨			6	보루시아 묀헨글라드바흐	2		4
바이엘 04 레버쿠젠		3	3	VfL 볼프스부르크			
아인트라흐트 프랑크푸르트	2	3	1	아우크스부르크		3	3
보루시아 도르트문트	1	1	4	FC 우니온 베를린	2	1	3
SC 프라이부르크	2		4	FC 장크트파울리		5	1
FSV 마인츠 05	3	2	1	TSG 1899 호펜하임	3	2	1
RB 라이프치히	3		3	FC 하이덴하임	4	1	1
SV 베르더 브레멘	2	2	2	FC 쾰른	3	1	2
VfB 슈투트가르트	3	1	2	함부르크 sv	2	2	2

PLAYERS

FW 9 모하메드 아무라
Mohamed Amoura

KEY PLAYER

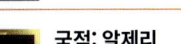

국적: 알제리

자국의 지젤, 세티프 유스를 거쳐 세티프에서 프로 데뷔했다. 2020-21시즌 활약으로 2021-22시즌에 루가노로 이적했다. 두 시즌 동안 뛰고 최근 좋은 공격수들을 배출하고 있는 위니옹 생질루아즈로 영입됐다. 한 시즌 만에 볼프스부르크로 와서 에이스 역할을 해줬다. 득점과 도움 모두 각각 팀 내 1위였다. 체구는 작지만 빠르고 기술과 결정력이 좋다. 전방압박과 수비가담도 적극적이다. 공중볼은 약점이고 전체적 세밀함도 다소 아쉽다.

출전경기	경기시간(분)	골	어시스트	경고	퇴장
31	2,485	10	9	6	-

GK 1 카밀 그라바라
Kamil Grabara

국적: 폴란드

리버풀에서 1군 기회를 얻지 못해 오르후스, 허더스필드로 임대됐고 덴마크 강호 코펜하겐으로 이적했다. 맨시티 상대로 5실점 하면서 선방 12개를 기록하며 챔피언스리그 데뷔전 최다 선방 기록 선수가 됐다. 2024-25시즌에 볼프스부르크 이적이 확정됐다. 뮐러와 함께 카스틸스의 대체자로 영입됐다. 반사신경과 1대1에서 우위를 보이는 주전이다. 빌드업, 안정감에서는 개선이 필요하다.

출전경기	경기시간(분)	실점	무실점(경기)	경고	퇴장
29	2,586	49	6	2	-

DF 4 콘스탄티노스 쿨리에라키스
Konstantinos Koulierakis

국적: 그리스

PAOK유스 출신으로 B팀을 거쳐 1군에서도 활약했다. 지난 시즌 막바지에 라크루아의 이적 공백을 메우려 영입됐다. 장신의 왼발 센터백으로 테크닉, 패스, 직접 볼 운반 등 빌드업의 중심이다. 레프트백도 가능하다. 다만 키에 비해 공중볼과 대인 수비 등에서 오히려 아쉬움을 보인다. 가성비 있게 함께 영입한 입단 동기 바브로가 도와주고 있다. 최근 각광받는 유형이라 리버풀 등 빅클럽들의 관심을 받기도 했다.

출전경기	경기시간(분)	골	어시스트	경고	퇴장
30	2,470	-	2	4	-

DF 21 요아킴 멜레
Joakim Maehle

국적: 덴마크

올보르 유스 출신으로 헹크를 거쳐 유로2020에서 활약하며 2020-21시즌을 앞두고 아탈란타에 입단했다. 로테이션 자원에서 점차 주전급으로 자리 잡았다. 2023-24시즌 볼프스부르크로 이적해 계속 주전으로 활약 중이다. 오른발잡이지만 레프트백으로 주로 뛴다. 좌우 풀백, 윙백 모두 가능하다. 체격과 활동량으로 공수 모두 활발하게 공헌한다. 3시즌 연속 경고 다섯장 이상인 것은 아쉽다.

출전경기	경기시간(분)	골	어시스트	경고	퇴장
28	2,190	3	4	6	-

MF 27 막시밀리안 아르놀트
Maximilian Arnold

국적: 독일

디나모 드레스덴, 볼프스부르크 유스 출신으로 2011-12시즌 1군 데뷔 이래 원클럽맨으로 뛰고 있는 살아있는 전설이다. 팀의 분데스리가 최연소 출전 기록, 2012-13시즌 최연소 득점 기록 보유자다. 2013-14시즌부터 주전 자리를 지키고 있다. 2022-23시즌부터는 주장이다. 팀의 최다 출전 기록, 도움 기록도 갖고 있다. 포백 보호, 왼발 킥으로 여전히 팀의 핵심적인 역할을 수행하고 있다.

출전경기	경기시간(분)	골	어시스트	경고	퇴장
28	2,359	3	5	7	1

FC 아우크스부르크

FC Augsburg

TEAM PROFILE	
창 립	1907년
회 장	마르쿠스 크라프(독일)
감 독	산드로 바그너(독일)
연 고 지	바이에른 주 아우크스부르크
홈 구 장	WWK 아레나(3만 660명)
라 이 벌	TSV 1860 뮌헨
홈페이지	www.fcaugsburg.de

최근 5시즌 성적

시즌	순위	승점
2020-2021	13위	36점(10승6무18패, 36득점 54실점)
2021-2022	14위	38점(10승8무16패, 39득점 56실점)
2022-2023	15위	34점(9승7무18패, 42득점 63실점)
2023-2024	11위	39점(10승9무15패, 50득점 60실점)
2024-2025	12위	43점(11승10무13패, 35득점 51실점)

BUNDESLIGA (전신 포함)

통 산	없음
24-25 시즌	12위(11승10무13패, 승점 43점)

DFB POKAL

통 산	없음
24-25 시즌	8강

UEFA

통 산	없음
24-25 시즌	없음

TEAM RATINGS

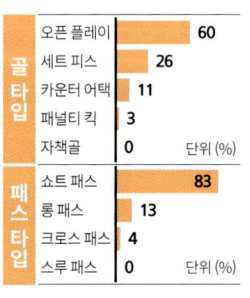

슈팅 6	패스 6
조직력 7	수비력 7
40	
감독 7	선수층 7

2024/25 프로필

팀 득점	35
평균 볼 점유율	43.60%
패스 정확도	79.50%
게임 평균 슈팅 수	11.7
경고	74
퇴장	5

골 타입 (단위 %)
오픈 플레이	60
세트 피스	26
카운터 어택	11
패널티 킥	3
자책골	0

패스 타입 (단위 %)
쇼트 패스	83
롱 패스	13
크로스 패스	4
스루 패스	0

시즌 프리뷰 : 잔류가 목표? 이젠 그 이상이다

아우크스부르크는 매 시즌 잔류를 최우선 목표로 삼아 이를 꾸준히 달성해 온 팀이다. 때로는 기대 이상의 순위를 기록하며 효율적인 운영을 보여왔다. 구단은 대체로 수입과 지출을 맞추며 안정적인 재정을 유지했고, 선수 영입과 방출도 리그 개막 전 마무리해 전력 공백을 최소화하는 데 익숙하다. 이번 여름 역시 지난 시즌 임대로 만족을 준 센터백 두 명을 완전영입했고, 여러 포지션도 자유계약과 저비용으로 메웠다. 동시에 임대 신분이었던 선수들을 완전히 떠나보내며 스쿼드를 정리했다. 이적시장 막판에는 과감히 측면 자원 영입에 투자하며 그간 보기 드물었던 의욕도 보였다. 지난 시즌은 리그 12위로 마무리했다. 막판에 4연패를 포함해 1승 2무 5패로 추락했고, 해볼 만한 상대에게도 승리를 챙기지 못했다. 결국 감독과 단장이 모두 경질됐다. 그간 강등 위기 때마다 감독 교체로 대응해왔으나, 이번에는 전술 운영과 영입 성과에 대한 불만이 결정적이었다. 이번 여름 이적시장에서는 단순 잔류를 넘어 더 높은 곳을 지향하는 구단의 의지를 드러냈지만, 동시에 경험이 부족한 새 감독과 중하위권 전력이라는 현실에 맞물려 불안도 크다. 새롭게 지휘봉을 잡은 인물은 37세의 산드로 바그너. 1부 리그 1군 사령탑으로는 처음 도전하는 자리다. 코치로서는 긍정적인 평가를 받아왔지만, 이번에는 전술적 색깔을 확립하고 선수단을 장악하는 능력이 시험대에 오른다.

COACH

산드로 바그너 *Sandro Wagner*
1987년 11월 29일생 독일

현역 시절에는 바이에른, 브레멘, 헤르타 베를린 등에서 활동한 거구의 스트라이커. A대표 경력도 있다. 2021년 3월 운터하힝 19세 이하 팀 감독으로 부임. 3개월 뒤 1군 감독이 됐다. 독일 20세 이하 대표 수석코치, A대표 수석코치를 지냈다. 루디 푈러 단장의 임시감독과 나겔스만 감독을 보좌하며 좋은 평가를 받았다. 아우크스부르크에서는 4-4-2, 3-4-2-1 등 스쿼드 상황, 상대 전력이나 전술에 맞춰 다양한 전술을 보여주고 있다.

SQUAD

포지션	등번호	이름		생년월일	키(cm)	체중(kg)	국적
GK	1	핀 다멘	Finn Dahmen	1998.03.27	186	82	독일
	22	네딜코 라브로비치	Nediljko Labrović	1999.10.10	196	96	크로아티아
DF	3	마스 페데르센	Mads Pedersen	1996.09.01	174	72	덴마크
	5	크리슬랑 마치마	Chrislain Matsima	2002.05.15	193	83	프랑스
	6	제프리 하우레우	Jeffrey Gouweleeuw	1991.07.10	188	84	네덜란드
	13	디미트리오스 야눌리스	Dimitrios Giannoulis	1995.10.17	183	76	그리스
	16	세드릭 제시거	Cédric Zesiger	1998.06.24	194	92	스위스
	19	로빈 펠하우어	Robin Salvatore Fellhauer	1998.01.21	182	75	독일
	23	막시밀리안 바우어	Maximilian Bauer	2000.02.09	190	88	독일
	31	케벤 슐로테베크	Keven Schlotterbeck	1997.04.28	188	86	독일
MF	4	한-노아 마센고	Han-Noah Massengo	2001.07.07	178	70	프랑스
	8	엘비스 레즈베차이	Elvis Rexhbecaj	1997.11.01	182	75	코소보
	10	아르네 마이어	Arne Maier	1999.01.08	186	85	독일
	17	크리스티얀 야키치	Kristijan Jakić	1997.05.14	181	76	크로아티아
	18	팀 브라이트하웁트	Tim Breithaupt	2002.02.07	192	76	독일
	20	알렉시 클로드모리스	Alexis Claude-Maurice	1998.06.06	176	66	프랑스
	30	안톤 카데	Anton Kade	2004.01.17	185	72	독일
	36	메르트 쾨무어	Mert Kömür	2005.07.17	184	80	독일
	42	마흐무트 쿠추크사힌	Mahmut Kücüksahin	2004.04.07	182	80	터키
FW	7	유수프 카바다이	Yusuf Kabadayi	2004.02.02	186	76	독일
	9	사뮈엘 에센데	Samuel Essende	1998.01.23	193	91	콩고
	15	스티브 무니에	Steve Mounié	1994.09.29	189	88	베냉
	21	필리프 티츠	Phillip Tietz	1997.07.09	190	89	독일
	26	엘리아스 사드	Elias Saad	1999.12.27	185	72	독일
	28	아이만 다르다리	Aiman Dardari	2005.03.21	178	-	룩셈부르크

IN & OUT

주요 영입	주요 방출
올리버 조르크, 로빈 펠하우어, 한 노아 마센고, 엘리아스 사드, 킬리안 동, 이스마엘 그하르비(임대), 안톤 카데, 파비안 리더	머르김 베리샤, 프랭크 오니에카, 헨리 쿠두수(임대), 유수프 카바다이, 스티븐 무니에(임대), 로베르트 굼니, 프레드리크 옌센

TEAM FORMATION

PLAN **4-4-2**

지역 점유율

공격 진영	**29%**
중앙	**44%**
수비 진영	**27%**

공격 방향

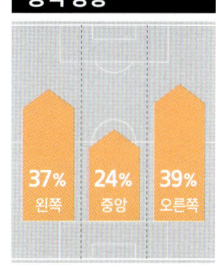

37% 왼쪽	24% 중앙	39% 오른쪽

슈팅 지역

| 9% 골 에어리어 |
| 56% 패널티 박스 |
| 36% 외곽 지역 |

PLAYERS

DF 13 디미트리오스 야눌리스 **KEY PLAYER**
Dimitrios Giannoulis

국적: 그리스

파나티나이코스 유스 출신으로 여러 팀을 거쳐 노리치에서 꽃을 피웠다. 반 시즌 임대 후 2021-22시즌에 완전이적했다. 지난 시즌을 앞두고 아우크스부르크에 입단해 주전 왼쪽 윙백, 풀백으로 활약했다. 빠른 스피드와 왕성한 활동량, 돌파력, 왼발 킥 등 공격력이 돋보인다. 지난 시즌 리그 크로스 시도 3위, 전력질주 3위였다. 대표팀에서 치미카스 위로 배치되기도 한다. 그만큼 테크닉, 침투력이 있다. 다만 수비, 카드 수집이 아쉽다.

출전경기	경기시간(분)	골	어시스트	경고	퇴장
31	2,655	1	4	8	-

GK 1 핀 다멘
Finn Dahmen

국적: 독일

마인츠 유스 출신. 독일 21세 이하 유로 우승 주역, 도르트문트의 우승 방해 등 잠재력에도 1군 경쟁이 쉽지 않아 2023-24시즌에으로 아우크스부르크에 입단했다. 바로 주전으로 활약하다가 시즌 말에 부상을 당했다. 지난 시즌 전반기는 부상 여파와 10cm 더 큰 영입생 리바코비치의 존재로 뛰지 못했다. 후반기 들어 주전 자리를 찾았다. 지난 시즌 리그 선방률 1위, 득점 차단 2위, 6경기 연속 무실점이었다.

출전경기	경기시간(분)	실점	무실점(경기)	경고	퇴장
19	1,710	19	9	-	-

상대팀 최근 6경기 전적

구분	승	무	패	구분	승	무	패
FC 바이에른 뮌헨			6	보루시아 묀헨글라드바흐	4	1	1
바이엘 04 레버쿠젠	2		4	VfL 볼프스부르크	3	3	
아인트라흐트 프랑크푸르트	1	3	2	아우크스부르크			
보루시아 도르트문트	2	1	3	FC 우니온 베를린	3	2	1
SC 프라이부르크	1	1	4	FC 장크트파울리	3	2	1
FSV 마인츠 05	1	1	4	TSG 1899 호펜하임	1	3	2
RB 라이프치히		3	3	FC 하이덴하임	3		1
SV 베르더 브레멘	3	1	2	FC 쾰른	1	2	3
VfB 슈투트가르트		1	5	함부르크 sv	3		3

DF 5 크리슬랑 마치마
Chrislain Matsima

국적: 프랑스

모나코 유스 출신으로 B팀을 거쳐 1군 데뷔도 했다. 로리앙, 클레르몽 임대 이후, 지난 시즌은 아우크스부르크로 완전이적 옵션을 달고 임대됐다. 팀 내 가로채기 1위, 클리어링 3위, 블록 1위로 활약했다. 193cm에 81kg의 체격과 운동능력을 자랑한다. 프랑스 연령별 대표로 꾸준히 차출되고 있기도 하다. 전진성이 있어 라이트백도 가능하다. 숏패스는 준수하나 롱패스는 가다듬을 필요가 있다.

출전경기	경기시간(분)	골	어시스트	경고	퇴장
30	2,551	1	1	4	-

MF 20 알렉시 클로드모리스
Alexis Claude-Maurice

국적: 프랑스

로리앙 유스 출신으로 2군을 거쳐 1군에서 프로 데뷔했다. 당시 2부리그였다. 2019-20시즌부터 니스에서 활약했다. 지난 시즌 자유계약으로 아우크스부르크에 합류했다. 기본적으로 공격형 미드필더지만 중앙 미드필더, 톱, 좌우 윙과 윙백도 가능하다. 주로 왼쪽에서 활동하며 안쪽으로 치고 들어온다. 지난 시즌 팀 내 득점과 공격포인트 1위. 드리블, 슈팅, 프리킥, 수비 가담, 연계 등 다재다능하다.

출전경기	경기시간(분)	골	어시스트	경고	퇴장
28	2,125	9	2	4	-

FW 21 필리프 티츠
Phillip Tietz

국적: 독일

지난 시즌 팀 내 득점 공동 2위, 공격 포인트 공동 2위였다. 데미로비치가 떠나고 최전방 무게감이 떨어진 상황에서 분투해줬다. 190cm, 86kg의 체구를 활용해 득점하거나 공간을 만들어 연계해준다. 팀 전체에 파울, 경고가 많은 편이었는데 그 중에서도 팀 내 파울 2위. 그만큼 수비 가담에 적극적이다. 양발로 고르게 득점하기도 하나 기술적으로 세밀하지는 못하다. 의외로 헤더골이 적기도 하다.

출전경기	경기시간(분)	골	어시스트	경고	퇴장
34	1,687	7	2	4	-

FC Union Berlin

TEAM PROFILE	
창 립	1966년
회 장	디르크 칭글러(독일)
감 독	슈테펜 바움가르트(독일)
연 고 지	베를린 트렙토 쾨페니크구 쾨페니크
홈 구 장	슈타디온 안 데어 알텐 푀르스테라이 (2만 2,012명)
라 이 벌	헤르타 BSC, BFC 디나모
홈페이지	www.fc-union-berlin.de

최근 5시즌 성적

시즌	순위	승점
2020-2021	7위	50점(12승14무8패, 50득점 43실점)
2021-2022	5위	57점(16승9무9패, 50득점 44실점)
2022-2023	4위	62점(18승8무8패, 51득점 38실점)
2023-2024	15위	33점(9승6무19패, 33득점 58실점)
2024-2025	13위	40점(10승10무14패, 35득점 51실점)

BUNDESLIGA (전신 포함)

통 산	없음
24-25 시즌	13위(10승10무14패, 승점 40점)

DFB POKAL

통 산	없음
24-25 시즌	32강

UEFA

통 산	없음
24-25 시즌	없음

 전력분석 ## 젊고 유능한 대체 자원들이 희망이다

2024-25시즌에는 살아남는 데에만 집중했다. 유로파리그를 넘어 챔피언스리그까지 나갔던 우니온에게 2023-24시즌은 악몽이었다. 모든 대회에서 실패하여 강등 위기까지 몰렸고, 불려놓은 스쿼드는 처치 곤란이었다. 이후 계속 선수단을 정리하고 저비용 자원들로 스쿼드를 채웠다. 올 시즌도 비슷하다. 지난 시즌 주포 베네딕트 홀러바흐를 이적시키고, 임대생이었던 정우영과 안드레이 일리치를 완전영입했다. 유망주 일리야스 안자도 영입했다. 부상이 잦은 선수들, 비중이 줄어든 노장들, 백업 자원들은 자유계약으로라도 칼같이 정리했다. 대체 자원들은 더 젊고, 임대나 자유계약으로 매우 저렴한 가격에 데려왔다. 작년 여름 이적시장 종료 직전 임대로 떠났던 로빈 고젠스의 이적료 등이 들어왔으나 장부상 손익은 제로에 가깝다. 비용과 효율 측면에서는 그럴 수 있다. 다만 그간 공로와 감정적 연결이 있는 선수들에게조차 매몰찬 대우를 하자 팬들의 반응이 심상찮다. 직전 시즌도 리그 34경기에서 35득점으로 최하위권의 득점력이었던 팀이 주포를 넘겼다. 실점도 51점으로 적지 않았으나 그래도 승점을 따는 데에 스리백과 골키퍼의 힘이 컸는데 주축 수비수인 디오구 레이트, 다닐료 두키의 이적설도 있었다. 그나마 추가 이적으로 전력 약화는 없었고, 안자가 가능성을 보여줬다는 것이 위안이다. 직전 시즌 정도 성적은 가능해 보인다.

전술분석 ## 없는 살림에 쥐어짜기

좋은 시절을 함께 했던 우르스 피셔 감독이 물러났어도 포메이션, 스쿼드 구성에는 큰 변화가 없다. 다만 피셔 감독 때는 전력과 선수층이 좋았고, 유연한 후방 스리백도 가동했다. 2024-25시즌을 앞두고 부임한 보 스벤손 감독은 마인츠 시절부터 3-4-2-1을 써왔다. 3-4-3으로 약간의 변화를 주고 선수 구성도 바꾸고, 공격 숫자를 줄여 수비를 우선하며 한 방을 노렸다. 초반에는 괜찮았으나 11월부터 무너졌다. 현재 감독인 슈테펜 바움가르트 부임 후 초반에는 공격적인 4-3-3이나 4-4-2, 4-2-3-1을 가동했다. 그러나 곧 안정 우선의 3-4-2-1, 3-4-3, 3-5-2로 돌아가게 됐다. 레이트-두키-크버펠트 스리백을 중심으로 여러 스타일의 중앙 미드필더, 윙백들을 상황에 맞게 쓰는 것이 최선이라는 결론이 난 것이다. 3월부터 상승세로 비교적 무난하게 잔류에 성공했다. 상위권 팀들 상대로 기대 이상의 승점 획득을 했다. 바이에른에는 5-4-1, 레버쿠젠에는 중앙 미드필더를 전방에 올린 3-4-3을 가동하는 등 여러 방안을 냈다. 비교적 해볼 만한 팀들엔 공격자원을 늘려 3-5-2나 3-4-3을 썼다. 지난 시즌 말부터는 장신 윙백 로테를 왼쪽 스토퍼로 쓰고 있다.

그나마 최악은 아니다

결국 긴축 정책의 여파가 어디까지 가느냐가 문제다. 추가적인 스트라이커 보강은 없었으나 일단 공격진 출발이 나쁘지 않았다. 2024-25시즌 스벤손 감독의 전철이 재현될 가능성은 줄었다. 핵심이자 값나가는 두 전성기 센터백 레이트, 두키도 일단 잔류했다. 공격이 아쉬운 상황에서 뒤를 받히는 기둥을 유지했다. 로테가 왼쪽 스토퍼 자리를 차지하며 그 자리의 터줏대감인 레이트가 밀렸다. 로테가 장신이기는 하나 공격에 전념하는 왼쪽 윙백이라 성향 자체도 맞지 않고 그 포지션도 익숙하지 않다. 이미 수비 자원들 방출로 수비진 숫자도 부족했었다. 일단 감독이 계속해서 로테를 그 자리에 기용하며 적응시키겠다는 입장이다. 그래도 유사시 레이트가 복귀할 수 있고, 데리크 퀸 영입으로 왼쪽 윙백 보강도 있었다. 어쨌든 공격진 외에는 시즌 구상이 잡혀있다. 새 시즌 첫 공식 경기 포칼은 대승을 거뒀으나 프리시즌에는 경기력, 득점력 문제가 있었다. 이후 리그도 득점력이 널뛰었다. 이런 상황에서 올 시즌도 정우영의 과제는 공격 포인트 생산력 증대다. 팀의 공격력, 공격 지원, 공격 숫자 등에서 큰 기대는 하지 않지만 불리하지도 않다. 모두에게 열린 경쟁이다. 압박과 수비 가담의 장점은 분명하다. 공격 전환 상황에서 마무리의 세밀함이 따라줘야 한다.

IN & OUT

주요 영입	주요 방출
스탠리 은소키(임대), 알렉스 크랄(임대 복귀), 마테오 라프, 데리크 퀸, 일리야스 안자, 올리버 버크	라슬로 베네시(임대), 알렉산더 슈볼로프, 제롬 루시용, 케빈 폭트, 이반 프라틴, 케빈 폴란트, 베네딕트 홀러바흐

TEAM FORMATION

PLAN 3-5-2

TEAM RATINGS

- 슈팅 6
- 패스 6
- 조직력 7
- 수비력 7
- 감독 6
- 선수층 6
- 38

2024/25 프로필

팀 득점	36
평균 볼 점유율	40.00%
패스 정확도	75.10%
게임 평균 슈팅 수	12.3
경고	72
퇴장	1

골 타입 (단위 %)

오픈 플레이	44
세트 피스	42
카운터 어택	6
패널티 킥	8
자책골	0

패스 타입 (단위 %)

쇼트 패스	80
롱 패스	15
크로스 패스	5
스루 패스	0

지역 점유율

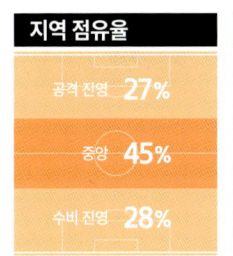

- 공격 진영 27%
- 중앙 45%
- 수비 진영 28%

공격 방향

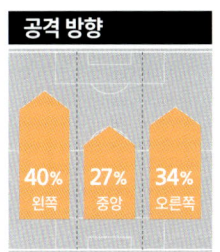

- 40% 왼쪽
- 27% 중앙
- 34% 오른쪽

슈팅 지역

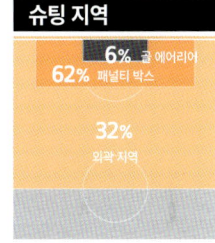

- 6% 골 에어리어
- 62% 패널티 박스
- 32% 외곽 지역

상대팀 최근 6경기 전적

구분	승	무	패
FC 바이에른 뮌헨		2	4
바이엘 04 레버쿠젠		2	4
아인트라흐트 프랑크푸르트	2	2	2
보루시아 도르트문트	2		4
SC 프라이부르크	3	2	1
FSV 마인츠 05	3	3	
RB 라이프치히	2	2	2
SV 베르더 브레멘	3	1	2
VfB 슈투트가르트	1	1	4
보루시아 묀헨글라드바흐	3	1	2
VfL 볼프스부르크	3	1	2
아우크스부르크	1	2	3
FC 우니온 베를린			
FC 장크트파울리	4		2
TSG 1899 호펜하임	4		2
FC 하이덴하임	1	1	4
FC 쾰른	3	2	1
함부르크 sv	1	1	

SQUAD

포지션	등번호	이름		생년월일	키(cm)	체중(kg)	국적
GK	1	프레데리크 뢰노우	Frederik Rönnow	1992.08.04	188	81	덴마크
	25	카를 클라우스	Carl Klaus	1994.01.16	189	79	독일
DF	3	안드릭 마르크그라프	Andrik Markgraf	2006.03.07	172	66	독일
	4	디오구 레이트	Diogo Leite	1999.01.23	190	82	포르투갈
	5	다닐료 두키	Danilho Doekhi	1998.06.30	190	86	네덜란드
	14	레오폴트 크버펠트	Leopold Querfeld	2003.12.20	190	83	오스트리아
	15	톰 로테	Tom Rothe	2004.10.29	193	88	독일
	18	요시프 유라노비치	Josip Juranovic	1995.08.16	173	68	크로아티아
	28	크리스토퍼 트리멜	Christopher Trimmel	1987.02.24	188	85	오스트리아
	34	스탠리 은소키	Stanley Nsoki	1999.04.09	184	77	프랑스
	41	올루와슨 오그베무디아	Oluwaseun Ogbemudia	2006.7.18	188	80	독일
MF	6	알료샤 켐라인	Aljoscha Kemlein	2004.08.02	185	78	독일
	8	라니 케디라	Rani Khedira	1994.01.27	189	88	독일
	11	정우영	Woo-yeong Jeong	1999.09.20	180	70	대한민국
	13	언드라시 셰퍼	András Schäfer	1999.04.13	178	72	헝가리
	19	야니크 하버러	Janik Haberer	1994.04.02	187	77	독일
	24	로베르트 스코우	Robert Skov	1996.05.20	185	81	덴마크
	33	알렉스 크랄	Alex Král	1998.05.19	186	76	체코
FW	7	올리버 버크	Oliver Burke	1997.04.07	188	74	스코틀랜드
	9	리반 부르쿠	Livan Burcu	2004.09.28	180	68	튀르키예
	10	일리야스 안사	Ilyas Ansah	2004.11.08	197	84	독일
	17	데이빗 프뢰	David Preu	2004.10.26	172	72	독일
	23	안드레이 일리치	Andrej Ilic	2000.04.03	189	80	세르비아
	27	마린 류비치치	Marin Ljubicic	2002.02.28	186	77	크로아티아

COACH

현역 시절에는 스트라이커로 볼프스부르크, 우니온 베를린을 비롯해 여러 팀에서 뛴 바 있다. 감독으로는 파더보른을 이끌고 2017-18, 2018-19 3부에서 1부까지 연달아 승격을 이뤄내며 주목받았다. 그러나 1부에서 바로 저조한 성적으로 강등되고, 파더보른과는 결별했다. 여러 분데스리가 클럽과 접촉 끝에 쾰른을 맡아 2021-22시즌 7위, 2022-23시즌 11위를 기록했다. 2023-24시즌 중도 경질되고 이내 함부르크 지휘봉을 잡았다. 지난 시즌 중도 경질됐다. 빵모자가 트레이드마크로 유명하다.

슈테펜 바움가르트 Steffen Baumgart
1972년 1월 5일생 독일

PLAYERS

GK 1 프레데리크 뢰노우  KEY PLAYER
Frederik Rønnow

국적: 덴마크

자국 리그의 호르센스 유스 출신으로 같은 팀에서 프로 데뷔도 했다. 구단 내 올해의 선수가 되기도 했으나 강등 이후 한 시즌 1부의 에스비에르에 임대되기도 했다. 성장세를 보이며 자국 리그 강호 브뢴비로 이적하고 주전으로 자리매김했다. 2018-19시즌 프랑크푸르트로 이적했으나 경쟁에서 밀려 2020-21시즌 샬케로 임대됐다. 2021-22시즌 우니온에 입단해 지금까지 뛰고 있다. 입단 첫 시즌 막바지부터 주전으로 활약을 이어가고 있다. 지난 두 시즌 동안 팀의 부진, 하락세에도 꾸준히 최후의 보루로서 선방을 하고 있다. 올 시즌도 키플레이어일 수밖에 없다. PK 선방과 롱킥 능력도 있다. 현대적 키퍼는 아니고 간간이 부상이 있기도 하다.

출전경기	경기시간(분)	실점	무실점(경기)	경고	퇴장
28	2,520	38	8	2	-

DF 4 디오구 레이트
Diogo Leite

국적: 포르투갈

포르투 태생에 FC 포르투 유스 출신으로 B팀을 거쳐 2018-19시즌 리그 데뷔전을 치렀다. 나름대로 많은 기회를 얻으며 성장했고, 2021-22시즌 브라가로 이적해 주전으로 활약했다. 2022-23시즌부터 우니온에서 뛰고 있다. 첫 시즌 임대 이후 완전이적.
190cm에 83kg의 체격으로 요즘 시장에서 인기가 많은 왼발잡이 센터백이다. 발기술, 전진, 킥이 좋은 편이나 수비 안정감은 떨어진다.

출전경기	경기시간(분)	골	어시스트	경고	퇴장
30	2,548	1	2	2	-

DF 5 다닐료 두키
Danilho Doekhi

국적: 네덜란드

엑셀시오르 유스 출신으로 엑셀시오르, 아약스 2군, 피테서 2군, 피테서 1군을 거쳐 2022-23시즌부터 우니온에서 뛰고 있다. 첫 시즌부터 준주전 이상으로 활약했다.
190cm에 86kg의 좋은 체구를 활용해 수비한다. 세트피스 상황을 비롯해 득점력도 있는 자원이다. 체구에 비해 스피드, 운동능력도 좋다. 지난 시즌 리그 공중볼 경합 7위를 기록했다. 발기술, 빌드업은 약점이다. 부상은 줄었다.

출전경기	경기시간(분)	골	어시스트	경고	퇴장
34	3,060	1	-	4	-

DF 14 레오폴트 크버펠트
Leopold Querfeld

국적: 오스트리아

라피트 빈 유스 출신으로 2군을 거쳐 빠르게 1군에 진입했다. 2022-23시즌부터 1군 주전이 됐고 이듬해 A대표로까지 발탁됐다. 유로 2024 최종 명단에도 들었다. 지난 시즌을 앞두고 우니온이 영입했고, 이 팀에서도 빠르게 주전으로 자리잡았다. 190cm에 83kg의 체격에 운동능력도 좋다. 세트피스 시 타점 높은 헤더 득점은 물론 중거리 슈팅도 강력하다. 분데스리가 올해의 골도 수상했다.

출전경기	경기시간(분)	골	어시스트	경고	퇴장
27	1,743	2	2	8	-

DF 15 톰 로테
Tom Rothe

국적: 독일

장크트파울리, 도르트문트 유스 출신. 1군 데뷔 이후 기회 부족으로 2023-24시즌 2부의 홀슈타인 킬로 임대 돼 시즌 4골 7도움으로 주목받았다. 지난 시즌을 앞두고 우니온에 입단했다. 왼발 킥과 직접 헤더 득점력이 좋다. 레프트백, 윙백이면서 193cm에 88kg의 좋은 체력이다. 보폭, 스피드와 별개로 민첩성, 방향 전환이 약점이다. 요즘 적응 중인 센터백으로 나오면 낙구 지점 포착을 어려워한다.

출전경기	경기시간(분)	골	어시스트	경고	퇴장
26	1,673	3	3	4	1

DF 18 요시프 유라노비치
Josip Juranović

국적: 크로아티아

자국의 NK두브라바 유스 출신으로 프로데뷔도 했다. 강호 하이두크로 이적하고 주전으로 성장했다. 이후 폴란드의 레기아, 스코틀랜드의 셀틱을 거쳐 2022년 월드컵 이후 우니온에 입단했다. 당시 클럽 레코드 이적료였다. 월드컵에서 맹활약을 했다. 기본적으로 오른발잡이 우풀백, 윙백이지만, 왼쪽에서도 준수한 모습을 보여준다. 다만 체격이 작고 부상이 꽤 있는 편이다. 공수 밸런스, 킥, 연계가 강점.

출전경기	경기시간(분)	골	어시스트	경고	퇴장
17	1,159	-	-	4	-

DF 28 크리스토퍼 트리멜
Christopher Trimmel

국적: 오스트리아

올 시즌도 팀의 주장이고 38세가 됐다. 매 시즌 꾸준하게 출전시간을 소화하고 공격 포인트도 올리고 있다. 호리트숀 유스로 프로 데뷔해 라피트 빈에서 활약했다. 2014-15시즌 당시 2부에 있던 우니온에 입단해 승격도 함께 하고 아직도 준수하게 뛰고 있다. 운동능력이 예전 같지는 않아도 여전히 활동량과 킥력을 보여주고 있다. 189cm에 86kg의 체격 덕에 오른쪽 윙백, 풀백, 스토퍼도 가능하다.

출전경기	경기시간(분)	골	어시스트	경고	퇴장
26	1,746	-	3	5	-

DF 34 스탠리 은소키
Stanley Nsoki

국적: 프랑스

파리생제르맹 유스 출신으로 2018-19시즌 당시 1군에서 레프트백으로 출전했다. 기회를 찾아 니스로 떠났다가 클뤼프 브뤼허, 호펜하임을 거쳐 올 시즌 우니온에서 임대로 뛰게 됐다. 기본적으로는 센터백이다. 다만 184cm에 77kg으로 센터백치고는 체격이 아쉽다. 그럼에도 왼발과 운동능력이 있다. 프랑스 연령별 대표를 지냈다. 부상, 카드 관리가 필요한 스타일이다. 기대만큼 성장하지는 못했다.

출전경기	경기시간(분)	골	어시스트	경고	퇴장
22	1,310	-	-	3	1

MF 6 알료샤 켐라인
Aljoscha Kemlein

국적: 독일

우니온 유스 출신으로 2022년 프로 계약을 맺고 2023-24시즌 초반 1군 무대에 데뷔했다. 2023-24시즌 겨울, 2부에 있던 장크트파울리로 임대 가서 경험을 쌓았다.

지난 시즌 전반기에 상당한 시간을 뛰었으나 부상으로 후반기를 날렸다. 187cm의 수비형 미드필더로 중앙 미드필더, 오른쪽 윙백도 가능하다. 공중볼은 강하지만 전반적 수비력은 개선될 필요가 있다. 롱패스, 킥이 강점이다.

출전경기	경기시간(분)	골	어시스트	경고	퇴장
15	925	1	-	3	-

MF 8 라니 케디라
Rani Khedira

국적: 독일

독일 레전드인 사미의 동생이다. 같은 슈투트가르트 유스 출신에 체격과 얼굴, 포지션도 비슷하다. 다만 형이 박스 투 박스 미드필더인 것에 비해, 라니는 포백 보호와 수비를 우선한다. 수비형 미드필더면서 중앙 미드필더, 센터백도 가능하다. 다만 형처럼 투박하고 세밀함은 떨어진다. 지난 시즌 리그 파울 횟수 공동 5위. 파울과 카드 획득이 잦은 것이 약점이다. 올 시즌도 팀의 부주장을 맡고 있다.

출전경기	경기시간(분)	골	어시스트	경고	퇴장
32	2,727	1	1	7	-

MF 11 정우영
Woo-yeong Jeong

국적: 대한민국

인천 태생으로 인천 유나이티드 산하의 초중고 축구부를 모두 나왔다. 바이에른 뮌헨 19세 이하 팀, 2군에서의 활약으로 주목받았으나 프라이부르크 1군 무대는 쉽지 않았다. 바이에른 2군에서 연을 맺은 회네스 감독이 있던 슈투트가르트에 가서도 갈수록 밀리는 모습이었다. 지난 시즌은 임대로, 올 시즌은 완전이적으로 우니온 선수가 됐다. 압박 좋은 공격형 미드필더에 머무르지 않고 파괴력도 보여줘야 한다.

출전경기	경기시간(분)	골	어시스트	경고	퇴장
23	1,272	3	2	2	-

MF 13 언드라시 셰퍼
András Schäfer

국적: 헝가리

MTK 부다페스트 유스 출신으로 2016-17시즌 프로 무대에 데뷔했다. 2018-19시즌 도중 제노아로 이적했으나 1군에서 전혀 뛰지 못했다. 세리에B의 키에보로 임대돼도 마찬가지였다. 슬로바키아의 두나이스카에서 성장해 2021-22시즌 도중 우니온에 입단했다. 중앙 미드필더로 공격형, 수비형 미드필더도 소화한다. 지난 시즌은 부상 없이 수비와 볼 운반에 기여했다. 스탯 생산과는 거리가 있다.

출전경기	경기시간(분)	골	어시스트	경고	퇴장
26	1,538	1	1	3	-

MF 19 야니크 하버러
Janik Haberer

국적: 독일

운터하힝 유스 출신으로 프로 데뷔도 했다. 2014-15시즌 호펜하임으로 이적하나 기회를 얻지 못했고, 2016-17시즌 프라이부르크로 옮겼다. 입지는 꾸준하지 못했으나 여러 포지션을 소화했다. 2022-23시즌 우니온에 입단했다. 기본적으로 중앙 미드필더지만 포백 위 전 포지션을 소화할 수 있다. 트리멜 자리도 자주 대신한다. 187cm에 77kg으로 체격도 밀리지 않는다. 연령별 대표도 지냈다.

출전경기	경기시간(분)	골	어시스트	경고	퇴장
28	1,706	-	-	1	-

MF 24 로베르트 스코우
Robert Skov

국적: 덴마크

실케보르 유스 출신으로 16세에 프로 데뷔전을 치렀다. 꾸준한 기회를 얻으며 성장해 득점력 있는 윙이 됐다. 자국 강호 코펜하겐으로 이적해 2018-19시즌 34경기 30골을 기록했다. 호펜하임으로 이적했으나 윙백으로 쓰였다. 이후 오히려 윙백에서 폼이 더 좋아졌다. 지난 시즌을 앞두고 우니온에 입단했다. 좌우 측면의 모든 포지션이 가능하다. 준수한 체격, 저돌성, 왼발의 위력이 돋보인다.

출전경기	경기시간(분)	골	어시스트	경고	퇴장
15	858	2	2	1	-

FW 10 일리야스 안사
Ilyas Ansah

국적: 독일

가나 이중 국적자로 독일 20세 이하 대표로 뛰고 있다. 194cm의 장신 스트라이커다. 다만 키에 비해 공중볼 경합이 약한 편이다. 오히려 스피드와 드리블이 더 눈에 띈다. 2선 중앙이나 측면 공격수도 가능하다. 직접 슈팅과 마무리보다 도움을 더 선호하는 경향이 있다. 볼 터치와 수비 가담도 활발하다. 파더보른 유스로 2023-24시즌 1군에 올라와 상당한 시간을 뛰었고 지난 시즌 활약이 컸다.

출전경기	경기시간(분)	골	어시스트	경고	퇴장
33	1,656	6	4	6	-

FW 23 안드레이 일리치
Andrej Ilić

국적: 세르비아

파르티잔 유스 출신으로 세르비아, 라트비아, 노르웨이 리그에서 보여준 득점력으로 2023-24시즌 도중 릴에 입단했다. 2024-25 시즌을 앞두고 우니온에 임대됐다. 189cm의 장신 공격수지만 톱과 2선, 중앙과 측면에서 모두 뛸 수 있는 유형이다. 지난 시즌 홀러바흐 다음으로 많은 득점과 공격포인트를 기록했다. 결정력과 공중볼 경합에서 강점이 있으나 그 외 연계나 세밀함은 개선이 필요하다.

출전경기	경기시간(분)	골	어시스트	경고	퇴장
16	946	7	-	1	-

GERMANY BUNDESLIGA

FC UNION BERLIN

FC 장크트파울리

FC ST. PAULI

TEAM PROFILE

창 립	1910년
회 장	오케 괴틀리히(독일)
감 독	알렉산더 블레신(독일)
연 고 지	함부르크 장크트파울리
홈 구 장	밀레른토어 슈타디온(2만 9,546명)
라 이 벌	함부르크 SV, 로스토크, VfB 뤼베크
홈페이지	https://www.fcstpauli.com/

최근 5시즌 성적

시즌	순위	승점
2020-2021	없음	없음
2021-2022	없음	없음
2022-2023	없음	없음
2023-2024	없음	없음
2024-2025	14위	32점(8승8무18패, 28득점 41실점)

BUNDESLIGA (전신 포함)

통 산	없음
24-25 시즌	14위(8승8무18패, 승점 32점)

DFB POKAL

통 산	없음
24-25 시즌	32강

UEFA

통 산	없음
24-25 시즌	없음

TEAM RATINGS

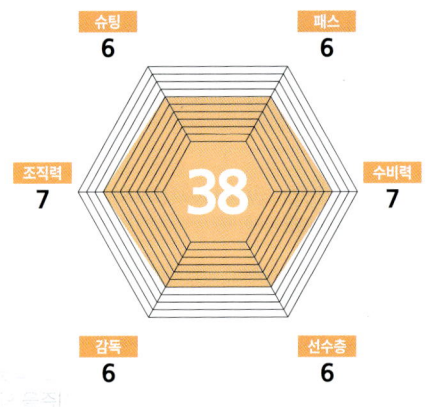

슈팅	패스
6	6

조직력 7 · 38 · 수비력 7

감독	선수층
6	6

2024/25 프로필

팀 득점	28
평균 볼 점유율	43.70%
패스 정확도	79.00%
게임 평균 슈팅 수	11.1
경고	47
퇴장	4

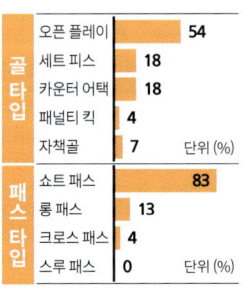

골 타입
- 오픈 플레이 54
- 세트 피스 18
- 카운터 어택 18
- 패널티 킥 4
- 자책골 7 단위 (%)

패스 타입
- 쇼트 패스 83
- 롱 패스 13
- 크로스 패스 4
- 스루 패스 0 단위 (%)

시즌 프리뷰 ## 수비 위주 방식 또 통할까

2010-11시즌에 허무하게 최하위로 강등된 후 오랜 시간 힘겨운 시기를 보낸 장크트파울리지만, 지난 시즌만큼은 달랐다. 처절하게 버티며 1부리그 잔류에 성공했다. 그러나 34경기 28득점에 그쳐 리그 전체 최소 득점팀이었다. 반대로 실점은 41점으로 바이에른에 이어 두 번째였다. 득실차 -13은 리그 12위 수준이다. 철저한 수비를 기반으로 실점을 줄이고 한 방을 노리는 방식으로 살아남은 셈이다. 이런 극단적인 축구가 이번 시즌에도 통할지는 의문이다. 이런 상황에서 핵심 자원들의 이탈은 뼈아프다. 지난 시즌 리그 전체 파울 공동 5위에 팀 내 최다 득점자이자 공격 포인트 1위를 기록한 모르강 길라보기가 팀을 떠났다. 공격 포인트 2위였던 요하네스 에게슈타인도 이적료 한 푼 없이 나갔다. 리그 전체 활동량 4위, 전력질주 5위, 고강도 러닝 3위를 기록하며 공수에서 헌신했던 필리프 트로이도 친정팀으로 복귀했고, 그 외 임대 종료, 계약 만료, 은퇴 등으로 로테이션 자원들이 대거 빠져나갔다. 영입 면에서는 나간 만큼은 아니어도 자유계약과 저비용 투자를 통해 새로운 선수들을 데려왔다. 특히 이적시장 막판에 공격수 마르테인 카르스를 영입하며 보강에 나섰고, 장부상 약간의 마이너스를 감수하기도 했다. 하지만 떠난 전력의 공백을 고려하면 여전히 불안이 크다. 새로 합류한 선수들이 얼마나 빠르게 조직에 녹아들지가 올 시즌 성패를 좌우할 전망이다.

COACH

알렉산더 블레신 Alexander Blessin
1973년 5월 28일생 독일

선수 시절에는 장신 스트라이커였다. 현역 은퇴하고 2012년부터 라이프치히 연령별 팀을 맡았다. 2020-21시즌 벨기에의 KV 오스텐더 감독이 되어 팀을 리그 5위로 올려 올해의 감독상을 수상. 2022년 1월에 제노아로 왔으나, 강등을 막지 못해, 그해 12월 경질됐다. 2023-24시즌 위니옹 생질루아즈 감독이 되어 정규리그 1위에 벨기에컵 우승을 차지했다. 지난 시즌 부임해 이 팀을 잔류시켰다. 3-5-2, 3-4-3 등 스리백을 선호한다.

SQUAD

포지션	등번호	이름		생년월일	키(cm)	체중(kg)	국적
GK	1	벤 폴	Ben Voll	2000.12.09	195	86	독일
	22	니콜라 바실	Nikola Vasilj	1995.12.02	193	85	보스니아 헤르체코비나
DF	2	마놀리스 살리아카스	Manolis Saliakas	1996.09.12	177	68	그리스
	3	카롤 메츠	Karol Mets	1993.05.16	191	83	에스토니아
	4	다비드 네메스	David Nemeth	2001.03.18	191	87	오스트리아
	5	하우케 발	Hauke Wahl	1994.04.15	189	85	독일
	14	핀 스티븐스	Fin Stevens	2003.04.10	179	74	웨일즈
	21	라스 리츠카	Lars Ritzka	1998.05.07	185	78	독일
	23	루이스 옵피	Louis Oppie	2002.05.17	184	81	독일
	25	아담 주비가와	Adam Dzwigala	1995.09.25	185	80	폴란드
	34	야닉 로바치	Jannik Robatsch	2004.12.28	190	78	오스트리아
MF	7	잭슨 어빈	Jackson Irvine	1993.03.07	189	76	호주
	8	에리크 스미스	Eric Smith	1997.01.08	192	81	스웨덴
	16	후지타 조엘 치마	Joel Chima Fujita	2002.02.16	175	76	일본
	20	에리크 알스트란드	Erik Ahlstrand	2001.10.14	184	77	스웨덴
	24	코너 멧커프	Connor Metcalfe	1999.11.05	183	70	호주
	28	마티아스 페레이라 라게	Mathias Pereira Lage	1996.11.30	180	69	포르투갈
	42	마르빈 슈미츠	Marwin Schmitz	2007.01.07	180	75	독일
FW	9	압둘리 시세이	Abdoulie Ceesay	2004.01.05	185	79	감비아
	10	다넬 시나니	Danel Sinani	1997.04.05	185	70	룩셈부르크
	17	올라다포 아폴라얀	Oladapo Afolayan	1997.09.11	180	75	잉글랜드
	19	마르테인 카르스	Martijn Kaars	1999.03.05	183	74	네덜란드
	26	리키제이드 존스	Ricky-Jade Jones	2002.11.08	183	70	잉글랜드
	27	안드레아스 하운톤지	Andréas Hountondji	2002.07.11	190	86	베냉

IN & OUT

주요 영입	주요 방출
시몬 스파리, 야닉 로바치, 로이스 옵피, 아르카디 우슈 피르카, 후지타 조엘 치마, 마티아스 페레이라 라게, 마르테인 카르스, 안드레아스 아운톤지	로베르트 바그너, 노아 바이스하우프트, 지베 판데르 헤이던(임대종료), 필리프 트로이, 카를로 부칼파, 엘리아스 사드, 모르강 길라보기, 요하네스 에게슈타인

TEAM FORMATION

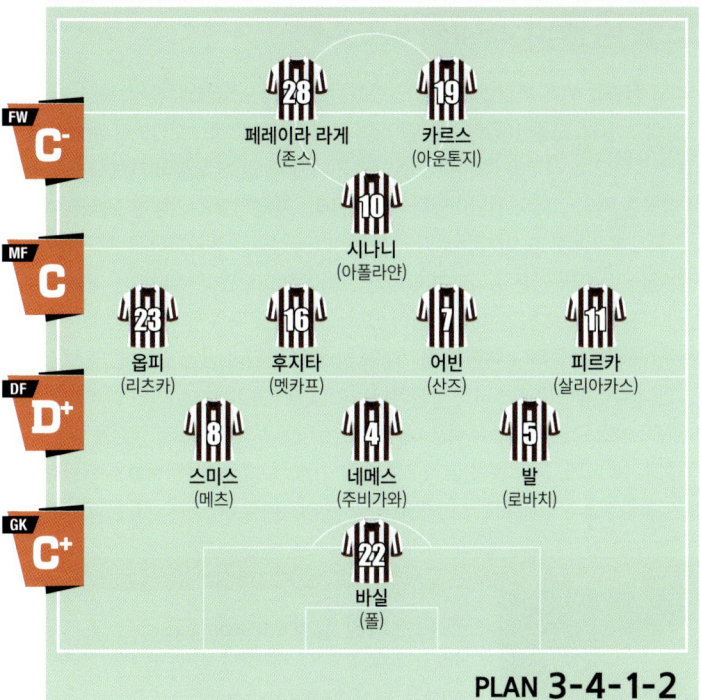

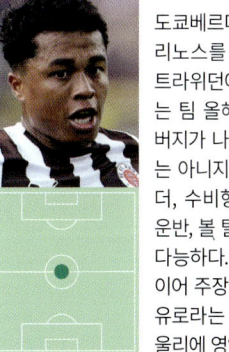

PLAN **3-4-1-2**

FW **C-**
MF **C**
DF **D+**
GK **C+**

지역 점유율

공격 진영	27%
중앙	46%
수비 진영	28%

공격 방향

38% 왼쪽 / 25% 중앙 / 37% 오른쪽

슈팅 지역

9% 골 에어리어
55% 패널티 박스
36% 외곽 지역

상대팀 최근 6경기 전적

구분	승	무	패	구분	승	무	패
FC 바이에른 뮌헨			6	보루시아 묀헨글라드바흐	2	1	3
바이엘 04 레버쿠젠	1	2	3	VfL 볼프스부르크	1		5
아인트라흐트 프랑크푸르트	1	2	3	아우크스부르크	1	2	3
보루시아 도르트문트	1		5	FC 우니온 베를린	2		4
SC 프라이부르크	2	1	3	FC 장크트파울리			
FSV 마인츠 05	1		4	TSG 1899 호펜하임	3	2	1
RB 라이프치히	3	1	2	FC 하이덴하임	4	1	1
SV 베르더 브레멘		3	3	FC 쾰른		1	5
VfB 슈투트가르트	1	1	4	함부르크 sv	2	1	3

PLAYERS

GK 22 니콜라 바실
Nikola Vasilj

KEY PLAYER

국적: 보스니아

아버지는 골키퍼로 크로아티아 대표를 지냈다. 본인은 보스니아 대표로 뛰고 있다. 193cm에 86kg의 체격과 선방 능력이 돋보인다. 긴 팔다리에 반사신경이 좋다. 지난 시즌 리그에서 PK 5개 중 4개를 막아내는 기염을 토했다. 지난 시즌 리그 선방 횟수 5위에, 기대 실점 대비 9실점 적게 해 이 부문 1위를 차지했다. 공중볼 장악력도 좋다. 잔류의 1등 공신으로 평가되고 있다. 스위퍼 키퍼 역할이나 빌드업은 약점이 있는 고전적 키퍼다.

출전경기	경기시간(분)	실점	무실점(경기)	경고	퇴장
33	2,970	39	9	-	1

MF 7 잭슨 어바인
Jackson Irvine

국적: 호주

멜버른 빅토리 유스 시절, 셀틱 입단 테스트에 합격했다. 1군 데뷔는 했으나 이후 SPL, 챔피언십의 여러 팀을 거쳤다. 2021-22시즌에 장크트파울리에 입단했다. 현재 팀의 주장이다. 189cm의 중앙 미드필더. 공격형, 수비형 미드필더도 가능. 활동량, 침투, 슈팅력, 지상과 공중 경합 등 다재다능하나, 안타깝게도 지난 시즌 무득점에 그쳤다. 세밀함이 아쉬운 편. 지난 시즌 리그 고강도 러닝 10위였다.

출전경기	경기시간(분)	골	어시스트	경고	퇴장
29	2,610	-	6	2	-

MF 8 에리크 스미스
Eric Smith

국적: 스웨덴

팀의 부주장이다. 192cm의 장신 수비형 미드필더, 중앙 미드필더, 센터백. 자국의 할름스타드 유스 출신으로 프로 데뷔했다. 노르셰핑을 거쳐 헨트로 이적했으나 경쟁에서 밀렸다. 트롬쇠, 노르셰핑 임대 이후 2020-21시즌 겨울에 장크트파울리로 임대됐다. 이어 여름에 바로 완전 이적해 주전으로 뛰고 있다. 활동량, 경합, 수비 기여, 내구성에 강점이 있다. 투박함과 카드 수집은 단점이다.

출전경기	경기시간(분)	골	어시스트	경고	퇴장
32	2,829	1	1	7	-

MF 16 후지타 조엘 치마
Joel Chima Fujita

국적: 일본

도쿄베르디, 도쿠시마, 요코하마 마리노스를 거쳐 2023-24시즌 신트트라위던에 입단했다. 지난 시즌에는 팀 올해의 선수상을 받았다. 아버지가 나이지리아 출신이다. 큰 키는 아니지만 다부지다. 중앙 미드필더, 수비형 미드필더로 활동량, 볼운반, 볼 탈취, 전개, 탈압박 등 다재다능하다. 일본 연령별 대표에서 연이어 주장을 맡았다. 올 시즌 350만 유로라는 클럽 레코드로 장크트파울리에 영입됐다.

출전경기	경기시간(분)	골	어시스트	경고	퇴장
27	2,402	-	3	6	-

MF 28 마티아스 페레이라 라게
Mathias Pereira Lage

국적: 포르투갈

프랑스 태생으로 포르투갈 연령별 대표를 지냈다. 클레르몽 유스 출신으로 리그2에서 활약하며 2019-20시즌 앙제로 이적했다. 이후 2022-23시즌 스타드 브레스투아에 입단한다. 주전은 아니었다. 오른발잡이로 왼쪽 측면에서 주로 뛰나 2선 전체를 소화할 수 있다. 프랑스에서는 센터백, 골키퍼 빼고 다 뛰어봤다. 기술적으로 정교하지는 않지만 지상과 공중 경합, 수비가담이 좋고 한 방이 있다.

출전경기	경기시간(분)	골	어시스트	경고	퇴장
29	1,574	2	7	4	-

TSG 호펜하임

TSG 1899 Hoffenheim

TEAM PROFILE
창 립	1899년
회 장	마르크스 슈츠(독일)
감 독	크리스티안 일처(오스트리아)
연 고 지	바덴뷔르템베르크 라인네카어
홈 구 장	프리제로 아레나(3만 150명)
라 이 벌	-
홈페이지	www.tsg-hoffenheim.de

최근 5시즌 성적

시즌	순위	승점
2020-2021	11위	43점(11승10무13패, 52득점 54실점)
2021-2022	9위	46점(13승7무14패, 58득점 60실점)
2022-2023	12위	36점(10승6무18패, 48득점 57실점)
2023-2024	7위	46점(13승7무14패, 66득점 66실점)
2024-2025	15위	32점(7승11무16패, 46득점 68실점)

BUNDESLIGA (전신 포함)

통 산	없음
24-25 시즌	15위(7승11무16패, 승점 32점)

DFB POKAL

통 산	없음
24-25 시즌	16강

UEFA

통 산	없음
24-25 시즌	없음

TEAM RATINGS

슈팅	7
패스	7
조직력	7
수비력	7
감독	7
선수층	7

42

2024/25 프로필

팀 득점	46
평균 볼 점유율	48.40%
패스 정확도	80.30%
게임 평균 슈팅 수	13
경고	66
퇴장	2

골 타입
오픈 플레이	61
세트 피스	28
카운터 어택	4
패널티 킥	7
자책골	0

단위 (%)

패스 타입
쇼트 패스	83
롱 패스	12
크로스 패스	5
스루 패스	0

단위 (%)

시즌 프리뷰 보강된 전력으로 나름의 기대를 갖는다

호펜하임은 지난 시즌 유로파리그 진출을 위해 과감한 투자를 단행했지만, 결과는 실패였다. 리그에서는 15위에 머물렀고, 유로파리그 조별리그 탈락, 포칼 16강에서도 떨어졌다. 이적시장에서도 수입보다 지출이 훨씬 많아 4,700만 유로의 적자를 기록했으며, 성적을 통한 추가 수익도 기대할 수 없었다. 결국 시즌 도중 감독을 교체했고, 가까스로 잔류에 성공한 것이 그나마 위안이었다. 올 시즌에는 재정적으로 안정된 모습을 보였다. 이적시장에서는 565만 유로 흑자를 기록했고, 마치다 코키의 십자인대 부상으로 불가피하게 센터백을 추가 영입했다. 그러나 중원에서는 톰 비쇼프와 안톤 슈타흐가 떠나며 전력이 약화되었다. 슈타흐는 이적료 수익을 남겼지만, 비쇼프는 사실상 자유계약으로 팀을 떠나 손실이 컸다. 그 외에도 자유계약이나 임대 이적으로 떠난 선수가 많아 스쿼드가 가벼워졌다. 그러나 여전히 정리해야 할 잉여 자원이 남아 있다. 반면 보강은 의외로 효율적이었다. 2부리그 임대에서 돌아온 피스니크 아슬라니는 18골 9도움이라는 뛰어난 성적을 기록했고, 무하메드 다마르 역시 9골 6도움으로 공격에서 두각을 나타냈다. 수비에는 빅리그에서 경험을 쌓은 자유계약 자원들이 합류했고, 중원과 수비에도 크지 않은 금액으로 성장 가능성이 있는 유망주들을 영입하며 팀의 두께를 더했다. 호펜하임은 새 얼굴들과 임대 복귀 선수들의 활약 여부에 따라 반등의 여지가 크다.

COACH

크리스티안 일처 *Christian Ilzer*
1977년 10월 21일생 오스트리아

10대에만 십자인대 부상을 세 번 당해 17세부터 유소년 팀의 선수 겸 코치가 됐다. 2015-16시즌에 이어 다시 하르트베르크에 감독으로 복귀해 최초 1부 승격으로 이끌었다. 볼프스베르거, 아우스트리아 빈, 슈투름 그라츠에서 감독으로서 명성을 쌓았다. 2020-21 슈투름 그라츠를 고공행진 시키고, 2023-24시즌 잘츠부르크의 리그 10연패를 끊은 것이 그 절정. 지난해 호펜하임에 중도 부임했다. 포백을 선호하지만 지난 시즌 말부터 스리백 사용 중.

SQUAD

포지션	등번호	이름		생년월일	키(cm)	체중(kg)	국적
GK	1	올리버 바우만	Oliver Baumann	1990.06.02	187	82	독일
DF	2	로빈 흐라나치	Robin Hranac	2000.01.29	190	84	체코
	5	오잔 카바크	Ozan Kabak	2000.03.25	187	86	튀르키에
	13	베르나르두	Bernardo	1995.05.14	186	77	브라질
	15	발랑탱 장드레	Valentin Gendrey	2000.06.21	179	75	프랑스
	21	알비안 하이다리	Albian Hajdari	2003.05.18	189	-	스위스
	22	알렉산더 프라스	Alexander Prass	2001.05.26	182	72	오스트리아
	25	케빈 아크포구마	Kevin Akpoguma	1995.04.19	192	85	나이지리아
	28	마치다 코키	Koki Machida	1997.08.25	190	80	일본
	34	블라디미르 초우팔	Vladimír Coufal	1992.08.22	174	76	체코
MF	6	그리샤 프뢰멜	Grischa Prömel	1995.01.09	180	78	독일
	7	레온 아브둘라후	Leon Avdullahu	2004.02.23	185	79	스위스
	8	데니스 가이거	Dennis Geiger	1998.06.10	173	65	독일
	10	무함마드 다마르	Muhammed Damar	2004.04.09	185	73	독일
	17	우무트 토움주	Umut Tohumcu	2004.08.11	175	71	독일
	18	바우터르 뷔르허	Wouter Burger	2001.02.16	191	83	네덜란드
	40	헤네스 베렌스	Hennes Behrens	2005.01.19	177	69	독일
FW	9	이흘라스 베부	Ihlas Bebou	1994.04.23	185	77	토고
	11	피스니크 아슬라니	Fisnik Asllani	2002.08.08	188	81	코소보
	19	팀 렘페를레	Tim Lemperle	2002.02.05	186	77	독일
	23	아담 흘로제크	Adam Hlozek	2002.07.25	188	83	체코
	24	데이비드 모콰	David Mokwa	2004.05.03	181	81	프랑스
	27	안드레이 크라마리치	Andrej Kramaric	1991.06.19	177	73	크로아티아
	29	바주마나 투레	Bazoumana Touré	2006.03.02	175	70	코트디부아르
	32	머르김 베리샤	Mergim Berisha	1998.05.11	188	85	독일

IN & OUT

주요 영입	주요 방출
무하메드 다마르, 피스니크 아슬라니(임대 복귀), 마치다 코키, 베르나르두, 블라디미르 초우팔, 바우터르 뷔르허르, 레온 아브둘라후, 팀 렘페믈레	다비드 유라세크, 레오 외스티고르(임대 복귀), 스탠리 은소키, 하리스 타바코비치(임대), 디아디에 사마세쿠, 파벨 카데라베크, 톰 비쇼프, 안톤 슈타흐, 마리우스 뷜터

TEAM FORMATION

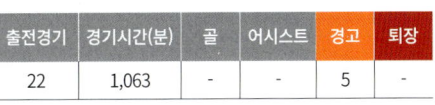

PLAN **4-2-3-1**

FW **B-**
MF **C+**
DF **C+**
GK **B-**

- **23** 흘로체크 (뫼어슈테트)
- **29** 투레 (아슬라니)
- **27** 크라마리치 (다마르)
- **19** 렘페믈레 (투레)
- **7** 아브둘라후 (토움주)
- **18** 뷔르허르 (프뢰델)
- **13** 베르나르두 (프라스)
- **35** 차베스 (마치다)
- **2** 흐라냐치 (하이다리)
- **34** 초우팔 (장드레)
- **1** 바우만 (필리프)

지역 점유율

공격 진영	28%
중앙	43%
수비 진영	28%

공격 방향

36% 왼쪽	26% 중앙	38% 오른쪽

슈팅 지역

- 7% 골 에어리어
- 57% 패널티 박스
- 36% 외곽 지역

상대팀 최근 6경기 전적

구분	승	무	패	구분	승	무	패
FC 바이에른 뮌헨	1	1	4	보루시아 묀헨글라드바흐	1	1	4
바이엘 04 레버쿠젠	1		5	VfL 볼프스부르크	1	2	3
아인트라흐트 프랑크푸르트	1	1	4	아우크스부르크	2	3	1
보루시아 도르트문트	1	1	4	FC 우니온 베를린	2		4
SC 프라이부르크		2	4	FC 장크트파울리	1	2	3
FSV 마인츠 05	2	1	3	TSG 1899 호펜하임			
RB 라이프치히	1	1	4	FC 하이덴하임	1		3
SV 베르더 브레멘	4		2	FC 쾰른	3	2	1
VfB 슈투트가르트	1	4	1	함부르크 sv	2	1	3

PLAYERS

FW 27 안드레이 크라마리치 KEY PLAYER
Andrej Kramarić

국적: 크로아티아

지난 시즌에도 득점과 도움을 고르게 올리며 여유 있게 팀 내 최다 공격 포인트를 기록했다. 결정적 기회도 많이 놓쳤으나, 그만큼 득점하고 공격에서도 핵심 역할을 했다. 전방의 어느 포지션이든 뛸 수 있으나 톱 아래에서 자유롭게 플레이 할 때가 최적이다.

체구는 크지 않고 경합에서 약점이 있지만 그 외에는 활동량도 좋고 다재다능하다. 아래로 내려와 볼을 받아주고 연계하며 게임을 풀어주기도. 롱볼과 PK처리도 강점이다.

출전경기	경기시간(분)	골	어시스트	경고	퇴장
32	2,782	11	8	4	-

GK 1 올리버 바우만
Oliver Baumann

국적: 독일

지난 시즌 리그 선방 횟수 6위. 선방률은 14위였으나 득점 차단은 9위였다. 기대실점보다 2실점 적었다. PK 5개 중 3개를 막기도 했다. 스위퍼 키퍼, 빌드업 능력도 있다. 아직 안정감은 변수. 2022-23시즌부터 팀의 주장이다. 프라이부르크 유스로 2009-10시즌 1군에 데뷔했다. 클럽에서는 주전 자리를 놓치지 않고 있다. A대표에서는 소집만 되고 못 뛰다가 지난해 10월에야 소원을 풀었다.

출전경기	경기시간(분)	실점	무실점 (경기)	경고	퇴장
28	2,520	53	4	1	-

DF 13 베르나르두
Bernardo

국적: 브라질

레드불 브라간치누, 잘츠부르크, 라이프치히를 빠르게 거쳤다. 좋은 조건으로 브라이턴으로 이적했다. 잘츠부르크로 임대, 완전이적 이후 활약하다가 2023-24시즌 보훔으로 떠났다. 지난 시즌에는 공중볼 경합 8위. 강등 이후 자유계약으로 호펜하임에 합류했다. 센터백, 레프트백, 수비형 미드필더도 가능하다. 센터백으로서 장신은 아니어도 운동능력이 좋다. 경합에 비해 공격 쪽 세밀함은 아쉽다.

출전경기	경기시간(분)	골	어시스트	경고	퇴장
21	1,736	-	-	5	-

DF 34 블라디미르 초우팔
Vladimír Coufal

국적: 체코

2부 포함 체코의 여러 팀을 거쳐 강호 중 하나인 슬로반 리베레츠에 입단했다. 여러 경쟁을 지나 자리 잡은 뒤 명문 슬라비아 프라하로 이적, 체코 연령별 대표를 거쳐 A대표로도 발탁되기 시작했다. 빅리그의 관심도 받아 웨스트햄을 택했다. 5년간 PL 생활을 마감하고 호펜하임으로 왔다. 공수 밸런스, 활동량이 좋은 자원이다. 세밀함이 아쉽고, 33세 나이가 부담이긴 하나 투지에 기대를 걸어볼 만하다.

출전경기	경기시간(분)	골	어시스트	경고	퇴장
22	1,063	-	-	5	-

FW 23 아담 흘로제크
Adam Hložek

국적: 체코

스파르타 프라하 유스 출신. 준수한 모습으로 레버쿠젠에 영입했다. 경쟁에서 밀려 지난 시즌을 앞두고 호펜하임으로 떠났다. 호펜하임의 클럽 레코드 영입이었다. 지난 시즌 팀 내 공격 포인트 2위로 일단 나쁘지 않았다. 기회 창출, 드리블 등은 호평을 받았으나, 전체적인 기대치에는 못 미쳤다. 다소 부상도 있었다. 188cm 빠르고 양발 사용이 가능하다. 공격 포지션 어디든 뛸 수 있는 다용도 자원이다.

출전경기	경기시간(분)	골	어시스트	경고	퇴장
27	1,876	8	3	2	-

FC 하이덴하임

FC Heidenheim

TEAM PROFILE	
창 립	1846년
회 장	홀거 잔발트(독일)
감 독	프랑크 슈미트(독일)
연 고 지	슈투트가르트 현 하이덴하임
홈 구 장	포이트 아레나(1만 5000명)
라 이 벌	
홈페이지	www.fc-heidenheim.de

최근 5시즌 성적

시즌	순위	승점
2020-2021	없음	없음
2021-2022	없음	없음
2022-2023	없음	없음
2023-2024	8위	42점(10승12무12패, 50득점 55실점)
2024-2025	16위	29점(8승5무21패, 37득점 64실점)

BUNDESLIGA (전신 포함)

통 산	없음
24-25 시즌	16위(8승5무21패, 승점 29점)

DFB POKAL

통 산	없음
24-25 시즌	32강

UEFA

통 산	없음
24-25 시즌	없음

TEAM RATINGS

슈팅 6
패스 6
조직력 6
37
수비력 6
감독 7
선수층 6

2024/25 프로필

팀 득점	37
평균 볼 점유율	42.80%
패스 정확도	77.70%
게임 평균 슈팅 수	11.9
경고	66
퇴장	1

골 타입
오픈 플레이	62
세트 피스	22
카운터 어택	3
패널티 킥	14
자책골	0	단위 (%)

패스 타입
쇼트 패스	81
롱 패스	14
크로스 패스	4
스루 패스	0	단위 (%)

시즌 프리뷰 **상대 맞춤형 전략으로 맞선다**

하이덴하임은 영광의 순간을 맛본 뒤 곧바로 큰 위기를 맞이했다. 2022-23시즌 2부리그 1위로 구단 사상 처음으로 승격해 분데스리가에 입성했고, 2023-24시즌에는 8위를 기록하며 유럽 컨퍼런스리그 티켓까지 따내는 돌풍을 일으켰다. 그러나 주축 선수들을 다른 팀에 내주고 맞이한 지난 시즌은 정반대였다. 리그 최다 실점 4위, 최소 득점 6위라는 초라한 기록으로, 끝내 승강 플레이오프까지 몰리며 강등 위기에 직면했다. 플레이오프에서도 고전한 끝에 가까스로 잔류에 성공했지만, 올 시즌 전망도 밝지 않다. 이적시장에서도 막판에 레아르트 파차라다를 깜짝 영입해 좌측 수비를 보강했으나, 동시에 공격 2선에서 한 방이 있던 레오 시엔자를 매각해 전력이 오히려 약화됐다. 그 외에는 임대 복귀와 유스 승격이 전부다. 그나마 이번 시즌은 유럽 대항전이 없어 리그에 집중할 수 있다는 점이 호재다. 지난 시즌은 전력 약화에도 불구하고 유럽 무대를 병행하느라 스쿼드를 늘렸지만, 질적 효과가 크지 않았다. 로테이션을 돌려도 핵심 선수들이 충분히 휴식하지 못했고, 감독과 선수 모두 경험 부족을 드러냈다. 이번 시즌은 경기 준비와 체력 관리 면에서 조금은 여유가 있다. 하이덴하임의 희망은 프랑크 슈미트 감독에게 달려 있다. 오랜 시간 팀을 이끌며 기대 이상의 성적을 내고, 무명 선수들을 키워낸 그의 지도력이 발휘되어야 잔류 이상의 성과를 기대할 수 있다.

COACH

프랑크 슈미트 *Frank Schmidt*
1974년 1월 3일생 독일

하이덴하임에서 은퇴 한 후인 2007년 여름부터 팀의 수석 코치 바로 감독이 됐다. 그 때부터 지금까지 이 팀을 이끌고 있다. 두 번째 시즌에 3부 승격했다. 2013-14시즌에 3부 우승. 2022-23시즌 우승으로 첫 1부 승격에 첫 유럽대항전 출전까지. 슈미트 감독은 하이덴하임의 역사 그 자체다. 독일 축구 역사상 한 팀에서 가장 오래 지휘봉을 잡은 인물이다. 4-2-3-1을 선호하지만 상대 맞춤형으로 스리백, 파이브백, 투톱 등 다양한 전술을 구사한다.

SQUAD

포지션	등번호	이름		생년월일	키(cm)	체중(kg)	국적
GK	41	디안트 라마이	Diant Ramaj	2001.09.19	190	94	독일
	2	마르논 부슈	Marnon Busch	1994.12.08	182	79	독일
	4	팀 지르슬레벤	Tim Siersleben	2000.03.09	187	84	독일
	5	베네딕트 김버	Benedikt Gimber	1997.02.19	187	84	독일
DF	6	파트리크 마인카	Patrick Mainka	1994.11.06	193	88	독일
	19	요나스 푀렌바흐	Jonas Föhrenbach	1996.01.26	184	82	독일
	23	오마르 트라오레	Omar Traoré	1998.02.04	187	80	독일
	27	토마스 켈러	Thomas Keller	1999.08.05	186	82	독일
	32	레아트 파카라다	Leart Paqarada	1994.10.08	184	76	코소보
	3	얀 쇠프너	Jan Schöppner	1999.06.12	190	78	독일
	16	율리안 니위스	Julian Niehues	2001.04.17	195	88	독일
	17	마티아스 혼자크	Mathias Honsak	1996.12.20	188	83	오스트리아
	20	루카 케르버	Luca Kerber	2002.03.10	183	82	독일
MF	21	아드리안 벡	Adrian Beck	1997.06.09	185	81	독일
	22	아리욘 이브라히모비치	Arijon Ibrahimovic	2005.12.11	180	69	독일
	30	니클라스 도어쉬	Niklas Dorsch	1998.01.15	178	76	독일
	31	지를로트 콘테	Sirlord Conteh	1996.07.09	179	78	독일
	33	닉 로스와일러	Nick Rothweiler	2006.06.16	190	84	독일
	9	슈테판 시머	Stefan Schimmer	1994.04.28	184	86	독일
	11	부두 지브지바제	Budu Zivzivadze	1994.03.10	189	85	조지아
FW	18	마빈 피에링거	Marvin Pieringer	1999.10.04	191	82	독일
	29	미켈 카우프만	Mikkel Kaufmann	2001.01.03	190	90	덴마크

IN & OUT

주요 영입	주요 방출
미켈 카우프만(임대복귀), 디안트 라마이, 아리욘 이브라히모비치(임대), 레아르트 파차라다	프란스 크레치히, 파울 바너(임대복귀), 막시밀리안 브로이니히(임대), 레오 시엔자

TEAM FORMATION

FW **D**
MF **C-**
DF **C-**
GK **C-**

18 피에링거 (지브지바제)

17 혼자크 (콘테)   **21** 아드리안 벡 (이브라히모비치)

32 파차라다 (푀렌바흐)   **3** 쇠프너 (니에후에스)   **30** 도어쉬 (케르버)   **2** 부슈 (트라오레)

4 지르슬레벤 (푀렌바흐)   **5** 김버 (켈러)   **6** 마인카 (트라오레)

41 라마이 (뮐러)

PLAN **3-4-2-1**

지역 점유율

공격 진영	24%
중앙	45%
수비 진영	31%

공격 방향

왼쪽	중앙	오른쪽
34%	27%	39%

슈팅 지역

8%	골 에어리어
55%	패널티 박스
37%	외곽 지역

DF 6 파트리크 마인카
Patrick Mainka

 **KEY PLAYER**

국적: 독일

빌레펠트 유스로 1군 데뷔는 했으나 기회가 적었다. 브레멘, 도르트문트 2군을 거쳐 2018-19시즌 하이덴하임으로 이적했다. 첫 시즌부터 현재까지 한 팀에 머물면서 주전으로 활약 중이다. 2021-22시즌부터는 주장을 맡고 있다.

194cm, 86kg 체격으로 수비의 중심에 버티고 있다. 지난 시즌 리그 전체 경합승리 8위, 공중볼 경합승리 3위, 뛴 거리 9위. 팀에서 패스 정확도, 가로채기, 클리어링, 블록 1위를 기록했다.

출전경기	경기시간(분)	골	어시스트	경고	퇴장
34	3,060	1	-	4	-

DF 32 레아트 파카라다
Leart Paqarada

국적: 코소보

알바니아, 코소보, 독일 삼중 국적자다. 브레멘 태생으로 코소보 A대표로 뛰고 있다. 184cm에 76kg으로 풀백으로서는 좋은 체격이다. 레프트백이지만 윙백, 윙으로도 전진 배치 가능하다. 그만큼 기동력, 체력, 왼발 공격력을 갖추고 있다. 브레멘, 레버쿠젠 유스 출신으로 레버쿠젠 2군, 잔트하우젠, 장크트파울리를 거쳐 지난 시즌 쾰른에 입단했다. 지난 시즌 팀 내 도움 2위를 기록하고, 이번 시즌 하이덴하임에 왔다.

출전경기	경기시간(분)	골	어시스트	경고	퇴장
31	2,535	-	7	5	1

상대팀 최근 6경기 전적

구분	승	무	패	구분	승	무	패
FC 바이에른 뮌헨	1		4	보루시아 묀헨글라드바흐		1	5
바이엘 04 레버쿠젠	1		4	VfL 볼프스부르크	1	1	4
아인트라흐트 프랑크푸르트			5	아우크스부르크	1		3
보루시아 도르트문트		2	2	FC 우니온 베를린	4	1	1
SC 프라이부르크	1	1	4	FC 장크트파울리	1	1	4
FSV 마인츠 05	2	1	1	TSG 1899 호펜하임		3	1
RB 라이프치히		2	4	FC 하이덴하임			
SV 베르더 브레멘	3	1	2	FC 쾰른	1	2	1
VfB 슈투트가르트	2	2	2	함부르크 sv	1	2	3

MF 3 얀 쇠프너
Jan Schöppner

국적: 독일

SC페를 유스 출신으로 2020-21시즌 하이덴하임에 입단했다. 입단 첫 시즌부터 기회를 많이 받았고 점차 주축으로 자리 잡았다. 지난 시즌은 출전시간, 득점, 도움, 경고까지 모두 늘었다. 190cm의 신장에 중앙 미드필더 내지 수비형 미드필더로 뛰었다. 지난 시즌 리그 전체 뛴 거리 6위, 고강도 러닝 8위였다. 위치 선정과 활동량, 근면함, 지상과 공중 경합 능력이 돋보인다. 패스, 빌드업은 약점이다.

출전경기	경기시간(분)	골	어시스트	경고	퇴장
33	2,690	4	3	8	-

MF 21 아드리안 벡
Adrian Beck

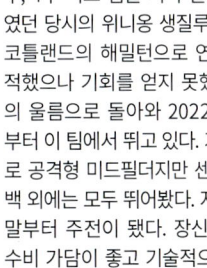

국적: 독일

호펜하임 유스에서 2군에서 뛰다가 5부, 4부 리그 팀을 거쳐 벨기에 2부였던 당시의 위니옹 생질루아즈, 스코틀랜드의 해밀턴으로 연달아 이적했으나 기회를 얻지 못했다. 4부의 울름으로 돌아와 2022-23시즌부터 이 팀에서 뛰고 있다. 기본적으로 공격형 미드필더지만 센터백, 풀백 외에는 모두 뛰어봤다. 지난 시즌 말부터 주전이 됐다. 장신에 경합, 수비 가담이 좋고 기술적으로도 나쁘지 않다.

출전경기	경기시간(분)	골	어시스트	경고	퇴장
32	1,599	4	1	1	-

FW 18 마르빈 피에링거
Marvin Pieringer

국적: 독일

SSV 로이틀링겐 유스 출신으로 1군 데뷔 후 프라이부르크 2군으로 이적했다. 2부의 뷔르츠부르거 키커스, 샬케로 임대됐다. 샬케로 완전 이적 후, 파더보른에 임대되어 2022-23시즌 2부 리그 10득점 8도움을 올렸다. 2023-24시즌 하이덴하임에 입단했다. 지난 시즌에는 팀 내 최다 공격 포인트를 올렸다. 클라인딘스트와 매우 비슷한 자원이다. 지난 시즌 리그 전체 파울 공동 8위였다.

출전경기	경기시간(분)	골	어시스트	경고	퇴장
31	2,224	7	3	7	-

FC 쾰른
FC Köln

TEAM PROFILE

창 립	1948년
회 장	베르너 볼프(독일)
감 독	루카스 크바스니오크(독일)
연 고 지	노르트라인베스트팔렌 주 쾰른
홈 구 장	라인에네르기 슈타디온(4만 9,698명)
라 이 벌	바이엘 04 레버쿠젠, 보루시아 묀헨글라트바흐
홈페이지	www.fc.de

최근 5시즌 성적

시즌	순위	승점
2020-2021	16위	33점(8승9무17패, 34득점 60실점)
2021-2022	7위	52점(14승10무10패, 52득점 49실점)
2022-2023	11위	42점(10승12무12패, 49득점 54실점)
2023-2024	17위	27점(5승12무17패, 28득점 60실점)
2024-2025	없음	없음

BUNDESLIGA (전신 포함)

통 산	우승 2회
24-25 시즌	없음

DFB POKAL

통 산	우승 4회
24-25 시즌	8강

UEFA

통 산	없음
24-25 시즌	없음

TEAM RATINGS

슈팅 7
패스 7
조직력 7
수비력 6
감독 7
선수층 7

41

2024/25 프로필

팀 득점	53
평균 볼 점유율	53.00%
패스 정확도	82.40%
게임 평균 슈팅 수	16.9
경고	72
퇴장	1

골 타입

오픈 플레이	58	
세트 피스	23	
카운터 어택	11	
패널티 킥	8	
자책골	0	단위 (%)

패스 타입

쇼트 패스	85	
롱 패스	10	
크로스 패스	4	
스루 패스	0	단위 (%)

시즌 프리뷰 혼란과 반전

쾰른은 2023-24시즌 17위에 그치며 강등됐다. 2017-18시즌 유로파리그를 병행하다 강등된 이후 처음이었다. 그러나 그때처럼 이번에도 다시 한 시즌 만에 2부리그 우승을 차지하며 1부에 복귀했다. 문제는 전력 공백이었다. 최근 강등당할 때도 핵심 선수들을 자유계약으로 잃은 것이 뼈아팠는데, 이번에도 주축이자 유망주인 팀 렘페를레가 자유계약으로 떠나며 악몽이 재현되는 듯했다. 다른 주요 선수들도 팀을 떠나면서 불안감이 커졌다. 다행히 지난 시즌에 스포츠중재재판소의 결정으로 내려진 영입 금지 조치가 해제되면서, 이번 여름에는 적극적으로 이적시장에 나설 수 있었고, 그 결과 선수들 면면도 준수해 일단 걱정을 덜었다. 지난 시즌 쾰른은 승점 1점 차로 2부리그 우승을 했지만, 순탄치는 않았다. 마지막 두 경기를 앞두고 구단은 감독과 단장을 동시에 교체했다. 강등으로 주축 선수들이 대거 빠져나간 상황에서 영입 제한까지 겹쳐 어려움이 컸다. 승격이 가시권인데 과한 조치라는 평가가 뒤따랐다. 실제 구단 내부의 파워게임과 정치 싸움이라는 말도 나왔다. 새로 부임한 단장은 레전드 출신이었고, 임시 감독은 과거 이 팀을 두 번 맡은 바 있었다. 막판 두 경기를 모두 잡으며 승격을 확정지었다. 새 시즌을 앞두고 쾰른은 또다시 새로운 감독을 맞았다. 선수단 변화도 크고 분위기 역시 다소 어수선지만, 경기장에서 성적으로 증명해내는 수밖에 없다.

COACH

루카스 크바스니오크 *Lukas Kwasniok*
1981년 6월 12일생 독일

폴란드 이중 국적으로 선수 시절에는 미드필더였다. 무릎 문제로 27세에 은퇴, 2014-15시즌부터 카를스루어의 연령별 팀을 맡았다. 2016년 12월에는 1군 임시 감독, 2018년 12월 3부의 카를스 차이스 예나 감독으로 부임. 첫 시즌은 팀을 반등시키며 잔류했으나, 다음 시즌 성적은 좋지 못해 사임하고 단장이 됐다. 이후 자르브뤼켄, 파더보른에서 역량을 발휘해 쾰른에 부임하게 됐다. 포백, 스리백 등 상황에 따라 유연하게 전술 변화를 가져간다. 쾰른에서는 3-4-2-1로 시작.

SQUAD

포지션	등번호	이름		생년월일	키(cm)	체중(kg)	국적
GK	1	마빈 슈베베	Marvin Schwäbe	1995.04.25	190	86	독일
	2	조엘 슈미드	Joël Schmied	1998.09.23	188	84	스위스
DF	3	도미니크 하인츠	Dominique Heintz	1993.08.15	188	85	독일
	4	티모 후버스	Timo Hübers	1996.07.20	190	82	독일
	15	루카 킬리안	Luca Kilian	1999.09.01	192	91	독일
	25	유수프 가지베고비치	Jusuf Gazibegovic	2000.03.11	174	67	보스니아 헤르체코비나
	28	세바스찬 세불론센	Sebastian Sebulonsen	2000.01.27	187	62	노르웨이
	32	크리스토퍼 룬트	Kristoffer Lund	2002.05.14	184	65	미국
	33	라브 판덴베르흐	Rav van den Berg	2004.07.07	191	75	네덜란드
	39	젠크 외즈카차르	Cenk Özkacar	2000.10.06	190	90	튀르키에
MF	5	톰 크라우스	Tom Krauß	2001.06.22	182	72	독일
	6	에릭 마르텔	Eric Martel	2002.04.29	188	81	독일
	8	데니스 후세인바시치	Denis Huseinbasic	2001.07.03	184	76	보스니아 헤르체코비나
	11	플로리안 카인츠	Florian Kainz	1992.10.24	176	71	오스트리아
	13	사이드 엘 말라	Said El Mala	2006.08.26	190	72	독일
	16	야쿠프 카민스키	Jakub Kaminski	2002.06.05	179	68	폴란드
	18	이삭 요한네손	Ísak Jóhannesson	2003.03.23	184	72	아이슬란드
	29	얀 틸만	Jan Thielmann	2002.05.26	178	72	독일
	37	린톤 마이나	Linton Maina	1999.06.23	173	70	독일
FW	7	루카 발트슈미트	Luca Waldschmidt	1996.05.19	181	74	독일
	9	라그나르 아헤	Ragnar Ache	1998.07.28	183	81	독일
	19	말렉 엘 말라	Malek El Mala	2005.04.02	194	75	독일
	30	마리우스 뷜터	Marius Bülter	1993.03.29	188	85	독일

IN & OUT

주요 영입	주요 방출
외즈카차르, 크리스토퍼 룬트, 톰 크라우스, 야쿱 카민스키(임대), 론 로베르트 칠러, 라브 판덴베르흐, 세바스찬 세불론센, 이사크 요한네손, 마리우스 뷜터, 라그나르 아헤	막스 핑크그레페, 데얀 류비치치, 팀 렘페를레, 슈테펜 티게스, 다미온 다운스

TEAM FORMATION

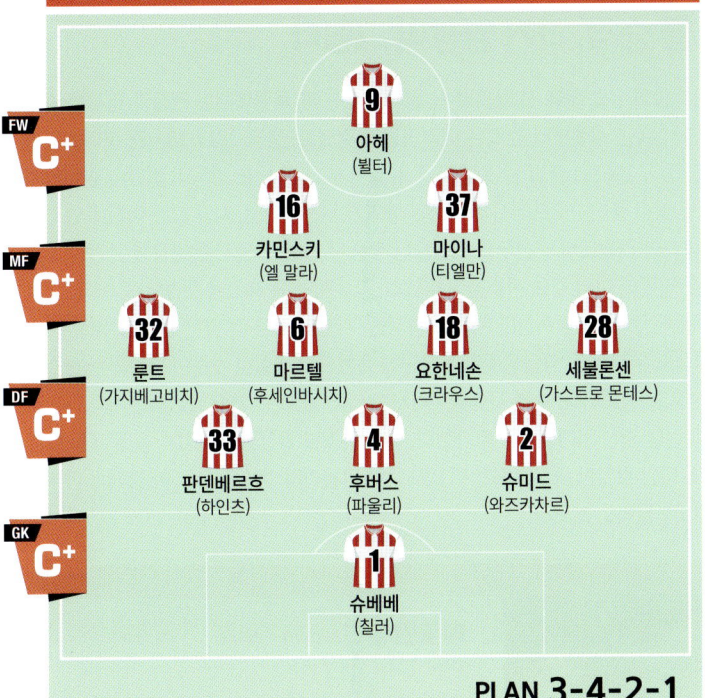

FW C+
MF C+
DF C+
GK C+

9 아헤 (뷜터)

16 카민스키 (엘 말라)　37 마이나 (티엘만)

32 룬트 (가지베고비치)　6 마르텔 (후세인바시치)　18 요한네손 (크라우스)　28 세불론센 (가스트로 몬테스)

33 판덴베르흐 (하인츠)　4 후버스 (파울리)　2 슈미드 (와즈카차르)

1 슈베베 (칠러)

PLAN **3-4-2-1**

지역 점유율

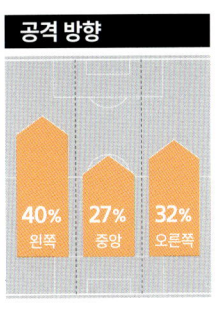

공격 진영	34%
중앙	41%
수비 진영	25%

공격 방향

40% 왼쪽	27% 중앙	32% 오른쪽

슈팅 지역

11% 골 에어리어
56% 패널티 박스
33% 외곽 지역

상대팀 최근 6경기 전적

구분	승	무	패	구분	승	무	패
FC 바이에른 뮌헨		1	5	보루시아 묀헨글라드바흐	3	2	1
바이엘 04 레버쿠젠	2		4	VfL 볼프스부르크	2	1	3
아인트라흐트 프랑크푸르트		3	3	아우크스부르크	3	2	1
보루시아 도르트문트	1	1	4	FC 우니온 베를린	1	2	3
SC 프라이부르크	1	2	3	FC 장크트파울리	5	1	
FSV 마인츠 05	1	4	1	TSG 1899 호펜하임	1	2	3
RB 라이프치히		3	3	FC 하이덴하임	1	2	1
SV 베르더 브레멘	1	3	2	FC 쾰른			
VfB 슈투트가르트	1	2	3	함부르크 sv	1	1	4

PLAYERS

GK 1 마르빈 슈베베
Marvin Schwäbe

 KEY PLAYER

국적: 독일

키커스 오펜바흐, 프랑크푸르트, 호펜하임 유스로 프랑크푸르트 2군, 호펜하임 2군에서 뛰었다. 1군 데뷔는 호펜하임에서 했다. 오스나브뤼크, 드레스덴에서 임대로 기량을 키운 뒤, 덴마크의 브뢴뷔로 이적했다. 2021-22시즌부터 쾰른에서 뛰고 있다. 호른, 우르비히와 경쟁해왔다. 팀의 주장을 맡고 있다. 190cm에 90kg의 체격. 지난 시즌 PK 4개 중 2개를 막고 선방률, 롱킥 정확도도 좋았다. 기대 실점 대비 5골 이상 막아내기도.

출전경기	경기시간(분)	실점	무실점(경기)	경고	퇴장
24	2,160	18	9	3	-

MF 6 에릭 마르텔
Eric Martel

국적: 독일

얀 레겐스부르크, 라이프치히 유스 출신으로 2020-21시즌 1군 데뷔전도 치렀다. 이 시즌 후반기에 아우스트리아 빈으로 임대됐다. 2022-23시즌 쾰른에 입단했다. 186cm의 수비형 미드필더로 중앙 미드필더, 센터백도 볼 수 있다. 첫 시즌부터 주전 자리를 차지했다. 지난 시즌 강등 시 방출 조항에도 잔류했다. 독일 연령별 대표로도 활동했다. 롱패스, 볼키핑은 아쉬운 반면, 수비 공헌도가 높다.

출전경기	경기시간(분)	골	어시스트	경고	퇴장
31	2,742	3	-	4	-

MF 37 린톤 마이나
Linton Maina

국적: 독일

케냐 이중 국적으로 독일 연령별 대표로 활동했다. 하노버 유스로 1군 데뷔했다. 하노버에서 기대에 비해 성장하지는 못했다. 2022-23시즌 쾰른에 입단했다. 지난 시즌 팀 내 공격 포인트 2위였다. 기본적으로 왼쪽 윙이지만 톱이나 공격형 미드필더는 물론 중앙 미드필더도 볼 수 있다. 다만 체구가 작고 수비 가담, 수비 공헌도가 떨어진다. 드리블이 좋은 편도 아니다. 기회 창출에 강점이 있다.

출전경기	경기시간(분)	골	어시스트	경고	퇴장
27	2,042	3	11	3	-

FW 9 라그나르 아헤
Ragnar Ache

국적: 독일

프랑크푸르트 태생. 가나 이중 국적으로 스파르타 로테르담 유스 출신이다. 1군 데뷔 이후의 활약에 프랑크푸르트의 눈에 들었다. 다만 기대에 부응하지 못했고 2022-23시즌 퓌르트로 임대됐다. 2023-24시즌 카이저슬라우테른으로 이적하고 득점력이 폭발했다. 키는 크지 않지만 수비 가담, 공중볼, 경합, 슈팅 적극성, 마무리가 돋보인다. 중거리 슈팅, 위치 선정도 좋다. 볼 터치는 다소 아쉬운 편이다.

출전경기	경기시간(분)	골	어시스트	경고	퇴장
30	2,047	18	1	1	-

FW 30 마리우스 뷜터
Marius Bülter

국적: 독일

5부 리그에서 시작해 2부 리그 마그데부르크, 2019-20시즌 우니온 베를린을 거쳐 2021-22시즌 2부의 샬케에서 10득점을 올려 승격에 공헌했다. 2022-23시즌 샬케는 강등됐지만 30세에 처음 분데스리가 두 자릿수 득점을 기록해 호펜하임으로 이적했다.
제공권, 체격, 수비 가담은 좋지만 투박하고 마무리가 좋지 않은 편으로 윙백이어서 쓰이기도 했다. 쾰른에 와서는 초반 폭발 중이다.

출전경기	경기시간(분)	골	어시스트	경고	퇴장
25	1,742	7	2	4	-

함부르크 SV
Hamburger SV

TEAM PROFILE

창 립	1887년
회 장	헨릭 퀸케(독일)
감 독	메를린 폴친(독일)
연 고 지	함부르크
홈 구 장	폴크스파르크 슈타디온(5만 7,000명)
라 이 벌	SV 베르더 브레멘, FC 장크트파울리
홈페이지	www.hsv.de

최근 5시즌 성적

시즌	순위	승점
2020-2021	없음	없음
2021-2022	없음	없음
2022-2023	없음	없음
2023-2024	없음	없음
2024-2025	없음	없음

BUNDESLIGA (전신 포함)

통 산	우승 3회
24-25 시즌	없음

DFB POKAL

통 산	우승 3회
24-25 시즌	32강

UEFA

통 산	챔피언스리그 우승 1회
24-25 시즌	없음

TEAM RATINGS

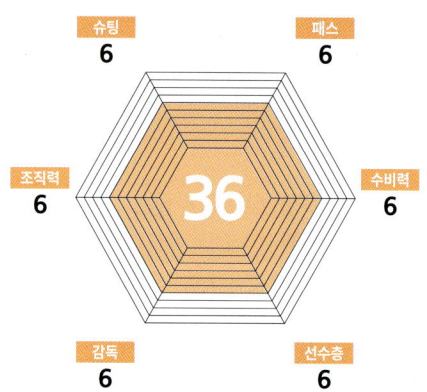

슈팅 6	패스 6
조직력 6	36	수비력 6
감독 6	선수층 6

2024/25 프로필

팀 득점	78
평균 볼 점유율	54.80%
패스 정확도	85.60%
게임 평균 슈팅 수	14.9
경고	77
퇴장	5

골타입

오픈 플레이	56
세트 피스	22
카운터 어택	13
페널티 킥	6
자책골	3

단위 (%)

패스타입

쇼트 패스	87
롱 패스	8
크로스 패스	4
스루 패스	0

단위 (%)

시즌 프리뷰
긴 기다림의 끝 승격, 과거 영광이 그립다

함부르크는 한국 팬들에게 손흥민의 유럽 무대 첫 팀으로 잘 알려져 있는데, 독일에서는 전통과 역사를 가진 명문 구단이다. 그런데 손흥민이 뛰던 시절부터 전력은 내리막길을 걸었고, 결국 2017-18시즌 분데스리가 출범 이래 처음으로 강등을 당했다. 1963년 출범 원년 멤버 중 유일하게 단 한 번도 강등이 없었던 팀이었기에 충격은 더욱 컸다. 이후 매번 승강 플레이오프에서 좌절하며 복귀가 무산됐지만, 지난 시즌 마침내 승격을 이루며 긴 기다림을 끝냈다. 마지막 라운드까지 선두를 지켰으나 우승은 놓쳤다. 올시즌 보강이 관건인데 지난 시즌 22득점의 다비 젤케를 비롯해 여러 주요 선수들이 떠났다. 자유계약 등 제값을 못 받기도 했다. 그나마 40년 만에 부채가 없는 상태가 됐다. 일단 수입도 지출도 적지만, 지출이 조금 더 많은 정도다. 많은 선수들이 들어오고 나가면서 조직력도 우려된다. 영입생들이 주장단에 들었으나 확실한 수준이 담보되는 선수는 적다. 저렴한 선수들을 여럿 영입한 정도이다. 수비 자원들이라서 그나마 골문은 나쁘지 않다. 전개와 마무리 모두 아쉽던 차였다. 막판에 북런던 출신 임대생들을 추가했다. 특히 아스널 출신들이 부상과 폼 문제를 해결한다면 전개는 좋아질 수 있다. 다만 확실한 마무리 요원이 있느냐가 관건이다. 현실적으로 이 점에서 함부르크는 벽에 부딪힐 수 있다. 게다가 감독도 초보다.

COACH

메를린 폴친 *Merlin Polzin*
1990년 11월 7일생 독일

현역시절에는 수비수였다. 브람펠더 유스 출신으로 1군 무대를 밟았다. 2011년에 은퇴, 함부르크 유스 아카데미의 코치가 됐다. 다니엘 티우네가 VfL 오스나브뤼크 1군 감독으로 선임되고, 폴친은 수석코치가 됐다. 2018-19시즌 2부 승격을 함께 했다. 2020-21 티우네 감독과 함부르크로 이적하고, 티우네의 경질에도 수석코치로 남았다. 2024년 2월 1군 임시감독이 되고, 12월 중순 정식감독이 되어 팀 승격을 이끌었다. 젊은 나이, 짧은 경력이 관건.

SQUAD

포지션	등번호	이름		생년월일	키(cm)	체중(kg)	국적
GK	1	다니엘 호이어 페르난데스	Daniel Heuer Fernandes	1992.11.13	188	81	포르투갈
DF	2	윌리엄 미켈브렌시스	William Mikelbrencis	2004.02.25	176	64	프랑스
	3	노아 카터바흐	Noah Katterbach	2001.04.13	180	73	독일
	16	조르지 고촐레이슈빌리	Giorgi Gocholeishvili	2001.02.14	178	70	조지아
	17	와르메드 오마리	Warmed Omari	2000.04.23	188	78	코모로
	22	아부바카 수마호로	Aboubaka Soumahoro	2005.02.04	187	78	프랑스
	25	요르단 토루나리가	Jordan Torunarigha	1997.08.07	191	80	나이지리아
	28	미로 무하임	Miro Muheim	1998.03.24	182	77	스위스
	44	루카 부스코비치	Luka Vuskovic	2007.02.24	193	86	크로아티아
MF	8	다니엘 엘파들리	Daniel Elfadli	1997.04.06	188	78	리비아
	10	이마뉘엘 페라이	Immanuel Pherai	2001.04.25	175	74	수리남
	21	니콜라이 렘베르크	Nicolai Remberg	2000.06.19	188	88	독일
	23	요나스 메페르트	Jonas Meffert	1994.09.04	186	76	독일
	24	니콜라스 카팔도	Nicolás Capaldo	1998.09.14	177	73	아르헨티나
FW	7	장뤽 돔페	Jean-Luc Dompé	1995.08.12	170	65	프랑스
	9	로베르트 글라첼	Robert Glatzel	1994.01.08	193	85	독일
	11	랜스포드-예보아 쾨닉스되르퍼	Ransford Königsdörffer	2001.09.13	182	78	가나
	14	라얀 필립	Rayan Philippe	2000.10.23	182	78	프랑스
	15	유수프 폴센	Yussuf Poulsen	1994.06.15	192	87	덴마크
	29	에미르 샤히티	Emir Sahiti	1998.11.29	174	65	코소보
	38	알렉산더 뢰싱-렐레시트	Alexander Røssing-Lelesiit	2007.01.20	184	69	노르웨이
	45	파비오 발데	Fabio Baldé	2005.07.20	182	75	독일

IN & OUT

주요 영입	주요 방출
다니엘 페레츠, 와메드 오마리, 조르지 고촐레이슈빌리(임대) 조던 토루나리가, 니콜라스 카팔도, 니콜라이 렘베르크, 라얀 필리프, 유수프 포울센	데니스 하지카두니치, 마르코 리히터, 아담 카라베츠(임대복귀), 안시 수호넨, 루카슈 포레바(임대), 마테오 라프, 제바스티안 손라우, 뤼도빗 레이스, 다비 젤케, 언드라시 네메스

TEAM FORMATION

PLAN 3-4-2-1

FW C-
MF C
DF C
GK C

15 폴센 (쾨니히스되르퍼)
7 돔페 (사히티)
20 비에이라 (필리프)
28 무하임 (카터바흐)
21 렘베르크 (메페르트)
6 로콩가 (카팔도)
16 고촐레이슈빌리 (미켈브렌시스)
25 토루나리가 (하우스)
44 부스코비치 (엘파들리)
17 오마리 (수마호로)
1 페르난데스 (페레츠)

지역 점유율

공격 진영	28%
중앙	42%
수비 진영	30%

공격 방향

39% 왼쪽	22% 중앙	38% 오른쪽

슈팅 지역

15%	골 에어리어
55%	패널티 박스
30%	외곽 지역

상대팀 최근 6경기 전적

구분	승	무	패	구분	승	무	패
FC 바이에른 뮌헨			6	보루시아 묀헨글라드바흐	3	1	2
바이엘 04 레버쿠젠	1	1	4	VfL 볼프스부르크	2	2	2
아인트라흐트 프랑크푸르트		3	3	아우크스부르크	3		3
보루시아 도르트문트	1		5	FC 우니온 베를린		1	1
SC 프라이부르크	1	2	3	FC 장크트파울리	3	1	2
FSV 마인츠 05		3	3	TSG 1899 호펜하임	3	1	2
RB 라이프치히	1	1	4	FC 하이덴하임	3	2	1
SV 베르더 브레멘	1	2	3	FC 쾰른	4	1	1
VfB 슈투트가르트	1	1	4	함부르크 sv			

PLAYERS

FW 15 유수프 포울센
Yussuf Poulsen

국적: 덴마크

팀이 3부에 있던 2013-14시즌부터 라이프치히에서 뛰었다. 192cm에 87kg의 체격을 자랑한다. 다만 직접 득점을 노리기보다 제공권이나 측면서 연계로 보조자 역할을 한다. 하부리그에서도 많은 골을 넣는 타입은 아니었다. 로테이션, 조커 자원으로 활용되어 왔다. 결정력은 아쉬워도 압박, 활동량이 우수하다. 4년간 주장이었던 손라우의 뒤를 이어 주장이 됐다. 라이프치히에서도 오래 활동하며 부주장으로 활약했다. 기량과 리더십에 기대.

출전경기	경기시간(분)	골	어시스트	경고	퇴장
22	363	2	-	1	-

GK 1 다니엘 호이어 페르난데스
Daniel Heuer Fernandes

국적: 포르투갈

독일 태생으로 포르투갈 이중 국적자다. 포르투갈 21세 이하 대표였다. 보훔, 도르트문트 유스팀을 거쳐 보훔 2군에서 프로 데뷔했다. 이후 오스나브뤼크, 파더보른, 다름슈타트를 거쳐 2019-20시즌부터 함부르크에서 뛰고 있다. 올 시즌 다니엘 페레츠가 임대로 왔음에도 주전 자리를 지키고 있다. PK 선방을 비롯해 선방 능력이 돋보인다. 패스, 롱패스, 스위핑도 나쁘지 않다. 공중볼은 아쉽다.

출전경기	경기시간(분)	실점	무실점(경기)	경고	퇴장
31	2,790	40	8	-	-

DF 28 미로 무하임
Miro Muheim

국적: 스위스

취리히, 첼시 유스 출신으로 취리히에 다시 임대되기도 했다. 2018-19시즌 도중 장크트갈렌에서 프로로 데뷔했다. 주전으로 활약하고 2021-22시즌 함부르크로 임대됐다. 시즌 중 완전이적 완료.
준수한 체격의 레프트백이다. 패스, 크로스, 세트피스 킥, 중거리 슈팅 등 왼발이 돋보인다. 공수 활동량도 왕성하고 경합도 좋다. 팬들이 사랑하는 선수 중 하나이다. 볼 키핑, 수비는 보완이 필요하다.

출전경기	경기시간(분)	골	어시스트	경고	퇴장
30	2,667	1	11	6	-

MF 21 니콜라이 렘베르크
Nicolai Remberg

국적: 독일

프로이센 뮌스터 유스 출신으로 2군을 거쳐 1군 경기도 치렀다. 2023-24시즌 홀슈타인 킬에 입단해 승격을 함께 했다. 지난 시즌 강등을 막지는 못했다. 준수한 체격의 중앙 미드필더로 수비형 미드필더, 공격형 미드필더도 가능하다. 지난 시즌 자책골 2개, 경고 공동 1위, 파울 11위로 실망스런 기록의 상위권이었으나 한편으로는 경합 승률 22위, 공중볼 경합 승리 11위이기도 했다. 투지, 1부 경험에 기대해본다.

출전경기	경기시간(분)	골	어시스트	경고	퇴장
32	2,369	-	1	10	-

FW 7 장뤽 돔페
Jean-Luc Dompe

국적: 프랑스

2022-23시즌 함부르크에 입단했다. 프랑스, 벨기에의 여러 팀을 거쳤으나 지난 시즌이 커리어 최정점이었다. 지난 시즌 팀 내 득점 4위, 도움 1위, 공격포인트 도합 2위, 드리블 성공률 1위, 프리킥 2득점. 무하임과 왼쪽 라인에서 기회 창출에 앞장섰다. 오른발잡이 왼쪽 윙어로 안쪽으로 들어온다. 다만 체구가 작고 공중볼, 수비 가담과 기여도, 볼 소유권 관리, 오른발 편중이 다소 아쉽다.

출전경기	경기시간(분)	골	어시스트	경고	퇴장
32	2,404	9	12	3	-

인테르나치오날레 vs 유벤투스 (4:4)

시즌 최다골이 나온 인테르와 유벤투스의 4-4 무승부가 오락성으로는 최고였다. 인테르의 선제골, 유벤투스의 역전, 인테르의 재역전과 4-2까지 벌어진 점수 차, 경기 막판 유벤투스의 추격으로 결국 동점이 되는 과정까지 볼거리가 엄청났다. 유벤투스의 희망 케난 일디즈가 뛰어난 개인 기량으로 멀티골을 터뜨렸다는 사실도 관전 포인트.

〈2024. 10. 27 / 산 시로〉

AC 밀란 vs AS 로마 (1:1)

가장 예술적인 골이 터졌다는 점에서 밀란과 로마의 1:1 무승부 경기도 기억할 가치가 있다. 밀란의 티자니 레인더르스가 선제골을 넣고 앞서갔다. 로마는 문전으로 강하게 찌른 패스를 아르템 도우비크가 뒤꿈치 원터치 패스로 띄워준 뒤 파울로 디발라가 왼발도 아닌 오른발 발리로 마무리해 동점을 만들었다. 왜 디발라가 천재인지 알 수 있었던 골.
〈2024. 12. 29 / 산 시로〉

볼로냐 vs 인테르나치오날레 (1:0)

시즌 전체에 엄청난 영향을 미친 단 한 순간, 바로 볼로냐가 인테르를 1:0으로 꺾은 경기에서 나왔다. 시계가 멈춘 93분, 볼로냐 간판 스타 리카르도 오르솔리니가 환상적인 시저스 킥을 박아 넣으며 1위였던 인테르를 나폴리와 승점 동률로 끌어내렸다. 오르솔리니는 대표팀에 좀 뽑아달라고 채근하는 '카메라 노크' 세리머니까지 유쾌하게 이어갔다.
〈2025. 04. 20 / 스타디오 레나토 달라라〉

인테르나치오날레 vs 라치오 (2:2)

인테르 입장에서는 아쉽지만, 시즌 막판 우승을 놓치는 과정
에는 이야깃거리가 많았다. 시즌 종료가 다가오는 37라운드,
인테르는 라치오와 2-2 무승부에 그치면서 2위로 추락한다.
안토니오 콘테 나폴리 감독과 첼시 시절 함께했던 페드로가
마치 결초보은하듯 인테르 골문에 골 두 개를 꽂으며 9년에
걸친 인연을 이어갔다.
〈2025. 05. 18 / 산 시로〉

나폴리 vs 칼리아리 칼초 (2:0)

나폴리가 자신들의 손으로 우승을 확정한 최종 라운드를 빼놓
을 수 없다. 초반부터 상대를 압도했지만 칼리아리 후보 골키퍼
알렌 셰리의 선방쇼에 막히던 나폴리. 마침내 골문을 연 선수는
시즌 MVP 스콧 맥토미니였고, 그의 예술적인 발리슛이 골망을
흔들었다. 로멜루 루카쿠가 역습 상황에서 혼자 2명을 제치고
우승 축포를 쐈다.
〈2025. 05. 23 / 스타디오 디에고 아르만도 마라도나〉

SERIE A

≫ **2025-2026**

ITALY SERIE A

US CREMONESE
팀 명 US 크레모네세
창 단 1903년
홈구장 스타디오 조반니 치니
주 소 www.uscremonese.it

COMO 1907
팀 명 코모 1907
창 단 1907년
홈구장 스타디오 주세페 시니갈리아
주 소 www.comofootball.com

ATALANTA BC
팀 명 아탈란타 BC
창 단 1907년
홈구장 게비스 스타디움
주 소 www.atalanta.it

JUVENTUS FC
팀 명 유벤투스 FC
창 단 1897년
홈구장 알리안츠 스타디움
주 소 www.juventus.com

TORINO FC
팀 명 토리노 FC
창 단 1906년
홈구장 스타디오 올림피코 그란데 토리노
주 소 www.torinofc.it

GENOA CFC
팀 명 제노아 CFC
창 단 1893년
홈구장 스타디오 루이지 페라리스
주 소 www.genoacfc.it

AC MILAN
팀 명 AC 밀란
창 단 1899년
홈구장 스타디오 산 시로
주 소 www.acmilan.com

FC INTERNAZIONALE
팀 명 FC 인테르나치오날레
창 단 1908년
홈구장 스타디오 주세페 메아차
주 소 www.inter.it

PARMA CALCIO 1913
팀 명 파르마 칼초 1913
창 단 1913년
홈구장 스타디오 엔니오 타르디니
주 소 www.parmacalcio1913.com/en/

HELLAS VERONA FC
팀 명 엘라스 베로나 FC
창 단 1903년
홈구장 스타디오 마르칸토니오 벤테고디
주 소 www.hellasverona.it

UDINESE CALCIO
팀 명 우디네세 칼초
창 단 1896년
홈구장 스타디오 프리울리
주 소 www.udinese.it

US SASSUOLO CALCIO
팀 명 US 사수올로 칼초
창 단 1920년
홈구장 마페이 스타디움
주 소 www.sassuolocalcio.it

BOLOGNA FC
팀 명 볼로냐 FC
창 단 1909년
홈구장 스타디오 레나토 달라라
주 소 www.bolognafc.it

ACF FIORENTINA
팀 명 ACF 피오렌티나
창 단 1926년
홈구장 스타디오 아르테미오 프랑키
주 소 www.acffiorentina.com

SSC NAPOLI
팀 명 SSC 나폴리
창 단 1926년
홈구장 스타디오 디에고 아르만도 마라도나
주 소 www.sscnapoli.it

COMO ★
BERGAMO ★
★ MILANO ★ CREMONA ★ VERONA ★ UDINE ★
★ TORINO ★ PARMA
GENOVA ★ ★ SASSUOLO
★ BOLOGNA
★ PISA ★ FIRENZE
★ ROMA
NAPOLI ★
LECCE ★
CAGLIARI ★

AS ROMA
팀 명 AS 로마
창 단 1927년
홈구장 스타디오 올림피코
주 소 www.asroma.com

SS LAZIO
팀 명 SS 라치오
창 단 1900년
홈구장 스타디오 올림피코
주 소 www.sslazio.it

CAGLIARI CALCIO
팀 명 칼리아리 칼초
창 단 1920년
홈구장 우니폴 도무스
주 소 www.cagliaricalcio.com

PISA SC
팀 명 피사 SC
창 단 1909년
홈구장 아레나 가리발디
주 소 www.pisasportingclub.com

US LECCE
팀 명 US 레체
창 단 1908년
홈구장 스타디오 비아 델 마레
주 소 www.uslecce.it

감독도 선수도 싹 바꾼 All New Serie A

혼란이 이어지고 있다. 지난 6년간 한 팀도 연속 우승을 차지하지 못해 '세리에 A는 격동의 시대'라고 매년 소개해 왔지만, 올해는 한술 더 떴다. 8강 중 지난 시즌 스쿠데토를 차지한 나폴리를 제외한 나머지 7팀이 봄여름에 걸쳐 감독을 교체했다는 점만 봐도 분명히 알 수 있다. 이미 수년간 오락가락해 온 팀은 말할 것도 없다. 여기에는 AS로마, 피오렌티나, 라치오, 유벤투스가 포함된다. 그런데 감독의 교체 없이 꾸준히 전력을 다져 오던 강팀들까지 올여름에는 감독과 선수들이 바뀌며 변수가 커졌다. 시모네 인차기가 떠난 인테르 밀란, 잔피에로 가스페리니가 떠난 아탈란타가 그들이다. 또한 안토니오 콘테 감독에게 2년 연속 지휘봉을 맡기는 나폴리 역시, 콘테 특유의 짧은 '유통기한'을 감안한다면 이번 시즌이 그리 안정적이진 않다. 결국 누가 부상하고 누가 추락할지 딱 잘라 말하기 힘든 시즌이라, 앞날을 전망하기가 굉장히 까다롭다. 게다가 중위권 팀 중에서도 상위권을 노리는 다크호스들이 있다. 볼로냐는 돌풍의 핵심인 조반니 사르토리 단장이 남아 있기 때문에, 감독과 선수 교체에도 불구하고 상위권 복귀가 가능하다. 코모는 인도네시아의 자본과 세스크 파브레가스라는 촉망받는 감독, 전유럽이 주목하는 여러 유망주가 조합되어 미래가 밝은 팀이다.

리그를 대표할 스타 선수는 이번 시즌을 통해 새로 길러내야 한다. 지난 시즌 득점왕 마테오 레테기, 리그 MVP를 차지한 스콧 맥토미니, 최우수 미드필더 티자니 레인더르스 등 최고 활약을 펼친 선수 중 스타 선수라 할 만한 인물은 없었다. 게다가 그 중 상당수는 올여름을 통해 다른 리그로 떠났다. 그럼에도 이탈리아 구단들은 나름의 지혜를 짜내곤 했다. 유명 선수를 비교적 싼 몸값에 데려오는 단장들의 묘기가 매 시즌 이어지고 있다. 과거에는 선수 육성이 서툰 리그로 악명이 높았지만, 점점 스타를 키워 내는 리그로 발전해 가고 있다. 그런 측면에서는 콘테 감독이 이번 시즌에도 새로운 스타를 만들어낼지, 그리고 로마로 팀을 옮긴 뒤에도 가스페리니 감독 특유의 선수 육성 및 활용 능력이 빛을 발할지가 궁금한 시즌이기도 하다. 또한 절대강자가 없다는 건, 조금만 노력하면 왕좌를 차지할 가능성이 높다는 뜻. 이번 시즌은 겨울 이적 시장에서도 과감하게 투자하는 야심 찬 구단주가 등장할 수 있다. 리그 우승, 그리고 꾸준한 UEFA 챔피언스리그 진출을 통한 FIFA 클럽 월드컵 참가권 획득이, 거액의 중계료와 상금으로 돌아온다는 것을 구단주들이 확인했다. 투자로 돈을 벌 수 있는 좋은 기회다.

TOP SCORER

지난 시즌 득점왕은 깜짝 스타 마테오 레테기였다. 레테기는 아르헨티나에서 태어나 20대 초반까지 외국으로 나간 적 없는 선수였지만, 이탈리아 축구협회는 그의 혈통을 파악해 2023년 이탈리아 대표로 선발했다. 이를 발판으로 그해 유럽 진출, 지난 시즌 득점왕으로 성장했다.

그러나 이처럼 극적이었던 레테기의 드라마는 한 시즌 만에 중동행을 택하면서 세리에 A와 무관한 이야기가 됐다. 이번 시즌 득점왕 교체는 필연적이라는 뜻이다. 익숙한 흐름이다. 세리에 A는 지난 5시즌 동안 서로 다른 공격수가 득점왕을 차지했을 정도로 간판 스트라이커 한 명을 내세우기가 쉽지 않았다. 득점왕들이 자꾸 리그를 떠났기 때문이다.

새 시즌 득점왕 경쟁은 곧 이탈리아 대표팀 최전방 경쟁이다. 레테기 못지않게 지난 시즌 가파른 성장세를 보여준 모이스 킨, 장기 부상을 털고 돌아올 잔루카 스카마카, 상승세를 보여준 장신 스트라이커 로렌초 루카가 그들이다. 또한 인테르 밀란의 투톱 마르쿠스 튀랑과 라우타로 마르티네스가 지난 시즌에는 골을 나눠 넣었지만, 새 시즌에 한 명에게만 골을 몰아준다면 그가 곧 유력한 득점왕 후보다.

TITLE RACE

춘추전국시대나 다름없는, 최강자를 가리기 힘든 시즌이다. 그 중 우승에 근접한 팀은 나폴리다. 디펜딩 챔피언 나폴리는 상위권 구단 중 유일하게 2년 연속 같은 감독이 지휘한다. 지난 시즌 도중 흐비차 크바라츠헬리아가 떠나는 대형 악재에도 불구하고 정상을 지켜냈으며, 새 시즌을 위한 전력 보강도 어느 정도 이뤘다. 나폴리에 도전하는 팀 중 선수단 전력만 놓고 보면 인테르 밀란이 여전히 가장 위협적이다. 인테르는 감독이 바뀌었다 해도 주요 선수가 대부분 잔류했기 때문에, 고연봉 베테랑 선수들의 전체적인 능력이 뛰어나다. 다만 평균연령이 갈수록 높아지는 인테르가 초여름 클럽 월드컵부터 누적된 피로와 시즌 내내 유럽대항전을 병행해야 하는 스케줄을 잘 소화할지가 관건이다. 여기에 도전장을 낸 유벤투스 FC, AC 밀란, AS 로마 등은 선수 육성과 감독 역량에 따라 변수가 크다.

DARK HORSE

가장 관심을 모으는 팀은 코모 1907이다. 과거 코모는 '홈 구장이 아름다운 축구팀'으로만 거론되었으나, 지금은 축구도 잘한다. 인도네시아 자본이 투입되고 세스크 파브레가스 감독에게 많은 준척급 선수와 특급 유망주를 쥐어 주자, 곧바로 10위에 오르는 성과를 냈다.

지난 시즌 맹활약하며 친정팀 레알마드리드의 관심을 끈 공격형 미드필더 니코 파스, 시즌 도중 영입되어 반년 만에 8골을 몰아친 윙어 아산 디아오가 코모의 현재이자 미래다. 여기에 올여름에도 더 많은 유망주를 영입했다. 코모처럼 20대 초반 2선 자원을 많이 확보하고 적극 투입하는 팀은 흔치 않다.

볼로냐는 지난 시즌 최종 9위를 기록하며 돌풍이 한 풀 꺾인 것처럼 보이지만 3월까지도 4위권에 있었고, 뒷심 부족으로 순위가 떨어졌을 뿐이다.

지난 시즌 코파 이탈리아에서 우승하면서 볼로냐는 무려 61년 만에 주요 대회 우승도 차지했다. 값싼 유망주를 저인망 어선마냥 긁어 감독에게 던져주는 조반니 사르토리 단장이 있는 한, 볼로냐의 상위권 도약 가능성은 충분하다.

VIEW POINT

어쩌다 보니 완벽해진 남북의 균형. 잠깐 이탈리아의 사회 구조를 소개하자면, 20세기 초중반에 공업이 부흥하면서 이탈리아 경제의 중심이 된 도시는 대부분 북부에 있다. 패션 산업으로 전세계에 이름을 알린 밀라노, 하이스트 영화 '이탈리안 잡'의 무대가 될 정도로 금고에 돈이 쌓여 있었던 토리노가 대표적이다.

반면 남부는 로마, 나폴리 등 잘나갔던 도시들이 있긴 하지만, 현대 이탈리아에서는 로마를 제외하면 비교적 낙후된 편이다. 그래서 축구 실력은 대체로 북부가 더 좋고 남부가 도전자의 입장이다. 이런 구도는 2000-01시즌에서 AS 로마 이후 다음 남부팀이 스쿠데토를 차지하기까지 무려 22년이나 걸렸다는 점에서 알 수 있다.

하지만 요즘에는 사정이 달라졌다. 남부가 강해졌다기보다 북부가 약해진 것 같긴 하지만, 어쨌든 나폴리가 격년으로 우승하면서 최근 5년 동안은 밀라노 연고 구단 3회, 나폴리 2회로 균형이 맞았다. 여기에 남부를 대표하는 또 한 구단, AS 로마가 무려 7년간 4강에 들지 못한 치욕을 씻기 위해 야심차게 잔피에로 가스페리니 감독을 선임했다.

이번 시즌의 지역구도는 과연 어떨까. 궁금증을 자아낸다.

1

이적료: **599억원**
첼시 ➡ AC 밀란

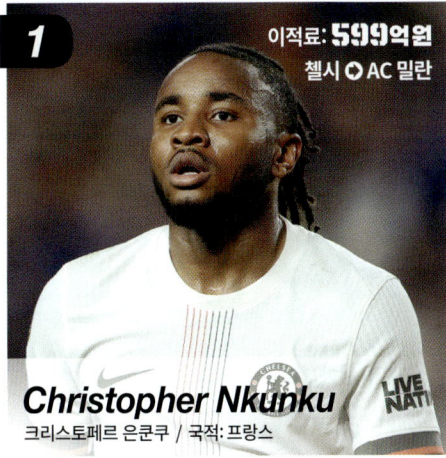

Christopher Nkunku
크리스토퍼 은쿤쿠 / 국적: 프랑스

2

이적료: **582억원**
클뤼프 브뤼허 ➡ AC 밀란

Ardon Jashari
아르돈 야샤리 / 국적: 스위스

3

이적료: **518억원**
FC 포르투 ➡ 유벤투스

Francisco Conceicao
프란시스쿠 콘세이상 / 국적: 포르투갈

4

이적료: **502억원**
볼로냐 FC ➡ SSC 나폴리

Sam Beukema
샘 뵈케마 / 국적: 네덜란드

TRANSFER

매년 반복되는 세리에 A 여름 이적시장 풍경. 전반적인 재정 침체 탓에 새로 들어온 선수보다 떠난 선수가 많다. 예년에는 그래도 과감하게 돈을 쓰는 구단주가 한두 명은 있었지만, 이번에는 그런 팀조차 눈에 띄지 않는다. 그럼에도 구단별 가계부를 살펴보면 가장 적극적으로 투자한 팀 중 하나가 코모라는 점이 흥미롭다. 인도네시아 자본의 야심을 엿볼 수 있는 대목이다. 다만 아주 비싼 스타를 데려오기보다 중간 몸값의 유망주들을 여러 명 영입해 상대적으로 큰 주목은 받지 못했다.

선수별로 보면 지난 시즌 득점왕 마테오 레테기를 비롯해 미드필더 티자니 레인더르스, 윙어 단 은도이, 센터백 말릭 차우, 그리고 올여름 완전이적으로 이적료가 반영된 빅터 오시멘까지, 최고 이적료 수입을 안겨준 5명 모두 리그 내 이동이 아닌 해외로 떠났다.

반대로 최고 지출을 기록한 선수는 첼시에서 기대 이하의 활약만 남긴 뒤 분데스리가 시절의 위상을 되찾으려는 크리스토퍼 은쿤쿠였다. 그밖에 벨기에 리그 MVP 아르돈 야샤리, 네덜란드의 개성 강한 윙어 노아 랑, 브라질 대표급 풀백 웨슬리 등이 세리에 A 무대를 새롭게 밟으며 올 시즌 리그의 판도를 가늠할 중요한 변수로 떠오르고 있다.

5

이적료: **405억원**
PSV 에인트호번 ➡ SSC 나폴리

Noa Lang
노아 랑 / 국적: 네덜란드

5

이적료: **405억원**
플라멩구 ➡ AS 로마

Wesley
웨슬리 / 국적: 브라질

5

이적료: **405억원**
레체 ➡ 아탈란타

Nikola Krstovic
니콜라 크르스토비치 / 국적: 몬테네그로

5

이적료: **405억원**
칼리아리 ➡ 피오렌티나

Roberto Piccoli
로베르토 피콜리 / 국적: 이탈리아

9

이적료: **380억원**
RC 랑스 ➡ AS 로마

Neil El Aynaoui
닐 엘아이나위 / 국적: 모로코

10

이적료: **372억원**
토리노 FC ➡ AC 밀란

Samuele Ricci
사무엘레 리치 / 국적: 이탈리아

ITALY SERIE A

LEAGUE INFORMATION

REGULATION

20팀이 팀당 38경기를 치른 뒤 승점으로 우승팀을 가린다. 승점이 같은 팀은 상대 전적, 상대 골득실, 전체 골득실, 다득점, 추첨 순서로 순위를 정한다. 2022-23 시즌 추가된 룰은 우승팀 및 강등팀을 가려야 하는 상황에 한해 승점 동률팀끼리 벌이는 단판 플레이오프, 즉 '타이브레이커'다. 과거에 존재했던 대회 방식을 부활시킨 것인데, 그 첫해에 공동 17위가 나오면서 바로 시행됐다.

유럽대항전 진출팀은 기본적으로 7팀이며 UEFA 챔피언스리그 4팀, 유로파리그 2팀(코파 이탈리아 우승팀 포함), 컨퍼런스리그 1팀이다. 이번 시즌 유럽대항전 성적이 좋다면 추가 참가권을 따내 챔피언스리그에 최대 6팀까지 나갈 수도 있다. 강등은 최하위 3팀이다. 승격은 세리에B 1위와 2위, 그리고 3위부터 8위까지 치르는 플레이오프의 승자에게 주어진다.

TITLE

세리에 A 우승과 동의어처럼 쓰이는 스쿠데토(Scudetto)는 사실 우승팀에게 주어지는 패치를 뜻하는 말로, 작은 방패라는 뜻의 이탈리아어다. 축구뿐 아니라 럭비에서도 쓰이는 등 이탈리아에서는 챔피언의 상징이다. 코파 이탈리아 우승팀 역시 패치를 달 수 있는데, 삼색 장미라는 뜻의 코카르다 트리콜레(Coccarda Tricolore)다. 동심원으로 장미를 형상화했다.

2020-21시즌부터는 시즌 MVP, 최우수 공격수, 최우수 미드필더, 최우수 수비수, 최우수 골키퍼, U-23 등 개인상 수상자 6명이 황금색 개인 패치를 달고 뛴다.

STRUCTURE

1부부터 3부까지 프로, 4부부터 9부까지 아마추어로 이루어져 있다. 단일 전국 리그로 구성된 건 1부 세리에A와 2부 세리에B뿐이다. 세리에 A는 20팀이고, 세리에B는 한동안 22팀이었지만 2018-19시즌의 무더기 징계로 파행 운영된 뒤 20팀으로 축소됐다.

세리에 A와 세리에 B는 한국의 프로축구연맹에 해당하는 '레가 칼초'가 주관하다가 2010년부터 리그별 운영 주체로 분리됐다. 3부 리그인 세리에 C는 이탈리아를 3개 권역으로 나눠 총 60팀이 참가한다. 4부 리그는 세리에D, 5~9부 리그는 각각 에첼렌차, 프로모치오네, 프리마 카테고리아, 세콘다 카테고리아, 테르차 카테고리아로 불린다.

재정이 불안한 이탈리아 사정상 파산과 재창단이 흔해서 하부리그에도 명문 구단의 이름을 종종 볼 수 있다는 특징이 있다.

LEAGUE CHAMPION

시즌	팀명	시즌	팀명	시즌	팀명
1903	제노아	1944	스페치아	1984-1985	헬라스 베로나
1904	제노아	1945-1946	토리노	1985-1986	유벤투스
1905	유벤투스	1946-1947	토리노	1986-1987	나폴리
1906	AC 밀란	1947-1948	토리노	1987-1988	AC 밀란
1907	AC 밀란	1948-1949	토리노	1988-1989	인테르나치오날레
1908	프로 베르첼리	1949-1950	유벤투스	1989-1990	나폴리
1909	프로 베르첼리	1950-1951	AC 밀란	1990-1991	삼프도리아
1909-1910	인테르나치오날레	1951-1952	유벤투스	1991-1992	AC 밀란
1910-1911	프로 베르첼리	1952-1954	인테르나치오날레	1992-1993	AC 밀란
1911-1912	프로 베르첼리	1954-1955	AC 밀란	1993-1994	AC 밀란
1912-1913	프로 베르첼리	1955-1956	피오렌티나	1994-1995	유벤투스
1913-1914	AS 카살레	1956-1957	AC 밀란	1995-1996	AC 밀란
1914-1915	제노아	1957-1958	유벤투스	1996-1997	유벤투스
1915-1916	AC 밀란	1958-1959	AC 밀란	1997-1998	유벤투스
1916-1919	중단(1차 세계 대전)	1959-1960	유벤투스	1998-1999	AC 밀란
1919-1920	인테르나치오날레	1960-1961	유벤투스	1999-2000	라치오
1920-1922	프로 베르첼리	1961-1962	AC 밀란	2000-2001	AS 로마
1922-1923	제노아	1962-1963	인테르나치오날레	2001-2002	유벤투스
1923-1924	제노아	1963-1964	볼로냐	2002-2003	유벤투스
1924-1925	볼로냐	1964-1966	인테르나치오날레	2003-2004	AC 밀란
1925-1926	유벤투스	1966-1967	유벤투스	2004-2005	유벤투스(취소)
1926-1927	토리노(취소)	1967-1968	AC 밀란	2005-2010	인테르나치오날레
1927-1928	토리노	1968-1969	피오렌티나	2010-2011	AC 밀란
1928-1929	볼로냐	1969-1970	칼리아리	2011-2012	유벤투스
1929-1930	암브로시아나(인테르)	1970-1971	인테르나치오날레	2012-2013	유벤투스
1930-1931	유벤투스	1971-1972	유벤투스	2013-2014	유벤투스
1931-1932	유벤투스	1972-1973	유벤투스	2014-2015	유벤투스
1932-1933	유벤투스	1973-1974	라치오	2015-2016	유벤투스
1933-1934	유벤투스	1974-1975	유벤투스	2016-2017	유벤투스
1934-1935	유벤투스	1975-1976	토리노	2017-2018	유벤투스
1935-1936	볼로냐	1976-1977	유벤투스	2018-2019	유벤투스
1936-1937	볼로냐	1977-1978	유벤투스	2019-2020	유벤투스
1937-1938	암브로시아나(인테르)	1978-1979	AC 밀란	2020-2021	유벤투스
1938-1939	볼로냐	1979-1980	인테르나치오날레	2021-2022	AC 밀란
1939-1940	암브로시아나(인테르)	1980-1981	유벤투스	2022-2023	나폴리
1940-1941	볼로냐	1981-1982	유벤투스	2023-2024	인테르나치오날레
1941-1942	AS 로마	1982-1983	AS 로마	2024-2025	SSC 나폴리
1942-1943	토리노	1983-1984	유벤투스		

TITLE

	LEAGUE
JUVENTUS	36
INTERNAZILNALE	20
AC MILAN	19
GENOA	9
TORINO	7
SSC NAPOLI	4

0 5 10 15 20 25 30 35

TOP SCORER

시즌	득점	선수명
2024-2025	25	마테오 레테기
2023-2024	24	라우타로 마르티네스
2022-2023	32	빅터 오시멘
2021-2022	27	치로 임모빌레
2020-2021	29	크리스티아누 호날두
2019-2020	36	치로 임모빌레
2018-2019	26	파비오 콸리아렐라
2017-2018	29	치로 임모빌레 / 마우로 이카르디
2016-2017	29	에딘 제코
2015-2016	36	곤살로 이과인
2014-2015	22	마우로 이카르디
2013-2014	22	치로 임모빌레
2012-2013	29	에딘손 카바니
2011-2012	28	즐라탄 이브라히모비치
2010-2011	28	안토니오 디 나탈레
2009-2010	29	안토니오 디 나탈레
2008-2009	25	즐라탄 이브라히모비치
2007-2008	21	알레산드로 델 피에로
2006-2007	26	프란체스코 토티
2005~2006	31	루카 토니
2004-2005	24	크리스티아노 루카렐리
2003~2004	24	안드리 셉첸코
2002~2003	24	크리스티안 비에리

ITALY SERIE A

LEAGUE INFORMATION

2024-2025 시즌 세리에 A 최종 순위

순위	팀	승점	경기	승	무	패	득	실	득실차	비고
1	나폴리	82	38	24	10	4	59	27	32	챔피언스리그 진출
2	인테르나치오날레	81	38	24	9	5	79	35	44	챔피언스리그 진출
3	아탈란타	74	38	22	8	8	78	37	41	챔피언스리그 진출
4	유벤투스	70	38	18	16	4	58	35	23	챔피언스리그 진출
5	AS 로마	69	38	20	9	9	56	35	21	유로파리그 진출
6	피오렌티나	65	38	19	8	11	60	41	19	유로파 컨퍼런스리그진출
7	라치오	65	38	18	11	9	61	49	12	
8	AC 밀란	63	38	18	9	11	61	43	18	
9	볼로냐	62	38	16	14	8	57	47	10	
10	코모 1907	49	38	13	10	15	49	52	-3	
11	토리노	44	38	10	14	14	39	45	-6	
12	우디네세	44	38	12	8	18	41	56	-15	
13	제노아	43	38	10	13	15	37	49	-12	
14	베로나	37	38	10	7	21	34	66	-32	
15	칼리아리	36	38	9	9	20	40	56	-16	
16	파르마	36	38	7	15	16	44	58	-14	
17	레체	34	38	8	10	20	27	58	-31	
18	엠폴리	31	38	6	13	19	33	59	-26	세리에B로 강등
19	베네치아	29	38	5	14	19	32	56	-24	세리에B로 강등
20	몬차	18	38	3	9	26	28	69	-41	세리에B로 강등

2024-2025 시즌 세리에 A 득점 순위

순위	득점	이름	국적	당시 소속팀
1	25	마테오 레테기	아르헨티나	아탈란타
2	19	모이스 킨	이탈리아	피오렌티나
3	15	아데몰라 루크먼	영국	아탈란타
	15	리카르도 오르솔리니	이탈리아	볼로냐
4	14	로멜루 루카쿠	벨기에	나폴리
	14	마르퀴스 튀람	프랑스	인테르나치오날레
5	12	스콧 맥토미니	잉글랜드	나폴리
	12	라우타로 마르티네스	아르헨티나	인테르나치오날레
	12	아르템 도우비크	우크라이나	AS 로마
	12	로렌초 루카	이탈리아	우디네세 칼초

2024-2025 시즌 세리에 A 도움 순위

순위	도움	이름	국적	당시 소속팀
1	11	크리스천 풀리식	미국	AC 밀란
	11	라울 벨라노바	이탈리아	아탈란타
2	10	하파엘 레앙	포르투갈	AC 밀란
	10	로멜루 루카쿠	벨기에	나폴리
3	9	페데리코 디마르코	이탈리아	인테르나치오날레
	9	니코 파스	스페인	코모 1907
4	8	누누 타바레스	포르투갈	라치오
	8	아론 마르틴	스페인	제노아
	8	샤를 더케텔라러	벨기에	아탈란타
	8	마테오 레테기	아르헨티나	아탈란타
5	7	마르퀴스 튀람	프랑스	인테르나치오날레

2024-2025 시즌 세리에B 최종 순위

순위	팀	승점	경기	승	무	패	득	실	득실차	비고
1	사수올로	82	38	25	7	6	78	38	40	승격
2	피사	76	38	23	7	8	64	36	28	승격
3	스페치아	66	38	17	15	6	59	33	26	
4	크레모네	61	38	16	13	9	62	44	18	
5	유베스타비아	55	38	14	13	11	42	41	1	
6	카탄자로	53	38	11	20	7	51	45	6	
7	체세나	53	38	14	11	13	46	47	-1	
8	팔레르모	52	38	14	10	14	52	43	9	
9	바리	48	38	10	18	10	41	40	1	
10	수드티롤	46	38	12	10	16	50	57	-7	
11	모데나	45	38	10	15	13	48	50	-2	
12	카라네세	45	38	11	12	15	39	49	-10	
13	레자나	44	38	11	11	16	42	52	-10	
14	만토바	44	38	10	14	14	47	56	-9	
15	프로시노네	43	38	9	16	13	37	50	-13	
16	살레르니타나	42	38	11	9	18	37	47	-10	
17	삼프도리아	41	38	8	17	13	38	49	-11	
18	브레시아	39	38	9	16	13	42	48	-6	강등
19	시타델라	39	38	10	9	19	30	56	-26	강등
20	누오바 코센차	30	38	7	13	18	32	56	-24	강등

CHAMPION

그 어느 대회에도 연속 우승팀이 없을 정도로 챔피언이 자주 바뀌는 춘추전국시대의 이탈리아. 마치 도시 국가들이 우후죽순 생겨나 서로 경쟁하던 먼 과거의 이탈리아 반도를 보는 듯하다.

LEAGUE CHAMPION

SSC NAPOLI

김민재와 함께 했던 시즌으로 33년 만에 우승하였으나 바로 다음 시즌 10위로 추락. 그리고는 우승 청부사 감독을 선임해 정상으로 복귀. 최근 3년간 나폴리의 성적은 마치 롤러코스터에 탄 듯했다. 지난 1년은 우상향의 시기였다. 토트넘 홋스퍼를 떠난 뒤 휴식을 취하고 있던 안토니오 콘테 감독을 모셔와 혼란을 빠르게 잠재웠고, 그가 원하는 선수를 다 사 줬다. 이적시장 안목이 없기로 유명한 콘테 감독답게 비록 원하던 스리백 구현은 실패했지만, 가진 카드를 잘 조합해 새로운 전술을 구현, 정상에 올랐다.

EUROPEAN CUP

CHAMPIONS LEAGUE(전신포함)		EUROPA LEAGUE(전신포함)	
AC MILAN	7회	INTERNAZIONALE	3회
INTERNAZIONALE	3회	JUVENTUS	3회
JUVENTUS	2회	PARMA	2회
-		ATALANTA	2회

CUP CHAMPION

COPPA ITALIA

BOLOGNA FC

FINAL

BOLOGNA FC 1-0
AC MILAN

단 은도이의 선제 결승골 한 방으로 볼로냐가 무려 61년 만에 따낸 트로피. 앞선 시즌 세리에 A 돌풍으로 UEFA 챔피언스리그의 맛을 봤고, 코파 우승을 차지하며 다시 한번 유럽대항전 진출권을 따냈다. 감독이 바뀌고 스타 선수가 떠나가도 볼로냐의 돌풍은 여전히 현재 진행형이다.

SUPERCOPPA ITALIANA

AC MILAN

FINAL

AC MILAN 3-2
INTER MILAN

수페르코파는 다른 나라의 슈퍼컵과 달리 4팀이 참가하는 미드 시즌 토너먼트로 진행된다. 지난 시즌도 장소는 사우디였다. 밀란은 4강에서 유벤투스, 결승에서 인테르를 꺾으며 우승했고, 갓 부임한 세르지우 콘세이상 감독의 위상이 치솟았다. 그러나 웃음은 잠시, 이후 밀란은 고꾸라지고 만다.

SSC 나폴리
SSC Napoli

TEAM PROFILE

창 립	1926년
회 장	아우렐리오 데 라우렌티스(이탈리아)
감 독	안토니오 콘테(이탈리아)
연 고 지	캄파니아 주 나폴리
홈 구 장	스타디오 디에고 아르만도 마라도나 (5만 4,726명)
라 이 벌	AS 로마, 팔레르모, 살레르니타나
홈페이지	www.sscnapoli.it

ITALY SERIE A

SSC NAPOLI

최근 5시즌 성적

시즌	순위	승점
2020-2021	5위	77점(24승5무9패, 86득점 41실점)
2021-2022	3위	79점(24승7무7패, 74득점 31실점)
2022-2023	1위	90점(28승6무4패, 77득점 28실점)
2023-2024	10위	53점(13승14무11패, 55득점 48실점)
2024-2025	1위	82점(24승10무4패, 59득점 27실점)

SERIE A (전신 포함)

통 산	우승 4회
24-25 시즌	1위(24승10무4패, 승점 82점)

COPPA ITALIA

통 산	우승 6회
24-25 시즌	16강

UEFA

통 산	유로파리그 우승 1회
24-25 시즌	없음

전력분석 ## 크바라츠헬리아의 후계자 할 사람, 손 들어 봐

우승에도 불구하고 세리에 A 최강 전력이라기에는 망설여지는 나폴리. 시즌 중간에 최고 스타, 흐비차 크바라츠헬리아가 파리로 날아갔기 때문이다. 1위는 지켰지만, 경기력은 떨어졌다. 크바라츠헬리아 이적 전 15승 2무 3패, 이적 후 9승 7무 1패로 무승부가 늘었다. 떠난 뒤의 승점 추이를 38경기에 적용하면 4위 정도의 승점이었다. 이제 나폴리의 첫 번째 과제는 지난 시즌 전반기 수준의 경쟁력 회복이다. 다음 과제는 유럽대항전을 걸렀던 지난 시즌과 달리 UEFA 챔피언스리그를 병행할 선수층 확충이다. 다행히 크바라츠헬리아와 빅터 오시멘까지 2년 전 우승 주역들이 남긴 현금이 있어 선수 보강이 가능했다. 크바라츠헬리아의 자리를 메울 새로운 천재 윙어 네덜란드의 '악동' 노아 랑을 영입했다. 나이가 들어가는 로멜루 루카쿠의 경쟁자로 201cm 장신 로렌초 루카를 수급했고, 역대급 스타인 케빈 더브라위너, 빌드업 능력이 뛰어난 센터백 샘 뵈케마 등을 영입, 양과 다양성을 확보했다. 중원은 스타니슬라프 로보트카와 앙드레프 랑크 잠보 앙기사를 잔류, 기존의 틀은 유지했다. 이적시장 막판에 라스무스 호일룬, 미겔 구티에레스도 수급했다. 관건은 지난 시즌 영입한 다비드 네레스와 새 윙어 랑 중 한 명만 '각성'해 새로운 에이스가 되면 2연패 도전 준비는 끝난 셈이다.

전술분석 ## 오랜만이야, 유연한 실용주의자 콘테

콘테에게는 두 얼굴이 있다. 한쪽은 시즌을 몇 경기 치르기 전까지는 메인 전술이 뭔지 본인도 모르는 콘테다. 계획대로 되지 않으면 확 뒤엎던 유벤투스와 첼시 시절이 여기에 해당한다. 다른 얼굴은 정해 놓은 성공 공식을 팀에 끼워 맞추는 콘테다. 인테르 밀란, 토트넘 홋스퍼의 콘테가 이 경우였다. 최근에는 끼워 맞추는 콘테 모드였기 때문에 부임 후 어떤 전술을 쓸지 예측하기 쉬웠다. 그런데 나폴리에서 원래 준비한 스리백이 잘 통하지 않자, 콘테는 오랜만에 '자신도 모르는 유연한 전술가'로 회귀했다. 3-4-3 대형에 맞춰 선수를 사들였는데 어쩌다 보니 팀의 최대 강점이 미드필더라는 걸 간파하고, 중원 숫자를 늘리는 4-3-3이나 4-2-3-1 대형으로 전환했다. 시즌 도중 에이스가 떠나자 또 스리백으로 돌아가는 등 어느 때보다 유연한 모습이었다. 일단 정해진 주력 전술을 바꾸는 건 콘테가 한 번도 보여준 적 없는 모습. 이처럼 예측하기 힘든 나폴리지만, 그래도 콘테가 구성하고 있는 것이 4-3-3 대형의 유지임은 분명하다. 이를 위해 윙어와 중앙 공격형 미드필더를 영입했다. 궁금한 건 지난 시즌 MVP 스콧 맥토미니와 영입한 슈퍼스타 케빈 더브라위너를 중원에서 공존시킬 묘안이다.

구단주와 감독님 사이, 성공의 키를 쥔 한 남자

세계적인 경제지 '포춘' 이탈리아판은 최근 주목할 만한 40세 이하 40인의 명단을 내놓았다. 그중에는 나폴리 단장을 맡고 있는 1988년생 조반니 만나가 포함돼 있었다. 2년 전 우승을 이끈 단장은 익히 알려져 있다시피 크리스티아노 준톨리였는데, 그의 신화는 성급한 유벤투스 이직으로 인해 금방 끝나고 말았다. 그렇기에 지난 시즌 우승의 주역이었던 새 단장 만나는 나폴리에서 얼마나 오래 역량을 입증할지 궁금해진다. 만나는 유벤투스에서 5년간 일하며 유망주 육성 프로젝트 '넥스트 젠'을 주도했고 이때 길러낸 케난 일디즈, 딘 하위선, 마티아스 소울레 등은 대성공을 거뒀다. 지난해 나폴리 단장직을 맡은 뒤 본격적으로 이름을 알리기 시작했는데, 안토니오 콘테가 원하는 선수들을 그대로 갖다 바쳤을 뿐 아니라 난잡해져 있던 스쿼드를 부지런한 방출로 정리했다. 여기에 언변도 좋은지, 새 도전에 나서는 케빈 더브라위너를 영입해 온 것도 만나로 알려져 있다. 자고로 이탈리아 축구는 단장 놀음이다. 젊은 나이에 스카우팅과 팀 구성 양면에서 능력을 보여준 만나가 나폴리 프로젝트의 숨은 핵심이다. 다만 만나에게는 그 어느 팀보다 어려운 과제가 있다. 괴팍하기로 이름난 구단주와 감독 사이에서 가교 역할을 하며 팀의 내분도 막아내야 한다는 점이다.

IN & OUT

주요 영입	주요 방출
샘 뵈케마, 노아 랑, 로렌초 루카, 케빈 더브라위너, 바냐 밀린코비치사비치, 미겔 구티에레스, 라스무스 호일룬, 엘리프 엘마스	자코모 라스파도리, 나탕, 쇼반니 시메오네, 라파 마린, 시릴 은곤게

TEAM FORMATION

FW **B+**
MF **A+**
DF **A+**
GK **B+**

- **9** 루카쿠 (호일룬, 루카)
- **70** 랑 (스피나촐라)
- **11** 더브라위너 (맥토미니)
- **99** 앙기사 (엘마스)
- **21** 폴리타노 (네레스)
- **68** 로보트카 (길모어)
- **3** 구티에레스 (올리베라)
- **4** 부온조르노 (제주스)
- **13** 라흐마니 (뵈케마)
- **22** 디로렌초 (마초키)
- **1** 메레트 (밀린코비치사비치)

PLAN **4-1-4-1**

TEAM RATINGS

55

슈팅 8	패스 9
조직력 10	수비력 10
감독 9	선수층 9

2024/25 프로필

팀 득점	59
평균 볼 점유율	54.30%
패스 정확도	86.50%
게임 평균 슈팅 수	13.3
경고	48
퇴장	0

골 타입
오픈 플레이	75
세트 피스	14
카운터 어택	0
페널티 킥	7
자책골	5
단위 (%)

패스 타입
쇼트 패스	88
롱 패스	8
크로스 패스	4
스루 패스	0
단위 (%)

지역 점유율

공격 진영 **28%**
중앙 **45%**
수비 진영 **27%**

공격 방향
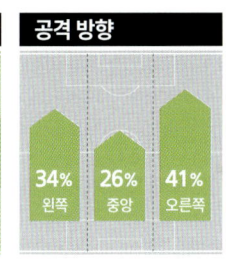
34% 왼쪽　**26%** 중앙　**41%** 오른쪽

슈팅 지역

8% 골 에어리어
62% 패널티 박스
30% 외곽 지역

상대팀 최근 6경기 전적

구분	승	무	패
SSC 나폴리			
FC 인테르나치오날레	1	3	2
아탈란타 BC	4		2
유벤투스 FC	4	1	1
AS 로마	3	2	1
ACF 피오렌티나	4	1	1
SS 라치오		2	4
AC 밀란	2	2	2
볼로냐 FC	2	3	1
코모 1907	2		4
토리노 FC	4	1	1
우디네세 칼초	3	3	
제노아 CFC	3	3	
엘라스 베로나 FC	4	1	1
칼리아리 칼초	4	2	
파르마 칼초 1913	3	1	2
US 레체	4	2	
US 사수올로 칼초	5	1	
피사 SC	4	2	
US 크레모네세	3	2	1

SQUAD

포지션	등번호	이름		생년월일	키(cm)	체중(kg)	국적
GK	1	알렉스 메레트	Alex Meret	1997.03.22	190	82	이탈리아
	14	니키타 콘티니	Nikita Contini	1996.05.21	190	82	이탈리아
	32	바냐 밀린코비치사비치	Vanja Milinković-Savić	1997.02.20	202	90	이탈리아
DF	4	알레산드로 부온조르노	Alessandro Buongiorno	1999.06.06	190	82	이탈리아
	5	주앙 제주스	Juan Jesus	1991.06.10	185	83	브라질
	13	아미르 라흐마니	Amir Rrahmani	1994.02.24	192	83	코소보
	17	마티아스 올리베라	Mathías Olivera	1997.10.31	185	78	우루과이
	22	조반니 디로렌초	Giovanni Di Lorenzo	1993.08.04	183	83	이탈리아
	30	파스콸레 마초키	Pasquale Mazzocchi	1995.07.27	183	78	이탈리아
	31	샘 뵈케마	Sam Beukema	1998.11.17	188	77	네덜란드
	37	레오나르도 스피나촐라	Leonardo Spinazzola	1993.03.25	186	75	이탈리아
MF	6	빌리 길모어	Billy Gilmour	2001.06.11	170	65	스코틀랜드
	8	스콧 맥토미니	Scott McTominay	1996.12.08	191	88	스코틀랜드
	11	케빈 더브라위너	Kevin De Bruyne	1991.06.28	181	76	벨기에
	68	스타니슬라프 로보트카	Stanislav Lobotka	1994.11.25	170	64	슬로바키아
	99	앙드레프랑크 잠보 앙기사	Frank Anguissa	1995.11.16	184	78	카메룬
FW	7	다비드 네레스	David Neres	1997.03.03	175	66	브라질
	9	로멜루 루카쿠	Romelu Lukaku	1993.05.13	191	93	벨기에
	19	라스무스 호일룬	Rasmus Højlund	2003.02.04	191	85	덴마크
	21	마테오 폴리타노	Matteo Politano	1993.08.03	171	68	이탈리아
	27	로렌초 루카	Lorenzo Lucca	2000.09.10	201	80	이탈리아
	70	노아 랑	Noa Lang	1999.06.17	170	69	네덜란드

'상남자'와 '하남자'의 얼굴이 공존하는 감독. 평소 혹독한 체력훈련부터 엄격한 전술훈련, 선수가 조금이라도 지시를 어기면 버럭버럭 화를 내는 면모, 상대 감독과 마구 삿대질을 해대는 불같은 성미. 하지만 '조금이라도 내게 압박을 주면 바로 때려치울 거니까 건드리지 마'라고 구단에 경고하는 등 민감한 면모도 있다. 유벤투스, 첼시, 인테르, 나폴리를 리그 우승으로 이끌었고 토트넘이 추락하던 도중 부임, 4위까지 올려놓으며 늘 역량을 입증해 왔다. 손흥민 프리미어리그 득점왕 시즌의 감독이기도 하다.

안토니오 콘테 Antonio Conte
1969년 7월 31일생 이탈리아

MF 8 스콧 맥토미니
Scott McTominay — **KEY PLAYER**

국적: 스코틀랜드

세리에 A MVP를 키 플레이어로 어찌 아니 선정할 수 있겠는가. 맨유의 투박한 수비형 미드필더로 취급되며 오랫동안 재능을 낭비했지만, 스코틀랜드 대표팀에서 유로 2024 예선 A조 최다골로, 같은 조의 엘링 홀란보다 많은 득점을 터뜨리며 '미들라이커'의 면모를 보여줬다. 나폴리로 이적한 뒤에도 큰 체격과 낙구 지점을 찾는 감각, 무엇보다 기대 이상의 마무리 스킬을 지녀 많은 골을 터뜨릴 수 있다. 그와 사랑에 빠진 나폴리 시민들은 대충 맥으로 시작하는 아무 말을 붙여서 부르기 시작했다. 맥가이버를 거쳐 맥프라틈(McFratm)에 이르렀는데, 프라틈은 나폴리 사투리로 '형제'라는 뜻이다. 김민재의 '킴킴킴'처럼 애정 가득한 애칭이다.

출전경기	경기시간(분)	골	어시스트	경고	퇴장
34	2,941	12	4	3	-

GK 1 알렉스 메레트
Alex Meret

국적: 이탈리아

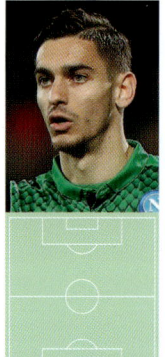

2018년 나폴리에 처음 합류했으나 부상과 힘겨운 주전 경쟁을 번갈아 겪었다. 그러다 온전한 주전으로 올라선 2022-23시즌에 곧바로 우승 주역으로 활약했다. 이때부터 나폴리 골문에 영역 표시를 확실히 했다. 콘테 감독이 부임 직후 메레트의 경쟁자 영입을 원했다는 보도도 있었으나, 결국 두 번째 우승 역시 메레트가 주전으로서 일궈냈다. 이번 시즌은 리그 최우수 골키퍼도 노려볼 만하다.

출전경기	경기시간(분)	실점	무실점(경기)	경고	퇴장
34	3,006	25	17	-	-

GK 32 바냐 밀린코비치사비치
Vanja Milinković-Savić

국적: 세르비아

축구선수 아버지 밀린코비치, 농구선수 어머니 사비치 사이에서 태어났다. 형 세르게이는 장신 미드필더로, 동생 바냐는 골키퍼로 성장했다. 토리노 골문을 오랫동안 지키면서 세리에 A에서 알아주는 수준급 수문장으로 인정받았다. 큰 체격을 잘 활용하며 선방 능력이 탁월하다. 지난 시즌 리그 주전급 골키퍼를 통틀어 패스 횟수가 1위(경기당 38.7회)일 정도로 패스를 돌리는 데 주저함이 없다.

출전경기	경기시간(분)	실점	무실점(경기)	경고	퇴장
37	3,330	42	10	3	-

DF 4 알레산드로 부온조르노
Alessandro Buongiorno

국적: 이탈리아

안정감 좋은 센터백. 토리노 스리백의 주축으로 활약해 왔고, 나폴리 역시 스위퍼로 쓸 생각에 영입했지만 팀 수비 전술이 포백으로 변한 뒤에도 좋은 활약을 했다. 몸으로 부딪치는 수비보다는 흐름을 끊는 수비를 선호한다. 지난 시즌 경기당 가로채기 1.6회(리그 5위)를 기록했는데 그를 제외한 1~8위 선수 모두 하위권이었다는 점에서 부온조르노의 남다른 인터셉트 감각을 잘 파악할 수 있다.

출전경기	경기시간(분)	골	어시스트	경고	퇴장
22	1,926	1	-	2	-

DF 13 아미르 라흐마니
Amir Rrahmani

국적: 코소보

김민재의 파트너로서 함께 우승을 일궜던 안정적이고 든든한 성향의 수비수. 지난 시즌 전 경기 풀타임보다 딱 16분 부족한 3,406분을 소화하면서 리그 전체에서 출장시간 5위를 기록했다. 공중볼 획득 6위(경기당 3.4), 경기당 패스 횟수 1위(72.9회)와 성공률 91.0%, 필드 플레이어 중 롱 패스 2위(경기당 4.4회) 등의 기록을 남겼다. 제공권과 패스 능력을 겸비한 센터백이라는 것을 매 경기 증명했다.

출전경기	경기시간(분)	골	어시스트	경고	퇴장
38	3,406	1	3	2	-

DF 17 마티아스 올리베라
Mathias Olivera

국적: 우루과이

풀백으로서는 상당히 크고 단단한 체격조건, 빠른 스피드, 여기에 서슴없이 상대 진영으로 돌파해 들어가는 성향까지 겸비했다. 올리베라의 세 특징을 조합하면 측면에서 기교를 부리는 게 아니라, 상대 선수들 사이로 파고들면서도 적당한 몸싸움은 어깨로 튕겨낼 수 있는 공격형 레프트백이다. 지난 시즌은 수비 공백이 발생했을 때 여러 경기에서 연달아 센터백까지 소화하며 팀에 기여했다.

출전경기	경기시간(분)	골	어시스트	경고	퇴장
32	2,374	-	2	4	-

DF 22 조반니 디로렌초
Giovanni Di Lorenzo

국적: 이탈리아

김민재가 나폴리 시절 가장 '리스펙트'했던 동료. 엄청난 경기를 부담하면서 군소리 한 번 안 하는 프로의식의 소유자다. 지난 시즌 역시 3,330분이나 소화하며 리그 전체에서 출장시간 6위를 기록했다. 지난해 여름 이적 의사를 내비쳐서 서포터들과 척을 질 뻔했지만, 결국 잔류하고 우승을 위해 헌신하면서 팬심을 회복했다. 정확한 판단력을 무기로 공격형, 수비형 임무 모두 능숙하게 소화한다.

출전경기	경기시간(분)	골	어시스트	경고	퇴장
37	3,330	3	2	6	-

ITALY SERIE A

SSC NAPOLI

DF 31 샘 뵈케마
Sam Beukema

국적: 네덜란드

성장 속도가 상당히 더뎠기 때문에 네덜란드 리그를 떠나 세리에 A로 진출했을 땐 이미 24세였다. 볼로냐 돌풍의 한 축을 맡으면서 경쟁력을 증명했고, 2년 만에 나폴리로 이적했다. 네덜란드 선수답게 빌드업 상황에서 양질의 패스를 돌릴 수 있고 종종 공격 가담하러 올라가기도 하는 선수다. 안정을 추구하는 기존 나폴리 센터백들과 차별화되며, 2년 만에 드디어 찾은 김민재 후계자는 뵈케마가 될 수도 있다.

출전경기	경기시간(분)	골	어시스트	경고	퇴장
35	3,011	-	1	1	-

MF 11 케빈 더브라위너
Kevin De Bruyne

국적: 벨기에

더 설명이 필요한가? 2010년 이후 가장 화려하게 빛난 팀 맨체스터 시티의 왕조를 상징하는 슈퍼스타였다. 동료 선수와의 거리를 가리지 않고 유도미사일처럼 날아가는 통쾌한 패스를 보면 가슴이 뻥 뚫린다. 잦은 부상 때문에 클래스를 자주 보여주진 못했지만, 중요한 경기에서 한 방이 기대되는 선수다. 미국이나 사우디가 아닌 가족적이고 따뜻한 곳, 나폴리를 찾으면서 새로운 도전에 나섰다.

출전경기	경기시간(분)	골	어시스트	경고	퇴장
28	1,707	4	7	2	-

MF 68 스타니슬라프 로보트카
Stanislav Lobotka

국적: 슬로바키아

대선배 마렉 함식의 뒤를 잇는 슬로바키아 출신 나폴리 미드필더. 단신이지만 이를 오히려 장점으로 활용해, 민첩한 동작으로 탈압박하고 능숙하게 패스를 뿌리는 레지스타(후방 플레이메이커). 공을 받아줘야 할 위치에 정확하게 가 있고, 때로는 상대를 끌어내면서 센터백이 직접 치고 올라갈 길을 열어 주기도 한다. '바이에른 뮌헨으로 간 김민재가 가장 그리워할 선수'라는 수식어가 붙을 정도.

출전경기	경기시간(분)	골	어시스트	경고	퇴장
32	2,650	-	1	3	-

MF 99 앙드레프랑크 잠보 앙기사
Andre-Frank Zambo Anguissa

국적: 카메룬

장신을 잘 활용할 수 있는 운동능력, 여기에 부드러운 볼터치까지 겸비했다. 이론상 공수 양면에서 엄청난 기여를 할 수 있는 중원의 '치트키'다. 맥토미니를 보좌하면서 본인 공격 포인트까지 챙겼다. 다만 '육각형' 재능을 지닌 미드필더들이 흔히 그렇듯 너무 많은 플레이를 요구하면 집중력을 잃는 경기도 종종 있었는데, 콘테는 특유의 정신 개조를 통해 앙기사가 매 경기에서 열심히 뛰게 만들었다.

출전경기	경기시간(분)	골	어시스트	경고	퇴장
35	2,858	6	4	5	-

FW 9 로멜루 루카쿠
Romelu Lukaku

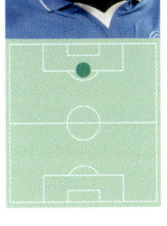

국적: 벨기에

파괴력이 약간 떨어졌다는 아쉬운 평가도 있지만, 아무튼 지난 시즌 세리에 A 득점 5위와 도움 1위에 오르면서 유일한 10-10 달성 선수가 됐다. 빅터 오시멘을 내치고 콘테의 애제자 루카쿠를 영입해 온 나폴리의 선택은 우승이라는 확실한 성과를 냈다. 방황을 마치고 오랜만에 제 기량을 발휘했으니 이젠 나폴리에서 롱런하는 것이 목표다. 어느덧 32세가 되면서 신체 능력은 서서히 감퇴하고 있다.

출전경기	경기시간(분)	골	어시스트	경고	퇴장
36	2,871	14	10	4	-

FW 19 라스무스 호일룬
Rasmus Højlund

국적: 덴마크

아탈란타에서 2년 전 두각을 나타냈다. 체형이 길쭉하고 스피드가 빠른 북유럽 공격수가 있다는 소식에 맨유가 '제2의 홀란'이라며 성급하게 영입했다가 과도한 부담만 지게 됐다는 선수다. 지난 1년은 세계 최악의 공격수라는 비아냥까지 들었지만 맨유 1년차만 해도 프리미어리그 10골, 챔피언스리그 5골을 넣었으니 섣부른 먹튀 선언은 금물이다. 잘 부활시켜 완전영입할 생각으로 임대해 왔다.

출전경기	경기시간(분)	골	어시스트	경고	퇴장
32	2,014	4	1	2	-

FW 21 마테오 폴리타노
Matteo Politano

국적: 이탈리아

'오래가는 놈이 강한 거야.' 폴리타노는 배우 이범수도, 충청도 출신도 아니지만, 삶의 모토를 물어보면 왠지 이렇게 답할 것만 같다. 왼발잡이 역발 윙어치고 돌파가 좀 투박하지만, 대신 성실한 팀플레이라는 숨은 장점이 있어서 감독들이 사랑하는 선수다. 결국 두 차례 우승의 주역이 됐다. 왕성한 활동량과 전술 이행 능력은 콘테처럼 꽉 막힌 감독이 특히 사랑할 수밖에 없는 특징을 가진 자원이다.

출전경기	경기시간(분)	골	어시스트	경고	퇴장
37	2,829	3	4	3	-

FW 27 로렌초 루카
Lorenzo Lucca

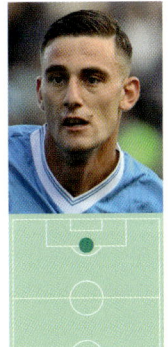

국적: 이탈리아

키가 190cm대인 선수는 흔하지만, 2m가 넘는 선수는 드물다. 이 신체 조건에 괜찮은 스피드와 바디 밸런스, 슈팅 파워까지 갖췄고, 지난 시즌 크게 성장해 나폴리의 러브콜을 끌어냈다. 수비를 열심히 하는 건 좋은데 약간 거친 건 흠이다. 지난 시즌 경고와 파울 모두 리그 4위였는데 강등권 팀 센터백 수준의 수치였다. 페널티킥을 차겠다고 동료와 언쟁을 벌여 팀 내 징계를 받은 적이 있다.

출전경기	경기시간(분)	골	어시스트	경고	퇴장
33	2,364	12	1	10	-

FW 70 노아 랑
Noa Lang

국적: 네덜란드

기량은 좋지만 팀플레이에 문제가 있다며 많은 팀이 영입을 꺼렸던 천재형 윙어. 지난 시즌 UEFA 챔피언스리그에서 파리 생제르맹, 유벤투스 등 강팀 상대 공격 포인트를 올린 게 긍정적이다. 그동안 튀는 언행으로 정신력이 좋지 않다는 평가를 받았던 랑이 콘테의 카리스마를 만나 어떻게 조련될지 궁금하다. 이탈리아어로 처음 배운 단어가 '힘들다(stanco)'일 정도로 콘테의 훈련은 차원이 다르다.

출전경기	경기시간(분)	골	어시스트	경고	퇴장
29	1,905	11	10	1	-

FC 인테르나치오날레
FC Internazionale

TEAM PROFILE

창 립	1908년
회 장	조세페 마로타(이탈리아)
감 독	크리스티안 키부(루마니아)
연 고 지	롬바르디아 주 밀라노
홈 구 장	스타디오 주세페 메아차(7만5,817명)
라 이 벌	AC 밀란, 유벤투스 FC
홈페이지	www.inter.it

최근 5시즌 성적

시즌	순위	승점
2020-2021	1위	91점(28승7무3패, 89득점 35실점)
2021-2022	2위	84점(25승9무4패, 84득점 32실점)
2022-2023	3위	72점(23승3무12패, 71득점 42실점)
2023-2024	1위	94점(29승7무2패, 89득점 22실점)
2024-2025	2위	81점(24승9무5패, 79득점 35실점)

SERIE A (전신 포함)

통 산	우승 20회
24-25 시즌	2위(24승9무5패, 승점 81점)

COPPA ITALIA

통 산	우승 9회
24-25 시즌	4강

UEFA

통 산	챔피언스리그 우승 3회 유로파리그 우승 3회
24-25 시즌	챔피언스리그 준우승

전력 분석 | 포지션별 전력만 놓고 보면 분명 1티어

선수단 능력만 볼 때 인테르는 세리에 A를 넘어 전 유럽에서도 1티어에 들 만한 팀이다. 전원이 슈퍼스타는 아니지만 포지션마다 월드클래스가 한 명씩 있고, 수년에 걸쳐 수집한 준척급 선수들이 다양한 조합을 이룬다. 최전방의 라우타로 마르티네스는 '새가슴'이라는 대중의 인식과 별개로 다재다능하고 헌신적인 스트라이커다. 그의 파트너 마르쿠스 튀람 역시 측면 공격까지 가능한 장신 스트라이커. 여기에 임대에서 복귀한 유망주 피오 에스포시토, 새로 영입한 앙제요안 보니 등 강력한 공격수들이 오면서 로테이션 멤버가 더 강해졌다. 중원은 이탈리아 대표 니콜로 바렐라를 중심으로 클래스 높은 30대 듀오 헨리크 미카타리안, 하칸 찰하노을루가 기술적인 조합을 이룬다. 득점력이 탁월한 다비데 프라테시, 새로 추가된 페타르 수치치도 조합을 다양하게 한다. 윙백은 날카로운 킥력의 에이스 페데리코 디마르코, 탈 윙백급 신체 소유자 덴젤 뒴프리스 외, 강력한 도전자 루이스 엔히키가 합류했다. 중앙수비는 안정감과 공격 가담 능력을 보유한 세계적 센터백 알레산드로 바스토니를 중심으로 신체 능력이 좋은 얀 아우렐 비세크, 안정적인 스테판 더프레이, 대기만성형 선수 프란체스코 아체르비 등, 어떤 선수가 나가느냐에 따라 수비 컬러는 달라진다. 골문은 단신이라는 단점보다 선방 능력과 빌드업이 훨씬 눈에 띄는 얀 조머다.

전술 분석 | 7년째 그대로인 포메이션, 세부 내용은 얼마나 바뀔까?

인테르의 선수와 유소년팀 감독으로 오래 근무하면서, 이 팀의 역사와 문화를 속속들이 알고 있는 크리스티안 키부. 그는 6년간 한결같이 이어진 인테르의 전술을 바꾸지 않으려 한다. 더 정확히 말해, 그래서 경영진이 그를 선임했다고도 볼 수 있다. 전술적 연속성을 지키면, 선수를 대거 팔거나 살 필요가 없다. 그래도 소폭의 변화는 생기기 마련. 안토니오 콘테에서 시모네 인차기로 지휘봉이 넘어갈 때 분명 인테르는 발전했다. 인차기에서 키부로 바뀌는 이번 시즌은 어떨까? 일단 클럽 월드컵에서 보여준 몇 가지 변화는 있다. 기존보다 압박의 강도가 더 거세진 듯하다. 대신 공 소유권을 지키는 작업과 빌드업 상황에서 포지션 체인지로 상대를 교란하는 작업은 줄었다. 기본 대형은 3-5-2지만 경기 중 3-4-2-1로 전환하는 등 대형 변화가 감지되기도 했으나, 좋은 인상을 남기지는 못했다. 클럽 월드컵 16강 탈락이라는 결과가 보여주듯 인테르 경기는 대체로 답답했다. 공격형 미드필더 출신인 하칸 찰하노을루를 수비형 미드필더로, 헨리크 미카타리안을 중앙 미드필더로 쓰는 것도 약간 버거운 선수구성일 수 있다. 키부 아래 좀 더 훈련을 거친 뒤, 큰 폭으로 라인업이 바뀔 듯하다.

시즌 프리뷰 평균 연령 낮추는 작업, 약간 더딘 것 같은데

한때 인테르의 모기업이었던 중국 기업 쑤닝의 재정난으로 구단 지분이 담보로 잡혔다가, 지난해 오크트리 캐피털로 소유권이 넘어가며 '빨간 딱지' 신세로 전락했다. 인테르는 명문구단치고 자금이 부족한 팀이다. 그럼에도 불구하고 꽤 화려한 선수단을 유지하고 있는 건 쥐세페 마로타 회장의 신묘한 경영 능력 덕분이다. 이미 검증된 선수를 싸게, 혹은 공짜로 데려오는 마로타의 수완은 엄청나다. 다만 그 부작용이 서서히 팀에 퍼졌는데, 20대 후반이나 30대 선수를 자꾸 데려오다 보니 선수단이 고령화된다는 것이다. 이는 지난 시즌 좋은 경기력으로 트레블을 노릴 만했음에도 불구하고, 시즌 막판에 체력이 고갈돼 흔들리며 수페르코파 포함 4개 대회 준우승이라는 최악의 결과로 이어지고 말았다. 그래서 이번 이적시장에서는 평균 연령을 낮추겠다는 의도가 분명했다. 새로 합류한 보니와 수치치는 21세, 엔리케는 23세다. 또한 유망주 육성을 위해 일종의 2군인 '인테르 U23'을 출범시켰다. 빅 리그치고 세리에 A는 가장 유망주 육성을 등한시했기에 U23팀은 이제까지 유벤투스, AC 밀란, 아탈란타 세 팀만 갖고 있었는데, 인테르가 네 번째로 합류한 것이다. 1군 선수단의 노련미에 젊은 패기와 왕성한 활동량을 더하기 위한 작업을 더는 미룰 수 없었다. 인테르가 달라진 점이다.

IN & OUT

주요 영입	주요 방출
루이스 엔히키, 양제요안 보니, 페타르 수치치, 앙디 디우프, 마누엘 아칸지	마르코 아르나우토비치, 호아킨 코레아, 크리스티안 아슬라니, 메흐디 타레미, 벤자멩 파바르

TEAM FORMATION

FW A+
MF A+
DF A
GK A

PLAN 3-5-2

FW
- 9 튀람 (보니)
- 10 마르티네스 (에스포시토)

MF
- 32 디마르코 (아우구스투)
- 22 미키타리안 (지엘린스키)
- 23 바렐라 (프라테시)
- 2 뒴프리스 (엔히키)
- 20 찰하노올루 (수치치)

DF
- 95 바스토니 (더프라이)
- 15 아체르비 (더프라이)
- 31 비세크 (아칸지)

GK
- 1 조머 (마르티네스)

TEAM RATINGS

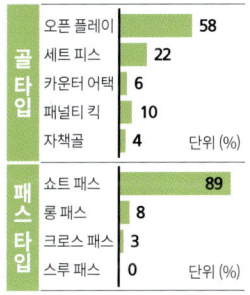

55

슈팅	10
패스	10
수비력	10
선수층	10
감독	7
조직력	8

2024/25 프로필

팀 득점	79
평균 볼 점유율	60.10%
패스 정확도	88.10%
게임 평균 슈팅 수	15.1
경고	54
퇴장	1

골 타입		단위 (%)
오픈 플레이	58	
세트 피스	22	
카운터 어택	6	
패널티 킥	10	
자책골	4	

패스 타입		단위 (%)
쇼트 패스	89	
롱 패스	8	
크로스 패스	3	
스루 패스	0	

지역 점유율

공격 진영	30%
중앙	45%
수비 진영	26%

공격 방향

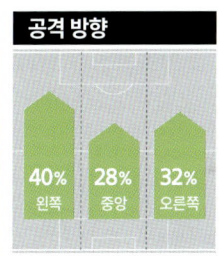

- 40% 왼쪽
- 28% 중앙
- 32% 오른쪽

슈팅 지역

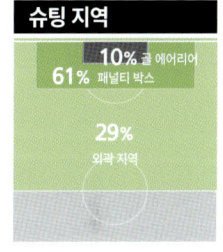

- 10% 골 에어리어
- 61% 패널티 박스
- 29% 외곽 지역

상대팀 최근 6경기 전적

구분	승	무	패
SSC 나폴리	2	3	1
FC 인테르나치오날레			
아탈란타 BC	6		
유벤투스 FC	2	3	1
AS 로마	4		2
ACF 피오렌티나	4		2
SS 라치오	4	2	
AC 밀란	1	2	3
볼로냐 FC	1	2	3
코모 1907	5	1	
토리노 FC	6		
우디네세 칼초	6		
제노아 CFC	3	3	
엘라스 베로나 FC	5	1	
칼리아리 칼초	5	1	
파르마 칼초 1913	4	2	
US 레체	6		
US 사수올로 칼초	3		3
피사 SC	5		1
US 크레모네세	5	1	

SQUAD

포지션	등번호	이름		생년월일	키(cm)	체중(kg)	국적
GK	1	얀 조머	Yann Sommer	1988.12.17	183	79	스위스
	13	주젭 마르티네스	Josep Martínez	1998.05.27	191	78	스페인
DF	2	덴절 뒴프리스	Denzel Dumfries	1996.04.18	188	80	네덜란드
	6	스테판 더프라이	Stefan de Vrij	1992.02.05	189	78	네덜란드
	15	프란체스코 아체르비	Francesco Acerbi	1988.02.10	192	88	이탈리아
	30	카를로스 아우구스투	Carlos Augusto	1999.01.07	184	78	브라질
	31	얀 비세크	Yann Bisseck	2000.11.29	196	87	독일
	32	페데리코 디마르코	Federico Dimarco	1997.11.10	175	75	이탈리아
	36	마테오 다르미안	Matteo Darmian	1989.12.02	183	70	이탈리아
	42	토마스 팔라시오스	Tomás Palacios	2003.04.28	196	-	아르헨티나
	95	알레산드로 바스토니	Alessandro Bastoni	1999.04.13	190	75	이탈리아
MF	7	피오트르 지엘린스키	Piotr Zieliński	1994.05.20	180	75	폴란드
	8	페타르 수치치	Petar Sučić	2003.10.25	183	-	크로아티아
	11	루이스 엔히키	Luis Henrique	2001.12.14	181	74	브라질
	16	다비데 프라테시	Davide Frattesi	1999.09.22	178	74	이탈리아
	17	앤디 디우프	Andy Diouf	2003.05.17	187	81	프랑스
	20	하칸 찰하노을루	Hakan Çalhanoğlu	1994.02.08	178	73	튀르키예
	22	헨리크 미키타리안	Henrikh Mkhitaryan	1989.01.21	177	75	아르메니아
	23	니콜로 바렐라	Nicolò Barella	1997.02.07	175	68	이탈리아
FW	9	마르퀴스 튀람	Marcus Thuram	1997.08.06	192	87	프랑스
	10	라우타로 마르티네스	Lautaro Martínez	1997.08.22	174	79	아르헨티나
	14	양제요안 보니	Ange-Yoan Bonny	2003.10.25	189	83	프랑스
	94	피오 에스포시토	Pio Esposito	2005.06.28	191	-	이탈리아

현역 시절 레프트백과 센터백을 오가며 인테르에서 7년간 활약했던 스타 수비수였다. 은퇴 후, 인테르 유소년팀에서 후학을 양성하기 시작했고, 갈수록 수준을 끌어올려 2021년부터 3년 동안 인테르 U19팀(프리마베라)을 지휘했다. 프로 감독 경력은 지난 시즌 3개월이 전부. 강등 위기였던 파르마에 2월 부임해 시즌 종료 시까지 분전하며 아슬아슬한 생존으로 이끌었다. 감독 경험이 많지만 구단의 문화와 전술적 연속성을 잘 안다는 점이 긍정적이다. 인테르판 '리얼 블루 정책'인 셈이다.

크리스티안 키부 Cristian Chivu
1980년 10월 26일생 루마니아

| MF | 23 | 니콜로 바렐라
Nicolò Barella |  KEY PLAYER |

국적: 이탈리아

한 번이라도 90분 내내 경기를 시청한 사람이라면 무조건 인정할 수밖에 없는 탁월한 축구선수. 단점이 거의 없는 완벽한 '육각형' 미드필더에 가깝다. 보통 육각형 능력치가 꽉 찼다고 불리는 선수 중에는 가장 중요한 판단력과 집중력이 결여되어 있는 경우도 있지만, 바렐라는 '멘탈' 능력치 역시 탁월하다. 또한 겉보기에 눈에 띄는 단신이라는 단점도 풍부한 활동량, 과감한 태클의 높은 성공률, 낮은 무게 중심을 활용한 압박 능력 등으로 치환하여 상대가 공략하지 못하게 한다. 패스를 순환시키며 상대를 교란하는 티키타카, 유연한 위치 선정이 중요한 포지셔널 플레이 등 현대축구에서 감독이 요구하는 다양한 전술 콘셉트를 모두 능숙하게 소화한다.

출전경기	경기시간(분)	골	어시스트	경고	퇴장
33	2,467	3	6	4	-

| GK | 1 | 얀 조머
Yann Sommer |

국적: 스위스

축구선수로 살아가려면 빅 클럽에서 한 번쯤 뛰어봐야 한다는 살아있는 증거. 인테르로 오지 않았다면 독일 분데스리가 중위권의 알려지지 않은 실력파 골키퍼로 경력을 마쳤을 것이다. 그러나 2년 전 바이에른 뮌헨을 반년 거친 뒤 인테르에 입단하면서 그가 얼마나 뛰어난 선수인지 만천하에 알릴 수 있게 됐다. 183cm로 골키퍼치고 단신이라는 단점을 선방, 빌드업, 노련미로 가릴 줄 아는 선수다.

출전경기	경기시간(분)	실점	무실점 (경기)	경고	퇴장
33	2,970	32	13	-	-

| DF | 2 | 덴젤 뒴프리스
Denzel Dumfries |

국적: 네덜란드

신체 능력을 적극 활용하는 윙백이다. 미식축구의 와이드 리시버처럼, 자신에게 날아오는 롱 패스를 받아 득점 가능한 지역까지 순식간에 돌파해 들어가는 능력을 갖췄다. 일단 가속도가 붙으면 막기 힘든 거구의 신체를 잘 써먹으며 때로는 아예 페널티 지역 안에 자리 잡고 헤딩 경합을 벌이기도 한다. 다만 수비가 조금 서툴다는 문제는 개선이 더디다. 지난 시즌 리그 파울 5위(경기당 1.9회)였다.

출전경기	경기시간(분)	골	어시스트	경고	퇴장
29	1,952	7	2	4	-

| DF | 6 | 스테판 더프라이
Stefan de Vrij |

국적: 네덜란드

'처분할 때가 됐다'라는 평가를 받을 즈음이면 귀신같이 선발 출장해 좋은 활약을 보여주면서, '역시 인테르에 없어서는 안 될 수비수'임을 스스로 증명하곤 한다. 운동능력이 그저 그런 수준이기에 어려서는 주목을 받지 못했다. 세리에 A로 건너올 때는 FA 신분이었다. 하지만 인차기 감독의 전술을 완벽하게 소화하면서 라치오와 인테르의 수호신이 됐다. 지난 시즌 패스 성공률 리그 4위(93.3%)였다.

출전경기	경기시간(분)	골	어시스트	경고	퇴장
26	1,723	3	-	2	-

| DF | 15 | 프란체스코 아체르비
Francesco Acerbi |

국적: 이탈리아

20대에 찾아온 고환암을 극복했고, 30대가 되어서야 스타 센터백으로 발돋움했다. 대기만성이다. 노장인 지금 기복이 심해진 건 사실이지만, UEFA 챔피언스리그 바르셀로나전에서 동점골을 터뜨리는 등 중요한 순간에는 분명 활약했다. 한국 센터백 권경원이 본받고 싶은 선수로 꼽았을 정도로, 운동능력 떨어진 센터백이 어떻게 살아남아야 하는지 보여주는 모델이자 판단력의 화신이다.

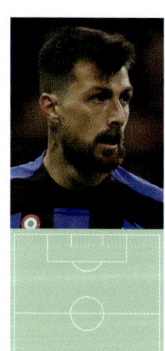

출전경기	경기시간(분)	골	어시스트	경고	퇴장
23	1,710	-	1	-	-

| DF | 30 | 카를로스 아우구스투
Carlos Augusto |

국적: 브라질

디마르코의 백업으로 치부하기엔 너무 아까운 역량을 지닌 레프트백. 몬차의 승격에 기여하고 잔류 시즌 6골 5도움을 기록하면서 한 단계 더 성장했다. 인테르에서도 두 시즌 동안 선발과 교체를 오가며 높은 팀 기여도를 보여줬다. 원래도 공격력이 좋은 측면자원이지만 팀에 필요할 때는 스리백의 센터백으로도 뛰면서, 스토퍼가 오버래핑하는 인차기 감독 특유의 전술을 완벽하게 소화해냈다.

출전경기	경기시간(분)	골	어시스트	경고	퇴장
29	1,683	3	2	1	-

| DF | 32 | 페데리코 디마르코
Federico Dimarco |

국적: 이탈리아

공격력만큼은 세계 최고를 다투는 레프트백. 원래는 킥력만 좋은 반쪽짜리 유망주였지만, 20대 중반에 들어서면서 인차기 감독의 조련을 받아 위치 선정과 공간 활용 능력이 엄청나게 발전했다. 것백과 문선 침투, 강력한 마무리 패스와 슈팅을 활용해 공격 포인트를 양산할 수 있는 선수다. 다만 지난 시즌은 너무 많은 경기 때문에 지쳤는지 중요한 경기에서 기복이 생겼다. 지금 필요한 덕목은 꾸준함.

출전경기	경기시간(분)	골	어시스트	경고	퇴장
33	2,163	4	7	3	-

DF 95 알레산드로 바스토니
Alessandro Bastoni

국적: 이탈리아

수비는 안정적이고 공격 가담은 파괴력 있다면 완벽한 수비수가 아닐까? 바스토니가 바로 그런 선수다. 한때 약점이던 수비력은 오히려 장점으로 승화시켰고 장신을 잘 활용한다. 정확한 왼발을 활용한 롱 패스, 여기에 오버래핑해서 크로스까지 올릴 수 있는 전진성까지 다양한 장점을 한 몸에 지녔다. 각종 세부 기록을 뜯어보면 그의 실수 때문에 내주는 실점이 거의 없다는 걸 알 수 있다.

출전경기	경기시간(분)	골	어시스트	경고	퇴장
33	2,422	1	5	4	1

MF 8 페타르 수치치
Petar Sučić

국적: 크로아티아

조금 먼저 주목받은 루카 수치치의 사촌 동생이다. 루카가 공격적인 선수라 눈에 띄었다면, 페타르는 후방에서 수비진을 지키고 상대 압박에서 빠져나온 뒤 패스를 뿌리는 후방 플레이메이커 성향이 강하다. 그래서 공격 포인트가 많지 않아, 자국 무대에서 21세까지 머무르다 한발 늦게 해외에 진출했다. 클럽 월드컵에서 어시스트를 기록하며 인테르 신고식을 잘 마쳤다. 잠재력이 기대되는 선수다.

출전경기	경기시간(분)	골	어시스트	경고	퇴장
26	1,881	5	3	1	-

MF 11 루이스 엔히키
Luis Henrique

국적: 브라질

지난 시즌 마르세유에서 급성장하면서 여러 구단의 관심을 받았던 측면 자원. 팀이 포백을 쓸 때는 왼쪽 윙어로 뛰지만, 인테르가 새 시즌에도 스리백 기반 대형을 유지한다면 오른쪽 윙백을 맡을 것으로 보인다. 마르세유에서 윙백일 때와 윙어일 때 공격 포인트 생산성이 비슷했다. 브라질 대표 루이스 엔히키와는 이름도 나이도 비슷하지만 동명이인이다. 이쪽 엔히키는 아직 A매치에 데뷔하지 못했다.

출전경기	경기시간(분)	골	어시스트	경고	퇴장
33	2,623	7	7	-	-

MF 20 하칸 찰하노을루
Hakan Çalhanoğlu

국적: 튀르키예

'손흥민에게 패스 안 주고 슛만 때리던 철없는 동생'이 10년이 지난 지금 세계적인 수비형 미드필더로 발전했다. AC 밀란에서 공격형 미드필더로서 한결 성숙해졌고, 인테르에 입단한 뒤 후방에서 팀을 조율하는 선수로 변신했다. 뒤에서 공을 뿌리다가도 동료들과 유연하게 위치를 바꿔 언제든지 중거리 슛을 날릴 수 있다. 프리 시즌에 라우타로와 불화설이 있었지만 본인이 극적으로 나서서 잠재웠다.

출전경기	경기시간(분)	골	어시스트	경고	퇴장
29	1,964	5	6	5	-

MF 22 헨리크 미키타리안
Henrikh Mkhitaryan

국적: 아르메니아

이젠 조금씩 체력 안배가 필요해 보이는 베테랑 플레이메이커. 득점력으로 주목받기 시작해, 프리미어리그 시절에는 공격형 미드필더로서 본격적인 공격 지휘관 임무를 맡았지만 기대만큼의 활약을 보여주지 못했다. 세리에 A로 건너온 뒤 30대 나이에도 불구하고 더 활동량이 필요한 메찰라(공격적인 중앙 미드필더) 포지션을 맡기 시작했는데 오히려 대박이 났다. 기동력, 테크닉, 전술 수행능력을 겸비했다.

출전경기	경기시간(분)	골	어시스트	경고	퇴장
32	2,410	1	4	4	-

FW 9 마르쿠스 튀람
Marcus Thuram

국적: 프랑스

축복받은 신체능력의 튀람 부자(父子). 아버지는 수비수, 동생은 미드필더, 그리고 마르쿠스는 스트라이커다. 192cm나 되는 신장에도 불구하고 윙어 자리에서 비효율적인 경기를 하던 시절도 있었지만, 성장 과정에서 배운 것들을 흡수하며 이제 다재다능한 완성형 스트라이커가 됐다. 특히 윙어 없는 투톱 전술에서 제공권 장악과 측면으로 빠지는 플레이를 완벽하게 할 수 있는 공격수는 가치가 엄청나다.

출전경기	경기시간(분)	골	어시스트	경고	퇴장
32	2,299	14	4	1	-

FW 10 라우타로 마르티네스
Lautaro Martínez

국적: 아르헨티나

투지와 근성을 무기 삼아 많은 득점 기회를 잡고 또 해결하는 공격수. 2023-24시즌에는 유럽 5대 리그 통틀어 기대득점(xG) 대비 실제 득점 1위였다. 이 덕분에 지난 시즌에는 '새가슴'이라는 오명은 거의 다 씻었다. 카타르 월드컵 무득점이라는 굴욕 때문에 생긴 이미지였는데, 아르헨티나와 인테르 양쪽에서 중요 경기에서의 활약상을 충분히 보여줬다. 인테르 입장에서는 충성심 넘치는 주장이기도.

출전경기	경기시간(분)	골	어시스트	경고	퇴장
31	2,579	12	3	1	-

FW 14 앙제요안 보니
Ange-Yoan Bonny

국적: 프랑스

지난 시즌 파르마에서 키부 감독의 지도를 받았던 '구면' 유망주. 거구의 신체조건으로 외견상 활동반경이 좁은 정통파 공격수처럼 보이지만, 실제 플레이는 다재다능하다. 2선으로 내려가 활동할 수 있는 기동력, 볼 키핑과 드리블 돌파 능력을 겸비했다. 발 뒤꿈치 패스와 슛을 특히 즐긴다. 발전해야 할 부분이 있다면 결정력. 지난 시즌 기대득점(xG) 대비 실제 득점이 세리에 A 꼴찌에서 5위인 -3.89에 불과했다.

출전경기	경기시간(분)	골	어시스트	경고	퇴장
37	2,546	6	4	2	-

FW 94 피오 에스포시토
Pio Esposito

국적: 이탈리아

인테르 팬들이 큰 기대를 걸었던 에스포시토 3형제 중 막내. 큰형 살바토레는 아쉽게도 빅 클럽 수준이 아니었고, 둘째 세바스티아노(임대)와 막내 피오가 아직 성장 중이다. 피오는 지난 시즌 세리에 B 득점왕을 차지하며 생애 첫 프로 주전 시즌을 환상적으로 보낸 뒤 복귀했다. 인테르 1군 첫 대회였던 클럽 월드컵에서도 1골 1도움을 기록했다. 거구를 잘 쓸 줄 알고 볼 키핑 능력이 있는 9번 공격수.

출전경기	경기시간(분)	골	어시스트	경고	퇴장
35	2,781	17	2	7	-

ITALY SERIE A

FC INTERNAZIONALE

아탈란타 BC
Atalanta BC

TEAM PROFILE

창 립	1907년
회 장	안토니오 페르카시(이탈리아)
감 독	이반 유리치(크로아티아)
연 고 지	롬바르디아 주 베르가모
홈 구 장	게비스 스타디움(2만 3,439명)
라 이 벌	브레시아 칼초
홈페이지	www.atalanta.it

ITALY SERIE A

ATALANTA BC

최근 5시즌 성적

시즌	순위	승점
2020-2021	3위	78점(23승9무6패, 90득점 47실점)
2021-2022	8위	59점(16승11무11패, 65득점 48실점)
2022-2023	5위	64점(19승7무12패, 66득점 48실점)
2023-2024	4위	69점(21승6무11패, 72득점 42실점)
2024-2025	3위	74점(22승8무8패, 78득점 37실점)

SERIE A (전신 포함)

통 산	없음
24-25 시즌	3위(22승8무8패, 승점 74점)

COPPA ITALIA

통 산	우승 1회
24-25 시즌	8강

UEFA

통 산	유로파리그 1회
24-25 시즌	없음

전력분석 | 떠난 선수의 자리, 병원에서 돌아오는 선수가 메운다

기둥뿌리가 뽑혔다. 잔피에로 가스페리니 감독이 아탈란타 전력의 8할이었다는 점에서도 그렇지만, 득점왕 마테오 레테기도 사우디아라비아로 떠나며 전력 손실이 더 크다. 주전급 선수 다수와 팀을 지켜준 노장 하파엘 톨로이까지 떠나며, 실력과 유산 양면에서 허전한 새 시즌을 맞는다. 대체자 영입 작업도 필요하지만, 더 중요한 건 두 장기 부상 선수인 잔루카 스카마카와 조르조 스칼비니의 복귀다. 스카마카는 9번 번호가 보여주듯 팀의 간판스타였고, 이탈리아 대표팀 붙박이 주전 자리까지 한 걸음 남겨 둔 선수였다. 하필 그 시점에 부상을 당하면서 대체 선수로 레테기가 긴급 영입됐다. 스칼비니는 또 어떤가? 유소년 명가 아탈란타가 직접 키워내 18세에 1군 데뷔시켰던 초특급 유망주였다. 그런데 십자인대 부상과 복귀전에서의 어깨 부상으로 팀에 아무런 보탬이 되지 못했다. 두 선수가 원래 기량으로 돌아와 준다면 공격과 수비의 구심점은 확보한 셈이다. 다행히 중원에 팀 내 최고 실력자 에데르송이 건재하기에, 이대로만 간다면 꽤 안정적인 전력으로 새 시즌을 맞을 수 있다. 여기에 장신 공격형 미드필더 샤를 더케텔라러, 아탈란타에서는 후보지만 자꾸 대표팀에 뽑히는 '도련님' 다니엘 말디니 등, 쓰임새가 천차만별인 2선 자원들을 이반 유리치 감독이 얼마나 살려내는가에 따라 이번 시즌 성적이 요동칠 것이다.

전술분석 | '운수 좋은 날 - 시즌 3'만큼은 절대 안 돼

'좋은 선수를 줬는데 왜 쓰지를 못하니?' 이반 유리치 감독의 지난 1년은 소설 <운수 좋은 날>의 유명한 문장을 빌어 설명할 수 있다. 엘라스 베로나와 토리노 감독 시절에는 선수 한 명 제대로 사주지 않던 팀에서 B, C급 선수로 꾸역꾸역 중위권 성적을 내어 높은 평가를 받았다. 그런데 지난 시즌 마침내 강팀 AS 로마를 맡았는데 2개월 만에 경질되고, 프리미어리그 강등권 사우샘프턴에 부임했다가 4개월 만에 또 실직, 불명예스러운 기록만 남겼다. 선수단 실력이 나빠야 성적이 좋아지는 이상한 감독이 됐다. 아탈란타는 지난 시즌 4위인 강팀이다. 유리치 감독의 한결같은 특징은 단단함이다. 강한 전방압박, 상대가 1차 빌드업에 성공했을 때 빠르게 수비진영을 구축하고 막아내는 공수 전환 속도가 대단하다. 수비적인 감독의 여러 특징은 전임자 가스페리니 감독과 대척점에 있다. 스리백 중심, 특히 3-4-2-1을 선호하는 포진만 비슷하지 해석하는 방식이 너무 다르다. 선수들이 하루아침에 완전히 달라진 팀 전술을 수용하고 이해할 수 있을지 궁금하다. 유리치 감독도 공격자원의 잠재력을 최대한 끄집어내는 능력을 종종 보여주며, 살림살이에 비해 좋은 성적을 낸 인물임은 확실하다.

가스페리니 치세의 끝, 새 시대의 개막

새 시즌을 전망하는 가이드북이지만, 아탈란타의 경우 지난 9시즌을 돌아봐야만 앞날을 점칠 수 있다. 아탈란타는 가스페리니 감독이 지휘한 지난 9년만 강팀이었다. 가스페리니는 부임 직전 13위였던 아탈란타를 단숨에 4위로 올려놓았고 9년간 세리에 A 3위 4회, 그리고 유로파리그 우승이라는 역대 최고 성적으로 팀을 이끌었다. 그렇다면 가스페리니 이전에는 어땠을까. 2011년 승격한 뒤 5시즌 동안 최고 성적 11위, 최저 성적 17위로 전형적인 하위권 팀이었다. 이 기록을 보면 불안해진다. 가스페리니와 함께한 9년이 '한여름 밤의 꿈'처럼 스쳐 지나가고, 강등을 피하고자 전전긍긍했던 시절로 돌아갈 것만 같다. 특히 지난 9년간 이 팀의 대표 스타가 누구였는지 돌아보면 체감이 확 될 텐데, 특이하게도 돌풍을 이끌어 준 반디에라(스타이자 정신적 지주)가 아예 없다시피 하다. 선수를 팔 때 늘 주저함이 없었기 때문이다. 이적료도 벌고 성적도 챙기는 선순환의 사이클이 앞으로도 이어질 수 있을지는 솔직히 회의적이다. 잊지 말아야 할 건 연고지 베르가모의 인구가 고작 12만 명에 불과하고, 초창기에는 홈구장이 너무 작아 이웃 밀라노에서 유럽대항전 홈 경기를 치러야 했을 정도로 소규모 구단이었다는 점이다.

IN & OUT

주요 영입	주요 방출
어니스트 아하노르, 마르코 스포르티엘로, 카말딘 술레마나, 니콜라 크르스토비치, 니콜라 잘레프스키, 어니스트 아하노르, 유누스 무사	마테오 레테기, 마테오 루게리, 하파엘 톨로이, 후안 콰드라도, 엘 빌랄 투레

TEAM FORMATION

PLAN **3-4-2-1**

TEAM RATINGS

슈팅	8
패스	8
조직력	8
수비력	7
감독	6
선수층	9

46

2024/25 프로필

팀 득점	78
평균 볼 점유율	55.50%
패스 정확도	85.10%
게임 평균 슈팅 수	14.3
경고	64
퇴장	1

골 타입

오픈 플레이	71
세트 피스	14
카운터 어택	6
패널티 킥	6
자책골	3

단위 (%)

패스 타입

쇼트 패스	87
롱 패스	9
크로스 패스	4
스루 패스	0

단위 (%)

지역 점유율

공격 진영	32%
중앙	44%
수비 진영	24%

공격 방향

40% 왼쪽	26% 중앙	34% 오른쪽

슈팅 지역

10% 골 에어리어
67% 패널티 박스
23% 외곽 지역

상대팀 최근 6경기 전적

구분	승	무	패
SSC 나폴리	2		4
FC 인테르나치오날레			6
아탈란타 BC			
유벤투스 FC	1	3	2
AS 로마	5	1	
ACF 피오렌티나	2		4
SS 라치오	2	1	3
AC 밀란	4	1	1
볼로냐 FC			
코모 1907	4	1	1
토리노 FC	3	1	2
우디네세 칼초	2	4	
제노아 CFC	4	2	
엘라스 베로나 FC	5	1	
칼리아리 칼초	3	1	2
파르마 칼초 1913	5	1	
US 레체	3	1	2
US 사수올로 칼초	4		2
피사 SC	6		
US 크레모네세	4	2	

SQUAD

포지션	등번호	이름		생년월일	키(cm)	체중(kg)	국적
GK	29	마르코 카르네세키	Marco Carnesecchi	2000.07.01	191	83	이탈리아
	31	프란체스코 로시	Francesco Rossi	1991.04.27	193	83	이탈리아
	57	마르코 스포르티엘로	Marco Sportiello	1992.05.10	192	87	이탈리아
DF	3	오딜롱 코소누	Odilon Kossounou	2001.01.04	191	82	코트디부아르
	4	이삭 히엔	Isak Hien	1999.01.13	191	88	스웨덴
	16	라울 벨라노바	Raoul Bellanova	2000.05.17	188	82	이탈리아
	19	베라트 짐시티	Berat Djimsiti	1993.02.19	190	83	스위스
	23	세아드 콜라시나츠	Sead Kolasinac	1993.06.20	183	82	독일
	42	조르조 스칼비니	Giorgio Scalvini	2003.12.11	194	87	이탈리아
	69	호네스트 아하노르	Honest Ahanor	2008.02.23	184	-	이탈리아
	94	지오반니 본판티	Giovanni Bonfanti	2003.01.17	187	-	이탈리아
MF	8	마리오 파샬리치	Mario Pasalić	1995.02.09	188	82	크로아티아
	10	라자르 사마르지치	Lazar Samardžić	2002.02.24	184	79	세르비아
	13	에데르손	Éderson	1999.07.07	183	86	브라질
	15	마르턴 더론	Marten de Roon	1991.03.29	185	76	네덜란드
	17	샤를 더케텔라러	Charles De Ketelaere	2001.03.10	192	79	벨기에
	70	다니엘 말디니	Daniel Maldini	2001.10.11	188	83	이탈리아
	77	다비데 차파코스타	Davide Zappacosta	1992.06.11	182	74	이탈리아
FW	7	카말딘 술레마나	Kamaldeen Sulemana	2002.02.15	175	70	가나
	9	잔루카 스카마카	Gianluca Scamacca	1999.01.01	195	85	이탈리아
	11	아데몰라 루크먼	Ademola Lookman	1997.10.20	174	71	나이지리아
	17	샤를 더케텔라러	Charles De Ketelaere	2001.03.10	192	79	벨기에
	90	니콜라 크르스토비치	Nikola Krstović	2000.04.05	185	-	몬테네그

짠내나는 감독의 대표 격. 특히 토리노 시절 주차장에서 단장과 몸싸움을 벌이는 모습이 유출됐는데, 주전 선수 다 팔아치우면서 사 오는 선수는 없다고 분개하는 모습으로 많은 축구팬들의 동정과 공감을 자아냈다. 수비를 탄탄히 한 뒤 소수의 공격자원으로 역습하는 성향이 강하며, 그 와 중에 상당한 유연성도 보여준다. 베로나 시절에는 윙어였던 다르코 라조비치를 윙백으로 배치해 공격을 맡기고, 2선 공격자원들은 수비가담을 시키면서 스쿼드의 시너지 효과를 극대화하기도. 총명하던 시절의 유리치를 기대한다.

이반 유리치 *Ivan Jurić*
1975년 8월 25일생 크로아티아

MF	13	에데르손
		Éderson

KEY PLAYER

국적: 브라질

다음 차례에 빅 클럽으로 팔려갈 가능성이 가장 큰 아탈란타 선수. 이미 지난 2년간 리버풀, 맨체스터 시티, 맨체스터 유나이티드, 바이에른 뮌헨 등 수많은 명문 구단이 노린다는 보도의 주인공이었다. 아탈란타에 4년째 남아 있는 게 고마울 따름. 브라질 세리에 A에서 리그를 대표하는 중앙 미드필더로 성장했고, 2022년 1월 강등을 면해야 했던 살레르니타나가 영입해 구단의 목표였던 잔류에 성공했다. 그리고 아탈란타가 잽싸게 영입한 뒤에는 가스페리니 전술의 핵심으로 활약하면서 브라질 대표팀 데뷔까지 이뤘다. 미드필더의 기동력이 필수인 아탈란타에서 탁월한 활동량과 판단력, 한발 먼저 공을 빼앗는 수비와 전개 능력을 발휘해 왔다.

출전경기	경기시간(분)	골	어시스트	경고	퇴장
37	2,888	4	1	3	1

GK	29	마르코 카르네세키
		Marco Carnesecchi

국적: 이탈리아

아탈란타 특유의 골키퍼 로테이션 시스템을 뚫고 지난 시즌 마침내 단독 주전으로 올라선 골키퍼. 유소년팀 출신으로서 4시즌이나 임대를 전전한 끝에 스스로 다진 입지다. 기본적으로 선방 능력이 가장 큰 장점이며 골킥의 비거리와 정확도 역시 수준급이다. 이탈리아 U21 대표팀에서 맹활약했으나, A대표팀은 잔루이지 돈나룸마의 굳건한 아성에 밀려 발탁 경험만 있을 뿐 아직 뛰지 못했다.

출전경기	경기시간(분)	실점	무실점(경기)	경고	퇴장
34	3,060	34	13	1	-

DF	4	이삭 히엔
		Isak Hien

국적: 스웨덴

부르키나파소-스웨덴 혼혈 센터백. 트렌드에 잘 맞는 선수로, 190cm가 넘는 신장에 준수한 운동능력을 겸비했다. 신체 능력을 적극 활용하는 수비 방식 때문에 필연적으로 거친 반칙이 많지만, 지난 시즌 10회나 경고를 받았으면서도 한 경기에 옐로카드 두 장을 받지는 않게 잘 조절했다. 원래 패스 성공률이 낮은 선수였지만, 지난 시즌 아탈란타에서는 주전급 선수 중 팀 내 1위(89.8%)로 많이 개선했다.

출전경기	경기시간(분)	골	어시스트	경고	퇴장
30	2,329	-	-	10	-

DF	16	라울 벨라노바
		Raoul Bellanova

국적: 이탈리아

공격력이 상당한 오른쪽 윙백. 2023-24시즌 토리노에서 1골 7도움을 기록한 데 이어, 아탈란타에서는 9도움을 올리며 도움 2위에 올랐다. 가로막는 상대보다 딱 한 스텝 먼저 밟으며 즉시 성큼성큼 돌파를 성공시킨다. 뛰어난 기동력으로 측면을 파고든 뒤 크로스를 올릴 줄도 알고, 좁은 공간에서는 신체조건을 활용한 볼 키핑과 헤딩 경합으로도 팀에 기여한다. 이탈리아 대표로도 활약 중.

출전경기	경기시간(분)	골	어시스트	경고	퇴장
34	2,408	-	9	3	-

DF	19	베라트 짐시티
		Berat Djimsiti

국적: 알바니아

무명에 가까웠던 23세에 아탈란타로 이적, 두 차례 임대를 거쳐 32세가 된 지금까지 뛰고 있는 '충신'이다. 스피드와 패스 능력 등 고급스러운 능력은 딱히 없지만, 큰 덩치와 침착함을 무기로 스리백의 한 자리를 오래 지켰다. 유로파리그 우승 당시 대회 베스트팀에 선정됐으며, 알바니아 대표팀에서는 유로 2024를 통해 첫 메이저 대회에 주장으로서 참가했다. 지금 축구 인생의 전성기를 누리고 있다.

출전경기	경기시간(분)	골	어시스트	경고	퇴장
34	2,647	1	2	6	-

DF	23	세아드 콜라시나츠
		Sead Kolasinac

국적: 보스니아 헤르체고비나

풀백 계의 헐크. 딱 봐도 몸이 두껍고 키에 비해 몸무게가 많이 나가는 것이 마치 미식축구의 러닝백처럼 보이는 선수다. 아스널 시절, 무장강도를 맨손으로 물리쳤다는 무용담도 있다. 일단 공을 몰고 돌진하기 시작하면 상대 선수를 튕겨내며 전진하던 파괴력이 일품이었다. 다만 이건 20대 시절 이야기고, 아탈란타에서는 스리백의 왼쪽 스토퍼를 맡아 한결 노련해진 모습으로 팀에 기여했다.

출전경기	경기시간(분)	골	어시스트	경고	퇴장
23	1,910	-	2	7	-

DF	42	조르조 스칼비니
		Giorgio Scalvini

국적: 이탈리아

아탈란타의 운명을 좌우할 선수 중 한 명이다. 지난 시즌 도중 십자인대 부상에서 돌아왔는데 고작 7경기를 소화한 뒤 이번엔 어깨 부상으로 빠졌다. 그러나 17세에 데뷔 후 5년 차를 맞는 이번 시즌도 아직 21세에 불과하여 여전히 성장 가능성이 남아 있는 초대형 유망주다. 재활 중임에도 수많은 명문 구단이 영입을 검토할 정도였다. 잘 회복한다면 대표팀 주전 등극도 유력하다.

출전경기	경기시간(분)	골	어시스트	경고	퇴장
6	274	-	-	2	-

ITALY SERIE A

ATALANTA BC

MF 8 마리오 파살리치
Mario Pasalic

국적: 크로아티아

아탈란타의 효율적인 인재 활용 덕분에 인생이 핀 대표적 선수. 장신과 기술을 겸비했다지만 여러모로 애매했던 첼시의 유망주였는데, 아탈란타에서는 공중볼을 따내는 간단한 일부터 시작해 차근차근 다시 성장했다. 그 결과 지금은 공격형 미드필더로서 득점 가담뿐 아니라 수비형 미드필더로서 다양한 전술적 움직임에도 도가 텄다. 황금세대 선배들이 물러난 크로아티아의 기둥이기도 하다.

출전경기	경기시간(분)	골	어시스트	경고	퇴장
34	1,971	3	4	1	-

MF 10 라자르 사마르지치
Lazar Samardžić

국적: 세르비아

아탈란타 1년 차 때의 모습은 기대에 미치지 못했다. 우디네세에서는 강력한 왼발 중거리 슛을 무기로 공격 포인트 10개 정도를 올리는 선수였는데, 지난 시즌 기록은 출장시간 감소를 감안해도 기대 이하였다. 가스페리니를 만났을 때 공격 포인트가 오히려 줄어드는 드문 케이스 중 하나였으니, 이번 감독 교체는 기회가 될지도 모른다. 어려서는 독일의 특급 유망주였고 국가대표팀은 세르비아를 택했다.

출전경기	경기시간(분)	골	어시스트	경고	퇴장
31	1,151	2	1	3	-

MF 15 마르턴 더론
Marten de Roon

국적: 네덜란드

다소 투박한 대신 활동량과 투지로 팀에 기여하는 선수였는데, 나이가 들어가면서 플레이가 더 완숙해졌다. 지난 시즌 개인 최다 공격 포인트인 8개를 기록하는 동시에 종종 센터백까지 소화했으니, 공수 양면에서 모두 발전했다고 해도 과언이 아니다. 예능감은 덤이다. 누가 시키지도 않았는데 팬 상대로 깜짝 카메라를 찍은 뒤 본인 소셜미디어에 게시하기도 하고, 팬들과 적극적으로 소통할 줄 안다.

출전경기	경기시간(분)	골	어시스트	경고	퇴장
36	3,059	4	4	5	-

MF 70 다니엘 말디니
Daniel Maldini

국적: 이탈리아

이름에서도 알 수 있듯, 밀란 팬들이 많은 기대를 걸었던 파올로 말디니의 아들이다. 말디니 가문을 3대째 잇는 스타가 될 수 있을지 시선이 집중됐지만 밀란을 떠나 몬차에서 두각을 나타냈고, 아탈란타에서 본격적인 경력을 시작한다. 공격형 미드필더로서 말디니의 장점은 간결함과 센스다. 화려한 발재간도, 폭발적인 스피드도 없지만 좋은 위치선정과 공격 흐름을 살리는 패스 전개를 할 수 있다.

출전경기	경기시간(분)	골	어시스트	경고	퇴장
30	1,571	6	-	5	-

MF 77 다비데 자파코스타
Davide Zappacosta

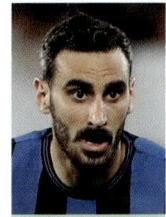

국적: 이탈리아

어린 시절부터 세 번이나 아탈란타로 이적했고, 세 번째 도전에서 마침내 정착에 성공, 2023-24 UEFA 유로파리그 우승 멤버가 되기도 했다. 아탈란타 2기 이후 토리노에서 두각을 나타내고 첼시로 이적했다가 좌절을 맛보는, 우여곡절 속에 한층 성장한 덕분이다. 좌우 가리지 않는 준수한 플레이로 로테이션 멤버 정도의 입지를 유지해 왔다. 지난 시즌에는 UCL에서 5도움이나 올리며 시즌 5골 8도움으로 맹활약했다.

출전경기	경기시간(분)	골	어시스트	경고	퇴장
30	2,079	4	2	3	-

FW 9 잔루카 스카마카
Gianluca Scamacca

국적: 이탈리아

부상으로 지난 1년을 날려 버리긴 했지만 예전 모습을 되찾기만 한다면 주전 자격이 충분한 스트라이커. 특히 2024년 3월부터 5월까지는 세계 최고 스트라이커였는데, 유로파리그 리버풀전에서 2골을 몰아치고 결승전에서도 어시스트를 기록하며 우승에 혁혁한 공을 세운 바 있다. 탄탄한 체격으로 수비를 제압한 뒤 날리는 슛의 파워가 강하고, 자세를 가리지 않는 다양한 슛 기술을 보는 맛도 있다.

출전경기	경기시간(분)	골	어시스트	경고	퇴장
1	5	-	-	-	-

FW 11 아데몰라 루크먼
Ademola Lookman

국적: 나이지리아

숱한 이적설을 뒤로 하고 결국 잔류한 간판 스타. 잉글랜드 태생의 나이지리아 대표 선수다. 잉글랜드와 독일 무대에서는 기복이 심했지만 '공격수 잠재력 개발의 달인' 가스페리니를 만나 만개했다. 유로파리그 결승전에서 역사적인 해트트릭을 달성하는 등 공격 포인트 생산 능력도 뛰어나고, 돌파와 마무리 패스로 수비를 마구 흔들 수도 있다. 지난 시즌 경기당 키 패스 리그 2위(2.0회)였다.

출전경기	경기시간(분)	골	어시스트	경고	퇴장
31	2,266	15	5	4	-

FW 17 샤를 더케텔라러
Charles De Ketelaere

국적: 벨기에

2m 가까운 장신에 스피드와 발기술까지 겸비한 '사기 유닛'이다. 장신 테크니션들이 어렸을 때 흔히 범하는 실수인데, 몸싸움을 피하고 편하게만 경기를 뛰려는 경향이 있어 밀란에서는 실패를 겪었다. 그러나 아탈란타에서 태도부터 바꾸면서 기량이 급성장했다. 스트라이커, 공격형 미드필더, 유사시 중앙 미드필더까지 소화했다. 시즌 막판 약 3개월 동안 공격 포인트가 뚝 끊겼다는 게 유일한 흠이었다.

출전경기	경기시간(분)	골	어시스트	경고	퇴장
36	2,080	7	7	1	-

FW 90 니콜라 크르스토비치
Nikola Krstović

국적: 몬테네그로

레체의 간판 공격수로 톱 레벨까지 성장 중인 선수다. 지난 시즌 공격 포인트가 폭발적으로 늘어나면서 사실상 혼자 힘으로 잔류를 이끈 대형 스트라이커. 2선으로 내려가길 좋아하고 중거리 슛을 마구 날리는 등 호날두와 플레이스타일이 비슷하다. 지난 시즌에는 경기당 슛 횟수 리그 2위(3.7회) 정도였는데, 아탈란타에서는 좀 더 신중한 플레이를 해야 스카마카와 주전 경쟁을 할 수 있을 것이다.

출전경기	경기시간(분)	골	어시스트	경고	퇴장
37	3,070	11	5	6	-

JUVENTUS

유벤투스 FC

Juventus FC

TEAM PROFILE	
창 립	1897년
회 장	잔루카 페레로(이탈리아)
감 독	이고르 투도르(크로아티아)
연 고 지	피에몬테 주 토리노
홈 구 장	알리안츠 스타디움(4만 1,507명)
라 이 벌	FC 인테르나치오날레 밀라노, 토리노FC
홈페이지	www.juventus.com

최근 5시즌 성적		
시즌	순위	승점
2020-2021	4위	78점(23승9무6패, 77득점 38실점)
2021-2022	4위	70점(20승10무8패, 57득점 37실점)
2022-2023	7위	62점(22승6무10패, 56득점 33실점)
2023-2024	3위	71점(19승14무5패, 54득점 31실점)
2024-2025	4위	70점(18승16무4패, 58득점 35실점)

SERIE A (전신 포함)	
통 산	우승 36회
24-25 시즌	4위(18승16무4패, 승점 70점)

COPPA ITALIA	
통 산	우승 15회
24-25 시즌	8강

UEFA	
통 산	챔피언스리그 우승 2회 유로파리그 우승 3회
24-25 시즌	없음

 전력 분석

연봉에 맞게 활약해준다면 리그 정상급 전력

애매한 전력이다. 준척급 선수가 많아 평균 능력치만 따지면 분명 인테르에 이어 세리에 A 2위를 다툴 만하다. 하지만 최근 부진했던 선수라든지, 조합이 애매한 선수들이 상당히 많아 기대가 가지 않는다. 유벤투스의 핵심은 단연 케난 일디즈. 스물 어린 나이에 명문 구단의 중심에 섰고 여전히 성장 중이기 때문이다. 계속 발전한다면 그만큼 팀 전력도 올라가는 셈. 그를 중심으로 프란시스쿠 콘세이상, 에돈 제그로바, 튄 쾨프메이너르스 등 다양한 조합이 가능하다. 케프렌 튀람이 전술을 타지 않는 안정적인 1옵션으로 자리 잡은 덕분에 중원은 다양한 조합으로 시즌을 치를 수 있다. 수비는 지난 시즌보다 나아졌다. 장기 결장했던 글레이송 브레메르와 페데리코 가티 두 주전이 회복했다. 전력을 이야기하다 보면 결국 결론은 하나. 원래 잘하다가 유벤투스로 와서 애매해진 선수들, 혹은 영입 당시부터 애매한 평가를 받았던 선수들의 발전 여부에 따라 많은 게 달라진다. 대표적인 선수가 여러 시즌째 실망스러우면서 세리에 A 최고 연봉을 받는 스트라이커 두샨 블라호비치다. 결국 블라호비치를 후보로 내리기 위해, 스트라이커를 맡을 수 있고 2선에서도 뛸 수 있는 빠른 공격수 조너선 데이비드와 로이스 오펜다를 영입했다. 이들이 주전으로 활약하는 가운데 블라호비치가 서서히 기량을 회복하는 시나리오가 베스트.

전술 분석

투도르의 선택은 스리백, 선발 라인업은 유동적

투도르 감독은 SS 라치오에서 전임자 마우리치오 사리의 '사리볼'을 싹 폐기하고 스리백 기반의 강한 압박축구를 도입해 체질 개선의 속도를 높인 바 있다. 지난 시즌 유벤투스에서도 비슷했다. 티아고 모타의 '모타볼'이 효과가 없자, 즉시 3-4-2-1 대형으로 재편했다. 새 시즌에도 유벤투스의 밑그림은 비슷할 것이다. 원톱 아래 두 명의 공격형 미드필더가 있고, 좌우 윙백은 공격 가담을 하면서 측면을 파고든다. 강한 압박으로 공격을 원천 봉쇄하고 상대 진영부터 시작하여 역습을 노린다. 국지적 숫자 싸움, 압박과 탈압박의 정교함에 있어서 완성도는 떨어진다. 이탈리아 축구 감독답게 과감함보다는 안정감을 중시, 쉽게 뚫리지 않는 대신 공격이 답답해질 때도 있다. 선발 라인업이 자주 바뀌는 것도 투도르 감독의 특징. 이는 강한 압박을 시즌 내내 유지하기 위해 체력을 안배하며, 동시에 상대 약점을 분석하고 팀의 공격 스타일을 조금씩 바꾸기 위한 조치이다. 유벤투스는 드리블 돌파로 상대를 붕괴시킬 수 있는 일디즈 등이 있어, 돌파에 편한 조건을 세팅해주는 주변 선수 배치가 필요할 것이다. 패스를 풀어주는 멀티 플레이어 안드레아 캄비아소의 활용법도 궁금하다.

시즌 프리뷰 너 P야? 계획성 없는 '즉흥 구단'은 이제 그만

유벤투스 수뇌부 중 MBTI 마지막 자리가 J형(계획적)인 인물은 한 명도 없는 걸까? 이탈리아 구단이 주먹구구식으로 운영되는 모습을 하루이틀 본 건 아니지만, 유벤투스의 경우 실패한 정책뿐 아니라 좋은 정책까지 자꾸 뒤집어 속이 터진다. 특히 넥스트젠이 그렇다. 유벤투스는 2018년 세리에 A 구단 최초로 하부리그에 참가하는 U23 팀을 만들었고, 이후 넥스트젠이라는 이름으로 개편했다. 여기서 니콜로 파졸리, 라두 드라구신, 마티아스 소울레, 딘 하위선 등을 배출했는데 다들 제대로 써먹지 않고 다른 팀으로 보냈다. 특히 하위선의 경우 AS 로마 임대를 통해 1군 자격을 증명하고 왔는데도 고작 1,520만 유로를 받고 본머스에 팔아넘겼고, 그 하위선이 올여름 레알로 가면서 이적료가 3.5배로 뛰었으니 유벤투스 입장에서는 실력과 돈 모두 너무 아까운 상황이다. 구단에 남은 선수 중 슈퍼스타의 자질을 갖춘 건 일디즈 한 명뿐이다. 감독 선임 과정도 P형(즉흥적)의 냄새가 풀풀 났다. 지난 시즌 전술뿐 아니라 팀의 응집력을 부활시켜준 투도르에게 계약 연장을 제안하지 않은 채 다른 감독들을 이리저리 찔러보다가 다 퇴짜를 맞은 뒤에야 투도르를 선임했다. 이런 팀 운영은 모양새만 빠지는 게 아니라 돈 낭비와 성적 하락으로 이어질 수 있기에 개선이 시급하다.

TEAM RATINGS

슈팅 **9**	패스 **9**
조직력 **8**	수비력 **9**
감독 **8**	선수층 **10**

53

2024/25 프로필

팀 득점	58
평균 볼 점유율	57.90%
패스 정확도	88.10%
게임 평균 슈팅 수	13.6
경고	65
퇴장	3

골 타입
오픈 플레이	59
세트 피스	9
카운터 어택	19
패널티 킥	10
자책골	3

단위 (%)

패스 타입
쇼트 패스	89
롱 패스	8
크로스 패스	3
스루 패스	0

단위 (%)

IN & OUT

주요 영입	주요 방출
조너선 데이비드, 주앙 마리우, 에돈 제그로바, 로이스 오펜다	알베르투 코스타, 사무엘 음방굴라, 티모시 웨아, 도글라스 루이스, 니콜로 사보나, 니콜라스 곤잘레스

TEAM FORMATION

FW **B+**
MF **A**
DF **A**
GK **B+**

20 오펜다 (블라호비치)

10 일디즈 (쾨프메이너르스) 30 데이비드 (콘세이상)

27 캄비아소 (코스티치) 19 튀람 (미레티) 5 로카텔리 (맥케니) 25 마리우 (제그로바)

6 켈리 (카발) 3 브레메르 (루가니) 15 칼룰루 (가티)

16 디그레고리오 (페린)

PLAN **3-4-2-1**

지역 점유율
공격 진영 **29%**
중앙 **44%**
수비 진영 **28%**

공격 방향
왼쪽 **40%** 중앙 **26%** 오른쪽 **34%**

슈팅 지역
골 에어리어 **7%**
패널티 박스 **61%**
외곽 지역 **32%**

상대팀 최근 6경기 전적

구분	승	무	패
SSC 나폴리	1	1	4
FC 인테르나치오날레	1	3	2
아탈란타 BC	2	3	1
유벤투스 FC			
AS 로마	1	4	1
ACF 피오렌티나	3	2	1
SS 라치오	3	1	2
AC 밀란	2	2	2
볼로냐 FC	1	5	
코모 1907	4	2	
토리노 FC	4	2	
우디네세 칼초	5		1
제노아 CFC	3	2	1
엘라스 베로나 FC	5	1	
칼리아리 칼초	4	2	
파르마 칼초 1913	4	1	1
US 레체	5	1	
US 사수올로 칼초	4		2
피사 SC	6		
US 크레모네세	5	1	

SQUAD

포지션	등번호	이름		생년월일	키(cm)	체중(kg)	국적
GK	1	마티아 페린	Mattia Perin	1992.11.10	188	85	이탈리아
	16	미켈레 디그레고리오	Michele Di Gregorio	1997.07.27	187	-	이탈리아
	23	카를로 핀소글리오	Carlo Pinsoglio	1990.03.16	194	85	이탈리아
DF	3	글레이송 브레메르	Bremer	1997.03.18	188	82	브라질
	4	페데리코 가티	Federico Gatti	1998.06.24	190	84	이탈리아
	6	로이드 켈리	Lloyd Kelly	1998.10.06	189	78	잉글랜
	15	피에르 칼룰루	Pierre Kalulu	2000.06.05	182	80	프랑스
	24	다니엘레 루가니	Daniele Rugani	1994.07.29	190	84	이탈리
MF	5	마누엘 로카텔리	Manuel Locatelli	1998.01.08	185	75	이탈리아
	8	퇸 쾨프메이너르스	Teun Koopmeiners	1998.02.28	184	77	네덜란드
	17	바실리예 아지치	Vasilije Adžić	2006.05.12	185	79	몬테네그로
	18	필립 코스티치	Filip Kostić	1992.11.01	184	82	세르비아
	19	케프렌 튀람	Khéphren Thuram	2001.03.26	192	80	프랑
	21	파비오 미레티	Fabio Miretti	2003.08.03	180	71	이탈리아
	22	웨스턴 맥케니	Weston McKennie	1998.08.28	185	84	미국
	25	주앙 마리우	João Mário	2000.01.03	177	73	포르투갈
	27	안드레아 캄비아소	Andrea Cambiaso	2000.02.20	182	77	이탈리아
FW	7	프란시스쿠 콘세이상	Francisco Conceição	2002.12.14	170	64	포르투갈
	9	두샨 블라호비치	Dušan Vlahović	2000.01.28	190	78	세르비아
	10	케난 일디즈	Kenan Yıldız	2005.05.04	187	79	튀르키에
	11	에돈 제그로바	Edon Zhegrova	1999.03.31	180	74	코소보
	20	로이스 오펜다	Loïs Openda	2000.02.16	175	79	벨기에
	30	조너선 데이비드	Jonathan David	2000.01.14	178	81	캐나

ITALY SERIE A

JUVENTUS FC

유럽축구 올드팬이라면 유벤투스 유니폼을 입고 뛰는 투도르를 기억할 것이다. 당시 유벤투스는 단단한 팀이었고, 투도르의 강력한 신체 능력은 팀 컬러와 잘 어울렸다. 감독으로서 우디네세, 베로나, 마르세유, 라치오를 거쳤으며 유벤투스 코치도 했다. 가는 팀마다 성과를 내는가 싶으면 다시 하락세를 타고, 준수한 성적을 거뒀음에도 장기집권에 실패하는 등 경력이 잘 풀리지 않았다. 가장 익숙한 유벤투스에서 지난 시즌 막판의 괜찮은 성적으로 정식감독에 취임했고, 어느 때보다 야심 찬 시즌을 시작한다.

이고르 투도르 Igor Tudor
1978년 4월 16일생 크로아티아

FW 10 케난 일디즈
Kenan Yildiz

KEY PLAYER

국적: 튀르키예

유벤투스가 잘 수집해 놓고 제 손으로 쫓아낸 여러 유망주들과 달리, 마지막까지 1군에 기용하면서 결국 핵심전력으로 안착시킨 최후의 1인이다. 그만큼 탁월한 재능의 소유자다. 왼쪽 혹은 중앙부터 드리블을 시작해 상대 골문이 보이는 위치까지 도달하면 지체 없이 오른발 강슛으로 골을 터뜨릴 수 있다. 지난 시즌 풀타임 뛴 경기가 많지 않음에도 불구하고 경기당 드리블 횟수 리그 4위(1.7회) 기록을 남겼다. 유벤투스 팬들의 영원한 로망, 알레산드로 델피에로를 떠올리게 하는 선수다. 기술적인 능력 이상으로 돋보이는 건 해결사 기질. 슛을 난사하는 편이 아님에도 불구하고 높은 결정력으로 많은 득점을 올리며 골이 승리로 직결되는 경우도 많다.

출전경기	경기시간(분)	골	어시스트	경고	퇴장
35	2,413	7	4	2	1

GK 16 미켈레 디그레고리오
Michele Di Gregorio

국적: 이탈리아

2023-24시즌 세리에 A 최우수 골키퍼. 한때 인테르와 이탈리아 청소년 대표팀의 유망주였지만 1부 수준 골키퍼로 인정받기 위해 하부리그를 5시즌 떠돈 뒤에야 몬차의 승격을 이끌며 최상위 리그로 올라올 수 있었다. 지난 1년간 유벤투스 골키퍼로 합격점을 받기에 충분한 맹활약을 펼치며 완전이적에 성공했다. 다른 능력도 좋지만, 무엇보다 압도적인 선방 능력으로 상대 공격수를 좌절시킨다.

출전경기	경기시간(분)	실점	무실점(경기)	경고	퇴장
33	2,970	32	14	-	-

DF 3 글레이송 브레메르
Gleison Bremer

국적: 브라질

십자인대 파열로 지난 시즌 대부분 결장했고, 절치부심해 새 시즌을 준비 중인 1순위 주전 센터백이다. 김민재 바로 전인 2021-22시즌 세리에 A 최우수 수비수 수상자다. 센터백의 본분인 수비에 있어 제공권 장악, 문전 집중력, 대인방어 등 별다른 약점이 없는 토털 패키지형 선수다. 다만 빌드업 측면에서는 브라질 선수답게 발재간이 좋은 반면, 판단력과 전술 수행 능력은 약간 보완이 필요하다.

출전경기	경기시간(분)	골	어시스트	경고	퇴장
6	540	-	-	1	-

DF 4 페데리코 가티
Federico Gatti

국적: 이탈리아

10대 시절 낮에는 공사장 일꾼으로 일하고 저녁에 5부 리그 팀에서 공을 차며 주경야독을 실천했다. 서서히 뛰는 리그를 높이더니 2022년 유벤투스로 이적하며 거짓말 같은 드라마를 찍었다. 하부리그에서 공격형 미드필더를 맡다가 나중에는 장신 센터백이 됐다. 한때 발밑이 약점이라는 소리를 들었지만, 지금은 미드필더 시절의 기술이 돌아왔는지 지난 시즌 패스 성공률이 리그 1위(95.2%)였다.

출전경기	경기시간(분)	골	어시스트	경고	퇴장
30	2,196	1	-	2	-

DF 6 로이드 켈리
Lloyd Kelly

국적: 잉글랜드

지난 시즌 중후반 분명 주전으로 활약했지만, 팬들에게는 영 반응이 좋지 않다. 뉴캐슬에서 영입되긴 했지만 후보 선수였기 때문에 사실상 챔피언십(잉글랜드 2부)에서나 먹히던 선수를 사 왔다는 회의론이 일었다. 하지만 올해 1월 유벤투스에 합류한 뒤 고질적인 잔부상을 털어냈고, 장신 풀백 출신 센터백이라는 특징이 스리백의 수비 구성에 딱 들어맞으면서 투도르 감독 전술의 수혜자가 됐다.

출전경기	경기시간(분)	골	어시스트	경고	퇴장
12	1,015	-	-	1	-

DF 15 피에르 칼룰루
Pierre Kalulu

국적: 프랑스

센터백과 풀백을 모두 소화할 수 있는 단단한 육체의 센터백이라는 점에서 프랑스 대선배 릴리앙 튀람과 비견되어 온 선수. 운명처럼 지난해 밀란을 떠나 튀람이 뛰던 유벤투스로 왔는데, 정체됐던 기량이 다시 성장하면서 한층 안정적인 선수가 됐다. 운동능력뿐 아니라 패스 성공률 리그 2위(93.8%), 패스 횟수 2위(경기당 69.8회) 등 빌드업 능력이 많이 나아졌다. 스리백에 특히 잘 맞는 선수다.

출전경기	경기시간(분)	골	어시스트	경고	퇴장
29	2,336	1	-	2	1

MF 5 마누엘 로카텔리
Manuel Locatelli

국적: 이탈리아

때로는 재능보다 듬직함이 더 중요하다. 로카텔리는 느린 속도 대신 성실한 활동량과 좋은 체격을 가지고 있다. 또, 공을 몰고 다니는 능력은 떨어지는 대신 킥은 정확하다는 점 등 장단점이 공존하는 선수다. 하지만 그에게 딱 맞춘 전술은 드물다 보니 최근에는 '그럭저럭 소화할 수 있는' 수비형 미드필더로 기용되는 경우가 많다. 그리고 잔부상 없이 늘 기본에 충실하면서 팀이 흔들릴 때 버팀목 노릇을 한다.

출전경기	경기시간(분)	골	어시스트	경고	퇴장
36	2,833	2	2	9	-

ITALY SERIE A

JUVENTUS FC

MF 19 케프렌 튀람
Khéphren Thuram

국적: 프랑스

지난 시즌 야심차게 수급했던 미드필더 3인방 중 가장 몸값이 저렴했음에도 불구하고 유일하게 주전으로 자리매김했다. 유벤투스 '레전드' 릴리앙 튀람의 차남이자, 인테르 공격수 마르쿠스의 동생이다. 타고난 체격조건에 준수한 기술까지 겸비했으며 특히 긴 다리를 공수 양면에서 잘 활용하는 특급 유망주였는데, 지난 1년간 플레이가 부쩍 성숙해졌다. 새 시즌 중원은 '튀람+a' 조합이 유력.

출전경기	경기시간(분)	골	어시스트	경고	퇴장
35	2,328	4	5	5	-

MF 22 웨스턴 맥케니
Weston Mckennie

국적: 미국

미국 특유의 운동능력으로 승부하는 미드필더 계보를 잇는 선수. 가장 큰 특징은 멀티 포지션 능력이다. 좋은 전술 소화 능력과 운동능력이 결합되어 골키퍼 제외 전 포지션을 소화한다. 맥케니가 수비형 미드필더로 나오면 공 탈취를 우선시하는 팀이 되고, 공격형 미드필더로 나오면 수비 밸런스를 우선시하는 팀이 되는 등 전술변화의 키가 된다. 가끔 '해리 포터' 지팡이 세리머니를 보여주기도.

출전경기	경기시간(분)	골	어시스트	경고	퇴장
32	2,318	2	4	3	-

MF 25 주앙 마리우
João Mário

국적: 포르투갈

인테르 2선 자원이었던 일명 '주앙 비싼자' 마리우와는 동명이인이며, 7살 더 어린 측면 수비수다. 빅 클럽 경쟁력은 아직 미지수지만 윙백 자원이 부족하기 때문에, 포지션 전임자 알베르투 코스타가 그랬듯 출장 시간을 많이 확보할 것으로 보인다. 기회를 살리기만 하면 주전 입성이다. 윙어 출신이라 공격력이 좋고 좌우 모두 소화할 수 있다는 점에서 투도르 감독이 총애할 것으로 기대된다.

출전경기	경기시간(분)	골	어시스트	경고	퇴장
27	1,770	-	3	5	-

MF 27 안드레아 캄비아소
Andrea Cambiaso

국적: 이탈리아

유벤투스 수비의 현재이자 미래. 얼핏 보면 수수하다. 측면자원이지만 스피드와 킥이 평범하기 때문이다. 대신 양발을 잘 쓰고, 좌우 측면의 풀백과 윙어를 모두 소화할 수 있다는 놀라운 범용성을 지녔다. 여기서 나오는 멀티 포지션 능력으로 경기 중 자유자재로 위치를 바꾸며 포지셔널 플레이를 능숙하게 소화한다. 펩 과르디올라가 눈독들일 만한 스타일의 소유자다. 이탈리아 대표팀에서도 주전이다.

출전경기	경기시간(분)	골	어시스트	경고	퇴장
33	2,222	2	3	4	-

FW 7 프란시스쿠 콘세이상
Francisco Conceicao

국적: 포르투갈

루이스 피구와 좌우 날개를 이뤘던 전설적 윙어 세르지우 콘세이상(최근 밀란 감독을 맡기도 했다)에게는 아들 다섯이 있다. 5형제 중 잭슨 파이브의 마이클 잭슨처럼 진짜배기 재능인 건 넷째 프란시스쿠 하나뿐. 포르투와 아약스를 거쳐 유벤투스에 임대를 거쳐 완전이적했다. 작고 빠르며 돌파를 즐기는 플레이스타일은 아버지와 판박이다. 다른 점은 프란시스쿠가 왼발잡이라는 것과 안으로 파고드는 플레이가 잦다는 것 정도다.

출전경기	경기시간(분)	골	어시스트	경고	퇴장
26	1,339	3	3	3	1

FW 9 두샨 블라호비치
Dusan Vlahovic

국적: 세르비아

동갑내기 엘링 홀란과 쌍벽을 이루는 유망주였던 시절이 무색하다. 유벤투스 이적 후 적응 문제, 부상 여파로 줄어든 신체능력, 이 모든 걸 겪으면서 생긴 심리적 문제까지 겹쳐 여러모로 기량이 쪼그라들었다. 당당한 체격에 발재간을 겸비한 선수였던 시절은 온데간데없다. 사실 기량만 놓고 보면 여전히 유벤투스 후보 선수의 자격 정도는 있지만, 문제는 세리에 A 전체에서 최고 연봉을 받는다는 것.

출전경기	경기시간(분)	골	어시스트	경고	퇴장
29	1,786	10	4	3	-

FW 11 에돈 제그로바
Edon Zhegrova

국적: 코소보

프랑스 릴에서 가장 개인기가 화려한 선수로, 많은 하이라이트 필름을 양산해 온 윙어. 리그 및 컵 경기에서 꾸준한 영향력을 발휘했다. 요즘 유행하는 스타일을 따라 필요할 때만 드리블을 시도하는 게 아니라, 일부러 상대 선수를 끌어들이고 드리블로 돌파하는 경우도 있다. 발재간은 좋지만 전문 윙어가 존재하지 않는 투도르 감독의 전술에서는 윙백으로 뛰어야 할 수도 있기에 전술 적응이 관건이다.

출전경기	경기시간(분)	골	어시스트	경고	퇴장
12	985	4	1	1	-

FW 20 로이스 오펜다
Lois Openda

국적: 벨기에

스피드만큼은 세상 누구에게도 뒤처지지 않는 놀라운 가속력의 소유자. 무게 중심이 낮은 오펜다가 스루패스를 받자마자 순식간에 상대 센터백을 지나쳐 문전에 도달하는 모습은 12기통 스포츠카를 연상시킨다. 패스가 뛰어난 건 아니지만 활동반경이 넓어 측면과 2선으로 이동하기도 한다. 먼저 영입된 데이비드와 스타일과 쓰임새가 약간 겹친다는 점이 우려된다. 라이프치히에서 유벤투스로 성과 조건 충족시 완전영입 조건으로 임대됐다.

출전경기	경기시간(분)	골	어시스트	경고	퇴장
33	2,464	9	9	3	1

FW 30 조너선 데이비드
Jonathan David

국적: 캐나다

매년 여름이면 빅 리그 진출 후보 1순위로 거론됐지만 결국 아무 곳도 가지 못한 채 3년을 보냈고, 결국 올여름 프랑스의 릴과 계약이 만료되면서 유벤투스 유니폼을 입게 됐다. 기민한 움직임과 양발 슈팅에서 나오는 탁월한 득점력을 지녔고, 최전방뿐 아니라 2선도 어느 정도 소화할 수 있다. 최근 5년 누적 공격포인트에서 유럽 5대 리그 모든 선수를 통틀어 9위일 정도로 득점 창출 능력이 확실하다

출전경기	경기시간(분)	골	어시스트	경고	퇴장
32	2,558	16	5	4	-

ITALY SERIE A

JUVENTUS FC

AS 로마

AS Roma

TEAM PROFILE

창 립	1927년
회 장	댄 프리드킨(미국)
감 독	잔 피에로 가스페리니(이탈리아)
연 고 지	라치오 주 로마
홈 구 장	스타디오 올림피코(7만 2,698명)
라 이 벌	SS라치오, SSC나폴리
홈페이지	www.asroma.com

최근 5시즌 성적

시즌	순위	승점
2020-2021	7위	62점(18승8무12패, 68득점 58실점)
2021-2022	6위	63점(18승9무11패, 59득점 43실점)
2022-2023	6위	63점(18승9무11패, 50득점 38실점)
2023-2024	6위	63점(18승9무11패, 65득점 46실점)
2024-2025	5위	69점(20승9무9패, 56득점 35실점)

SERIE A (전신 포함)

통 산	우승 3회
24-25 시즌	5위(20승9무9패, 승점 69점)

COPPA ITALIA

통 산	우승 9회
24-25 시즌	8강

UEFA

통 산	없음
24-25 시즌	유로파리그 16강

전력분석
괜찮은 보강, 하지만 의외의 공백

재정 건전화 규정으로 인해 방출 없이는 영입도 없는 구단 사정으로 주요 선수 방출설이 매년 여름 불거진다는 점이 아쉽다. 그럼에도 잔피에로 가스페리니 감독 부임과 더불어 맞춤 선수단을 제공하기 위해 최선을 다하는 듯 보인다. 공격력 강한 윙백이 필수인 감독 성향에 맞춰 웨슬리 영입에 큰 투자를 한 게 대표적인 예. 세리에 A 주전급 후보 골키퍼가 2명이나 되고, 대부분 포지션의 양과 질이 준수하다. 의외의 공백은 기대치 낮았던 두 선수의 이탈에서 생겼다. 알렉시스 살레마커어스는 파괴력이 부족한 선수였지만 지난 1년간 로마에 임대되어 보인 모습은 기대득점(xG) 대비 실제득점이 무려 +4.3으로 리그 1위, 쉽게 말해 결정력 1위였다. 로마 유니폼을 입고 개인 최다골 기록을 경신한 그가 밀란으로 복귀한 게 상당히 허전하다. 또 만년 후보 공격수일 줄 알았던 엘도르 쇼무로드프도 전술적으로 중요한 역할을 하면서 후반기 반등의 핵심이었는데 튀르키예의 바샥셰히르로 가버렸다. 대신 합류한 에반 퍼거슨이 최전방에서 주전급 기량을 보여줘야만 전력 상승이라고 말할 수 있을 것이다. 지난 시즌에 강팀의 삶을 처음 체험한 마티아스 소울레, 톰마소 발단치 등 유망주 2선 자원들의 성장도 중요하다. 이들의 실력도 실력이지만 파울로 디발라가 자주 결장하는 선수라는 점을 고려할 때 더욱 그렇다.

전술분석
빠르게, 강하게, 과감하게

로마 선수 중 가스페리니 감독과 오랜 인연을 맺은 베테랑이 스테판 엘샤라위다. 그는 2008년 제노아에서 데뷔하면서 감독의 지도를 받았다. 그는 재회한 감독의 전술을 '수직적, 격렬함, 역동적'이라는 세 가지 키워드로 설명한다. 이탈리아 감독들 사이에서 그의 전술은 돌연변이 같다. 무모한 공격축구처럼 보이지만, '뇌 빼고 돌격 앞으로'만으로 좋은 성적을 낼 수 없었을 터. 상대 진영으로 진격하는 이 전술에는 보기보다 정교한 원칙이 있다. 선수들은 포지션을 꾸준히 바꿔야 하고, 전술상 꼭 메워야 할 곳이라면 누구든 전력질주해 가야 한다. 펩 과르디올라의 포지셔널 플레이와 다른 점은 메워야 할 곳이 보통 상대 진영에 있다는 것, 수비 견제에도 경합을 주저하지 않는다는 점이다. 또 전방 압박의 강도가 높고, 상대 진영을 넓게 쓰면서 빠르게 공격하려다 보니 필연적으로 윙어를 많이 활용하게 된다. 그 윙어는 아탈란타 감독 시절의 파푸 고메스처럼 미드필더 성향이거나 아데몰라 루크먼처럼 공격수에 가까운 드리블러일 수 있다. 이런 선수가 중앙과 측면을 오가며 상대 진영을 빠르게 공략해 균열을 낸다. 수비할 때는 수적 우위가 아니더라도 과감한 대인방어로 재빨리 빼앗는다.

시즌 프리뷰 봉준호 또는 션 베이커처럼, 이번 감독도?

나름대로 흥미로운 감독들을 선임하는 편이지만, 성공보다 실패 사례가 많은 AS 로마. 인선 실패는 지난 시즌 절정에 달했다. 2023-24시즌 막판 잘 수습해줬다는 이유로 아직 초보 감독인 레전드 다니엘레 데로시에게 정식 감독직을 맡겼다가 시즌 초 경질했고, 괜찮은 소방수처럼 보였던 이반 유리치도 하위권팀에서 보여준 지도력을 전혀 재현하지 못하고 두 달 만에 목이 날아갔다. 노장 클라우디오 라니에리 감독에게 은퇴를 번복하고 한 번만 도와달라고 읍소한 끝에 시즌 막판을 잘 수습하고 5위로 마칠 수 있었다. 이번엔 달라야 할 텐데, 일단 가스페리니라는 인물은 로마뿐 아니라 전 세계 어느 팀이든 탐을 낼 만한 매력적인 전술가가 분명하다. 공격적인 전술 지향점 또한 로마의 전통과 잘 어울린다. 이번 선임을 통해 모기업 프리드킨 그룹이 지향하는 스포츠 엔터테인먼트가 결실을 볼 수 있을지 궁금해진다. 프리드킨의 산하 영화 제작사 네온은 칸 황금종려상과 아카데미 작품상을 동시 수상한 '기생충'과 '아노라'를 비롯해 많은 예술영화로 성공을 거뒀다. 스포츠판에서도 성공하기 위해 최근 잉글랜드의 에버턴을 인수하며 로마 경영과 시너지 효과를 내려는 프로젝트에 돌입했다.

IN & OUT

주요 영입	주요 방출
에반 퍼거슨, 웨슬리, 닐 엘아이나위, 다니엘레 길라르디, 데비스 바스케스, 코스타스 치미카스, 레온 베일리	엘도르 쇼무로도프, 레안드로 파레데스, 사우드 압둘하미드, 마츠 후멜스, 레나토 마린, 알렉시스 살레마키어스

TEAM FORMATION

PLAN 3-4-2-1

TEAM RATINGS

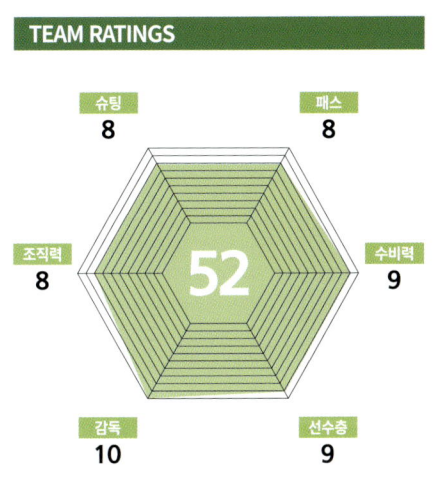

52

슈팅 8
패스 8
수비력 9
선수층 9
감독 10
조직력 8

2024/25 프로필

팀 득점	56
평균 볼 점유율	53.90%
패스 정확도	86.00%
게임 평균 슈팅 수	13.7
경고	64
퇴장	1

골타입		
오픈 플레이		63
세트 피스		20
카운터 어택		2
패널티 킥		14
자책골		2 단위 (%)

패스타입		
쇼트 패스		87
롱 패스		9
크로스 패스		3
스루 패스		0 단위 (%)

지역 점유율

공격 진영 29%
중앙 44%
수비 진영 26%

공격 방향

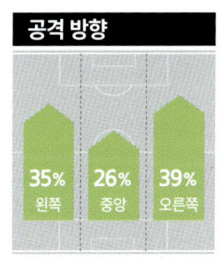

35% 왼쪽
26% 중앙
39% 오른쪽

슈팅 지역

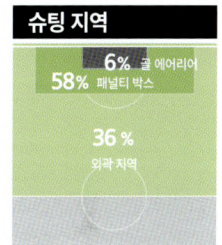

6% 골 에어리어
58% 패널티 박스
36% 외곽 지역

상대팀 최근 6경기 전적

구분	승	무	패
SSC 나폴리	1	2	3
FC 인테르나치오날레	2		4
아탈란타 BC		1	5
유벤투스 FC	1	4	1
AS 로마			
ACF 피오렌티나	2	2	2
SS 라치오	2	2	2
AC 밀란	3	1	2
볼로냐 FC	1	2	3
코모 1907	4		2
토리노 FC	4	2	
우디네세 칼초	5		1
제노아 CFC	3	2	1
엘라스 베로나 FC	4		2
칼리아리 칼초	5	1	
파르마 칼초 1913	5		1
US 레체	4	2	
US 사수올로 칼초	3	2	1
피사 SC	2	1	3
US 크레모네세	4		2

SQUAD

포지션	등번호	이름		생년월일	키(cm)	체중(kg)	국적
GK	32	데비스 바스케스	Devis Vásquez	1998.05.12	195	93	콜롬비아
	99	밀레 스빌라르	Mile Svilar	1999.08.27	189	81	세르비아
DF	2	데빈 렌스	Devyne Rensch	2003.01.18	181	75	네덜란드
	3	앙헬리뇨	Angeliño	1997.01.04	171	69	스페인
	5	에방 은디카	Evan Ndicka	1999.08.20	192	82	코트디부아르
	19	제키 첼리크	Zeki Çelik	1997.02.17	180	78	튀르키에
	22	마리오 에르모소	Mario Hermoso	1995.06.18	184	75	스페인
	23	잔루카 만치니	Gianluca Mancini	1996.04.17	190	77	이탈리
	43	웨슬리	Wesley	2003.09.06	178	73	브라질
	66	부바 상가레	Buba Sangaré	2007.08.06	183	-	스페인
	87	다니엘레 길라르디	Daniele Ghilardi	2003.01.06	187	-	이탈리아
MF	4	브라이안 크리스탄테	Bryan Cristante	1995.03.03	186	78	이탈리아
	7	로렌초 펠레그리니	Lorenzo Pellegrini	1998.01.19	186	77	이탈리아
	8	닐 엘아이나위	Neil El Aynaoui	2001.07.02	185	77	모로코
	17	마누 코네	Manu Koné	2001.05.17	185	80	프랑스
	61	니콜로 피실리	Niccolò Pisilli	2004.09.23	180	75	이탈리아
FW	9	아르템 도우비크	Artem Dovbyk	1997.06.21	189	-	우크라이
	11	에반 퍼거슨	Evan Ferguson	2004.10.19	183	81	아일랜드
	18	마티아스 소울레	Matías Soulé	2003.04.15	182	77	아르헨티나
	21	파울로 디발라	Paulo Dybala	1993.11.15	177	75	아르헨티나
	35	톰마소 발단치	Tommaso Baldanzi	2003.03.23	170	-	이탈리아
	92	스테판 엘샤라위	Stephan El Shaarawy	1992.10.27	178	72	이탈리아

ITALY SERIE A

AS ROMA

잔피에로 가스페리니 Gian Piero Gasperini
1958년 1월 26일 이탈리아

가장 공격적인 축구를 구사하는 감독. 최근 세계 최강팀 사이에서 엄격한 전술보다 빠른 공수전환을 중시하는 게 유행인데, 가스페리니는 이 유행을 한 발 앞질러 간 트렌드세터. 상대 진영으로 마구 돌진하던 그의 아탈란타는 9년 동안이나 세리에 A 상위권에 머무는 저력을 보여줬다. 좋은 성적을 바탕으로 선수들의 잠재력을 끌어내는 육성 능력 역시 탁월하다. 유일한 문제는 성질머리. 아탈란타에서 선수, 단장 등 온갖 사람들과 충돌하곤 했다. 그때마다 그와 부딪친 인물이 팀을 떠났다.

FW **9** **아르템 도우비크** Artem Dovbyk — KEY PLAYER

국적: 우크라이나

스페인 소규모 구단 지로나의 돌풍을 이끌면서 피치치(라리가 득점왕)까지 차지했던 대형 공격수다. 세계적인 명성을 얻자마자 로마로 합류했고, 지난 1년간 리그 12골 2도움으로 괜찮은 성적으로 첫 시즌을 보냈다. 장신에 빠른 발을 겸비했다는 점에서 엘링 홀란과 비슷한 '요즘 스트라이커'다. 홀란 수준의 압도적 폭발력이나 세련된 기술을 지닌 건 아니지만, 크로스나 스루패스가 제공될 때 상대 문전으로 돌진하며 머리와 발을 가리지 않고 마무리하는 능력이 일품이다. 장신 공격수의 역량을 잘 끌어올리는 감독과 이론적으로는 어울리는데 프리 시즌에 영 부진하다는 게 불안 요소다. 두반 사파타, 마테오 레테기에 이은 가스페리니의 성공작이 될 수 있을까?

출전경기	경기시간(분)	골	어시스트	경고	퇴장
32	2,432	12	2	-	-

GK **99** **밀레 스빌라르** Mile Svilar

국적: 세르비아

지난 시즌 리그에 4명뿐이었던 리그 전경기 풀타임 출전 선수 중 하나이다. 벨기에와 포르투갈 무대를 거쳐 2022년 로마에 합류했다. 처음에는 단순한 백업 선수처럼 보였으나 자신의 기량으로 점차 입지를 넓혀갔다. 2023-24시즌 유로파리그 시즌 베스트 10에 이름을 올렸고, 2024-25시즌 세리에 A 최우수 골키퍼 선정으로 확실히 그 기량을 인정받았다. 탁월한 선방 능력과 꽤 안정적인 빌드업 능력을 지녔다.

출전경기	경기시간(분)	실점	무실점(경기)	경고	퇴장
38	3,420	35	16	1	-

DF **3** **앙헬리뇨** Angelino

국적: 스페인

나겔스만이 스타 감독으로 발돋움하던 라이프치히에서 윙백임에도 불구하고 특이한 동선으로 전술의 키를 잡았던 선수. 레프트백이 상대 문전까지 수시로 침투하며 공격 포인트를 올리는 모습으로 깊은 인상을 남긴 바 있다. 기대만큼 대성하진 못했지만, 로마로 이적한 뒤에는 확고한 주전 자리를 차지하면서 꾸준한 선수의 면모를 보여줬다. 윙백 활용의 대가 가스페리니와의 만남이 기대된다.

출전경기	경기시간(분)	골	어시스트	경고	퇴장
38	3,179	2	1	1	-

DF **5** **에방 은디카** Evan Ndicka

국적: 코트디부아르

2023-24시즌 경기 도중 쓰러져 각계의 걱정이 쏟아졌는데, 오히려 '철강왕'으로 거듭났다. 지난 시즌에 리그 전경기 풀타임을 소화한 필드 플레이어는 에방 은디카 포함 2명뿐이었다. 패스 횟수는 경기당 65.4회로 리그 4위였는데, 팀 내에서는 큰 격차로 1위였다. 그만큼 오래 뛰었고 또 실제로 플레이에 관여하는 시간도 길었다. 왼발잡이 센터백으로서 스리백의 왼쪽 스토퍼를 능숙하게 소화한다.

출전경기	경기시간(분)	골	어시스트	경고	퇴장
38	3,420	-	1	2	-

DF **19** **제키 첼리크** Zeki Celik

국적: 튀르키예

기대 이상으로 기여도가 높았던 성실한 수비수. 기동력이 장점인 탄탄한 체격을 갖춘 윙백이었는데, 이 능력을 스리백의 스토퍼 자리에서도 활용하면서 시즌 후반기에 스리백과 포백 변환의 핵심 선수가 됐다. 오히려 스토퍼로 뛸 때 공격 포인트를 더 많이 생산했다는 점도 재미있는데, 기습적으로 전진하면서 공격 숫자를 늘려주는 첼리크의 플레이가 상대 수비 조직에 균열을 내곤 했기 때문이다.

출전경기	경기시간(분)	골	어시스트	경고	퇴장
31	2,266	-	2	5	-

DF **23** **잔루카 만치니** Gianluca Mancini

국적: 이탈리아

시대착오적인 센터백. 공을 잘 차는 대신 투쟁심이 부족한 센터백이 점점 늘어나는 시대에, 만치니는 상대를 윽박지르고 동료들에게도 투지를 불어넣는 고전적인 수비수다. 지단을 발끈하게 했던 레전드 마르코 마테라치를 롤모델로 삼을 정도. 거친 수비로 상대의 기세를 꺾고 공격권을 일찍 찾아올 수 있으며 세트피스 공격에 가담했을 때도 상당히 위협적이다. 경고를 많이 받는 게 고질적인 약점이다.

출전경기	경기시간(분)	골	어시스트	경고	퇴장
37	3,146	2	-	8	-

DF **43** **웨슬리** Wesley

국적: 브라질

지난해부터 유럽 진출 루머가 무성했던, 최근 브라질 리그 최강 풀백. 작년 이적설 중에는 아탈란타도 있었다. 가스페리니 감독이 로마로 이직한 뒤에도 꾸준히 영입을 요청한 끝에 결국 손에 넣었다. 브라질 윙백답게 뛰어난 발재간과 활동량을 겸비했다. 여기에 플라멩구 소속으로 출전한 클럽 월드컵에서 바이에른 뮌헨을 상대로 끈질긴 수비까지 보여줬다. 올해 브라질 대표팀에도 데뷔했다.

출전경기	경기시간(분)	골	어시스트	경고	퇴장
11	983	1	2	4	-

ITALY SERIE A

AS ROMA

DF 87 다니엘레 길라르디
Daniele Ghilardi

국적: 이탈리아

3부, 2부, 지난 시즌 베로나에서 세리에 A를 경험하기까지 늘 주전으로 활약했던 유망주 센터백. 베로나에서 스리백 대형에 대한 충분한 경험을 쌓았고, 전도유망하다는 평가와 함께 선임대 후이적 형태를 취하며 로마로 합류했다. 쉽게 몸을 날리기보다는 차분하게 경기 흐름을 읽고 수비하려는 전형적인 이탈리아 센터백이다. 여기에 빠른 발을 지녔다는 점은 공수전환이 잦은 가스페리니 축구에 어울린다.

출전경기	경기시간(분)	골	어시스트	경고	퇴장
24	2,031	-	-	7	1

MF 4 브라이안 크리스탄테
Bryan Cristante

국적: 이탈리아

2023-24시즌 심각하게 부진했기 때문에 지난 시즌 초반에는 홈 팬들에게 야유를 받을 정도로 여론이 나빴다. 시즌을 치르면서 특유의 꾸준함으로 팀에 기여해 결국 괜찮은 경기력을 회복하며 시즌을 마칠 수 있었다. 왕년에는 기술도 좋은 선수였지만 최근에는 탄탄한 체격을 잘 활용하는 전문 수비형 미드필더로 보는 게 맞다. 아탈란타 시절 그를 개안시켰던 가스페리니와의 재회가 특히 기대된다.

출전경기	경기시간(분)	골	어시스트	경고	퇴장
30	2,048	4	2	8	-

MF 7 로렌초 펠레그리니
Lorenzo Pellegrini

국적: 이탈리아

좋았던 시즌조차 그의 경기력과 충성심에 대한 혹평이 공존했던 선수인데, 지난 1년은 로마 경력을 통틀어 최악이었다. 부상도 잦았고, 그냥 벤치에 앉아 있던 경기들도 있었다. 로마 유소년팀 출신 주장이라는 위상은 '주전이 완장을 차야 한다'라는 새 감독의 정책에 따라 꺾였고, 계약 기간이 단 1년 남았기 때문에 판매설도 나온다. 특유의 킥과 전술 수행 능력을 되살리지 않으면 로마에서의 미래는 없다.

출전경기	경기시간(분)	골	어시스트	경고	퇴장
25	1,636	2	1	4	-

MF 8 닐 엘아이나위
Neil El Aynaoui

국적: 모로코

지난 시즌 리그앙 8골 1도움을 올리면서 공격력으로 주목받은 중앙 미드필더. 빌드업을 할 때 자신의 민첩성을 살려 직접 드리블로 전진하는 플레이를 즐긴다. 득점 패턴은 중거리 슛보다는 문전 침투 후 낙하지점 포착 능력을 발휘, 헤딩이나 발리슛으로 마무리하는 경우가 많다. 수비할 때는 잽싸게 어깨를 넣는 방식을 선호한다. 모로코 국민 영웅이었던 테니스 선수 유네스 엘아이나위의 아들이다.

출전경기	경기시간(분)	골	어시스트	경고	퇴장
24	1,587	8	1	4	-

MF 17 마누 코네
Manu Kone

국적: 프랑스

빅 리그 선수로만 5군이 꾸려진다는 프랑스 대표팀에서 당당하게 주전 경쟁을 하고 있다는 것으로 코네가 얼마나 뛰어난 선수인지 더 설명할 필요는 없다. 지난 시즌 여러 미드필더들이 경쟁하며 팀 전술이 혼란을 겪는 와중에, 가장 안정적이고 꾸준한 활약을 해 줬다. 좌충우돌하면서 직접 공을 빼앗아 오는 에너지가 눈에 띄고, 안정감은 떨어지지만 상대 진영에 직접 균열을 낼 수 있는 선수다.

출전경기	경기시간(분)	골	어시스트	경고	퇴장
34	2,580	2	1	6	-

FW 11 에반 퍼거슨
Evan Ferguson

국적: 아일랜드

본격적으로 프리미어리그에서 활약하기 시작했던 19세 나이에 비해 탁월한 완성도로 큰 기대를 모았다. 하지만 아쉽게 잦은 부상을 당하며 빅 클럽 이적설이 쏙 들어갔다. 결국 브라이턴과 웨스트햄에서 출장기회를 잡지 못하자 새 시즌 로마로 임대되며 환경에 변화를 줬다. 정통 스트라이커의 신체조건을 타고났고, 감독의 복잡한 전술을 능숙하게 소화할 수 있는 지능과 다재다능함을 갖췄다.

출전경기	경기시간(분)	골	어시스트	경고	퇴장
21	388	1	-	-	-

FW 18 마티아스 소울레
Matías Soulé

국적: 아르헨티나

2023-24시즌 키 패스와 드리블 성공 두 부문에서 세리에 A 2위였던 특급 찬스 메이커. 강팀 로마로 이적한 뒤 보낸 지난 시즌은 주전 경쟁도 쉽지 않아 임팩트가 크지는 않았다. 그럼에도 경기당 키 패스는 리그 3위(1.9회)로 여전히 최상급이었다. 오른쪽에서 중앙으로 파고들면서 직접 상대 수비를 돌파할 수도 있고, 왼발 패스와 슛도 강력하다. 조금 아쉬운 점이라면 윙어치고 느린 스피드.

출전경기	경기시간(분)	골	어시스트	경고	퇴장
27	1,792	5	5	3	-

FW 21 파울로 디발라
Paulo Dybala

국적: 아르헨티나

세리에 A MVP 출신 스타. 신체 능력은 아쉬운 대신 강력한 왼발 킥과 허를 찌르는 타이밍으로 놀라운 득점을 만들어낸다. 최근 몇 년을 통틀어 판타지스타에 가장 근접한 플레이스타일의 소유자다. 경기당 파울 유도가 리그 5위(2.5회)였는데, 막기 힘들다는 의미이기도 하지만 걷어차면 어찌어찌 막을 수 있다는 뜻이기도 하다. 일단 뛰면 강력한 선수지만, 로마 이적 후 매년 부상이 잦았다는 것이 문제.

출전경기	경기시간(분)	골	어시스트	경고	퇴장
24	1,420	6	3	2	-

FW 92 스테판 엘샤라위
Stephan El Shaarawy

국적: 이탈리아

뜻밖에 손흥민보다 오래 빅 리그에서 뛰고 있는 '1992년생 천재 라인' 중 한 명. 왼쪽 측면부터 중앙으로 파고들며 오른발로 득점하는 패턴은 어린 시절부터 그의 필살기였고, 여기에 성실함을 살려 윙백으로 뛰는 경우도 꽤 있었다. 기량을 상당히 잘 유지해 지난해까지 이탈리아 대표팀에 발탁되고 로마 주장 완장을 차는 등 가늘고 긴 전성기를 누리고 있다. 이집트계라 붙은 별명은 '파라오'이다.

출전경기	경기시간(분)	골	어시스트	경고	퇴장
31	1,091	3	4	2	-

ACF 피오렌티나
ACF Fiorentina

TEAM PROFILE

창 립	1926년
회 장	마크 스테판(미국)
감 독	스테파노 피올리(이탈리아)
연 고 지	토스카나 주 피렌체
홈 구 장	스타디오 아르테미오 프랑키 (4만 3,147명)
라 이 벌	유벤투스 FC, 볼로냐 FC 1909
홈페이지	www.acffiorentina.com

최근 5시즌 성적

시즌	순위	승점
2020-2021	13위	40점(9승13무16패, 47득점 59실점)
2021-2022	7위	62점(19승5무14패, 59득점 51실점)
2022-2023	8위	56점(15승11무12패, 53득점 43실점)
2023-2024	8위	60점(17승9무12패, 61득점 46실점)
2024-2025	6위	65점(19승8무11패, 60득점 41실점)

SERIE A (전신 포함)

통 산	우승 2회
24-25 시즌	6위(19승8무11패, 승점 65점)

COPPA ITALIA

통 산	우승 6회
24-25 시즌	16강

UEFA

통 산	없음
24-25 시즌	없음

전력분석 | 지난 시즌보다 양과 질 상승

선수구성 측면에서는 분명 지난 시즌보다 나아졌다. 확고한 주전은 거의 팔려나가지 않았고, 반대로 쓸 만한 선수는 여럿 수급했다. 지난 시즌보다 선수단의 양과 질이 모두 강화되면서, 실속 없는 UEFA 컨퍼런스리그에 4년 연속 참가해도 체력 안배는 한결 잘할 수 있게 됐다. 감독 교체로 경기력 변화를 겪을 수 있지만, 일단 흐름이 이어진다고 가정하면, 가장 강력한 포지션은 최전방이다. 특급 골잡이로 성장한 모이스 킨이 건재한 가운데 뛰어난 장신 공격수 에딘 제코, 로베르토 피콜리를 추가했다. 이 강력한 조합을 통해 지난 시즌 최전방 '알바'를 종종 뛰어야 했던 알베르트 그뮈드뮌손 등은 2선 플레이에 전념할 수 있게 됐다. 다닐로 카탈디, 야신 아들리가 임대를 마치고 돌아간 중원은 좀 더 전투적인 야코포 파치니, 사이먼 솜이 합류하면서 단단한 스타일로 재편됐다. 중앙수비는 육성한 선수들로 전력이 상승했고, 측면 수비는 아탈란타의 이적 제안을 물리친 로빈 고젠스가 담당한다. 여기에 스테파노 피올리 감독의 '잠재력 개방' 능력이 기대된다. 피올리 감독은 전술의 짜임새보다는 선수들의 실력을 극대화하는데 더 재능을 보이곤 했다. 약간 애매한 선수로 남은 아미르 리샤르송, 니콜로 파졸리, 셰르 은두르 등에 딱 맞는 위치와 임무를 부여한다면 한층 성장하면서 부흥의 주역이 될 수 있다.

전술분석 | 일단 스리백 준비, 이유는?

피올리는 전술적으로 고집스럽지 않고, 선수 배치도 팀에 맞게 유연하게 바꾸는 감독이다. 평소 4-2-3-1 중심의 포백 기반을 선호하지만, 프리 시즌에는 스리백 기반 대형을 많이 테스트했다. 선수들에게 어울리는 포메이션을 쓰려는 것이다. 지난 시즌 3-5-2(3-5-1-1 포함) 대형을 썼을 때, 리그 성적이 6승 2무 3패로 시즌 평균보다 압도적으로 좋았다. 이 대형에 맞는 선수들은 포지션마다 골고루 있다. 센터백 중 파블로 마리는 스위퍼에, 루카 라니에리는 왼쪽 스토퍼에 딱 맞는다. 공격적인 윙백 로빈 고젠스와 두두 역시 포백의 풀백보다는 스리백을 도입했을 때 신이 나는 선수들이다. 특히 고젠스에게 풀백 강요는 사냥개에게 목줄을 채워 놓은 격이다. 중원도 니콜로 파졸리가 역삼각형 3인 구성에서 특히 눈에 띈다. 공격 역시 세콘다푼타(세컨드 스트라이커) 자리가 잘 어울리는 그뮈드뮌손, 벨트란 등이 있다. 반대로 윙어들은 컨디션이 나빠 측면을 넓게 활용하는 대형은 잘 맞지 않는다. 물론 지난 시즌부터 프리 시즌까지 이어진 이 흐름은 실전에 들어갔을 때 완전히 뒤집힐 가능성도 있다. 피올리는 생각지 못한 선수 활용법을 펼칠 가능성이 크기 때문이다.

4강이 욕심이라면, 딱 5위까지만 올라갈 수 없을까?

세상에 존재하는 수많은 '무관의 제왕' 중 최근 2년간 가장 안타까운 팀이 피오렌티나다. 2022-23시즌에는 코파와 UEFA 컨퍼런스리그 준우승, 다음 시즌 또 컨퍼런스리그 준우승에 그치면서 2년간 결승전 패배를 세 번 당했다. 2001년 코파 우승 이후 하부리그 우승을 제외하면 아무런 트로피가 없고, 준우승만 다섯 번에 그쳤다. 그 중 3회가 최근 2년 사이다 보니 피오렌티나 팬들은 '우린 안될 팀인가 봐'라며 자학하는 지경에 이르렀다. 마냥 약체라면 이런 고민도 안 할 텐데, 성적과 유망주 육성 양 측면에서 꽤 괜찮은 성과를 낸 팀이기에 안타까움이 더했다. 게다가 세리에 A에서 꾸준히 괜찮은 경쟁력을 보였음에도 불구하고, 최근 4년 연속으로 컨퍼런스리그 진출권이 주어지는 6~8위에서 애매하게 시즌을 마쳤다. 특히 불운했던 건 바로 지난 시즌인데, 세리에 A 6위는 보통 유로파리그 진출권을 따낼 수 있는 순위다. 그러나 하필 리그 9위였던 볼로냐가 코파 우승을 차지하는 바람에 리그 순위에 따른 유로파리그 진출권이 6위까지 승계되지 않았다. 그렇다고 해서 피오렌티나가 걸어온 길이 딱히 잘못되진 않았다. 지난 시즌도 우승 경쟁을 하다가 4위와 승점 5점 차로 막판에 6위까지 미끄러졌다. 4전 5기의 자세로, 더 높은 순위에 도전한다.

IN & OUT

주요 영입	주요 방출
사이먼 솜, 야코포 파치니, 에딘 제코, 에만 코스포, 마티아 비티, 로베르토 피콜리, 타릭 램프티, 한스 니콜루시 카빌리아	마티아스 모레노, 피에트로 테라치아노, 야신 아들리, 다닐로 카탈디, 요시프 브레칼로, 루카스 벨트란

TEAM FORMATION

PLAN 3-4-1-2

TEAM RATINGS

슈팅 9
패스 7
조직력 8
수비력 8
감독 8
선수층 8

48

2024/25 프로필

팀 득점	60
평균 볼 점유율	50.40%
패스 정확도	83.30%
게임 평균 슈팅 수	11.8
경고	78
퇴장	3

골 타 입		
오픈 플레이	55	
세트 피스	18	
카운터 어택	13	
패널티 킥	10	
자책골	3	단위 (%)

패 스 타 입		
쇼트 패스	84	
롱 패스	13	
크로스 패스	3	
스루 패스	0	단위 (%)

지역 점유율

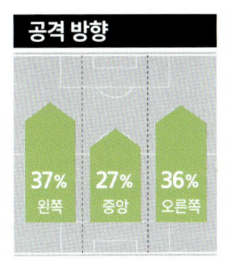

공격 진영 26%
중앙 45%
수비 진영 29%

공격 방향

37% 왼쪽
27% 중앙
36% 오른쪽

슈팅 지역

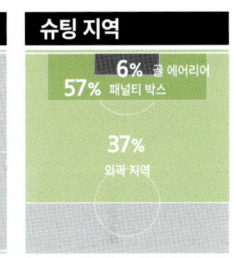

6% 골 에어리어
57% 패널티 박스
37% 외곽 지역

상대팀 최근 6경기 전적

구분	승	무	패
SSC 나폴리	1	1	4
FC 인테르나치오날레	2		4
아탈란타 BC	4		2
유벤투스 FC	1	2	3
AS 로마	2	2	2
ACF 피오렌티나			
SS 라치오	3	1	2
AC 밀란	2	1	3
볼로냐 FC	3		3
코모 1907	4		2
토리노 FC	3	3	
우디네세 칼초	3	1	2
제노아 CFC	5	1	
엘라스 베로나 FC	4		2
칼리아리 칼초	5	1	
파르마 칼초 1913	2	4	
US 레체	3	2	1
US 사수올로 칼초	3	1	2
피사 SC	4	2	
US 크레모네세	4	2	

SQUAD

포지션	등번호	이름		생년월일	키(cm)	체중(kg)	국적
GK	1	루카 레체리니	Luca Lezzerini	1995.03.24	195	86	이탈리아
	30	톰마소 마르티넬리	Tommaso Martinelli	2006.01.06	194	90	이탈리아
	43	다비드 데헤아	David de Gea	1990.11.07	192	71	스페인
DF	2	두두	Dodô	1998.11.17	166	68	브라질
	5	마린 폰크라치치	Marin Pongračić	1997.09.11	193	95	크로아티아
	6	루카 라니에리	Luca Ranieri	1999.04.23	187	74	이탈리아
	15	피에트로 코무초	Pietro Comuzzo	2005.02.20	185	79	이탈리아
	18	파블로 마리	Pablo Marí	1993.08.31	193	87	스페인
	21	로빈 고젠스	Robin Gosens	1994.07.05	183	76	독일
	23	에만 코스포	Eman Kospo	2007.05.17	191	76	스위
	26	마티아 비티	Mattia Viti	2002.01.24	190	83	이탈리아
	29	니콜로 포르티니	Niccolò Fortini	2006.02.13	185	-	이탈리아
MF	7	사이먼 솜	Simon Sohm	2001.04.11	188	85	스위스
	8	롤란도 만드라고라	Rolando Mandragora	1997.06.29	183	75	이탈리아
	11	압델하미드 사비리	Abdelhamid Sabiri	1996.11.28	186	80	모로코
	14	한스 니콜루시 카빌리아	Hans Nicolussi Caviglia	2000.06.18	184	71	이탈리아
	22	자코포 파치니	Jacopo Fazzini	2003.03.16	178	-	이탈리아
	24	아미르 리샤르송	Amir Richardson	2002.01.24	197	79	모로코
	27	셰르 은두르	Cher Ndour	2004.07.27	190	83	이탈리아
	44	니콜로 파졸리	Nicolò Fagioli	2001.02.12	178	70	이탈리아
FW	9	에딘 제코	Edin Džeko	1986.03.17	193	80	보스니아-헤르체고비나
	10	알베르트 구드문드손	Albert Gudmundsson	1997.06.15	177	80	아이슬란드
	20	모이스 킨	Moise Kean	2000.02.28	183	67	이탈리아
	61	리카르도 브라스키	Riccardo Braschi	2006.08.24	190	-	이탈리아
	91	로베르토 피콜리	Roberto Piccoli	2001.01.27	190	94	이탈리아

선수 시절 피오렌티나에서 전성기를 누렸고, 감독으로서는 두 번째 부임이다. 지난번엔 딱히 대단한 성적은 내지 못했지만, 당시 주장이었던 다비데 아스토리의 갑작스런 죽음 등 많은 일을 겪으면서 한결 성숙해졌다. 그 역량을 밀란에서 발휘해 리그 우승을 달성하고 최우수 지도자로 선정된 바 있다. 사우디아라비아의 알나스르를 거쳐 다시 피오렌티나 지휘봉을 잡았다. 선수 면담과 장단점 파악을 통해 선수를 한층 성장시키는 감독이다. 반면 공격의 세부 전술은 그리 정교하지 않다는 평가를 받는다.

스테파노 피올리 *Stefano Pioli*
1965년 10월 20일생 이탈리아

| FW | 20 | **모이스 킨**
Moise Kean |

KEY PLAYER

국적: 이탈리아

베로나에서 임대선수로 뛰던 시절 이승우 옆에서 같이 헤매던 동생이었으나, 20대 중반이 되어서 세리에 A 정상급 공격수 겸 이탈리아 대표팀 스트라이커로 발돋움했다. 덩치, 스피드, 괜찮은 기본기를 겸비했으나, 어려서는 윙어와 최전방을 오가며 정체성을 찾지 못했다. 파리 생제르맹에서 슈퍼스타들의 궂은 일을 담당할 때가 오히려 가장 좋았을 정도였다. 그러다 지난 시즌 피오렌티나로 이적한 뒤 잠재력이 폭발했고, 세리에 A 득점 2위에 올랐다. 문전에서 동물적으로 발을 뻗어 공을 건드리는 마무리부터 전방 침투, 공중볼 경합, 수비를 몸으로 튕겨내고 욱여넣는 슛, 측면 돌파, 감각적인 발리슛 등 온갖 종류의 득점 상황을 모두 골로 마무리할 수 있는 만능 스트라이커.

출전경기	경기시간(분)	골	어시스트	경고	퇴장
32	2,712	19	3	6	-

| GK | 43 | **다비드 데 헤아**
David De Gea |

국적: 스페인

여전히 맨유의 슈퍼스타로 아는 사람이 많다. 맨유 역사상 최다 무실점, 맨유 외국인 최다 출장 기록을 보유한 '레전드'급 선수다. 하지만 떨어진 기량에 비해 연봉이 너무 높다며 맨유가 방출했고, 이후 1년이나 쉰 뒤 피렌체로 왔다. 그리고 전성기 기량을 고스란히 유지했다는 것을 매 경기 증명하면서 세리에 A 최고 수준의 경기력을 발휘했다. 지난 시즌 세리에 A 베스트일레븐에도 선정된 베테랑 골키퍼.

출전경기	경기시간(분)	실점	무실점 (경기)	경고	퇴장
35	3,150	38	11	1	-

| DF | 2 | **두두**
Dodo |

국적: 브라질

주전 라이트백으로서 어느덧 네 번째 시즌이다. 2023-24시즌 부상으로 많이 결장했지만, 후반기에 선발 복귀 후 맹활약하며 컨퍼런스리그 베스트팀에 선정된 바 있다. 지난 시즌은 건강하게 세리에 A 35경기 선발 출장 및 개인 최다 공격포인트를 기록했다. 작은 체구에도 불구하고 자신의 발재간과 주력을 믿고 공수 양면에서 겁 없이 덤비는 풀백. 덩치에 비해 용맹한 동물, 울버린을 연상시키는 선수이다.

출전경기	경기시간(분)	골	어시스트	경고	퇴장
35	3,119	-	5	8	-

| DF | 5 | **마린 폰그라치치**
Marin Pongracic |

국적: 크로아티아

독일에서 태어나고 자랐지만 동유럽 특유의 플레이가 더 많이 느껴진다. 단단한 신체로 파울도 불사하며 후방을 지킨다. 바이에른 유소년 팀을 비롯해 잘츠부르크, 도르트문트 등 유망주 욕심이 있는 팀을 두루 거치며, 어려서부터 될성부른 떡잎으로 인정받았다. 2022년 레체에서 처음 주전으로 등극하며 이탈리아 무대가 딱 맞는다는 걸 보여줬고, 지난해 피오렌티나로 합류한 뒤 수비의 한 축이 됐다.

출전경기	경기시간(분)	골	어시스트	경고	퇴장
20	1,368	-	1	1	-

| DF | 6 | **루카 라니에리**
Luca Ranieri |

국적: 이탈리아

구단 유소년팀부터 육성한 '성골 유스' 출신이다. 후보 신세였다가 임대를 전전하더니, 지난 2년 동안 출장 시간을 꾸준히 늘려 마침내 완전한 주전 센터백으로 자리매김하고 주장 완장까지 찼다. 어린 시절에는 레프트백을 많이 맡았지만, 1군에서는 주로 센터백으로 뛴다. 특히 왼발잡이라는 점과 패스 능력이 괜찮다는 점을 살려 스리백을 쓸 때 왼쪽 스토퍼와 스위퍼를 능숙하게 소화할 수 있다.

출전경기	경기시간(분)	골	어시스트	경고	퇴장
36	3,077	1	3	7	-

| DF | 15 | **피에트로 코무초**
Pietro Comuzzo |

국적: 이탈리아

본격적으로 1군 주전을 맡은 건 고작 한 시즌에 불과하지만, 탁월한 잠재력과 만 20세인 나이 때문에 프리미어리그의 관심이 쏟아지는 선수다. 이탈리아 대표팀에서 아직 출전은 못했지만 벤치 선수로 선발되고 있다. 눈에 띄는 장점은 수비 상황에서의 안정감이다. 경합 성공률도 높고, 무리하지 않는 수비를 통해 후방을 든든하게 지킨다. 빌드업이나 돌발 변수 상황에 대한 대처는 아쉬운 편이다.

출전경기	경기시간(분)	골	어시스트	경고	퇴장
33	2,197	1	-	5	-

| DF | 18 | **파블로 마리**
Pablo Mari |

국적: 스페인

맨체스터 시티, 아스널 등을 거치며 그 재능을 일찍이 인정받았던 장신 센터백. 그러다 대서양을 건너 브라질의 플라멩구에서 뛰기도 했다. 2022년 몬차로 이적한 뒤 안정적인 환경에서 한층 더 성장했고, 2025년 1월 피오렌티나로 이적했다. 몬차 시절 괴한의 습격을 받아 칼에 찔리기도 했지만 잘 극복해냈다. 스피드는 느리지만 빌드업 능력을 갖췄으며 스리백의 가운데가 최적의 포지션이다.

출전경기	경기시간(분)	골	어시스트	경고	퇴장
32	2,728	-	-	4	1

DF 21 로빈 고젠스
Robin Gosens

국적: 독일

아탈란타 시절 무지막지한 공격 가담으로 시선을 사로잡았던 윙백. 측면 돌파나 크로스가 아니라, 기세 좋게 상대 진영까지 돌진해 크로스를 받아먹거나 속공을 주도하는 등 과감한 플레이가 특징이다. 대신 수비력은 포기하는 게 마음 편하다. 지난 시즌 공격포인트 10개를 올리면서 다시 한번 위력을 뿜어냈고, 역시나 포백보다는 스리백 전술일 때 더 자유롭게 전방으로 올라가는 모습을 보여줬다.

출전경기	경기시간(분)	골	어시스트	경고	퇴장
32	2,529	5	5	6	-

MF 7 사이먼 솜
Simon Sohm

국적: 스위스

공격력이 상당한 수비형 미드필더. 수많은 스타 축구선수와 농구선수의 혈통인 나이지리아계 요루바인이다. 키가 큰 데다 몸이 두껍고 딱 봐도 코어 근육이 탄탄하다. 이 육체를 잘 활용해 묵직한 드리블로 상대 중앙을 헤집거나, 측면으로 빠진 뒤 크로스를 날리거나, 상대 미드필더를 등진 상태에서 힐 패스를 하는 등 다양한 방식으로 팀 공격에 윤활유를 친다. 지난 5년간 파르마의 주축이었다.

출전경기	경기시간(분)	골	어시스트	경고	퇴장
37	3,000	4	-	7	-

MF 8 롤란도 만드라고라
Rolando Mandragora

국적: 이탈리아

서양 신화나 판타지 소설에서 보던 식물의 이름을 성으로 쓴다. 한 번 보면 잊을 수 없는 이름 때문인지 특급 유망주로 많은 주목을 받았지만, 20대 후반이 된 지금 플레이스타일은 평범하다. 좋은 체격을 살려 전투적으로 중원을 장악하며, 준수한 공 배급 능력을 지닌 레지스타(후방 플레이메이커)다. 지난 시즌은 어려서부터 자신 있던 중거리 슛이 유독 잘 들어가 컵대회 포함 9골이나 터뜨렸다.

출전경기	경기시간(분)	골	어시스트	경고	퇴장
29	1,937	4	3	7	-

MF 22 자코포 파치니
Jacopo Fazzini

국적: 이탈리아

체구는 작지만 공수 양면으로 균형 잡힌 공격형 미드필더. 드리블을 통한 공 운반, 패스를 통한 공격 전개, 강력한 중거리 슛과 문전 침투 등 플레이메이커의 본분을 잘 소화할 수 있다. 여기에 요즘 선수답게 전방압박과 수비가담 등 전술적인 지시도 군말 없이 잘 따른다. 최근 많은 유망주를 배출한 엠폴리의 작품이며, 1군에서 3시즌 뛴 뒤 엠폴리가 강등되자 피오렌티나 유니폼으로 갈아입었다.

출전경기	경기시간(분)	골	어시스트	경고	퇴장
20	1,392	4	1	2	1

MF 24 아미르 리샤르송
Amir Richardson

국적: 모로코

NBA 올스타 출신 가드 마이클 레이 리차드슨이 마약 문제로 NBA에서 추방된 뒤 프랑스에서 뛰다가 낳은 아들. 국가대표는 어머니의 혈통을 따라 모로코를 택했다. 아버지를 빼닮은 신체조건으로 휘적거리며 중원을 누비는데, 공격형부터 수비형 미드필더까지 다양한 위치에 투입되고 있다. 깡마른 몸으로 유연하게 압박과 탈압박을 하는 모습이 특이하며 아직 더 성장할 수 있는 선수다.

출전경기	경기시간(분)	골	어시스트	경고	퇴장
27	1,093	1	1	6	-

MF 44 니콜로 파졸리
Nicolò Fagioli

국적: 이탈리아

2022-23시즌 세리에 A 최우수 영 플레이어로 선정되면서 탄탄대로를 걷는 듯했으나, 곧 도박 중독을 자수하면서 장기간 자격정지 징계를 받았다. 복귀 후 경기력도 괜찮았는데 유벤투스가 섣불리 팔아버린 덕분에 피오렌티나가 2025년 1월 영입할 수 있었다. 테크닉이 좋은 중앙 미드필더로, 지난 시즌 메찰라(역삼각형 3인 조합 중 공격 가담을 많이 하는 미드필더) 자리에서 특히 기여도가 높았다.

출전경기	경기시간(분)	골	어시스트	경고	퇴장
32	1,528	1	2	4	-

FW 9 에딘 제코
Edin Džeko

국적: 보스니아헤르체고비나

분데스리가와 세리에 A 득점왕 출신 골잡이. 이제 39세가 됐고 튀르키예에 다녀오는 등 경력의 끝을 향해가지만, 제코의 원래 모습이 사라졌다고 생각하는 사람은 없다. 체력적인 부담 때문에 풀타임을 소화하기 힘들고 기복이 심해졌을 뿐, 푹 쉬고 나온 제코의 경기력은 전성기와 크게 다르지 않다. 거대한 몸을 활용하면서도 우아하게 공을 차는 모습을 보면 풋워크가 좋은 NBA 엘리트 센터가 생각난다.

출전경기	경기시간(분)	골	어시스트	경고	퇴장
35	2,247	14	4	1	-

FW 10 알베르트 구드문드손
Albert Gudmundsson

국적: 아이슬란드

네덜란드 리그 시절에는 화려한 드리블로 주목받은 윙어였고, 2023-24시즌 제노아에서 리그 14골을 몰아치며 득점에 눈을 떴다. 당시 토트넘 등 다양한 구단이 눈독 들이던 선수였지만 지난해 성폭행 혐의로 기소되면서 모든 이적이 무산될 위기에 처했는데, 피오렌티나가 임대 후 완전이적 형태로 안전장치를 단채 영입했다. 피오렌티나에서는 주로 세컨드 스트라이커 자리를 소화하고 있다.

출전경기	경기시간(분)	골	어시스트	경고	퇴장
24	1,280	6	1	2	-

FW 91 로베르토 피콜리
Roberto Piccoli

국적: 이탈리아

아탈란타 소속으로 이리저리 임대를 다니며 6시즌 동안 13골 1도움에 그쳤는데, 칼리아리로 오더니 1년간 10골 3도움을 몰아치며 급성장했다. 결국 피오렌티나의 러브콜을 끌어냈다. 이름은 작고 귀여울 것 같지만 실제로는 거구를 가진 공격수로, 상대 센터백과 몸싸움을 벌이며 공을 따내고 문전에 혼란을 일으킨다. 몰아치기를 하지 않으며 골의 순도가 높다. 킨, 제코와 공존하는 게 숙제.

출전경기	경기시간(분)	골	어시스트	경고	퇴장
37	3,143	10	1	6	-

SS 라치오
SS Lazio

TEAM PROFILE	
창 립	1900년
회 장	클라우디오 로티토(이탈리아)
감 독	마우리치오 사리(이탈리아)
연 고 지	라치오 주 로마
홈 구 장	스타디오 올림피코(7만 3,000명)
라 이 벌	AS로마
홈페이지	www.sslazio.it

ITALY SERIE A

SS LAZIO

최근 5시즌 성적

시즌	순위	승점
2020-2021	6위	68점(21승5무12패, 61득점 55실점)
2021-2022	5위	64점(18승10무10패, 77득점 58실점)
2022-2023	2위	74점(22승8무8패, 60득점 30실점)
2023-2024	7위	61점(18승7무13패, 49득점 39실점)
2024-2025	7위	65점(18승11무9패, 61득점 49실점)

SERIE A (전신 포함)

통 산	우승 2회
24-25 시즌	7위(18승11무9패, 승점 65점)

COPPA ITALIA

통 산	우승 7회
24-25 시즌	8강

UEFA

통 산	없음
24-25 시즌	유로파리그 8강

전력분석 | 선수 등록 금지로 스쿼드 불균형, 최적의 조합으로 돌파

영입 금지 조치. 라치오의 전력 분석은 이 여섯 글자로 시작한다. 이탈리아 프로축구관리감독위원회(COVISOC)는 최근 반년간 재무보고서의 유동성 지표가 기준에 못 미친다는 이유로 올여름 라치오의 선수 등록을 막았다. 마우리치오 사리 감독 부임 확정 직후 떨어진 날벼락이었다. 그런데 영입 금지 상황에서 구단이 몇몇 선수를 팔려 하자, 깜짝 놀란 사리 감독은 모든 선수의 잔류를 구단에 요구했다. 그 결과 일부 포지션은 과포화, 다른 포지션은 빈약한 불균형적 스쿼드가 되고 말았다. 합류 선수는 없고, 돈은 모두 임대 후 완전이적 옵션 발동에만 썼다. 다행히 확보한 선수는 꽤 괜찮았지만, 신뢰가 가는 선수는 몇 되지 않았다. 최전방은 발렌틴 카스테야노스의 경기력 불안으로 불라예 디아 등 다른 선수가 주전으로 올라설 가능성이 크다. 2선은 왼쪽 윙어 마티아 차카니를 중심으로 2선 선수들이 치열한 경쟁 중. 중원은 니콜로 로벨라와 마테오 겐두지가 가장 평가가 높다. 그 역량을 120% 살리기 위한 사리의 활용법에 따라 조합이 달라질 수 있다. 수비 중심은 2년 반 동안 키워낸 마리오 힐라이고, 베테랑 알레시오 로마뇰리, 유망주 올리버 프로브스가드 등의 조합이 기대된다. 골문은 지난 시즌 주전으로 올라선 크리스토스 만다스와 라치오의 수호신 이반 프로베델이 주전 경쟁을 벌인다.

전술분석 | 사리가 부임한 순간, 예상할 수 있는 포메이션

사리볼. 라치오의 전술 분석은 이 짧은 세 글자로 요약된다. 사리 축구는 4-3-3 대형을 기반으로 압박, 체계적인 빌드업, 점유, 빠르고 효율적인 상대 배후 공략을 추구한다. 전술가로 꼽히는 감독들은 4-3-3이나 그 파생 포메이션을 쓰는 경우는 흔하다(체코의 즈데넥 제만, 아르헨티나의 마르셀로 비엘사 등). 네덜란드 토털풋볼처럼 아군 선수 사이에 삼각형을 많이 만들 수 있고 압박과 점유에 최적화된 대형이기 때문이다. 그 가운데 사리의 개성은 역시 완성도. 오픈 플레이 상황에서의 완성도뿐 아니라 다양하고 복잡한 세트피스 전술까지, 축구를 오래 연구해 온 전술가 감독의 역작이 필드 위에 펼쳐진다. 사리는 선수의 포지션 이동에 상당히 능한 편이다. 예를 들어 레지스타(후방 플레이메이커) 자리에서 사리볼을 상징해온 선수 조르지뉴도 이전에는 공격 가담형 미드필더였다. 그는 라치오에서 선수들의 위치를 이리저리 바꾸며 자신의 축구에 녹이기 위해 노력할 것이다. 4-3-3 대형을 살짝 벗어날 가능성도 있다. 사리볼 나폴리 돌풍 이전까지는 4-3-1-2 대형을 즐겨 썼고, 라치오 부임 후 2선 자원 활용이 중요해 보이자 4-2-3-1로 대형 전환을 테스트하기도 했다.

유럽대항전에 못 나갔다고? 오히려 기회다

괴팍하면서도 낭만적인 남자 사리. 가는 팀마다 자신의 전술적 비전을 구현하겠다는 일념으로 구단과 싸우고, 현역 시절의 후광과 타고난 카리스마가 부족하다 보니 말 안 듣는 선수들과 싸우기 일쑤였다. 라치오 1기때도 거칠게 요약하면 '싸우다가 사임했다'라고 말할 수 있지만 그 과정은 조금 달랐다. 2021년 부임 후 두 번째 시즌에 세리에 A 2위에 오르면서 여전한 경쟁력을 보여줬다. 그러나 그 다음 시즌, 지도력이 한계에 부딪치자 위약금을 신경쓰지 않고 자진 사임 형태로 팀을 떠났다. 그랬던 그가 딱히 고향팀도 아니고 오래 몸담지도 않은 라치오 구단에 무슨 정이 들었는지, 그렇게 싸웠던 클라우디오 로티토 회장의 감독 부임 요청 연락을 받고 한달음에 달려왔다. 선수 영입을 해 줄 수 없는 구단 사정을 듣고 '사기 당한 기분'이라고 말하긴 했지만 그의 전술을 구현하기에 오히려 좋은 점도 있다. 유럽대항전의 확대로 주중 경기가 늘어난 요즘 축구 스케줄은 전술가 감독이 차분하게 팀을 조련하기에는 나쁜 환경인데, 라치오는 지난 시즌 7위에 그치며 진출권을 놓쳤기 때문에 자국 대회에 집중하게 된다. 체력 안배를 걱정할 필요가 없을 뿐 아니라, 사리 특유의 빌드업 디테일과 세트피스 디테일을 평일에 가다듬고 주말 경기에 나간다면 그 위력은 배가될 수 있다.

IN & OUT

주요 영입	주요 방출
-	룸 차우나

TEAM FORMATION

PLAN **4-3-3**

TEAM RATINGS

슈팅 7
패스 7
조직력 8
수비력 7
감독 9
선수층 7

45

2024/25 프로필

팀 득점	61
평균 볼 점유율	55.00%
패스 정확도	86.80%
게임 평균 슈팅 수	14.1
경고	89
퇴장	7

골 타입
오픈 플레이	62
세트 피스	18
카운터 어택	8
패널티 킥	10
자책골	2

단위 (%)

패스 타입
쇼트 패스	86
롱 패스	10
크로스 패스	5
스루 패스	0

단위 (%)

지역 점유율
공격 진영 **30%**
중앙 **44%**
수비 진영 **26%**

공격 방향
39% 왼쪽
26% 중앙
36% 오른쪽

슈팅 지역
7% 골 에어리어
57% 패널티 박스
36% 외곽 지역

상대팀 최근 6경기 전적

구분	승	무	패
SSC 나폴리	4	2	
FC 인테르나치오날레		2	4
아탈란타 BC	3	1	2
유벤투스 FC	2	1	3
AS 로마	2	2	2
ACF 피오렌티나	2	1	3
SS 라치오			
AC 밀란	2	1	3
볼로냐 FC	2	1	3
코모 1907	3	2	1
토리노 FC	3	2	1
우디네세 칼초	2	2	2
제노아 CFC	5		1
엘라스 베로나 FC	4	2	
칼리아리 칼초	5	1	
파르마 칼초 1913	4	1	
US 레체	2	1	3
US 사수올로 칼초	4	1	1
피사 SC	3	2	1
US 크레모네세	4	1	1

SQUAD

포지션	등번호	이름		생년월일	키(cm)	체중(kg)	국적
GK	35	크리스토스 만다스	Christos Mandas	2001.09.17	189	75	그리스
	94	이반 프로베델	Ivan Provedel	1994.03.17	194	84	이탈리아
DF	3	루카 펠레그리니	Luca Pellegrini	1999.03.07	178	72	이탈리아
	4	파트리크	Patric	1993.04.01	184	74	스페인
	13	알레시오 로마뇰리	Alessio Romagnoli	1995.01.12	188	78	이탈리아
	23	엘세이드 히사이	Elseid Hysaj	1994.02.02	182	70	알바니아
	25	올리버 프로브스가드	Oliver Provstgaard	2003.06.04	194	-	덴마크
	30	누노 타바레스	Nuno Tavare	2000.01.26	183	75	포르투갈
	34	마리오 힐라	Mario Gila	2000.08.29	185	74	스페인
	77	아담 마루시치	Adam Marusic	1992.10.17	185	85	몬테네그로
MF	6	니콜로 로벨라	Nicolò Rovella	2001.12.04	179	66	이탈리아
	7	피사요 델레-바시루	Fisayo Dele-Bashiru	2001.02.06	186	68	나이지리아
	8	마테오 겐두지	Mattéo Guendouzi	1999.04.14	184	80	프랑스
	10	마티아 차카니	Mattia Zaccagni	1995.06.16	177	63	이탈리아
	21	레다 벨라얀	Reda Belahyane	2004.06.01	173	67	모로코
	26	토마 바시치	Toma Bašić	1996.11.25	190	82	크로아티아
	29	마누엘 라차리	Manuel Lazzari	1993.11.29	174	67	이탈리아
	32	다닐로 카탈디	Danilo Cataldi	1994.08.06	180	70	이탈리아
FW	9	페드로 로드리게스	Pedro Rodriguez	1987.07.28	169	65	스페인
	11	발렌틴 카스테야노스	Taty Castellanos	1998.10.03	178	69.8	아르헨티나
	14	티자니 노슬린	Tijjani Noslin	1999.07.07	178	68	네덜란드
	18	구스타프 이삭센	Gustav Isaksen	2001.04.19	178	65	덴마크
	19	불라예 디아	Boulaye Dia	1996.11.18	180	75	세네갈
	22	마테오 칸첼리에리	Matteo Cancellieri	2002.02.12	185	-	이탈리아

ITALY SERIE A

SS LAZIO

COACH

마우리치오 사리 *Maurizio Sarri*
1959년 1월 10일생 이탈리아

은행원 출신이다. 하부리그 무명 감독으로 시작해, 맡는 팀을 하나하나 승격시키며 높은 무대에서 통하는 감독이라는 것을 증명했다. 2015년부터 나폴리에서 매력적인 공격축구 '사리볼'을 구현하며 스타 감독이 됐다. 이후 첼시, 유벤투스 같은 명문 구단을 맡긴 했지만 전술적 평가가 썩 좋진 않았다. '호날두 노쇼' 사태 당시 잘 대처하지 못한 것을 비롯해 구단 운영에는 약한 모습을 보인다. 라치오에 다시 부임했으나, 선수 보강이 불가능한 이번 시즌, 믿을 건 사리 특유의 정교한 전술뿐이다.

PLAYERS

| MF | 8 | 마테오 겐두지 |  KEY PLAYER |

Matteo Guendouzi

국적: 프랑스

유독 프랑스에서 많이 배출되는 '포그바형' 미드필더 중 한 명으로, 건장한 체격과 공 운반 능력을 겸비한 다재다능한 자원이다. 탁월한 재능을 인정받아 19세에 아스널 유니폼을 입었지만 설익었던 당시에는 제멋대로 플레이하는 포그바형 미드필더의 약점을 가지고 있었고, 감정 제어조차 안 되는 모습을 보였다. 모국인 프랑스 명문 마르세유에서 경험을 더 쌓은 뒤 한층 성숙한 선수가 됐고, 라치오에서는 누구나 인정하는 주축 미드필더로 자리 잡았다. 지난 시즌은 일단 출장시간이 리그 전체 필드 플레이어 중 5위(3,275분)였던 '철강왕'으로 기여도가 높았다. 중원 장악력이 높으면서도 패스 전개까지 할 줄 알아, 사리볼 1기때 이미 잘 맞는 모습을 보인 바 있다.

출전경기	경기시간(분)	골	어시스트	경고	퇴장
37	3,275	1	3	8	-

| GK | 94 | 이반 프로베델 |

Ivan Provedel

국적: 이탈리아

세리에 A 최우수 골키퍼상을 수상하며 이미 기량을 증명했지만, 지난 시즌은 크리스토스 만다스의 도전으로 치열한 주전 경쟁을 벌였다. 이번 시즌 역시 무혈입성이 아닌 자신의 기량으로 주전 자리를 따내야 하는 상황이다. 프로베델 자신도 하부리그 및 하위권 팀을 거쳐 라치오 후보로 영입됐다가 주전 자리를 스스로 쟁취했던 과거가 있다. 선방 능력과 안정감은 물론 빌드업도 장점으로 꼽힌다.

출전경기	경기시간(분)	실점	무실점(경기)	경고	퇴장
29	2,610	42	5	-	-

| DF | 13 | 알레시오 로마뇰리 |

Alessio Romagnoli

국적: 이탈리아

로마뇰리라는 성씨는 '로마 사람'이 아니라 북부 '로마냐 지방 사람'이라는 뜻이다. 대신 태어난 곳은 로마가 맞고, 어려서부터 라치오 서포터였다. 로마와 밀란 등 더 부유한 명문구단을 거쳤지만 2022년 팬심을 담아 라치오로 이적, 요즘 보기 드문 낭만을 실천했다. 안정감이 뛰어난 이탈리아 대표 출신 센터백으로 왼발 빌드업도 능숙하다. 지난 시즌은 중요한 경기마다 세트피스 공격력도 보여줬다.

출전경기	경기시간(분)	골	어시스트	경고	퇴장
32	2,675	2	-	4	2

| DF | 25 | 올리버 프로브스가드 |

Oliver Provstgaard

국적: 덴마크

지난 시즌 도중 합류해 교체 선수로만 조금 뛴 유망주지만, 센터백 자원들의 노쇠와 사리 감독 특유의 육성 취향이 맞물리면서 새 시즌에는 꽤 많이 뛸 수 있을 것으로 보인다. 덴마크 연령별 대표를 두루 거치며 주장까지 역임한 장신 왼발잡이 센터백이다. 유소년 시절 십자인대 부상으로 축구를 쉴 땐 EA FIFA 21 게임으로 진행된 UEFA e챔피언스리그에서 우승하며 프로게이머급 실력을 발휘하기도 했다.

출전경기	경기시간(분)	골	어시스트	경고	퇴장
2	33	-	-	1	-

| DF | 30 | 누노 타바레스 |

Nuno Tavares

국적: 포르투갈

한때 아스널의 유망주였지만, 임대를 전전하다 세 번째 임대팀이었던 라치오에 정착한 공격형 레프트백. 세리에 A 첫 시즌 모습은 장점과 단점이 공존했다. 도움 공동 4위, 게다가 경기당 드리블 성공 횟수 리그 1위(2.1회)에 오를 정도로 탁월한 공격력은 보여줬다. 하지만 시즌 초반의 맹렬한 기세와 달리 나중엔 수비 불안이 노출됐다. 사리 감독이 잘 활용한다면 이론상 차카니와 좋은 합을 이룰 수 있다.

출전경기	경기시간(분)	골	어시스트	경고	퇴장
23	1,701	-	8	2	1

| DF | 34 | 마리오 힐라 |

Mario Gila

국적: 스페인

'믿고 쓰는 레알산'의 계보에 들어갈 자격이 충분한 센터백. 이 관용구는 레알에서 후보로 머물렀거나 2군 신세였던 선수들이 다른 팀에서 기회를 받고 빅 클럽 수준의 선수로 성장하는 예가 많다는 의미인데, 힐라도 2022년 레알에서 라치오로 이적한 뒤 빠르게 성장했다. 지금은 PSG와 첼시가 노릴 정도로 인정받고 있다. 빌드업시 패스 정확도와 판단력을 겸비하기 때문에 사리의 총애를 받을 전망.

출전경기	경기시간(분)	골	어시스트	경고	퇴장
32	2,743	1	-	8	-

| DF | 77 | 아담 마루시치 |

Adam Marusic

국적: 몬테네그로

농담 반, 진담 반으로 '라치오 레전드'라고 불리는 풀백. 처음 영입됐을 때는 덩치를 믿고 멧돼지처럼 돌진하는 오버래핑 외에는 장점이 없었지만, 이탈리아에서 8년이나 보내는 동안 많이 세련되고 현명한 선수가 됐다. 주전 라이트백 자리를 지키고 있으며, 팀이 요구하면 왼쪽 수비나 윙어, 요즘에는 센터백 자리에서 테스트를 받을 정도로 수비력이 성장했다. 풀백이지만 도움보다 골이 많은 편.

출전경기	경기시간(분)	골	어시스트	경고	퇴장
35	2,338	4	-	1	-

ITALY SERIE A

SS LAZIO

MF 6 니콜로 로벨라
Nicolò Rovella

국적: 이탈리아

유벤투스가 잔뜩 수집했다가 쿨하게 다른 팀에 나눠준 특급 유망주 중 한 명. 이탈리아 특유의 지능적인 경기 운영을 주도하는 레지스타(연출가) 스타일의 수비형 미드필더다. 패스뿐 아니라 지난 시즌 경고 1위, 태클 성공 3위, 가로채기 9위를 기록한 수비력도 겸비했다. 다만 새 시즌에는 또다른 레지스타 카탈디와 함께 활용될 수도 있고, 더 다재다능한 로벨라가 전진배치될 가능성도 있다.

출전경기	경기시간(분)	골	어시스트	경고	퇴장
33	2,729	-	3	13	-

MF 10 마티아 차카니
Mattia Zaccagni

국적: 이탈리아

두말할 나위 없는 라치오의 에이스, 10번의 주인이자 주장, 로벨라와 더불어 둘뿐인 아주리 멤버. 화려한 건 아니지만 꾸준한 성공률을 유지하는 드리블 돌파와 공격 포인트 생산 능력으로 가장 믿음직한 공격 루트가 되어 준다. 팀플레이도 매우 성실한데, 성실함이 지나쳐 지난 시즌 경고 리그 4위(10개)였다. 파울 획득도 많아 웬만해서는 막기 힘든 선수다 보니 리그 2위(경기당 2.9회)였다.

출전경기	경기시간(분)	골	어시스트	경고	퇴장
34	2,704	8	6	10	-

MF 21 레다 벨라얀
Reda Belahyane

국적: 모로코

선수 영입이 막힌 라치오가 어쩔 수 없이 기용해야 하는 유망주 중 가장 전도유망한 미드필더. 단신이지만 무게 중심이 낮기 때문에 더 큰 선수와 부딪치면 오히려 넘어뜨릴 수 있다. 보통 수비형 미드필더를 맡던 선수지만 직접 공을 몰고 올라가는 전진 능력이 좋은 편이라 라치오에서는 다른 레지스타 옆에 설 것이 유력하다. 프랑스 청소년 대표 출신이지만 A대표는 부모의 나라 모로코를 택했다.

출전경기	경기시간(분)	골	어시스트	경고	퇴장
28	1,848	-	2	4	2

MF 32 다닐로 카탈디
Danilo Cataldi

국적: 이탈리아

유망주 시절이 엊그제 같은데, 어느덧 30대가 된 유소년팀 출신 선수. 사리 1기 시절 주전 레지스타로서 맹활약했지만 지난 시즌에는 피오렌티나로 임대되는 등 좀처럼 1군에 정착하지 못했다. 미드필더로서 종합적으로 완성된 선수는 아니지만 롱 패스, 세트피스 크로스, 직접 프리킥을 가리지 않는 킥력 하나는 훌륭하다. 전술적 배려를 많이 받았을 때만 좋은 활약을 할 수 있는 종류의 선수다.

출전경기	경기시간(분)	골	어시스트	경고	퇴장
25	1,726	3	-	1	-

FW 9 페드로 로드리게스
Pedro Rodriguez

국적: 스페인

메시의 패스를 받아먹으며 MVP 조합 중 'P'를 담당하던 선수. 바르셀로나를 떠난 뒤 첼시, 로마를 거쳐 라치오에서 5시즌째 뛰고 있다. 나이 때문에 기량이 떨어져 가는 줄 알았는데 지난 시즌 깜짝 회춘으로 두 자릿수 득점을 달성했다. 특히 돋보인 건 결정력. 기대득점(xG) 대비 실제 득점이 +3.67로 리그 3위였다. 사리볼은 바르셀로나의 전통적 축구와 비슷한 면이 있기에 페드로에겐 그야말로 딱이다.

출전경기	경기시간(분)	골	어시스트	경고	퇴장
30	1,088	10	1	3	-

FW 11 발렌틴 카스테야노스
Valentin Castellanos

국적: 아르헨티나

실망뿐이었던 첫 시즌을 이겨내고, 이번 시즌은 주전 자리를 차지할 가능성이 높은 수준급 스트라이커. 미국의 뉴욕 시티에서 리그 득점왕에 올랐고, 2022-23시즌 지로나 소속으로 레알 마드리드전 4골을 몰아쳐 큰 화제를 모은 바 있다. 연계 플레이와 간결한 마무리 감각을 지닌 스트라이커로 상대 문전에서 골 냄새를 잘 맡는다. 이름 발렌틴보다는 별명이자 등록명인 타티로 잘 알려져 있다.

출전경기	경기시간(분)	골	어시스트	경고	퇴장
29	2,396	10	3	8	1

FW 14 티자니 노슬린
Tijjani Noslin

국적: 네덜란드

네덜란드 리그에서조차 특급 유망주는 아니지만, 저렴한 몸값으로 베로나에 오더니 반 시즌 만에 5골 4도움을 몰아치면서 라치오의 러브콜을 끌어낸 바 있다. 지난 시즌 리그에서는 위력이 떨어졌지만, 코파에서 나폴리를 상대로 해트트릭을 달성하면서 단 한 경기지만 엄청난 인상을 남겼다. 신체조건이 괜찮기 때문에 윙어뿐 아니라 스트라이커, 가끔은 미드필더까지도 소화할 수 있는 발전이 기대되는 선수.

출전경기	경기시간(분)	골	어시스트	경고	퇴장
30	849	2	2	2	-

FW 18 구스타프 이삭센
Gustav Isaksen

국적: 덴마크

한때 미트윌란의 에이스로서 덴마크 리그 득점왕을 차지했고, 조규성과 짧게 호흡을 맞춘 뒤 먼저 빅리그로 진출했다. 플레이스타일은 한 마디로 득점력 좋은 윙어. 오른쪽 측면에서 중앙으로 파고들면서 왼발 오른발 가리지 않고 마무리할 수 있다. 첫 시즌 리그와 유럽대항전을 통틀어 3골 2도움에 그쳤는데 두 번째 시즌 6골 5도움으로 배 넘게 늘었으니, 새 시즌에 한층 더 성장할 모습이 기대된다.

출전경기	경기시간(분)	골	어시스트	경고	퇴장
37	2,234	4	2	5	-

FW 19 불라예 디아
Boulaye Dia

국적: 세네갈

2022-23시즌 강등권 살레르니타나에서 16골을 몰아치며 맹활약한 파괴력 하나는 출중한 공격수. 다음 시즌 이적을 요구하며 태업을 하는 등 프로 의식에는 확실히 문제가 있다. 결국 라치오로 이적했고, 지난 시즌에는 최전방과 측면뿐 아니라 공격형 미드필더까지 준수하게 소화하면서 높은 기여도를 보여줬다. 세네갈 대표팀에서 그 화려한 공격수들을 제치고 사실상 에이스로 활약 중이다.

출전경기	경기시간(분)	골	어시스트	경고	퇴장
35	2,196	9	3	2	-

ITALY SERIE A

SS LAZIO

AC 밀란
AC Milan

TEAM PROFILE
창 립	1899년
회 장	파올로 스카로니(이탈리아)
감 독	마시밀리아노 알레그리(이탈리아)
연 고 지	롬바르디아 주 밀라노
홈 구 장	스타디오 산 시로(8만 5,700명)
라 이 벌	FC 인테르나치오날레, 유벤투스 FC
홈페이지	www.acmilan.com

최근 5시즌 성적

시즌	순위	승점
2020-2021	2위	79점(24승7무7패, 74득점 41실점)
2021-2022	1위	86점(26승8무4패, 69득점 31실점)
2022-2023	4위	70점(20승10무8패, 64득점 43실점)
2023-2024	2위	75점(22승9무7패, 76득점 49실점)
2024-2025	8위	63점(18승9무11패, 61득점 43실점)

SERIE A (전신 포함)

통 산	우승 19회
24-25 시즌	8위(18승9무11패, 승점 63점)

COPPA ITALIA

통 산	우승 5회
24-25 시즌	준우승

UEFA

통 산	챔피언스리그 우승 7회
24-25 시즌	없음

전력분석 네가 왔어? 아니, 너도 왔다고….

전반적으로 변화 폭이 크다. 밀란 최고 스타 5인방 중 티자니 레인더르스와 테오 에르난데스가 떠나, 하파엘 레앙, 크리스천 풀리식, 마이크 메냥 중심으로 재건해야 했다. 대체 선수는 신속하고, 적절하게 샀다. 중원은 벨기에 리그 MVP 수상자 아르돈 야샤리를 영입해 메웠고, 왼쪽 수비는 페르비스 에스투피난으로 보완했다. 특급 유망주 프란체스코 카마르다는 임대를 보내 미래를 기약했고, 조금 나이 든 슈퍼스타 루카 모드리치와 계약을 맺어 노련미를 더했다. 그 결과 가장 강력해 보이는 진용은 역시 중원. 야샤리, 모드리치, 사무엘레 리치가 합류하고 유수프 포파나 등이 버티고 있어 공수 양면으로 밸런스가 잘 잡혀 있다. 2선도 크리스토퍼 은쿤쿠의 합류가 눈에 띄며, 몇몇 선수는 최전방 기용도 가능하다. 중앙과 측면 수비도 준수한 선수 여럿이 경쟁을 벌이고 있고, 측면 수비는 스리백 도입 시 윙어 성향의 선수까지 기용할 수 있어 실험의 폭도 넓어진다. 아쉬운 곳은 최전방. 2025년 1월 영입한 산티아고 히메네스가 애매한데, 뛰어난 원톱은 금액이 맞지 않아 무산되는 분위기. 전방의 무게감은 확실히 떨어진다. 골문에는 선발 출격해도 문제없는 베테랑 테라치아노를 세웠다. 하지만 부상을 입을 경우 공백이 클 것이다. 흥미로운 선수는 많지만, 균형이 잘 잡힌 구성은 아니다.

전술분석 캡틴 아메리카 없는 어벤저스 봤어?

특정한 포메이션을 쓰거나, 레지스타(후방 플레이메이커)나 트레콰르티스타(공격형 미드필더) 같은 역할을 요구하는 스타일도 아니다. 알레그리 감독은 선수단의 상태를 관찰해 최상의 퍼즐을 맞추는 성향이다. 그가 테스트하는 축구는 크게 두 가지. 가장 유력한 건 스리백 기반 전술로, 보통 3-5-2 대형이다. 이 대형은 수비력 좋은 윙어를 윙백으로 활용, 좌우 비대칭 구성을 할 수 있다는 게 장점이다. 팀 내 에이스 레앙이 윙어로 측면 수비에 대한 비판이 있었는데, 그를 세콘다푼타로 이동시키면 수비 부담을 줄일 수 있다. 반면 밀란 최고 선수 중 한 명인 풀리식을 활용하기에는 맞지 않는 구상 같다. 두 번째는 포백 기반의 4-3-3 대형이 시험대에 올랐다. 3-5-2와 4-3-3의 유일한 공통점은 중원이 역삼각형 3명으로 구성된다는 점. 감독의 구상은 중앙 미드필더의 숫자를 늘리면서 번갈아 공격에 가담하도록 하는 것임을 알 수 있다. 과거 밀란과 유벤투스를 지도할 때도 위치만 공격형 미드필더지 수비력을 겸한 케빈프린스 보아텡, 아르투로 비달 등을 기용했다. 유연한 감독이지만 트레콰르티스타는 쓰지 않으려는 성향이 강하며 풀리식의 활용방안을 내놓아야 한다는 게 숙제다.

활발한 영입과 방출, 속이 뻥

선수 영입이 풍년이다. 적당한 가격을 제시받으면 거침없이 팔고 매년 차익을 얻으려는 게 밀란 모기업 레드버드 캐피털의 방침. 그러나 기존 밀란의 문제는 경영진의 수완 부족이었다. 새 시즌을 앞두고 새로 계약한 이글리 타레 단장은 살림 쪼들리는 라치오를 운영하면서 역량을 키운 인물답게 수많은 영입과 방출을 빠른 속도로 성사시켰다. 방출 중에서도 후보 선수의 방출이 특히 어려운데, 밀란에서 못하는 선수는 다른 팀도 매력을 느끼기 힘들다는 만고불변의 진리 때문이다. 그럼에도 불구하고 타레 단장은 작년에 잘못 영입한 에메르송 로얄을 모국 브라질로 팔아 치우는 데 성공했다. 여기에 다비데 칼라브리아, 알레산드로 플로렌치 등 한때 기대를 걸었으나 이제는 밀란 1군 수준에 못 미치는 선수들이 대거 계약만료로 떠났다. 라커룸에서 자리만 차지했던 선수들이 많이 정리됐으니 한결 내실 있는 선수 구성으로 높은 집중력을 발휘할 수 있게 됐다. 유럽대항전 진출이 좌절되어 이번 시즌은 자국 대회만 치르는 만큼 비대한 선수단을 축소하는 작업이 필요했는데 타레 단장이 그 어려운 일을 해낸 것이다. 올해 영입 선수들이 잘 정착해준다면, 한 번 비워낸 자리에 새로운 스타를 더 추가해 내년에는 한층 강해질 수 있다. 밀란 팬들의 꿈이다.

IN & OUT

주요 영입	주요 방출
아르돈 야샤리, 사무엘레 리치, 페르비스 에스투피난, 루카 모드리치, 알렉시스 살레마키어스, 코니 더빈테르, 피에트로 테라치아노, 크리스토페르 은쿤쿠, 자카리 아테카메, 아드리앙 라비오	티자니 레안더르스, 테오 에르난데스, 에메르송 로얄, 알레산드로 플로렌치, 주앙 펠릭스, 태미 에이브러햄, 말릭 차우, 프란체스코 카마르다, 루카 요비치, 알렉스 히메네스

TEAM FORMATION

FW	B+
MF	A
DF	B+
GK	A

7 히메네스 (은쿤쿠)

10 레앙 (라비오)　11 풀리식 (로프터스치크)

2 에스투피난　19 포파나 (야샤리)　14 모드리치 (리치)　56 살레마키어스 (아테카메)

31 파블로비치 (바르테사기)　46 가비아　23 토모리 (더빈테르)

16 메냥 (테라치아노)

PLAN 3-4-2-1

TEAM RATINGS

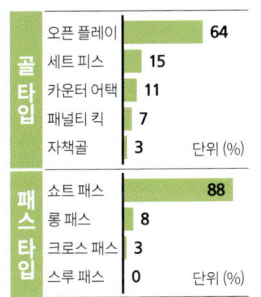

슈팅	패스
8	10

조직력	수비력
8	8

49

감독	선수층
7	8

2024/25 프로필

팀 득점	61
평균 볼 점유율	53.90%
패스 정확도	87.70%
게임 평균 슈팅 수	14.8
경고	70
퇴장	6

골 타입		
오픈 플레이		64
세트 피스		15
카운터 어택		11
패널티 킥		7
자책골		3
		단위 (%)

패스 타입		
쇼트 패스		88
롱 패스		8
크로스 패스		3
스루 패스		0
		단위 (%)

지역 점유율

공격 진영	30%
중앙	43%
수비 진영	27%

공격 방향

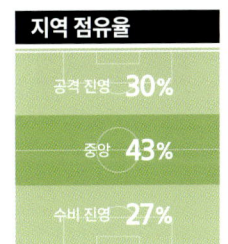

35% 왼쪽	31% 중앙	34% 오른쪽

슈팅 지역

7% 골 에어리어
57% 패널티 박스
35% 외곽 지역

상대팀 최근 6경기 전적

구분	승	무	패
SSC 나폴리	2	2	2
FC 인테르나치오날레	3	2	1
아탈란타 BC	1	1	4
유벤투스 FC	2	2	2
AS 로마	2	1	3
ACF 피오렌티나	3	1	2
SS 라치오	3	1	2
AC 밀란			
볼로냐 FC	2	2	2
코모 1907	5	1	
토리노 FC	2	1	3
우디네세 칼초	4		2
제노아 CFC	4	2	
엘라스 베로나 FC	6		
칼리아리 칼초	4	2	
파르마 칼초 1913	4	1	1
US 레체	4	2	
US 사수올로 칼초	3	2	1
피사 SC	5	1	
US 크레모네세	2	3	1

SQUAD

포지션	등번호	이름		생년월일	키(cm)	체중(kg)	국적
GK	1	피에트로 테라치아노	Pietro Terracciano	1990.03.08	193	85	이탈리아
	16	마이크 메냥	Mike Maignan	1995.07.03	191	89	프랑스
DF	2	페르비스 에스투피난	Pervis Estupiñán	1998.01.21	175	73	에콰도르
	5	코니 더빈테르	Koni De Winter	2002.06.12	191	-	벨기에
	23	피카요 토모리	Fikayo Tomori	1997.12.19	185	79	잉글랜드
	24	자카리 아테카메	Zachary Athekame	2004.12.13	180	74	스위스
	31	스트라히냐 파블로비치	Strahinja Pavlović	2001.05.24	194	85	세르비아
	33	다비데 바르테사기	Davide Bartesaghi	2005.12.29	193	85	이탈리아
	46	마테오 가비아	Matteo Gabbia	1999.10.21	185	78	이탈리아
MF	4	사무엘레 리치	Samuele Ricci	2001.08.21	181	72	이탈리아
	8	루벤 로프터스치크	Ruben Loftus-Cheek	1996.01.23	191	88	잉글랜드
	11	크리스천 풀리식	Christian Pulisic	1998.09.18	177	73	미국
	12	아드리앙 라비오	Adrien Rabiot	1995.04.03	191	86	프랑스
	14	루카 모드리치	Luka Modrić	1995.09.09	172	66	크로아티아
	19	유수프 포파나	Youssouf Fofana	1999.01.10	185	75	프랑스
	30	아르돈 야샤리	Ardon Jashari	2002.07.30	181	80	스위스
	56	알렉시스 살레마키어스	Alexis Saelemaekers	1999.06.27	180	72	벨기에
FW	7	산티아고 히메네스	Santiago Gimenez	2001.04.18	183	79	멕시코
	10	하파엘 레앙	Rafael Leão	1999.06.10	188	81	포르투갈
	18	크리스토페르 은쿤쿠	Christopher Nkunku	1997.11.14	177	73	프랑스

밀란에 2010-11시즌 스쿠데토를 안기며 스타 감독으로 발돋움했던 알레그리가 긴 유벤투스 경력을 거쳐 11년 만에 돌아왔다. 약간 구식 감독. 강한 전방압박이나 정교한 포지셔닝 플레이를 만들어내지 못하며, 수비라인을 뒤로 살짝 물린 채 실리적인 운영을 하는 편이다. 대신 알레그리가 가장 강점을 보이는 건 선수들의 역량 극대화를 위해 보여주는 다양한 포메이션과 선수 위치 변화. 마리오 만주키치의 윙어 기용을 비롯해 절묘한 수를 잘 꺼낸다. 최근 '퇴물' 취급을 받았기에 이번 시즌이 더 중요하다.

마시밀리아노 알레그리 Massimiliano Allegri
1967년 8월 11일생 이탈리아

MF	11	크리스천 풀리식
		Christian Pulisic

KEY PLAYER

국적: 미국

2023-24시즌에 비해 2024-25시즌의 결정력은 약간 하락했지만, 대신 경기당 키 패스(2.0회)와 도움 순위에서 모두 2위에 오르면서 맹활약했던 밀란의 에이스. 체구가 작고 발재간이 그리 현란하지 않음에도 빠르게 상대 진영으로 돌진하면서 유리한 상황을 만든 뒤 수비를 교란하고, 정확한 판단으로 마지막 패스나 슛을 날릴 수 있는 플레이메이커. 첼시 시절에는 '제2의 아자르'라는 기대에 짓눌려 어울리지 않는 드리블 돌파를 하다가 몸이 망가졌지만, 밀란에서는 도르트문트 시절의 천재성을 되찾았다. 크리스 에반스는커녕 앤서니 매키에 비교해도 작은 체구지만, 경기장 위의 존재감을 보면 '캡틴 아메리카'라는 별명이 전혀 어색하지 않다.

출전경기	경기시간(분)	골	어시스트	경고	퇴장
34	2,490	11	9	1	-

GK	16	마이크 메냥
		Mike Maignan

국적: 프랑스

세리에 A 우승 당시 최우수 골키퍼로 선정됐으며, 나아가 MVP를 받았어야 한다는 여론이 있을 정도의 실력자. 위고 요리스의 뒤를 이은 프랑스 대표팀의 수호신이기도 하다. 원래대로라면 선방부터 빌드업까지 완벽한 '토털 패키지' 골키퍼지만 문제는 잦은 부상으로 인한 기량저하. 올여름 이적설이 거론될 때 몸값이 고작 2,500만 유로였을 정도로 평가가 하락했다. 컨디션 유지가 가장 큰 숙제.

출전경기	경기시간(분)	실점	무실점(경기)	경고	퇴장
37	3,295	41	13	1	-

DF	2	페르비스 에스투피냔
		Pervis Estupinan

국적: 에콰도르

브라이턴 돌풍의 주역 중 한 명으로, 기동력과 활동량을 무기 삼아 왼쪽 측면 어딘가 출몰하는 홍길동형 풀백. 킥력도 괜찮지만 세트피스가 아닌 오픈 플레이 상황에서는 높은 크로스보다 짧은 패스, 상대 진영 깊숙하게 들어가 컷백 상황에서 주는 패스를 선호한다. 훌륭한 기량에도 불구하고 빅 클럽 진출이 늦은 이유는 부상 때문이다. 2024년 큰 부상을 비롯하여 잔부상이 많았기 때문에 몸 관리가 숙제다.

출전경기	경기시간(분)	골	어시스트	경고	퇴장
30	2,403	1	1	5	-

DF	5	코니 더빈테르
		Koni De Winter

국적: 벨기에

차우의 대체 선수가 필요했던 밀란이 오래 고민하지 않고 재빨리 영입한 적당한 가격, 적당한 기대치의 수비수. 유벤투스 유소년팀 출신답게 건강하게 뛸 수만 있으면 괜찮은 수비력뿐 아니라 멀티 포지션 능력, 준수한 빌드업 능력으로 팀에 공헌한다. 연속으로 출장하는 기간에는 맨유, 토트넘 등 잉글랜드 팀 이적설이 쏟아지곤 했다. 성장해야 할 시기에 여러 번 부상을 당했다는 게 못내 마음에 걸린다.

출전경기	경기시간(분)	골	어시스트	경고	퇴장
25	2,133	3	-	6	-

DF	23	피카요 토모리
		Fikayo Tomori

국적: 잉글랜드

센터백 최상위권의 스피드를 지녀, 가끔 상대 공격수를 놓치더라도 전속력으로 따라잡아 결자해지할 수 있는 선수다. 지난 시즌 리그 패스 성공률 5위(92.9%)를 기록했음에도 불구하고 좋은 패스보다 패스 미스가 먼저 생각날 정도로 임팩트 있는 실수를 저지르는 게 단점. 그래도 밀란으로 온 뒤 4년간 많이 성장해 첼시 시절보다 훨씬 성숙한 센터백이 됐다. 특히 예측력은 장점으로 꼽힐 정도다.

출전경기	경기시간(분)	골	어시스트	경고	퇴장
22	1,593	-	1	2	1

DF	31	스트라히냐 파블로비치
		Strahinja Pavlović

국적: 세르비아

지난 시즌 나름대로 큰 기대를 걸고 영입한 파이터형 센터백이다. 유망주의 산실 모나코와 잘츠부르크를 거치며 어려서부터 잠재력을 인정받았다. 장신, 투쟁심, 체형에 비해 상당히 빠른 스피드를 겸비하고 있어 여러모로 대성할 수 있는 재목이다. 아쉬운 건 빌드업. 공을 다루는 기술과 패스의 정확도가 모두 좋다고 보긴 힘들다. 그래도 왼발잡이라는 선천적 장점이 있어 왼쪽 공격 전개는 능숙하다.

출전경기	경기시간(분)	골	어시스트	경고	퇴장
24	1,865	2	1	3	1

DF	33	다비데 바르테사기
		Davide Bartesaghi

국적: 이탈리아

나름대로 공을 들였지만 제대로 된 작품을 만들어내지 못하고 있는 밀란 푸투로에서 현재 가장 기대할 만한 1군 승격 유망주. 2m에 가까운 신장을 지녔는데도 풀백으로 뛸 정도의 스피드를 지녔다는 점에서 일단 신체 능력이 수준급이다. 유소년 시절에는 풀백으로 많이 뛰었지만 나이가 들수록 센터백 정체성이 강해지고 있으며, 스리백의 왼쪽 스토퍼 또는 변형 스리백의 한 축으로 쓰이기 적합하다.

출전경기	경기시간(분)	골	어시스트	경고	퇴장
4	119	-	-	-	1

ITALY SERIE A

AC MILAN

DF 46 마테오 가비아
Matteo Gabbia

국적: 이탈리아

딱 2년 전으로 돌아가 가비아가 밀란에서 가장 믿음직한 수비수로 발전할 거라고 말한다면 사람들은 당신을 미치광이 취급할 것이다. 23세까지 영 발전하지 못했던 가비아는 지난 시즌 부상자들의 자리를 메우면서 꾸준히 뛰더니 이제는 놀랍게 안정감이 급성장했다. 평범한 운동 능력이 발목을 잡을 줄 알았는데, 센터백의 기본기에 충실하면서 지금은 이탈리아 대표팀에도 불려갈 정도다.

출전경기	경기시간(분)	골	어시스트	경고	퇴장
26	2,155	2	-	4	-

MF 4 사무엘레 리치
Samuele Ricci

국적: 이탈리아

언젠가 빅 클럽으로 이적할 것이 기정사실화되어 있던 대표적인 레지스타 기대주. 20세 나이에 엠폴리의 세리에B 우승을 이끌며 리그 MVP까지 수상했고, 이후 토리노에서 세리에 A 경험을 쌓아 왔다. 같은 포지션의 대선배 안드레아 피를로처럼 단번에 골과 어시스트를 만들어내는 스타일의 레지스타는 아니지만 대신 활동량과 수비력까지 겸비했다는 점에서 좀 더 단점이 없고 능력이 고른 선수다.

출전경기	경기시간(분)	골	어시스트	경고	퇴장
34	2,841	1	1	8	1

MF 14 루카 모드리치
Luka Modrić

국적: 크로아티아

월드컵 골든볼 1회, 브론즈볼 1회 수상이라는 찬란한 업적을 가진 전설적 미드필더. 레알에서 챔피언스리그 우승을 무려 6회 달성한 캄피오네(우승자라는 뜻의 이탈리아어)다. 자꾸 레알 경력을 연장하더니 만 39세가 되어서야 밀라노로 온 게 아쉽지만, 풀타임을 뛰지 않는 모드리치는 전성기 못지않은 볼 키핑, 지능, 볼 운반, 어시스트 능력을 지니고 있다. 어쩌면 풀타임도 괜찮을지 모른다.

출전경기	경기시간(분)	골	어시스트	경고	퇴장
35	1,820	2	6	7	-

MF 19 유수프 포파나
Youssouf Fofana

국적: 프랑스

첫 시즌부터 꾸준히 활약하며, 올여름을 떠난 선수들을 제외하면 지난 시즌 팀 내 출장시간 1위(2,510분)일 정도로 중용되었다. 어렸을 때도 재능을 인정받았지만, 20대 중반까지 꾸준히 성장한 끝에 박스 투 박스 미드필더로서 필요한 능력을 고루 갖춘 '육각형' 선수가 됐다. 지난 시즌에는 주로 수비형 미드필더로서 동료의 전진을 뒤에서 보좌했다. 그러나 팀이 요구한다면 직접 전진할 준비도 되어 있다.

출전경기	경기시간(분)	골	어시스트	경고	퇴장
35	2,510	1	6	5	-

MF 30 아르돈 야샤리
Ardon Jashari

국적: 스위스

벨기에 리그 MVP를 수상하자마자 밀란으로 이적한 역동적인 미드필더. 밀란은 레인더스의 대체 선수가 필요했고, 클뤼프 브뤼허가 몸값을 비싸게 부르며 버텨봤지만 야샤리는 밀란에 대한 사랑을 밝히며 기어코 이적을 관철했다. 수비형 미드필더로 뛰면서도 공을 직접 몰고 올라가는 기동력이 탁월하다. 같은 팀 선배 샤를 더케텔라러의 밀란 실패 사례를 재현할까 봐 괜히 불안하긴 하다.

출전경기	경기시간(분)	골	어시스트	경고	퇴장
35	2,769	3	4	3	-

MF 56 알렉시스 살레마키어스
Alexis Saelemaekers

국적: 벨기에

2020년 밀란에 합류한 뒤 '벨기에 박지성'이라 할 만한 활동량과 팀플레이로 사랑받았던 윙어다. 밀란이 방출을 의도하며 볼로냐와 로마로 연달아 임대 보냈는데 거기서 오히려 좋은 활약을 펼쳤다. 특히 로마에서 리그 내 최고 결정력인 기대득점(xG) 대비 실제득점 +4.3을 기록, 개인 최다인 7골을 몰아쳤다. 탁월한 멀티 포지션 능력으로 알레그리 감독의 전술도 잘 소화할 것으로 기대된다.

출전경기	경기시간(분)	골	어시스트	경고	퇴장
23	1,487	7	3	5	-

FW 7 산티아고 히메네스
Santiago Giménez

국적: 멕시코

현재 밀란에서 가장 뛰어난 스트라이커지만, 이 선수가 밀란의 주전 자격을 갖췄는지에 대해서는 의문이다. 페예노르트에서 보여준 활약을 통해 밀란의 러브콜을 끌어낸 히메네스는 민첩한 공간 침투와 빠른 슈팅 타이밍, 수비가 몸싸움을 걸어와도 버틸 수 있는 신체 능력을 겸비한 전문 골잡이다. 다만 공을 잡고 몇 초 이상 플레이를 이어갈 만한 발재간은 없다. 전술 활용도는 낮은 편.

출전경기	경기시간(분)	골	어시스트	경고	퇴장
14	670	5	2	3	1

FW 10 하파엘 레앙
Rafael Leão

국적: 포르투갈

흐느적거리는 것 같은데 워낙 다리가 길어 순식간에 수비 사이로 빠져나가는 드리블이 일품이다. 지난 시즌 공격 포인트는 에이스치고 조금 아쉬웠지만 경기당 드리블 돌파 리그 3위(1.7회) 기록에서 볼 수 있듯 본인의 임무는 다했다. 줄곧 왼쪽 윙어로 뛰어 왔는데, 알레그리 감독이 윙어 없는 투톱으로 공격을 재편할 경우 세콘다푼타(세컨드 스트라이커)로 기용될 것이 유력하다. 레앙에겐 새로운 도전.

출전경기	경기시간(분)	골	어시스트	경고	퇴장
34	2,332	8	8	5	-

FW 18 크리스토페르 은쿤쿠
Christopher Nkunku

국적: 프랑스

분데스리가 시즌 MVP와 득점왕을 연달아 수상한, 엄청난 고점을 가진 공격자원. 그러나 첼시행은 잘못된 선택이었다. 초반엔 부상이 심했다. 프리미어리그에서는 지난 시즌 콜 파머와 공존하지 못해 그의 체력 배터리 취급을 받았고, 대신 컨퍼런스리그에서 5골 3도움을 몰아치며 우승 주역이 됐다. 팀의 주인공이 되어야 힘이 난다는 단점은 있지만 스스로 경기를 주도하면서 골까지 만들 수 있는 선수다.

출전경기	경기시간(분)	골	어시스트	경고	퇴장
27	910	3	2	2	-

ITALY SERIE A

AC MILAN

볼로냐 FC

Bologna FC

TEAM PROFILE

창 립	1909년
회 장	조이 사푸토(캐나다)
감 독	빈센조 이탈리아노(이탈리아)
연 고 지	로마냐주 볼로냐
홈 구 장	스타디오 레나토 달라라(3만 8,279명)
라 이 벌	파르마 칼초, ACF 피오렌티나
홈페이지	www.bolognafc.it

최근 5시즌 성적

시즌	순위	승점
2020-2021	12위	41점(10승11무17패, 51득점 65실점)
2021-2022	13위	46점(12승10무16패, 44득점 55실점)
2022-2023	9위	54점(14승12무12패, 53득점 49실점)
2023-2024	5위	68점(18승14무6패, 54득점 32실점)
2024-2025	9위	62점(16승14무8패, 57득점 47실점)

SERIE A (전신 포함)

통 산	우승 7회
24-25 시즌	9위(16승14무8패, 승점 62점)

COPPA ITALIA

통 산	우승 3회
24-25 시즌	우승

UEFA

통 산	없음
24-25 시즌	없음

 전력분석 ## 두 핵심 선수의 공백을 메워라

지난 시즌 볼로냐는 24년 만의 유럽대항전과 챔피언스리그에서 고산병 수준의 무기력한 탈락을 했다. 이후 세리에 A에서도 3월까지 4위를 지키다가, 3승 3무 4패를 기록하며 막판 10경기에서 부진해 통한의 9위로 마무리했다. 대신 코파 우승으로 무려 51년 만의 주요 트로피를 획득, 무관 탈출과 유로파리그 출전권까지 따냈다. 무시할 수 없는 유럽대항전이 또 생긴 만큼 스쿼드의 양과 질을 모두 신경 써야 하고, 샘 뷔케마와 단 은도이의 이적 공백도 메워야 했다. 볼로냐는 은도이의 대체자로 조너선 로우, 유망주 센터백 마르틴 비티크, 치로 임모빌레, 페데리코 베르나르데스키 등 검증된 베테랑까지 영입했다. 재판매 가능성이 거의 없는 선수 두 명과 계약했다는 건 그만큼 이번 시즌에 대한 야심이 느껴진다. 볼로냐 레전드로 남을 듯한 리카르도 오르솔리니가 여전히 가장 강력한 창으로 오른쪽 측면을 지킨다. 그가 측면 공격부터 득점까지 맡아 주기 때문에 반대쪽 윙어나 공격형 미드필더는 파괴력이 떨어지더라도 팀플레이에 충실한 선수로 채울 수 있다. 2년 전부터 돌풍의 주역인 레모 프로일러, 루이스 퍼거슨, 혼 루쿠미 등이 팀의 뼈대를 형성하면서 그동안 성장해 온 1.5군 멤버 중 기량이 만개하는 선수를 기대할 때다. 산티아고 카스트로, 퍼거슨, 루쿠미, 후안 미란다 등이 기대받고 있다.

 전술분석 ## 이탈리아노, 이젠 한 단계 올라서야 할 때

전술의 방향성과 디테일 모두 높은 평가를 받는 이탈리아노 감독. 그러나 아직 결실은 없다. 앤지 포스테코글루 감독(주로 토트넘 첫 시즌에 보여준 지도력과 결과)과 비슷한 면이 있다. 공격축구를 추구하며, 이를 선수들에게 잘 설명하여 일정 시점까지는 좋은 성적을 내지만, 디테일과 뒷심이 좀 아쉽다. 주로 구사하는 포메이션은 4-2-3-1. 4-3-3일 때도 있지만 스리백은 거의 쳐다보지도 않는다. 후방 빌드업이 꽤 체계적이며, 공을 빼앗겼을 때는 카운터프레싱을 시도하는 성향이다. 공수 균형을 위해 수비력을 겸비한 윙어를 선호하고 많은 활동량을 요구하다 보니, 창의적인 선수 보유에 어려움을 겪는다. 공격의 마무리는 결국 스트라이커의 일. 피오렌티나 시절 두산 블라호비치를 환상적으로 활용한 걸 보면 밀어주는 능력은 있으나 볼로냐 공격수들이 따르지 못했다고 해석할 수밖에. 득점 감각이 탁월한 임모빌레의 합류가 어떤 시너지 효과를 낼지 궁금하다. 이탈리아노도 지난 시즌 코파 우승을 통해 트로피의 맛을 봤으니, 정규 리그 끝까지 경쟁하고 상위권으로 시즌을 마무리해야 한다. 만년 '축구 관계자들이 인정한' 정도의 중위권 감독이라면 그동안 연구해 온 전술이 아깝지 않은가.

유망주 발굴 외에, 이번엔 베테랑까지 더했다

많은 20대 초반 유망주를 돌풍의 주축으로 키워내는 볼로냐. 이런 팀 컬러 덕분에 지난 두 시즌 동안 괄목할 만한 성과를 냈지만, 화제를 모은 선수는 팔려가기 마련이다. 2024년 여름에는 센터백 리카르도 칼라피오리와 공격수 조슈아 지르크제이가 거액을 남기고 떠났다. 2025년에도 수비와 공격에서 샘 뵈케마와 단 은도이가 떠났다. 이들의 공백을 메우는 게 시급한 과제지만 당연히 이적료 수입을 고스란히 털어 넣을 리는 없다. 가성비 좋은 마르틴 비티크와 같은 유망주 영입을 이어간다. 하부리그나 변방 리그의 유망주, 빅 리그에서 FA로 풀린 선수, 빅 클럽에서 한 번 실패한 선수 중 장차 몸값이 오를만한 선수를 잔뜩 영입하는 게 그동안의 경영 방침이었다. 이런 방식은 조반니 사르토리 단장의 성향에서 비롯됐는데, 그는 1990년대 키에보 돌풍(시모네 페로타, 니콜라 레그로탈리에, 안드레아 바르찰리, 아마우리 발굴)과 2010년대 아탈란타 돌풍(파푸 고메스, 프랑크 케시에, 데얀 쿨루세프스키, 크리스티안 로메로 등 영입)을 이끈 경영자다. 그런데 올여름에는 약간 스타일을 바꿨다. 영입 선수의 숫자가 예년보다 확 줄었다. FA였긴 하지만 이탈리아 대표 출신 베테랑들도 사 왔다. 조금 더 강팀다운 경영법을 접목해 한층 높은 곳을 노리는 걸까?

IN & OUT

주요 영입	주요 방출
마르틴 비티크, 트로비욘 헤겜, 치로 임모빌레, 페데리코 베르나르데스키, 조너선 로우	단 은도이, 샘 뵈케마, 마르틴 에를리치, 미셸 에비셔

TEAM FORMATION

PLAN **4-2-3-1**

TEAM RATINGS

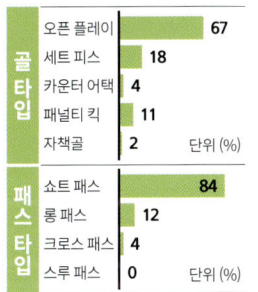

슈팅	8
패스	7
수비력	6
선수층	7
감독	8
조직력	8

44

2024/25 프로필

팀 득점	57
평균 볼 점유율	58.30%
패스 정확도	83.50%
게임 평균 슈팅 수	13.5
경고	60
퇴장	4

골 타입		
오픈 플레이	67	
세트 피스	18	
카운터 어택	4	
패널티 킥	11	
자책골	2	단위 (%)

패스 타입		
쇼트 패스	84	
롱 패스	12	
크로스 패스	4	
스루 패스	0	단위 (%)

지역 점유율

공격 진영	33%
중앙	43%
수비 진영	24%

공격 방향

왼쪽	중앙	오른쪽
38%	24%	38%

슈팅 지역

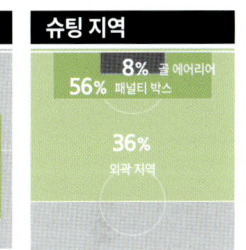

골 에어리어	8%
패널티 박스	56%
외곽 지역	36%

상대팀 최근 6경기 전적

구분	승	무	패
SSC 나폴리	1	3	2
FC 인테르나치오날레	3	2	1
아탈란타 BC		5	1
유벤투스 FC	3	2	1
AS 로마	3		3
ACF 피오렌티나	3		3
SS 라치오	3	1	2
AC 밀란	2	2	2
볼로냐 FC			
코모 1907	2	1	3
토리노 FC	4	1	1
우디네세 칼초	2	3	1
제노아 CFC	1	3	2
엘라스 베로나 FC	3	1	2
칼리아리 칼초	4		2
파르마 칼초 1913	2	3	1
US 레체	4	2	
US 사수올로 칼초	3	2	1
피사 SC	3	2	1
US 크레모네세	3	3	

SQUAD

포지션	등번호	이름		생년월일	키(cm)	체중(kg)	국적
GK	1	우카시 스코룹스키	Lukasz Skorupski	1991.05.05	188	90	폴란드
DF	2	에밀 홀름	Emil Holm	2000.05.13	191	83	스웨덴
	14	토르비욘 헤겜	Torbjørn Heggem	1999.01.12	192	90	노르웨이
	16	니콜로 카살레	Nicolò Casale	1998.02.14	191	87.5	이탈리아
	20	나디르 조르테아	Nadir Zortea	1999.06.19	187	85	이탈리아
	22	샤랄람보스 리코지아니스	Charalampos Lykogiannis	1993.10.22	186	78	그리스
	26	혼 루쿠미	Jhon Lucumi	1998.06.26	187	86	콜롬비아
	29	로렌조 데 실베스트리	Lorenzo De Silvestri	1988.05.23	187	92	이탈리아
	32	톰마소 코라자	Tommaso Corazza	2004.06.29	174	69.5	이탈리아
	33	후안 미란다	Juan Miranda	2000.01.19	185	76	스페인
	41	마르틴 비티크	Martin Vitík	2003.01.21	193	83.5	체코
MF	4	톰마소 포베가	Tommaso Pobega	1999.07.15	188	75	이탈리아
	6	니콜라 모로	Nikola Moro	1998.03.12	184	77	크로아티아
	8	레모 프로일러	Remo Freuler	1992.04.15	180	80	스위스
	19	루이스 퍼거슨	Lewis Ferguson	1999.08.24	181	83	스코틀랜드
	80	지오반니 파비안	Giovanni Fabbian	2003.01.14	186	83	이탈리아
FW	7	리카르도 오르솔리니	Riccardo Orsolini	1997.01.24	183	83	이탈리아
	9	산티아고 카스트로	Santiago Castro	2004.09.18	179	76	아르헨티나
	10	페데리코 베르나르데스키	Federico Bernardeschi	1994.02.16	183	77	이탈리아
	11	조너선 로우	Jonathan Rowe	2003.04.30	173	65	잉글랜드
	17	치로 임모빌레	Ciro Immobile	1990.02.20	183	85	이탈리아
	21	옌스 오드가르드	Jens Odgaard	1999.03.31	188	83.5	덴마크
	24	테이스 달링가	Thijs Dallinga	2000.08.03	190	77	네덜란드
	28	니콜로 캄비아기	Nicolò Cambiaghi	2000.12.28	173	68	이탈리아
	30	벤자민 도밍게스	Benjamin Dominguez	2003.09.19	172	68	아르헨티나

성은 '이탈리아인'이라는 뜻이지만 실제 태어난 곳은 독일 카를스루에다. 축구 경력을 위해 어머니의 나라로 이주했다. 세리에 A 선수 출신이지만 하부리그부터 지도자 경력을 밟으며 내실을 쌓았고, 스페치아 사상 첫 승격과 잔류를 이끌며 전술가로 주목받았다. 피오렌티나 시절 경기력은 호평이었음에도 마지막 디테일과 승부사 근성이 부족하다는 흠을 지적받았다. 그러다 볼로냐에서 마침내 감독으로서 최대 성과인 코파 우승을 이뤘다. 이번 시즌 과제는 리그 레이스의 뒷심까지 장착하기.

빈첸초 이탈리아노 Vincenzo Italiano
1977년 12월 10일생 이탈리아

| FW | 7 | 리카르도 오르솔리니 |  KEY PLAYER |
| Riccardo Orsolini | | | |

국적: 이탈리아

최대 장점인 왼발 킥을 활용하기 위해 오른쪽 측면에서 중앙으로 파고드는 동선을 고수한다. 어렸을 때부터 상대 수비를 뚫어내는 파괴력은 확실했지만, 패턴이 너무 단순하다는 문제가 있었는데, 경험을 쌓으면서 '알고도 못 막는 선수'로 발전했다. 왼발 킥의 타이밍과 구질을 미묘하게 변주할 수 있으며 가끔 왼발로 접고 오른발로 마무리하며 허를 찌르기도 한다. 지난 시즌 개인 최다 골을 터뜨리면서 스트라이커들의 득점력 부족을 보완했다. 기대득점(xG)에 비해 실제득점이 +4.3이나 됐는데 이는 리그 2위에 해당하는 수치로 그의 결정력이 리그 정상임을 보여준다. 또한 플레이메이커 성향도 함께 지녀, 어시스트와 키패스 지표도 팀 내 상위권이었다.

출전경기	경기시간(분)	골	어시스트	경고	퇴장
30	1,889	15	4	2	-

| GK | 1 | 우카시 스코룹스키 |
| Lukasz Skorupski | | |

국적: 폴란드

폴란드에서 골키퍼가 쏟아지던 시기에 태어나는 바람에 덜 주목받았지만, 실력은 늘 확실했다. 자국 리그에서 두각을 나타낸 뒤 AS 로마로 이적했으나 출장 시간을 확보하지 못했고, 엠폴리 임대를 거쳐 2018년 볼로냐로 온 뒤 주전으로 맹활약 중이다. 대표팀에서는 유로 2024 조별리그 최종전에서 메이저 대회 본선에 데뷔했고, 프랑스의 수많은 슛과 더불어 패배도 막아내는 활약을 선보였다.

출전경기	경기시간(분)	실점	무실점(경기)	경고	퇴장
27	2,365	33	8	1	-

| DF | 2 | 에밀 홀름 |
| Emil Holm | | |

국적: 스웨덴

191cm나 되는 키에 비해 상당히 민첩하고 지구력도 괜찮아서 풀백과 윙백을 가리지 않고 측면에서 다양한 임무를 맡을 수 있다. 아탈란타의 유로파리그 우승 당시 든든한 활약으로 힘을 보탰고, 볼로냐로 오자마자 코파 정상에 오르면서 트로피 운이 착착 붙었다. 그의 문제는 잦은 부상이다. 지난 시즌 그와 번갈아 뛰어 준 노장 데실베스트리는 이제 37세나 되어 기량 저하를 걱정해야 한다.

출전경기	경기시간(분)	골	어시스트	경고	퇴장
21	1,134	1	1	3	-

| DF | 26 | 혼 루쿠미 |
| Jhon Lucumi | | |

국적: 콜롬비아

빌드업 능력이 뛰어난 왼발잡이 센터백. 공을 몰고 전진하는 공격 가담과 롱 패스 모두 수준급이다. 지난 시즌 세리에 A뿐 아니라 처음 경험한 챔피언스리그에서도 패스 성공률 91% 이상을 기록했다. 빠른 발을 활용해 동료 풀백의 배후를 커버하는 능력도 훌륭하다. 함께 센터백 조합을 이루던 칼라피오리, 뵈케마가 1년 단위로 떠나가는 혼란 속에서도 루쿠미가 든든하게 팀의 후방을 지키고 있다.

출전경기	경기시간(분)	골	어시스트	경고	퇴장
32	2,615	-	1	8	1

| DF | 33 | 후안 미란다 |
| Juan Miranda | | |

국적: 스페인

라마시아(바르셀로나 유소년팀) 출신 레프트백. 스페인의 레알 베티스에서 4시즌 동안 활약하면서 가장 인정받은 장점은 기동력이었다. 반면 패스 능력은 딱히 호평을 받은 적이 없었는데, 볼로냐에서 이탈리아노 감독의 전술에 딱 맞는 모습을 보여주면서 마지막 패스의 위력이 급상승했다. 지난 시즌 경기당 크로스 성공 리그 2위(1.9회), 키 패스 4위(1.8회)를 기록하며 도움 기록까지 크게 개선됐다.

출전경기	경기시간(분)	골	어시스트	경고	퇴장
31	2,277	-	6	4	1

| DF | 41 | 마르틴 비티크 |
| Martin Vitik | | |

국적: 체코

체코 명문 스파르타 프라하에서 17세에 프로 데뷔, 20세에 국가대표 데뷔, 21세에 유로 본선 엔트리 합류까지. 엘리트 코스만 걸으며 각국 명문 구단과 이적설을 뿌렸던 대형 유망주다. 결국 스파르타의 주전 센터백 경험까지 쌓고, 성인 선수로서 한결 성숙해지고 나서야 빅 리그 진출을 이뤘다. 뵈케마가 떠난 자리를 메울 것이 유력하다. 장신, 민첩성, 수비 지능, 볼 컨트롤과 패스 전개 능력을 두루 갖췄다.

출전경기	경기시간(분)	골	어시스트	경고	퇴장
26	2,171	4	-	6	1

| MF | 4 | 톰마소 포베가 |
| Tommaso Pobega | | |

국적: 이탈리아

밀란의 만년 유망주로 오랜 떠돌이 생활을 했는데, 가장 큰 이유는 장신이면서도 수비형 미드필더로서 별 장점을 보이지 못했기 때문이다. 그러다가 토리노 임대 시절 2선 자원으로 앞선에 배치되면서 기대 이상의 드리블 전진 능력과 덩치를 활용한 공격력으로 비로소 두각을 나타냈다. 지난해 볼로냐에 합류해 수비형부터 공격형까지 다양한 자리의 로테이션 멤버로 활약한 뒤 임대를 연장했다.

출전경기	경기시간(분)	골	어시스트	경고	퇴장
21	1,179	2	2	4	2

MF 8 레모 프로일러
Remo Freuler

국적: 스위스

아탈란타 돌풍의 한 축을 담당했고, 볼로냐에서도 여전히 맹활약 중인 수비형 미드필더이다. 공을 다루는 기술이 평범해서 '수비 전문 선수'라고 오해하기 쉽지만, 패스를 순환시키는 지능과 상대 문전으로 파고들어 흘러나오는 공을 마무리하는 감각 등 여러모로 공격력도 갖춘 선수다. 볼로냐에서는 공격 가담을 더 자제하고 포백 보호와 기본적인 빌드업에 더욱 집중해 왔다. 그리고 잘생겼다.

출전경기	경기시간(분)	골	어시스트	경고	퇴장
37	3,214	1	2	6	-

MF 19 루이스 퍼거슨
Lewis Ferguson

국적: 스코틀랜드

주장 완장까지 찬 실력파 미드필더이다. 개인의 창의성보다 정확한 팀 플레이를 중시하는 전술가 감독의 손에 들어갔을 때, 그 축구를 성공적으로 구현해 주는 핵심 부품이 된다. 활동량, 투쟁심, 중거리 슛 마무리 능력을 고루 갖췄다. 스콧 맥토미니보다 먼저 세리에 A에 정착한 스코틀랜드 대표 미드필더이자 '미들 라이커'였지만 2023-24시즌 도중 큰 부상을 당해 지난 시즌까지도 그 후유증을 겪었다.

출전경기	경기시간(분)	골	어시스트	경고	퇴장
16	982	1	1	-	-

MF 80 지오반니 파비안
Giovanni Fabbian

국적: 이탈리아

어려서 인테르와 이탈리아 청소년 대표팀의 촉망받는 인재였고, 2022-23시즌 레지나 소속으로 세리에 B 올해의 선수를 수상하며 자신의 재능을 증명하자마자 볼로냐에 합류했다. 지난 2시즌 동안 로테이션 멤버로서 준수한 경기력을 보였다. 이번 시즌에는 주전 자리를 차지할 가능성이 크다. 공격 가담이 잦은 수비형 미드필더, 즉 '8번' 임무를 주로 맡으며 상대 진영으로 전진했을 때 꽤 위력적이다.

출전경기	경기시간(분)	골	어시스트	경고	퇴장
30	1,016	3	1	2	-

FW 9 산티아고 카스트로
Santiago Castro

국적: 아르헨티나

지난해 볼로냐 최전방 자리를 놓고 테이스 달링가와 경쟁을 벌인 끝에 살짝 우위를 점했다. 즉 주전 스트라이커였다는 이야기다. 공격 포인트도 나쁘지 않았고 아탈란타, 밀란, 로마와 한 골 승부에서 골을 터뜨리는 등 강팀 상대로 순도 높은 득점을 했다는 점 역시 긍정적이다. 키가 작은 편이지만 무게 중심이 낮고 버티는 힘이 있으며 활동반경이 넓은, 아르헨티나 특유의 스타일을 계승하는 선수.

출전경기	경기시간(분)	골	어시스트	경고	퇴장
36	2,303	8	4	8	-

FW 10 페데리코 베르나르데스키
Federico Bernardeschi

국적: 이탈리아

미국, 정확히는 캐나다의 토론토(이탈리아계 이민자가 유독 많은 도시다)에서 3년을 보내고 다시 세리에 A로 돌아온 아주리 출신 윙어. 아직 31세에 불과해 늙었다는 말은 어울리지 않는다. MLS에서 정규리그 총 25골 12도움을 기록했다. 유망주 시절 강력한 왼발과 활동량을 겸비한 윙어였으나 유벤투스에서는 공격 포인트가 뚝 떨어져 고생했다. 볼로냐에서 소싯적 모습을 재현하는 것이 관건이다.

출전경기	경기시간(분)	골	어시스트	경고	퇴장
15	1,301	4	3	5	-

FW 11 조너선 로우
Jonathan Rowe

국적: 잉글랜드

마르세유에서 선수 간 내분이 일어나자 방출 대상에 오른 로우를 볼로냐가 재빨리 영입하면서 은도이의 공백을 메웠다. 2023-24시즌 잉글랜드 챔피언십에서 12골 2도움을 기록하며 영플레이어상 최종 후보 3인까지 올랐다. 지난 시즌에는 스타 군단이었던 마르세유에서 주전 경쟁을 벌였던 윙어 유망주다. 패스는 좀 아쉽지만 돌파력과 득점력은 이미 자타가 공인하는 수준급이다.

출전경기	경기시간(분)	골	어시스트	경고	퇴장
28	794	3	3	2	-

FW 17 치로 임모빌레
Ciro Immobile

국적: 이탈리아

세리에 A 득점왕 4회, 한 시즌 최다 득점 타이기록인 36골, 통산 201골(8위) 등 다양한 기록을 가진 명실상부 레전드 스트라이커. 해외 진출을 시도할 때마다 실패해 '내수용'이라는 나쁜 이미지도 있지만, 엄연한 빅 리그 세리에 A에서 활약했다는 게 흠은 아니다. 베식타스에서 1년을 보내고 이탈리아로 돌아왔다. 9골만 더 넣으면 로베르토 바조, 안토니오 디나탈레를 넘어 통산 득점 6위가 된다.

출전경기	경기시간(분)	골	어시스트	경고	퇴장
30	2,028	15	4	4	-

FW 21 옌스 오드가르드
Jens Odgaard

국적: 덴마크

18세 때 명문 인테르로 이적하면서 이미 세리에 A와 인연을 맺은 바 있다. 프로 선수로서 정착하기 위해 주로 네덜란드 무대에서 활동하다가 2024년 1월 볼로냐 유니폼을 입었다. 좌우 윙어와 공격형 미드필더를 모두 소화할 수 있는 2선 자원이며, 섬세한 기술보다는 장신과 강력한 슈팅을 활용한 마무리로 하이라이트 필름을 만들어내는 편이다. 골을 좀 늘리면 확 주목받을 만한 선수로 기대된다.

출전경기	경기시간(분)	골	어시스트	경고	퇴장
29	1,967	6	1	1	-

FW 28 니콜로 캄비아기
Nicolo Cambiaghi

국적: 이탈리아

아탈란타 유소년팀을 거쳐 여기저기 임대를 다니는 동안 많은 러브콜을 받았지만, 결국 지난 시즌 볼로냐에 합류했다. 합류하자마자 출장 기회를 잡았지만, 십자인대 파열 부상을 입고 5개월 넘게 결장하며 흐름이 끊겼다. 이번 시즌은 끝까지 건강하게 뛰면서 진정한 모습을 보여줘야 하는 시점이다. 기동력과 돌파 능력을 갖추고 있으며, 작은 몸으로 부지런히 돌아다니면서 수비에도 많이 기여한다.

출전경기	경기시간(분)	골	어시스트	경고	퇴장
18	610	1	3	-	-

ITALY SERIE A

BOLOGNA FC

코모 1907
COMO 1907

TEAM PROFILE	
창 립	1907년
회 장	미르완 수와르소(인도네시아)
감 독	세스크 파브레가스(스페인)
연 고 지	롬바르디아 주 코모
홈 구 장	스타디오 주세페 시니갈리아(1만 3,600명)
라 이 벌	베네치아
홈페이지	www.comofootball.com/

최근 5시즌 성적

시즌	순위	승점
2020-2021	없음	없음
2021-2022	없음	없음
2022-2023	없음	없음
2023-2024	없음	없음
2024-2025	10위	49점(13승10무15패, 49득점 52실점)

SERIE A (전신 포함)

통 산	없음
24-25 시즌	10위(13승10무15패, 승점 49점)

COPPA ITALIA

통 산	없음
24-25 시즌	32강

UEFA

통 산	없음
24-25 시즌	없음

TEAM RATINGS

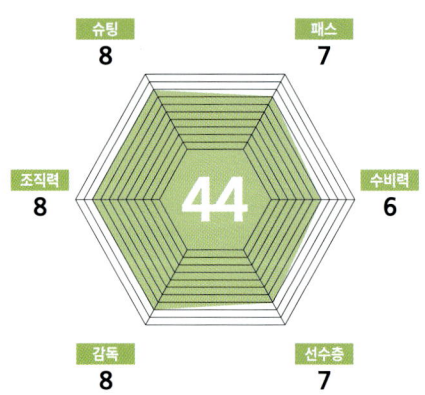

슈팅 8 · 패스 7 · 조직력 8 · 수비력 6 · 감독 8 · 선수층 7 · 44

2024/25 프로필

팀 득점	49
평균 볼 점유율	54.60%
패스 정확도	84.90%
게임 평균 슈팅 수	13.7
경고	81
퇴장	7

골 타입

오픈 플레이	63
세트 피스	12
카운터 어택	14
패널티 킥	0
자책골	10 (단위 %)

패스 타입

쇼트 패스	88
롱 패스	9
크로스 패스	3
스루 패스	0 (단위 %)

시즌 프리뷰
인도네시아 자본의 거대한 야망

간신히 승격했다가 압도적인 자금력 차이를 실감하고 1년 뒤 가라앉기 일쑤인 요즘, 승격팀 사이에서 코모의 행보는 독보적이다. 호수가 아름답고, 축구팀 홈구장도 호숫가에 있어 명물이라는 것 외에 딱히 알려지지 않았던 코모는 2019년 인도네시아 기업 자룸 그룹이 인수하면서 운명이 완전히 달라졌다. 세스크 파브레가스와 티에리 앙리가 주주로 합류했고, 파브레가스는 아예 감독직을 맡기에 이르렀다. 선수단을 강화한 코모는 2023-24시즌 세리에 B 준우승을 통해 승격했으며, 이를 맞아 더 과감하게 돈을 풀기 시작했다. 2024년 여름 이적시장에서 쓴 돈이 거의 1억 유로로, 올여름에도 비슷한 수준이다. 또 하나 눈에 띄는 건 영입의 방향성. 헛된 명성만 있는 베테랑 스타들을 경계하며, 어리고 전도유망한 선수로 스쿼드를 꽉꽉 채우고 있다. 이는 당장 좋은 성적으로 이어지기도 하지만 나아가 저연봉으로 인한 재정건전화 규정의 준수, 그리고 선수 육성 및 판매를 통한 향후 수익이 될 수 있다. 이런 정책으로 지난 시즌 리그 10위에 올랐으니, 이번 시즌은 당연히 더 높은 곳을 바라볼 것이다. 게다가 유망주 영입 정책에 집착하는 게 아니라 핵심 포지션에 믿을만한 스타급 선수도 수급했는데, 스페인 대표팀 주장 출신 공격수 알바로 모라타와 브라질 센터백 디에구 카를로스가 대표적이다. 창의적이고 활기찬 팀 코모는 이제 유럽대항전 진출을 노린다.

COACH

세스크 파브레가스 *Cesc Fabregas*
1987년 5월 4일생 스페인

선수 시절 아스널의 천재 미드필더, 친정팀 바르셀로나 및 첼시에서 활약한 탁월한 찬스메이커로서 큰 인기를 끌었다. 코모에서 지도자로서 2군을 이끌다가, 감독 자격증도 없는데 2023-24시즌의 수석코치이자 사실상 감독으로 선임됐다. 파브레가스는 뛰어난 감독 유망주였다. 팀을 승격으로 이끌더니 세리에 A에서 팀의 방향성을 확실히 잡고 잔류, 그것도 중위권 잔류를 달성했다. 유독 공격형 미드필더를 많이 영입하는데, 비법 전수를 통해 제2의 세스크를 만들 수 있을지 궁금하다.

SQUAD

포지션	등번호	이름		생년월일	키(cm)	체중(kg)	국적
GK	1	장 뷔테즈	Jean Butez	1995.06.08	189	83	프랑스
	2	마르크올리버 켐프	Marc Oliver Kempf	1995.01.28	186	87	독일
DF	4	알베르토 도세나	Alberto Dossena	1998.10.13	195	83	이탈리아
	5	에도아르도 골다니가	Edoardo Goldaniga	1993.11.02	193	82	이탈리아
	14	하코보 라몬	Jacobo Ramón	2005.01.08	196	80	스페인
	15	펠리페 잭	Fellipe Jack	2006.01.12	187	-	브라질
	18	알베르토 모레노	Alberto Moreno	1992.07.05	171	65	스페인
	28	이반 스몰치치	Ivan Smolcic	2000.08.17	181	80	크로아티아
	77	이그나스 반 데르 브렘트	Ignace Van der Brempt	2002.04.01	187	81	벨기에
MF	6	막상스 카케레	Maxence Caqueret	2000.02.15	174	63	프랑스
	8	세르지 로베르토	Sergi Roberto	1992.02.07	178	68	스페인
	10	니코 파스	Nico Paz	2004.09.08	186	74	스페인
	20	마르틴 바투리나	Martin Baturina	2003.02.16	172	68	크로아티아
	23	막시모 페로네	Máximo Perrone	2003.01.07	177	64	아르헨티나
	33	뤼카 다 쿠냐	Lucas Da Cunha	2001.06.09	174	66	프랑스
FW	7	알바로 모라타	Álvaro Morata	1992.10.23	189	84	스페인
	11	아나스타시오스 두비카스	Anastasios Douvikas	1999.08.02	186	76	그리스
	17	헤수스 로드리게스	Jesús Rodríguez	2005.11.21	185	-	스페인
	19	니콜라스 퀸	Nicolas Kühn	2000.01.01	174	74	독일
	38	아산 디아오	Assane Diao	2005.09.07	185	72	세네갈
	42	제이든 아다이	Jayden Addai	2005.08.26	177	59	네덜란드

ITALY SERIE A

COMO 1907

IN & OUT

주요 영입	주요 방출
헤수스 로드리게스, 니콜라스 퀸, 마르틴 바투리나, 제이든 아다이, 알바로 모라타, 하코보 라몬, 지에구 카를루스, 슈테판 포슈	가브리엘 스트레페차, 에밀 아우데로, 페페 레이나, 델리 알리, 안드레아 벨로티, 파트리크 쿠트로네

TEAM FORMATION

FW B
MF B+
DF B
GK C+

PLAN **4-2-3-1**

지역 점유율

공격 진영	30%
중앙	43%
수비 진영	28%

공격 방향

37% 왼쪽	27% 중앙	36% 오른쪽

슈팅 지역

6% 골 에어리어
58% 패널티 박스
36% 외곽 지역

상대팀 최근 6경기 전적

구분	승	무	패	구분	승	무	패
SSC 나폴리	4		2	토리노 FC	2	1	3
FC 인테르나치오날레		1	5	우디네세 칼초	1	1	4
아탈란타 BC	1		4	제노아 CFC	2	3	1
유벤투스 FC		2	4	엘라스 베로나 FC	2	2	2
AS 로마	2		4	칼리아리 칼초	1	4	1
ACF 피오렌티나	2		4	파르마 칼초 1913	2	2	2
SS 라치오	1	2	3	US 레체	2	2	2
AC 밀란		1	5	US 사수올로 칼초	0	0	0
볼로냐 FC	3	1	2	피사 SC	1	3	2
코모 1907				US 크레모네세		1	5

PLAYERS

MF 10 니코 파스 — Nico Paz

 KEY PLAYER

국적: 스페인

코모가 보유한 여러 유망주 중에서도 첫손에 꼽히는 특급 재능의 유망주. 레알 유스 출신이다. 코모에서 치른 사실상 프로 첫 시즌에 맹활약을 하자 아직 바이백 조항을 보유하고 있는 레알이 적극적인 복귀를 검토했을 정도였다.

압박이 심한 상대 진영 한가운데서 공을 받은 뒤 탈압박과 패스, 중거리 슛을 성공시키는 능력을 갖고 있다. 비슷한 스타일의 플레이메이커 중 파스의 특징은 덩치. 압박을 힘으로 버틸 수 있다.

출전경기	경기시간(분)	골	어시스트	경고	퇴장
35	2,695	6	8	6	-

DF 2 마르크올리버 켐프 — Marc-Oliver Kempf

국적: 독일

공격은 젊은 유망주 위주로, 수비는 경험이 충분한 선수 위주로 영입하는 코모 정책을 잘 대변하는 선수이다. 분데스리가에서 12년이나 있으며 잔뼈가 굵고, 독일 U-18·U-19·U-20 대표를 두루 거쳤지만 A대표팀은 가지 못해 영입하기에도 비싸지 않았다. 지난 시즌 경기당 공중볼 획득 리그 5위(3.5회)의 제공권에 왼발을 활용한 빌드업, 수비 리더십으로 다소 전투적인 골다니가 상호 보완적인 조합을 이룬다.

출전경기	경기시간(분)	골	어시스트	경고	퇴장
31	2,619	-	-	4	1

FW 7 알바로 모라타 — Álvaro Morata

국적: 스페인

파브레가스 감독과 대표팀 및 첼시에서 동료 선수로 호흡을 맞췄던 베테랑 공격수. 불과 작년까지만 해도 스페인의 주전 스트라이커로서 유로 우승에 기여했으니, 아직 퇴물이라 부르기엔 이르다. 지난 1년간 방황한 건 모라타의 기량 문제가 아니라 밀란의 영입 정책이 오락가락했기 때문이다. 약간 뻣뻣하지만 최전방, 2선, 측면 플레이가 모두 가능한 다재다능한 공격수다. 풍부한 경험은 팀의 안정감을 높이는 자산이다.

출전경기	경기시간(분)	골	어시스트	경고	퇴장
11	561	5	1	2	-

FW 17 헤수스 로드리게스 — Jesús Rodríguez

국적: 스페인

디아오에 이어 영입된 레알 베티스 출신의 미드필더 기대주이다. 만 18세 나이로 라리가에 데뷔해 선발 출장 15회로, 어엿한 1군 전력을 화려하게 이뤘던 선수다.

발재간이 좋지만 이를 상대 문전에서 활용하기보다는 공을 운반하고 앞으로 전달하는 빌드업에 쓰며, 뒤로 내려가 공을 받아주고 수비를 돕는 등 팀플레이에 능숙한 유형이다. 파스, 디아오의 적극적인 조력자 역할이 기대된다.

출전경기	경기시간(분)	골	어시스트	경고	퇴장
21	1,120	2	-	-	-

FW 38 아산 디아오 — Assane Diao

국적: 세네갈

지난 시즌 팀 내 득점 1위인데, 이는 한 시즌 동안의 기록이 아니다. 겨울에 영입돼 반 시즌만 뛰고 기록한 성과이다. 세네갈 대표 선배들처럼 긴 다리로 유연하게 미끄러지는 드리블, 레알 베티스 유소년팀에서 배운 세련된 경기 운영, 왼발잡이로 착각할 정도로 능숙한 양발 사용 능력을 겸비했다. 피지컬과 기술을 겸비한 '현대형 윙어'로 평가된다. 코모가 중위권을 넘어 돌풍을 일으키려면 디아오를 지켜야 할 것이다.

출전경기	경기시간(분)	골	어시스트	경고	퇴장
15	1,259	8	1	2	-

토리노 FC
Torino FC

TEAM PROFILE	
창 립	1906년
회 장	우르바노 카이로(이탈리아)
감 독	마르코 바로니(이탈리아)
연 고 지	피에몬테 주 토리노
홈 구 장	스타디오 올림피코 그란데 토리노 (2만 8,177명)
라 이 벌	유벤투스 FC
홈페이지	www.torinofc.it

최근 5시즌 성적

시즌	순위	승점
2020-2021	17위	37점(7승16무15패, 50득점 69실점)
2021-2022	10위	50점(13승11무14패, 46득점 41실점)
2022-2023	10위	53점(14승11무13패, 42득점 41실점)
2023-2024	9위	53점(13승14무11패, 36득점 36실점)
2024-2025	11위	44점(10승14무14패, 39득점 45실점)

SERIE A (전신 포함)

통 산	우승 7회
24-25 시즌	11위(10승14무14패, 승점 44점)

COPPA ITALIA

통 산	우승 5회
24-25 시즌	32강

UEFA

통 산	없음
24-25 시즌	없음

TEAM RATINGS

슈팅 6
패스 6
조직력 7
수비력 7
39
감독 6
선수층 7

2024/25 프로필

팀 득점	39
평균 볼 점유율	47.50%
패스 정확도	82.10%
게임 평균 슈팅 수	10.2
경고	78
퇴장	3

골 타입
오픈 플레이	56
세트 피스	21
카운터 어택	19
패널티 킥	5
자책골	8	단위 (%)

패스 타입
쇼트 패스	84
롱 패스	12
크로스 패스	4
스루 패스	0	단위 (%)

시즌 프리뷰 ### 공격 기대주 잔뜩 영입, 중원과 골문 공백은?

선수단에 변화가 상당히 컸다. 수년간 중원과 골문의 핵심 선수였던 사무엘레 리치, 바냐 밀린코비치사비치가 각각 AC 밀란과 나폴리라는 명문 구단으로 떠났다. 눈에 띄지 않는 곳에서 팀을 지탱해 주던 최고 스타들이기에, 새 시즌 들어 토리노가 토대부터 무너질 수 있다는 불안감이 생긴다. 일단 새 주전급 골키퍼로 프랑코 이스라엘이 영입됐다. 그런데 중원에는 리치의 대체 선수를 찾기보다 기존 선수로 어찌어찌 대체하려는 듯 보이고, 대신 공격에 주목할 만한 선수를 대거 영입했다. 최전방의 쇼반니 시메오네, 2선의 자카리아 아부클랄, 시릴 은곤게, 티노 안조린이 그들이다. 주로 답답한 축구를 해온 토리노 분위기에서 공격자원들이 활개 치는 건 쉬운 일이 아니지만, 잘 적응해준다면 앞으로 오랫동안 토리노 전방을 맡아 줄 선수들이다. 리치의 자리는 기존 미드필더 이반 일리치, 체사레 카사데이 등의 조합을 통해 대체할 것으로 보인다. 또한 리치와 스타일은 다르지만 좀 더 수비적이고 에너지 넘치는 캐릭터로 중원을 책임질 수 있는 크리스티안 아슬라니도 영입했다. 조금씩 불안 요소는 있지만 기대할 만한 재능을 갖춘 선수들의 조합이다. 그런데 핵심 선수의 이탈보다 더 큰 변화는 마르코 바로니 감독의 부임에서 비롯될지도 모른다. 바로니 감독은 직전에 지휘한 라치오에서 상당히 공격적인 전술을 구사했다. 토리노가 고수해 온 수비 축구와는 성향이 다르다.

COACH

마르코 바로니 *Marco Baroni*
1963년 9월 11일생 이탈리아

감독 데뷔 25년차의 60대 베테랑. 하부리그에서 활동하다가 레체의 승격, 베로나의 성공적인 잔류를 이뤄내며 세리에 A 수준에서도 통한다는 걸 뒤늦게 보여줬다. 지난 시즌 라치오에서 패기 있게 우승 경쟁을 벌이던 것도 잠시, 곧 성적이 곤두박질치며 유럽 대항전 진출권도 따내지 못했다. 라치오에서 경질된 뒤 우르바노 카이로 토리노 회장이 손을 내밀었다. 이번 시즌에도 공격적인 철학을 고수할지, 이탈리아의 노련한 감독답게 실리적인 선택을 할지 궁금하다.

SQUAD

포지션	등번호	이름		생년월일	키(cm)	체중(kg)	국적
GK	1	알베르토 팔레아리	Alberto Paleari	1992.08.29	193	88	이탈리아
	81	프랑코 이스라엘	Franco Israel	2000.04.22	186	76	우루과이
DF	3	페르 스휘르스	Perr Schuurs	1999.11.26	191	79	네덜란드
	5	아담 마시나	Adam Masina	1994.01.02	191	87	모로코
	13	기예르모 마리판	Guillermo Maripán	1994.05.16	193	83	칠레
	15	사바 사조노프	Saba Sazonov	2002.02.01	194	84	조지아
	16	마르쿠스 페데르센	Marcus Pedersen	2000.07.16	184	76	노르웨이
	20	발렌티노 라자로	Valentino Lazaro	1996.03.24	180	75	오스트리아
	21	알리 뎀벨레	Ali Dembélé	2004.01.05	189	-	프랑스
	23	사울 코코	Saúl Coco	1999.02.09	187	81	적도 기니
	34	크리스티아노 비라기	Cristiano Biraghi	1992.09.01	185	78	이탈리아
	44	아르디안 이스마일리	Ardian Ismajli	1996.09.30	187	80	코소보
MF	8	이반 일리치	Ivan Ilić	2001.03.17	186	78	세르비아
	10	니콜라 블라시치	Nikola Vlašić	1997.10.04	179	79	크로아티아
	14	티노 안조린	Tino Anjorin	2001.11.23	186	81	잉글랜드
	22	체사레 카사데이	Cesare Casadei	2003.01.10	192	-	이탈리아
	26	에미르한 일칸	Emirhan İlkhan	2004.06.01	175	68	튀르키예
FW	7	자카리아 아부크랄	Zakaria Aboukhlal	2000.02.18	179	-	모로코
	18	조반니 시메오네	Giovanni Simeone	1995.07.05	180	81	아르헨티나
	19	체 애덤스	Ché Adams	1996.07.13	175	70	스코틀랜드
	79	자노스 사바	Zanos Savva	2005.11.26	191	-	시프러스
	91	두반 사파타	Duván Zapata	1991.04.01	189	88	콜롬비아

IN & OUT

주요 영입	주요 방출
자카리아 아부크랄, 프랑코 이스라엘, 시릴 은곤게, 조반니 시메오네, 크리스티안 아슬라니	사무엘레 리치, 바냐 밀린코비치사비치, 카롤 리네티, 안토니오 돈나룸마, 안토니오 사나브리아

TEAM FORMATION

18 시메오네 (사파타)

10 블라시치 (애덤스) **7** 아부크랄 (은곤게)

8 일리치 **32** 아슬라니 (타메즈) **22** 카사데이 (일칸)

34 비라기 (마시나) **13** 마리판 **23** 코코 (스휘르스) **16** 페데르센 (라자로)

81 이스라엘

PLAN 4-3-3

지역 점유율

공격 진영	28%
중앙	43%
수비 진영	29%

공격 방향

36% 왼쪽	28% 중앙	36% 오른쪽

슈팅 지역

7%	골 에어리어
54%	패널티 박스
39%	외곽 지역

상대팀 최근 6경기 전적

구분	승	무	패	구분	승	무	패
SSC 나폴리	1	1	4	토리노 FC			
FC 인테르나치오날레			6	우디네세 칼초	4	2	
아탈란타 BC	2	1	3	제노아 CFC	2	3	1
유벤투스 FC		2	4	엘라스 베로나 FC	3	3	
AS 로마		2	4	칼리아리 칼초	2	2	2
ACF 피오렌티나		3	3	파르마 칼초 1913	2	3	1
SS 라치오	1	2	3	US 레체	4	1	1
AC 밀란	3	1	2	US 사수올로 칼초	2	3	1
볼로냐 FC	1	1	4	피사 SC	4	1	1
코모 1907	3	1	2	US 크레모네세	5	1	

PLAYERS

FW 7 자카리아 아부크랄 — Zakaria Aboukhlal 【KEY PLAYER】

국적: 모로코

저돌적으로 상대 측면부터 골대 옆까지 파고든 뒤 컷백 패스를 날리거나, 각도가 좀 더 열리면 슛을 시도하는 성향의 윙어이다. 네덜란드 로테르담에서 태어나 모로코 대표를 택했다. 2022-23시즌 리그앙에서 10골 5도움으로 두각을 나타냈지만 바로 다음 시즌 무릎 수술로 제동이 걸렸으나 지난 시즌 7골 2도움을 올리며 부활했다. 빠른 스피드의 직선 돌파 능력이 강점. 계약 기간이 단 1년 남은 시점을 포착해 토리노가 비교적 싸게 영입했다.

출전경기	경기시간(분)	골	어시스트	경고	퇴장
26	1,910	7	2	4	-

GK 81 프랑코 이스라엘 — Franco Israel

국적: 우루과이

밀린코비치 사비치의 자리를 메워야 한다는 점에서 책임이 막중하다. 이스라엘의 성공 여부에 따라 토리노의 최종 순위가 몇 계단 오르내릴 것이다. 우루과이 태생, 유벤투스 넥스트젠 출신, 포르투갈의 스포르팅에서 본격적인 프로 주전급 골키퍼로 성장한 복합적인 배경의 소유자다. 스포르팅에서의 활약을 바탕으로 우루과이 대표팀에도 데뷔한 상태. 아직 20대 중반으로 성장 가능성이 크다. 토리노의 중장기적 기둥.

출전경기	경기시간(분)	실점	무실점(경기)	경고	퇴장
11	990	9	7	1	-

DF 23 사울 코코 — Saúl Coco

국적: 적도 기니

지난해 토리노에 합류하자마자 주전 센터백 자리를 꿰찼다. 라리가 시절 하위권 센터백 중 이례적일 정도로 다재다능한 선수였다. 특히 프리킥 전담 키커 수준의 오른발 킥력을 보유하고 있다. 하지만 본업인 수비도 떨어지지 않는다. 지난 시즌 경고를 10회나 받았지만 한 경기에 두 번 경고 받은 적은 없을 정도로 경기 조율 능력이 있다. 세트 피스 상황에서 득점까지 기대할 수 있는 멀티자원이다.

출전경기	경기시간(분)	골	어시스트	경고	퇴장
32	2,847	2	-	10	-

MF 22 체사레 카사데이 — Cesare Casadei

국적: 이탈리아

리치의 공백을 메울 가장 유력한 후보이다. 이탈리아 청소년 대표팀의 에이스였는데, 수비형 미드필더 자리에서 뛰지만 큰 덩치로 재빠르게 공격에 가담해 상대 골문을 위협하는 게 특기였다. 왕년의 스타 미하엘 발락을 떠올리면 비슷하다. 첼시에서 이리저리 임대 다니다 토리노에 정착했다. 단 프로팀에서는 그다지 뛰어난 득점력을 발휘한 적이 없다. 본분을 익히는 게 먼저다.

출전경기	경기시간(분)	골	어시스트	경고	퇴장
15	1,023	1	1	1	-

FW 18 조반니 시메오네 — Giovanni Simeone

국적: 아르헨티나

시메오네 아틀레티코 감독의 축구 선수 3형제 중 첫째. 카이로 회장에 따르면 2017년부터 오랫동안 영입하고 싶었던 선수다.
기술적으로 큰 장점이 없는 '작은 육각형' 선수지만 아버지에게 물려받은 남다른 집중력과 끈기로 골을 따내는 스타일이다. 세리에 A에서 시즌 17골까지 넣기도 했으나 나폴리에서는 3년간 후보에 머물렀다. 토리노 이적은 새로운 시작이나 다름 없다.

출전경기	경기시간(분)	골	어시스트	경고	퇴장
30	392	1	1	1	-

우디네세 칼초

Udinese Calcio

TEAM PROFILE	
창 립	1896년
회 장	지암파올로 포초(이탈리아)
감 독	코스타 루냐이치(독일)
연 고 지	프리울리베네치아줄리아 주 우디네
홈 구 장	스타디오 프리울리(2만 5,144명)
라 이 벌	-
홈페이지	www.udinese.it

최근 5시즌 성적

시즌	순위	승점
2020-2021	14위	40점(10승10무18패, 42득점 58실점)
2021-2022	12위	47점(11승14무13패, 61득점 58실점)
2022-2023	12위	46점(11승13무14패, 47득점 48실점)
2023-2024	15위	37점(6승19무13패, 37득점 53실점)
2024-2025	12위	44점(12승8무18패, 41득점 56실점)

SERIE A (전신 포함)

통 산	없음
24-25 시즌	12위(12승8무18패, 승점 44점)

COPPA ITALIA

통 산	없음
24-25 시즌	16강

UEFA

통 산	없음
24-25 시즌	없음

TEAM RATINGS

슈팅	패스
6	5

조직력	수비력
8	7

39

감독	선수층
7	6

시즌 프리뷰 루카와 토뱅의 대체 선수, 안 사요?

안 그래도 빈약한 득점력이었는데 지난 시즌 득점 1, 2위가 모두 이탈했다. 로렌초 루카, 플로리안 토뱅이 그들. 우디네세 사정상 공백을 메울 만한 대형 영입은 당연히 기대하기 힘들고, 적당한 몸값의 공격수 중 누군가 기대 이상의 시즌을 보내줘야 한다. 아쉬운 공격력에도 불구하고 우디네세가 꾸준히 생존할 수 있는 저력은 탄탄한 중원과 수비에 있는데, 이미 괜찮았던 이쪽 포지션에 먼저 투자해 주전급 선수를 추가로 수급했다. 잘 지지 않는 팀의 비결이다. 공격수 보강은 이적시장 막판까지 차일피일 미루다가 결국 덴마크 리그에서 뛰던 아담 북사를 데려왔는데, 현재 기량은 약간 아쉽지만 감독과 좋은 인연이 있는 애제자라는 요인에 기대를 건다. 전력과 더불어 소개할 만한 특징은 홈구장. UEFA 슈퍼컵을 개최한 경기장은 모범 사례로 꼽힌다. 구장을 자체 보유한 세리에 A 4팀 중 하나이며, 스타디움 명명권을 재생에너지 기업인 블루에너지에 팔고 지붕 전체에 태양광 패널을 설치한 것을 비롯해 다양한 저탄소 정책으로 호평받았다. 그 밖에도 지속 가능성이라는 키워드에 어울리는 여러 기업과 협업하면서 상업적 수익과 사회공헌의 균형을 맞추려고 시도 중이다. 축구 이야기 도중에 뜬구름 잡는 소리를 하는 것처럼 들릴 수도 있지만, 경기장 리노베이션을 통한 수익 증대는 재정의 안정과 장기적인 선수단 강화로 이어진다는 점에서 밀접한 관련이 있다.

COACH

코스타 루냐이치 Kosta Runjaić
1971년 6월 4일생 오스트리아

독일에서 폴란드 리그로 건너가 최고 감독으로 인정받았고, 다시 빅 리그에 진출했다. 작년 여름 루냐이치를 선임한 지노 포초 회장은 "수비만 하는 우리 팀에 진절머리가 난다. 짜임새 있는 전술을 예고했다. 하지만 좋은 축구엔 좋은 선수가 필요한 법. 맞춤 선수 영입은 이뤄지지 않았다. 루냐이치는 첫 시즌에 장신 공격수 루카의 머리를 노린 '뻥 축구'로 생존해야 했다. 이번 시즌은 또 새로운 선수단에 맞춰 전술을 수정해야 하니, 자기 고집을 부릴 환경이 아니다.

2024/25 프로필

팀 득점	41
평균 볼 점유율	47.20%
패스 정확도	82.00%
게임 평균 슈팅 수	11.4
경고	82
퇴장	5

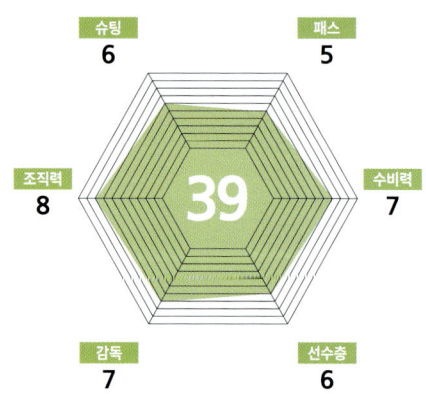

골 타입		
오픈 플레이	54	
세트 피스	29	
카운터 어택	12	
패널티 킥	5	
자책골	0	단위 (%)

패스 타입		
쇼트 패스	83	
롱 패스	13	
크로스 패스	4	
스루 패스	0	단위 (%)

SQUAD

포지션	등번호	이름		생년월일	키(cm)	체중(kg)	국적
GK	40	마두카 오코예	Maduka Okoye	1999.08.28	197	92	나이지리아
	90	라즈반 사바	Razvan Sava	2002.06.21	194	79	이탈리아
DF	11	하사네 카마라	Hassane Kamara	1994.03.05	170	67	코트디부아르
	16	마테오 팔마	Matteo Palma	2008.03.13	194	85	독일
	19	킹슬리 에히지부에	Kingsley Ehizibue	1995.05.25	189	78	네덜란드
	27	크리스티안 카바셀레	Christian Kabasele	1991.02.24	187	86	벨기에
	28	우마 솔레	Oumar Solet	2000.02.07	192	81	프랑스
	31	토마스 크리스텐센	Thomas Kristensen	2002.01.17	198	85	덴마크
	33	조던 제무라	Jordan Zemura	1999.11.14	173	68	짐바브웨
MF	4	산디 로브리치	Sandi Lovrić	1998.03.28	180	-	오스트리아
	6	오이에르 자라가	Oier Zarraga	1999.01.04	175	75	스페인
	8	예스페르 칼스트룀	Jesper Karlström	1995.08.21	185	81	스웨덴
	14	아르튀르 아타	Arthur Atta	2003.01.14	189	77	프랑스
	24	야쿠프 피오트로프스키	Jakub Piotrowski	1997.10.04	188	84	폴란드
	29	압둘라예 카마라	Abdoulaye Camara	2008.09.28	186	77	기니
	32	위르헌 에켈렌캄프	Jurgen Ekkelenkamp	2000.06.14	188	83	슬로베니아
	38	레넌 밀러	Lennon Miller	2006.08.25	182	60	스코틀랜드
	79	데이빗 페이치치	David Pejičić	2007.06.14	175	-	슬로베니아
FW	7	알렉시스 산체스	Alexis Sánchez	1988.12.19	169	62	칠레
	9	케이넌 데이비스	Keinan Davis	1998.02.13	189	68	잉글랜드
	15	바쿤 바요	Vakoun Bayo	1997.01.10	184	74	코트디부아르
	17	이케르 브라보	Iker Bravo	2005.01.13	182	79	스페인
	18	아담 북사	Adam Buksa	1996.07.12	181	88	폴란드

ITALY SERIE A

UDINESE CALCIO

IN & OUT

주요 영입	주요 방출
레넌 밀러, 사바 고글리치제, 야쿠프 피오트로프스키, 알레산드로 눈지안테, 니콜로 베르톨라, 아담 북사, 니콜로 자니올로	야카 비욜, 로렌초 루카, 플로리앙 토뱅, 시모네 파푼디, 브레네르

TEAM FORMATION

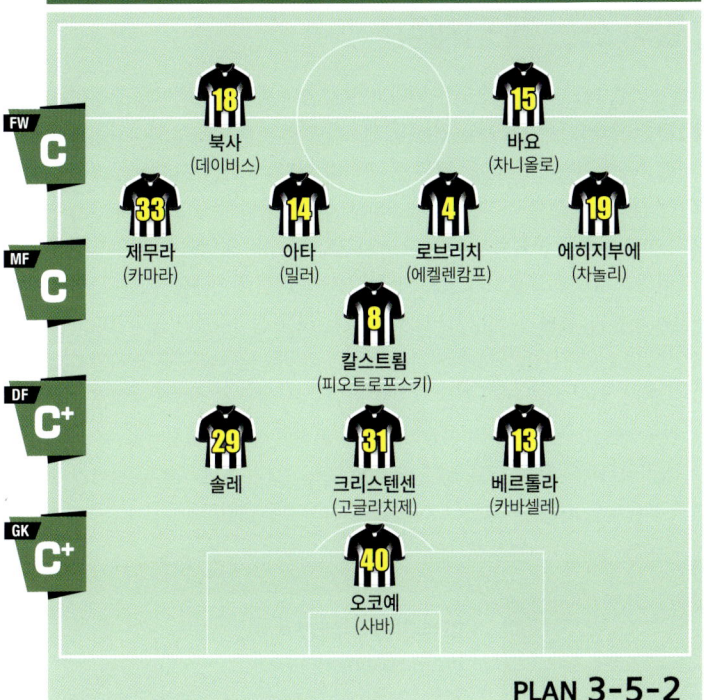

FW **C**
MF **C**
DF **C⁺**
GK **C⁺**

18 북사 (데이비스)
15 바요 (차니올로)
33 제무라 (카마라)
14 아타 (밀러)
4 로브리치 (에켈렌캄프)
19 에히지부에 (차놀리)
8 칼스트룀 (피오트로프스키)
29 솔레 (고글리치제)
31 크리스텐센 (고글리치제)
13 베르톨라 (카바셀레)
40 오코예 (사바)

PLAN 3-5-2

지역 점유율

공격 진영	29%
중앙	43%
수비 진영	28%

공격 방향

35% 왼쪽	25% 중앙	39% 오른쪽

슈팅 지역

9% 골 에어리어
53% 패널티 박스
38% 외곽 지역

상대팀 최근 6경기 전적

구분	승	무	패	구분	승	무	패
SSC 나폴리		3	3	토리노 FC		2	4
FC 인테르나치오날레			6	우디네세 칼초			
아탈란타 BC		4	2	제노아 CFC		3	3
유벤투스 FC	1		5	엘라스 베로나 FC	1	3	2
AS 로마	1		5	칼리아리 칼초	3	2	1
ACF 피오렌티나	2	1	3	파르마 칼초 1913	3	1	2
SS 라치오	2	2	2	US 레체	3	2	1
AC 밀란	2		4	US 사수올로 칼초	2		4
볼로냐 FC	1	3	2	피사 SC	1	2	3
코모 1907	4	1	1	US 크레모네세	2	3	1

DF 28 우마 솔레 / Oumar Solet

KEY PLAYER

국적: 프랑스

특급 유망주의 산실 잘츠부르크에서 성장하다 2025년 1월 합류하자마자 주전 자리를 차지한 센터백이다. 축복받은 신체에 공 다루는 기술과 패스 등 여러 능력을 겸비한 다용도 선수이다.

경기당 드리블 성공 횟수가 토뱅 바로 다음인 1.3회일 정도로 직접 공을 몰고 가는 빌드업에 능숙하며 패스도 정확하다. 지난 시즌 비록 인테르전에서 패배했지만 공격 가담, 빌드업 등 다양한 측면에서 맹활약해 주목을 받았다.

출전경기	경기시간(분)	골	어시스트	경고	퇴장
19	1,674	1	2	1	1

MF 4 산디 로브리치 / Sandi Lovrić

국적: 슬로베니아

우디네세에서 3시즌을 보내며 꾸준히 중원을 지켜 준 수비형 미드필더. 기본적으로 후방에서 동료들을 돕는 선수지만 패스 줄기를 잘 보고 킥이 정확해 공 배급에 큰 비중을 담당한다. 이번 시즌도 로브리치의 선발 기용을 전제로 중원 조합을 짤 가능성이 크다. 우디네세 첫 시즌에 보여줬던 공격 포인트 생산 능력을 재현하지 못하는 점이 유일한 아쉬움. 활동량, 전술 이해도, 헌신적 플레이 덕분에 지도자들이 신뢰를 보내는 선수다.

출전경기	경기시간(분)	골	어시스트	경고	퇴장
36	2,329	2	3	5	-

MF 14 아르튀르 아타 / Arthur Atta

국적: 프랑스

우디네세에서 가장 전도유망한 2선 자원 중 한 명. 측면은 윙백에게 전담시키는 우디네세가 윙어 있는 포메이션을 꺼내 들 때 전술 변화의 핵심으로서 선발 투입되곤 했다. 보통 오른쪽 측면에 배치되며, 드리블 능력과 패스를 통한 어시스트 능력을 갖췄다. 지난 시즌 임대로 합류했고, 경기력에 만족한 우디네세가 올여름 완전영입하며 4년 계약을 맺었다. 향후 2선 공격 전술에 변화를 줄 때 중심이 될 잠재력을 지니고 있다.

출전경기	경기시간(분)	골	어시스트	경고	퇴장
27	1,246	-	1	5	-

FW 15 바쿤 바요 / Vakoun Bayo

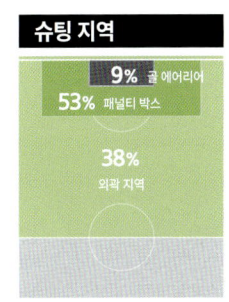

국적: 코트디부아르

누가 루카의 공백을 메울 수 있을지 솔직히 잘 모르겠다. 지난 시즌을 기준으로 순위를 매긴다면 바요가 가장 유력한 후보이다. 잉글랜드 챔피언십에서 10골을 넣으며 한층 더 성장한 모습을 보여줬기 때문이다. 전방으로 돌진하는 스피드, 수비수가 유니폼을 붙잡아도 뿌리칠 수 있는 탄력, 수비와 몸싸움을 벌인 뒤 벌떡 일어나는 힘을 갖췄다. 골 결정력뿐만 아니라, 상대 수비 라인을 흔들며 공간을 만들어내는 움직임도 돋보인다.

출전경기	경기시간(분)	골	어시스트	경고	퇴장
41	2,244	10	-	5	1

FW 18 아담 북사 / Adam Buksa

국적: 폴란드

지난 시즌 조규성의 부상 공백을 메우기 위해 덴마크 미트윌란으로 이적했던 장신 스트라이커. 폴란드, 미국, 프랑스, 튀르키예 경험도 쌓은 '저니맨'이다.

루냐이치 감독과는 폴란드 시절에도 합을 맞췄기 때문에 구면인데, 23세였던 당시 생애 처음으로 리그 10골을 넘기게 해 준 '은사'다. 생애 최고 기록은 2023-24시즌 튀르키예 안탈리아스포르에서 기록한 시즌 16골이었다.

출전경기	경기시간(분)	골	어시스트	경고	퇴장
24	1,702	12	1	5	-

ITALY SERIE A

UDINESE CALCIO

제노아 CFC

Genoa CFC

TEAM PROFILE	
창 립	1893년
회 장	단 스쿠(루마니아)
감 독	파트리크 비에이라(프랑스)
연 고 지	리구리아 주 제노바
홈 구 장	스타디오 루이지 페라리스(3만 6,536명)
라 이 벌	UC 삼프도리아
홈페이지	www.genoacfc.it/

최근 5시즌 성적

시즌	순위	승점
2020-2021	11위	42점(10승12무16패, 47득점 58실점)
2021-2022	19위	28점(4승16무18패, 27득점 60실점)
2022-2023	없음	없음
2023-2024	11위	49점(12승13무13패, 45득점 45실점)
2024-2025	13위	43점(10승13무15패, 37득점 49실점)

SERIE A (전신 포함)

통 산	우승 9회
24-25 시즌	13위(10승13무15패, 승점 43점)

COPPA ITALIA

통 산	우승 1회
24-25 시즌	32강

UEFA

통 산	없음
24-25 시즌	없음

TEAM RATINGS

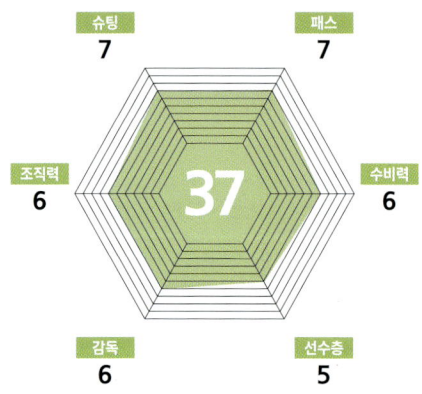

슈팅 **7**	패스 **7**
조직력 **6**	수비력 **6**
감독 **6**	선수층 **5**

중앙: **37**

2024/25 프로필

팀 득점	37
평균 볼 점유율	45.40%
패스 정확도	78.90%
게임 평균 슈팅 수	10.1
경고	71
퇴장	1

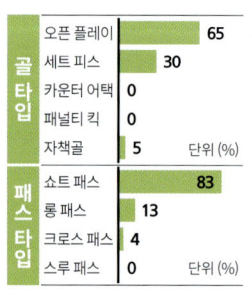

골 타입
오픈 플레이	65
세트 피스	30
카운터 어택	0
패널티 킥	0
자책골	5

단위 (%)

패스 타입
쇼트 패스	83
롱 패스	13
크로스 패스	4
스루 패스	0

단위 (%)

시즌 프리뷰 | 사지 마세요, 빌려 쓰는 게 경제적?

다른 중하위권 팀의 전력변화를 소개할 때도 계속 반복되는 이야기인데, 임대 위주로 공격진을 구성하는 세리에 A 구단들은 핵심 선수가 1년 만에 떠나는 일을 자주 겪는다. 제노아의 경우 지난 시즌 최다득점자 안드레아 피나몬티, 팀내 공격 포인트 3위를 기록하면서 2선 자원 중 그나마 파괴력이 있었던 파비오 미레티가 떠났다. 기존 스트라이커 중 가장 경력이 화려한 비티냐는 제노아에서 2시즌 동안 각각 2득점에 그친 선수다. 보강이 절실해 보임에도 불구하고 올여름 이적료를 한 푼도 쓰지 않았고, 모든 영입은 임대 및 자유계약으로 때웠다. 새로 빌려 온 스트라이커 로렌초 콜롬보가 한층 성장해줘야 공격력을 기대할 수 있다. 이번 시즌 또 한 가지 관건은 비에라 감독 특유의 '유통기한'이다. 비에라 감독은 보통 전임자보다 공격적이고 활기찬 축구를 추구하는데, 침체되어 있던 팀 분위기를 되살리면서 긍정적인 기운을 불어넣는 건 좋지만 디테일 부족 때문에 곧 상승세가 꺾이곤 했다. 지난 시즌 이미 좋은 평가를 받았으니, 예전 직장에서 보여준 패턴대로라면 이번 시즌이 위험하다. 감독이든 선수든 한층 더 성장해줘야 이 불길한 예감을 떨쳐버릴 수 있다. 아니나다를까 시즌 개막 직후 심각한 공격력 문제를 겪고 있다. 개막 후 초반 3경기 동안 나름 공격적인 경기 운영에 비해 슛 횟수도 결정력도 부족해 단 1득점에 그쳤다. 대체 골은 누가 넣을 것인가?

COACH

파트리크 비에라 *Patrick Vieira*
1976년 6월 23일생 프랑스

2000년 전후 세계 최고 미드필더 중 한 명이었다. 아스널을 이끌며 맨유의 로이 킨과 축구장에서 대결 및 드잡이를 벌이던 슈퍼스타였다. 감독으로 변신한 뒤 여러 나라에서 기회를 잡았는데, 부임 초의 좋은 성적을 오래 유지하지 못해 경질당하는 패턴이 반복되곤 했다. 지난 시즌 초반 제노아에 중도 부임했고 팀을 잘 수습하면서 중위권으로 시즌을 마쳤다. 인테르가 새 감독 후보로 고려했다는 소문이 날 정도로 좋은 평가를 받았다. 그가 잘 활용했던 선수들이 대거 떠나, 새로운 시험에 들었다.

SQUAD

포지션	등번호	이름		생년월일	키(cm)	체중(kg)	국적
GK	1	니콜라 레알리	Nicola Leali	1993.02.17	193	90	이탈리아
	39	다니엘레 소마리바	Daniele Sommariva	1997.07.18	185	76	이탈리아
DF	3	아론 마르틴	Aarón Martín	1997.04.22	180	72	스페인
	5	레오 외스티고르	Leo Østigård	1999.11.28	183	83	노르웨이
	15	브룩 노턴 커피	Brooke Norton-Cuffy	2004.01.12	181	-	잉글랜드
	20	스테파노 사벨리	Stefano Sabelli	1993.01.13	180	74	이탈리아
	22	요한 바스케스	Johan Vásquez	1998.10.22	185	72	멕시코
	27	알레산드로 마르칸달리	Alessandro Marcandalli	2002.10.25	190	-	이탈리아
	34	세바스티안 오토아	Sebastian Otoa	2004.05.13	198	-	덴마크
MF	2	모르텐 토스비	Morten Thorsby	1996.05.05	189	79	노르웨이
	8	니콜라에 스탄치우	Nicolae Stanciu	1993.05.07	170	63	루마니아
	17	루슬란 말리노우스키	Ruslan Malinovskyi	1993.05.04	181	79	우크라이나
	23	발렌틴 카르보니	Valentín Carboni	2005.03.05	185	78	아르헨티나
	32	모르텐 프렌드루프	Morten Frendrup	2001.04.07	178	70	덴마크
	73	파트리지오 마시니	Patrizio Masini	2001.01.27	182	70	이탈리아
FW	9	비티냐	Vitinha	2000.03.15	178	74	포르투갈
	10	주니오르 메시아스	Junior Messias	1991.05.13	174	68	브라질
	11	알베르트 그뢴베크	Albert Grønbæk	2001.05.23	181	68	덴마크
	18	칼레브 에쿠반	Caleb Ekuban	1994.03.23	182	80	가나
	21	제프 에카토르	Jeff Ekhator	2006.11.11	188	-	이탈리아
	29	로렌초 콜롬보	Lorenzo Colombo	2002.03.08	183	74	이탈리아
	30	휴고 쿠엔카	Hugo Cuenca	2005.01.08	183	-	파라과이
	40	세이두 피니	Seydou Fini	2006.06.02	178	-	이탈리아

IN & OUT

주요 영입	주요 방출
니콜라에 스탄치우, 알베르트 그륀베크, 발렌틴 카르보니, 로렌초 콜롬보, 레오 외스티고르	코니 더빈테르, 어니스트 아하노르, 안드레아 피나몬티, 파비오 미레티

TEAM FORMATION

FW C+

MF C+

DF C+

GK C+

- 29 콜롬보 (비티냐)
- 11 그륀베크 (코르네)
- 8 스탄치우 (말리노우스키)
- 23 카르보니 (메시아스)
- 32 프렌드루프 (오나나)
- 73 마시니 (토르스뷔)
- 3 마르틴 (오토아)
- 22 바스케스 (오토아)
- 5 외스티고르 (마르칸달리)
- 15 노턴 커피 (사벨리)
- 1 레알리

PLAN **4-2-3-1**

지역 점유율

- 공격 진영 **26%**
- 중앙 **43%**
- 수비 진영 **30%**

공격 방향

- **36%** 왼쪽
- **25%** 중앙
- **39%** 오른쪽

슈팅 지역

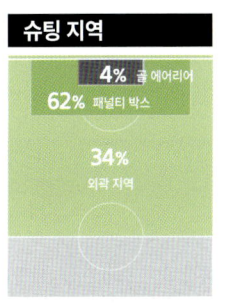

- **4%** 골 에어리어
- **62%** 패널티 박스
- **34%** 외곽 지역

상대팀 최근 6경기 전적

구분	승	무	패	구분	승	무	패
SSC 나폴리		3	3	토리노 FC	1	3	2
FC 인테르나치오날레		3	3	우디네세 칼초	3	3	
아탈란타 BC		2	4	제노아 CFC			
유벤투스 FC	1	2	3	엘라스 베로나 FC	2	2	2
AS 로마	1	2	3	칼리아리 칼초	1	4	1
ACF 피오렌티나		1	5	파르마 칼초 1913	3	1	2
SS 라치오	1		5	US 레체	3	2	1
AC 밀란		2	4	US 사수올로 칼초	2	2	2
볼로냐 FC	2	3	1	피사 SC	3	2	1
코모 1907	1	3	2	US 크레모네세	2	1	3

PLAYERS

MF 32 모르텐 프렌드루프
Morten Frendrup

 KEY PLAYER

국적: 덴마크

제노아 중원의 새로운 주인. 지난 시즌 팀 내 출장시간 1위를 기록하면서 한결같이 수비진 앞을 지켰다. 경기당 태클 성공 횟수가 리그 전체 1위(2.9회)였다는 기록이 눈에 띄는데, 차분하게 공간을 선점하는 수비보다는 일단 상대방 발 앞의 공에 덤벼들고 보는 사냥개형 수비를 선호한다.
특히 전력이 비슷한 중위권 팀 간 대결이 벌어지면 유독 자신감을 가지고 상대 미드필더를 찍어 누르는 경향이 있다.

출전경기	경기시간(분)	골	어시스트	경고	퇴장
35	3,107	2	-	5	-

DF 3 아론 마르틴
Aarón Martín

국적: 스페인

지난 시즌 득점 하나 없이 8도움이나 기록하면서 리그 도움 4위에 올랐다. 경기당 크로스 성공은 리그 1위(2.2회), 키 패스 성공은 5위(1.8회)였다. 이런 기록에서 보여주듯 마르틴에게는 왼발 킥이 가장 큰 무기다. 멀리서 올려주는 크로스도 좋고, 중앙으로 파고든 뒤 스루패스나 컷백 상황에서 뒤로 내주는 패스도 강력하다. 마인츠 시절에는 직접 프리킥도 성공시킨 바 있다.

출전경기	경기시간(분)	골	어시스트	경고	퇴장
36	3,089	-	8	5	-

DF 5 레오 외스티고르
Leo Østigård

국적: 노르웨이

김민재의 나폴리 시절 동료 센터백이었다. 지금 생각하면 비교할 수 없는 상대지만, 2022년 당시에는 함께 영입된 김민재의 강력한 경쟁자로 거론되기도 했다.
김민재가 승승장구한 것과 달리 외스티고르는 나폴리에서 출장시간을 확보하지 못했고, 스타드 렌과 호펜하임을 거쳐 그에게 가장 잘 맞는 팀 제노아로 돌아왔다. 단신에 비해 제공권이 좋고 킥력이 상당히 뛰어난 센터백이다.

출전경기	경기시간(분)	골	어시스트	경고	퇴장
11	928	-	-	-	1

MF 23 발렌틴 카르보니
Valentín Carboni

국적: 아르헨티나

프로 무대에서는 인테르의 유망주로서 이리저리 임대 다니다 장기 부상을 당하는 등 고생이 심했다. 하지만 아르헨티나 대표팀에는 2024년에 데뷔해 코파 아메리카 트로피를 직접 들어 올렸다.
기술이 상당히 뛰어난 왼발잡이 공격형 미드필더로 유소년 시절부터 공을 발에 붙이고 다니는 드리블 영상으로 상당히 유명했다. 미드필더 출신 감독인 에세키엘 카르보니의 아들이다.

출전경기	경기시간(분)	골	어시스트	경고	퇴장
4	100	-	-	1	-

FW 29 로렌초 콜롬보
Lorenzo Colombo

국적: 이탈리아

어느덧 23세가 되면서, 지금쯤 날개를 달지 못하면 때를 놓칠 수도 있는 대형 유망주다. 어렸을 때는 동년배보다 빨리 완성된 탄탄한 육체를 무기로 공을 지키고, 본능적인 움직임으로 공을 욱여넣는 공격수였다. 프로 데뷔 직후 강한 슈팅력으로 몇 차례 원더골을 보여주기도 했다. 아직 득점의 숫자가 부족하고, 전방 압박이나 연계 플레이 등 다른 부분에서의 기여도 역시 개선 과제로 남아 있다.

출전경기	경기시간(분)	골	어시스트	경고	퇴장
37	2,246	6	2	3	1

엘라스 베로나 FC

Hellas Verona FC

TEAM PROFILE	
창 립	1903년
회 장	이탈로 잔지(이탈리아)
감 독	파올로 자네티(이탈리아)
연 고 지	베네토 주 베로나
홈 구 장	스타디오 마르칸토니오 벤테고디 (3만 9,211명)
라 이 벌	AC 키에보베로나
홈페이지	www.hellasverona.it

ITALY SERIE A

HELLAS VERONA FC

최근 5시즌 성적

시즌	순위	승점
2020-2021	10위	45점(11승12무15패, 46득점 48실점)
2021-2022	9위	53점(14승11무13패, 65득점 59실점)
2022-2023	18위	31점(7승10무21패, 31득점 59실점)
2023-2024	13위	38점(9승11무18패, 38득점 51실점)
2024-2025	14위	37점(10승7무21패, 34득점 66실점)

SERIE A (전신 포함)

통 산	우승 1회
24-25 시즌	14위(10승7무21패, 승점 37점)

COPPA ITALIA

통 산	없음
24-25 시즌	32강

UEFA

통 산	없음
24-25 시즌	없음

TEAM RATINGS

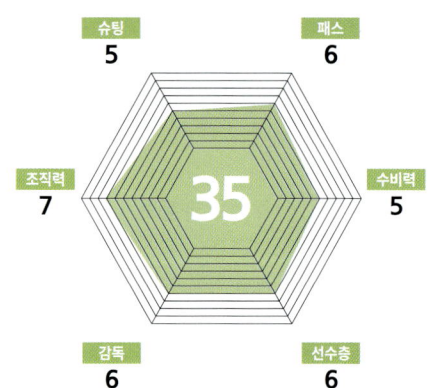

슈팅 5
패스 6
조직력 7
수비력 5
감독 6
선수층 6
35

2024/25 프로필

팀 득점	34
평균 볼 점유율	38.10%
패스 정확도	75.30%
게임 평균 슈팅 수	9.9
경고	86
퇴장	10

골 타입
- 오픈 플레이 56
- 세트 피스 18
- 카운터 어택 12
- 페널티 킥 6
- 자책골 9 단위 (%)

패스 타입
- 쇼트 패스 79
- 롱 패스 16
- 크로스 패스 4
- 스루 패스 0 단위 (%)

시즌 프리뷰
기둥뿌리 뽑힌 여름, 앞으로가 걱정

지난 시즌 가까스로 생존했다. 강등권인 18위와 승점차가 단 2경기였다. 경기 내용 면에서도 '가까스로'라는 말이 어울리는데, 팀내 최다득점자가 고작 6골에 그쳤다. 팀 경고(86회)는 두번째로 많았고, 퇴장(10회)과 파울(경기당 15.2회)은 가장 많았다. 경기당 슛 횟수(9.9회)는 강등팀들 빼고 꼴찌였으며 점유율 38.1%는 그냥 꼴찌였다. 다양한 지표에서 두루두루 최악인데도 잔류에 성공한 건 중원 장악과 공격이 약한 대신 수비가 잘 버텨줬기 때문이다. 수비적인 지표는 그나마 좋은 편. 가로채기 횟수 1위(경기당 8.7회)와 공중볼 획득 2위(경기당 18.2회)를 기록했다. 이처럼 탄탄한 수비를 이끌어준 선수가 센터백 디에고 코폴라, 다니엘레 길라르디였다. 그리고 두 선수는 각각 브라이턴과 로마로 이적해버렸다. 여기에 주전 라이트백이었던 잭슨 차추아까지. 베로나에서 가장 몸값이 높았던 수비수 삼인방이 일제히 이탈했다. 심지어 많은 나이에도 쏠쏠한 활약을 이어온 베테랑 다르코 라조비치까지 떠난 여름이었다. 솔직히 그 어느 때보다 불안하고, 어느 때보다 전력이 더 떨어진 듯 보인다. 잔류에 성공하려면 뜻밖의 변수가 발생해야 한다. 기프트 오르반, 지오반니, 아민 사르 등 아직 빅 리그 수준의 경기력을 보여준 적 없는 공격자원 중 누군가 한 명이 급성장해서 최전방을 이끌어줘야만 승점 1점이 아닌 3점 사냥이 가능할 것이다.

COACH

파올로 자네티 *Paolo Zanetti*
1982년 12월 16일생 이탈리아

첫 시즌에는 좋은 모습을 보여주지만 두 시즌을 못 가는 게 단점. 처음 이끈 3부 구단 쥐트티롤에서 데뷔와 동시에 감독상을 탈 정도로 좋은 평가를 받았지만, 두 번째 시즌 성적은 조금 떨어졌다. 아스콜리를 거쳐 베네치아 승격을 이끈 뒤 1부에서 조기 경질됐고, 엠폴리도 한 시즌 중위권이다가 다음 시즌에 또 잘렸다. 이 패턴이면 이번 시즌이 상당히 불안하다. 보통 4-3-3이나 3-4-1-2 대형을 선호하지만, 지난 시즌 베로나에서는 상황에 맞춰 스리백을 좀 더 많이 썼다.

SQUAD

포지션	등번호	이름		생년월일	키(cm)	체중(kg)	국적
GK	1	로렌초 몬티포	Lorenzo Montipò	1996.02.20	191	82	이탈리아
	34	시몬 페릴리	Simone Perilli	1995.01.07	196	102	이탈리아
DF	2	다니엘 오예고케	Daniel Oyegoke	2003.01.03	188	-	잉글랜드
	3	마르틴 프레세	Martin Frese	1998.01.04	179	-	덴마크
	5	우나이 누녜스	Unai Núñez	1997.01.02	186	81	스페인
	6	니콜라스 발렌티니	Nicolás Valentini	2001.04.06	187	82	아르헨티나
	7	라피크 벨갈리	Rafik Belghali	2002.06.04	180	61	벨기에
	12	도마고이 브라다리치	Domagoj Bradarić	1999.12.10	178	69	크로아티아
	15	빅터 넬슨	Victor Nelsson	1998.10.14	185	-	덴마크
MF	4	헤수스 산티아고 페레스	Yellu Santiago	2004.05.25	192	-	스페인
	8	수아트 세르다르	Suat Serdar	1997.04.11	184	81	독일
	10	토마스 수슬로프	Tomas Suslov	2002.06.07	174	74	슬로바키아
	20	그리고리스 카스타노스	Grigoris Kastanos	1998.01.30	179	70	키프로스
	21	압두 하루이	Abdou Harroui	1998.01.13	182	76	모로코
	24	앙투안 베르네드	Antoine Bernede	1999.05.26	178	74	프랑스
	36	셰이크 니아세	Cheikh Niasse	2000.01.19	188	-	세네갈
FW	9	아민 사르	Amin Sarr	2001.03.11	188	83	스웨덴
	16	기프트 오르반	Gift Orban	2002.07.17	178	-	나이지리아
	17	지오반니	Giovane	2003.11.24	184	-	브라질
	25	다니엘 모스케라	Daniel Mosquera	1999.10.20	180	65	콜롬비아

IN & OUT

주요 영입	주요 방출
지오바니, 옐루 산티아고, 우나이 누녜스, 기프트 오르반, 아르멜 벨라코차르, 빅토르 넬손	디에고 코폴라, 다니엘레 길라르디, 온드레이 두다, 다르코 라조비치, 카스페르 텡스테트, 잭슨 차추아

TEAM FORMATION

FW	**C**
MF	**C+**
DF	**C**
GK	**B**

16 오르반 (모스케라)　**9** 사르 (지오반니)

12 브라나리치 (프레즈)　**8** 세르다르 (하루이)　**10** 수슬로프 (니아세)　**7** 벨갈리 (참)

24 베르네드 (알무스라티)

23 에보스 (발렌티니)　**15** 넬슨　**5** 누녜스 (벨라코차르)

1 몬티포

PLAN 3-5-3

지역 점유율

- 공격 진영 **26%**
- 중앙 **46%**
- 수비 진영 **28%**

공격 방향

38% 왼쪽	**25%** 중앙	**37%** 오른쪽

슈팅 지역

- **9%** 골 에어리어
- **54%** 페널티 박스
- **37%** 외곽 지역

상대팀 최근 6경기 전적

구분	승	무	패	구분	승	무	패
SSC 나폴리	1	1	4	토리노 FC		3	3
FC 인테르나치오날레		1	5	우디네세 칼초	2	3	1
아탈란타 BC		1	5	제노아 CFC	2	2	2
유벤투스 FC		1	5	엘라스 베로나 FC			
AS 로마	2		4	칼리아리 칼초	2	2	2
ACF 피오렌티나	2		4	파르마 칼초 1913	4	1	1
SS 라치오		2	4	US 레체	3	2	1
AC 밀란			6	US 사수올로 칼초	3		3
볼로냐 FC	2	1	3	피사 SC		4	2
코모 1907	2	2	2	US 크레모네세	2	3	1

PLAYERS

MF 10 토마스 수슬로프 / Tomas Suslov

KEY PLAYER

국적: 슬로바키아

등 번호에 걸맞게 공격형 미드필더로서 공격을 지휘하는 선수다. 약간 오른쪽에 치우친 위치에서 상대 진영을 대각선으로 바라보며 왼발 패스를 뿌린다. 동료를 이용해 간결하게 탈압박하는 성향이 있으며, 중하위권 트레콰르티스타(공격형 미드필더)답게 수비 가담도 소홀히 하지 않는다. 베로나 첫 시즌에 3골 5도움을 올렸는데, 지난 시즌은 1도움에 그쳤다는 게 문제다. 1개는 적어도 너무 적다. 팀을 위해서도 분발이 필요하다.

출전경기	경기시간(분)	골	어시스트	경고	퇴장
31	2,098	-	1	5	1

GK 1 로렌초 몬티포 / Lorenzo Montipò

국적: 이탈리아

베로나에서 다섯 번째 시즌을 맞이하는 팀의 상징적인 수문장이다. 이탈리아 청소년 대표를 거쳐 온 골키퍼로, 베네벤토의 승격을 이끈 뒤 베로나에서 본격적인 세리에 A 선수로 자리 잡았다. 선방 능력이 뛰어나고 페널티킥도 잘 막기 때문에, 기본 전력이 약하고 반칙도 많이 내주는 베로나 입장에서는 매우 소중한 존재다. 이제는 리더십 있는 고참 선수로서 주장 완장까지 차고 수비를 지휘하며 팀에 안정감을 불어 넣는다.

출전경기	경기시간(분)	실점	무실점(경기)	경고	퇴장
36	3,240	64	8	-	-

DF 5 우나이 누녜스 / Unai Núñez

국적: 스페인

아틀레틱 출신, 즉 바스크 출신 센터백이다. 아틀레틱과 셀타 데 비고 두 팀에서 모두 주전으로 활약하면서 라리가 경험을 쌓았고, 스페인 대표로 한 경기 뛰었을 정도로 실력을 인정받았다.
바스크 특유의 투쟁심과 몸싸움 능력을 갖췄다. 주전 센터백들이 일제히 떠나면서 수비 보강이 시급해진 베로나가 전부터 눈여겨보던 누녜스에게 합류를 권해 다행이도 빠르게 데려왔다.

출전경기	경기시간(분)	골	어시스트	경고	퇴장
10	645	-	-	4	-

MF 8 수아트 세르다르 / Suat Serdar

국적: 독일

왕년의 득점력은 거의 상실했지만, 기본적으로 걸어온 길이 화려하고 다양한 재능을 인정받아 온 미드필더다. 2019-20시즌 샬케 04 소속으로 분데스리가 7골을 넣고 독일 대표팀에도 발탁됐다. 이후 헤르타 BSC가 나름 부자구단일 때 영입했던 선수이기도 하다. 활동량이 많으며 드리블과 침투 등 공격적인 능력을 갖춘 박스 투 박스 미드필더다. 최근 다소 기복을 보였으나, 중원에 활력을 불어넣을 잠재력이 있다.

출전경기	경기시간(분)	골	어시스트	경고	퇴장
22	1,377	2	1	2	1

FW 16 기프트 오르반 / Gift Orban

국적: 나이지리아

2022-23시즌 벨기에의 헨트 소속으로 15경기 2도움을 몰아치면서 21세 나이에 특급 유망주로 주목받았다. 무려 해리 케인의 후계자라며 토트넘 이적설까지 나왔던 선수였다. 그러나 이후 헨트에서도, 리옹에서도, 호펜하임에서도 뾰족한 모습을 보이지 못했다. 스피드가 탁월하고 공이 없을 때 움직임이 좋은 공격수로, 윙어도 소화할 수 있지만 좀 허둥대는 편. 잘 다듬으면 좋은 재목이 될 듯하다.

출전경기	경기시간(분)	골	어시스트	경고	퇴장
13	690	4	-	2	-

칼리아리 칼초

Cagliari Calcio

TEAM PROFILE	
창 립	1920년
회 장	톰마소 줄리니(이탈리아)
감 독	파비오 피사카네(이탈리아)
연 고 지	사르데냐 자치주 칼리아리
홈 구 장	우니폴 도무스(1만 6,412명)
라 이 벌	팔레르모 FC
홈페이지	www.cagliaricalcio.com/

최근 5시즌 성적

시즌	순위	승점
2020-2021	16위	37점(9승10무19패, 43득점 59실점)
2021-2022	18위	30점(6승12무20패, 34득점 68실점)
2022-2023	없음	없음
2023-2024	16위	36점(8승12무18패, 42득점 68실점)
2024-2025	15위	36점(9승9무20패, 40득점 56실점)

SERIE A (전신 포함)

통 산	우승 1회
24-25 시즌	15위(9승9무20패, 승점 36점)

COPPA ITALIA

통 산	없음
24-25 시즌	16강

UEFA

통 산	없음
24-25 시즌	없음

TEAM RATINGS

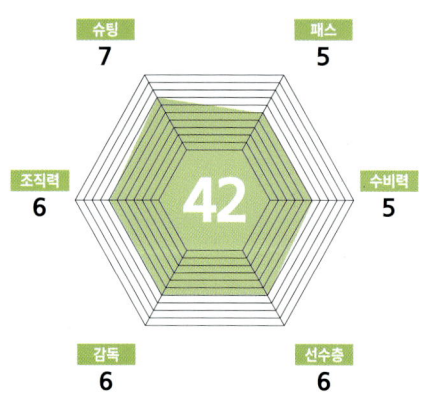

슈팅 7	패스 5
조직력 6	수비력 5
	42
감독 6	선수층 6

2024/25 프로필

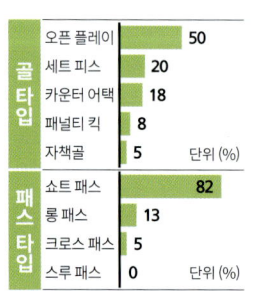

팀 득점	40
평균 볼 점유율	44.30%
패스 정확도	79.00%
게임 평균 슈팅 수	11.2
경고	63
퇴장	3

골 타입
오픈 플레이	50
세트 피스	20
카운터 어택	18
패널티 킥	8
자책골	5 단위 (%)

패스 타입
쇼트 패스	82
롱 패스	13
크로스 패스	5
스루 패스	0 단위 (%)

시즌 프리뷰 ## 과감한 전력 보강, 모험적인 감독 선임

비슷비슷한 중하위권 감독들이 1, 2년마다 잘리고 다른 팀에 또 취직하는 게 세리에 A의 흔한 풍경이다. 칼리아리도 작년까지는 비슷했는데, 이번 시즌 사려 깊은 선택을 했다. 선수로서 칼리아리에 특별한 드라마를 선사했고 유소년 감독으로서 성과를 낸 파비오 피사카네를 선택한 것이다. 이 선택이 성공할지는 미지수지만, 리그를 관전하는 제삼자 입장에서는 젊고 개성 있는 지도자가 늘어난다는 것만으로도 흥미롭다. 아울러 선수 보강에 상당히 신경을 쓰면서 공격적인 팀을 구축했다. 임대로 좋은 활약을 해준 로베르토 피콜리, 엘리아 카프릴레를 완전영입하면서 전력 손실을 막았고 마이클 폴로룬쇼, 세미흐 클르츠소이, 세바스티아노 에스포시토 등 능력 있는 선수들을 새로 임대해 왔다. 공격진 재능의 총합은 비슷비슷한 처지에 있는 하위권 구단들보다 훨씬 낫기에 시즌 초 아귀가 잘 맞는다면 충분히 중위권까지 올라갈 수 있는 팀 구성이다. 사르데냐섬을 연고지로 둔 칼리아리의 한계 때문에 재정적으로나 선수 수급에 있어 늘 약점이 존재했지만, 최근에는 선수 보강에도 투자하고 홈구장 리모델링 프로젝트를 진행하는 등 쇄신의 바람이 느껴진다. 물론 위에서 말한 긍정적인 요인들은 확정된 상수가 아닌 변수에 불과하기에, 긍정적인 방향으로 발현되지 않으면 아무 의미가 없을 수도 있다. 신입 선수들의 잠재력을 다 끌어내려면 피사카네 감독의 묘안이 필요하다.

COACH

파비오 피사카네 *Fabio Pisacane*
1986년 1월 28일생 이탈리아

유소년 선수 시절 온몸이 마비되는 희귀병 길랭바레 증후군을 이겨냈고, 하부리그 프로 선수로 뛸 때는 승부 조작 제의를 고발한 미담의 주인공이다. 2부 칼리아리에 선수로 세리에 A 무대를 밟았다. 그의 인간승리 드라마에 영국 '가디언'이 올해의 선수상을 수여하기도. 2022년 지도자로 변신, 칼리아리 코치를 거쳐 유소년팀을 맡았는데 지난 시즌 코파 이탈리아 프리마베라에서 밀란을 꺾고 우승했다. 이를 바탕으로 1군 감독으로 승격했다.

SQUAD

포지션	등번호	이름		생년월일	키(cm)	체중(kg)	국적
GK	1	엘리아 카프릴레	Elia Caprile	2001.08.25	191	74	이탈리아
	24	주세페 시오치	Giuseppe Ciocci	2002.01.24	193	90	이탈리아
DF	3	리야드 이드리시	Riyad Idrissi	2005.06.13	182	-	이탈리아
	6	세바스티아노 루페르토	Sebastiano Luperto	1996.09.06	191	75	이탈리아
	18	알레산드로 디 파르도	Alessandro Di Pardo	1999.07.18	182	75	이탈리아
	23	니콜라 핀투스	Nicola Pintus	2005.05.25	189	-	이탈리아
	26	예리 미나	Yerry Mina	1994.09.23	195	95	콜롬비아
	28	가브리엘레 자파	Gabriele Zappa	1999.12.22	187	81	이탈리아
	33	아담 오베르트	Adam Obert	2002.08.23	188	82	슬로바키아
MF	2	마르코 팔레스트라	Marco Palestra	2005.03.03	186	75	이탈리아
	4	루카 마치텔리	Luca Mazzitelli	1995.11.15	184	76	이탈리아
	8	미셸 아도포	Michel Adopo	2000.07.19	187	76	프랑스
	10	지안루카 가에타노	Gianluca Gaetano	2000.05.05	183	71	이탈리아
	14	알레산드로 데이올라	Alessandro Deiola	1995.08.01	189	85	이탈리아
	16	마테오 프라티	Matteo Prati	2003.12.28	185	78	이탈리아
	20	마르코 로그	Marko Rog	1995.07.19	180	73	크로아티아
	21	니콜로 카부오티	Nicolò Cavuoti	2003.04.04	177	-	이탈리아
	90	마이클 폴로룬쇼	Michael Folorunsho	1998.02.07	190	75	이탈리아
FW	9	세미흐 클르츠소이	Semih Kılıçsoy	2005.08.15	178	73	튀르키예
	17	마티아 펠리치	Mattia Felici	2001.04.17	181	70	이탈리아
	29	제나로 보렐리	Gennaro Borrelli	2000.03.10	194	-	이탈리아
	30	레오나르도 파볼레티	Leonardo Pavoletti	1988.11.26	188	85	이탈리아
	77	지토 루붐보	Zito Luvumbo	2002.03.09	171	-	앙골라
	94	세바스티아노 에스포시토	Sebastiano Esposito	2002.07.02	186	76	이탈리아

IN & OUT

주요 영입	주요 방출
세미흐 클르츠소이, 마이클 폴로룬쇼, 루카 마치텔리, 세바스티아노 에스포시토, 후안 로드리게스, 안드레아 벨로티	러즈반 마린, 양투안 마쿰부, 톰마소 아우젤로, 호세 루이스 팔로미노, 야쿱 얀크토, 로베르토 피콜리, 나디르 조르테아

TEAM FORMATION

FW B
MF C⁺
DF C
GK C

19 벨로티 (루봄보)
9 클르츠소이 (폴로룬쇼)
94 에스포시토 (가에타노)
14 데이올라
16 프라티 (마치텔리)
8 아도포 (로그)
33 오베르트 (이드리시)
6 루페르토 (로드리게스)
26 미나 (제 페드루)
28 자파 (팔레스트라)
1 카프릴레

PLAN 4-3-1-2

지역 점유율

공격 진영	27%
중앙	44%
수비 진영	30%

공격 방향

39% 왼쪽	25% 중앙	37% 오른쪽

슈팅 지역

13% 골 에어리어
57% 패널티 박스
30% 외곽 지역

상대팀 최근 6경기 전적

구분	승	무	패	구분	승	무	패
SSC 나폴리		2	4	토리노 FC	2	2	2
FC 인테르나치오날레		1	5	우디네세 칼초	1	2	3
아탈란타 BC	2	1	3	제노아 CFC	1	4	1
유벤투스 FC		2	4	엘라스 베로나 FC	2	2	2
AS 로마		1	5	칼리아리 칼초			
ACF 피오렌티나		1	5	파르마 칼초 1913	3	2	1
SS 라치오		1	5	US 레체	1	4	1
AC 밀란		2	4	US 사수올로 칼초	3	2	1
볼로냐 FC	2		4	피사 SC	2	3	1
코모 1907	1	4	1	US 크레모네세	4		2

PLAYERS

FW 94 세바스티아노 에스포시토
Sebastiano Esposito  KEY PLAYER

국적: 이탈리아

인테르 유소년팀의 에스포시토 형제 중 형이다. 동생 살바토레보다 기술적이고 활동반경이 넓어 다양한 포지션에서 활용될 수 있다. 여러 임대를 통해 실전 경험을 쌓다가 지난 시즌 엠폴리에서 세리에 A 첫 시즌을 보냈고, 개인 최다골을 기록했다. 비록 꾸준함이 부족해 엠폴리 강등을 막지 못했다고 비판받기도 하지만, 매 시즌 기량을 끌어올리고 있는 건 분명하다. 뛰어난 킥력을 활용해 2선에서 뛰며 타깃형 공격수 피콜리와 조화를 이룰 수 있는 선수다.

출전경기	경기시간(분)	골	어시스트	경고	퇴장
33	2,343	8	-	1	-

GK 1 엘리아 카프릴레
Elia Caprile

국적: 이탈리아

지난 시즌 후반기 임대로 합류해 전반기 주전 골키퍼였던 시모네 스쿠페트를 밀어내고 새로운 수호신으로 자리매김했다.

칼리아리가 완전이적 금액을 지불하면서 오래도록 골문을 맡기겠다는 뜻을 분명히 밝혔다. 지난 시즌 뻥뻥 걷어내며 간신히 생존한 팀 상황 때문에 경기당 롱 패스 횟수 리그 1위(9.3회)를 기록했는데도 킥의 정확도가 상당히 높았다. 선방 능력은 기본이다.

출전경기	경기시간(분)	실점	무실점 (경기)	경고	퇴장
18	1,620	22	5	-	-

DF 6 세바스티아노 루페르토
Sebastiano Luperto

국적: 이탈리아

이탈리아 청소년 대표 출신으로, 나폴리에서 주전 경쟁을 반복하며 20대 초반을 보냈다. 2020년부터는 하위권 구단들의 든든한 버팀목으로 캐릭터를 굳혔다. 2021-22시즌 엠폴리로 떠나 2023년 6월 완전이적. 2024년 7월, 4년 계약으로 칼라마리에 입단했다.

지난 시즌 유일하게 전 경기 엔트리에 포함되어 36경기를 소화했고, 가장 긴 출장시간을 기록하며 높은 기여도를 보였다.

출전경기	경기시간(분)	골	어시스트	경고	퇴장
36	3,240	1	3	4	-

MF 90 마이클 폴로룬쇼
Michael Folorunsho

국적: 이탈리아

유로 2024 직전 경기력을 급격히 끌어올리면서 본선 엔트리에 깜짝 선발됐던 미드필더다. 그러나 이후 피오렌티나와 나폴리에서는 출전 기회를 거의 잡지 못했다.

잊힌 선수가 될 수도 있는 위기에 칼리아리로 임대되어 재도약을 노린다. 나이지리아계 이탈리아인으로, 중앙과 측면에서 모두 활약할 수 있다. 신체 능력이 좋은 데다 전투적인 성향이 강해 수비 가담과 돌파를 수행한다.

출전경기	경기시간(분)	골	어시스트	경고	퇴장
20	678	-	-	5	-

FW 9 세미흐 클르츠소이
Semih Kılıçsoy

국적: 튀르키예

임대료 100만 유로, 완전이적 옵션 총 1,400만 유로를 걸고 통 크게 영입한 공격수다. 프리미어리그 구단 씀씀이에 비하면 푼돈이지만 칼리아리 주머니 사정을 생각하면 과감한 지출이다. 튀르키예 명문 베식타스에서 17세에 1군 데뷔했고, 2023-24시즌 쉬페르리그에서 11골을 몰아쳤다. 이미 튀르키예 A매치 4경기 경력이 있다. 최전방과 2선을 모두 소화할 수 있는 다재다능한 기대주다.

출전경기	경기시간(분)	골	어시스트	경고	퇴장
32	1,306	3	2	3	1

파르마 칼초 1913

Parma Calcio 1913

TEAM PROFILE

창 립	1913년
회 장	페데리코 케루비니(이탈리아)
감 독	카를로스 쿠에스타(스페인)
연 고 지	에밀리아로마냐 주 파르마
홈 구 장	스타디오 엔니오 타르디니(2만 3,324명)
라 이 벌	볼로냐 FC
홈페이지	www.parmacalcio1913.com/en/

ITALY SERIE A

PARMA CALCIO 1913

최근 5시즌 성적

시즌	순위	승점
2020-2021	20위	20점(3승11무24패, 39득점 83실점)
2021-2022	없음	없음
2022-2023	없음	없음
2023-2024	없음	없음
2024-2025	16위	36점(7승15무16패, 44득점 58실점)

SERIE A (전신 포함)

통 산	없음
24-25 시즌	16위(7승15무16패, 승점 36점)

COPPA ITALIA

통 산	우승 3회
24-25 시즌	32강

UEFA

통 산	유로파리그 우승 2회
24-25 시즌	없음

TEAM RATINGS

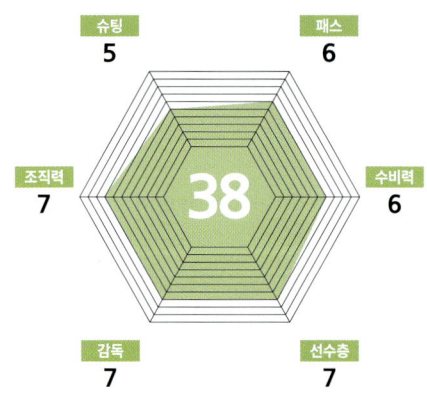

슈팅 5
패스 6
조직력 7
수비력 6
38
감독 7
선수층 7

2024/25 프로필

팀 득점	44
평균 볼 점유율	44.20%
패스 정확도	81.00%
게임 평균 슈팅 수	11.2
경고	72
퇴장	6

골 타입

오픈 플레이	50
세트 피스	20
카운터 어택	14
패널티 킥	14
자책골	2

단위 (%)

패스 타입

쇼트 패스	84
롱 패스	13
크로스 패스	3
스루 패스	0

단위 (%)

시즌 프리뷰 ## 빅 리그 최연소 감독, 참 MZ하네요!

이탈리아 구단이 이럴 때도 있다. 유럽 5대 리그에서 유일하게 20대 감독을 선임했다. 감독의 나이만 낮춘 게 아니라 선수단도 전반적으로 유망주 중심의 구성을 갖췄다. 새로 영입한 선수 대부분이 20대 초반이다. 노장을 선호하는 세리에 A 풍토와 딴판으로, 현재 파르마 1군에는 30대 선수가 고작 두 명뿐이다. 이런 영입이 주는 메시지는 분명하다. 어리고 재능 넘치는 팀으로의 변모, 유망주 육성을 통한 팀 전력 상승과 판매 수익을 동시에 노린다는 생각이다. 파르마의 정책은 벌써 효과를 봤다. 작년 여름 17세였던 센터백 조반니 레오니를 영입해 곧바로 1군에 기용했는데, 그를 주목한 빅 클럽들의 영입 경쟁이 벌어진 결과 리버풀이 3,100만 유로나 주고 데려간 것이다. 고작 1시즌 뛴 10대 선수가 파르마 역사상 최고 이적료 수입 4위(앞선 3명은 에르난 크레스포, 잔루이지 부폰, 릴리안 튀람이고 레오니, 바로 다음은 후안 세바스티안 베론이다)라는 사실은 이 적시장의 흐름이 완전히 달라졌으며 돈을 벌고 싶다면 이에 적응해야 함을 보여준다. 보수적인 이탈리아 팀 사이에서 파르마가 가장 기민하게 세계적 흐름을 따라가는 것이지, 어설픈 MZ 흉내가 아니다. 이제 잔류만 해내면 자생력을 갖출 수 있을 텐데, 카를로스 쿠에스타 감독은 요즘 전술가 사이에서 유행하는 3-4-2-1 대형을 도입하면서 자신의 지략을 뽐내려는 의욕을 보이고 있다.

COACH

카를로스 쿠에스타 *Carlos Cuesta*
1995년 7월 29일생 스페인

오타 아니다. 95년생이다. 29세에 파르마에 부임, 주로 독일 감독들이 깨던 빅 리그 최연소 감독 기록을 경신했다. 아스널의 미켈 아르테타 감독 참모진 출신이 사령탑에 올랐다. Z세대 감독이 등장하기 시작한 셈. 14세 때부터 코치 공부를 시작했다. 마요르카섬의 유소년팀 지도자로 시작해 아틀레티코 마드리드와 유벤투스 유소년을 거쳤다. 6개 국어를 구사할 수 있는 언어 능력 역시 미래의 감독직을 준비하며 장착한 것. 코치로서 꼼꼼한 준비와 통찰력을 인정받아 왔다.

SQUAD

포지션	등번호	이름		생년월일	키(cm)	체중(kg)	국적
GK	31	스즈키 자이온	Zion Suzuki	2002.08.21	190	98	일본
	40	에도아르도 코르비	Edoardo Corvi	2001.03.23	187	-	이탈리아
DF	3	압둘라예 은디아예	Abdoulaye Ndiaye	2002.04.10	195	-	세네갈
	4	보톤드 발로그	Botond Balogh	2002.06.06	189	76	헝가리
	5	라우타로 발렌티	Lautaro Valenti	1999.01.14	188	80	아르헨티나
	14	에마누엘레 발레리	Emanuele Valeri	1998.12.07	180	75	이탈리아
	15	엔리코 델 프라토	Enrico Delprato	1999.11.10	183	74	이탈리아
	27	사샤 브리츠기	Sascha Britschgi	2006.08.27	182	-	스위스
	39	알레산드로 체르카티	Alessandro Circati	2003.10.10	190	85	호주
MF	8	나우엘 에스테베즈	Nahuel Estévez	1995.11.14	181	75	아르헨티나
	10	아드리안 베르나베	Adrián Bernabé	2001.05.26	170	66	스페인
	16	만델라 케이타	Mandela Keita	2002.05.10	180	75	벨기에
	19	티야시 베기치	Tjas Begic	2003.06.30	175	-	슬로베니아
	22	올리베르 쇠렌센	Oliver Sørensen	2002.03.10	184	-	덴마크
	23	에르나니 아제베두 주니오르	Hernani Azevedo Júnior	1994.03.27	188	77	브라질
	24	크리스티안 오르도녜스	Christian Ordóñez	2004.07.24	177	-	아르헨티나
FW	7	아드리안 베네디차크	Adrian Benedyczak	2000.11.24	190	63	폴란드
	9	마테오 펠레그리노	Mateo Pellegrino	2001.10.22	192	83	아르헨티나
	11	폰투스 아름비스트	Pontus Almqvist	1999.07.10	177	69	스웨덴
	17	야콥 온드레이카	Jacob Ondrejka	2002.09.02	179	-	스웨덴
	20	마티야 프리간	Matija Frigan	2003.02.11	185	77	크로아티아
	21	가에타노 오리스타니오	Gaetano Oristanio	2002.09.28	174	62	이탈리아
	30	밀란 주리치	Milan Djuric	1990.05.22	199	94	보스니아헤르체고비나
	32	패트릭 쿠트로네	Patrick Cutrone	1998.01.03	183	79	이탈리아

IN & OUT

주요 영입	주요 방출
마티야 프리간, 크리스티안 오르도녜스, 올리버 쇠렌센, 압둘라예 은디아예, 가에타노 오리스타니오, 마리아노 트로일로, 파트리크 쿠트로네	조반니 레오니, 앙제요안 보니, 사이먼 솜, 데니스 만

TEAM FORMATION

```
FW  C

MF  C+

DF  C

GK  B+
```

              20
             프리간
            (쿠트로네)

       17   11
     온드레이카   알름크비스트
     (쇠렌센)   (모하메드)

   14   16   10   18
  발레리   케이타   베르나베   뢰비크
         (에스테베스) (오르도녜스) (브리츠기)

     5   39   15
    발렌티   체르카티   델 프라토
   (빌로그)   (트로일로)   (은디아예)

              31
             스즈키

PLAN **3-4-2-1**

지역 점유율

공격 진영	27%
중앙	43%
수비 진영	30%

공격 방향

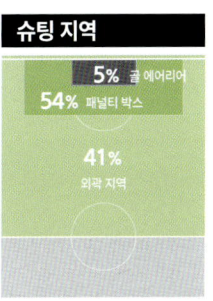

34% 왼쪽	26% 중앙	39% 오른쪽

슈팅 지역

5% 골 에어리어
54% 패널티 박스
41% 외곽 지역

상대팀 최근 6경기 전적

구분	승	무	패	구분	승	무	패
SSC 나폴리	2	1	3	토리노 FC	1	3	2
FC 인테르나치오날레		2	4	우디네세 칼초	2	1	3
아탈란타 BC	1		5	제노아 CFC	2	1	3
유벤투스 FC	1	1	4	엘라스 베로나 FC	1	1	4
AS 로마	1		5	칼리아리 칼초	1	2	3
ACF 피오렌티나		4	2	파르마 칼초 1913			
SS 라치오	1	1	4	US 레체	1	2	3
AC 밀란	1	1	4	US 사수올로 칼초	3	2	1
볼로냐 FC	1	3	2	피사 SC	2	3	1
코모 1907	2	2	2	US 크레모네세	2	1	3

PLAYERS

GK 31 스즈키 자이온
Zion Suzuki

KEY PLAYER

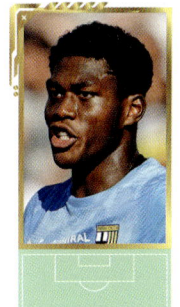

국적: 일본

역대 동아시아 골키퍼 중 가장 높은 무대까지 올라가 경쟁 중인 선수. 아시안컵에서 매 경기 치명적인 실수를 저질러 일본 탈락을 자초한 '불안감의 화신'일 때도 있었지만, 프로와 대표팀을 가리지 않고 일본 축구계가 전폭적으로 밀어준 결과 타고난 신체적 능력과 기술을 잘 접목시켰다. 190cm가 넘는 장신과 긴 팔·다리, 탁월한 반사 신경을 바탕으로 선방만 하는 게 아니라 수비 범위가 넓고, 발로 공을 다루는 데 두려움이 없다. 이적시장에서도 인기가 많다.

출전경기	경기시간(분)	실점	무실점(경기)	경고	퇴장
37	3,315	53	8	-	1

MF 10 아드리안 베르나베
Adrián Bernabé

국적: 스페인

바르셀로나와 맨체스터 시티를 거쳐 왔다는 것만으로도 어떤 스타일의 선수인지 짐작이 갈 것이다. 맨체스터 시티에서 가끔 경기에 출장했으나 1군에 자리 잡기에는 경쟁이 너무 거셌고, 2021년 파르마로 이적한 뒤 승격의 핵심으로 활약했다. 파리 올림픽에 스페인 대표로 선발되어, 연장까지 간 결승전에서 스루 패스로 결승골을 어시스트해 스스로 금메달을 따낸 공신이기도 하다.

출전경기	경기시간(분)	골	어시스트	경고	퇴장
21	1,461	1	1	1	-

MF 16 만델라 케이타
Mandela Keita

국적: 벨기에

벨기에 대표팀에서 입지 확대를 노리는 전문 수비형 미드필더이다. 로얄 앤트워프시절, 어린 나이에도 불구하고 안정적인 경기 운영과 강한 투지로 자국 리그·컵 2관왕 달성에 기여하여, 유럽 전역의 주목을 받았다. 2024년 여름 여러 빅 리그 구단의 러브콜을 받고 파르마를 택했다. 이름은 당연히 노벨평화상 수상자 넬슨 만델라에게서 따온 것으로, 케이타는 매 순간 포기하지 않는 정신을 본받는다고 말하곤 한다.

출전경기	경기시간(분)	골	어시스트	경고	퇴장
30	1,833	-	2	4	1

FW 17 야콥 온드레이카
Jacob Ondrejka

국적: 스웨덴

2025년 1월에 영입된 뒤 반 시즌 동안 리그 5골을 기록하며 상당한 파괴력을 보여준 미드필더다. 특히 인테르, 라치오, 아탈란타 세 강팀 상대로만 골을 넣어 1승 2무를 일궈내면서 강한 인상을 줬다. 중앙 미드필더 또는 윙어로 활약할 수 있는 선수로 전술적 유연성이 크다. 다만 종아리뼈가 골절되는 큰 부상을 입어 전반기는 거의 걸러야 할 전망이라, 이번 시즌도 안타깝게 반년만 뛰게 됐다.

출전경기	경기시간(분)	골	어시스트	경고	퇴장
12	417	5	-	-	-

FW 20 마티야 프리간
Matija Frigan

국적: 크로아티아

바짝 깎은 머리와 동유럽 선수 특유의 탄탄한 육체를 보면 헤딩 머신일 것 같지만, 사실 머리는 쓰지 않는 편이다. 어쩔 수 없는 상황이 아니라면 대부분 공격은 발로 해결한다. 섬세한 기술은 없지만 순간적인 폭발력을 지닌 주력과 동작 큰 페인팅으로 상대 수비 사이에 파고들면서 위협적인 골을 터뜨린다. 수비가 몸으로 막으려고 하면 이를 힘으로 가볍게 튕겨내고 정확한 왼발 킥으로 마무리한다.

출전경기	경기시간(분)	골	어시스트	경고	퇴장
39	2,679	13	2	9	-

US 레체
US Lecce

TEAM PROFILE

창 립	1908년
회 장	사베리노 스티치 다미아니(이탈리아)
감 독	에우세비오 데 프란체스코(이탈리아)
연 고 지	폴리아 주 레체
홈 구 장	스타디오 비아 델 마레(4만 670명)
라 이 벌	S.S.C. 바리
홈페이지	www.uslecce.it

최근 5시즌 성적

시즌	순위	승점
2020-2021	없음	없음
2021-2022	없음	없음
2022-2023	16위	36점(8승12무18패, 33득점 46실점)
2023-2024	14위	38점(8승14무16패, 32득점 54실점)
2024-2025	17위	34점(8승10무20패, 27득점 58실점)

SERIE A (전신 포함)

통 산	없음
24-25 시즌	17위(8승10무20패, 승점 34점)

COPPA ITALIA

통 산	없음
24-25 시즌	32강

UEFA

통 산	없음
24-25 시즌	없음

ITALY SERIE A

US LECCE

TEAM RATINGS

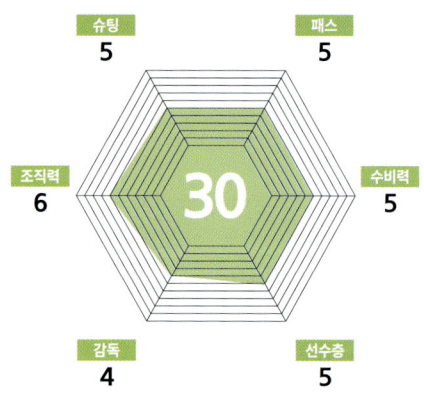

슈팅 5	패스 5
조직력 6	수비력 5
감독 4	선수층 5

30

2024/25 프로필

팀 득점	27
평균 볼 점유율	43.40%
패스 정확도	78.50%
게임 평균 슈팅 수	11.9
경고	59
퇴장	7

골 타입 (단위 %)
- 오픈 플레이 52
- 세트 피스 22
- 카운터 어택 15
- 패널티 킥 11
- 자책골 0

패스 타입 (단위 %)
- 쇼트 패스 80
- 롱 패스 15
- 크로스 패스 4
- 스루 패스 0

시즌 프리뷰
잔류는 말 그대로 기적, 또 한 번의 기적을….

전력 보강과 더 현명한 운영을 하지 않으면 이번 시즌이야말로 기필코 강등당할 것이다. 이건 레체가 미워서 날리는 저주가 아니다. 지난 시즌 기록을 정리하다 보니 이 팀의 생존이 의아하게 느껴졌기 때문에 하는 이야기다. 레체는 강등된 3팀보다 팀 득점이 더 적은 유일한 구단이었다. 기대득점(xG) 대비 팀 득점 18위, 슛 상황의 평균 xG 최하위 등 득점상황 창출 능력과 결정력도 최하위권이었다. 보통 세부 지표가 엉망이어도 잘 살아남는 팀은 공중볼 위주로 경기를 운영하기 마련인데, 아니나 다를까 레체가 리그 최고인 유일한 기록이 바로 헤딩을 따낸 횟수(경기당 18.4회)였다. 그러나 수비 상황에서 상대 공중볼을 다 걷어내 주던 근육질 센터백 페데리코 바스키로토가 다른 팀으로 이적했기 때문에, 이번 시즌은 방공망에 큰 구멍이 뚫리고 말았다. 공격진에도 초대형 공백이 발생했는데, 공중볼 경합부터 드리블과 중거리 슛까지 북 치고 장구 치고 해 가며 팀을 이끌었던 스트라이커 니콜라 크르스토비치가 아탈란타로 이적해버렸다. 맨 앞과 맨 뒤가 부실해졌다. 게다가 새로 선임한 감독은 '지옥행 기관사' 에우세비오 디프란체스코. 이러니 시즌을 전망하면서 단 한 마디라도 좋은 소리를 할 수가 없는 것이다. 유일한 희망은 디프란체스코 감독의 그나마 좋은 능력인 유망주 육성을 통한 새로운 스타 탄생이다. 예상대로라면 이 팀은 답이 없다.

COACH

에우세비오 디프란체스코 *Eusebio Di Francesco*
1969년 9월 8일생 이탈리아

대체 왜 승격팀들이 이 감독을 선임하는지 이해할 수 없다. 번번이 팀을 강등시키기 때문이다. 감독 초창기 사수올로와 로마에서는 지도력이 좋았다. 이후 삼프도리아, 칼리아리, 베로나 3팀에서 조기 경질됐다. 그리고 프로시노네, 베네치아도 지난 2년 연속 강등시키고 말았다. 레체 입장에서는 두 번째 선임이다. 2011년에는 형편없는 성적으로 조기 경질. 이쯤 되면 디프란체스코가 세리에 A 구단주들의 차명계좌라도 알고 있는 건지 궁금할 지경이다. 일단 선임했으니 이번 시즌은 다르기를 바랄 뿐.

SQUAD

포지션	등번호	이름		생년월일	키(cm)	체중(kg)	국적
GK	1	크리스티안 프뤼히틀	Christian Früchtl	2000.01.28	193	84	독일
	30	블라디미로 팔코네	Wladimiro Falcone	1995.04.12	195	85	이탈리아
DF	3	코리 은다바	Corrie Ndaba	1999.12.25	188	62	아일랜드
	4	키알론다 가스파르	Kialonda Gaspar	1997.09.27	193	90	앙골라
	5	자밀 지버트	Jamil Siebert	2002.04.02	193	87	독일
	13	마티아스 페레즈	Matías Pérez	2005.04.13	192	64	칠레
	17	다닐루 베이가	Danilo Veiga	2002.09.25	183	-	포르투갈
	18	가비 장	Gaby Jean	2000.02.19	191	75	프랑스
	21	크리스-오웬 쿠아시	Christ-Owen Kouassi	2003.04.15	187	60	프랑스
	25	안토니노 갈로	Antonino Gallo	2000.01.05	183	78	이탈리아
MF	6	알렉스 살라	Álex Sala	2001.04.09	185	61	스페인
	8	함자 라피아	Hamza Rafia	1999.04.02	178	75	튀니지
	10	메돈 베리샤	Medon Berisha	2003.10.21	186	80	알바니아
	14	토리르 요한 헬가손	Thórir Jóhann Helgason	2000.09.28	187	66	아이슬란드
	20	일베르 라마다니	Ylber Ramadani	1996.04.12	185	80	알바니아
	29	라사나 쿨리발리	Lassana Coulibaly	1996.04.10	183	77	말리
	36	필립 마르호빈스키	Filip Marchwinski	2002.01.10	185	72	폴란드
FW	7	테테 모렌테	Tete Morente	1996.12.04	180	76	스페인
	9	니콜라 스투리치	Nikola Stulic	2001.09.08	188	62	세르비아
	11	코난 은드리	Konan N'Dri	2000.10.27	174	73	코트디부아르
	19	라멕 반다	Lameck Banda	2001.01.29	169	68	잠비아
	22	프란체스코 카마르다	Francesco Camarda	2008.03.10	189	77	이탈리아
	23	리카르도 소틸	Riccardo Sottil	1999.06.03	180	70	이탈리아

IN & OUT

주요 영입	주요 방출
프란체스코 카마르다, 크리스오웬 쿠아시, 코리 은다바, 리카르도 소틸, 자밀 지버트, 니콜라 스투리치	페데리코 바스키로토, 안테 레비치, 니콜라 크르스토비치

TEAM FORMATION

FW	**C+**	
MF	**C**	
DF	**C**	
GK	**B**	

22 카마르다 (스투리치)

23 소틸 (모렌테)　　19 반다 (피에로티)

10 베리샤 (마르호빈스키)　　20 라마다니 (고루터)　　77 카바 (말레)

25 갈로 (은다바)　　5 지버트 (가브리엘)　　4 가스파르 (페레즈)　　17 베이가 (쿠아시)

30 팔코네

PLAN 4-3-3

지역 점유율

- 공격 진영 **24%**
- 중앙 **44%**
- 수비 진영 **31%**

공격 방향

- **36%** 왼쪽
- **26%** 중앙
- **37%** 오른쪽

슈팅 지역

- **6%** 골 에어리어
- **50%** 패널티 박스
- **44%** 외곽 지역

PLAYERS

FW 22 프란체스코 카마르다 / Francesco Camarda  KEY PLAYER

국적: 이탈리아

2023년 당시 각급 유소년 대회에서 89경기 485골이라는 경이로운 득점 기록을 써 내려가며 엄청난 기대를 받았던 공격수다. 당시 밀란은 15세였던 카마르다를 1군에 투입해도 되는지 법적 검토까지 거쳤다. 밀란 1군에서 2년간 가끔 교체로만 뛰다가 첫 임대에 나섰다. 경기 투입을 유도하기 위한 조건으로 그가 출장할 때마다 7만 5,000유로, 득점할 때마다 10만 유로 보너스가 레체로 지급된다. 10대 후반이라는 어린 나이로 유럽 무대 전체가 주목하는 차세대 스트라이커다.

출전경기	경기시간(분)	골	어시스트	경고	퇴장
10	200	-	-		

GK 30 블라디미로 팔코네 / Wladimiro Falcone

국적: 이탈리아

주장 완장을 차고 레체를 이끄는 간판 골키퍼이자 정신적 지주. 레체에서의 활약을 바탕으로 완전영입을 달성함은 물론 이탈리아 대표팀에도 한 차례 이름을 올리며 전성기를 구가하고 있다.

다만 지난 시즌에는 선방 능력을 안정적으로 보여주지 못하면서 막을 수 있는 슈팅까지 허용해 먹을 건 먹고, 막을 만한 것도 먹는 애매한 경기력에 머물렀다. 이번 시즌은 한층 듬직해져야 한다.

출전경기	경기시간(분)	실점	무실점(경기)	경고	퇴장
38	3,420	58	9	2	-

상대팀 최근 6경기 전적

구분	승	무	패	구분	승	무	패
SSC 나폴리		2	4	토리노 FC	1	1	4
FC 인테르나치오날레			6	우디네세 칼초	1	2	3
아탈란타 BC	2	1	3	제노아 CFC	1	2	3
유벤투스 FC		1	5	엘라스 베로나 FC	1	2	3
AS 로마		2	4	칼리아리 칼초	1	4	1
ACF 피오렌티나	1	2	3	파르마 칼초 1913	3	2	1
SS 라치오	3	1	2	US 레체			
AC 밀란		2	4	US 사수올로 칼초	1	1	4
볼로냐 FC		2	4	피사 SC	3		3
코모 1907	2	2	2	US 크레모네세	3	2	1

DF 5 자밀 지버트 / Jamil Siebert

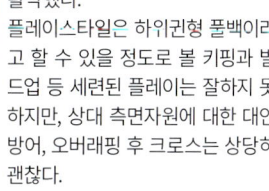

국적: 독일

올해 U21 유로에 독일 대표로 참가했을 정도로 기대주인 23세 센터백. 바스키로토의 공백을 메우기 위해 데려온 193cm 장신 선수다.

독일인 아버지와 마다가스카르인 어머니 사이에서 태어났으며, 고향 뒤셀도르프의 대표적 구단 포르투나에서 주로 성장했다. 지난 2시즌 동안 독일 2부 주전급 센터백으로 뛰며 가능성을 보여줬다. 이제 빅리그에 도전장을 던지면서, 자신의 성장을 도모하고 있다.

출전경기	경기시간(분)	골	어시스트	경고	퇴장
21	1,763	-	3	9	-

DF 25 안토니노 갈로 / Antonino Gallo

국적: 이탈리아

19세에 레체로 합류해, 임대 갔던 기간을 빼도 5년 반 동안 꾸준히 뛰어 준 고참 선수다. 지난 시즌 경쟁자였던 파트리크 도르구가 맨유로 떠난 뒤 부동의 주전 레프트백으로 활약했다.

플레이스타일은 하이퀄형 풀백이라고 할 수 있을 정도로 볼 키핑과 빌드업 등 세련된 플레이는 잘하지 못하지만, 상대 측면자원에 대한 대인방어, 오버래핑 후 크로스는 상당히 괜찮다.

출전경기	경기시간(분)	골	어시스트	경고	퇴장
31	2,616	-	2	3	1

FW 23 리카르도 소틸 / Riccardo Sottil

국적: 이탈리아

피오렌티나 유소년팀 출신으로 분명 재기 넘치는 드리블과 빠른 발로 주목을 받았던 윙어였는데, 그 이상을 보여주지 못하면서 20대 중반까지도 아쉽다는 평가를 듣고 있다. 임대만 네 번째인데 2부 페스카라, 하위권 칼리아리는 그렇다 쳐도 지난 시즌 뜬금없이 강호 밀란으로 임대된 점을 볼 때 이탈리아 현지에서는 여전히 평가가 높은 것으로 보인다. 공격의 선봉이 되어줘야 하는 드리블러이다.

출전경기	경기시간(분)	골	어시스트	경고	퇴장
24	951	1	1	1	-

US 사수올로 칼초

US Sassuolo Calcio

TEAM PROFILE

창 립	1920년
회 장	카를로 로시(이탈리아)
감 독	파비오 그로소(이탈리아)
연 고 지	에밀리아로마냐주 사수올로
홈 구 장	마페이 스타디움(2만 1,525명)
라 이 벌	-
홈페이지	www.sassuolocalcio.it/

최근 5시즌 성적

시즌	순위	승점
2020-2021	8위	62점(17승11무10패, 64득점 56실점)
2021-2022	11위	50점(13승11무14패, 64득점 66실점)
2022-2023	13위	45점(12승9무17패, 47득점 61실점)
2023-2024	19위	30점(7승9무22패, 43득점 75실점)
2024-2025	없음	없음

SERIE A (전신 포함)

통 산	없음
24-25 시즌	없음

COPPA ITALIA

통 산	없음
24-25 시즌	16강

UEFA

통 산	없음
24-25 시즌	없음

ITALY SERIE A

US SASSUOLO CALCIO

TEAM RATINGS

슈팅	7
패스	7
조직력	7
수비력	6
감독	6
선수층	5

38

2024/25 프로필

팀 득점	78
평균 볼 점유율	52.40%
패스 정확도	84.00%
게임 평균 슈팅 수	13.6
경고	71
퇴장	2

골타입	
오픈 플레이	
세트 피스	
카운터 어택	NO DATA
패널티 킥	
자책골	

패스타입	
쇼트 패스	
롱 패스	
크로스 패스	NO DATA
스루 패스	

세리에 A 도전, 초심으로 돌아간다

도메니코 베라르디의 첫해였던 2012-13시즌에 승격을 달성한 뒤 11시즌 연속으로 세리에 A에 머물렀던 사수올로. 그냥 버티기만 한 게 아니라 현명한 유망주 육성을 통해 마테오 폴리타노, 마누엘 로카텔리, 로렌초 펠레그리니, 잔루카 스카마카 많은 작품을 만들어냈고, 단 한 시즌이지만 유로파리그에 진출하는 성과를 냈다. 구단 역사상 유럽대항전에 진출한 건 이때가 유일했다. 그러다 2023-24시즌 19위로 곤두박질치면서 난데없는 강등을 당했는데, 다행히 회복에는 오랜 시간이 필요하지 않았다. 지난 시즌 세리에 B에서 3위와 승점 16점 차, 최다득점, 최다승, 최다 골득실이라는 압도적인 성적으로 우승하면서 1부에 복귀했다. 그리고 선수들의 면면은 강등되기 전보다 그리 떨어지지 않는다. 오히려 오랫동안 팀을 지켜줬지만 이젠 결별할 때가 된 선수들을 자연스럽게 놓아주고, 그 대체자로 한결 젊은 1부 수준의 선수들을 수급하면서 잔류에 대한 준비를 착착 해 나가고 있다. 심지어 원래 프리미어리그 구단으로 팔 생각이었던 에이스 윙어 아르망 로리엔테가 판매 실패로 인해 잔류했다. 한 통계에 따르면 사수올로 선수단 총연봉은 리그 12위로 강등권 전력과 거리가 멀다. 물론 중심을 잡는 선수는 여전히 베라르디다. 한결 원숙해진 베라르디의 왼발 킥이 상대 골문에 꽂히는 한, 사수올로는 돌풍을 일으켰던 그 시절 그대로 기억될 것이다.

COACH

파비오 그로소 *Fabio grosso*

1977년 11월 28일생 이탈리아

선수 시절, 월드컵 준결승에서 안드레아 피를로의 패스를 받아 차 넣은 골로 명장면을 만들었던 우승 멤버. 2017년부터 감독 생활로 돌아선 승격 전문가. 세리에 A에서는 주로 약팀을 맡았기 때문에 별 성과는 내지 못하고, 세리에 B 상위권 구단인 프로시노네와 사수올로를 두 차례 우승으로 이끌었다. 이승우를 베로나로 데려갔던 감독이다. 리옹 감독 시절에는 상대 팀 마르세유 팬들이 구단 버스를 습격, 머리를 크게 다치기도 했다.

SQUAD

포지션	등번호	이름		생년월일	키(cm)	체중(kg)	국적
GK	12	지아코모 사탈리노	Giacomo Satalino	1999.05.20	188	75	이탈리아
	13	스테파노 투라티	Stefano Turati	2001.09.05	188	84	이탈리아
	49	아랴네트 무리치	Arijanet Murić	1998.11.07	198	94	코소보
DF	3	조쉬 도이그	Josh Doig	2002.05.18	189	71	스코틀랜드
	5	팔리 칸데	Fali Candé	1998.01.24	184	82	포르투갈
	15	에두아르도 피에라뇰로	Edoardo Pieragnolo	2003.01.03	184	-	이탈리아
	17	예퍼슨 파스	Yeferson Paz	2002.06.13	176	72	콜롬비아
	19	필리포 로마냐	Filippo Romagna	1997.05.26	186	75	이탈리아
	21	제이 이즈스	Jay Idzes	2000.06.02	190	-	인도네시아
	26	카스 오덴탈	Cas Odenthal	2000.09.26	190	89	네덜란드
MF	7	크리스티안 볼파토	Cristian Volpato	2003.11.15	187	-	이탈리아
	11	다니엘 볼로카	Daniel Boloca	1998.12.22	185	81	이탈리아
	18	네마냐 마티치	Nemanja Matic	1998.08.01	194	85	세르비아
	35	루카 리파니	Luca Lipani	2005.05.18	185	-	이탈리아
	42	크리스티안 토르스트베츠	Kristian Thorstvedt	1999.03.13	189	84	노르웨이
	44	에두아르도 이안노니	Edoardo Iannoni	2001.04.11	185	-	이탈리아
	90	이스마일 코네	Ismaël Koné	2002.06.16	188	76	캐나다
FW	10	도메니코 베라르디	Domenico Berardi	1994.08.01	183	72	이탈리아
	14	라우르스 스켈레루프	Laurs Skjellerup	2002.08.12	195	-	덴마크
	20	알리우 파데라	Alieu Fadera	2001.11.03	182	80	잠비아
	24	루카 모로	Luca Moro	2001.01.25	189	-	이탈리아
	45	아르망 로리엔테	Armand Laurienté	1998.04.12	171	59	프랑스
	77	니콜라스 피에리니	Nicholas Pierini	1998.08.06	176	70	이탈리아
	99	안드레아 피나몬티	Andrea Pinamonti	1999.05.19	185	72	이탈리아

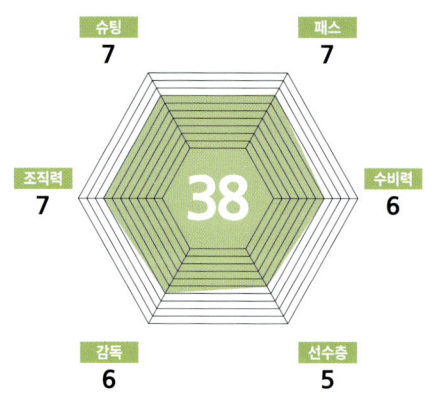

IN & OUT

주요 영입	주요 방출
제이 이즈스, 팔리 칸데, 이스마일 코네, 세바스티안 발루키에비츠, 아스터르 브랑크스, 네마냐 마티치	페드로 오비앙, 제레미 톨랑, 안드레아 콘실리

TEAM FORMATION

FW **B**

MF **C+**

DF **C+**

GK **C+**

99 피나몬티 (모로)

45 로리엔테 (피에리니)　**10** 베라르디 (볼파토)

90 코네 (볼로카)　**18** 마티치　**40** 브랑크스 (토르스트베트)

3 도이그 (피에라놀로)　**21** 이즈스 (무하레모비치)　**19** 로마냐　**6** 발루키에비츠 (쿨리발리)

49 무리치 (투라티)

PLAN **4-3-3**

지역 점유율

공격 진영 —%

NO DATA

수비 진영 —%

공격 방향

NO DATA

—% 왼쪽　—% 중앙　—% 오른쪽

슈팅 지역

—% 골 에어리어
—% 패널티 박스

NO DATA

상대팀 최근 6경기 전적

구분	승	무	패	구분	승	무	패
SSC 나폴리		1	5	토리노 FC	1	3	2
FC 인테르나치오날레	3		3	우디네세 칼초		4	2
아탈란타 BC	2		4	제노아 CFC	2	2	2
유벤투스 FC	2		4	엘라스 베로나 FC	3		3
AS 로마	1	2	3	칼리아리 칼초	1	2	3
ACF 피오렌티나	2	1	3	파르마 칼초 1913	1	2	3
SS 라치오	1	1	4	US 레체	4	1	1
AC 밀란	1	2	3	US 사수올로 칼초			
볼로냐 FC	1	2	3	피사 SC	2	1	2
코모 1907	0	0	0	US 크레모네세	2	2	2

PLAYERS

FW 10 도메니코 베라르디
Domenico Berardi

국적: 이탈리아

개막과 동시에 사수올로 통산 400 경기를 달성한 '리빙 레전드'. 강력한 왼발 킥으로 골과 도움을 양산하는 윙어. 원 클럽맨으로 뛰면서 세리에 A 도움왕을 두 번이나 했고 그때마다 10-10을 달성했다. 이탈리아 대표로서 유로 우승도 일궜으니 사수올로 같은 중소 클럽에 평생 몸담으면서 가장 높은 곳까지 올라갔다 해도 과언이 아니다. 한 팀에서 13년을 보내는 동안, 그도 어느덧 30대가 됐다. 팀의 에이스를 넘어 사수올로 역사 그 자체로 평가받는 선수다.

출전경기	경기시간(분)	골	어시스트	경고	퇴장
29	2,266	6	14	4	-

GK 49 아랴네트 무리치
Adrián Bernabé

국적: 코소보

한동안 사수올로 골문을 수호해줘야 할 새 주전 골키퍼로 자리매김했다. 2m에 가까운 거대한 덩치로 일단 골대를 꽉 채우며, 슬쩍 뛴 것 같은데 골문 구석까지 손이 닿을 정도로 긴 팔다리와 민첩한 반사신경은 골키퍼에게는 좋은 무기다. 맨체스터 시티 유소년 출신으로서 번리와 입스위치 타운의 주전 골키퍼로 활약한 경험이 있다. 걸어온 길을 보면 알 수 있듯 후방 빌드업도 능숙하게 소화한다.

출전경기	경기시간(분)	실점	무실점(경기)	경고	퇴장
18	1,620	33	1	1	-

DF 21 제이 이즈스
Jay Idzes

국적: 인도네시아

신태용 감독을 내친 뒤 우리와 별로 상관없는 이야기가 됐지만, 인도네시아 축구협회의 네덜란드계 혼혈 선수 수집은 여전히 진행 중이다. 그중 센터백 포지션에서 가장 클래스가 높은 선수다.
심지어 인도네시아 대표팀에서는 주장 완장도 찬다. 베네치아의 승격에 큰 역할을 하면서 세리에 A 선수가 됐고, 강등되는 팀을 떠나 새 승격팀 사수올로에 합류하며 빅 리그 경력을 이어가고 있다.

출전경기	경기시간(분)	골	어시스트	경고	퇴장
35	3,128	1	-	5	-

MF 90 이스마일 코네
Ismaël Koné

국적: 캐나다

코트디부아르에서 캐나다로 이주해 축구를 배우다 몽레알에서 데뷔했다. 이후 유럽으로 무대를 옮겨 왓퍼드, 마르세유, 렌을 거친 뒤 사수올로에 왔다.
지난 시즌 프랑스에서의 도전은 결과가 좋지 못했지만 이에 앞서 왓퍼드에서는 주전으로 활약한 바 있다. 중거리 슛과 드리블 전진 능력을 갖춘 중앙 미드필더다. 캐나다 대표로서 2026 북중미 월드컵을 준비하고 있다.

출전경기	경기시간(분)	골	어시스트	경고	퇴장
21	825	2	1	1	-

FW 99 안드레아 피나몬티
Andrea Pinamonti

국적: 이탈리아

팀이 세리에 B에 있는 동안 제노아로 임대되어 세리에 A 경력을 이어갔고, 이를 통해 세 번째로 10골 이상 시즌을 보낼 수 있었다. 사수올로로 복귀하면서 새 시즌 잔류에 도전하며 든든한 선봉장이 되어 줄 선수다.
장신 공격수이면서 운동능력도 준수하고, 다양한 마무리 기술과 더불어 팀플레이 능력까지 겸비하고 있다. 본인과 동료를 다 살릴 수 있는 원톱이다.

출전경기	경기시간(분)	골	어시스트	경고	퇴장
36	2,860	10	1	4	-

피사 SC
Pisa SC

TEAM PROFILE	
창 립	1909년
회 장	주세페 코라도(이탈리아)
감 독	알베르토 질라르디노(이탈리아)
연 고 지	토스카나주 피사
홈 구 장	아레나 가리발디(2만 5,000명)
라 이 벌	-
홈페이지	www.pisasportingclub.com/

최근 5시즌 성적

시즌	순위	승점
2020-2021	없음	없음
2021-2022	없음	없음
2022-2023	없음	없음
2023-2024	없음	없음
2024-2025	없음	없음

SERIE A (전신 포함)

통 산	없음
24-25 시즌	없음

COPPA ITALIA

통 산	없음
24-25 시즌	32강

UEFA

통 산	없음
24-25 시즌	없음

TEAM RATINGS

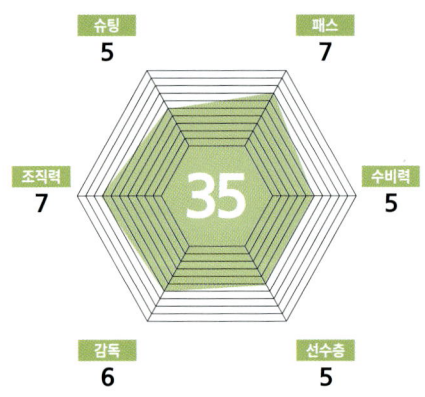

슈팅 5
패스 7
조직력 7
수비력 5
감독 6
선수층 5
35

2024/25 프로필

팀 득점	62
평균 볼 점유율	46.00%
패스 정확도	75.30%
게임 평균 슈팅 수	12.8
경고	76
퇴장	3

골 타입	오픈 플레이	NO DATA
	세트 피스	
	카운터 어택	
	패널티 킥	
	자책골	
패스 타입	쇼트 패스	NO DATA
	롱 패스	
	크로스 패스	
	스루 패스	

시즌 프리뷰 거점 포지션마다 세리에 A 수준 선수 영입

무려 34년 만에 지상으로 올라왔다. 피사는 그동안 1부 도전은커녕 2부 하위권과 3부를 오간 적이 훨씬 많았던 소규모 구단이다. 유명한 피사의 사탑 꼭대기에 올라가면 경기장 안이 훤히 보이는 것으로도 유명한데, 지붕이 잘 되어 있는 현대적 경기장이 아니라 오래된 종합 경기장이라 그렇다. 피사처럼 오랫동안 하부리그에 머물러 온 팀이 오랜만에 승격했다면 해외 자본의 덕을 봤기 마련. 아니나다를까, 지난 2021년 미국인 사업가 알렉산더 크나스터가 인수한 뒤 자금을 투입했다. 그렇다고 해서 전폭적인 투자는 아니고 연간 순지출 수백만 유로에서 1,000만 유로 수준이었지만 승격에는 충분한 돈이었다. 그렇다면 잔류에도 충분할까? 갑자기 비싼 선수들을 사들일 만큼 구단 살림이 넉넉하진 않았기에, 2부 시절과 이적료 씀씀이는 달라지지 않았다. 달라진 건 팀의 위상. 세리에 A 경력을 이어가려는 베테랑들이 임대와 자유계약 형태로 여럿 찾아와주면서, 꽤 1부 구단다운 주전 라인업을 갖출 수 있었다. 여기에 세리에B 최고 유망주 중 하나였던 이삭 부랄 등 2부 출신 선수들까지 실력향상을 보여준다면 생존할 자격은 갖춘 스쿼드다. 다만 현재 전력이 어엿한 중위권이나 잔류 안정권이라는 뜻은 아니다. 승격팀 중에서도 가장 낯선 팀이 피사라, 원래 1부라고 하기에도 민망한 스쿼드였는데 이젠 그럭저럭 1부 선수단처럼 보인다는 정도의 의미다.

COACH

알베르토 질라르디노 *Alberto Gilardino*
1982년 7월 5일생 이탈리아

세리에 A 대표 스트라이커로 파르마, 밀란, 피오렌티나 등에서 활약, 바이올린 세리머니로 유명했고 2006년 월드컵 우승 멤버이기도 하다. 2019년 지도자로 데뷔, 3팀을 짧게 거친 뒤 2022년 제노아에 부임, 승격과 잔류를 달성하며 세 번째 시즌까지 이끌었다. 그러나 지난 시즌 도중 강등권으로 추락해 경질, 피사로 왔다. 선수 시절의 동료 필리포 인차기가 승격시킨 피사를 이어받아 팀 전력 부족에도 잔류 미션을 성공시켜야 한다.

SQUAD

포지션	등번호	이름		생년월일	키(cm)	체중(kg)	국적
GK	1	아드리안 셈페르	Adrian Semper	1998.01.12	194	89	크로아티아
	22	시모네 스쿠펫	Simone Scuffet	1996.05.31	193	77	이탈리아
DF	4	안토니오 카라치올로	Antonio Caracciolo	1990.06.30	185	83	이탈리아
	5	시모네 카네스트렐리	Simone Canestrelli	2000.09.11	192	85	이탈리아
	26	프란세스코 코폴라	Francesco Coppola	2005.04.11	195	-	이탈리아
	33	아르투로 칼라브레시	Arturo Calabresi	1996.03.17	186	75	이탈리아
	47	마테우 루수아르디	Mateus Lusuardi	2004.01.08	190	-	브라질
MF	3	사무엘레 앙고리	Samuele Angori	2003.10.07	186	-	이탈리아
	6	마리우스 마린	Marius Marin	1998.08.30	180	70	루마니아
	7	메흐디 레리스	Mehdi Léris	1998.05.23	186	78	프랑스
	8	마테 회홀트	Malthe Højholt	2001.04.16	182	-	덴마크
	11	후안 콰드라도	Juan Cuadrado	1988.05.25	176	72	콜롬비아
	15	이드리사 토우레	Idrissa Touré	1998.04.29	188	-	독일
	19	토마스 에스테베스	Tomás Esteves	2002.04.03	180	72	포르투갈
	20	미셸 에비셔	Michel Aebischer	1997.01.06	183	78	스위스
	21	이삭 부랄	Isak Vural	2006.05.25	189	65	튀르키예
	36	가브리엘레 피치니니	Gabriele Piccinini	2001.04.08	184	-	이탈리아
FW	9	헨릭 마이스터	Henrik Meister	2003.11.13	192	89	덴마크
	10	마테오 트라모니	Matteo Tramoni	2000.01.20	175	70	이탈리아
	18	음발라 은졸라	M'Bala Nzola	1996.08.18	195	91	앙골라
	32	스테파노 모레오	Stefano Moreo	1993.06.30	191	-	이탈리아

IN & OUT

주요 영입	주요 방출
이삭 부랄, 음발라 은졸라, 시모네 스쿠페트, 후안 콰드라도, 미셸 에비셔, 로항, 라울 알비올	크리스티안 수시

TEAM FORMATION

FW C

MF B

DF C

GK C+

32 모레오 (스텐스)
18 은졸라 (마이스터)

3 앙고리 (피치니니)
10 트라모니 (부랄)
6 마린 (로항)
15 투레 (콰드라도)

20 애비셔 (호이훌트)

47 루수아르디
4 카라치올로 (알비올)
5 카네스텔리 (칼라브레시)

22 스쿠페트 (셈퍼)

PLAN 3-5-2

지역 점유율

공격 진영 —%

NO DATA

수비 진영 —%

공격 방향

NO DATA

—% 왼쪽 —% 중앙 —% 오른쪽

슈팅 지역

—% 골 에어리어
—% 패널티 박스

NO DATA

상대팀 최근 6경기 전적

구분	승	무	패	구분	승	무	패
SSC 나폴리		2	4	토리노 FC	1	1	4
FC 인테르나치오날레	1		5	우디네세 칼초	3	2	1
아탈란타 BC			6	제노아 CFC	1	2	3
유벤투스 FC			6	엘라스 베로나 FC	2	4	
AS 로마	3	1	2	칼리아리 칼초	1	3	2
ACF 피오렌티나		2	4	파르마 칼초 1913	1	3	2
SS 라치오	1	2	3	US 레체	3		3
AC 밀란		1	5	US 사수올로 칼초	2	1	2
볼로냐 FC	1	2	3	피사 SC			
코모 1907	2	3	1	US 크레모네세	3	2	1

PLAYERS

MF	21	**이삭 부랄** Isak Vural	KEY PLAYER

국적: 튀르키예

지난 시즌 세리에 B 프로시노네에서 두각을 나타내면서 아탈란타와 레알 베티스 등 강팀들도 노렸던 유망주 미드필더. 영입 경쟁에서 뜻밖에 피사가 승리하면서 새 시즌 중책을 맡겼다. 많이 뛸 수 있다는 것이 피사 선택의 이유인 만큼 세리에 A에서 주축 미드필더가 될 것으로 보인다. 발재간이 뛰어나고 혼자 힘으로 상대 중원 가운데를 돌파할 수 있는 능력이 탁월하다. 단 득점과 어시스트 등 공격 포인트 생산 능력은 부족하다.

출전경기	경기시간(분)	골	어시스트	경고	퇴장
23	1,181	-	2	2	-

MF	11	**후안 콰드라도** Juan Cuadrado

국적: 콜롬비아

끈질기게 빅 리그 경력을 이어가는 37세 윙어다. 첼시를 제외하면 이탈리아 구단에서만 뛰고 있는데, 이번이 7번째 이탈리아 팀이다.
나이가 많이 들었음에도 출전 시간을 조절해 주면 여전히 전성기 못지않은 활발한 돌파와 크로스로 한쪽 측면을 장악하곤 한다. 피사에서 기량을 증명하고 2026 월드컵에 나가는 게 당장의 목표다. 그의 나이를 감안하면 이번 월드컵이 마지막이 아닐까.

출전경기	경기시간(분)	골	어시스트	경고	퇴장
23	827	-	2	3	-

MF	20	**미셸 에비셔** Michel Aebischer

국적: 스위스

2년 전 볼로냐 '모타볼' 돌풍의 핵심이었던 미드필더. 다재다능함과 전술 소화 능력이 장점이다. 기본적으로 중앙 미드필더지만 다른 위치에 가져다 놓아도 제 몫을 한다. 유로 2024에서는 변칙적인 왼쪽 윙백으로 배치됐는데 중앙으로 파고들라는 주문을 완벽하게 소화하면서 A매치 데뷔골까지 넣었다. 팀 빌드업을 돕는 플레이로 피사에는 그보다 나은 미드필더가 몇 없으므로 본업인 중원에 충실할 전망.

출전경기	경기시간(분)	골	어시스트	경고	퇴장
14	728	-	-	2	-

FW	10	**마테오 트라모니** Matteo Tramoni

국적: 프랑스

믿을 만한 스트라이커가 없던 지난 시즌 피사가 다득점 2위를 차지할 수 있었던 건 트라모니의 분전 덕분이었다. 2021년 세리에 B에 온 뒤 줄곧 득점력이 괜찮은 미드필더였지만 이 정도까지는 아니었다.
그런데 지난 시즌은 리그 13골로 팀내 최다득점을 올리는 쾌거를 이루었다. 프랑스 청소년 대표 출신이지만, 이탈리아 영향력이 강한 코르시카섬 출신이라 이탈리아식 성을 갖고 있다.

출전경기	경기시간(분)	골	어시스트	경고	퇴장
26	1,955	13	3	-	-

FW	18	**음발라 은졸라** M'bala Nzola

국적: 앙골라

스페치아에서 세리에 A 2시즌 연속 10골 이상을 기록하면서 수준급 득점력을 보여줬던 스트라이커. 피오렌티나로 이적해 한결 세련된 축구에 적응해보려 했으나 사실상 실패했고, 지난 시즌 프랑스의 랑스로 임대돼 경력을 이어갔다. 큰 덩치와 발재간을 활용해 상대 문전에서도 안정적으로 공을 지키고 연계 플레이와 터닝슛으로 마무리할 수 있는 선수다. 앙골라 국가대표로 활약하고 있다.

출전경기	경기시간(분)	골	어시스트	경고	퇴장
21	1,466	6	1	3	1

US 크레모네세
US Cremonese

TEAM PROFILE	
창 립	1903년
회 장	파올로 로시(이탈리아)
감 독	다비데 니콜라(이탈리아)
연 고 지	롬바르디아주 크레모나
홈 구 장	스타디오 조반니 치니(1만 5,191명)
라 이 벌	-
홈페이지	www.uscremonese.it/

최근 5시즌 성적

시즌	순위	승점
2020-2021	없음	없음
2021-2022	없음	없음
2022-2023	19위	27점(5승12무21패, 36득점 69실점)
2023-2024	없음	없음
2024-2025	없음	없음

SERIE A (전신 포함)

통 산	없음
24-25 시즌	없음

COPPA ITALIA

통 산	없음
24-25 시즌	32강

UEFA

통 산	없음
24-25 시즌	없음

TEAM RATINGS

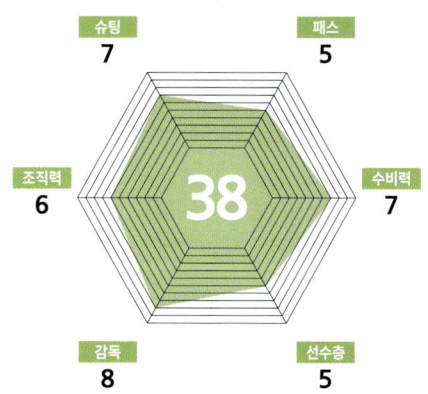

슈팅 7
패스 5
조직력 6
38
수비력 7
감독 8
선수층 5

2024/25 프로필

팀 득점	62
평균 볼 점유율	59.60%
패스 정확도	84.70%
게임 평균 슈팅 수	15.7
경고	99
퇴장	5

골 타입	오픈 플레이	
	세트 피스	
	카운터 어택	NO DATA
	패널티 킥	
	자책골	
패스 타입	쇼트 패스	
	롱 패스	NO DATA
	크로스 패스	
	스루 패스	

시즌 프리뷰 ## 강등과 승격을 거듭하지만, 기품 있는 구단의 자부심

가장 힘들게 승격한 팀이다. 세리에B 정규 리그 4위로 승격 플레이오프에 진출했다. 4강 1차전에서 유베 스타비아에 패배했지만 2차전에서 더 크게 이기며 결승에 올랐다. 스페치아를 상대한 마지막 관문에서 1차전 홈경기 무승부로 또 위기에 빠졌으나 원정 2차전에서 3-2 혈투 끝에 승리했다. 애초에 전력이 좀 약하다 보니 승격 맞이 보강을 꽤 했는데도 사수올로는 물론 피사와도 전력 차가 났다. 사실 강등은 크레모네세의 운명에 뿌리박혀 있다고 할 수 있는데, 이탈리아 전국리그가 세리에 A 형태로 출범한 1929-30시즌 초대 참가팀 18개 중 하나지만, 첫해 최하위로 강등당했던 팀이기 때문이다. 이후 1980년대와 1990년대에 띄엄띄엄 승격하다가 1996년 이후에는 2~3부에 머물렀고, 2022-23시즌 오랜만에 1부로 올라왔다가 이번엔 단 2년 만에 재승격을 달성했다. 2부 하위권과 3부를 오락가락하던 시절에 비하면 세리에 B로 내려가도 꾸준히 승격권을 유지하는 요즘, 구단 자체가 진일보한 건 확실하다. 연고지 크레모나는 축구보다 음악과 악기 산업으로 유명하며, 특히 스트라디바리우스와 아마티와 같은 명품 바이올린의 본거지로 잘 알려져 있다. 새로 영입된 슈퍼스타 제이미 바디의 이름이 스트라디바리와 비슷하다는 데서 착안, 아예 영입 발표를 악기 박물관 및 바이올린 맞춤 공연장에서 할 정도로 기품 있는 브랜딩을 전개 중이다.

COACH

다비데 니콜라 *Davide Nicola*
1973년 3월 5일생 이탈리아

인간미가 상당한 지도자. 2016-17시즌 크로토네 선수들의 투지를 200% 끌어내 잔류로 이끌고, 시즌 종료 후 1,300km 자전거 종주를 했다. 자전거 사고로 14세 아들을 잃었던 상처를 치유하기 위해서였다. 당시 성과를 바탕으로 우디네세, 제노아, 토리노 등 더 규모 있는 클럽도 지도했지만 성과는 좋지 않았다. 이후 살레르니타나, 엠폴리, 칼리아리 등 맡는 약팀마다 잔류로 이끌면서 '생존 전문가'의 캐릭터가 확실해졌다. 일단 살아남아야 하는 크레모네세 상황에 딱 맞는 감독이다.

SQUAD

포지션	등번호	이름		생년월일	키(cm)	체중(kg)	국적
GK	1	에밀 아우데로	Emil Audero	1997.01.18	192	83	인도네시아
	16	마르코 실베스트리	Marco Silvestri	1991.03.02	191	80	이탈리아
DF	3	주세페 페첼라	Giuseppe Pezzella	1997.11.29	187	85	이탈리아
	4	톰마소 바르비에리	Tommaso Barbieri	2002.08.26	181	72	이탈리아
	6	페데리코 바스키로토	Federico Baschirotto	1996.09.20	187	-	이탈리아
	15	마테오 비안체티	Matteo Bianchetti	1993.03.17	189	80	이탈리아
	17	레오나르도 세르니콜라	Leonardo Sernicola	1997.07.30	187	81	이탈리아
	22	로마노 플로리아니 무솔리니	Romano Floriani Mussolini	2003.01.27	188	78	이탈리아
	23	페데리코 체케리니	Federico Ceccherini	1992.05.11	187	75	이탈리아
	24	필리포 테라치아노	Filippo Terracciano	2003.02.08	186	75	이탈리아
MF	7	알레시오 제르빈	Alessio Zerbin	1999.03.03	182	78	이탈리아
	8	마티아 발로티	Mattia Valoti	1993.09.06	187	73	이탈리아
	18	미헬 콜로콜로	Michele Collocolo	1999.11.08	188	78	이탈리아
	27	야리 판더퓌터	Jari Vandeputte	1996.02.14	177	-	벨기에
	32	마르틴 파예로	Martín Payero	1998.09.11	182	80	아르헨티나
	33	알베르토 그라시	Alberto Grassi	1995.03.07	183	75	이탈리아
	38	워렌 본도	Warren Bondo	2003.09.15	177	63	프랑스
FW	9	마누엘 데 루카	Manuel De Luca	1998.07.17	192	82	이탈리아
	10	제이미 바디	Jamie Vardy	1987.01.11	179	74	잉글랜드
	11	데니스 욘센	Dennis Johnsen	1998.02.17	185	73	노르웨이
	20	프랑코 바스케스	Franco Vázquez	1989.02.22	187	81	아르헨티나
	77	데이비드 오케레케	David Okereke	1997.08.29	181	75	나이지리아
	90	페데리코 보나졸리	Federico Bonazzoli	1997.05.21	185	74	이탈리아
	99	안토니오 사나브리아	Antonio Sanabria	1996.03.04	180	77	파라과이

IN & OUT

주요 영입	주요 방출
페데리코 바스키로토, 쥐세페 페첼라, 필리포 테라치아노, 워렌 본도, 알레시오 제르빈, 에밀 아우데로, 안토니오 사나브리아, 제이미 바디	잔 마예르, 샤를 피켈

TEAM FORMATION

FW B

MF C

DF C+

GK C+

19 사르미엔토 (바스케스)
10 바디 (사나브리아)
3 페첼라 (세르니콜라)
27 판더퓌터 (발로티)
32 파예로 (콜로콜로)
7 제르빈 (무솔리니)
38 본도
15 비안체티 (파예)
6 바스키로토
24 테라치아노 (체케리니)
1 아우데로

PLAN 3-5-2

지역 점유율

공격 진영 —%

NO DATA

수비 진영 —%

공격 방향

NO DATA

—% 왼쪽 —% 중앙 —% 오른쪽

슈팅 지역

—% 골 에어리어
—% 패널티 박스

NO DATA

상대팀 최근 6경기 전적

구분	승	무	패	구분	승	무	패
SSC 나폴리	1	2	3	토리노 FC		1	5
FC 인테르나치오날레		1	5	우디네세 칼초	1	3	2
아탈란타 BC		2	4	제노아 CFC	3	1	2
유벤투스 FC		1	5	엘라스 베로나 FC	1	3	2
AS 로마	2		4	칼리아리 칼초	2		4
ACF 피오렌티나		2	4	파르마 칼초 1913	3	1	2
SS 라치오	1	1	4	US 레체	1	2	3
AC 밀란	1	3	2	US 사수올로 칼초	2	2	2
볼로냐 FC		3	3	피사 SC	1	2	3
코모 1907	5	1		US 크레모네세			

PLAYERS

DF 6 페데리코 바스키로토
Federico Baschirotto **KEY PLAYER** ★★★

국적: 이탈리아

축구선수치고 지나치게 발달한 상체 근육으로 강렬한 인상을 주는 선수다. 평소 헬스장에서 근력운동을 하고, 축구를 쉴 때는 가족농장에서 일을 하며 운동을 대신한다.

레체에서 3년간 뛰면서 이탈리아 대표팀에도 발탁됐을 정도로 '하위권 최고 센터백'이었던 그가 승격팀 크레모네세로 완전이적한 건 친정팀이기 때문이다. 유소년부터 프로 초창기까지 자신을 키워준 팀으로 돌아와 초심을 갖고 새로운 도전에 나선다.

출전경기	경기시간(분)	골	어시스트	경고	퇴장
38	3,420	2	-	3	

GK 1 에밀 아우데로
Emil Audero

국적: 인도네시아

에릭 토히르 인도네시아 축구협회장이 가장 오랫동안 공을 들인 끝에 대표팀에 합류시킨 골키퍼. 아버지는 인도네시아계이고 어머니는 이탈리아인이다. 이탈리아 연령별 대표팀에서는 늘 주전이었고 유벤투스 유소년팀이 기대를 걸었던 엘리트다. 비록 빅 클럽 주전은 된 적은 없지만 인테르 백업 골키퍼로 영입돼 우승에 일조한 적도 있고 베네치아, 삼프도리아 등 세리에 A 구단에서 선발로 활약하곤 했다.

출전경기	경기시간(분)	실점	무실점(경기)	경고	퇴장
14	1,260	20	3	-	-

MF 7 알레시오 제르빈
Alessio Zerbin

국적: 이탈리아

승격 맞이 영입선수 중 공격진의 핵심 선수보강이다. 스피드가 빠르고 체격이 괜찮아서 기세 좋게 밀고 올라가는 직선 드리블을 선호한다. 2021-22시즌 세리에 B 프로시노네에서 9골을 넣으며 본격적인 주목을 받았다. 하지만 원소속팀 나폴리에서는 주전 경쟁에 밀려 기량을 충분히 펼치지 못했다. 그 후에도 드리블 성공 횟수에 비해 공격 포인트가 부족하다는 고질적 약점이 지적됐다.

출전경기	경기시간(분)	골	어시스트	경고	퇴장
20	1,522	1	1	4	-

MF 38 워렌 본도
Warren Bondo

국적: 프랑스

몬차에서 준수한 활약을 하면서 세리에 A 무대에 적응한 미드필더. 청소년 대표를 거친 그는 발재간으로 공을 지키고 또 전진시키는 능력, 상대 미드필더의 공을 빼앗는 능력 등 개인 기량 측면에서는 공수 양면에서 여러 장점을 갖고 있다. 위치 선정 등 전술 이해도 측면에서는 아직 발전이 필요하다. 밀란에서 반 시즌 동안 뛴 뒤, 더 많은 출장시간을 위해 크레모네세에 임대 이적해 성장 기회를 모색하고 있다.

출전경기	경기시간(분)	골	어시스트	경고	퇴장
24	1,787	-	-	4	1

FW 10 제이미 바디
Jamie Vardy

국적: 잉글랜드

바디의 첫 해외 진출이자 그가 일곱 번째로 몸을 담는 리그다. 축구 역사에 길이 남을 만한 '흙수저 신화'의 주인공 답게, 잉글랜드 8부 리그에서 시작해 점차 수준을 끌어올려 29세에 프리미어리그 우승, 33세에 득점왕까지 차지한 전설적인 선수다. 38세 은퇴할 나이가 됐지만, 지난 시즌에도 9골을 넣었을 정도로 득점력은 확실하다. 침투에 능한 스타일이 이탈리아 축구와 잘 맞아 당분간 활약할 듯.

출전경기	경기시간(분)	골	어시스트	경고	퇴장
35	2,839	9	4	5	-

"어떤 삶이 진짜 행복일까?"

생각을 뒤흔드는 철학 만화 〈철학의 힘〉 · 『행복』에서

프랑스 수능, 바칼로레아 철학을
만화로 만나는 즐거움!

청소년은 마음이 자라고,
입시생은 논술·면접이 가벼워지고,
직장인은 인생이 더 넉넉해집니다.

www.maxedu.co.kr